Fondements de la comptabilité de gestion

2e édition

Ray H. Garrison, D.B.A., CPA
Professeur émérite, Brigham Young University

Eric W. Noreen, Ph. D., CMA
Professeur émérite, University of Washington

Peter C. Brewer, Ph. D., CPA
Miami University – Oxford, Ohio

G. Richard Chesley, Ph. D.
Professeur émérite, Saint Mary's University

Ray F. Carroll, Ph. D., FCGA
Dalhousie University

Alan Webb, Ph. D., CA
University of Waterloo

Adaptation
Hélène Bergeron, D. Sc., CA
Université du Québec à Trois-Rivières

Chantale Roy, D. Sc., CA
Université de Sherbrooke

Consultation
Caroline Blais, CMA
Université de Sherbrooke

D1275629

Achetez en ligne*
www.cheneliere.ca

*Résidants du Canada seulement.

**Chenelière
McGraw-Hill**

CHENELIÈRE ÉDUCATION

Fondements de la comptabilité de gestion
2e édition

Traduction et adaptation de : *Managerial Accounting*, Eight Canadian Edition, de Ray H. Garrison, G. Richard Chesley, Ray F. Carroll et Alan Webb, © 2009 McGraw-Hill Ryerson (ISBN 978-0-07-098082-2)

© 2011 **Chenelière Éducation inc.**
© 2004 Les Éditions de la Chenelière inc.

Conception éditoriale : Sylvain Ménard
Édition : Marie Victoire Martin
Coordination : Jean-Philippe Michaud
Traduction : Jeanne Charbonneau
Révision linguistique : Sylvie Bernard
Correction d'épreuves : Martine Senécal
Conception graphique : Ellen Lavoie (Fenêtre sur cour)
Impression : Imprimeries Transcontinental

Catalogage avant publication
de Bibliothèque et Archives nationales du Québec
et Bibliothèque et Archives Canada

Vedette principale au titre :

Fondements de la comptabilité de gestion

2e éd.

Traduction de : Managerial accounting, 8th Canadian ed.
Comprend des réf. bibliogr. et un index.

ISBN 978-2-7651-0574-9

1. Comptabilité de gestion. I. Garrison, Ray H. II. Bergeron, Hélène, 1960- . III. Roy, Chantale, 1957- .

HF5657.4.M3814 2010   658.15'11   C2010-942127-2

CHENELIÈRE ÉDUCATION

7001, boul. Saint-Laurent
Montréal (Québec) Canada H2S 3E3
Téléphone : 514 273-1066
Télécopieur : 450 461-3834 / 1 888 460-3834
info@cheneliere.ca

ISBN 978-2-7651-0574-9

Dépôt légal : 1er trimestre 2011
Bibliothèque et Archives nationales du Québec
Bibliothèque et Archives Canada

Imprimé au Canada

1 2 3 4 5 ITG 14 13 12 11 10

Nous reconnaissons l'aide financière du gouvernement du Canada par l'entremise du Programme d'aide au développement de l'industrie de l'édition (PADIÉ) pour nos activités d'édition.

Gouvernement du Québec – Programme de crédit d'impôt pour l'édition de livres – Gestion SODEC.

Sources iconographiques

Page couverture, p. viii, 1, 36, 37, 86, 87, 158, 159, 206, 207, 260, 261, 297, 359, 431, 501, 582, 583, 661, 726 et 727 : phare de La Martre, en Gaspésie, © CAP53/iStockphoto ; **p. 1 :** Rafael Ramirez Lee/Shutterstock ; **p. 37 :** © YinYang/iStockphoto ; **p. 47 :** © LoopAll/iStockphoto et © Tulay Over/iStockphoto ; **p. 87 :** © Jamie Carroll/iStockphoto ; **p. 121 :** SAP AG, Dietmar-Hoppe-Allee 16, 69190 Walldorf, Germany ; **p. 159 :** © Ola Dusegård/iStockphoto ; **p. 163 :** Miguel Angel Salinas Salinas/Shutterstock ; **p. 164 :** Oguz Aral/Shutterstock, Miguel Angel Salinas Salinas/Shutterstock et © Grant Cottrell/iStockphoto ; **p. 168 :** Serge Rousseau ; **p. 207 :** Neale Cousland/Shutterstock ; **p. 261 :** michaeljung/Shutterstock ; **p. 297 :** © pixhook/iStockphoto ; **p. 359 :** wrangler/Shutterstock ; **p. 431 :** photographer2222/Shutterstock ; **p. 501 :** Kenneth Sponsler/Shutterstock ; **p. 583 :** Dmitriy Shironosov/Shutterstock ; **p. viii et 661 :** Mikael Damkier/Shutterstock ; **p. 727 :** Yuri Arcurs/Shutterstock.

Membre du CERC

CERC
Canadian Educational
Resources Council

Membre de
l'Association nationale
des éditeurs de livres

ASSOCIATION NATIONALE DES ÉDITEURS DE LIVRES

Avant-propos

Votre guide dans le monde stimulant de la comptabilité de gestion

Depuis des siècles, les phares dressés sur les côtes servent de guides aux marins. Plus encore qu'un soutien à la navigation, ces constructions symbolisent la sécurité, la pérennité, la fiabilité et le réconfort de ce qui est familier.

C'est pour cette raison que nous avons choisi de mettre sur la couverture de cette deuxième édition québécoise de *Fondements de la comptabilité de gestion* de Ray H. Garrison, G. Richard Chesley, Ray F. Carroll et Alan Webb, adaptée par Hélène Bergeron et Chantale Roy, une illustration qui représente bien, selon nous, les qualités les plus importantes de ce manuel incontournable.

L'ouvrage du professeur Garrison et de ses collaborateurs sera votre guide dans ce domaine stimulant qu'est la comptabilité de gestion. Il présente les trois fonctions dont les gestionnaires doivent s'acquitter au sein de leur organisation — la planification des opérations, le contrôle des activités et la prise de décisions — et explique la nature des renseignements comptables nécessaires à l'exécution de ces tâches, ainsi que la façon de les recueillir et de les interpréter. Pour ce faire, la deuxième édition québécoise de *Fondements de la comptabilité de gestion* repose, comme la précédente, sur trois caractéristiques.

La pertinence

Les auteurs ont déployé tous les efforts possibles afin d'aider les étudiants à établir des liens entre les concepts présentés dans le manuel et les décisions prises par les gestionnaires sur le terrain. Ils leur proposent des entrées en matière, des scénarios et des exemples fidèles à des situations réelles, ainsi que des exercices de fin de chapitre qui les motiveront. En lisant ce manuel, les étudiants ne devraient jamais avoir à se demander pourquoi ils apprennent les concepts qu'ils y trouvent.

L'équilibre

Les auteurs ont varié le contenu du manuel pour y inclure différents types d'entreprises : des entreprises de fabrication, des magasins de détail, des entreprises de service, des grossistes et des organismes à but non lucratif. Dans cette nouvelle édition, les lecteurs reconnaîtront facilement les exemples qui portent sur des entreprises de service grâce à des symboles placés dans les marges.

La clarté

Plusieurs générations d'étudiants ont apprécié l'ouvrage du professeur Garrison et de ses collaborateurs parce qu'il est clair et adapté à leurs besoins, mais ce ne sont pas ses seules qualités. Les auteurs ont aussi simplifié les analyses techniques, changé l'ordre de certains éléments, et soigneusement révisé le texte dans son ensemble pour en faciliter l'enseignement et l'étude. L'effort constant des auteurs pour respecter ces trois caractéristiques de base a donné des résultats remarquables.

Nouveau dans cette édition

Nous avons apporté plusieurs améliorations à cette édition par rapport à la précédente. Presque tous les chapitres ont fait l'objet de révision et de réorganisation qui résultent de nos réflexions concernant l'enseignement de la comptabilité de gestion, de l'avancée de la discipline, de l'actualité, ainsi que des remarques de nos pairs et de nos étudiants. Nous avons modifié des exercices, des problèmes, des études de cas et des questions de recherche. Plus d'une cinquantaine de nouvelles activités d'apprentissage ont en outre été ajoutées. Certaines activités d'apprentissage présentent des degrés de difficulté supérieurs, et elles intègrent souvent deux ou plusieurs des concepts abordés dans un chapitre ou une annexe. Les annexes sont toutes présentées en ligne au <www.cheneliere.ca/garrison>. Nous croyons que ces changements et ces ajouts ont considérablement amélioré un ouvrage déjà très accessible et qu'ils devraient favoriser une meilleure compréhension des principaux sujets de la comptabilité de gestion.

Voici les principaux thèmes de chaque chapitre, ainsi que les changements et ajouts particuliers apportés à chacun de ceux-ci.

- Le chapitre 1 analyse les effets qu'ont les interactions entre la stratégie, la planification — y compris les plans d'affaires — et l'environnement organisationnel sur le rôle du comptable de gestion. Nous avons modifié la section sur les questions éthiques pour y parler des façons de résoudre les conflits éthiques et y aborder les questions de gouvernance d'entreprise. Certains passages concernant le milieu des affaires ont été réécrits pour tenir compte de changements récents qui y ont eu lieu.

- Le chapitre 2 traite toujours de la nature et du comportement des coûts.

- Au chapitre 3, nous avons ajouté (en annexe) à l'étude de l'établissement des coûts de revient d'une commande une analyse de l'effet du choix du concept de capacité de production sur l'établissement de ces coûts. Les enregistrements des coûts dans les livres comptables d'une entreprise avec un système de gestion juste-à-temps ainsi que le traitement des pertes de production sont aussi présentés en annexe.

- Le chapitre 4 a été restructuré pour présenter de façon logique le système de coûts de revient en fabrication uniforme et continue, et la méthode du coût moyen pondéré. Une annexe en ligne explique l'établissement des coûts de revient à l'aide de la méthode de l'épuisement successif, et une autre, le traitement des unités perdues. Une troisième annexe en ligne aborde les questions relatives aux changements dans les unités de mesure ou les augmentations de volume.

- Le chapitre 5 porte maintenant sur la comptabilité par activités (CPA) pour faire suite à l'étude des méthodes d'établissement des coûts de revient des chapitres 3 et 4. Nous l'avons restructuré pour souligner l'importance de la CPA, mais aussi ses limites. Nous y avons inclus un encadré qui donne un aperçu des étapes de cette méthode. En outre, des annexes supplémentaires permettent de mieux comprendre l'utilisation de la CPA en vue de fournir des renseignements utiles pour la prise de décisions, et l'enregistrement des coûts à l'aide de la CPA.

- Le comportement des coûts et l'analyse coût-volume-bénéfice sont maintenant traités dans les chapitres 6 et 7, qui posent les assises des notions abordées ultérieurement. Le chapitre 7 comporte aussi une présentation en ligne sur la façon d'intégrer le concept d'incertitude à l'analyse coût-volume-bénéfice et une autre sur la manière de représenter les relations entre le bénéfice et le volume.

- Le chapitre 8, qui traite de la méthode des coûts variables, comporte des explications détaillées sur le passage de la méthode du coût complet à celle des coûts variables, et vice versa. En outre, nous y avons inclus une application de la méthode des coûts variables à l'établissement d'un état des résultats sectoriels, en raison de son utilité pour l'établissement des budgets, le contrôle et la prise de décisions.

- Le chapitre 9 comprend maintenant une analyse plus rigoureuse du budget directeur, et inclut l'utilisation des budgets flexibles à des fins de contrôle et de prise de décisions. Son annexe décrit des méthodes de gestion des stocks pour ceux qui souhaitent approfondir l'étude de ce sujet.

- Le chapitre 10, consacré à la méthode des coûts standards, aborde l'analyse des écarts relatifs aux frais indirects de fabrication variables et fixes de façon approfondie. Nous avons choisi de présenter en annexe les écarts sur composition et sur rendement des matières premières, des explications sur les enregistrements comptables des coûts standards et des écarts, et un exposé sur l'estimation du temps standard de la main-d'œuvre dans les situations où il faut tenir compte de l'effet de l'apprentissage.

- Au chapitre 11, nous traitons dorénavant de l'établissement du prix de cession interne. La section portant sur le tableau de bord équilibré est maintenant intégrée à ce chapitre, et elle a été révisée afin de mieux en préciser les concepts et d'y inclure la question des coûts d'obtention de la qualité. Les annexes abordent l'analyse des écarts sur ventes et de l'analyse des coûts de marketing.

- Le chapitre 12 porte sur la prise de décisions à court terme et comprend un exemple d'évaluation des coûts variables. Une nouvelle rubrique « Aide à la décision » a été ajoutée pour faciliter les décisions liées à la fabrication ou à l'achat. Nous avons également procédé à une analyse plus détaillée de la théorie des contraintes.

- L'attribution des coûts des sections auxiliaires et des coûts conjoints de fabrication est présentée au chapitre 13.

Présentation des auteurs

Titulaire d'un D.B.A. de l'Indiana University, **Ray H. Garrison** est professeur émérite en comptabilité à la Brigham Young University de Provo, en Utah, où il a d'ailleurs obtenu son baccalauréat et sa maîtrise en sciences (B. Sc. et M. Sc.). En sa qualité de CPA, le professeur Garrison a travaillé comme expert-conseil pour des cabinets comptables tant régionaux que nationaux. Ses articles ont été publiés dans plusieurs revues spécialisées, dont *The Accounting Review* et *Management Accounting*. Sa capacité d'innover en matière d'enseignement lui a valu le Karl G. Maeser Distinguished Teaching Award de la Brigham Young University.

Eric W. Noreen est professeur émérite de comptabilité à l'University of Washington. Professeur invité de PricewaterhouseCoopers en information de gestion et contrôle à l'INSEAD, une école internationale de hautes études des affaires située en France, il a également enseigné à la Hong Kong University of Science and Technology. Après avoir reçu son diplôme de premier cycle de l'University of Washington, il a obtenu ses diplômes de maîtrise en administration des affaires (MBA) et de doctorat (Ph. D.) de la Stanford University. L'Institute of Certified Management Accountants des États-Unis lui a décerné un Certificate of Distinguished Performance en tant que CMA. Le professeur Noreen a été rédacteur en chef adjoint de *The Accounting Review* et du *Journal of Accounting and Economics*. Il a publié de nombreux articles dans différentes revues universitaires et a reçu plusieurs récompenses pour la qualité de son enseignement.

Peter C. Brewer est professeur agrégé au Département de comptabilité du campus Oxford de la Miami University, en Ohio. Il détient un baccalauréat de la Penn State University en sciences (B. Sc.), une maîtrise en sciences (M. Sc.) de l'University of Virginia, tous deux en comptabilité, et un doctorat de l'University of Tennessee. Il a publié de nombreux articles dans diverses revues. Le professeur Brewer a reçu un prix pour la qualité de son enseignement de la Richard T. Farmer School of Business de la Miami University et il a été honoré à deux reprises par l'Associated Student Government de cette même institution pour « son engagement exceptionnel envers les étudiants et leur développement sur le plan universitaire ». Il a ouvert la voie à l'innovation dans l'élaboration de programmes de comptabilité de gestion destinés aux étudiants de premier cycle et dans l'utilisation de la méthode des études de cas dans les cours de comptabilité de gestion à ce niveau. Il agit souvent comme conférencier dans divers colloques et réunions professionnelles et universitaires.

G. Richard Chesley est professeur émérite de comptabilité à la Saint Mary's University de Halifax en Nouvelle-Écosse. Diplômé de la Mount Allison University et de l'Ohio State University (B. Comm., M.A. et Ph. D.), il a enseigné à la Dalhousie University, à l'University of Pennsylvania, à la Lingnan University, à la Baptist University de Hong Kong, ainsi qu'à l'University of Iowa. Le professeur Chesley a aussi donné des cours magistraux et des conférences un peu partout au Canada, aux États-Unis et à l'étranger, dans des pays orientaux et occidentaux. Il a publié des articles dans *The Accounting Review*, *Journal of Accounting Research*, *CA Magazine* et *CMA Management*, ainsi que de nombreux ouvrages et actes de conférence. Parmi les principaux sujets sur lesquels il a travaillé, mentionnons la publication d'information dans l'internet, l'information non monétaire, la réglementation en comptabilité et les pratiques de comptabilité de gestion. En 1996, ses pairs de l'Association canadienne des professeurs de comptabilité (ACPC) lui ont décerné le L.S. Rosen Outstanding Educator Award pour l'ensemble de son travail. En 2005, la Saint Mary's University a salué le travail du professeur Chesley en enseignement universitaire en lui décernant le premier de ses Exemplary Service Awards. Deux ans plus tard, cette même institution le nommait « Professeur émérite ».

Ray F. Carroll était professeur agrégé de comptabilité à la Dalhousie University de Halifax en Nouvelle-Écosse. Diplômé de la St. Francis Xavier University, où il a fait un baccalauréat en administration des affaires (B.A.A.) et un baccalauréat en pédagogie (B. Éd.), et de la Dalhousie University, où il a obtenu une maîtrise en administration des affaires (MBA) et un doctorat (Ph. D.), le professeur Carroll a enseigné à la Baptist University de Hong Kong et a donné des cours magistraux dans sa spécialité dans le cadre de différents programmes internationaux de maîtrise, à Hong Kong et en Chine continentale. Ses articles les plus récents sont parus dans le *Journal of International Business*, *Teaching Business Ethics* et *Journal of Intellectual Capital*. Fellow de l'Association des comptables généraux accrédités du Canada (CGA-Canada) et membre de l'Institute of Management Accountants d'Australie, il a présidé le Comité national sur l'enseignement de la CGA-Canada et a aussi été membre du Globalization Initiatives Committee de l'American Accounting Association (AAA). Le professeur Carroll est décédé en février 2008 à la suite d'une longue maladie.

R. Alan Webb est professeur agrégé de la School of Accounting and Finance de l'University of Waterloo. Il a fait des études à la Mount Allison University et à l'University of Alberta, et il est détenteur d'un baccalauréat en commerce (B. Comm.) et d'un doctorat (Ph. D.). Il a surtout orienté ses travaux dans les domaines de l'établissement des budgets, de la détermination d'objectifs, et de l'évaluation de la performance. Le professeur Webb a présenté ses travaux de recherche un peu partout en Amérique du Nord. Comptable agréé et rédacteur en chef adjoint de *Contemporary Accounting Research*, il a publié des articles dans des revues telles que *The Accounting Review*, *Journal of Accounting Research*, *Contemporary Accounting Research*, *Issues in Accounting Education*, *CA Magazine* et *CMA Management*. Il s'est engagé dans de nombreuses activités professionnelles, au Canada comme à l'étranger.

Adaptation

Hélène Bergeron, D. Sc., CA, est professeure titulaire au département des sciences comptables de l'Université du Québec à Trois-Rivières. Elle est diplômée de cette université, où elle a complété un baccalauréat en administration des affaires (B.A.A.), et de l'Université Montpellier 2 – Sciences et techniques, où elle a obtenu un doctorat en sciences de la gestion. Elle enseigne la comptabilité de gestion dans les programmes de premier et de deuxième cycles, et elle a été directrice des études de cycles supérieurs en sciences comptables, de 2005 à 2009. Au cours de ce mandat, elle a mis en place un programme MBA-CMA et elle a été à l'origine de nombreux changements dans le programme MBA-CA. Mme Bergeron dirige l'équipe de chercheurs du Laboratoire de recherche sur l'information comptable et fiscale pour les petites et moyennes entreprises (PME) de l'Université du Québec à Trois-Rivières. Ce laboratoire de recherche s'intéresse au rôle des systèmes d'information comptable dans la création de valeur. Mme Bergeron poursuit également des travaux de recherche sur les tableaux de bord pour la gestion du développement durable et sur la production optimisée, toujours dans le contexte des PME. Membre de l'Ordre des comptables agréés du Québec, elle a été impliquée dans de nombreux comités universitaires et professionnels.

Chantale Roy, D. Sc., M. Sc., CA, est professeure titulaire au Département des sciences comptables et de fiscalité de la Faculté d'administration de l'Université de Sherbrooke. Elle a obtenu son doctorat en sciences de la gestion de l'Université Montpellier 2. Elle enseigne la comptabilité de gestion au baccalauréat et à la maîtrise. Ses travaux de recherche portent sur la détermination, le suivi et la gestion des coûts dans le secteur de la santé et des services sociaux, ainsi que sur la prise en compte du développement durable pour les PME. Elle a été vice-doyenne à l'enseignement et a implanté un programme de MBA au Maroc pendant son mandat à la direction des programmes de MBA. Elle enseigne en France et au Maroc. Mentionnons qu'elle a collaboré au volume *Comptabilité de management pour une gestion stratégique des coûts*. Membre de l'Ordre des comptables agréés du Québec, elle a élaboré et animé plusieurs cours de comptabilité de gestion dans des programmes de formation continue, tout en étant impliquée dans de nombreux comités universitaires et professionnels.

Caractéristiques du manuel

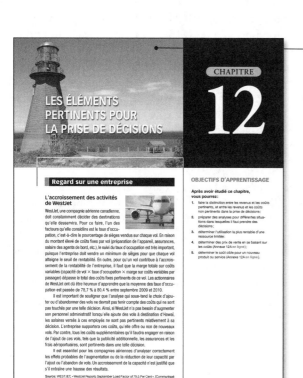

Ouverture de chapitre

Comme entrée en matière, un cas mettant de l'avant une entreprise ou une situation d'affaires réaliste introduit le concept à l'étude dans le chapitre. Cette mise en situation permet dès le départ de légitimer la pertinence des apprentissages qui seront faits dans les pages qui suivent.

Les objectifs d'apprentissage sont aussi présentés en début de chapitre. Ces objectifs sont ensuite indiqués en marge du texte qui s'y réfère.

Fin de chapitre

Tous les chapitres se terminent par un résumé qui fait le point sur les concepts centraux.

Sur le terrain

Les capsules informatives « Sur le terrain » donnent en aperçu des exemples de l'application concrète de concepts de comptabilité de gestion dans diverses entreprises.

Éléments visuels

Indique des sections du texte qui traitent des entreprises de service.

Signale les passages qui traitent de questions éthiques.

Indique les questions nécessitant une réponse à développement.

Plusieurs pages présentent des données à traiter à l'aide d'un tableur, rendant ainsi compte de la pratique actuelle.

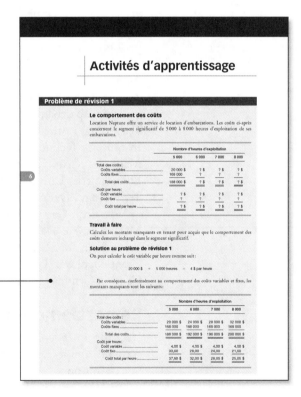

Activités d'apprentissage

Une importante section d'activités permet de mettre en pratique les différents apprentissages. Ces travaux ont pour point de départ des situations réalistes ou des cas d'entreprises véritables, et favorisent l'exercice d'habiletés cruciales : l'analyse, la compréhension des concepts fondamentaux, la communication écrite, le travail d'équipe, l'utilisation de tableurs et la recherche dans l'internet. Cette section est divisée ainsi :

- Problèmes de révision et solutions ;
- Questions ;
- Exercices ;
- Problèmes ;
- Cas ;
- Recherche.

Annexes

Une vingtaine d'annexes, dont la liste est présentée à la page XVIII, traitent de thèmes supplémentaires qui permettent de couvrir tous les sujets de la comptabilité de gestion de façon approfondie. Rendez-vous au <www.cheneliere.ca/garrison> pour les consulter.

Remerciements

Remerciements de l'édition originale anglaise

Les auteurs tiennent à remercier l'ensemble de leurs confrères du Canada et d'ailleurs pour leurs commentaires inestimables. Ceux-ci permettent d'améliorer le manuel à chaque édition.

Les auteurs ont utilisé des documents fournis par l'American Accounting Association, l'Association des comptables généraux accrédités du Canada, SAP Canada et la Société des comptables en management du Canada. Les auteurs de l'édition états-unienne ont également pris soin de fournir les sources de documents fournis par l'American Institute of Certified Public Accountants, l'Institute of Certified Management Accountants et le Chartered Institute of Management Accountants (Royaume-Uni).

La production de cet ouvrage aurait été impossible sans le soutien technique et les services de secrétariat de l'équipe éditoriale et technique de McGraw-Hill Ryerson Limited.

On ne saurait améliorer et approfondir un texte sans la contribution de nombreuses personnes. Ainsi, les examinateurs et consultants qui ont participé à l'élaboration de cet ouvrage ont su y souligner les éléments forts et recommander des pistes d'amélioration. À cet égard, les professeurs nommés ci-après ont fourni leur expertise dans la préparation de la huitième édition canadienne de *Managerial Accounting*.

Lynn Applebaum, Seneca College ; Dan Armishaw, University of Ontario Institute of Technology ; Ann Bigelow, University of Western Ontario ; Carole Bowman, Sheridan Institute of Technology ; Donald Brown, Brock University ; Sonja Carney, University of Manitoba ; Lynn Carty, Wilfrid Laurier University ; Rob Collier, University of Ottawa ; Elliot Currie, University of Guelph ; Annette DeWeerd, Northern Alberta Institute of Technology ; Dennis Dober, College of the North Atlantic ; Rob Ducharme, University of Waterloo ; Gerry Dupont, Carleton University ; Richard Farrar, Conestoga College ; Michael Favere-Marchesi, Simon Fraser University ; Ilene Gilborn, Mount Royal College ; Sylvia Hsu, York University ; Barbara Katz, Kwantlen University College ; Darlene Lowe, Grant MacEwan College ; David McConomy, Queen's University ; Joe Nemi, Humber College ; Cynthia Simmons, University of Calgary ; Keith Whelan, George Brown College.

Remerciements de l'adaptation française

L'édition québécoise de *Fondements de la comptabilité de gestion* est le résultat d'un travail d'équipe. Les adaptatrices remercient donc tous ceux qui ont participé au projet, que ce soit pour l'assistance technique, la révision terminologique ou pour de judicieux commentaires. Elles tiennent aussi à remercier l'équipe éditoriale de Chenelière Éducation pour la qualité de son soutien, son professionnalisme et son perfectionnisme, et Caroline Blais, chargée de cours à l'Université de Sherbrooke, pour sa contribution aux activités d'apprentissage.

Tout comme l'édition originale anglaise, cette adaptation a bénéficié de la contribution de consultants, notamment celle de Jocelyne Gosselin (Université du Québec à Trois-Rivières) et d'Isabelle Lassonde (Université Laval).

Finalement, les adaptatrices remercient tous leurs étudiants et collègues, sans qui un projet comme celui-ci n'aurait aucune valeur.

Table des matières

Avant-propos III
Présentation des auteurs VI
Caractéristiques du manuel VIII
Remerciements X
Annexes en ligne XVIII

CHAPITRE 1
La comptabilité de gestion et l'environnement de l'organisation 1

Le travail du gestionnaire et le besoin
d'information en comptabilité de gestion 2
  La planification 3
  L'exécution 4
  Le contrôle 4
  L'amélioration 5
  Les effets des activités des gestionnaires 5
  Le cycle de la planification et du contrôle 5
  Le plan d'affaires 6
Une comparaison entre la comptabilité
financière et la comptabilité de gestion 8
  L'importance de planifier l'avenir 8
  La pertinence et la flexibilité des données 9
  La relativité de la précision 9
  Les sections d'une organisation 9
  Les normes comptables applicables
  aux états financiers à usage général 9
  Le caractère non obligatoire
  de la comptabilité de gestion 10
La structure organisationnelle 10
  La décentralisation 10
  Les relations entre les postes d'autorité
  hiérarchique et les postes d'autorité consultative . . . 11
  Le contrôleur de gestion 12
Le comptable de gestion professionnel 12
L'éthique professionnelle 13
  La gouvernance d'entreprise 16
La gestion des processus 17
  La production optimisée 17
  Les systèmes de gestion
  intégrés d'entreprise 25
  La gestion des risques 25
Résumé 27
Activités d'apprentissage 28

CHAPITRE 2
Les coûts : définitions, concepts et classification 37

Les catégories générales de coûts 38
  Les coûts de fabrication 39
  La classification des coûts de main-
  d'œuvre liés à la production 40
  Les coûts hors fabrication 41
Les coûts incorporables et
les coûts non incorporables 42
  Les coûts incorporables 43
  Les coûts non incorporables 44
La classification des coûts
dans les états financiers 45
  L'état de la situation financière 45
  L'état des résultats 46
L'état du coût des produits fabriqués 48
Les coûts incorporables – un examen plus détaillé . . 50
  Les coûts relatifs aux stocks 51
  Un exemple du cheminement des coûts 51
Une classification en vue de prévoir
le comportement des coûts 53
  Les coûts variables 53
  Les coûts fixes 54
L'attribution des coûts à des objets de coûts 56
  Les coûts directs 56
  Les coûts indirects 56
La classification des coûts en vue
de la prise de décisions 56
  Le coût différentiel et le revenu différentiel 56
  Le coût de renonciation 57
  Le coût irrécupérable 58
Résumé 58
Activités d'apprentissage 60

CHAPITRE 3
La conception de systèmes : le système de coûts de revient par commande 87

Le système de coûts de revient en fabrication
uniforme et continue, et le système de coûts
de revient par commande 89
  Le système de coûts de revient en
  fabrication uniforme et continue 89
  Le système de coûts de revient par commande . . . 89

Une vue d'ensemble du système de coûts
de revient par commande 90

    La détermination du coût
    des matières premières 91

    La détermination du coût
    de la main-d'œuvre directe 92

    La fiche de coût de revient 93

    L'imputation des frais indirects
    de fabrication 95

    L'utilisation du taux d'imputation prédéterminé
    des frais indirects de fabrication 96

    La nécessité d'un taux prédéterminé 97

    Le choix d'une base de répartition
    pour les frais indirects de fabrication 98

    Le calcul des coûts unitaires 99

    Un résumé du cheminement
    des documents 99

Le coût de revient par commande
et le cheminement des coûts 100

    L'achat et l'utilisation des matières 101

    Le coût de la main-d'œuvre 102

    Les frais indirects de fabrication 103

    L'imputation des frais indirects
    de fabrication 104

    Les coûts hors fabrication 106

    Le coût des produits fabriqués 107

    Le coût des ventes 108

    Un résumé du cheminement des coûts 108

Les difficultés liées à l'imputation
des frais indirects de fabrication 112

    Les frais indirects de fabrication
    sous-imputés et surimputés 112

    La disposition des frais indirects de
    fabrication sous-imputés ou surimputés 114

    Un modèle général du cheminement
    des coûts des produits fabriqués 117

    Les taux d'imputation prédéterminés
    des frais indirects multiples 118

Le coût de revient par commande
dans les entreprises de service 119

L'utilisation des technologies
de l'information 119

Résumé 121

Activités d'apprentissage 123

Annexe 3A Le taux d'imputation prédéterminé
des frais indirects de fabrication
et la capacité de production 3A-1

Annexe 3B Le cheminement des coûts
dans un système JAT 3B-1

Annexe 3C Les pertes de production 3C-1

CHAPITRE 4

La conception de systèmes : le système de coûts de revient en fabrication uniforme et continue 159

Une comparaison entre le système de coûts de
revient par commande et le système de coûts
de revient en fabrication uniforme et continue 160

    Les ressemblances entre le système
    de coûts de revient par commande et
    le système de coûts de revient
    en fabrication uniforme et continue 160

    Les différences entre le système de coûts de
    revient par commande et le système de coûts
    de revient en fabrication uniforme et continue . . . 161

Un aperçu du cheminement des coûts de revient
en fabrication uniforme et continue 162

    Les ateliers de production 162

    Le cheminement des coûts des matières
    premières et de la main-d'œuvre directe,
    et des frais indirects de fabrication 164

L'enregistrement comptable des coûts
des matières premières et de la main-
d'œuvre directe, ainsi que des frais
indirects de fabrication 165

    Le coût des matières premières 165

    Le coût de la main-d'œuvre 166

    Les frais indirects de fabrication 166

    Les dernières étapes du cheminement
    des coûts 167

La production équivalente 167

    La méthode du coût moyen pondéré 169

Le rapport de production – la méthode
du coût moyen pondéré 172

    Première étape : la préparation d'un tableau
    des quantités et le calcul des unités
    équivalentes 173

    Deuxième étape : le calcul des coûts
    par unité équivalente 174

    Troisième étape : la préparation d'un tableau
    de répartition des coûts 174

Le système de coûts de revient
pour la fabrication par lots 177

Les systèmes de fabrication flexible 178

Résumé 179

Activités d'apprentissage 180

Annexe 4A La méthode de l'épuisement
successif 4A-1

Annexe 4B Les pertes 4B-1

Annexe 4C Le changement de l'unité de mesure
et l'augmentation du nombre d'unités traitées . . . 4C-1

CHAPITRE 5

La comptabilité par activités : un outil d'aide à la prise de décisions 207

Le traitement des coûts dans la CPA 208
   Les coûts hors fabrication et la CPA 208
   Les coûts de fabrication et la CPA 209
   Les centres de regroupement,
   les unités d'œuvre et la CPA 209
   Les coûts de la capacité
   non utilisée dans la CPA 211
La conception d'un modèle de CPA 211
   Les étapes de la mise en œuvre de la CPA 215
Une comparaison de l'établissement du coût
de revient selon l'approche traditionnelle
et celle de la CPA 227
   Le calcul des marges sur coûts des
   produits suivant l'approche traditionnelle
   d'établissement du coût de revient 227
   Les différences entre la CPA et l'approche
   traditionnelle d'établissement du coût de revient .. 229
   Un résumé de la comparaison de
   l'établissement du coût de revient selon
   les deux approches 230
L'amélioration ciblée des processus 232
La CPA et les états financiers à usage général ... 233
Les limites de la CPA 235
Résumé 236

Activités d'apprentissage 237

Annexe 5A L'analyse des activités
suivant la CPA 5A-1
Annexe 5B L'utilisation d'une version modifiée
de la CPA pour déterminer les coûts des
produits en vue de la publication des états
financiers à usage général 5B-1
Annexe 5C L'enregistrement
des coûts avec la CPA 5C-1

CHAPITRE 6

Le comportement des coûts : analyse et utilisation 261

Le comportement des coûts 262
   Les coûts variables 262
   Les coûts fixes 266
   Les coûts semi-variables 271
L'analyse des coûts semi-variables 272
   La méthode du graphique de dispersion 274
   La méthode des points extrêmes 275
   La méthode de régression 278

Une comparaison des méthodes
d'estimation des coûts 279
   L'analyse de régression multiple 279
La méthode des coûts variables 280
   Pourquoi une autre forme de présentation
   de l'état des résultats ? 280
   L'application de la méthode des coûts variables 280
Résumé 281

Activités d'apprentissage 282

Annexe 6A Les calculs de la régression 6A-1

CHAPITRE 7

Les relations coût-volume-bénéfice 297

Les principes de l'analyse CVB 299
   La marge sur coûts variables 299
   Le ratio de la marge sur coûts variables 302
Quelques applications des concepts de CVB 303
   Une variation des coûts fixes
   et du volume des ventes 304
   Une variation des coûts variables
   et du volume des ventes 305
   Une variation des coûts fixes, du prix
   de vente et du volume des ventes 305
   Une variation des coûts variables, des coûts
   fixes et du volume des ventes 306
   Un changement du prix de vente courant 307
   L'importance de la marge
   sur coûts variables 308
L'analyse du seuil de rentabilité 308
   Le calcul du seuil de rentabilité 309
Les relations CVB sous forme graphique 311
   La préparation d'un graphique CVB 311
L'analyse du bénéfice cible 313
   L'équation CVB 313
   L'approche de la marge sur coûts variables 313
   Le bénéfice cible net d'impôts 314
La marge de sécurité 315
Des considérations en matière de CVB
dans le choix d'une structure de coûts 317
   La structure des coûts et
   la stabilité des bénéfices 317
   Le levier d'exploitation 319
   L'automatisation : les risques et les avantages
   sous l'angle de l'analyse CVB 321
   Le point d'indifférence entre une production
   à prédominance de main-d'œuvre et une
   production fortement automatisée 323
Les commissions sur les ventes 324

La composition des ventes 325

    Une définition de la composition des ventes 325

    La composition des ventes et l'analyse
du seuil de rentabilité 325

Les hypothèses de l'analyse CVB 329

Résumé 330

Activités d'apprentissage 331

Annexe 7A L'analyse CVB et l'incertitude 7A-1

Annexe 7B Le graphique permettant
de représenter la relation entre le volume
et le bénéfice 7B-1

CHAPITRE 8

**La méthode des coûts variables :
un outil de gestion** 359

Un aperçu de la méthode du coût complet
et de la méthode des coûts variables 360

    La méthode du coût complet 360

    La méthode des coûts variables 360

    Les coûts commerciaux et
les charges administratives 361

    La détermination du coût unitaire 361

Une comparaison du bénéfice calculé à l'aide
de la méthode du coût complet et de
la méthode des coûts variables 362

Une comparaison plus détaillée des données
relatives aux résultats 365

    L'effet des variations de la production
sur le bénéfice 369

Le choix d'une méthode de calcul des coûts 372

    L'effet sur le gestionnaire 372

    L'analyse CVB et la méthode du coût complet . . . 373

    La prise de décisions 374

    Les rapports financiers publiés à des fins
externes et l'impôt sur le résultat 374

    Les avantages de la méthode des coûts
variables et de l'approche de la marge
sur coûts variables 374

L'effet de la production optimisée 376

La publication d'informations sectorielles 377

    Les différents niveaux des états
financiers sectoriels 378

    L'attribution de coûts aux unités d'exploitation . . . 378

    Le chiffre d'affaires et la marge
sur coûts variables 380

    L'importance des coûts fixes 380

    Les coûts fixes spécifiques
et les coûts fixes communs 381

    L'établissement des coûts fixes spécifiques 382

    La décomposition des coûts fixes spécifiques . . . 382

    Une transformation possible des coûts
spécifiques en coûts communs 383

    Le résultat sectoriel 384

La publication d'informations sectorielles
dans les rapports financiers publiés
à des fins externes 385

Des obstacles à une répartition
appropriée des coûts 385

    L'omission de certains coûts 385

    Des méthodes inappropriées de répartition
des coûts spécifiques entre
les unités d'exploitation 386

Résumé 388

Activités d'apprentissage 389

CHAPITRE 9

Le processus budgétaire 431

Le cadre de travail de la budgétisation 432

    La budgétisation 432

    La différence entre la planification
et le contrôle 432

    Les avantages de la budgétisation 432

    La comptabilité par centres de responsabilité . . . 433

    Le choix d'une période budgétaire 433

    Le budget participatif 434

    Les relations humaines 436

    Le budget base zéro 437

Un aperçu du budget directeur 438

    Le budget des ventes 438

    Le budget de trésorerie 439

    La prévision des ventes : une étape cruciale 439

La préparation du budget directeur 439

    Le budget des ventes 441

    Le budget de production 442

    L'acquisition des stocks et
l'entreprise commerciale 443

    Le budget des matières premières 443

    Le budget de la main-d'œuvre directe 445

    Le budget des frais indirects de fabrication 446

    Le budget des stocks de produits finis à la fin . . . 447

    Le budget des coûts commerciaux
et charges administratives 448

    Le budget de trésorerie 449

    L'état des résultats prévisionnels 452

    L'état de la situation financière prévisionnelle . . . 453

Les budgets flexibles 456

    Les caractéristiques d'un budget flexible 456

L'utilisation du concept de budget flexible
dans l'évaluation de la performance 458

La budgétisation des organismes
à but non lucratif 461

L'établissement du budget par activités 462

Les aspects internationaux de la budgétisation . . . 463

Résumé 463

Activités d'apprentissage 464

Annexe 9A Les décisions concernant les stocks . . 9A-1

CHAPITRE 10

Les coûts de revient standards et l'analyse des frais indirects de fabrication 501

Les coûts de revient standards
et la gestion par exceptions 504

Les utilisateurs de coûts de revient standards 505

L'établissement des coûts de revient standards . . . 505

Les standards théoriques et pratiques 506

L'établissement de standards concernant
les matières premières 506

L'établissement de standards concernant
la main-d'œuvre directe 508

L'établissement de standards pour les frais
indirects de fabrication variables 509

Les standards et les budgets 509

Un modèle général pour l'analyse des écarts 510

L'utilisation des coûts de revient standards
et les écarts relatifs aux matières premières 512

Un examen approfondi de l'écart sur coût
d'achat des matières premières 514

Un examen approfondi de l'écart sur quantité
des matières premières 516

L'utilisation des coûts de revient standards
et les écarts relatifs à la main-d'œuvre 517

Un examen approfondi de l'écart sur taux
de la main-d'œuvre directe 518

Un examen approfondi de l'écart sur temps
de la main-d'œuvre directe 519

L'utilisation des coûts de revient standards
et les écarts sur frais indirects
de fabrication variables 520

Un examen approfondi des écarts sur frais
indirects de fabrication variables 521

Les taux d'imputation des frais indirects
de fabrication et l'analyse des frais
indirects de fabrication fixes 524

Les budgets flexibles et les taux
d'imputation prédéterminés des frais
indirects de fabrication 524

L'imputation des frais indirects de fabrication et
les écarts sur frais indirects de fabrication fixes . . 527

L'imputation des frais indirects de fabrication
dans un système de coûts de revient standards . . 527

Les écarts sur frais indirects
de fabrication fixes 528

Un examen approfondi de l'écart sur dépense . . . 529

Un examen approfondi de l'écart sur volume . . . 530

Une analyse graphique des écarts sur frais
indirects de fabrication fixes 531

Quelques mises en garde concernant l'analyse
des frais indirects de fabrication fixes 532

Les écarts sur frais indirects de fabrication, et
les frais indirects sous-imputés ou surimputés . . . 533

Le rapport d'analyse de la performance
relatif aux frais indirects de fabrication
et l'analyse de la capacité 533

L'analyse de la capacité de production
à des fins de gestion 536

Les décisions concernant l'analyse
des écarts et la gestion par exceptions 537

Les évaluations basées sur les systèmes
de coûts de revient standards 539

Les avantages des systèmes de coûts
de revient standards 539

Les problèmes potentiels liés aux systèmes
de coûts de revient standards 540

Le coût de revient selon l'approche Kaizen
dans un contexte de production optimisée 542

Résumé 542

Activités d'apprentissage 544

Annexe 10A Une analyse détaillée des écarts
sur quantité des matières premières 10A-1

Annexe 10B L'enregistrement des écarts
au moyen d'écritures comptables 10B-1

Annexe 10C Les courbes d'apprentissage 10C-1

Annexe 10D Les pertes normales
et le coût de revient standard 10D-1

CHAPITRE 11

La décentralisation et la publication d'informations à des fins de contrôle 583

La gestion décentralisée dans les organisations . . 585

La décentralisation et la publication
d'information sectorielle 585

Les avantages et les inconvénients
de la décentralisation 586

Les centres de coûts, de profit
et d'investissement 586

Le centre de coûts 587

Le centre de profit 587

Le centre d'investissement 587

La fixation des prix de cession interne 588

La méthode du prix de cession interne négocié . . . 589

Les prix de cession interne basés sur
les coûts de la section vendeuse 594

Les prix de cession interne basés
sur le marché 595

L'autonomie des sections et l'imposition
d'un prix de cession interne 596

Les aspects internationaux de la fixation
des prix de cession interne 596

L'utilisation de plusieurs prix
de cession interne 598

**L'évaluation de la performance d'un centre
d'investissement – le taux de RCI** 599

Une définition du résultat d'exploitation
net et des actifs d'exploitation 599

Les immobilisations corporelles : le coût
amorti ou le coût d'acquisition 600

La compréhension du taux
de RCI et son contrôle 601

Quelques critiques concernant le RCI 606

**L'évaluation de la performance d'un centre
d'investissement – le RNR** 606

La motivation et le RNR 607

La comparaison des unités
d'exploitation et le RNR 609

Quelques critiques concernant le RNR 609

Le tableau de bord équilibré 610

Les caractéristiques courantes
des tableaux de bord équilibrés 611

La stratégie d'une entreprise
et le tableau de bord équilibré 612

Le rattachement de la rémunération
au tableau de bord équilibré 615

Les avantages de la rétroaction rapide 615

Quelques mesures de la performance
des processus internes 616

Quelques observations supplémentaires
concernant le tableau de bord équilibré 619

**La structure des rapports d'analyse
de la performance** 619

Le coût de la qualité 620

Le degré de conformité 621

Les coûts de prévention 621

Les coûts d'évaluation de la qualité 623

Les coûts de défaillance interne 623

Les coûts de défaillance externe 623

La ventilation des coûts de la qualité 623

Le rapport sur le coût de la qualité 625

L'utilisation des renseignements
concernant le coût de la qualité 627

Les aspects internationaux
de l'obtention de la qualité 627

Résumé 628

Activités d'apprentissage 630

**Annexe 11A L'analyse approfondie
des écarts sur ventes** 11A-1

Annexe 11B Les coûts de marketing 11B-1

CHAPITRE 12

Les éléments pertinents
pour la prise de décisions 661

**Les concepts de coût utilisés
dans la prise de décisions** 662

La détermination des éléments pertinents 662

Des coûts pertinents pour différentes décisions . . . 663

Un exemple de détermination
des coûts pertinents 664

L'approche globale et l'approche différentielle . . 666

Pourquoi isoler les coûts pertinents ? 668

**L'analyse de différentes situations
où il faut prendre des décisions** 668

L'ajout et l'abandon de gammes de produits
et de secteurs d'exploitation 668

Une analyse comparative 671

Les difficultés liées aux coûts
communs répartis 671

La décision de fabriquer ou d'acheter 672

Les aspects stratégiques de la décision
de fabriquer ou d'acheter 673

Un exemple de décision de fabriquer
ou d'acheter 674

Le coût de renonciation 675

Les commandes spéciales 677

Les coûts des produits conjoints, et la décision
de vendre ou de transformer davantage 679

La théorie des contraintes 682

L'utilisation d'une ressource limitée 682

La marge sur coûts variables relativement
à une ressource limitée 682

La gestion des contraintes 684

Le problème des contraintes multiples 686

La CPA et les coûts pertinents 686

Résumé 687

Activités d'apprentissage 688

**Annexe 12A L'établissement des prix
des produits et des services** 12A-1

CHAPITRE 13

L'attribution des coûts des sections auxiliaires et des coûts conjoints de fabrication 727

La répartition des coûts des sections auxiliaires 728

  Le choix des unités d'œuvre 728

  Les services réciproques 730

  La méthode de répartition directe 730

  La méthode de répartition séquentielle 731

  La méthode de répartition algébrique 733

  Les sections auxiliaires qui ont des revenus 734

La répartition des coûts des sections auxiliaires selon le comportement de ces coûts 734

  Les coûts variables 735

  Les coûts fixes 735

  Faut-il répartir les coûts réels ou les coûts prévus (budgétés)? 736

  Un résumé des directives en matière de répartition des coûts 736

  L'application des principes en matière de répartition des coûts 737

L'effet des répartitions sur les sections principales 741

Quelques mises en garde concernant la répartition des coûts des sections auxiliaires 742

  Les pièges de la répartition des coûts fixes 742

  Le danger du choix du chiffre d'affaires comme unité d'œuvre 743

  L'absence de distinction entre les coûts fixes et les coûts variables 745

  Les coûts devraient-ils être répartis? 745

L'attribution des coûts communs de fabrication aux produits conjoints 746

  Les objectifs de la répartition des coûts communs de fabrication entre les produits conjoints 746

Les méthodes de répartition des coûts communs de fabrication entre les produits conjoints 746

  La répartition des coûts communs de fabrication entre les coproduits 747

  Les considérations pour le choix d'une méthode de répartition des coûts communs de fabrication entre les coproduits 751

  La répartition des coûts communs de fabrication entre les sous-produits 753

Résumé 755

Activités d'apprentissage 756

Index 787

Annexes en ligne

Des annexes enrichissent cet ouvrage. Elles sont disponibles en ligne au <www.cheneliere.ca/garrison>.

Annexe 3A Le taux d'imputation prédéterminé des frais indirects de fabrication et la capacité de production

Annexe 3B Le cheminement des coûts dans un système JAT

Annexe 3C Les pertes de production

Annexe 4A La méthode de l'épuisement successif

Annexe 4B Les pertes

Annexe 4C Le changement de l'unité de mesure et l'augmentation du nombre d'unités traitées

Annexe 5A L'analyse des activités suivant la CPA

Annexe 5B L'utilisation d'une version modifiée de la CPA pour déterminer les coûts des produits en vue de la publication des états financiers à usage général

Annexe 5C L'enregistrement des coûts avec la CPA

Annexe 6A Les calculs de la régression

Annexe 7A L'analyse CVB et l'incertitude

Annexe 7B Le graphique permettant de représenter la relation entre le volume et le bénéfice

Annexe 9A Les décisions concernant les stocks

Annexe 10A Une analyse détaillée des écarts sur quantité des matières premières

Annexe 10B L'enregistrement des écarts au moyen d'écritures comptables

Annexe 10C Les courbes d'apprentissage

Annexe 10D Les pertes normales et le coût de revient standard

Annexe 11A L'analyse approfondie des écarts sur ventes

Annexe 11B Les coûts de marketing

Annexe 12A L'établissement des prix des produits et des services

LA COMPTABILITÉ DE GESTION ET L'ENVIRONNEMENT DE L'ORGANISATION

Regard sur une entreprise

La mondialisation : possibilités et menaces

Des progrès techniques dans les domaines des communications et du transport ainsi qu'une diminution des entraves aux échanges commerciaux ont ouvert le marché mondial aux entreprises canadiennes. En permettant aux entreprises d'accéder à d'autres sources d'approvisionnement, la mondialisation leur offre la possibilité de développer de nouveaux marchés afin de réduire leurs coûts, et d'augmenter leur chiffre d'affaires et leur bénéfice. Toutefois, pour certains secteurs, entre autres pour celui de la vente au détail, la mondialisation est peu encourageante. L'entrée sur le marché canadien de magasins-entrepôts comme Wal-Mart met en péril la survie de leurs concurrents. Le chiffre d'affaires mondial de Wal-Mart a atteint 401 milliards de dollars américains en janvier 2009, une somme qui représente environ 26 % de l'ensemble de l'économie canadienne. Cette entreprise est renommée pour son efficience et sa gestion méticuleuse des stocks, de ses fournisseurs jusqu'aux présentoirs de ses magasins. Pour éviter d'être victimes de ce géant, les entreprises canadiennes ont besoin de systèmes d'information comptable qui leur fournissent les données les plus récentes sur les produits, les coûts, les marges bénéficiaires et les tendances en matière de consommation. À titre d'exemple, des données comptables précises et disponibles au moment opportun sur les coûts de production et d'expédition aident les gestionnaires à prendre des décisions concernant la pertinence de s'adresser à des fournisseurs étrangers ou locaux. Ces données les renseignent sur les secteurs où ils peuvent apporter des améliorations qui génèreront une plus grande rentabilité. L'information comptable devrait permettre la rétroaction nécessaire au contrôle des stocks et des coûts d'expédition. Elle devrait procurer les données qui permettent d'assurer une surveillance constante des coûts de la main-d'œuvre afin de s'assurer que ceux-ci demeurent en conformité avec les politiques de l'entreprise.

OBJECTIFS D'APPRENTISSAGE

Après avoir étudié ce chapitre, vous pourrez :

1. énumérer les principales tâches des gestionnaires ;
2. déterminer les principales ressemblances et différences entre la comptabilité financière et la comptabilité de gestion ;
3. décrire le rôle des comptables responsables de la comptabilité de gestion dans une organisation ;
4. expliquer la nature et l'importance de l'éthique pour les comptables ;
5. expliquer les concepts suivants : production optimisée (*lean production*), système de gestion intégré d'entreprise et gestion des risques.

Comptabilité de gestion (ou comptabilité de management)

Processus de production d'informations conçu pour aider les gestionnaires et les employés à atteindre les objectifs de l'organisation de même que pour faciliter la planification, le contrôle et la prise de décisions.

Comptabilité financière

Processus de production d'informations financières destinées aux actionnaires, aux créanciers et aux autres parties intéressées à l'extérieur de l'organisation.

La **comptabilité de gestion** ou **comptabilité de management** procure des informations aux gestionnaires et aux employés[1], c'est-à-dire aux personnes œuvrant *au sein* d'une organisation. La **comptabilité financière**, de son côté, fournit des renseignements aux actionnaires, aux créanciers et aux autres parties intéressées *à l'extérieur* de l'organisation. La comptabilité de gestion fournit les données essentielles permettant de réellement diriger les organisations ; la comptabilité financière permet quant à elle l'évaluation de la performance passée de l'entreprise.

La comptabilité de gestion consiste à établir et à développer un système d'information capable d'aider les gestionnaires à prendre des décisions d'affaires qui satisfont les clients tout en permettant de contrôler continuellement les coûts de l'entreprise et d'améliorer son efficience. Pour y arriver, les comptables de gestion doivent préparer toute une gamme de rapports. Certains de ces rapports servent à comparer les résultats réels aux résultats planifiés et à des données externes en mettant l'accent sur l'évaluation du travail des gestionnaires ou des unités d'affaires de l'entreprise. D'autres fournissent des mises à jour en temps utile sur des facteurs importants comme les commandes reçues, le degré d'utilisation de la capacité de production et le chiffre d'affaires. Les comptables de gestion peuvent aussi dresser les rapports nécessaires à l'étude de problèmes particuliers tels que la baisse de rentabilité d'une gamme de produits, ou la prise de décisions concernant l'externalisation d'une partie des activités d'exploitation de l'entreprise. D'autres rapports présentent l'analyse d'une situation en développement ou d'une occasion d'affaires. Par opposition, la comptabilité financière vise à produire annuellement et trimestriellement un ensemble limité d'états financiers en conformité avec les normes comptables en vigueur et les réglementations gouvernementales.

La comptabilité de gestion nécessite une connaissance minimale des activités des gestionnaires, des informations qui leur sont nécessaires et de l'environnement général de l'organisation. L'objectif du présent chapitre est d'examiner ces sujets.

Le travail du gestionnaire et le besoin d'information en comptabilité de gestion

OBJECTIF 1

Énumérer les principales tâches des gestionnaires.

Toute organisation, grande ou petite, compte au moins un gestionnaire. En effet, une personne doit être responsable de l'élaboration des plans, de l'organisation des ressources, de la direction du personnel et du contrôle des activités d'exploitation. Cela est vrai pour la Banque Nationale, la Société canadienne du cancer, l'Université de Montréal, l'Oratoire Saint-Joseph, la société Domtar et le dépanneur du coin. Dans ce chapitre, nous utiliserons la société Vibrations inc. pour illustrer le travail de gestion. Toutefois, nos propos sur la gestion de cette entreprise seront d'ordre général et pourront s'appliquer à presque toutes les organisations.

Vibrations inc. exploite une chaîne de points de vente offrant une gamme complète de disques compacts musicaux. Les magasins sont concentrés dans les villes du littoral du Pacifique comme Sydney, Singapour, Hong Kong, Beijing, Tokyo et Vancouver. Selon les dirigeants de Vibrations inc., la meilleure façon de générer des ventes est de créer un environnement de magasinage agréable. Ils déploient donc beaucoup d'efforts en ce qui a trait à la disposition et à la décoration de leurs magasins, stratégiquement situés au centre-ville. En général, ces succursales occupent une vaste superficie et comptent plusieurs étages. La direction de Vibrations inc. sait que les différents types de musique attireront une clientèle diversifiée. Ainsi, la section réservée au rock international regorge habituellement d'affiches très voyantes aux couleurs vives. L'étroitesse de ses allées crée une impression de foule semblable à celle des discothèques les plus courues. Par contre, la section réservée à la musique classique est faite de panneaux de bois, et l'isolation acoustique y est complète. Les clients ont l'impression de se retrouver dans la salle de réunion somptueuse et spacieuse d'un club sportif.

---

1. Dans ce volume, le mot *employé* est utilisé au sens large de membre du personnel de l'organisation.

Comme tous les gestionnaires, ceux de Vibrations inc. assument quatre fonctions principales : la *planification*, l'*exécution*, le *contrôle*, ainsi que l'*amélioration*.

La **planification** consiste à choisir un plan d'action et à préciser les paramètres de sa mise en œuvre. L'**exécution** est la mise en œuvre du plan d'action, et implique la direction et la motivation des employés afin qu'ils exécutent les plans et qu'ils veillent aux activités d'exploitation. Le **contrôle** consiste à s'assurer que le plan est exécuté, alors que l'**amélioration** inclut toute modification du plan en fonction des changements qui surviennent. L'information issue de la comptabilité de gestion joue un rôle essentiel dans ces activités, en particulier pour les fonctions de planification et de contrôle.

Plus encore que par le passé, les entreprises qui doivent maintenant faire face à une concurrence mondiale ont intérêt à se doter d'une stratégie viable pour réussir à croître et à prospérer dans un marché. Une **stratégie** est un ensemble d'objectifs et de moyens qui permet à une entreprise d'attirer des clients en se distinguant de ses concurrents. L'élément principal de cette stratégie devrait être les clients cibles de l'entreprise. Pour l'organisation, le seul moyen de réussir est de fournir à ces derniers des raisons de la choisir, de préférence à un concurrent. De telles raisons, ou ce qu'on appelle habituellement les *propositions de valeur faites au client*, constituent l'essence même de cette stratégie.

Les propositions de valeur faites au client appartiennent généralement à trois grandes catégories : la *proximité avec le client*, l'*excellence opérationnelle* et la *supériorité d'un produit*[2]. Les entreprises qui adoptent une stratégie de *proximité avec leurs clients* leur envoient en substance le message suivant : « Vous devriez nous choisir parce que nous connaissons mieux vos besoins personnels que nos concurrents et que nous savons mieux comment y répondre. » Le succès de sociétés comme le Groupe Jean Coutu, les restaurants La Cage aux Sports et Tim Hortons repose essentiellement sur une proposition de valeur axée sur des relations étroites avec les clients. Les entreprises qui privilégient plutôt le deuxième type de proposition, soit l'*excellence opérationnelle*, laissent entendre à leur clientèle cible : « Vous devriez nous choisir parce que nous pouvons vous fournir des produits et des services plus rapidement et plus facilement que nos concurrents, et à des prix inférieurs. » Costco, Wal-Mart et Dollarama sont des exemples d'entreprises qui, d'abord et avant tout, doivent leur réussite à leur excellence opérationnelle. Les sociétés qui adoptent le troisième type de proposition de valeur, appelée la *supériorité d'un produit*, communiquent à leur clientèle cible le message suivant : « Vous devriez nous choisir parce que nous vous offrons des produits d'une plus grande qualité que ceux que vous trouverez chez nos concurrents. » C'est la supériorité de leurs produits qui explique le succès de BMW, Rogers Communications et Apple. Même si une entreprise peut offrir à ses clients une combinaison de ces trois propositions de valeur, l'une d'elles l'emporte généralement en importance sur les deux autres.

La planification

La première étape de la planification consiste à déterminer des options, puis à choisir parmi ces possibilités celle qui permettra le mieux de poursuivre les objectifs de l'organisation. L'objectif fondamental de Vibrations inc. est de réaliser des bénéfices en faveur des propriétaires de l'entreprise en offrant un service de qualité supérieure à des prix compétitifs sur le plus grand nombre de marchés possible. Afin de poursuivre ce but, la direction générale examine chaque année un éventail de possibilités pour conquérir de nouveaux marchés géographiques. Cette année, la direction envisage l'ouverture de nouveaux magasins à Shanghai, Jakarta et Auckland.

En agissant ainsi et en choisissant d'autres options, la direction doit évaluer les possibilités qui se présentent à elle en fonction des ressources de l'entreprise. Pour en avoir fait l'amère expérience, la direction est consciente que l'ouverture d'un magasin sur un marché à la fois grand et nouveau constitue une décision importante ne pouvant être prise

Planification

Choix d'un plan d'action et précision des paramètres de sa mise en œuvre.

Exécution

Mise en œuvre du plan d'action impliquant la direction et la motivation des employés afin qu'ils exécutent les plans et qu'ils veillent aux activités d'exploitation.

Contrôle

Processus par lequel on établit des procédures, puis obtient une rétroaction pour s'assurer que tous les éléments de l'entreprise fonctionnent de façon efficace et s'orientent vers les objectifs globaux de la société.

Amélioration

Modification du plan d'action en fonction des changements qui surviennent.

Stratégie

Ensemble d'objectifs et de moyens qui permet à une entreprise d'attirer des clients en se distinguant de ses concurrents.

---

2. Michael TREACY et Fred WIERSEMA définissent ces trois propositions de valeur pour la clientèle dans « Customer Intimacy and Other Value Disciplines », *Harvard Business Review*, vol. 71, n° 1 (janvier-février 1993), p. 84-93.

à la légère. Cela exige beaucoup de temps et d'énergie de la part des professionnels de l'entreprise les plus expérimentés, les plus talentueux et les plus occupés. Lorsque Vibrations inc. a tenté d'ouvrir des magasins à Beijing et à Vancouver dans la même année, elle disposait de peu de ressources. Par conséquent, aucun des magasins n'a pu ouvrir ses portes au moment prévu, de sorte que les autres activités de l'entreprise en ont souffert. C'est pourquoi Vibrations inc. planifie désormais avec un soin particulier la pénétration de nouveaux marchés.

Entre autres données, la direction générale examine les volumes de ventes, les marges bénéficiaires et les coûts d'exploitation des magasins déjà implantés sur des marchés similaires. Ces renseignements fournis par le contrôleur sont associés aux données prévisionnelles du volume des ventes dans les nouveaux sites proposés, pour estimer le résultat attendu de ces futurs magasins. Au cours du processus de planification, presque tous les scénarios importants envisagés par la direction ont habituellement des effets sur les revenus ou les coûts. Les données issues de la comptabilité de gestion sont essentielles pour évaluer ces effets.

Après avoir analysé toutes les possibilités, la direction générale de Vibrations inc. a décidé d'ouvrir un magasin au cours du troisième trimestre sur le marché de Shanghai, un marché en pleine croissance, et de reporter l'ouverture de toute autre succursale à une année subséquente. Dès lors, des plans détaillés ont été élaborés pour chaque partie de l'entreprise concernée par l'ouverture du magasin de Shanghai. Par exemple, l'entreprise a augmenté le budget de déplacement du personnel qui devra assurer sur place la formation des nouveaux employés recrutés à Shanghai.

Les plans de gestion sont souvent exprimés en termes formels et détaillés dans les **budgets**. Le terme *budgétisation* est employé pour décrire cette étape du processus de planification d'une façon générale. D'ordinaire, les budgets sont préparés sous la direction du **contrôleur**, à savoir le gestionnaire responsable du service de la comptabilité. Il est d'usage que les budgets soient préparés tous les ans et qu'ils représentent, en termes précis et quantitatifs, les plans de la direction. En plus du budget de déplacement, le service du personnel se verra assigner des objectifs concernant l'embauche et la formation continue ainsi que la responsabilité de la ventilation détaillée des dépenses prévues. De même, le directeur de chaque magasin se verra attribuer des objectifs liés au volume de ventes, aux revenus, aux charges, à la formation des employés et aux pertes dues aux vols. Ces données seront réunies, analysées et résumées sous forme de budgets par les gestionnaires comptables.

L'exécution

En plus de planifier, le gestionnaire supervise les activités journalières et veille au fonctionnement harmonieux de l'organisation. Pour ce faire, il doit savoir motiver et diriger les employés avec efficacité. Le gestionnaire assigne des tâches aux employés, arbitre les conflits, répond aux questions, résout les problèmes immédiats, et prend nombre de décisions concernant les clients et les employés. De fait, l'activité de direction est cette partie du travail du gestionnaire liée à la routine et au quotidien. Les données issues de la comptabilité de gestion, telles que les rapports journaliers sur les ventes, servent souvent à ce type de décisions prises au jour le jour.

Le contrôle

La fonction de contrôle permet au gestionnaire de s'assurer que le plan est suivi. La **rétroaction**, qui indique si les activités d'exploitation sont sur la bonne voie, s'avère indispensable à un contrôle efficace. Dans les grandes organisations, la rétroaction se fait à l'aide de rapports détaillés de différents types. L'un d'entre eux, qui compare les données budgétisées aux données réelles, est le **rapport de performance**. Le rapport de performance signale les activités d'exploitation qui ne se déroulent pas comme prévu et les secteurs de l'organisation qui nécessitent une attention accrue. Par exemple, avant l'ouverture du magasin de Shanghai au troisième trimestre, des objectifs en matière de volume de ventes, de dépenses et de revenus pour le quatrième trimestre de la période

Budget

Plan détaillé établi en fonction de l'avenir, habituellement rédigé selon des termes quantitatifs formels.

Contrôleur

Gestionnaire responsable du service de la comptabilité d'une organisation ; aussi appelé *gestionnaire comptable*.

Rétroaction

Suivi, à l'aide de rapports comptables et d'autres rapports, permettant au gestionnaire d'évaluer la performance, et de cibler des problèmes et occasions qui, autrement, pourraient passer inaperçus.

Rapport de performance

Rapport détaillé comparant les données prévisionnelles aux données réelles.

seront assignés à son directeur. Au cours de ce trimestre, le service de la comptabilité préparera des rapports périodiques dans lesquels le volume de ventes, les dépenses et les revenus réels seront comparés aux objectifs. Si les données réelles se révèlent inférieures à celles prévues dans les objectifs, la direction générale sera rapidement informée que le magasin de Shanghai exige plus d'attention.

L'amélioration

Après avoir analysé les rapports de performance, le directeur du magasin de Shanghai et la direction de Vibrations inc. devront apporter les changements nécessaires pour redresser la situation. Du personnel expérimenté pourra être affecté auprès du nouveau directeur. La direction générale pourra aussi conclure que les plans doivent être révisés. Comme nous le verrons au cours des prochains chapitres, cette forme de rétroaction destinée aux gestionnaires constitue l'un des principaux objectifs de la comptabilité de gestion.

Les effets des activités des gestionnaires

Lorsqu'un client visitera un magasin Vibrations inc., les conséquences de la planification, de l'exécution, du contrôle et de l'amélioration des activités se refléteront immédiatement dans de nombreux détails qui feront la différence entre une expérience de magasinage agréable et une expérience de magasinage pénible. Ainsi, la succursale sera propre, décorée avec élégance et agencée avec soin. Les écrans témoins diffuseront des vidéoclips d'artistes populaires, et le volume de la musique rock sera assez élevé pour que les clients plus âgés se précipitent vers la section de musique classique. Les stocks de CD populaires seront suffisants, et les clients pourront écouter les derniers grands succès à l'aide d'un casque d'écoute. Les employés affectés aux caisses seront vigilants, courtois et efficaces. Bref, l'expérience vécue par le client ne découle pas du hasard. Elle est le fruit des efforts de gestionnaires qui doivent concevoir et agencer les processus nécessaires pour obtenir l'effet recherché. Une des fonctions de la comptabilité de gestion est de fournir des renseignements susceptibles de faciliter la prise de décisions de la direction tout le long de ces processus afin que les efforts des dirigeants permettent de réaliser efficacement les objectifs de la société.

Le cycle de la planification et du contrôle

Le travail de gestion peut être résumé à l'aide d'un modèle semblable à celui de la figure 1.1 (*page suivante*). Le modèle, qui décrit le **cycle de la planification et du contrôle**, illustre le déroulement des activités de gestion depuis la planification, en passant par l'exécution, le contrôle, l'amélioration et le retour à la planification. Toutes ces activités impliquent une prise de décisions; c'est pourquoi le processus décisionnel est considéré comme le pivot autour duquel évoluent les autres activités.

La comptabilité de gestion peut aider à satisfaire le besoin d'information des dirigeants à toutes les étapes du cycle de la planification et du contrôle. Le comptable de gestion prépare les rapports détaillés dont les gestionnaires ont besoin pour prendre des décisions au jour le jour et à long terme. Il prépare aussi les budgets pour aider à attribuer les ressources en fonction des objectifs de l'entreprise. Il compare ensuite les coûts réels et les revenus aux valeurs budgétisées, et dresse des rapports pour informer la direction de tout écart important par rapport au budget. Les besoins de la direction en matière d'information varient d'une entreprise à l'autre mais, à mesure que vous lirez le présent manuel, vous découvrirez un bon nombre des outils dont les comptables de gestion disposent pour les satisfaire. Par exemple, ces comptables préparent généralement des rapports qui servent à répondre à des questions comme celles-ci :

- Combien en coûte-t-il pour fournir un bien ou un service en particulier ?
- Quels sont les effets d'une variation des activités d'exploitation de l'entreprise sur les coûts ?

Cycle de la planification et du contrôle

Ensemble des activités de gestion comprenant la planification, l'exécution, le contrôle, l'amélioration, puis le retour à la planification.

- Comment une entreprise peut-elle réduire ses coûts de façon à accroître sa rentabilité?
- Combien faut-il vendre d'unités pour atteindre le seuil de rentabilité?
- À quoi ressembleraient les budgets selon les différents niveaux prévus d'activité?
- L'entreprise devrait-elle ajouter ou abandonner une gamme de produits?
- L'entreprise devrait-elle externaliser une partie de ses activités?

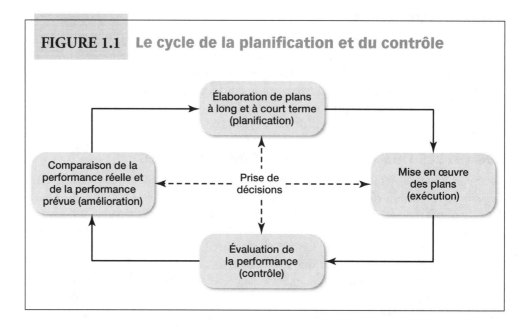

FIGURE 1.1 Le cycle de la planification et du contrôle

Le plan d'affaires

Le plan d'affaires s'avère indispensable à la gestion interne de l'organisation, car il fournit les bases pour l'évaluation et le contrôle de l'entreprise. Il se révèle aussi très utile pour se procurer la trésorerie nécessaire auprès des créanciers et des investisseurs potentiels. Le plan d'affaires répond ainsi à de nombreuses questions que soulèvent les bailleurs de fonds.

La figure 1.2 présente un organigramme des étapes nécessaires à la préparation d'un plan d'affaires type. Le laps de temps de 16 semaines n'est donné qu'à titre indicatif. La durée réelle du plan d'affaires varie selon la nature et la complexité du projet, et peut être de quelques semaines à plusieurs mois. Reportons-nous à l'organigramme ci-après. Notons qu'il est essentiel de terminer certaines étapes avant d'en entreprendre d'autres. Il serait aberrant, par exemple, d'établir des prévisions de ventes (étape 5) avant d'avoir choisi un produit ou un service (étape 3). Les entreprises mettent la dernière main à certains aspects financiers de leur stratégie dans leur budget annuel.

La technologie peut aider à implanter ces processus stratégiques au moyen d'applications compatibles qui effectuent des mises à jour automatiques et qui ont une architecture complexe permettant la préparation d'information multidimensionnelle, l'analyse par simulation et la gestion de la performance. En se partageant les données sur les activités d'exploitation en temps réel, les modèles de prévision et les analyses de tendances à l'intérieur de l'entreprise, la haute direction et les chefs de service peuvent établir un lien clair entre les objectifs stratégiques, les plans opérationnels et les objectifs individuels de rendement.

La personne responsable de rédiger les rapports sur le plan d'affaires doit être bien informée. Comme la plupart des entrepreneurs sont des gens d'action plutôt que des rédacteurs de rapports, la préparation du plan requis pour démarrer l'entreprise, assurer sa croissance ou réduire ses coûts est généralement confiée à une personne qui a des compétences dans les domaines financier et des affaires, et qui saura tirer parti des différentes compétences de son entourage.

Un plan d'affaires commence par une table des matières et un sommaire. Ensuite, il présente nécessairement une description de l'entreprise et de ses produits ou de ses services,

FIGURE 1.2 Un organigramme des étapes nécessaires à la préparation du plan d'affaires

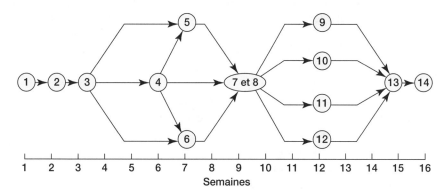

1. Décider de mettre sur pied une entreprise.
2. Analyser ses forces et ses faiblesses.
3. Choisir un produit ou un service.
4. Effectuer une étude de marché.
5. Effectuer une prévision de ventes.
6. Choisir l'emplacement.
7. Préparer un plan de production.
8. Préparer un plan de commercialisation.
9. Préparer un plan relatif au personnel.
10. Décider du statut légal.
11. Vérifier la nécessité des enregistrements.
12. Préparer un régime d'assurance.
13. Préparer un plan financier.
14. Établir par écrit une vue d'ensemble.

Source : Adapté de Nicholas C. SIROPOLIS, *Small Business Management : A Guide to Entrepreneurship*, 5e éd., Florence (Kentucky), South-Western, une division de Cengage Learning Inc., © 1994. Reproduit avec permission (<www.cengage.com/permissions>).

ainsi que ses plans de vente et de marketing. Les plans d'exploitation et de gestion des ressources humaines fourniront l'essentiel de l'information concernant les ressources financières requises pour bâtir des plans financiers détaillés. Parmi les annexes, on pourra par exemple trouver les états financiers prévisionnels, une analyse de la concurrence, une ventilation des ventes et des résultats par produit ou service et par client, ainsi que diverses conventions telles que des contrats, des brevets et des ententes de confidentialité pour les tiers qui ont accès au rapport en raison de leur fonction[3].

SUR LE TERRAIN

Le financement d'une société

La société Ultra Electronics Maritime Systems, établie dans la région urbaine de Halifax, est un leader d'envergure internationale dans le domaine de la conception, du développement et de la production de groupes-capteurs de pointe électroniques, électromécaniques et hydro-acoustiques. En raison de sa stratégie, elle a des installations dans différents pays, dont la Grande-Bretagne, le Japon et la France. Pour obtenir le financement nécessaire à ses activités internationales, ses actions ont été admises à la Bourse de Londres en 1996. L'utilisation de systèmes d'information et de rapports sur la performance lui permet de fournir des données de comptabilité de gestion appropriées. Le vice-président du service finance et administration, un comptable en management accrédité, participe activement à la planification stratégique, à la planification, au contrôle et à la direction des activités d'exploitation.

Source : Robert COLMAN, « Navigating Strategic Change », *CMA Management*, octobre 2006, p. 40-42.

---

3. Eric SIEGEL, Brian R. FORD et Jay BORNSTEIN, *The Ernst & Young Business Plan Guide*, 2e éd., Toronto, John Wiley & Sons, Inc., 1993. On y trouve une description détaillée du contenu d'un plan d'affaires ainsi qu'un exemple précis.

1 ## Une comparaison entre la comptabilité financière et la comptabilité de gestion

OBJECTIF 2

Déterminer les principales ressemblances et différences entre la comptabilité financière et la comptabilité de gestion.

Les rapports de comptabilité financière sont préparés à l'intention des parties extérieures à l'organisation telles que les actionnaires et les créanciers. De leur côté, les rapports de comptabilité de gestion sont préparés à l'intention des gestionnaires de l'organisation. Cette distinction dans l'orientation de base est à l'origine de plusieurs différences importantes entre la comptabilité financière et la comptabilité de gestion, bien que certaines informations soient communes aux deux types de rapports et reposent sur les mêmes données financières de base. Ces différences sont résumées à la figure 1.3.

Comme le montre la figure 1.3, les destinataires des rapports de comptabilité financière et de comptabilité de gestion seront différents. Il en sera de même des données destinées aux utilisateurs et de nombreux autres aspects. La manière dont les deux formes de comptabilité mettent l'accent sur le passé et le futur se révélera aussi différente. Nous traiterons de ces distinctions dans les paragraphes suivants.

L'importance de planifier l'avenir

La *planification* constitue l'une des activités les plus importantes du travail de direction ; c'est pourquoi la comptabilité de gestion sera grandement axée sur l'avenir. À l'opposé, la

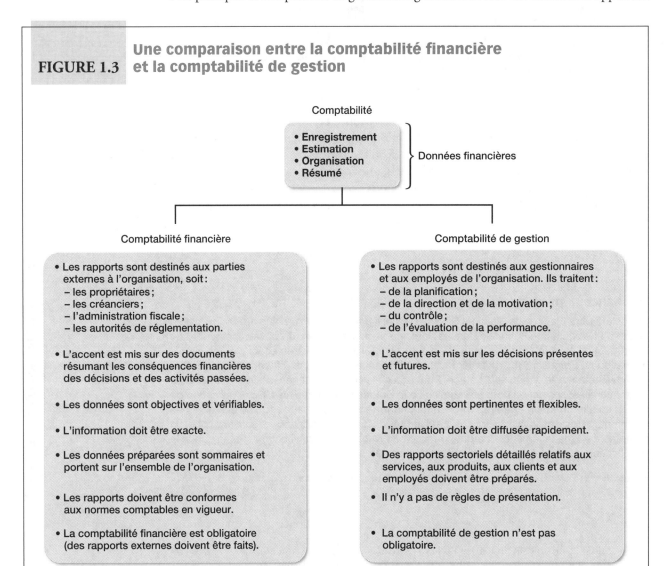

FIGURE 1.3 Une comparaison entre la comptabilité financière et la comptabilité de gestion

Comptabilité
- Enregistrement
- Estimation
- Organisation
- Résumé
} Données financières

Comptabilité financière

- Les rapports sont destinés aux parties externes à l'organisation, soit :
  - les propriétaires ;
  - les créanciers ;
  - l'administration fiscale ;
  - les autorités de réglementation.

- L'accent est mis sur des documents résumant les conséquences financières des décisions et des activités passées.

- Les données sont objectives et vérifiables.

- L'information doit être exacte.

- Les données préparées sont sommaires et portent sur l'ensemble de l'organisation.

- Les rapports doivent être conformes aux normes comptables en vigueur.

- La comptabilité financière est obligatoire (des rapports externes doivent être faits).

Comptabilité de gestion

- Les rapports sont destinés aux gestionnaires et aux employés de l'organisation. Ils traitent :
  - de la planification ;
  - de la direction et de la motivation ;
  - du contrôle ;
  - de l'évaluation de la performance.

- L'accent est mis sur les décisions présentes et futures.

- Les données sont pertinentes et flexibles.

- L'information doit être diffusée rapidement.

- Des rapports sectoriels détaillés relatifs aux services, aux produits, aux clients et aux employés doivent être préparés.

- Il n'y a pas de règles de présentation.

- La comptabilité de gestion n'est pas obligatoire.

comptabilité financière fournira essentiellement des résumés des opérations financières passées. Ces résumés peuvent s'avérer utiles à la planification, mais d'une façon limitée. La difficulté qu'entraînent les résumés des activités passées tient en ce que le futur n'est pas un simple reflet des événements passés. Ainsi, les conditions économiques, les besoins et les désirs des clients, de même que l'environnement concurrentiel évoluent constamment. Ces changements exigent que la planification du gestionnaire se base en grande partie sur la prévision d'événements futurs plutôt que sur des résumés d'événements passés.

La pertinence et la flexibilité des données

Les utilisateurs des données de la comptabilité financière s'attendent à ce que celles-ci soient objectives et vérifiables. Cependant, pour l'usage interne, le gestionnaire veut recevoir une information pertinente, et ce, même si elle n'est pas complètement objective ou vérifiable. Par «pertinente», nous entendons *appropriée à la situation à laquelle fait face le gestionnaire*. Par exemple, pour Vibrations inc., il est difficile de vérifier le volume prévu des ventes pour son nouveau magasin. C'est précisément de ce type d'information qu'ont besoin les gestionnaires pour prendre leurs décisions. Le système d'information de la comptabilité de gestion devrait s'avérer assez souple pour fournir tout type de données pertinentes pour une situation particulière.

La relativité de la précision

Aux yeux du gestionnaire, la disponibilité rapide de l'information se révélera souvent plus importante que la précision. Quand une décision doit être prise, le gestionnaire préférera obtenir une estimation assez juste dans l'immédiat plutôt qu'une information plus précise une semaine plus tard. Une décision mettant en cause des dizaines de millions de dollars ne requiert pas d'estimation au dollar près. Dans ce cas, une estimation au million de dollars près peut s'avérer assez précise et bien servir le gestionnaire dans sa prise de décision. Puisque la précision sera coûteuse en temps et en ressources, et qu'elle ne changera sans doute pas la décision, la comptabilité de gestion accordera moins d'importance à la précision que la comptabilité financière. Par contre, la comptabilité de gestion attachera infiniment plus d'importance aux données non financières. Il en va ainsi de l'information sur la satisfaction des clients, bien qu'il soit difficile de la chiffrer.

Les sections d'une organisation

La comptabilité financière aura pour préoccupation principale de considérer l'organisation comme un tout. À l'opposé, la comptabilité de gestion se préoccupera davantage des éléments, ou *sections*, de l'organisation. La section peut représenter une gamme de produits, des clients, un territoire de vente, une division, un service ou toute autre catégorie d'activité que la direction de l'entreprise jugera utile de considérer séparément. La comptabilité financière peut inclure dans ses rapports externes une ventilation des produits et des charges par section principale. Dans la comptabilité de gestion, la publication d'information sectorielle s'avérera essentielle.

Les normes comptables applicables aux états financiers à usage général

Les états financiers préparés à l'intention des utilisateurs externes doivent être conformes aux normes comptables en vigueur. Les utilisateurs externes doivent avoir l'assurance que les rapports ont été préparés en respectant les règles de base communes. Ces règles augmentent le degré de comparabilité, et permettent de réduire les fraudes et les présentations erronées. Toutefois, elles ne permettent pas nécessairement de dresser des rapports qui seraient plus utiles à la prise de décisions interne. Par exemple, si l'entreprise a fait le choix, comme méthode comptable, d'appliquer le modèle du coût plutôt que celui de la réévaluation pour ses immobilisations corporelles, les normes comptables exigent que le prix du terrain figure à son coût historique dans les états financiers. Cependant, si la direction de l'entreprise envisage de trouver un nouvel emplacement pour un magasin et de vendre le terrain actuel du magasin, elle souhaitera connaître la valeur marchande du terrain (une information essentielle qui ne sera pas rapidement disponible, car les normes comptables selon le modèle du coût ne donnent pas cette information).

La comptabilité de gestion n'est pas régie par des normes comptables. Le gestionnaire établit ses propres règles de base concernant le contenu et la forme des rapports internes. Le seul impératif reste que les avantages escomptés grâce à l'utilisation de l'information devront dépasser les coûts de collecte, d'analyse et de présentation des données. Néanmoins, comme nous le verrons au cours des prochains chapitres, il est indéniable que les normes de comptabilité financière ont beaucoup influé sur la pratique de la comptabilité de gestion.

Le caractère non obligatoire de la comptabilité de gestion

Pour certaines entreprises, notamment celles cotées en Bourse, la comptabilité financière est obligatoire ; on doit donc l'effectuer. Différents organismes externes tels que les commissions provinciales des valeurs mobilières et l'administration fiscale exigent des états financiers périodiques. En revanche, la comptabilité de gestion n'est pas obligatoire. L'organisation est libre d'agir à sa guise. Il n'existe aucun organisme de réglementation ni organisme externe précisant que quelque chose doit être fait ou ce qui doit l'être. Dans la mesure où la comptabilité de gestion est facultative, la seule question importante sera toujours « L'information est-elle utile ? » plutôt que « L'information est-elle requise ? »

La structure organisationnelle

OBJECTIF 3

Décrire le rôle des comptables responsables de la comptabilité de gestion dans une organisation.

Les organisations se composant de personnes, la direction doit atteindre ses objectifs en travaillant *par l'intermédiaire* de ces personnes. Les présidents d'entreprises telles que Vibrations inc. seraient incapables de déployer seuls toutes les stratégies de leur organisation ; ils doivent donc compter sur d'autres ressources. Il est ainsi utile de mettre sur pied une structure organisationnelle qui permettra la *décentralisation* des responsabilités de gestion.

La décentralisation

Décentralisation

Délégation du pouvoir de décision partout au sein de l'organisation, ce qui donne aux gestionnaires des divers niveaux d'exploitation le pouvoir de prendre des décisions dans leur secteur de responsabilité.

La **décentralisation** consiste à déléguer le pouvoir de décision partout au sein de l'organisation. Elle donne aux gestionnaires des divers niveaux d'exploitation le pouvoir de prendre les décisions concernant leur secteur de responsabilité. Certaines organisations sont plus décentralisées que d'autres. Vibrations inc. est une entreprise très décentralisée en raison de sa dispersion géographique et de la particularité de ses marchés locaux.

Le président de Vibrations inc. fixe les grandes lignes de la stratégie de l'entreprise. Il prend aussi des décisions stratégiques importantes telles que l'ouverture de magasins sur de nouveaux marchés. Cependant, une grande partie des autres décisions sont confiées aux gestionnaires des différents niveaux de l'organisation. Ces niveaux sont les suivants : l'entreprise compte un grand nombre de magasins de détail ; chacun dispose d'un directeur de magasin et d'un directeur pour chaque section (rock international, classique, jazz, etc.). Elle se compose aussi notamment de services auxiliaires, d'un service central des achats et d'un service du personnel. La structure organisationnelle de l'entreprise est illustrée à la figure 1.4.

Organigramme

Représentation graphique de la structure organisationnelle d'une entreprise mettant en évidence les voies officielles de hiérarchie et de communication entre gestionnaires ainsi que leurs responsabilités.

La disposition des cases, à la figure 1.4, forme un **organigramme**. L'organigramme illustre la répartition des responsabilités parmi les gestionnaires, et la structure des rapports et de la communication, ou *voie hiérarchique*. Chaque case représente un domaine de responsabilité de gestion, et les lignes reliant les cases indiquent les voies d'autorité officielles entre responsables. Par exemple, l'organigramme met en évidence que les directeurs de magasin sont tous sous la responsabilité du vice-président de l'exploitation, que ce dernier relève du président, qui, à son tour, est sous l'autorité du conseil d'administration. En examinant les voies d'autorité et de communication dans l'organigramme, nous

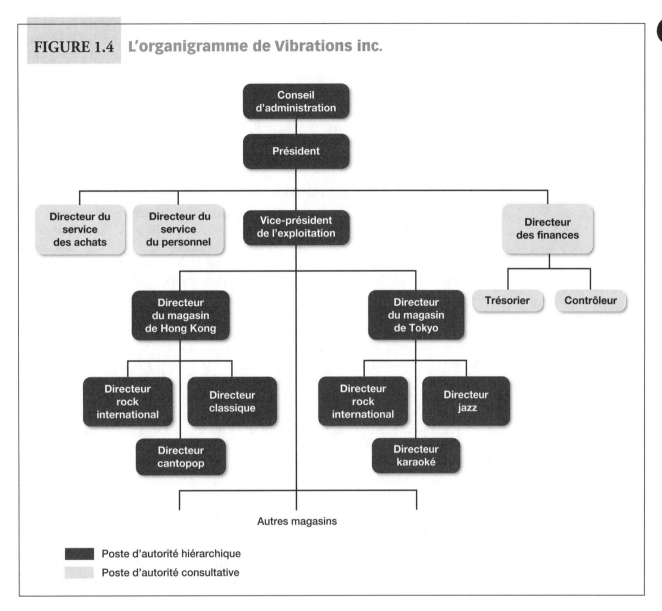

FIGURE 1.4 L'organigramme de Vibrations inc.

Poste d'autorité hiérarchique

Poste d'autorité consultative

constatons que le directeur du magasin de Hong Kong devrait en principe rendre compte des activités d'exploitation au vice-président plutôt qu'au président.

Les relations *non officielles* et les réseaux de communication débouchent souvent sur des relations personnelles entre gestionnaires, et ce, à l'extérieur de la structure officielle mise en évidence dans l'organigramme. La structure non officielle ne figure pas sur ce schéma, mais elle s'avère souvent indispensable à l'efficacité des activités d'exploitation.

Les relations entre les postes d'autorité hiérarchique et les postes d'autorité consultative

L'organigramme met aussi en évidence les *postes d'autorité hiérarchique* et les *postes d'autorité consultative* de l'organisation. La personne occupant un **poste d'autorité hiérarchique** participe *directement* à la réalisation des objectifs de base de l'organisation. En revanche, la personne occupant un **poste d'autorité consultative** participe *indirectement* à la réalisation de ces mêmes objectifs. Cette personne *soutient* ou aide les employés occupant des postes d'autorité hiérarchique ou d'autres éléments de l'organisation. Elle n'exerce toutefois aucune autorité directe sur les postes d'autorité hiérarchique. Reportons-nous à la figure 1.4. Rappelons que l'objectif de base de Vibrations inc. est de vendre à profit de la musique enregistrée. Les directeurs dont les secteurs de responsabilité sont

Poste d'autorité hiérarchique

Poste participant directement à la réalisation des objectifs de base de l'organisation.

Poste d'autorité consultative

Poste participant indirectement à la réalisation des objectifs de base de l'organisation. Un tel poste est par nature d'un grand soutien, car il offre des services ou de l'aide aux postes d'autorité hiérarchique ou à d'autres postes de soutien.

directement liés à l'effort de vente occupent des postes d'autorité hiérarchique. Ces postes, illustrés en bleu dans l'organigramme, comprennent les directeurs du rayon de la musique des différents magasins, les directeurs de magasin, le vice-président de l'exploitation et les membres de la haute direction.

Par contraste, le directeur du service des achats occupe un poste d'autorité consultative, car la seule fonction du service des achats est de soutenir et d'aider les services de la hiérarchie en effectuant les achats pour eux. Cependant, tout comme les employés qui occupent des postes d'autorité hiérarchique, ceux qui occupent des postes d'autorité consultative exercent une autorité au regard du personnel qui est sous leur responsabilité.

Le contrôleur de gestion

Au Canada, le gestionnaire qui dirige le service qui s'occupe de préparer les analyses et les rapports issus de la comptabilité de gestion porte généralement le titre de *contrôleur de gestion*; dans certaines organisations, on l'appelle *gestionnaire comptable*. Il rend compte de ses activités au *directeur des finances*. En tant que membre de la haute direction, ce dernier a la responsabilité de fournir les données pertinentes au moment opportun pour soutenir les activités de planification et de contrôle, et de préparer les états financiers destinés à la publication. Comme le contrôleur de gestion acquiert une bonne connaissance des différentes activités de l'entreprise en travaillant avec les gestionnaires de tous les services de l'entité, il n'est pas rare que ce poste constitue un tremplin pour accéder à des postes de direction de la société.

Le contrôleur de gestion est un expert qui connaît à fond les aspects techniques de la comptabilité et de la finance. Il peut exercer son leadership auprès des autres professionnels de son service, et analyser des situations nouvelles et en évolution. Dans une telle fonction, l'efficacité consiste à pouvoir travailler en harmonie avec les cadres dirigeants des autres services, et communiquer des renseignements techniques ou complexes d'une manière simple et intelligible.

Une grande partie des tâches qui incombent au contrôleur de gestion consistent à conseiller la haute direction et les gestionnaires des divers services de l'entreprise. En fait, de nombreux comptables responsables de la comptabilité de gestion qui effectuent ces tâches se présentent même comme travaillant dans le domaine des finances puisqu'un petit nombre seulement de leurs activités — voire aucune — concernent les débits et les crédits, ou encore la passation d'écritures de journal. Ces comptables se considèrent comme des conseillers qui accomplissent des tâches au sein d'équipes multidisciplinaires un peu partout à l'intérieur de l'entreprise.

Le comptable de gestion professionnel

Au Canada, il existe trois ordres professionnels regroupant les comptables. Les sigles CGA, CA et CMA désignent les titres comptables des professionnels membres de sociétés ou d'associations provinciales connues sous les noms d'Association des comptables généraux accrédités du Canada, d'Institut canadien des comptables agréés et de Société des comptables en management du Canada (pour le Québec: Ordre des comptables généraux accrédités du Québec, Ordre des comptables agréés du Québec, Ordre des comptables en management accrédités du Québec[4]). Les membres des trois ordres professionnels exercent leur profession dans divers secteurs d'activité (industrie, commerce, gouvernement, éducation et cabinets d'expertise comptable) après avoir complété leur formation universitaire, réussi leurs examens d'admission et leur formation professionnelle, et réalisé un stage de 24 mois d'expérience pratique. Aux États-Unis, les comptables en management

---

4. Les sites internet de ces organisations contiennent des renseignements généraux. Rendez-vous aux adresses suivantes: \<www.cga-quebec.org>, \<www.ocaq.qc.ca> et \<www.cma-quebec.org>.

professionnels peuvent porter le titre de CPA ou de CMA. Le sigle CPA désigne les membres de l'American Institute of Certified Public Accountants ou d'associations de CPA de divers États. Les CMA sont membres de l'Institute of Management Accountants (IMA).

Contrairement à la comptabilité financière, la comptabilité de gestion n'est assujettie à aucune réglementation. Toutefois, la Société des comptables en management du Canada publie des *politiques de comptabilité de management* et des *pratiques de comptabilité de management* concernant les principaux domaines de cette profession. L'adhésion à ces pratiques est facultative. En raison de leur pertinence et de l'expertise présidant à leur préparation, elles doivent être largement acceptées. Plus de 60 politiques sont actuellement en vigueur sur des sujets tels que la gestion stratégique, la gestion des risques, la gestion et la mesure de la performance ainsi que l'information financière. La Société a publié plus de 40 pratiques en comptabilité de gestion concernant entre autres la gestion des risques, la gestion et la mesure de la performance. De nouveaux sujets sont continuellement présentés par la Société.

L'éthique professionnelle

Une série de scandales retentissants dans les secteurs public et privé ont causé de sérieuses inquiétudes concernant les comportements éthiques au sein du monde des affaires et de l'administration publique[5]. Les questions d'éthique sont importantes parce qu'elles permettent aux rouages de l'économie de fonctionner sans heurts. Comme l'écrit James Surowiecki :

OBJECTIF 4

Expliquer la nature et l'importance de l'éthique pour les comptables.

> Une économie ne saurait être prospère sans un sain niveau de confiance dans la fiabilité et l'impartialité des transactions quotidiennes. Si les gens supposaient que chaque marché potentiel cache une arnaque ou que chaque marchandise achetée va probablement se révéler un « citron », très peu de transactions se concluraient. Plus encore, le coût des transactions effectuées serait exorbitant parce qu'il faudrait accomplir un travail colossal pour enquêter sur chacune d'elles et compter sur la menace d'une action en justice pour faire respecter chaque contrat. Pour qu'une économie puisse prospérer, il n'est pas nécessaire d'être optimiste au point de s'imaginer que tout le monde a constamment votre intérêt à cœur — une mise en garde du type « acheteur, méfiez-vous ! » sera toujours de mise —, mais d'avoir une confiance élémentaire dans les promesses que font les gens et les engagements qu'ils prennent concernant leurs produits et leurs services[6].

Les entreprises ont de bonnes raisons de se soucier de leur réputation sur le plan éthique. Une société à laquelle ses clients, ses employés et ses fournisseurs ne font pas confiance finira par en pâtir. La vertu est parfois une récompense en soi, mais les questions de comportement éthique doivent être prises au sérieux parce que la survie même de l'entreprise peut dépendre du degré de confiance que lui accordent ses diverses parties prenantes.

Les ordres comptables professionnels disposent du droit d'association et de certains autres droits qui leur sont concédés par les gouvernements provinciaux du Canada. Une des exigences inhérentes à ces droits est l'adoption d'un code d'éthique qui impose des devoirs d'ordres général et particulier envers le public. Chaque association de comptables est alors autorisée à fonctionner conformément aux lois en vigueur dans le pays, en utilisant son code d'éthique comme guide[7].

Ces codes renferment généralement des précisions sur la façon dont les membres de ces associations professionnelles devraient se comporter dans leurs relations avec le public, leur association et leurs clients. Par exemple, les comptables doivent maintenir le niveau

---

5. Entre autres exemples, citons le scandale des commandites impliquant des membres du gouvernement fédéral canadien, et d'autres encore qui ont éclaté au sein d'entreprises comme Enron, WorldCom, Mount Real et Cinar.

6. James SUROWIECKI, « A Virtuous Circle », *Forbes*, 23 décembre 2002, p. 248-256.

7. Les sites internet énumérés dans la note n° 4 sur les associations québécoises de comptables fournissent des renseignements au sujet des normes éthiques de leurs membres. En outre, dans le site <www.ifac.org>, vous trouverez ce que l'International Federation of Accountants attend de ses membres dans ce domaine.

de compétence professionnelle exigé par leur poste. De même, la confidentialité est essentielle, compte tenu de l'importance de l'information qu'ils analysent. Pour conserver leur intégrité, il leur faut éviter les conflits d'intérêts avec leurs employeurs ou leurs clients, communiquer les limites de leur compétence professionnelle et n'accepter aucune faveur qui pourrait influer sur leur jugement. Ils doivent faire preuve d'objectivité dans leurs communications de façon que les destinataires reçoivent à la fois les aspects favorables et défavorables de l'information dont ils ont besoin.

Les comptables professionnels sont tenus de connaître la totalité de leur code de déontologie en raison de la complexité des règles concernant la compétence, la confidentialité, l'intégrité et la crédibilité dans les situations concrètes. En outre, ils devraient connaître les procédures à utiliser pour trouver des solutions à des situations épineuses.

Certains codes d'éthique comportent davantage de directives que d'autres. L'Institute of Management Accountants des États-Unis, par exemple, fournit des directives très claires concernant les normes éthiques à respecter et donne également des conseils sur les façons d'apporter des solutions à des situations conflictuelles sur le plan éthique. Cette information apparaît dans l'encadré 1.1.

Les entreprises sont des organisations formées de personnes qui poursuivent des objectifs (parfois appelés *missions*). Ces organisations schématisent dans leur organigramme les relations officielles qui existent entre leurs membres, comme nous l'avons vu précédemment. Toutefois, il y a aussi des relations et des activités non officielles qui doivent être orientées vers la réalisation des objectifs d'un vaste ensemble de personnes désigné par l'expression *parties prenantes*. Les parties prenantes sont les personnes qui, à l'intérieur et à l'extérieur de l'organisation, ont un intérêt dans ses activités. L'intérêt des employés, des actionnaires et des créanciers dans ce que fait l'entreprise est évident, mais celui du public, des clients, des fournisseurs et des concurrents n'est pas moins réel. Les activités de l'organisation peuvent se révéler profitables pour toutes ces parties prenantes, mais elles peuvent aussi leur nuire.

Une organisation élabore un code de déontologie pour présenter son système de valeurs et de principes moraux. Ce document précise ce qu'elle attend de ses employés dans leurs relations avec les différentes parties prenantes. Il représente ainsi les valeurs que l'organisation défend quand elle interagit par l'intermédiaire de ses employés avec d'autres parties prenantes. Par exemple, une entreprise souhaite parfois respecter des normes environnementales plus sévères que celles imposées par les lois et les règlements locaux. Elle voudra peut-être utiliser les normes de conduite qui existent dans son pays d'origine plutôt que celles du pays hôte dans ses activités transfrontalières. Par son code de déontologie, une entreprise peut exprimer les principes qu'elle tient à respecter dans ses activités et fournir à ses membres des directives sur la façon dont ils devraient s'acquitter de leurs tâches conformément à ses valeurs.

SUR LE TERRAIN

L'éthique chez Bombardier

Le code d'éthique et de conduite de Bombardier présente les normes de comportement que tous ses employés sont tenus de respecter. Il expose les règles de conduite à adopter dans le milieu de travail, dans les pratiques commerciales et dans les relations avec les tiers. Il propose aussi des lignes directrices qui aideront les employés à prendre des décisions, en accord avec les valeurs et la réputation de Bombardier. Le chef de la conformité et le conseil consultatif d'éthique de Bombardier ont la responsabilité de la saine administration du code et de la promotion de ses principes au sein de l'ensemble de la société. L'entreprise encourage ses employés à dénoncer les comportements contraires à l'éthique et elle met à leur disposition plusieurs ressources, dont la possibilité de signaler une préoccupation à cet égard de manière tout à fait anonyme sur le site internet d'Ethics Point (<www.ethicspoint.com>).

Source: Site internet de Bombardier (<www.bombardier.ca>).

ENCADRÉ 1.1 Les normes éthiques du contrôleur de gestion

Les membres de l'Institute of Management Accountants (IMA) devront adopter un comportement éthique. L'engagement d'exercer leur profession de façon éthique comprend des principes de portée générale qui expriment les valeurs et les normes servant à guider leur conduite.

Les principes

Les principes éthiques de l'IMA d'une portée plus générale comprennent l'honnêteté, l'équité, l'objectivité et la responsabilité. Les membres de l'IMA doivent se conduire conformément à ces principes et encourager leurs collègues de travail à y adhérer aussi.

Les normes

Un membre de l'IMA qui ne se conformerait pas aux normes mentionnées ci-après pourrait s'exposer à des mesures disciplinaires.

1. La compétence

Chaque membre de l'IMA a la responsabilité :

a) de maintenir un niveau de compétence professionnelle approprié en mettant continuellement à jour ses connaissances et en améliorant son savoir-faire ;

b) d'accomplir ses activités professionnelles en conformité avec les lois, les règlements et les normes en vigueur ;

c) de fournir de l'information et des recommandations précises, claires, concises et en temps opportun pour appuyer la prise de décisions ;

d) de déterminer et de communiquer ses limites professionnelles ou toute autre contrainte qui pourraient nuire à un jugement responsable ou à la réussite de l'accomplissement d'une activité.

2. La confidentialité

Chaque membre de l'IMA a la responsabilité :

a) de maintenir la confidentialité de l'information, sauf lorsque sa divulgation est autorisée ou requise par la loi ;

b) d'informer toutes les parties concernées d'une utilisation appropriée de l'information confidentielle et de surveiller les activités du personnel subalterne pour s'assurer qu'il respecte cette confidentialité ;

c) de s'abstenir d'utiliser de l'information confidentielle pour en obtenir un avantage contraire à l'éthique ou à la loi.

3. L'intégrité

Chaque membre de l'IMA a la responsabilité :

a) de limiter les conflits d'intérêts réels (ainsi, chacun devrait régulièrement communiquer avec ses partenaires pour éviter des conflits d'intérêts apparents et aviser toutes les parties du moindre conflit potentiel) ;

b) de s'abstenir d'adopter tout comportement susceptible de nuire à l'accomplissement de ses tâches de façon éthique ;

c) de s'abstenir de participer à toute activité susceptible de jeter le discrédit sur la profession ou de soutenir toute activité de ce type.

4. La crédibilité

Chaque membre de l'IMA a la responsabilité :

a) de communiquer de l'information loyalement et objectivement ;

b) de divulguer toute information pertinente susceptible d'influencer la compréhension par les utilisateurs des rapports, des analyses ou des recommandations présentés ;

c) de communiquer les retards ou les lacunes dans l'information, la rapidité de publication, le traitement ou le contrôle interne conformément à la politique de l'entreprise ou aux lois qui s'y appliquent.

La recherche de solutions aux conflits de nature éthique

Dans l'application des normes d'éthique en matière de pratique professionnelle, vous pourriez éprouver des problèmes à reconnaître un comportement non éthique ou à résoudre un conflit éthique. En cas de difficulté de cette nature, vous devriez suivre les politiques établies par votre entreprise en ce qui a trait à la résolution de tels conflits. Si l'application de ces politiques ne permet pas de résoudre le conflit, vous devriez considérer les lignes de conduite suivantes :

1. Discutez de la question avec votre supérieur immédiat, sauf s'il semble impliqué dans le conflit. Dans ce cas, soumettez la question au niveau suivant dans la hiérarchie. Si vous n'obtenez pas de réponse satisfaisante, soumettez le problème à l'échelon supérieur de gestion. Si votre supérieur immédiat est le chef de la direction ou occupe un poste équivalent, l'autorité habilitée à examiner le conflit pourrait être un groupe comme le comité d'audit, le comité de direction, le conseil d'administration ou les propriétaires. Votre supérieur immédiat doit être mis au courant de votre intention de communiquer avec des instances d'un niveau plus élevé que le sien, à condition qu'il ne soit pas impliqué dans le conflit. La communication de problèmes de cette nature à une autorité ou à des personnes qui ne sont pas employées par l'entreprise ou qui n'en font pas partie n'est pas considérée comme un comportement approprié, à moins d'avoir des raisons de croire que la loi n'a manifestement pas été respectée.

2. Pour clarifier des questions éthiques, discutez-en de façon confidentielle avec un conseiller en déontologie de votre ordre professionnel ou avec tout autre conseiller impartial de façon à obtenir une meilleure compréhension des lignes de conduite qui s'offrent à vous.

3. Consultez votre propre avocat concernant vos obligations juridiques et vos droits en matière de conflits éthiques.

Source : Adapté avec la permission de l'Institute of Management Accountants (<www.imanet.org>). « IMA Statement of Ethical Professional Practice », *IMA*, [En ligne], <www.imanet.org/PDFs/Statement of Ethics_web.pdf> (Page consultée le 26 août 2010).

La gouvernance d'entreprise

Gouvernance d'entreprise

Système qui sert à diriger et à contrôler une organisation.

Une **gouvernance d'entreprise** efficace renforce chez les actionnaires l'idée que la gestion de la société se fait davantage en vue de leur intérêt que de celui des cadres supérieurs. La gouvernance d'entreprise est le système qui sert à diriger et à contrôler une organisation. Appliqué de façon appropriée, ce système devrait encourager le conseil d'administration et la haute direction à poursuivre des objectifs qui correspondent à l'intérêt des propriétaires de l'entreprise et devrait prévoir un contrôle efficace de la performance[8]. Beaucoup de gens soutiennent qu'en plus de protéger l'intérêt des actionnaires, un système de gouvernance d'entreprise efficace devrait aussi protéger celui des multiples autres parties prenantes de l'organisation — ses clients, ses créanciers, ses employés, ses fournisseurs et les collectivités dans lesquelles elle est établie. Ces groupes sont appelés *parties prenantes* parce que leur bien-être est lié à la performance de l'entreprise.

Malheureusement, le passé a montré à maintes reprises que, s'ils ne sont pas surveillés, des cadres supérieurs sans scrupule n'hésitent pas à utiliser leur pouvoir pour escroquer ce qui revient aux parties prenantes. Cette regrettable tendance a éclaté au grand jour en 2001 lorsque la chute d'Enron a entraîné une vague de scandales au sein de certaines entreprises. Ces scandales étaient caractérisés par la publication d'une information financière mensongère et la mauvaise utilisation de la trésorerie des entreprises aux échelons les plus élevés de la hiérarchie — y compris aux postes de chefs de la direction et de directeurs des finances. Bien que cette situation ait été préoccupante en soi, elle indiquait également que les institutions établies pour prévenir de tels abus n'avaient pas joué adéquatement leur rôle, ce qui a soulevé des questions fondamentales quant à l'efficacité du système de gouvernance d'entreprise de l'époque. Dans une tentative pour calmer les inquiétudes, le Congrès américain a voté, en 2002, la plus importante réforme de la gouvernance d'entreprise à voir le jour depuis des décennies — le Sarbanes-Oxley Act (SOX). Dans la foulée de la loi « SOX », une série de règlements et de mesures législatives ont été introduits ces dernières années au Canada. Parmi ces changements, on peut noter de nouvelles normes et un rôle élargi pour le comité d'audit. Le chef de la direction et le directeur des finances doivent attester les rapports annuels et trimestriels. Cette attestation témoigne qu'à leur connaissance, il n'existe aucune inexactitude ou omission importante dans l'information financière et que celle-ci donne une image fidèle des activités financières. L'attestation porte de plus sur les contrôles et les procédures de communication de l'information de même que sur le contrôle interne. Finalement, ces gestionnaires doivent également attester qu'ils ont évalué l'efficacité du contrôle interne à l'égard de l'information financière.

SUR LE TERRAIN

Des dégâts chez Parmalat

Les scandales financiers ne sont pas survenus uniquement aux États-Unis. En 2003, une société à capital ouvert d'origine italienne spécialisée dans les produits laitiers, Parmalat, a fait faillite. Le chef de la direction, Calisto Tanzi, a avoué avoir falsifié les comptes pendant plus de 10 ans de façon à en retirer par « écrémage » quelque 640 millions de dollars qui ont servi à couvrir les pertes de diverses entreprises de sa famille. Toutefois, l'histoire ne s'arrête pas là. L'état de la situation financière de Parmalat contenait 13 milliards de dollars d'actifs inexistants, y compris un compte à la Bank of America de 5 milliards de dollars tout aussi fictif. Finalement, l'affaire Parmalat s'est révélée être la plus grosse fraude financière de l'histoire de l'Europe.

Source : Gail EDMONDSON, David FAIRLAMB et Nanette BYRNES, « The Milk Just Keeps on Spilling », *BusinessWeek*, 26 janvier 2004, p. 54-58.

---

8. Cette définition a été adaptée d'un rapport datant de 2004 sur les principes de gouvernance d'entreprise publié par l'Organisation de coopération et de développement économiques (OCDE).

La gestion des processus

Comme nous l'avons vu au début du chapitre, les deux dernières décennies correspondent à une période de forte ébullition et de changements importants dans l'environnement des entreprises. Dans de nombreux secteurs, la concurrence s'est étendue à l'échelle mondiale, et le rythme des innovations en matière de produits et de services s'est accéléré. Il s'agit de bonnes nouvelles pour les consommateurs puisque l'accroissement de la concurrence a généralement comme effet une baisse des prix, et une augmentation de la qualité et du choix. Toutefois, l'intensification de la concurrence mondiale a causé de sérieux problèmes aux entreprises. Plus que jamais, celles-ci se rendent compte qu'elles doivent combiner à leur gestion fonctionnelle des activités une vision horizontale, et ce, afin d'améliorer les *processus* susceptibles de fournir une valeur au client.

Un **processus** consiste en une suite de tâches qu'on doit suivre pour accomplir une activité donnée dans l'entreprise. Il est très fréquent qu'un ensemble de tâches liées entre elles à l'intérieur d'un processus dépassent les limites d'un département ou d'un service. L'expression *chaîne de valeur* est souvent employée pour décrire la façon dont les diverses fonctions d'une entreprise interagissent pour former un processus. La figure 1.5 présente une **chaîne de valeur** constituée des principales fonctions de l'entreprise qui ajoutent de la valeur à ses produits et services. La manière la plus efficace de satisfaire les besoins des clients consiste à coordonner les processus qui englobent ces différentes fonctions.

OBJECTIF 5

Expliquer les concepts suivants : production optimisée (*lean production*), système de gestion intégré d'entreprise et gestion des risques.

Processus

Série de tâches à suivre pour l'accomplissement d'une activité donnée dans l'entreprise.

Chaîne de valeur

Ensemble des principales fonctions de l'entreprise qui ajoutent de la valeur à ses produits et à ses services.

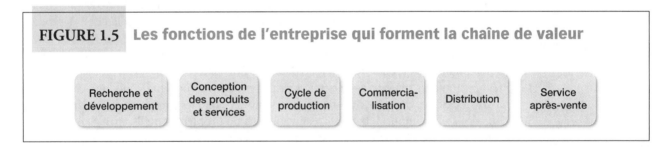

FIGURE 1.5 **Les fonctions de l'entreprise qui forment la chaîne de valeur**

| Recherche et développement | Conception des produits et services | Cycle de production | Commercialisation | Distribution | Service après-vente |

Dans cette section, nous étudierons différents concepts de gestion et d'amélioration des processus, soit la production optimisée (*lean production*), le système de gestion intégré d'entreprise et la gestion des risques. Même si chacun d'eux est unique à certains égards, ils présentent tous une caractéristique commune, celle de concentrer les efforts des gestionnaires sur l'amélioration des processus.

La production optimisée

Traditionnellement, les dirigeants d'entreprises manufacturières ont toujours cherché à maximiser la production de façon à étaler les dépenses d'investissement en matériel et autres actifs entre le plus grand nombre d'unités possible. Ils considéraient également qu'une partie importante de leur tâche consistait à tenir tout le monde occupé, suivant la théorie selon laquelle l'inactivité entraîne une perte d'argent. Ces façons de voir, souvent soutenues et encouragées par des méthodes traditionnelles de comptabilité de gestion, ont donné lieu à de multiples pratiques qui ont été critiquées au cours des dernières années.

Dans une entreprise manufacturière traditionnelle, le travail est « poussé » à travers le système en vue de produire le plus grand nombre possible d'unités et de tenir tous les employés occupés — même si la vente des produits et services ne peut se faire immédiatement. Cela entraîne presque inévitablement de vastes stocks de *matières premières*, de *produits en cours* et de *produits finis*. Les matières premières sont les matériaux qui servent à fabriquer un produit. Les stocks de **produits en cours** consistent en unités qui ont atteint un certain stade d'achèvement, mais qui devront subir un travail additionnel avant d'être prêtes à la vente. Les stocks de **produits finis** sont constitués d'unités dont la fabrication est terminée, mais qui n'ont pas encore été vendues aux clients.

Produits en cours

Stock composé d'unités dont la fabrication n'est pas encore terminée.

Produits finis

Stock d'unités dont la fabrication est terminée, mais qui n'ont pas encore été vendues aux clients.

Dans un système traditionnel, le département de la production commence par accumuler de vastes stocks de matières premières provenant des fournisseurs, de façon que les processus puissent se dérouler sans heurts, même en cas d'interruptions imprévues des livraisons. On expédie ensuite suffisamment de matières à chaque poste de travail pour tenir tous les employés occupés. Lorsqu'une tâche est complétée à un poste de travail, les marchandises partiellement achevées (c'est-à-dire les produits en cours) sont « poussées » vers l'avant jusqu'au poste suivant, que ce dernier soit prêt ou non à les recevoir. Par conséquent, les unités en cours de production s'empilent, en attendant que le prochain poste de travail soit en mesure de les traiter. Elles peuvent rester inachevées durant des jours, des semaines ou même des mois. En outre, lorsqu'elles sont enfin terminées, il n'est pas certain que les consommateurs en voudront. Si les produits finis sont manufacturés plus vite que le marché est prêt à en absorber, les stocks de produits finis grossissent démesurément.

Certains diront que le maintien de grandes quantités d'unités en stock a ses avantages, mais, de toute évidence, cela représente aussi des coûts. Selon des spécialistes, en plus d'immobiliser une partie de la trésorerie, cela encourage l'inefficacité au travail, entraîne un trop grand nombre de défauts et augmente de façon excessive la période de temps requise pour obtenir un produit fini. Par exemple, lorsque des marchandises non achevées sont entreposées pendant de longues périodes de temps avant que le poste de travail suivant les traite, les défauts imputables au poste de travail précédent passent inaperçus. Si le réglage d'un appareil est inadéquat ou que les employés commettent des erreurs dans l'application des procédures, de nombreuses unités défectueuses seront produites avant que le problème soit découvert. D'ailleurs, une fois les défauts constatés, il pourrait être très difficile de retrouver la source du problème. Enfin, des unités risquent d'être obsolètes ou démodées lorsqu'elles seront enfin terminées.

D'abondants stocks de marchandises en cours de production entraînent de nombreux autres problèmes qui sont traités à fond dans des cours plus spécialisés. Ces problèmes ne sautent pas toujours aux yeux — si c'était le cas, les entreprises auraient depuis longtemps réduit leurs stocks. Les dirigeants de Toyota ont semble-t-il été les premiers à se rendre compte que des stocks importants posent souvent plus de problèmes qu'ils en règlent. En fait, cette société a été un précurseur de ce qu'on appelle aujourd'hui la *production optimisée*.

Modèle de la production optimisée (*lean production*)

Méthode de gestion en cinq étapes qui organise les ressources en fonction des processus et selon laquelle les unités sont fabriquées uniquement en réponse aux commandes des clients.

Le modèle de la production optimisée

Le **modèle de la production optimisée** (*lean production*) est une méthode de gestion en cinq étapes qui organise les ressources telles que la main-d'œuvre et l'équipement en fonction d'un processus et selon laquelle les unités sont fabriquées uniquement en réponse aux commandes des clients. Il en résulte une diminution des stocks, des défauts et du gaspillage, et un meilleur temps de réponse au client. La figure 1.6 représente les cinq étapes de ce modèle.

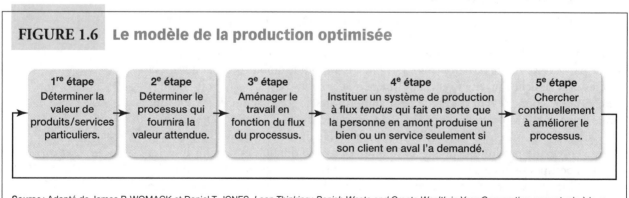

FIGURE 1.6 Le modèle de la production optimisée

| 1re étape | 2e étape | 3e étape | 4e étape | 5e étape |

1re étape Déterminer la valeur de produits/services particuliers. → **2e étape** Déterminer le processus qui fournira la valeur attendue. → **3e étape** Aménager le travail en fonction du flux du processus. → **4e étape** Instituer un système de production à flux *tendus* qui fait en sorte que la personne en amont produise un bien ou un service seulement si son client en aval l'a demandé. → **5e étape** Chercher continuellement à améliorer le processus.

Source : Adapté de James P. WOMACK et Daniel T. JONES, *Lean Thinking : Banish Waste and Create Wealth in Your Corporation*, revu et mis à jour, New York, Simon & Schuster, 2003.

La première étape consiste à définir ce qu'est la valeur du point de vue des clients. À la deuxième étape, on définit le *processus* dans l'entreprise, c'est-à-dire l'enchaînement des activités à valeur ajoutée qui permettent de fournir le produit ou le service au client[9]. Comme nous l'avons vu précédemment, l'ensemble des étapes qui forment un processus dépasse généralement les limites des départements ou fonctions tels qu'ils apparaissent dans un organigramme. La troisième étape consiste à organiser le travail en fonction du flux du processus. On procède le plus souvent en créant ce qu'on appelle une *cellule de travail* ou *de production*. Suivant cette approche par cellule de travail, les employés et l'équipement des différents ateliers sont installés côte à côte dans un espace de travail qui constitue une *cellule*. Dans cette cellule, on place les pièces d'équipement de façon séquentielle, conformément aux étapes du processus. Chaque employé reçoit une formation qui lui permet d'effectuer toutes les étapes que comprend sa cellule de production.

La quatrième étape requiert la création d'un modèle de production à flux tendus qui fait en sorte que la personne en amont produise un bien ou un service seulement si son client en aval l'a demandé. Les stocks sont réduits au minimum ; aucune matière première n'est achetée et aucune unité n'est produite, sauf pour répondre à la demande des clients. Dans des conditions idéales, une entreprise qui applique ce modèle de production à flux tendus achèterait chaque jour uniquement les matières dont elle a besoin pour sa production quotidienne. En outre, elle n'aurait aucune unité en cours de production à la fin de la journée, et toutes les unités fabriquées pendant cette journée seraient immédiatement expédiées aux clients. Comme cette séquence d'événements le suggère, le travail est effectué « juste à temps » dans le sens où chaque cellule de travail reçoit les matières premières juste à temps pour amorcer la production, et que les pièces usinées sont terminées juste à temps pour être assemblées et en faire des produits, lesquels deviennent des produits finis juste à temps pour être expédiés aux clients. Il n'est pas surprenant que cet aspect du modèle d'optimisation porte souvent le nom **juste-à-temps** (JAT).

Le passage d'une production où les marchandises sont poussées (flux poussés) à une autre où elles sont tirées (flux tendus) constitue une transformation plus profonde qu'il le semble. Par exemple, le fait de produire uniquement en réponse aux commandes des clients signifie que les employés seront inactifs chaque fois que la demande sera inférieure à la capacité de l'entreprise. Il s'agit d'un changement « culturel » qui peut se révéler extrêmement difficile pour une organisation, car il remet en question les croyances fondamentales de nombreux gestionnaires et suscite des inquiétudes chez les travailleurs qui sont habitués à être tenus sans cesse occupés. Certaines entreprises profiteront du fait que les employés ne travaillent pas à la production pour leur faire accomplir d'autres tâches comme effectuer de l'entretien préventif, ou participer à des cercles de qualité ou à des équipes de création et d'innovation afin de trouver de nouvelles idées pour améliorer la performance de l'entreprise.

La cinquième étape du modèle de la production optimisée consiste à rechercher constamment des moyens d'améliorer le processus. Dans les entreprises traditionnelles, le service de la qualité inspecte les pièces et les matières premières au moment où elles sont reçues des fournisseurs, de même qu'il procède à l'inspection des unités pendant toute leur progression sur la chaîne de montage. Dans la production optimisée, les fournisseurs ont la responsabilité de la qualité des pièces et des matières premières qu'ils livrent. Plutôt que de faire appel à un service de contrôle de la qualité, l'entreprise compte sur ses employés de production pour déceler les unités défectueuses. Un travailleur qui découvre un défaut interrompt immédiatement la chaîne de production. Les superviseurs et d'autres travailleurs se rendent à la cellule de travail pour déterminer la cause du problème et y remédier avant que d'autres unités défectueuses soient produites. Cette façon de procéder permet de déceler et de régler rapidement les problèmes.

Juste-à-temps (JAT)

Système de production et de contrôle des stocks dans lequel les matières sont achetées et les unités fabriquées uniquement en fonction des besoins et de la demande du client.

---

9. Dans les textes qui portent sur la production optimisée, on emploie l'expression *chaîne de valeurs* plutôt que le terme *processus*.

Gestion de la chaîne logistique

Coordination des processus entre des entreprises pour offrir un meilleur service aux utilisateurs finals, les consommateurs.

Le modèle de la production optimisée peut aussi servir à améliorer les processus qui relient des entreprises. L'expression **gestion de la chaîne logistique** est couramment employée pour désigner la coordination des processus d'une entreprise à l'autre en vue d'offrir un meilleur service aux clients. Par exemple, les sociétés Canadian Tire et Costco coordonnent leurs processus avec leurs fournisseurs pour s'assurer que les pneus, les produits de nettoyage et les produits de jardinage sont disponibles dans les rayons lorsque les clients en ont besoin.

La méthode JAT

Les entreprises qui suivent les principes de la production optimisée choisiront souvent d'adopter ceux de la méthode JAT. Nous avons évoqué précédemment que, dans des conditions idéales, l'entreprise privilégiant un système JAT visera à coordonner toutes les activités à partir d'un processus à flux tendus. La production JAT s'accompagne d'une volonté de maintenir les stocks à zéro.

Bien que peu d'entreprises aient pu atteindre cet idéal, nombreuses sont celles ayant été capables de réduire leurs stocks à une fraction de leur niveau précédent. Cela s'est traduit par une réduction substantielle des coûts de commande et d'entreposage, et par une efficacité accrue des activités d'exploitation.

Comment une entreprise peut-elle éviter l'accumulation de pièces et de matières premières à différents postes de travail, et assurer malgré tout un bon cheminement des unités quand elle fonctionne avec le système JAT? Dans un environnement JAT, le cheminement des unités est contrôlé par une méthode de production à flux tendus. La figure 1.7 illustre la méthode de production à flux tendus. D'autres éléments clés sont d'ordinaire indispensables au succès de l'exploitation d'un système JAT. Ces éléments comprennent l'amélioration de l'aménagement de l'usine, la réduction du temps nécessaire à la mise en production, la mise en place d'une main-d'œuvre polyvalente, des efforts visant à atteindre l'objectif du zéro défaut et une approche de gestion intégrale de la qualité.

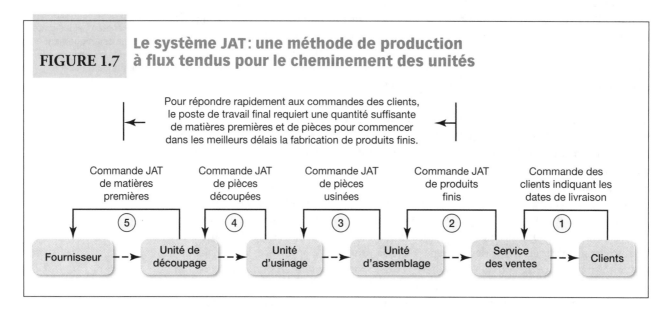

FIGURE 1.7 Le système JAT : une méthode de production à flux tendus pour le cheminement des unités

Pour répondre rapidement aux commandes des clients, le poste de travail final requiert une quantité suffisante de matières premières et de pièces pour commencer dans les meilleurs délais la fabrication de produits finis.

Commande JAT de matières premières — Commande JAT de pièces découpées — Commande JAT de pièces usinées — Commande JAT de produits finis — Commande des clients indiquant les dates de livraison

Fournisseur ⑤ Unité de découpage ④ Unité d'usinage ③ Unité d'assemblage ② Service des ventes ① Clients

Les achats JAT

Toute organisation comptant des stocks (vente au détail, vente en gros, distribution, service ou production) peut fonctionner selon la méthode d'achat JAT. Pour ce faire :

1. *L'entreprise compte sur quelques fournisseurs très fiables.* Par exemple, IBM a supprimé 95 % des fournisseurs de l'une de ses usines, faisant passer leur nombre de 640 à seulement 32. Chaque année, plutôt que de faire des appels d'offres auprès des fournisseurs et de choisir l'offre la plus basse, IBM récompense ses fournisseurs fiables par des contrats à long terme.

2. *Les fournisseurs procèdent à de fréquentes livraisons par petits lots juste avant que les marchandises soient nécessaires.* Plutôt que de livrer une seule fois le stock d'une semaine ou d'un mois, les fournisseurs doivent être disposés à effectuer des livraisons plusieurs fois par jour, selon les quantités exactes spécifiées par l'acheteur. Les fournisseurs peu fiables ne respectant pas les délais de livraison seront écartés. La fiabilité s'avère essentielle, car un système JAT est très vulnérable à toute interruption d'approvisionnement. Une seule pièce non disponible peut freiner l'ensemble de la chaîne de production. Dans le cas d'une entreprise commerciale, lorsque le fournisseur fait en sorte que les stocks tombent à zéro, les clients insatisfaits peuvent se tourner vers un concurrent.

3. *Les fournisseurs doivent livrer des marchandises exemptes de défauts.* À cause de la vulnérabilité du système JAT aux interruptions, on ne pourra tolérer aucun défaut dans les marchandises. En fait, les fournisseurs doivent devenir assez fiables pour qu'il ne soit plus nécessaire d'inspecter les entrées de marchandises.

L'entreprise privilégiant les achats JAT réalise souvent des économies substantielles grâce à la rationalisation de ses activités d'exploitation. Notons que l'organisation ne doit pas éliminer tous ses stocks pour instaurer la méthode JAT. En effet, l'entreprise de vente au détail qui ne conserve pas de stocks ne pourrait être exploitée. Toutefois, on peut réduire de manière considérable le temps qu'un produit passe sur un étalage ou dans un entrepôt.

L'amélioration de l'aménagement de l'usine

La mise en œuvre du système JAT reposera avant tout sur l'amélioration des circuits de fabrication de l'usine de l'entreprise. Un *circuit de fabrication* désigne le déplacement physique d'un produit tout le long du processus de fabrication, de la matière première au produit fini.

Traditionnellement, les entreprises conçoivent les ateliers de leurs usines de façon à regrouper les machines similaires. Cet aménagement fonctionnel a pour effet de regrouper, par exemple, toutes les perceuses en un seul endroit, tous les tours en un autre, et ainsi de suite. La conception de cet aménagement de l'usine nécessite que l'on transporte l'unité en cours de fabrication d'un groupe de machines à un autre (souvent situé à l'autre extrémité de l'usine, voire dans un autre bâtiment). Il en résulte des coûts de manutention élevés, d'importants stocks d'unités en cours de fabrication et des retards inutiles.

Dans un système JAT, les *machines* nécessaires à la fabrication d'un produit particulier sont souvent rassemblées en un seul endroit. Le circuit de fabrication d'un produit peut être rectiligne, comme le montre la figure 1.7, ou en forme de fer à cheval, tel qu'illustré à la figure 1.8 (*page suivante*). Souvent, des *cellules de travail* font aussi partie du circuit de fabrication d'un produit JAT. Un exemple de *cellule* est illustré à la figure 1.9 (*page suivante*).

La conception d'une usine dédiée permet aux employés de concentrer tous leurs efforts sur un produit, du début à la fin de sa fabrication. Elle permet aussi de réduire au minimum la manutention et les déplacements. Après avoir réaménagé son usine et mis en place des circuits de fabrication pour chacun de ses produits, une grande entreprise manufacturière a calculé que la distance parcourue par un produit était passée de 3 km à seulement 300 m. Outre la réduction de la manutention, cet aménagement plus compact permet de situer avec plus de facilité une étape donnée dans le processus de production.

Comme l'illustrent les propos précédents, un aménagement amélioré peut accroître la capacité de production de façon considérable. La *capacité* est le volume total de production par équipement pour une période donnée. Cet aménagement peut aussi avoir pour effet de réduire de manière spectaculaire le délai effectif de fabrication, qui est le temps nécessaire à la fabrication d'un produit.

La réduction du temps de mise en route

La **mise en route** comporte des activités telles que le déplacement des matières premières, la modification des réglages des machines, l'installation de l'équipement et les essais de fonctionnement devant être réalisés chaque fois que la production passe d'un type de produit à un autre.

Mise en route

Activités devant être réalisées chaque fois que la production passe d'un type de produit à un autre.

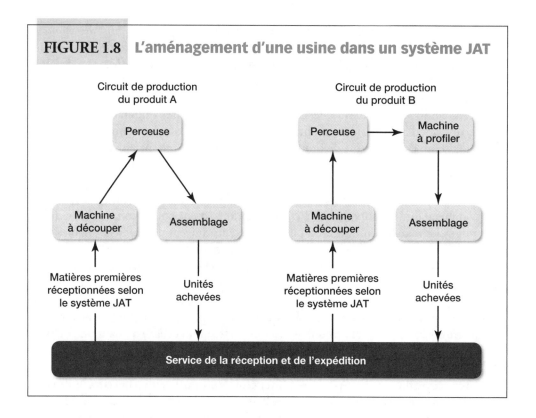

FIGURE 1.8 L'aménagement d'une usine dans un système JAT

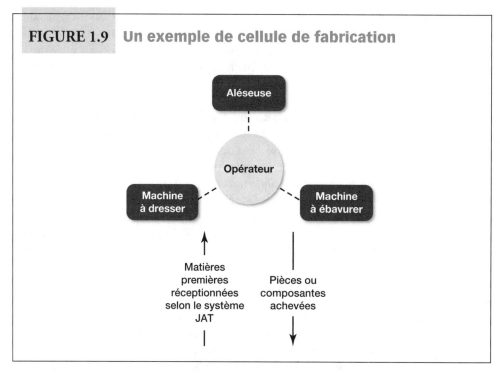

FIGURE 1.9 Un exemple de cellule de fabrication

Par exemple, il peut être compliqué de passer de la fabrication de vis de laiton d'une taille donnée à la fabrication d'une autre taille de vis de laiton à l'aide d'une fraiseuse contrôlée manuellement. Plusieurs étapes préparatoires doivent être réalisées, et ces ajustements peuvent s'échelonner sur des heures. Compte tenu de la durée et du coût de telles mises en route, de nombreux gestionnaires considèrent que celles-ci devraient être évitées et que les articles devraient être produits par lots importants. Par exemple, un lot de 400 unités requiert une seule mise en route ; quatre lots de 100 unités chacun en exigeraient quatre. Les lots importants représentent néanmoins un problème : ils sont à l'origine de stocks qui doivent attendre pendant des jours, des semaines, voire des mois avant de passer au poste de travail suivant ou avant d'être vendus. L'importance des mises en route est évidente aux yeux de tout étudiant devant utiliser un moyen de transport pour assister à ses cours. La planification des cours est une préoccupation de tous les étudiant, qui visent à réduire le plus possible leurs déplacements (mises en route) pour y assister.

Des lots plus petits réduisent le niveau des stocks. Ils permettent aussi de répondre plus facilement à la demande du marché, de réduire les temps de fabrication et de déceler les problèmes de fabrication avant de produire un grand nombre d'unités défectueuses.

La polyvalence de la main-d'œuvre

L'employé d'une chaîne JAT doit être polyvalent. En général, on s'attend à ce qu'il soit capable de faire fonctionner tous les éléments de la cellule de travail, de faire des réparations mineures et de s'occuper de l'entretien du matériel dans ses temps libres. En revanche, l'employé de la chaîne de montage traditionnelle réalise une seule tâche chaque jour, tandis qu'une équipe spécialisée se charge de tout le travail d'entretien du matériel.

L'objectif du zéro défaut et le système JAT

Dans un environnement JAT, les unités défectueuses sont à l'origine de graves problèmes. La commande achevée comptant une unité défectueuse force l'entreprise à acheminer un nombre d'unités inférieur à la quantité promise. L'entreprise peut aussi se voir obligée de redémarrer tout le processus de fabrication pour produire une seule unité. Au minimum, cette situation malheureuse occasionne un retard de livraison et peut être à l'origine d'un effet domino qui repoussera les autres commandes. C'est l'une des raisons qui font qu'on ne voudra tolérer aucun défaut dans un système JAT. Les entreprises grandement engagées dans ce système ont tendance à poursuivre avec zèle l'*objectif du zéro défaut*. Bien qu'il soit presque impossible d'atteindre cet objectif, les entreprises peuvent néanmoins s'en approcher grandement. De nos jours, par exemple, plusieurs utilisent l'approche de la gestion intégrale de la qualité combinée à celle appelée *six sigma* pour atteindre cet objectif.

La gestion intégrale de la qualité

La plupart des entreprises considèrent cependant qu'il ne suffit pas de réduire les stocks pour rester concurrentielles dans un contexte commercial sans cesse changeant et de plus en plus compétitif. La production optimisée inclut également d'autres approches d'amélioration des processus. Une des approches les plus populaires est désignée sous le nom de **gestion intégrale de la qualité (GIQ)**, qu'on appelle également **gestion de la qualité totale (GQT)**. La GIQ se caractérise principalement par l'engagement de l'organisation à donner satisfaction aux clients et par la résolution systématique des problèmes, laquelle est assurée par des équipes composées d'employés de première ligne. Ces équipes disposent d'outils précis qui servent bien la résolution de problèmes. L'un de ces outils, l'**analyse comparative** (*benchmarking*), permet d'étudier les organisations les plus réputées pour leur savoir-faire. Par exemple, afin d'améliorer l'exécution de ses commandes, Xerox a analysé le traitement des commandes de l'entreprise de vente par correspondance L.L.Bean.

La GIQ est axée sur le client; c'est là un de ses éléments importants. KPMG Peat Marwick est un cabinet d'experts-comptables et d'experts-conseils. Elle sonde périodiquement ses clients au sujet de la qualité de ses services. Son directeur général note qu'il est quatre fois plus coûteux d'attirer un nouveau client que de garder un client déjà acquis. À ses yeux, les clients les plus satisfaits sont les plus rentables : «Pour chaque plainte qui vous parvient, il y en a une cinquantaine dont vous n'entendez jamais parler. Si vous n'êtes pas à l'écoute de vos clients, vous serez sans doute témoins de leur mécontentement quand ils claqueront la porte[10].»

Gestion intégrale de la qualité (GIQ) (ou gestion de la qualité totale [GQT])

Philosophie de gestion orientée vers le client qui repose sur l'amélioration continue et selon laquelle des équipes d'employés de première ligne sont invitées à cerner et résoudre des problèmes de manière systématique.

Analyse comparative (*benchmarking*)

Étude des organisations les plus réputées pour leur savoir-faire.

---

10. Jon C. MADONNA, «A Service Company Measures, Monitors and Improves Quality», *Leadership and Empowerment for Total Quality*, The Conference Board Report, n° 992, New York, 1992, p. 9-11.

L'approche six sigma

L'**approche six sigma** est une méthode permettant d'apporter des améliorations au processus, qui est souvent utilisée en GIQ. Elle est basée sur la rétroaction des clients, la collecte de données factuelles, et l'usage de techniques quantitatives de gestion de la production et de la qualité. Les noms de Motorola et de General Electric sont étroitement liés à l'apparition du mouvement six sigma. Techniquement, l'expression *six sigma* fait référence à un processus qui ne génère pas plus de trois ou quatre pièces défectueuses par million de pièces produites. Comme ce taux de défectuosité est extrêmement bas, on parle parfois de *zéro défaut*.

Le cadre conceptuel le plus généralement utilisé pour guider les efforts d'amélioration du processus au moyen de l'approche six sigma est désigné par le sigle DMAIC, qui est un abrégé de mots anglais qu'on peut traduire par *définir, mesurer, analyser, améliorer* et *contrôler* (DMAAC). Comme le montre le tableau 1.1, l'étape «définir» de ce système consiste surtout à préciser l'envergure et l'objectif du projet, à décrire le processus actuellement en usage et à préciser les exigences du client. À l'étape «mesurer», des données de base sur la performance du processus en usage sont recueillies, et le champ d'application du projet est réduit aux problèmes les plus importants. L'étape «analyser» sert quant à elle à déterminer les causes profondes des problèmes qui ont été constatés précédemment. Elle révèle souvent la présence, dans le processus, de nombreuses activités qui *n'ajoutent aucune valeur au produit ou au service*. Les activités pour lesquelles les consommateurs ne sont pas prêts à payer parce qu'elles n'ajoutent aucune valeur sont des **activités sans valeur ajoutée** et devraient être éliminées chaque fois que c'est possible. Au cours de l'étape «améliorer», des solutions sont développées, évaluées et mises en oeuvre afin d'éliminer les activités sans valeur ajoutée ainsi que tout autre problème décelé pendant l'étape «analyser». Enfin, l'objectif de l'étape «contrôler» est de s'assurer que les problèmes ont été réglés une fois pour toutes et de rechercher constamment à améliorer les nouvelles méthodes mises en œuvre à l'étape précédente[11].

Les dirigeants doivent se montrer très prudents lorsqu'ils tentent de transposer les améliorations apportées par l'approche six sigma en avantages financiers. Il n'existe que deux manières d'augmenter les bénéfices — diminuer les coûts ou augmenter les ventes. La réduction des coûts peut paraître une solution facile: il suffit de licencier des travailleurs qui ne sont plus nécessaires en raison d'améliorations telles que l'élimination d'activités sans valeur ajoutée. Toutefois, si l'on procède de cette façon, les employés

TABLEAU 1.1 Le cadre conceptuel DMAAC (DMAIC) de l'approche six sigma

Étape	Objectifs
Définir	• Établir l'envergure et l'objectif du projet. • Représenter graphiquement le processus en usage. • Déterminer les exigences du client concernant ce processus.
Mesurer	• Recueillir des données de base sur la performance relatives au processus existant. • Réduire le champ d'application du projet aux problèmes les plus importants.
Analyser	• Déterminer la ou les causes profondes des problèmes constatés à l'étape «mesurer».
Améliorer	• Développer, évaluer et mettre en œuvre des solutions pour régler les problèmes.
Contrôler	• S'assurer que les problèmes sont définitivement réglés. • Chercher à améliorer constamment les nouvelles méthodes mises en œuvre.

Source: Peter C. BREWER et Nancy A. BAGRANOFF, «Near Zero-Defect Accounting with Six Sigma», *Journal of Corporate Accounting and Finance*, janvier-février 2004, p. 67-72.

---

11. Peter C. BREWER, «Six Sigma Helps a Company Create a Culture of Accountability», *Journal of Organizational Excellence*, été 2004, p. 45-59.

comprennent rapidement que des améliorations aux processus entraînent des pertes d'emplois. Ainsi, ils résisteront naturellement à toutes les autres tentatives d'amélioration. Quand une entreprise a décidé de poursuivre dans la voie de l'amélioration continue, elle doit convaincre les employés que la conséquence finale des transformations leur assurera des emplois plus stables qu'auparavant, et non le contraire. Ce n'est possible que si la direction utilise des méthodes comme l'approche six sigma pour générer plus d'occasions d'affaires plutôt que pour réduire sa main-d'œuvre.

Les systèmes de gestion intégrés d'entreprise[12]

Par le passé, dans la plupart des entreprises, les gestionnaires de chaque fonction installaient des programmes informatisés spécialisés. Le service de la comptabilité choisissait des applications qui correspondaient à ses besoins, tandis que le service de la production se servait de logiciels différents pour soutenir le travail de ses employés. Ces programmes distincts n'étaient pas intégrés les uns aux autres, et les données circulaient difficilement entre eux. Il en résultait des dédoublements et des incohérences auxquels s'ajoutaient des temps de réponse interminables et des coûts élevés.

Un **système de gestion intégré d'entreprise** est conçu pour venir à bout de ces problèmes en intégrant les données de tous les services ou fonctions de l'organisation dans un seul logiciel qui permet à tous les employés d'avoir simultanément accès à un ensemble commun de données. Deux éléments clés caractérisent l'intégration des données inhérente à un système de gestion intégré d'entreprise. Premièrement, toutes les informations sont enregistrées une seule fois dans un entrepôt centralisé des données numériques de l'entreprise appelé *base de données*. Lorsqu'un utilisateur ajoute des données à cette base ou qu'il modifie celles qui s'y trouvent déjà, la nouvelle information devient simultanément et immédiatement accessible à tous les employés de l'organisation. Deuxièmement, les données uniques contenues dans cette base peuvent être interreliées. Par exemple, il est possible d'établir un lien entre une donnée, comme le numéro d'identification d'un client, et d'autres éléments comme son adresse et ses dossiers de facturation, de livraison et de retours, etc. La possibilité d'établir de tels liens entre les données est la raison pour laquelle ce type de base porte le nom de *base de données relationnelle*.

L'intégration des données facilite la communication non seulement entre les employés, mais aussi entre ces derniers, les fournisseurs et les clients. Par exemple, imaginez à quel point le processus de *gestion de la relation client* se trouve amélioré lorsque des renseignements sur tous les aspects relatifs à un client de l'entreprise se trouvent au même endroit. Pour satisfaire les besoins d'un client, peu importe qu'il faille avoir accès à des renseignements concernant la facturation (une tâche du service de la comptabilité), la livraison (une tâche du service de la distribution), des soumissions (une tâche du service du marketing) ou un retour de marchandises (une tâche du service après-vente), l'information est facilement accessible à l'employé qui s'occupe du client. Même si elle est coûteuse et présente certains risques, l'intégration des données procure de tels avantages que de nombreuses sociétés ont investi dans des systèmes de gestion intégrés d'entreprise.

La gestion des risques

Les entreprises courent quotidiennement des risques. Par exemple, elles peuvent toujours s'attendre à ce qu'une catastrophe naturelle ou un incendie détruise leurs installations d'entreposage centralisé de données. Pour prévenir ce type de problèmes, elles sauvegardent leurs données et les conservent dans des installations externes. D'autres risques, par contre, sont imprévisibles. Ainsi, en 2008, la société Maple Leaf a dû rappeler bon nombre de ses produits de viande « prêts-à-manger » après que l'Agence canadienne

Système de gestion intégré d'entreprise

Système informatique conçu pour surmonter des problèmes d'incohérence et de double emploi par l'intégration des données de toutes les fonctions d'une organisation dans un seul logiciel.

---

12. L'expression *système de gestion intégré d'entreprise* est très générale et englobe de nombreuses applications qui couvrent l'ensemble du système de gestion d'une entreprise comme les systèmes de gestion de la relation client et de gestion de la chaîne logistique. Le type de système de gestion intégré d'entreprise le plus fréquemment mentionné est probablement le progiciel de gestion intégré (en anglais *Enterprise Resource Planning* [ERP]).

d'inspection des aliments a reconnu ces derniers comme étant à l'origine de l'éclosion de listériose responsable d'au moins quatre décès. Ce rappel a été évalué à plus de 20 millions de dollars par la société[13].

Chaque stratégie ou décision d'affaires comporte des aléas. La **gestion des risques** est un processus utilisé par les entreprises pour reconnaître et gérer ces menaces en faisant preuve d'initiative.

Gestion des risques

Processus utilisé par une entreprise pour reconnaître et gérer les risques prévisibles de façon dynamique.

La reconnaissance et le contrôle des risques d'entreprise

Les entreprises devraient déterminer les risques prévisibles avant qu'ils se concrétisent plutôt que réagir à des événements malencontreux qui se sont déjà produits. La colonne de gauche du tableau 1.2 présente 12 exemples de risques d'entreprise ou risques d'exploitation. Il ne s'agit pas d'une liste exhaustive; celle-ci vise à montrer les divers types de risques d'exploitation auxquels une entreprise s'expose. Qu'ils soient liés au climat, au piratage informatique, au respect des lois, à un vol par un employé, à la publication de l'information financière ou à une décision stratégique, tous ces risques ont un élément en commun: s'ils ne sont pas gérés de façon efficace, ils peuvent restreindre la capacité de l'entreprise à réaliser ses objectifs.

TABLEAU 1.2   La reconnaissance et le contrôle des risques d'entreprise

Exemples de risques d'entreprise	Exemples de mesures de contrôle destinées à réduire les risques d'entreprise
Vol de données liées à la propriété intellectuelle dans les fichiers informatiques	Installer des pare-feu qui empêchent les pirates informatiques d'endommager ou de voler des données liées à la propriété intellectuelle.
Produits déclarés nuisibles pour la santé des consommateurs	Élaborer un programme rigoureux d'inspection pour les nouveaux produits.
Perte d'une part de marché due à des initiatives imprévues des concurrents	Établir une stratégie pour recueillir de façon légale des renseignements sur les plans et les pratiques de ses concurrents.
Cessation des activités en raison de mauvaises conditions climatiques	Élaborer des plans d'urgence pour surmonter les interruptions liées au climat.
Fonctionnement défectueux d'un site internet	Effectuer des tests complets sur le site avant de le mettre en ligne.
Interruption de l'approvisionnement en matières premières due à une grève chez un fournisseur	Établir des relations avec au moins deux entreprises capables de fournir les matières premières nécessaires.
Mauvaises décisions prises par les employés à cause d'un système de rémunération incitatif mal conçu	Établir un ensemble équilibré de mesures de performance qui encouragent le comportement souhaité.
Stocks mal comptabilisés dans les états financiers	Compter le stock de marchandises pour s'assurer que les quantités correspondent à celles qui apparaissent dans les documents comptables.
Vol d'actifs par un employé	Diviser les tâches de façon que le même employé n'ait pas à la fois la garde physique d'un actif et la responsabilité d'en rendre compte.
Divulgation de renseignements importants par un employé non autorisé	Établir des barrières de sécurité protégées par des mots de passe pour empêcher les employés d'avoir accès à des renseignements dont ils n'ont pas besoin pour leur travail.
Production excessive ou insuffisante due à des estimations budgétaires inexactes	Mettre en place un processus de révision budgétaire rigoureux.
Non-respect, par l'entreprise, des lois sur l'égalité en matière d'emploi	Rédiger un compte rendu pour faire le suivi des principales mesures liées au respect des lois.

---

13. Martin CROTEAU, « Listériose : Maple Leaf rappelle 220 produits », 25 août 2008, dans CYBER-PRESSE, *La Presse*, [En ligne], <www.cyberpresse.ca/actualites/200809/08/01-661543-listeriose-maple-leaf-rappelle-220-produits.php> (Page consultée le 19 mars 2010).

Lorsque l'entreprise a déterminé les risques potentiels, elle peut y réagir de différentes manières, à savoir en les acceptant, en les évitant, en les partageant ou en les diminuant. La tactique de gestion la plus courante consiste probablement à réduire les risques en établissant des contrôles particuliers. La colonne de droite du tableau 1.2 donne un exemple d'une mesure de contrôle qui pourrait être appliquée pour aider à réduire chacun des risques mentionnés dans la colonne de gauche.

En conclusion, un système de gestion des risques d'entreprise, même complexe, ne saurait garantir l'élimination de toutes les menaces. Toutefois, de nombreuses entreprises comprennent qu'il vaut mieux gérer les risques que d'avoir à réagir, parfois trop tard, à des événements déplorables.

Résumé

La comptabilité de gestion permet au gestionnaire d'assumer ses responsabilités, notamment la planification, l'exécution, le contrôle et l'amélioration.

La comptabilité de gestion s'adapte davantage aux besoins du gestionnaire qu'à ceux des parties extérieures à l'entreprise ; à cet égard, elle diffère de façon considérable de la comptabilité financière. La comptabilité de gestion est plus orientée vers le futur, accorde moins d'importance à la précision, met en évidence les sections d'une organisation (plutôt que de considérer l'organisation comme un tout), n'est pas régie par les normes de la comptabilité financière et n'est pas obligatoire.

La plupart des organisations se révèlent plus ou moins décentralisées. L'organigramme illustre la répartition des responsabilités parmi les gestionnaires et les cadres supérieurs de la hiérarchie. L'organigramme indique les postes d'autorité hiérarchique et les postes d'autorité consultative de l'organisation. Le comptable occupe un poste d'autorité consultative, car il soutient et aide les autres employés de l'organisation.

Les normes éthiques occupent une place importante dans une économie de marché moderne. Heureusement, elles sont largement acceptées ; autrement, l'économie ralentirait de façon considérable. L'éthique permet à une économie de marché de fonctionner sans heurts. Les codes de déontologie des différents ordres professionnels comptables fournissent des directives pratiques quant à la résolution des problèmes éthiques pouvant survenir au sein d'une organisation.

La production optimisée est une stratégie de gestion qui porte sur les processus de l'entreprise. Dans la production optimisée, les ressources sont organisées en fonction des processus d'exploitation et une « traction » est exercée pour faire passer les unités par toutes les étapes de ces processus en réponse aux commandes des clients. Il en résulte une réduction des stocks et du gaspillage, ainsi qu'une diminution du nombre des défauts et des délais de livraison. Le système JAT, la gestion intégrale de la qualité et l'approche six sigma sont des méthodes utilisées pour atteindre les objectifs de la production optimisée. L'approche six sigma utilise le cadre conceptuel DMAAC (une abréviation pour *définir, mesurer, analyser, améliorer* et *contrôler*), qui permet d'éliminer les activités sans valeur ajoutée et d'améliorer les processus.

Le recours aux systèmes de gestion intégrés d'entreprise favorise la réorganisation des pratiques commerciales. Un tel système permet d'intégrer les données de toutes les fonctions d'une organisation dans un seul logiciel, ce qui les rend simultanément accessibles à tous les gestionnaires.

Malheureusement, de nombreux scandales de grande envergure liés à l'information financière ont miné la confiance du public dans les systèmes de gouvernance d'entreprise au cours des dernières années. La loi américaine Sarbanes-Oxley a été votée en 2002 dans le but d'améliorer la fiabilité des communications financières fournies par les sociétés à capital ouvert.

Activités d'apprentissage

Questions

Q1 Quelle différence fondamentale d'orientation existe-t-il entre la comptabilité financière et la comptabilité de gestion ?

Q2 Qu'entend-on par « stratégie d'affaires » ?

Q3 Décrivez les trois grandes catégories de propositions de valeur faites au client.

Q4 Quelles sont les quatre activités principales du gestionnaire ?

Q5 Quel rôle la rétroaction joue-t-elle dans le travail d'un gestionnaire ?

Q6 En quoi les postes d'autorité hiérarchique et les postes d'autorité consultative sont-ils différents ?

Q7 Quelles sont les principales différences entre la comptabilité financière et la comptabilité de gestion ?

Q8 Quelles sont les cinq étapes du modèle de la production optimisée ?

Q9 Quels sont les principaux avantages d'une mise en œuvre réussie du modèle de la production optimisée ?

Q10 Décrivez ce qu'on entend par « système de production à flux tendus ».

Q11 Décrivez brièvement l'approche six sigma.

Q12 Décrivez les cinq étapes qui constituent le cadre conceptuel DMAAC de l'approche six sigma.

Q13 Expliquez ce qu'on entend par « gouvernance d'entreprise ».

Q14 En quoi l'aménagement d'une usine est-il différent selon que l'entreprise privilégie un système JAT ou une méthode de fabrication plus traditionnelle ? Quels sont les avantages de l'aménagement propre à un système JAT ?

Q15 En quoi la réduction du temps de mise en route d'un produit ou d'un service peut-elle s'avérer avantageuse ?

Q16 En quoi la main-d'œuvre travaillant dans une installation JAT diffère-t-elle de celle d'une installation traditionnelle ?

Q17 Pourquoi l'adhésion aux normes éthiques est-elle importante pour le bon fonctionnement d'une économie de marché moderne ?

Exercices

E1 L'organisation, la gestion et la comptabilité de gestion

Les termes et expressions ci-après se rapportent aux organisations, au travail de gestion et au rôle de la comptabilité de gestion.

- 3. budgets ✓
- 8. comptabilité de gestion ✓
- 8. comptabilité financière ✓
- 10. contrôleur ✓
- 6. décentralisation ✓
- 2. dirige et motive ✓
- données non financières
- personnel
- 4. planification ✓
- 5. poste d'autorité consultative ✓
- 1. poste d'autorité hiérarchique ✓
- 7. précision ✓
- 11. rapport de performance ✓
- 9. rétroaction ✓

Travail à faire

Complétez les phrases ci-après à l'aide d'un terme ou d'une expression de la liste ci-dessus.

1. Sur un organigramme, la personne occupant un(e) _____ participe directement à la réalisation des objectifs de base d'une organisation.

2. Quand le gestionnaire _____, il coordonne les activités quotidiennes et veille au bon fonctionnement de l'entreprise.

3. Les plans de gestion sont exprimés en termes formels dans les _____.

4. La (Le) _____ consiste à déterminer des options, puis à choisir parmi ces possibilités celle qui permettra le mieux de poursuivre les objectifs de l'organisation, et à spécifier les actions entreprises qui assureront la mise en œuvre de la possibilité retenue.

5. La personne qui occupe un(e) _____ fournit des services ou de l'aide aux autres parties de l'organisation et ne participe pas directement aux objectifs de base de l'organisation.

6. La (Le) _____ consiste à déléguer le pouvoir de décision partout au sein de l'organisation. Elle (Il) donne aux gestionnaires des divers niveaux d'exploitation le pouvoir de prendre les décisions dans leur secteur de responsabilité.

7. La comptabilité de gestion accorde moins d'importance à la (au) _____ que la comptabilité financière.

8. La (Le) _____ fournit des informations aux personnes œuvrant au sein de l'organisation. La (Le) _____ procure des informations aux parties à l'extérieur de l'organisation.

9. La comptabilité et les rapports remis à la direction aux fins de contrôle de l'organisation portent le nom de _____.

10. En général, le gestionnaire responsable du service de la comptabilité est connu sous le nom de _____.

11. Le rapport comparant les données prévisionnelles aux données réelles pour une période précise porte le nom de _____.

E2 L'environnement de l'organisation

Voici une liste de termes et d'expressions :

activité sans valeur ajoutée	juste-à-temps
approche six sigma	modèle de la production optimisée
budget	processus
chaîne de valeur	proposition de valeur faite au client
gestion de la chaîne logistique	stratégie
gestion des risques d'entreprise	système de gestion intégré d'entreprise
gouvernance d'entreprise	tire
internet	

Travail à faire

Dans la liste ci-dessus, choisissez l'expression ou le terme permettant de compléter chacun des énoncés suivants.

1. Un(e) _____ est un ensemble d'objectifs et de moyens qui permet à une entreprise d'attirer des clients en se distinguant de ses concurrents.

2. La (Le) _____ est une méthode fondée sur la rétroaction des clients, la collecte de données objectives et des techniques d'analyse quantitative pour apporter des améliorations à un processus.

3. Un(e) _____ est une série de tâches qu'on doit réaliser pour accomplir une activité donnée dans une entreprise.

4. Le système qui permet de diriger et de contrôler une entreprise porte le nom de _____.

5. Le processus qu'utilise une entreprise pour reconnaître les risques auxquels elle s'expose et pour élaborer des moyens de s'en protéger de façon à s'assurer, dans la mesure du possible, de réaliser ses objectifs porte le nom de _____.

6. Un système de contrôle de la production et des stocks dans lequel on achète des matières premières et on produit des unités uniquement pour répondre à une demande réelle des clients est appelé _____.

7. La (Le) _____ favorise le phénomène de la mondialisation en procurant aux entreprises un meilleur accès à des clients, à des employés et à des fournisseurs géographiquement très dispersés.

▶ 8. Augmenter le taux de productivité d'un(e) _____ par suite d'un effort d'amélioration a peu de chances d'avoir un effet considérable sur les bénéfices.

9. Un(e) _____ consiste en des fonctions de l'entreprise qui ajoutent de la valeur à ses produits et services, telles que la recherche et le développement, la conception de produits et de services, le cycle de production, la commercialisation, la distribution et le service après-vente.

10. Un(e) _____ intègre les données de toutes les fonctions d'une organisation dans une seule base de données centralisée, permettant ainsi aux employés d'avoir accès à un ensemble commun de données.

11. Une méthode de gestion qui coordonne les processus de toute une organisation pour offrir un meilleur service aux clients porte le nom de _____.

12. Un(e) _____ est une méthode de gestion en cinq étapes qui organise les ressources en fonction du flux des processus et qui _____ les unités à travers les étapes de ces processus en réponse aux commandes des clients.

13. Une entreprise ne peut réussir que si elle donne à ses clients une raison de la choisir de préférence à ses concurrents. C'est ce qu'on appelle un(e) _____.

14. Un(e) _____ est un plan détaillé pour l'avenir, généralement formulé de façon quantitative.

E3 Le système JAT

La direction de la société Mégafiltres inc. (MI) a discuté de la mise en œuvre possible d'un système de production JAT pour son usine de Québec, où les filtres à huile et les filtres à air sont fabriqués. Le service d'emboutissage de métal de l'usine a déjà adopté un tel système pour le contrôle des stocks des matières premières. Toutefois, pour ce qui est du reste de l'usine, on discute encore de la mise en place de ce concept. Le service d'emboutissage de métal a implanté le système JAT sans aucune planification. Des gestionnaires d'autres services hésitent à adopter cette façon de faire après avoir entendu parler des problèmes qui en ont découlé.

Robert Richard, directeur de l'usine de Québec, est un fervent promoteur du JAT. Récemment, lors d'une réunion de tous les directeurs de service, il déclarait :

> Sous bien des aspects, nous devrons modifier la façon dont nous considérons nos employés, nos fournisseurs et nos clients pour réussir la mise en œuvre des systèmes JAT. Plutôt que de vous concentrer sur les aspects négatifs dont vous avez entendu parler au sujet du service d'emboutissage de métal, chacun d'entre vous devra trouver des moyens d'assurer la transition sans heurts du reste de l'usine à la méthode JAT.

Travail à faire

1. Le système JAT compte plusieurs caractéristiques qui le distinguent des modes de production traditionnels. Décrivez ces caractéristiques.
2. Pour assurer le succès du JAT, MI devra entretenir de bonnes relations avec ses fournisseurs. Décrivez ces relations dans le contexte.

E4 L'éthique en affaires

Marie Mercier travaille dans un restaurant-minute connu ; elle est chargée de la prise des commandes et de la caisse. Peu après son embauche, elle surprend une conversation au cours de laquelle un employé se vante auprès d'un ami de ne pas rendre la monnaie exacte aux clients. Choquée, Marie affronte l'employé, qui lui répond aussitôt, d'un ton cassant : « Occupe-toi de tes affaires. Tous les employés en font autant, et les clients ne s'en plaignent jamais. » Marie ignore comment réagir à cette position ferme.

Travail à faire

Si les caissiers de ces établissements ne rendaient plus la monnaie exacte aux clients, quelles seraient les conséquences d'un tel comportement sur l'industrie de la restauration rapide et sur les consommateurs ?

Problèmes

P1 L'éthique en affaires

Paul Sauvé est le contrôleur de gestion d'une société dont les actions ne sont pas cotées en Bourse. L'entreprise vient d'obtenir un brevet sur un produit qui devrait lui rapporter des bénéfices importants dans un ou deux ans. Toutefois, en ce moment, elle éprouve des difficultés financières et, à cause d'un fonds de roulement insuffisant, elle risque d'être incapable de rembourser un billet détenu par la banque.

À la fin de la période la plus récente, le chef de la direction de l'entreprise a enjoint à M. Sauvé de ne pas enregistrer plusieurs factures à titre de comptes fournisseurs à payer. Le contrôleur a protesté, car ces factures représentaient des passifs courants. Le chef de la direction a néanmoins insisté pour qu'il ne les enregistre qu'après la fin de la période, moment auquel l'entreprise pourrait s'attendre à obtenir un financement supplémentaire. Après avoir présenté ses objections avec beaucoup d'acharnement au chef de la direction ainsi qu'aux autres membres de la haute direction, M. Sauvé a finalement obéi aux directives de son patron.

Travail à faire

1. M. Sauvé a-t-il agi d'une manière conforme à l'éthique ? Expliquez votre réponse.
2. Si le nouveau produit ne rapporte pas les importants bénéfices escomptés et que l'entreprise devient insolvable, les gestes que M. Sauvé a posés pourront-ils être justifiés par le fait qu'il obéissait aux ordres de son supérieur hiérarchique ? Expliquez votre réponse.

P2 L'éthique dans les entreprises

Alice Guillemette a récemment été engagée comme adjointe au contrôleur de gestion chez GroChem, une entreprise qui traite des produits chimiques entrant dans la composition d'engrais. Mme Guillemette a été choisie pour ce poste en raison de son expérience dans l'industrie du traitement des produits chimiques. Au cours de son premier mois dans l'entreprise, elle s'est fait un devoir de rencontrer toutes les personnes chargées des activités d'exploitation de l'usine et d'apprendre la façon habituelle de procéder chez GroChem.

Au cours d'une conversation avec le directeur adjoint de l'usine, Mme Guillemette l'a interrogé sur la procédure de l'entreprise en matière d'élimination des déchets toxiques. Le directeur adjoint lui a répondu qu'il n'avait rien à voir avec cette élimination et qu'elle aurait avantage à ne pas se poser trop de questions sur le sujet. Cette réponse a renforcé la détermination de la jeune femme à aller au fond des choses pour éviter à l'entreprise un procès coûteux.

Après avoir fait une recherche plus approfondie, Mme Guillemette a découvert des preuves que GroChem utilisait la décharge d'un secteur résidentiel du voisinage pour se débarrasser de ses déchets toxiques — une procédure illégale. Il semble que certains membres de la direction de la société étaient au courant de la situation et pourraient même avoir participé à l'organisation de cette solution. Toutefois, l'assistante du contrôleur de gestion a été incapable de savoir si son supérieur immédiat était impliqué dans ce processus.

Hésitante sur la procédure à suivre, Mme Guillemette a commencé à étudier les solutions qui s'offraient à elle en indiquant les trois lignes de conduite suivantes :

- Demander conseil à son supérieur, le contrôleur de gestion.
- Communiquer anonymement l'information au journal local.
- Discuter de la situation avec un membre du conseil d'administration, qui n'est pas employé de GroChem et qu'elle connaît.

Travail à faire

1. Expliquez les raisons pour lesquelles Alice Guillemette a la responsabilité éthique d'agir au sujet de l'élimination par GroChem de ses déchets toxiques dans une décharge ►

locale. Servez-vous des normes précises (compétence, confidentialité, intégrité ou crédibilité) qui apparaissent dans l'encadré 1.1 (*p. 15*) pour appuyer vos réponses.

2. Expliquez si chacune des lignes de conduite indiquées par Mme Guillemette est appropriée suivant les pratiques éthiques présentées dans l'encadré 1.1.

3. Supposez que Mme Guillemette consulte son supérieur immédiat et découvre qu'il est impliqué dans cette affaire d'élimination des déchets toxiques. Décrivez les étapes qu'elle devrait suivre pour régler ce problème.

(Adaptation d'un problème de la Société des comptables en management du Canada)

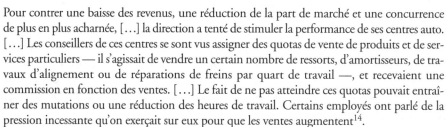

P3 L'éthique dans les entreprises

Des consommateurs et des procureurs généraux de plus de 40 États américains accusent une chaîne nationale bien connue d'ateliers de réparation d'automobiles d'avoir trompé ses clients en leur vendant des pièces et des services dont ils n'avaient pas besoin, par exemple la réparation de freins ou l'alignement des roues. Voici ce qu'écrivait Lynn Sharpe Paine à ce propos, dans un article intitulé « Managing for Organizational Integrity » publié en 1994 :

> Pour contrer une baisse des revenus, une réduction de la part de marché et une concurrence de plus en plus acharnée, […] la direction a tenté de stimuler la performance de ses centres auto. […] Les conseillers de ces centres se sont vus assigner des quotas de vente de produits et de services particuliers — il s'agissait de vendre un certain nombre de ressorts, d'amortisseurs, de travaux d'alignement ou de réparations de freins par quart de travail —, et recevaient une commission en fonction des ventes. […] Le fait de ne pas atteindre ces quotas pouvait entraîner des mutations ou une réduction des heures de travail. Certains employés ont parlé de la pression incessante qu'on exerçait sur eux pour que les ventes augmentent[14].

Cette atmosphère de pression constante a fait que les employés en sont venus à penser que la seule manière de satisfaire la haute direction était de vendre aux clients des produits et des services dont ils n'avaient pas vraiment besoin.

Supposez que toutes les entreprises de réparation d'automobiles prennent l'habitude d'essayer de vendre à leurs clients des pièces et des services non nécessaires.

Travail à faire

1. Quel serait l'effet de ce comportement sur les clients ? Comment pourraient-ils essayer de se protéger d'un tel manège ?

2. Quel effet ce comportement aurait-il probablement sur les bénéfices et l'emploi dans le secteur des services automobiles ?

P4 La préparation d'un organigramme

Située au Québec, l'Université Mont-Royal est une grande institution. L'université est dirigée par un recteur qui compte cinq vice-recteurs sous ses ordres. Les vice-recteurs sont respectivement responsables des services auxiliaires, des admissions et des inscriptions, des études, des services financiers, et des installations.

L'université compte aussi des gestionnaires dans différents domaines, qui relèvent tous des vice-recteurs. Parmi ces gestionnaires, certains s'occupent des achats, des presses universitaires et de la librairie de l'université ; tous sont sous la responsabilité du vice-recteur des services auxiliaires. Les directeurs des services informatiques et des services comptables et financiers sont sous la responsabilité du vice-recteur des services financiers. Les directeurs des services de l'équipement et de l'entretien relèvent du vice-recteur des installations.

L'université se compose de quatre facultés : administration, sciences humaines, beaux-arts, ingénierie et méthodes quantitatives ; on y trouve aussi une école de droit. Chacune de ces unités a un doyen responsable devant le vice-recteur des études. Chaque faculté comprend différents départements.

---

14. Lynn SHARPE PAINE, « Managing for Organizational Integrity », *Harvard Business Review*, vol. 72, n° 2 (mars-avril 1994), p. 106-117.

Travail à faire

1. Préparez l'organigramme de l'Université Mont-Royal.
2. Quels postes de l'organigramme seraient des postes d'autorité hiérarchique? Pourquoi? Quels postes seraient des postes d'autorité consultative? Pourquoi?
3. Quels postes de l'organigramme pourraient avoir besoin d'information comptable? Expliquez.

P5 L'éthique et le gestionnaire

La société Richmond inc. exploite une chaîne de grands magasins situés au Québec. Le premier magasin a ouvert ses portes en 1965. Depuis, Richmond inc. n'a cessé de croître et compte aujourd'hui quatre succursales. Il y a deux ans, le conseil d'administration de Richmond inc. approuvait la réorganisation complète de ses magasins afin d'attirer une clientèle plus prestigieuse.

Avant de finaliser les plans, Richmond inc. réorganise deux de ses quatre succursales à titre de test. On demande alors à Linda Poulin, contrôleuse adjointe, de surveiller les rapports financiers de ces magasins pilotes. On lui offre, ainsi qu'au personnel de direction, des primes basées sur l'accroissement des ventes et des bénéfices des deux succursales. Au moment de la préparation des rapports financiers, Mme Poulin découvre des stocks appréciables de marchandises périmées qui auraient dû être soldées ou retournées au fournisseur, et discute de la situation avec ses collègues de la direction. Le consensus atteint consiste à omettre de déclarer ces stocks considérés comme périmés pour éviter de diminuer le résultat de Richmond inc. et les primes des employés concernés.

Travail à faire

1. Selon le code de déontologie des comptables professionnels, serait-il conforme à l'éthique que Linda Poulin évite de déclarer ces stocks considérés comme périmés?
2. Dans le contexte, serait-il plus facile pour Linda Poulin d'adopter un comportement conforme à l'éthique?

(Adaptation d'un problème de la Société des comptables en management du Canada)

P6 Le système JAT

La société Snedden ltée fabrique du matériel récréatif et d'athlétisme, dont des ballons de football. Voici les étapes de fabrication des ballons:

a) Le cuir et les autres matières premières sont réceptionnés à l'entrepôt central, où l'on s'assure qu'ils sont conformes aux critères de qualité de l'entreprise. Les matières refusées sont retournées au fournisseur.
b) Les matières jugées conformes aux critères sont transportées dans un entrepôt jusqu'à ce qu'elles soient utilisées pour la production.
c) Un bon de sortie des matières premières est rempli. Les matières sont transférées de l'entrepôt à l'atelier de taillage, où se trouve tout le matériel de coupe.
d) Puisque l'atelier de taillage sert à découper les matières premières de divers produits, le cuir est placé sur de grandes palettes et entreposé à proximité des machines appropriées.
e) Le cuir et les autres matières premières sont découpés à la taille désirée. L'opérateur prend soin de découper toutes les sections d'un ballon de football à partir d'une seule pièce de cuir. Les rebuts de matières premières sont déposés dans un contenant. À la fin de la journée, on récupère les morceaux pouvant servir à la fabrication d'autres types de produits.
f) Chaque coupe de matière première est examinée par l'un des trois inspecteurs qui s'assurent de l'uniformité de la coupe, de l'épaisseur du cuir et du sens des fibres. Les pièces rejetées sont jetées aux ordures.
g) Les matières premières découpées sont placées sur des palettes et transférées à l'atelier central de couture, où les palettes sont entreposées dans une aire de transit. ▶

► h) Les matières premières découpées sont retirées des palettes. Le nom et le logo de l'entreprise sont estampillés sur une section de chaque ensemble de pièces découpées, et les pièces sont cousues.

i) Les pièces cousues sont déposées dans des contenants qui sont ensuite transférés dans l'aire de transit de l'atelier d'assemblage.

j) Un opérateur de l'atelier d'assemblage installe une doublure à l'intérieur de chaque ballon de football, pique le ballon à l'aide d'une machine à coudre, puis le gonfle.

k) Les ballons de football terminés sont déposés sur un tapis roulant et soumis à une autre équipe d'inspecteurs. L'uniformité de chaque ballon est vérifiée, ainsi que l'absence de tout défaut potentiel.

l) Les ballons de football terminés sont déposés dans des boîtes et transférés à l'entrepôt des produits finis.

Travail à faire

Supposez que Snedden ltée adopte un système JAT et met en place des cellules de travail. Décrivez les changements qui devront être apportés au procédé de fabrication. Préparez un schéma du nouveau circuit de fabrication des ballons de football.

P7 Les postes d'autorité hiérarchique et les postes d'autorité consultative

La société Alliages spécialisés fabrique divers produits métalliques spécialisés à usage industriel. La plus grande partie de ses revenus provient de contrats importants avec des entreprises en affaires avec le ministère de la Défense. Alliages spécialisés produit aussi des pièces qu'elle vend aux grands constructeurs de véhicules automobiles. Elle fait appel à de nombreux métallurgistes et techniciens qualifiés, car la plupart de ses produits se composent d'alliages très complexes.

Alliages spécialisés paraphait récemment deux contrats importants, ce qui a rendu la charge de travail du directeur général, Simon Cloutier, écrasante. Pour alléger quelque peu cette lourde tâche, Marc Johnson, ancien chef métallurgiste et superviseur au service de planification de la recherche, a été nommé adjoint au directeur général.

Lors de leur première réunion, M. Cloutier a confié plusieurs responsabilités à M. Johnson. Désormais, M. Johnson surveillera les essais de nouveaux alliages effectués au service de planification de la recherche. Son pouvoir décisionnel s'étendra à l'utilisation de ces alliages dans le développement des produits. M. Johnson veillera aussi au respect du calendrier de production de l'un des nouveaux contrats. Enfin, M. Johnson devra rencontrer les superviseurs des services de production sur une base régulière pour discuter d'éventuels problèmes dans ce secteur.

M. Cloutier pense pouvoir diriger l'entreprise avec beaucoup plus d'efficacité en compagnie de M. Johnson.

Travail à faire

1. Les postes offerts dans les organisations sont souvent décrits comme a) des postes d'autorité hiérarchique ou b) des postes d'autorité consultative. En quoi consistent ces deux types de postes ?

2. Parmi les responsabilités assignées à Marc Johnson en tant qu'adjoint au directeur général, quelles tâches lui confèrent une autorité hiérarchique ? Quelles tâches lui confèrent une autorité consultative ?

3. Déterminez et décrivez les conflits auxquels Marc Johnson pourrait prendre part au sein des services de production, en raison de ses nouvelles responsabilités.

(Adaptation d'un problème de la Société des comptables en management du Canada)

Recherche

R1 L'éthique au travail

En affaires, les normes éthiques s'avèrent très importantes, bien qu'elles ne soient pas toujours respectées. Si vous avez déjà occupé un emploi (même un emploi d'été), décrivez le climat éthique de l'organisation pour laquelle vous avez travaillé. Les employés travaillaient-ils une journée complète? Arrivaient-ils tard et repartaient-ils tôt? Les employés déclaraient-ils le nombre d'heures effectivement travaillées? Utilisaient-ils les ressources de leur employeur à des fins personnelles? Les dirigeants prêchaient-ils par l'exemple? L'organisation disposait-elle d'un code de conduite? Les employés étaient-ils au courant de son existence? Si le climat éthique de l'organisation pour laquelle vous travailliez était mauvais, quels problèmes, le cas échéant, a-t-il engendrés?

R2 La profession de comptable en management

Le site internet de l'Ordre des comptables en management accrédités du Québec (<www.cma-quebec.org>) contient une quantité importante de renseignements sur la société et ses membres. Répondez aux questions ci-après en accédant aux renseignements dans le site internet.

Travail à faire

1. Comment peut-on obtenir le titre de CMA?
2. En quoi l'examen d'admission et le programme de leadership professionnel sont-ils différents?
3. Quelle expérience pratique est requise pour devenir CMA?
4. Quels sont les écarts de salaire entre un chef comptable et un comptable?
5. Quel rôle propose-t-on à un CMA?

R3 L'éthique et la gouvernance

En effectuant une recherche dans l'internet, analysez l'énoncé de gouvernance présenté par des sociétés comme la Banque Nationale du Canada ou Alimentation Couche-Tard. Donnez un aperçu des pratiques qu'elles suggèrent d'utiliser; renseignez-vous pour savoir si elles ont un code de conduite ou d'éthique, et cherchez un blogue qui vous indiquerait si leurs pratiques en matière de gouvernance ou leur code de conduite sont toujours respectés.

R4 Les stratégies

Servez-vous du rapport annuel d'une grande société comme Canadian Tire ou Quebecor pour décrire les stratégies présentées dans l'analyse de la direction. Croyez-vous que la stratégie visant à l'emporter sur ses principaux concurrents soit efficace? Expliquez votre réponse.

R5 Des stratégies en environnement

Rendez-vous sur le site de la société Tim Hortons (<www.timhortons.com/ca/fr>) et cliquez sur l'onglet «Des gestes qui comptent vraiment» pour vous renseigner sur les politiques environnementales de cette entreprise et sur les pratiques qu'elle a instaurées. Déterminez si ces politiques et ces pratiques ont des répercussions comptables.

LES COÛTS : DÉFINITIONS, CONCEPTS ET CLASSIFICATION

Regard sur une entreprise

Une réflexion sur les coûts

Thérèse est propriétaire d'une boutique où elle fait le commerce de fleurs au détail. Depuis quelque temps, elle se demande si elle devrait continuer à confier ses livraisons à un sous-traitant, ou acheter une fourgonnette et charger un de ses employés d'effectuer les livraisons aux clients. Récemment, au cours d'un repas en famille, elle a abordé le sujet avec son beau-frère, qui se considère comme un spécialiste de toutes les questions relatives à la gestion. Il a sauté sur l'occasion pour faire étalage de ses connaissances en matière de coûts devant la jeune femme.

Sans lui laisser le temps de placer un mot, il lui a expliqué que les sommes versées pour livrer ses fleurs sont des coûts variables et non incorporables, tandis que les coûts des fleurs sont des coûts incorporables, bien qu'il s'agisse également de coûts variables. Par ailleurs, l'amortissement de la fourgonnette de livraison constituerait un coût fixe non incorporable. En outre, même si l'achat de l'essence pour la fourgonnette se classait dans les catégories des coûts variables et des coûts différentiels, le salaire de l'employé chargé des livraisons tomberait dans celle des coûts fixes, mais non des coûts différentiels, tout en comportant un coût de renonciation. À ce stade de l'explication, la jeune femme s'est excusée de devoir interrompre son interlocuteur, prétextant qu'elle devait aller aider à la cuisine.

Thérèse avait l'impression que les propos de son beau-frère embrouillaient la situation plus qu'ils ne l'éclairaient. Toutefois, elle savait qu'elle ne pouvait pas continuer de remettre à plus tard la question de la fourgonnette. Elle devait analyser soigneusement les coûts liés à chacune des options et déterminer ceux dont il lui faudrait tenir compte quand elle prendrait sa décision.

OBJECTIFS D'APPRENTISSAGE

Après avoir étudié ce chapitre, vous pourrez :

1. nommer chacune des trois composantes des coûts de base liés à la fabrication d'un produit et en donner des exemples ;

2. établir une distinction entre les coûts incorporables et les coûts non incorporables, et donner des exemples dans chaque catégorie ;

3. préparer un état des résultats incluant le coût des ventes ;

4. préparer un état du coût des produits fabriqués ;

5. expliquer la différence entre le comportement des coûts variables et celui des coûts fixes ;

6. faire la distinction entre les coûts directs et les coûts indirects ;

7. définir d'autres catégories de coûts qui servent à la prise de décisions — soit les coûts différentiels, les coûts de renonciation (ou d'opportunité) et les coûts irrécupérables — et en donner des exemples.

Comme nous l'avons vu au chapitre 1, le travail de gestion porte sur quatre principaux aspects :

1. la planification, qui consiste à choisir un plan d'action et à préciser les paramètres de sa mise en œuvre ;
2. l'exécution, qui assure la mise en œuvre du plan d'action, et implique la direction et la motivation des employés afin qu'ils exécutent les plans et qu'ils veillent aux activités d'exploitation ;
3. le contrôle, qui consiste à s'assurer que le plan est correctement exécuté ;
4. l'amélioration, qui vise à modifier le plan en fonction des changements qui surviennent.

Pour effectuer ces tâches, le gestionnaire aura besoin d'*informations* concernant l'organisation. Selon une perspective comptable, il s'agira souvent d'informations relatives aux *coûts* de l'organisation.

En comptabilité de gestion, le terme *coût* est employé de différentes manières. Il existe en effet de nombreux types de coûts, et ces coûts sont classés différemment selon l'usage qu'en fait le gestionnaire. Par exemple, le gestionnaire peut avoir besoin de données sur les coûts pour publier des rapports financiers externes, préparer des budgets ou prendre des décisions. Chaque utilisation distincte des données sur les coûts requiert une classification et une définition différentes des coûts. La préparation de rapports financiers externes, par exemple, nécessite l'utilisation de données sur les coûts d'origine, tandis que pour une prise de décisions, des données sur les coûts futurs se révéleront sans doute nécessaires.

Dans le présent chapitre, nous étudierons diverses utilisations possibles des données sur les coûts. Nous verrons comment ces coûts sont définis et classés en fonction de chacune de ces utilisations. Nous commencerons par expliquer la classification des coûts en vue de la publication de rapports financiers externes, en particulier dans les entreprises de fabrication. Toutefois, nous nous préparerons à cette présentation en définissant d'abord certains termes couramment employés dans le secteur de la fabrication de produits.

Les catégories générales de coûts

OBJECTIF 1

Nommer chacune des trois composantes des coûts de base liés à la fabrication d'un produit et en donner des exemples.

Il y a des coûts dans tous les types d'entreprises — organisations à but lucratif et non lucratif, de fabrication, de vente au détail et de service. En général, les types de coûts engagés et la façon de les classer dépendent du type d'organisation considéré. La comptabilité de gestion s'appliquant à toutes les organisations, notre analyse portera donc sur les caractéristiques des coûts associés à toutes sortes d'environnements — entreprises de fabrication, entreprises commerciales et entreprises de service.

Dans ce chapitre, nous nous intéresserons principalement aux entreprises de fabrication. Les entreprises de fabrication, telles que Domtar, Ford et Molson Coors, s'occupent de l'acquisition de matières premières, de la fabrication de produits finis, de la mise en marché, de la distribution, de la facturation ainsi que de presque tous les autres types d'activités commerciales. Par conséquent, une bonne connaissance de la variété des coûts pouvant être engagés dans les différents secteurs d'une entreprise de fabrication aide à mieux comprendre ceux des autres types d'organisations.

Dans cette optique, les concepts de coûts dont nous traiterons peuvent tout aussi bien s'appliquer à des points de vente de restauration rapide tels que Poulet Frit Kentucky, Pizza Hut et Subway, à des studios de cinéma comme Disney et Paramount, et à des sociétés d'experts-conseils telles qu'Ernst & Young et KPMG, qu'à un hôpital. Les termes employés dans ces différents secteurs ne sont pas nécessairement identiques à ceux que l'on retrouve dans les entreprises de fabrication, mais les mêmes concepts de base s'appliquent. Avec quelques légères adaptations, ces notions valent aussi pour des entreprises commerciales comme Wal-Mart, Canadian Tire, Zellers et La Baie, qui revendent des produits finis achetés à des fabricants et à d'autres sources.

Les coûts de fabrication

La plupart des entreprises de fabrication divisent leurs coûts de fabrication en trois grandes catégories : le coût des matières premières, la main-d'œuvre directe et les frais indirects de fabrication. Nous étudierons chacune de ces catégories.

Le coût des matières premières

En comptabilité, les **matières** comprennent toute composante qui entre dans la fabrication d'un produit fini, de sorte que le produit fini d'une entreprise peut devenir la matière d'une autre entreprise. Par exemple, les plastiques fabriqués par DuPont constituent des matières dont se sert Hewlett-Packard pour fabriquer ses ordinateurs personnels.

Les **matières premières**, ou **matières directes**, sont les matières qui deviennent parties intégrantes du produit fini, et que l'on peut rattacher concrètement et facilement à ce produit. Seraient ainsi classés dans cette catégorie les sièges que Bombardier achète à des sous-traitants pour les installer dans ses avions commerciaux. De même, le minuscule moteur électrique que Panasonic utilise dans ses lecteurs de disques DVD pour les faire tourner entrerait dans cette catégorie.

Parfois, l'effort requis pour rattacher les coûts de matières relativement peu importantes aux produits finis n'en vaut pas la peine. Tel est le cas des petits éléments comme la brasure utilisée pour établir les connexions électriques dans un téléviseur Sony ou la colle servant à l'assemblage d'une chaise Lafuma. Des matières comme la brasure et la colle sont des **matières indirectes**, ou **fournitures**, et font partie des frais indirects de fabrication, dont il sera question ci-après.

La main-d'œuvre directe

La **main-d'œuvre directe** consiste en l'ensemble des coûts de main-d'œuvre d'une entreprise que l'on peut facilement rattacher (c'est-à-dire de façon concrète et pratique) à des unités de production. Les salaires des ouvriers spécialisés, par exemple, constituent des coûts de main-d'œuvre directe comme ceux des charpentiers, des maçons et des opérateurs.

Les coûts de main-d'œuvre que l'on ne peut pas relier directement à la fabrication de produits, ou que l'on ne peut leur rattacher qu'à grands frais et avec difficulté, portent le nom de **main-d'œuvre indirecte**. Ils sont considérés comme faisant partie des frais indirects de fabrication avec les matières indirectes. La main-d'œuvre indirecte comprend les coûts de main-d'œuvre associés aux concierges, aux contremaîtres, aux manutentionnaires et aux gardiens de sécurité. Bien que le travail de ces employés soit essentiel à la production, il serait peu pratique, voire impossible, de rattacher à une unité particulière de production les coûts qui lui sont attribuables. Par conséquent, ce type de coût de main-d'œuvre constitue un coût de main-d'œuvre indirecte.

Certains secteurs industriels connaissent d'importants changements en matière de structure des coûts de la main-d'œuvre. L'équipement de production automatisé, dont le fonctionnement et l'entretien sont assurés par des ouvriers indirects qualifiés, remplace de plus en plus la main-d'œuvre directe. Dans un petit nombre d'entreprises, la main-d'œuvre directe est devenue une composante si peu importante qu'elle n'est plus considérée comme une catégorie de coût. Il sera question plus en détail de cette tendance et de son effet sur les systèmes de coûts dans d'autres chapitres. Toutefois, la majorité des entreprises de fabrication et de service des quatre coins du monde continuent de traiter la main-d'œuvre directe comme une catégorie de coût distincte.

Les frais indirects de fabrication

Les **frais indirects de fabrication** constituent la troisième composante des coûts de fabrication, et englobent tous les coûts de fabrication à l'exception des coûts des matières premières et de la main-d'œuvre directe. Ils comprennent les coûts des matières indirectes,

Matière

Toute composante entrant dans la fabrication du produit fini.

Matières premières (ou matières directes)

Matières qui deviennent partie intégrante d'un produit fini et que l'on peut rattacher aisément à ce produit.

Matières indirectes (ou fournitures)

Matières ou éléments pouvant devenir une partie intégrante d'un produit fini, mais qu'on peut difficilement rattacher directement à ce produit (par exemple, de la colle ou des clous).

Main-d'œuvre directe

Ensemble des coûts de la main-d'œuvre d'une entreprise de fabrication que l'on peut facilement rattacher à des unités de production.

Main-d'œuvre indirecte

Ensemble des coûts de la main-d'œuvre (tels que les salaires des employés de maintenance, des contremaîtres, des manutentionnaires et d'autres employés de production) que l'on ne peut facilement rattacher directement à des produits en particulier.

Frais indirects de fabrication

Ensemble des coûts de fabrication à l'exception des coûts des matières premières et de la main-d'œuvre directe.

de la main-d'œuvre indirecte, de l'entretien et de la réparation du matériel de fabrication, du chauffage et de l'éclairage, de même que ceux liés à l'impôt foncier, à l'amortissement et à l'assurance sur les immobilisations servant à la production. Une entreprise engage aussi des coûts liés à ses fonctions de vente et d'administration pour le chauffage et l'éclairage, l'impôt foncier, les assurances, l'amortissement, etc. Ces coûts ne font toutefois pas partie des frais indirects de fabrication. Seuls les coûts associés au fonctionnement de l'usine entrent dans cette catégorie.

Différentes expressions sont employées pour désigner les frais indirects de fabrication, entre autres *coûts indirects de fabrication, coûts indirects de production, frais généraux de fabrication* et *frais de soutien à la fabrication*. Tous ces termes sont synonymes.

Le **coût de transformation** regroupe les coûts de la main-d'œuvre directe et les frais indirects de fabrication engagés en vue de la transformation des matières premières en produits finis. Par ailleurs, le **coût de revient de base** est le coût de la main-d'œuvre directe combiné à celui des matières premières.

Le rapport entre le coût de la main-d'œuvre et les frais indirects de fabrication varie selon l'organisation, et aussi entre entreprises d'un même secteur d'activité. Certaines entreprises automatisées affichent une grande proportion de frais indirects de fabrication par rapport au coût de leur main-d'œuvre directe. Plusieurs classent même tous les coûts de la main-d'œuvre dans les frais indirects de fabrication. D'autres, du secteur du conditionnement des viandes par exemple, ont une proportion plus grande de main-d'œuvre directe que de frais indirects de fabrication. Certaines entreprises manufacturières achètent des matières en partie assemblées; d'autres usinent les composantes qui seront utilisées par leurs propres ateliers de production au cours du processus de transformation. La façon dont les organisations établissent les proportions du coût des matières, du coût de la main-d'œuvre et des frais indirects de fabrication constitue une partie importante de la planification stratégique.

La classification des coûts de main-d'œuvre liés à la production

La classification des coûts de la main-d'œuvre directe et indirecte est relativement simple. Les salaires des concierges sont généralement classés dans les frais indirects parce qu'ils représentent des coûts indirects, de même que les coûts des salaires (ou charges salariales) des chefs de service et des employés chargés de la sécurité ou de l'entretien. Toutefois, la classification du **temps improductif**, ou **temps mort**, et des majorations pour heures supplémentaires des employés de production se révèle un peu plus difficile. Par exemple, lorsqu'un employé de l'usine est improductif pendant trois heures et que ces heures coûtent chacune 12 $, on enregistrera habituellement 36 $ de temps improductif dans les coûts indirects, si la direction considère qu'il s'agit d'un coût général de toute la production. Toutefois, s'il y a du temps improductif pour un poste en particulier, en raison notamment d'un retard dans la livraison de matières premières découlant d'un changement de spécifications requis par le client, le temps mort pourrait alors être comptabilisé dans les coûts de la main-d'œuvre directe pour cette tâche. Le client défrayera ou non l'entreprise de ce coût, selon les conditions du marché à ce moment ou les clauses du contrat qui le lie à celle-ci.

Les **majorations pour heures supplémentaires** représentent le taux de salaire horaire supplémentaire consenti aux employés qui doivent travailler au-delà des heures régulières prévues. Par exemple, un employé peut voir son salaire majoré de 50 % pour cinq heures de travail supplémentaires. Si le taux de salaire de base est de 12 $, ces cinq heures correspondront à une majoration de 30 $ (6 $ × 5 heures). La classification de la rémunération des heures supplémentaires à titre de coûts de la main-d'œuvre directe ou de coûts indirects dépend des raisons qui justifient ces heures supplémentaires. Une cause liée à une tâche en particulier devrait en faire un coût direct. Par contre, le coût d'heures supplémentaires « normales » découlant de décisions générales de la direction, comme les

---

Coût de transformation

Coût de la main-d'œuvre directe auquel on ajoute les frais indirects de fabrication.

Coût de revient de base

Coût des matières premières auquel on ajoute le coût de la main-d'œuvre directe.

Temps improductif (ou temps mort)

Temps d'inactivité de la main-d'œuvre par suite d'une défaillance comme une insuffisance de commandes, une rupture de stock, etc.

Majoration pour heures supplémentaires

Taux de salaire horaire supplémentaire consenti aux employés qui doivent travailler en sus de l'horaire régulier.

besoins résultant d'une période de pointe en production, entrerait dans la catégorie des coûts indirects pour toutes les tâches.

Les **avantages sociaux** de la main-d'œuvre se composent des coûts relatifs à l'emploi assumés par l'employeur. Ils comprennent les coûts des programmes d'assurance et des avantages postérieurs à l'emploi, tels les régimes de retraite. L'entreprise verse aussi la part de l'employeur au Régime de rentes du Québec (RRQ), au Régime québécois d'assurance parentale (RQAP) et à l'assurance emploi, ainsi que des cotisations à la Commission des normes du travail (CNT) et au Fonds des services de santé (FSS). La combinaison de ces coûts représente, en général, entre 20 % et 40 % du salaire de base. De nombreuses entreprises traitent les coûts de ces avantages sociaux comme des coûts de main-d'œuvre indirecte et les classent avec les frais indirects de fabrication. Toutefois, il serait justifiable d'ajouter les avantages sociaux de la main-d'œuvre directe au taux de salaire de base de cette main-d'œuvre. Sur le plan conceptuel, cette méthode se révèle préférable puisque les avantages sociaux accordés à la main-d'œuvre directe constituent un coût supplémentaire lié à leur travail.

Avantages sociaux

Ensemble des coûts relatifs à l'emploi assumés par l'employeur.

Les coûts hors fabrication

En général, les coûts hors fabrication se subdivisent en deux catégories :

1. les coûts commerciaux, ou coûts de marketing ;
2. les charges administratives.

Les **coûts commerciaux**, ou **coûts de marketing**, englobent tous les coûts nécessaires pour obtenir une commande de la clientèle, et pour faire parvenir le produit fini ou rendre le service au client. Ces coûts portent souvent le nom de *coût pour obtenir une commande* et *coût pour honorer une commande*. Parmi les exemples de coûts de marketing, mentionnons ceux de la publicité, de l'expédition, des déplacements des représentants, des commissions sur les ventes, des salaires des vendeurs et des coûts d'entreposage des produits finis.

Les **charges administratives** consistent en l'ensemble des coûts liés à la direction, à l'organisation et aux tâches administratives permettant la *gestion générale* de l'organisation, par opposition aux coûts de fabrication et de marketing. Entre autres exemples de charges administratives, citons la rémunération des cadres dirigeants, les coûts associés à la comptabilité, au secrétariat et aux relations publiques, ainsi que les autres coûts semblables engagés pour l'administration générale de l'organisation.

Coûts commerciaux (ou coûts de marketing)

Ensemble des coûts à engager pour obtenir des commandes de la clientèle, et pour remettre le produit fini ou rendre le service au client.

Charges administratives

Ensemble des coûts liés à la direction, à l'organisation et aux tâches administratives permettant la gestion générale de l'organisation, par opposition aux coûts de fabrication et de marketing.

Les concepts et les techniques de comptabilité de gestion s'appliquent aussi bien aux activités hors fabrication qu'aux activités de fabrication même si, dans le passé, l'accent était plutôt mis sur tout ce qui touchait à la production.

Notons que les entreprises de service utilisent de plus en plus les différents concepts de coûts dans l'analyse et l'établissement des coûts de revient de leurs services. Ainsi, les banques recourent désormais à l'analyse des coûts pour déterminer leurs coûts de revient afin d'offrir des services tels que les comptes de chèques, les prêts aux consommateurs et les cartes de crédit. De même, les compagnies d'assurances déterminent les coûts liés à la prestation de services aux clients selon la situation géographique, l'âge, l'état civil, le métier ou la profession de ceux-ci. Ce type d'analyse des coûts fournit des données qui permettent de contrôler les fonctions de vente et d'administration de la même manière que les analyses des coûts de fabrication fournissent les données nécessaires au contrôle des fonctions de fabrication.

Revenons à la boutique de fleurs dont il a été question au début du présent chapitre. Considérez les coûts liés au salaire de l'employé qui prépare les arrangements floraux et à celui de Thérèse, la propriétaire, lorsqu'elle s'acquitte de cette tâche. L'employé sert probablement aussi les clients, déballe les achats, prépare la liste de paie, etc. Comment la fleuriste doit-elle traiter de tels coûts ? Elle pourrait demander des rapports détaillés du temps consacré aux différentes activités, ce qui lui permettrait de classer ces charges salariales en coûts de fabrication des arrangements floraux, en coûts commerciaux pour le service à la clientèle, et en charges administratives pour la paie ou la tenue des comptes.

Toutefois, en considérant le rapport avantages-coûts, Thérèse devrait conclure qu'une telle classification est irréaliste dans le cas de ses propres activités. Le salaire et les avantages sociaux de Thérèse seraient considérés comme des charges administratives, et les coûts de l'employé, comme des coûts commerciaux ; la fleuriste pourrait aussi ne pas distinguer ses coûts commerciaux de ses charges administratives et utiliser plutôt une catégorie générale du type charges opérationnelles. Une analyse coûts-avantages indiquerait la meilleure solution.

SUR LE TERRAIN

Une analyse des coûts

La société United Colors of Benetton, une entreprise italienne de confection de vêtements dont le siège social se trouve à Ponzano, a ceci de particulier qu'elle se charge d'effectuer des activités qui vont de la conception de vêtements et leur fabrication jusqu'à leur distribution et leur vente aux consommateurs dans les magasins de détail de Benetton. La plupart de ses concurrents ne s'occupent que d'une ou deux de ces activités. L'exemple de cette société nous permet de constater la façon dont les coûts sont répartis sur l'ensemble de la chaîne de valeur. Un récent état des résultats de Benetton contient les données suivantes :

	Millions d'euros	Pourcentage des produits
Chiffre d'affaires	1 686 €	100,0 %
Coût des ventes	929 €	55,1 %
Coûts commerciaux et charges administratives :		
Salaires et coûts associés	125 €	7,4 %
Distribution et transport	30	1,8 %
Commissions	74	4,4 %
Publicité et promotion	54	3,2 %
Amortissement	78	4,6 %
Autres coûts	179	10,6 %
Total des coûts commerciaux et des charges administratives	540 €	32,0 %

Même si cette société consacre des montants importants à la publicité et qu'elle gère ses propres magasins de vente au détail, le coût des ventes reste très élevé par rapport au chiffre d'affaires, soit 55,1 %. De plus, malgré des campagnes publicitaires extravagantes, les coûts de publicité et de promotion ne représentent que 3,2 % du chiffre d'affaires.

Les coûts incorporables et les coûts non incorporables

OBJECTIF 2

Établir une distinction entre les coûts incorporables et les coûts non incorporables, et donner des exemples dans chaque catégorie.

Outre la distinction entre les coûts de fabrication et les coûts hors fabrication, il existe d'autres façons de considérer les coûts. On peut aussi classer les coûts comme des *coûts incorporables* ou *non incorporables*. Pour comprendre la différence entre ces deux concepts, revoyons d'abord le principe du rattachement des charges aux produits propre à la comptabilité financière.

En général, les coûts sont comptabilisés dans l'état des résultats sous forme de charges de la période au cours de laquelle des avantages sont tirés de ces coûts. Par exemple, quand une entreprise paie d'avance une assurance de responsabilité civile d'une durée de deux ans, le montant total n'est pas considéré comme une charge dans l'année où le versement a été effectué. On comptabilise plutôt la moitié de la somme à titre de charge chaque année. En effet, les deux années — et non seulement la première — seront couvertes par ce paiement de l'assurance. La partie du paiement de l'assurance non inscrite à titre de charge est reportée dans l'état de la situation financière à titre d'actif courant, sous le poste « Assurance payée d'avance ». Ce type de *régularisation* est approfondi dans les cours de comptabilité financière.

D'après le *principe de rattachement des charges aux produits*, basé sur le concept de la comptabilité d'engagement, *les coûts engagés pour générer un certain revenu devraient être comptabilisés sous forme de charges au cours de la période où ce revenu est comptabilisé.* En d'autres termes, lorsqu'un coût sert à l'acquisition d'un bien ou à la fabrication d'un article qui sera vendu par la suite, il devrait être inscrit à titre de charge uniquement au moment où la vente a lieu, c'est-à-dire lorsque le revenu est comptabilisé.

Les coûts incorporables

En comptabilité financière, les **coûts incorporables** englobent tous les coûts liés à l'acquisition ou à la fabrication d'un produit. Dans le cas des produits fabriqués, ce sont les coûts des matières premières et de la main-d'œuvre directe ainsi que les frais indirects de fabrication. Les coûts incorporables sont rattachés aux produits à mesure que l'entreprise les achète ou les fabrique, et ils le restent tant que ces produits demeurent entreposés en attendant d'être vendus. Par conséquent, au départ, les coûts incorporables sont inscrits dans un compte de stock figurant dans l'état de la situation financière. Lorsque les marchandises sont vendues, les coûts sont soustraits du compte du stock à titre de charges (que l'on appelle *coût des ventes*) et rapprochés des revenus selon le principe de rattachement des charges aux produits expliqué précédemment. Comme les coûts incorporables sont assignés au départ à des stocks, on les appelle aussi **coûts relatifs aux stocks**.

Soulignons que les coûts incorporables ne sont pas nécessairement traités comme des charges dans la période où ils sont engagés. En effet, comme nous venons de l'expliquer, ils sont considérés comme des charges dans la période où les produits auxquels ils sont liés *sont vendus*. En d'autres termes, on peut engager un coût incorporable tel que le coût des matières premières ou de la main-d'œuvre directe au cours d'une période, mais ne le comptabiliser à titre de charge qu'à la période où le produit fini est vendu.

Coûts incorporables (ou coûts relatifs aux stocks)

Ensemble des coûts liés à l'achat ou à la fabrication de biens ; dans le cas des biens fabriqués, ces coûts englobent le coût des matières premières, la main-d'œuvre directe et les frais indirects de fabrication.

SUR LE TERRAIN

Les coûts incorporables et les coûts non incorporables : une comparaison entre secteurs

Le coût des ventes ainsi que les coûts commerciaux et les charges administratives exprimés en pourcentage du chiffre d'affaires diffèrent d'une entreprise à l'autre et d'un secteur à l'autre. Par exemple, les données américaines ci-dessous résument le coût médian des marchandises vendues en pourcentage du chiffre d'affaires, et le montant médian des coûts commerciaux et des charges administratives en pourcentage de ce chiffre dans huit secteurs différents. À votre avis, pourquoi les pourcentages varient-ils de façon si marquée dans chaque colonne ?

Secteur	Coût des ventes / chiffre d'affaires	Coûts commerciaux et charges administratives / chiffre d'affaires
Aérospatiale et défense	79 %	9 %
Boissons gazeuses	52 %	34 %
Logiciels et services informatiques	34 %	38 %
Matériel électrique et composantes	64 %	21 %
Services de santé	82 %	6 %
Produits pétroliers et gaziers	90 %	3 %
Produits pharmaceutiques	31 %	41 %
Restauration	78 %	8 %

Source : Lori CALABRO, « Controlling the Flow : The 11th Annual Cost Management Survey », *CFO Magazine*, février 2005, p. 46-50.

Les coûts non incorporables

Coûts non incorporables

Coûts directement enregistrés dans l'état des résultats sous forme de charges de la période au cours de laquelle ils sont engagés ou comptabilisés par régularisation; en général, ces coûts comprennent les coûts commerciaux (de marketing) et les charges administratives.

Les **coûts non incorporables** comprennent tous les coûts qui n'entrent pas dans la catégorie des coûts incorporables. Ces coûts figurent dans les charges à l'état des résultats au cours de la période où ils sont engagés, conformément aux règles de la comptabilité d'engagement. Les coûts non incorporables ne constituent pas une composante du coût des produits achetés ou fabriqués. Les commissions sur les ventes et le loyer des bureaux en constituent de bons exemples. Ni l'un ni l'autre n'entre dans les coûts des produits achetés ou fabriqués.

Or, *tous les coûts commerciaux et les charges administratives constituent des coûts non incorporables.* Par conséquent, la publicité, la rémunération des cadres, les commissions sur les ventes, les relations publiques et les autres coûts hors fabrication dont il a été question précédemment entrent tous dans la catégorie des coûts non incorporables. Ils figurent à l'état des résultats à titre de charges au cours de la période où ils ont été engagés.

La figure 2.1 présente un résumé des termes liés aux coûts étudiés jusqu'ici.

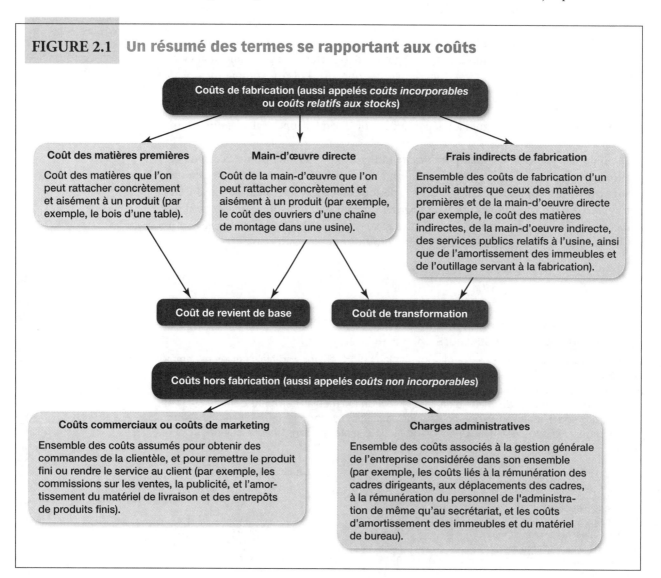

FIGURE 2.1 **Un résumé des termes se rapportant aux coûts**

Coûts de fabrication (aussi appelés *coûts incorporables* ou *coûts relatifs aux stocks*)

Coût des matières premières

Coût des matières que l'on peut rattacher concrètement et aisément à un produit (par exemple, le bois d'une table).

Main-d'œuvre directe

Coût de la main-d'œuvre que l'on peut rattacher concrètement et aisément à un produit (par exemple, le coût des ouvriers d'une chaîne de montage dans une usine).

Frais indirects de fabrication

Ensemble des coûts de fabrication d'un produit autres que ceux des matières premières et de la main-d'oeuvre directe (par exemple, le coût des matières indirectes, de la main-d'oeuvre indirecte, des services publics relatifs à l'usine, ainsi que de l'amortissement des immeubles et de l'outillage servant à la fabrication).

Coût de revient de base

Coût de transformation

Coûts hors fabrication (aussi appelés *coûts non incorporables*)

Coûts commerciaux ou coûts de marketing

Ensemble des coûts assumés pour obtenir des commandes de la clientèle, et pour remettre le produit fini ou rendre le service au client (par exemple, les commissions sur les ventes, la publicité, et l'amortissement du matériel de livraison et des entrepôts de produits finis).

Charges administratives

Ensemble des coûts associés à la gestion générale de l'entreprise considérée dans son ensemble (par exemple, les coûts liés à la rémunération des cadres dirigeants, aux déplacements des cadres, à la rémunération du personnel de l'administration de même qu'au secrétariat, et les coûts d'amortissement des immeubles et du matériel de bureau).

La classification des coûts dans les états financiers

Dans vos cours de comptabilité financière, vous avez vu que les entreprises préparent des rapports financiers périodiques destinés aux créanciers, aux actionnaires et à d'autres utilisateurs. Ces rapports permettent aux entreprises de communiquer leur situation financière et leurs résultats d'exploitation au cours d'une période donnée.

Vous avez sans doute déjà examiné des rapports d'entreprises commerciales comme des magasins de détail qui se contentent d'acheter des marchandises auprès de fournisseurs pour les revendre par la suite à leurs clients.

Les états financiers de l'*entreprise de fabrication* se révèlent beaucoup moins simples que ceux de l'entreprise commerciale. La première compte sur une organisation plus complexe, car elle doit à la fois fabriquer des biens et les mettre en marché. Le processus de fabrication génère de nombreux coûts qui n'existent pas dans l'entreprise commerciale. Ces coûts doivent être comptabilisés d'une façon ou d'une autre dans les états financiers de l'entreprise de fabrication. Dans la présente section, nous verrons les façons dont cette comptabilisation est effectuée dans l'état de la situation financière (le bilan) et dans l'état des résultats.

L'état de la situation financière

L'état de la situation financière de l'entreprise de fabrication s'apparente à l'état de la situation financière de l'entreprise commerciale. Il présente toutefois quelques différences du côté des comptes concernant les stocks. L'entreprise commerciale détient seulement un type de stock — des biens achetés à des fournisseurs qu'elle conserve en attendant de les revendre à des clients. Par contre, l'entreprise de fabrication dispose de trois types de stocks : les *matières premières*, les *produits en cours* et les *produits finis*. Comme nous l'avons vu au chapitre 1, les *produits en cours de fabrication* sont des marchandises en partie transformées ; les *produits finis*, de leur côté, sont des marchandises prêtes à être vendues. En général, l'analyse du coût total des stocks décomposé en ces trois catégories figure sous forme de note aux états financiers.

Nous nous servirons de l'exemple de deux entreprises, Marine Fournitures inc. et Libraire des mers, pour illustrer les concepts dont il sera question dans cette section. Marine Fournitures inc. se situe à Victoria, en Colombie-Britannique. Elle fabrique des garnitures de cuivre pour les yachts. Libraire des mers est une petite librairie de Moncton, au Nouveau-Brunswick. L'entreprise se spécialise dans la vente d'ouvrages portant sur le Canada maritime.

Les notes aux états financiers de Marine Fournitures inc. contiennent les renseignements ci-après concernant ses stocks.

MARINE FOURNITURES INC.
Stocks

	Solde au début	Solde à la fin
Matières premières	60 000 $	50 000 $
Produits en cours	90 000	60 000
Produits finis	125 000	175 000
Total des stocks	275 000 $	285 000 $

Le stock de matières premières de Marine Fournitures inc. est principalement constitué de tiges et de blocs de cuivre. Le stock de produits en cours de fabrication se compose de garnitures de cuivre en partie assemblées, et le stock de produits finis, de garnitures de cuivre prêtes à être vendues à la clientèle.

Par contraste, le compte des stocks de Libraire des mers est entièrement constitué des coûts des livres que l'entreprise a achetés aux éditeurs pour les revendre à ses clients. Dans les entreprises commerciales telles que Libraire des mers, ces stocks sont désignés sous le nom de *stock de marchandises*. Voici les soldes de ce compte au début et à la fin de la période.

LIBRAIRE DES MERS
Stock

	Solde au début	Solde à la fin
Stock de marchandises	100 000 $	150 000 $

OBJECTIF 3

Préparer un état des résultats incluant le coût des ventes.

L'état des résultats

La figure 2.2 permet de comparer les états des résultats de Libraire des mers et de Marine Fournitures inc. Notons que ces états contiennent plus de données sur le coût des ventes que l'on en trouve d'ordinaire dans les états financiers à usage général.

FIGURE 2.2	Une comparaison des états des résultats d'une entreprise commerciale et d'une entreprise de fabrication

Entreprise commerciale

LIBRAIRE DES MERS
État des résultats

Coût du stock de marchandises achetées à des fournisseurs externes au cours de la période

Chiffre d'affaires...		1 000 000 $
Moins : Coût des ventes :		
Stock de marchandises au début	100 000 $	
Plus : Achats..	650 000	
Marchandises destinées à la vente.....................................	750 000	
Moins : Stock de marchandises à la fin...............................	150 000	600 000
Marge brute..		400 000
Moins : Charges opérationnelles :		
Coûts commerciaux	100 000	
Charges administratives..	200 000	300 000
Bénéfice		100 000 $

Entreprise de fabrication

MARINE FOURNITURES INC.
État des résultats

Coûts de fabrication associés aux produits terminés au cours de cette période (*voir les figures 2.4 et 2.5 [p. 49 et 50] pour des données plus précises*)

Chiffre d'affaires...		1 500 000 $
Moins : Coût des ventes :		
Stock de produits finis au début..	125 000 $	
Plus : Coût des produits fabriqués	850 000	
Marchandises destinées à la vente.....................................	975 000	
Moins : Stock de produits finis à la fin	175 000	800 000
Marge brute..		700 000
Moins : Charges opérationnelles :		
Coûts commerciaux	250 000	
Charges administratives..	300 000	550 000
Bénéfice		150 000 $

À première vue, les états des résultats d'entreprises commerciales et de fabrication telles que Libraire des mers et Marine Fournitures inc. sont très semblables. La seule différence apparente se trouve dans le nom de certains postes servant au calcul du coût des ventes. Dans la figure 2.2, le calcul du coût des ventes est effectué d'après l'équation de base des comptes de stock, que voici :

Équation de base des comptes de stock

Solde au début + Ajouts au stock = Sorties de stock + Solde à la fin

Cette équation s'applique à tout compte de stock. Le raisonnement qui la sous-tend est expliqué dans la figure 2.3. Au cours d'une période donnée, les achats viennent s'additionner au compte de stock. La somme des additions au compte et du solde au début représente le total des stocks disponibles pouvant être utilisés au cours de cette période. À la fin de la période, tous les stocks disponibles doivent soit se retrouver dans le stock à la fin, soit avoir été retirés du compte de stock.

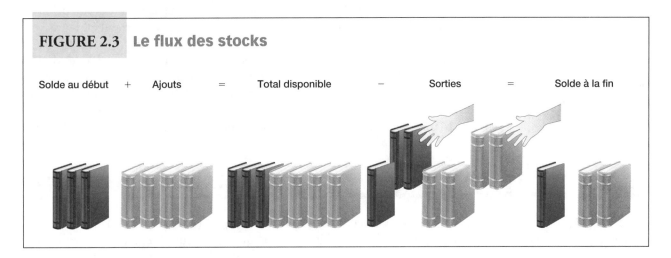

FIGURE 2.3 Le flux des stocks

Solde au début + Ajouts = Total disponible – Sorties = Solde à la fin

Pour déterminer le coût des ventes dans le cas d'une entreprise commerciale comme Libraire des mers, l'équation devient donc la suivante :

Coût des ventes dans une entreprise commerciale

Stock de marchandises au début + Achats = Stock de marchandises à la fin + Coût des ventes

ou

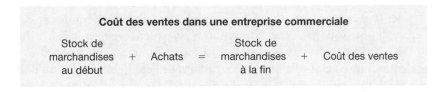

Coût des ventes = Stock de marchandises au début + Achats – Stock de marchandises à la fin

Le coût des ventes pour une entreprise de fabrication telle Marine Fournitures inc. est déterminé en procédant comme suit :

Coût des ventes dans une entreprise de fabrication				
Stock de produits finis au début	+ Coût des produits fabriqués	= Stock de produits finis à la fin	+ Coût des ventes	

ou

Coût des ventes =	Stock de produits finis au début	+ Coût des produits fabriqués	− Stock de produits finis à la fin	

Pour déterminer le coût des ventes dans une entreprise commerciale comme Libraire des mers, il suffit de connaître les soldes du compte de stock de marchandises au début et à la fin, et les achats. On peut établir le total des achats dans ce type d'entreprise en additionnant simplement tous les achats faits auprès des fournisseurs.

Pour déterminer le coût des ventes d'une entreprise de fabrication comme Marine Fournitures inc., il faut connaître le *coût des produits fabriqués*, et les soldes du compte de stock de produits finis au début et à la fin. Le **coût des produits fabriqués** correspond aux coûts de fabrication liés aux produits *terminés* au cours de la période considérée. En ce qui concerne Marine Fournitures inc., ce coût est calculé à la figure 2.4, qui présente un *état du coût des produits fabriqués*.

Coût des produits fabriqués

Ensemble des coûts de fabrication liés aux produits terminés au cours d'une période donnée.

L'état du coût des produits fabriqués

OBJECTIF 4

Préparer un état du coût des produits fabriqués.

État du coût des produits fabriqués

État financier dans lequel figurent les coûts des matières premières et de la main-d'œuvre directe ainsi que les frais indirects de fabrication engagés au cours d'une période donnée pour la fabrication de produits en cours de fabrication qui seront terminés.

À première vue, l'**état du coût des produits fabriqués** (*voir la figure 2.4*) peut paraître complexe. Toutefois, il est parfaitement logique. Notez qu'il renferme les trois composantes des coûts incorporables dont il a été question précédemment, soit les coûts des matières premières et de la main-d'œuvre directe, ainsi que les frais indirects de fabrication.

Néanmoins, le total de ces trois composantes de coûts *n'est pas* le coût des produits fabriqués. Ainsi, une partie des coûts des matières premières et de la main-d'œuvre directe, et des frais indirects de fabrication engagés au cours de la période considérée se rapportent à des biens dont la transformation n'est pas encore terminée à la fin de la période. Les coûts liés à des produits non finis sont représentés par les chiffres relatifs au stock de produits en cours de fabrication, au bas de l'état. Notez que l'on doit additionner le stock de produits en cours au début au coût total de fabrication propre à la période donnée et en soustraire le stock de ces produits à la fin pour obtenir le coût des produits fabriqués[1].

---

1. On entend par «coût total de fabrication propre à la période» les coûts qui permettront de terminer la transformation des produits en cours de fabrication au début de la période, les coûts qui serviront à commencer et à terminer la transformation des produits au cours de la période, et les coûts qui serviront à commencer la transformation des produits qui ne seront pas finis à la fin de la période.

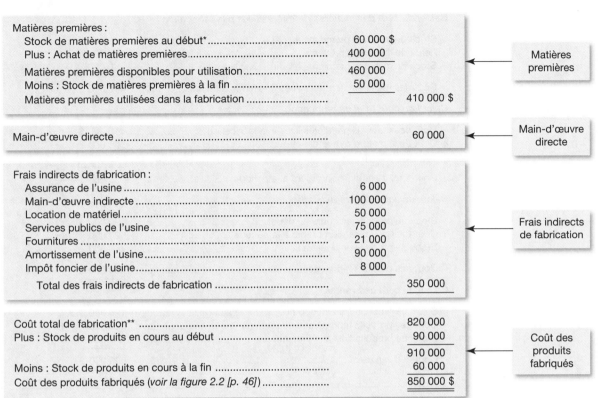

FIGURE 2.4 Un état du coût des produits fabriqués

Matières premières :
    Stock de matières premières au début*.............................. 60 000 $
    Plus : Achat de matières premières.................................. 400 000
    Matières premières disponibles pour utilisation............................ 460 000
    Moins : Stock de matières premières à la fin 50 000
    Matières premières utilisées dans la fabrication .... 410 000 $

Matières premières

Main-d'œuvre directe 60 000

Main-d'œuvre directe

Frais indirects de fabrication :
    Assurance de l'usine 6 000
    Main-d'œuvre indirecte 100 000
    Location de matériel 50 000
    Services publics de l'usine.................................... 75 000
    Fournitures 21 000
    Amortissement de l'usine 90 000
    Impôt foncier de l'usine..................................... 8 000
        Total des frais indirects de fabrication 350 000

Frais indirects de fabrication

Coût total de fabrication** 820 000
Plus : Stock de produits en cours au début 90 000
                                     910 000
Moins : Stock de produits en cours à la fin 60 000
Coût des produits fabriqués (*voir la figure 2.2 [p. 46]*) .... 850 000 $

Coût des produits fabriqués

  * Dans cet exemple, nous supposons que le compte de stock de matières premières comprend seulement les matières premières et que le coût des matières indirectes est comptabilisé dans un compte de fournitures distinct. L'utilisation d'un tel compte pour ce type de matières est une pratique courante dans les entreprises. Au chapitre 3, nous verrons la façon de procéder pour enregistrer *à la fois* les matières premières et les matières indirectes dans un même compte.

  ** Représente le total des coûts de fabrication des unités propres à la période.

Le raisonnement sous-tendant la préparation de l'état du coût des produits fabriqués et le calcul du coût des ventes est présenté de façon différente à la figure 2.5 (*page suivante*). Pour calculer le coût des ventes, observez les étapes ci-après en commençant par le haut de la figure, puis en la parcourant vers le bas.

1. Calculez le coût des matières premières liées à la fabrication des produits, selon la formule de la première section de la figure.
2. Inscrivez le coût total des matières premières utilisées (410 000 $) dans la deuxième section de la figure et calculez le coût total de fabrication.
3. Reportez le coût total de fabrication (820 000 $) dans la troisième section de la figure et calculez le coût des produits fabriqués.
4. Transcrivez le coût des produits fabriqués (850 000 $) dans la dernière section de la figure et calculez le coût des ventes.

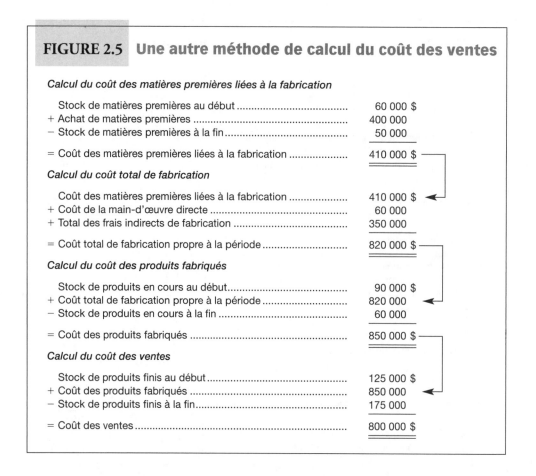

FIGURE 2.5 Une autre méthode de calcul du coût des ventes

Calcul du coût des matières premières liées à la fabrication

Stock de matières premières au début	60 000 $
+ Achat de matières premières	400 000
− Stock de matières premières à la fin.................................	50 000
= Coût des matières premières liées à la fabrication	410 000 $

Calcul du coût total de fabrication

Coût des matières premières liées à la fabrication	410 000 $
+ Coût de la main-d'œuvre directe	60 000
+ Total des frais indirects de fabrication	350 000
= Coût total de fabrication propre à la période	820 000 $

Calcul du coût des produits fabriqués

Stock de produits en cours au début...................................	90 000 $
+ Coût total de fabrication propre à la période	820 000
− Stock de produits en cours à la fin.................................	60 000
= Coût des produits fabriqués	850 000 $

Calcul du coût des ventes

Stock de produits finis au début......................................	125 000 $
+ Coût des produits fabriqués	850 000
− Stock de produits finis à la fin....................................	175 000
= Coût des ventes...	800 000 $

Les coûts incorporables – un examen plus détaillé

Dans les sections précédentes de ce chapitre, nous avons défini les coûts incorporables comme étant des coûts liés soit à l'achat, soit à la fabrication de produits. Dans le cas des produits fabriqués, nous avons précisé que ces coûts englobent les coûts des matières premières et de la main-d'œuvre directe, ainsi que les frais indirects de fabrication. Pour mieux comprendre les coûts incorporables, il serait utile à ce stade d'examiner brièvement le cheminement des coûts dans une entreprise de fabrication. Nous pourrons ainsi voir comment les coûts incorporables sont transférés d'un compte à l'autre, et influent sur l'état de la situation financière et l'état des résultats au moment de la fabrication puis de la vente des produits.

La figure 2.6 illustre le cheminement des coûts dans une entreprise de fabrication. Les achats de matières premières sont inscrits dans le compte de stock de matières premières. Lorsque ces matières servent à la fabrication de produits, leur coût est transféré au compte de stock de produits en cours à titre de coût des matières premières. Notez que l'on ajoute directement le coût de la main-d'œuvre directe et les frais indirects de fabrication au coût des produits en cours. Pour simplifier les choses, imaginons les produits en cours sur une chaîne de montage le long de laquelle sont placés des travailleurs et où les produits prennent peu à peu leur forme finale en passant d'une extrémité à l'autre de la chaîne. Les coûts des matières premières et de la main-d'œuvre directe ainsi que les frais indirects de fabrication ajoutés aux produits en cours dans la figure 2.6 constituent les coûts nécessaires à la fabrication complète de ces produits à mesure qu'ils progressent le long de la chaîne de montage.

Notez aussi que, dans la figure, au moment où la transformation du produit est terminée, son coût passe du stock de produits en cours à celui de produits finis, où il restera en attendant d'être vendu à un client. À mesure que les produits sont vendus, leur coût est transféré du stock de produits finis au coût des ventes. C'est à ce stade seulement que les différents coûts (ceux des matières premières et de la main-d'œuvre directe, ainsi que les frais indirects de fabrication) liés à la fabrication d'un produit seront enfin considérés comme des charges.

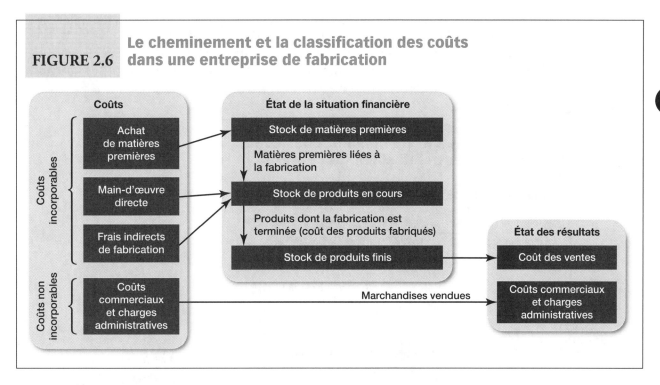

FIGURE 2.6 Le cheminement et la classification des coûts dans une entreprise de fabrication

Les coûts relatifs aux stocks

Comme nous l'avons vu, les coûts incorporables, c'est-à-dire les coûts relatifs aux stocks, sont enregistrés automatiquement dans les comptes de stock à mesure qu'ils sont engagés (d'abord dans les produits en cours de fabrication, puis dans les produits finis), plutôt que d'être inscrits dans les comptes de charges. C'est pourquoi on les qualifie de *coûts incorporables* ou de *coûts relatifs aux stocks. Il s'agit d'un concept clé en comptabilité de gestion, car ces coûts apparaissent dans l'état de la situation financière à titre d'actifs lorsque la fabrication du produit n'est pas entièrement terminée ou lorsque le produit n'est pas vendu à la fin d'une période.* Pour illustrer cette situation, examinons de nouveau les données de la figure 2.6. À la fin de la période, les coûts des matières premières et de la main-d'œuvre directe ainsi que les frais indirects de fabrication liés aux unités en cours de fabrication et aux unités finies et non vendues figurent à l'état de la situation financière à titre d'actifs de l'entreprise. Ces coûts, rappelons-le, deviennent des charges seulement plus tard, lorsque la fabrication des produits est terminée et que ceux-ci sont vendus.

Comme le montre la figure 2.6, les coûts commerciaux et les charges administratives n'entrent pas dans le coût des produits fabriqués. C'est pourquoi ils ne sont pas considérés comme des coûts incorporables, mais plutôt comme des coûts non incorporables, qui sont enregistrés directement dans les comptes de charges à mesure qu'ils sont engagés.

Un exemple du cheminement des coûts

Supposons qu'une entreprise manufacturière verse annuellement une somme de 2 000 $ en assurance. Soixante-quinze pour cent de ce montant (1 500 $) sert aux activités de l'usine, et 25 % (500 $), aux activités de vente et d'administration. Par conséquent, la tranche de 1 500 $ du coût de l'assurance constitue un coût incorporable, que l'on additionne au coût des produits fabriqués au cours de la période. Ce concept est illustré à la figure 2.7 (*page suivante*), où la tranche de 1 500 $ du coût de l'assurance a été ajoutée au poste des produits en cours. Comme le montre la figure, cette partie du coût de l'assurance annuelle ne deviendra une charge que lorsque les marchandises fabriquées au cours de cette période seront vendues — ce qui pourrait survenir seulement au cours de la période suivante ou plus tard. Tant que les marchandises ne sont pas vendues, le montant de 1 500 $ restera un

2

élément d'actif dans les stocks (soit à l'intérieur des produits en cours, soit à l'intérieur des produits finis) avec les autres coûts de fabrication des produits.

Par contre, le montant de 500 $ du coût de l'assurance lié aux activités de vente et d'administration de l'entreprise est aussitôt enregistré dans un compte de charges, en déduction des revenus de cette période.

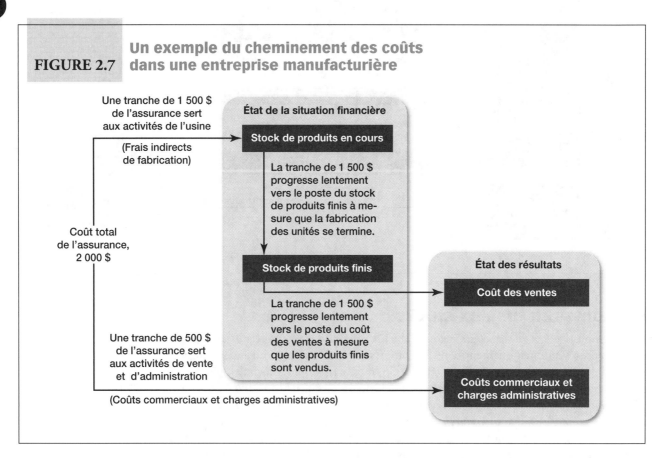

FIGURE 2.7 Un exemple du cheminement des coûts dans une entreprise manufacturière

Jusqu'ici, nous nous sommes surtout intéressés à la classification des coûts de fabrication servant à l'évaluation des stocks dans l'état de la situation financière et à celle du coût des ventes dans l'état des résultats au moment de la publication des rapports financiers. Toutefois, on se sert des coûts pour atteindre différents objectifs, et chacun de ceux-ci requiert une classification différente. Dans les dernières sections du chapitre, nous examinerons divers objectifs demandant une classification des coûts. Vous trouverez un résumé de ces objectifs et des catégories qui y correspondent au tableau 2.1. Pour éviter toute confusion, nous vous suggérons de consulter ce tableau lorsque vous lirez la fin du chapitre.

TABLEAU 2.1 Un résumé des objectifs de la classification des coûts

Objectif de la classification des coûts	Catégories de coûts

Préparer des états financiers à usage général	• Coûts incorporables
	  – Matières premières
	  – Main-d'œuvre directe
	  – Frais indirects de fabrication
	• Coûts non incorporables (affectés comme charges)
	  – Coûts hors fabrication
	    • Coûts commerciaux, ou de marketing
	    • Charges administratives

TABLEAU 2.1 (*suite*)

Objectif de la classification des coûts	Catégories de coûts
Prévoir le comportement des coûts en réaction à des variations du niveau d'activité.	• Coûts variables (proportionnels à l'activité) • Coûts fixes (total constant)
Attribuer des coûts à des objets de coûts, par exemple des services ou des produits de l'entreprise.	• Coûts directs (faciles à rattacher à des produits) • Coûts indirects (difficiles à rattacher à des produits ; doivent être comptabilisés en charges)
Prendre des décisions.	• Coûts différentiels (varient selon les choix) • Coûts de renonciation (avantages économiques auxquels l'entreprise renonce) • Coûts irrécupérables (coûts déjà engagés sur lesquels une décision n'a aucun effet)

Une classification en vue de prévoir le comportement des coûts

Très souvent, il sera nécessaire de prévoir comment un coût donné se comportera en réaction à un changement dans le niveau d'activité. Par exemple, un gestionnaire de Telus voudra peut-être estimer l'effet d'une augmentation de 5 % des appels interurbains effectués par ses clients sur la facture totale d'électricité de l'entreprise ou sur la rémunération totale versée aux téléphonistes affectés aux appels interurbains. Le **comportement des coûts** indique la façon dont un coût réagira aux variations du niveau d'activité d'une entreprise. Lorsque ce niveau d'activité augmente ou diminue, un coût donné peut lui aussi augmenter ou diminuer — ou demeurer constant. Au moment de sa planification, le gestionnaire devra être en mesure d'anticiper lequel de ces comportements se matérialisera et, s'il s'attend à une variation de coût, il devra en connaître l'importance. Pour faciliter de telles distinctions, on classera souvent les coûts en coûts variables et en coûts fixes.

Les coûts variables

Un **coût variable** est un coût dont le total varie de façon proportionnelle aux variations du niveau d'activité d'une entreprise. Cette activité peut être exprimée de différentes manières : sous forme d'unités produites, d'unités vendues, de kilomètres parcourus, de lits occupés, de lignes imprimées, d'heures de travail, etc. Le coût des matières premières constitue un bon exemple de coût variable. En effet, le total du coût des matières premières utilisées pendant une période varie de façon proportionnelle au nombre d'unités fabriquées. Examinons le cas de Prévost, une division de Groupe Volvo Canada. Chaque autobus requiert une batterie. Lorsque la production d'autobus augmente ou diminue, le nombre de batteries utilisées augmente ou diminue d'autant. Lorsque la production d'autobus s'accroît de 10 %, le nombre de batteries utilisées croîtra aussi de 10 %. Le concept de coût variable est illustré à la figure 2.8 (*page suivante*).

Notons que lorsqu'il y a coût variable, le coût total augmente ou diminue à mesure que le niveau d'activité s'élève ou s'abaisse. Cette notion est illustrée ci-dessous. Supposons qu'une batterie coûte 24 $.

OBJECTIF 5

Expliquer la différence entre le comportement des coûts variables et celui des coûts fixes.

Comportement des coûts

Façon dont les coûts réagissent aux variations du niveau d'activité de l'entreprise.

Coût variable

Coût dont le total varie de façon proportionnelle aux variations du niveau d'activité d'une entreprise ; un coût variable est constant par unité.

Nombre d'autobus produits	Coût unitaire d'une batterie	Coût total variable des batteries
1	24 $	24 $
500	24 $	12 000 $
1 000	24 $	24 000 $

Le comportement du coût variable a ceci d'intéressant que lorsque ce coût est exprimé *par unité*, il est constant. Notons que dans le tableau précédent, le coût unitaire des batteries demeure constant à 24 $, bien que le coût total augmente ou diminue selon les changements dans le niveau d'activité.

Il existe de nombreux exemples de coûts variables en ce qui concerne les produits et les services offerts par une organisation. Dans une entreprise de fabrication, les coûts variables englobent des éléments tels que les matières premières et certains frais indirects de fabrication comme les lubrifiants. Ils comprennent aussi des coûts non incorporables tels que l'expédition et les commissions sur les ventes. Pour le moment, nous supposerons que la main-d'œuvre directe constitue aussi un coût variable, même si nous verrons au chapitre 6 que ce type de coût se comporte plutôt comme un coût fixe dans un grand nombre de situations. Dans une entreprise commerciale, les coûts variables comprennent des éléments comme le coût des ventes, les commissions des vendeurs et les coûts de facturation. Dans un hôpital, les coûts variables liés à la prestation de soins aux patients engloberaient les coûts des fournitures, des médicaments, des repas et peut-être même des soins infirmiers.

L'activité entraînant des changements dans un coût variable ne correspond pas nécessairement à la quantité de produits fabriqués ou vendus. Par exemple, le salaire versé aux employés d'un SuperClub Vidéotron dépendra du nombre d'heures d'ouverture de la succursale, et non pas strictement du nombre de films loués. Dans ce cas, on dira que le coût de la main-d'œuvre varie en fonction des heures d'activité. Néanmoins, lorsqu'il est question d'un coût variable, il est d'ordinaire sous-entendu que ce coût varie en fonction du volume des extrants générateurs de revenus — en d'autres termes, en fonction du nombre d'unités produites et vendues, du nombre de films loués, du nombre de patients traités, et ainsi de suite.

Les coûts fixes

Coût fixe

Coût dont le total demeure constant quelles que soient les variations du niveau d'activité à l'intérieur d'un segment significatif ; lorsqu'on exprime un coût fixe sur une base unitaire, il varie de façon inverse par rapport au niveau d'activité.

Le **coût fixe** est un coût dont le total demeure constant, peu importe les variations du niveau d'activité de l'entreprise. Contrairement aux coûts variables, les coûts fixes ne sont pas touchés par les variations du niveau d'activité. Par conséquent, lorsque le niveau d'activité augmente ou diminue, le montant total des coûts fixes demeure inchangé à moins que ceux-ci ne subissent les effets d'un facteur externe quelconque, par exemple une variation des prix. Le loyer constitue un bon exemple de coût fixe. Supposons que, pour 8 000 $ par mois, Biron – Laboratoire médical loue un appareil qui lui permet d'analyser des échantillons de sang et de rechercher tout surnombre de leucocytes. Le coût de location mensuel de 8 000 $ restera le même, peu importe le nombre de tests effectués par l'appareil durant le mois. Le concept de coût fixe est illustré à la figure 2.8.

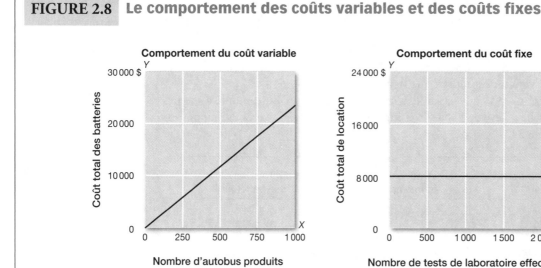

FIGURE 2.8 **Le comportement des coûts variables et des coûts fixes**

Comportement du coût variable

Comportement du coût fixe

Coût total des batteries — Nombre d'autobus produits

Coût total de location — Nombre de tests de laboratoire effectués

Peu de coûts sont entièrement fixes. La plupart varieront si le changement dans le niveau d'activité se révèle assez important. Par exemple, supposons que l'appareil de Biron – Laboratoire médical servant à diagnostiquer la leucémie a une capacité de 2 000 tests par mois. Si la clinique souhaite effectuer un plus grand nombre de tests en un mois, elle devra louer un second appareil, ce qui entraînera un changement dans les coûts fixes. Ces coûts passeront de 8 000 $ à 16 000 $ par mois. Lorsqu'il y a coût fixe, on sous-entend qu'il est fixe à l'intérieur d'un *segment significatif* donné. Un **segment significatif** est un intervalle entre deux niveaux d'activité, à l'intérieur duquel les hypothèses concernant les coûts variables et les coûts fixes se vérifient.

Ainsi, l'hypothèse selon laquelle le coût de location des appareils de diagnostic s'élève à 8 000 $ par mois se vérifie à l'intérieur du segment significatif de 0 à 2 000 tests par mois.

Les coûts fixes peuvent poser des problèmes lorsque les coûts doivent être exprimés par unité. En effet, lorsque les coûts fixes sont présentés sur une base unitaire, ils réagissent *de façon inverse* par rapport aux variations du niveau d'activité. Reprenons l'exemple de Biron. Le coût moyen par test diminue à mesure que le nombre de tests augmente parce que le coût de location de 8 000 $ se trouve alors réparti sur un plus grand nombre de tests. À l'inverse, lorsque le nombre de tests effectués à la clinique diminue, le coût moyen d'un test augmente parce que le coût de location (8 000 $) est réparti sur un nombre moins grand de tests. Ce concept est illustré ci-dessous.

Segment significatif

Champ d'activité à l'intérieur duquel les hypothèses concernant le comportement des coûts variables et des coûts fixes sont valables.

Coût de location mensuel	Nombre de tests effectués	Coût moyen par test
8 000 $	10	800 $
8 000 $	500	16 $
8 000 $	2 000	4 $

Si la clinique effectuait seulement 10 tests par mois, le coût de location de l'appareil s'établirait en moyenne à 800 $ par test. Par contre, si 2 000 tests y étaient effectués au cours de la même période, le coût moyen d'un test chuterait à 4 $. Nous examinerons plus loin les problèmes que pose cette variation dans les coûts unitaires pour les comptables et les gestionnaires.

Parmi les coûts fixes, mentionnons l'amortissement, l'assurance, l'impôt foncier, le loyer, les salaires des contremaîtres et du personnel de l'administration, et la publicité.

Le tableau 2.2 présente un résumé du comportement des coûts variables et des coûts fixes.

TABLEAU 2.2 Un résumé du comportement des coûts variables et des coûts fixes

Coût	Comportement du coût (à l'intérieur d'un segment significatif)	
	Au total	**Par unité**
Coût variable	Le coût variable total augmente et diminue de façon proportionnelle aux variations du niveau d'activité.	Le coût variable unitaire demeure constant.
Coût fixe	Le coût fixe total n'est pas touché par les changements dans le niveau d'activité à l'intérieur d'un segment significatif.	Le coût fixe unitaire diminue à mesure que le niveau d'activité augmente, et augmente à mesure que le niveau d'activité diminue.

L'attribution des coûts à des objets de coûts

OBJECTIF 6
Faire la distinction entre les coûts directs et les coûts indirects.

Objet de coût

Toute chose pour laquelle on désire obtenir des données relatives aux coûts.

Coût direct

Coût qu'il est possible et pratique d'affecter à l'objet de coût considéré.

Coût indirect

Coût qu'il est impossible ou peu pratique d'affecter à l'objet de coût considéré.

Coût commun

Coût commun à plusieurs objets de coût, mais qu'il est impossible d'affecter à chacun séparément.

On attribue des coûts aux objets pour différentes raisons, y compris pour établir des prix, effectuer des études de rentabilité ou exercer un contrôle des dépenses. Un **objet de coût** désigne toute chose pour laquelle on veut obtenir des données relatives aux coûts, entre autres des produits, des gammes de produits, des clients, des catégories d'emplois et des sous-unités de travail. Pour attribuer des coûts aux objets de coûts, on emploie une classification qui distingue les *coûts directs* des *coûts indirects*.

Les coûts directs

Le **coût direct** est un coût que l'on peut rattacher facilement à l'objet de coût auquel on s'intéresse. Le concept de coût direct englobe beaucoup plus que les coûts des matières premières et de la main-d'œuvre directe. Par exemple, si Libraire des mers attribue des coûts à ses différents bureaux de vente régionaux et nationaux, le salaire du directeur des ventes à Québec sera considéré comme un coût direct du bureau de cette ville.

Les coûts indirects

Le **coût indirect** est un coût qu'il est impossible ou peu pratique d'affecter à l'objet de coût considéré. La microbrasserie Les bières de la Nouvelle-France, par exemple, fabrique différentes variétés de bière. Le salaire du directeur de l'usine constituerait alors un coût indirect d'une marque telle que la Claire Fontaine, n'étant pas associé à la production d'une variété de bière en particulier ; le salaire serait plutôt engagé en raison de la nécessité de faire fonctionner l'ensemble de l'usine. *Pour être rattaché à un objet de coût, tel un produit en particulier, le coût doit être engendré par cet objet de coût.* Le salaire du directeur de l'usine relève plutôt d'un *coût commun* de fabrication des différents produits dans cette usine. Le **coût commun** est celui qu'on peut lier à un certain nombre d'objets de coûts, mais qu'il n'est pas possible d'affecter à chacun séparément. Il s'agit d'un type particulier de coût indirect.

Le coût peut être direct ou indirect selon l'objet de coût. Le salaire du directeur de l'usine de la microbrasserie constitue un *coût indirect* de fabrication de la Claire Fontaine et un *coût direct* de l'usine de production. Dans le premier cas, l'objet de coût est une marque de bière ; dans le second, il s'agit de l'ensemble de l'usine de production.

La classification des coûts en vue de la prise de décisions

OBJECTIF 7
Définir d'autres catégories de coûts qui servent à la prise de décisions — soit les coûts différentiels, les coûts de renonciation (ou d'opportunité) et les coûts irrécupérables — et en donner des exemples.

Coût différentiel

Différence de coût qui découlerait d'un choix entre deux possibilités.

Revenu différentiel

Différence de revenus qui découlerait d'un choix entre deux possibilités.

Les coûts constituent un facteur important d'un grand nombre de décisions d'affaires. Au moment de la prise de décisions, il est essentiel de bien comprendre les concepts de *coût différentiel*, de *coût de renonciation* et de *coût irrécupérable*.

Le coût différentiel et le revenu différentiel

Toute décision implique un choix entre différentes options. Dans les décisions d'affaires, chaque option entraîne des coûts et des avantages devant être comparés aux coûts et aux avantages des autres possibilités offertes. La différence de coûts entre deux options porte le nom de **coût différentiel** ; la différence de revenus entre deux options est désignée sous le nom de **revenu différentiel**.

Le concept de coût différentiel en comptabilité se compare au concept de coût marginal en économie. Lorsqu'un économiste considère des variations de coûts et de revenus, il parle de *coût marginal* et de *revenu marginal*. Le revenu pouvant découler de la vente d'une unité supplémentaire d'un produit constitue un revenu marginal ; le coût engagé dans la fabrication d'une unité supplémentaire d'un produit constitue un coût marginal. Ce concept économique est à peu près identique au concept « différentiel » comptable appliqué à une seule unité de production.

Le coût différentiel peut être fixe ou variable. Pour le démontrer, supposons que l'entreprise Cosmétiques de la nature inc. songe à modifier sa méthode de mise en marché et à distribuer ses produits non plus par l'intermédiaire de détaillants, mais par la vente directe de porte en porte. La direction compare donc les coûts et les revenus actuels aux coûts et aux revenus projetés à l'aide du tableau suivant:

	Distribution par des détaillants (système actuel)	Distribution par vente directe (système projeté)	Coûts et revenus différentiels
Chiffre d'affaires (V)	700 000 $	800 000 $	100 000 $
Coût des ventes (V)	350 000	400 000	50 000
Publicité (F)	80 000	45 000	(35 000)
Commissions (V)	-0-	40 000	40 000
Amortissement des entrepôts (F)	50 000	80 000	30 000
Autres charges (F)	60 000	60 000	-0-
	540 000	625 000	85 000
Bénéfice	160 000 $	175 000 $	15 000 $

V: variable; F: fixe

D'après l'analyse qui y est faite, le revenu différentiel s'élève à 100 000 $, et le total des coûts différentiels est de 85 000 $, c'est-à-dire que le bénéfice différentiel s'élève à 15 000 $ en faveur du nouveau plan de mise en marché.

Cosmétiques de la nature inc. pourrait conserver son système de distribution actuel, soit un réseau de détaillants. Elle pourrait aussi préférer un système de vente directe de porte en porte en se basant sur les bénéfices des deux possibilités. Comme le montre l'analyse du tableau, le bénéfice du système actuel est de 160 000 $; celui du nouveau système est estimé à 175 000 $. La méthode de la distribution par vente directe de porte en porte paraît donc préférable, puisqu'elle entraînerait une augmentation du bénéfice de 15 000 $. Notons que nous serions parvenus au même montant en nous intéressant seulement aux revenus différentiels, aux coûts différentiels et au bénéfice différentiel, lesquels indiquent une augmentation du bénéfice de 15 000 $ lié à la méthode de vente directe.

En général, seules les différences entraînées par les options sont pertinentes dans la prise de décisions. On peut donc omettre les éléments qui demeurent identiques, quelles que soient les possibilités examinées, et qui ne sont pas touchés par une décision. Dans l'exemple de Cosmétiques de la nature inc., la catégorie «Autres charges», qui représente 60 000 $ dans les deux cas, aurait pu être omise puisqu'elle n'a aucun effet sur la décision. Lorsque celle-ci est éliminée des calculs, on constate que la méthode de la vente directe se révèle toujours supérieure à l'autre de 15 000 $. Nous reverrons au chapitre 12 l'approche des coûts pertinents à la prise de décisions.

Le coût de renonciation

Le **coût de renonciation** est un avantage économique potentiel auquel l'entreprise renonce en choisissant une option plutôt qu'une autre. Pour illustrer cet important concept, considérons les exemples suivants:

Coût de renonciation

Avantage économique potentiel auquel l'entreprise renonce en choisissant une option plutôt qu'une autre.

EXEMPLE 1

Mélanie Tremblay poursuit ses études au collégial. Elle occupe aussi un emploi à temps partiel qui lui rapporte 100 $ par semaine. Mélanie aimerait passer une semaine au bord de la mer pendant la semaine de relâche. Son patron accepte de lui accorder ce congé, mais sans rémunération. La somme de 100 $ en salaire non reçu constitue le coût de renonciation associé à une semaine de vacances sur la plage.

EXEMPLE 2

Supposons que la société La Baie songe à investir une importante somme d'argent dans l'achat d'un terrain qui pourrait servir d'emplacement à un futur magasin. Au lieu d'acquérir un terrain, l'entreprise pourrait investir cette somme dans des certificats de placement garanti (CPG). Si elle acquérait le terrain, le coût de renonciation correspondrait au revenu de placement qu'elle aurait pu réaliser si elle avait opté pour des CPG.

EXEMPLE 3

Étienne Bonin touche un salaire annuel de 30 000 $. Il songe à quitter son emploi et à s'inscrire à l'université. Comme un retour aux études l'obligerait à renoncer à son salaire de 30 000 $, cette somme constituerait le coût de renonciation associé à la poursuite de ses études.

En général, le coût de renonciation ne figure pas dans les livres comptables d'une entreprise. Il s'agit toutefois d'un coût que le gestionnaire devra considérer de façon explicite chaque fois qu'il prendra une décision. En réalité, il y a un coût de renonciation associé à chaque option. Dans le troisième exemple, la décision d'Étienne Bonin de conserver son emploi comporterait aussi un coût de renonciation : il s'agit de l'augmentation de salaire qu'il aurait pu obtenir dans le futur grâce à l'obtention d'un diplôme universitaire.

Le coût irrécupérable

Coût irrécupérable

Coût engagé ne pouvant être modifié par une décision prise maintenant ou plus tard.

Le **coût irrécupérable** est un coût *qui est déjà engagé* et qui ne peut être modifié, quelle que soit la décision prise maintenant ou plus tard. Comme ce coût ne peut être modifié par aucune décision, il ne s'agit pas d'un coût différentiel. Par conséquent, on peut et on doit même ne pas en tenir compte au moment d'une prise de décisions.

Voici un exemple de coût irrécupérable. Supposons qu'une entreprise a versé, il y a plusieurs années, une somme de 50 000 $ pour l'achat d'une machine spécialisée. L'appareil a servi à fabriquer un produit qui est maintenant démodé et qui n'est plus vendu. Même si, avec le recul, l'achat de la machine peut paraître une erreur, aucun regret ne peut effacer cette décision. Par ailleurs, ce serait une erreur encore plus grave que de poursuivre la fabrication du produit démodé en vue d'essayer de récupérer le coût de la machine. En d'autres termes, la somme de 50 000 $ versée pour la machine a déjà été engagée et ne peut pas être considérée comme un coût différentiel pour une décision à venir. C'est pourquoi on dit que les coûts de ce type sont irrécupérables et qu'ils ne doivent pas entrer en ligne de compte au moment de la prise de décisions.

Résumé

Dans ce chapitre, nous avons examiné quelques-unes des méthodes qu'emploient les gestionnaires pour classer les coûts. La façon dont ces coûts sont utilisés — dans la préparation de l'information financière, la prévision du comportement des coûts, l'attribution de coûts aux objets de coûts, ou la prise de décisions — détermine la façon dont ils seront classés.

Lorsqu'il s'agit d'évaluer des stocks et de déterminer des charges en vue de l'établissement de l'état de la situation financière et de l'état des résultats, les coûts sont classés comme étant soit incorporables soit non incorporables. On attribue les coûts incorporables aux stocks et on considère le coût des stocks comme un actif jusqu'à ce que les marchandises soient vendues. Au moment de la vente, le coût des stocks devient le coût des ventes dans l'état des résultats. Par contre, conformément aux pratiques habituelles de la comptabilité d'engagement, les coûts non incorporables sont directement enregistrés dans l'état des résultats à titre de charges de la période au cours de laquelle ils ont été engagés.

Dans une entreprise commerciale, les coûts incorporables se composent de toutes les sommes versées pour l'achat de marchandises. À des fins d'information financière, les coûts incorporables d'une entreprise manufacturière consistent en tous ses coûts de fabrication. Dans ces deux types d'entreprises, les coûts commerciaux et les charges administratives sont considérés comme des coûts non incorporables et passés en charges au fur et à mesure qu'ils sont engagés.

Lorsqu'il s'agit de prévoir le comportement des coûts — la façon dont les coûts réagiront aux variations du niveau d'activité —, les gestionnaires les classent généralement en deux catégories : les coûts variables et les coûts fixes. Le total des coûts variables est strictement proportionnel aux activités. Par conséquent, le coût variable par unité est constant. Le montant total des coûts fixes demeure constant lorsque les variations du niveau d'activité ont lieu à l'intérieur d'un segment significatif donné. Il en résulte que le coût fixe moyen par unité diminue à mesure que le nombre d'unités augmente.

Lorsqu'il s'agit d'attribuer des coûts aux objets de coûts tels que des produits ou des services, une distinction est établie entre les coûts directs et les coûts indirects. On peut facilement rattacher des coûts directs aux objets de coûts, ce qui n'est pas le cas pour les coûts indirects.

En ce qui a trait à la prise de décisions, les concepts de coût différentiel et de revenu différentiel, de coût de renonciation et de coût irrécupérable ont une importance cruciale. Le coût et le revenu différentiels sont les éléments de coûts et de revenus qui diffèrent selon les options choisies. Le coût de renonciation est le manque à gagner qui découle du choix d'une option plutôt qu'une autre. Les coûts irrécupérables sont des coûts qui ont été engagés dans le passé et qui ne peuvent pas être modifiés. On devrait toujours considérer attentivement le coût différentiel et le coût de renonciation pendant le processus de la prise de décisions. Par contre, les coûts irrécupérables ne sont jamais pertinents dans les décisions ; on ne devrait donc pas en tenir compte.

Ces diverses catégories correspondent à différentes manières de considérer les coûts. Ainsi, un coût en particulier, par exemple celui du fromage dans les tacos servis chez Taco Bell, pourrait être à la fois un coût de fabrication, un coût incorporable, un coût variable, un coût direct et un coût différentiel.

L'entreprise Taco Bell peut être considérée comme un producteur d'aliments « prêts-à-manger » et une chaîne de restauration rapide. Le coût du fromage dans un taco serait alors un coût de fabrication et, comme tel, il serait également un coût incorporable. En outre, il s'agirait d'un coût variable en ce qui concerne le nombre de tacos servis et d'un coût direct attribué aux tacos. Enfin, le coût du fromage utilisé serait un coût différentiel lié à la production et au service des tacos.

Activités d'apprentissage

Problème de révision 1

La classification des coûts

Vous avez vu plusieurs nouveaux termes relatifs aux coûts dans ce chapitre. Il vous faudra un certain temps pour en retenir la signification et apprendre à classer, de façon appropriée, les coûts assumés par une organisation. À cet égard, l'exemple ci-après vous sera utile. La société Porter fabrique des meubles, dont des tables. Voici quelques coûts associés à la fabrication des tables et au fonctionnement de l'ensemble de l'entreprise.

a) Le bois servant à la fabrication de chaque table coûte 100 $.

b) Les tables sont assemblées par des employés dont le salaire est de 40 $ par table.

c) Le contremaître chargé de superviser le travail des employés qui assemblent les tables touche un salaire annuel de 35 000 $.

d) Le coût de l'électricité est de 2 $ par heure-machine. Il faut quatre heures-machines pour fabriquer une table.

e) L'amortissement annuel des machines servant à la fabrication des tables s'élève à 10 000 $.

f) Le salaire annuel du président-directeur général est de 100 000 $.

g) Les coûts de publicité de l'entreprise s'élèvent à 250 000 $ par an.

h) Les vendeurs touchent une commission de 30 $ par table vendue.

i) Plutôt que de fabriquer des tables, l'entreprise pourrait louer ses installations pour une somme de 50 000 $ par an.

Dans le tableau suivant, ces coûts sont classés selon les catégories étudiées au cours du chapitre. *Examinez la classification de chaque coût.* Si vous ne comprenez pas pourquoi un coût entre dans l'une des catégories indiquées, relisez la section du chapitre dans laquelle il est question de ce concept. Les termes *coûts variables* et *coûts fixes* font référence au comportement des coûts par rapport au nombre de tables qui sont produites au cours d'une année.

Solution au problème de révision 1

| Objet de coût | Coût variable | Coût fixe | Coûts incorporables | | | Coûts non incorporables (coûts commerciaux et charges administratives) | Coûts liés au produit | | Coût de renonciation | Coût irrécupérable |
			Matières premières	Main-d'œuvre directe	Frais indirects de fabrication		Direct	Indirect		
a) Bois entrant dans la fabrication d'une table (100 $ par table)	X		X				X			
b) Coût de la main-d'œuvre affectée à l'assemblage d'une table (40 $ par table)	X			X			X			

Objet de coût	Coût variable	Coût fixe	Coûts incorporables			Coûts non incorporables (coûts commerciaux et charges administratives)	Coûts liés au produit		Coût de renonciation	Coût irrécupérable
			Matières premières	Main-d'œuvre directe	Frais indirects de fabrication		Direct	Indirect		
c) Salaire annuel du contremaître de l'usine (35 000 $)		X			X			X		
d) Coût de l'électricité nécessaire à la fabrication des tables (2 $ par heure-machine)	X				X			X		
e) Amortissement annuel des machines servant à la fabrication des tables (10 000 $)		X			X			X		X*
f) Salaire annuel du président-directeur général (100 000 $)		X				X				
g) Publicité (250 000 $)		X				X				
h) Commissions versées aux vendeurs (30 $ par table vendue)	X					X				
i) Revenu lié à la location de l'équipement auquel l'entreprise a renoncé									X**	

* Il s'agit d'un coût irrécupérable puisque les débours effectués pour l'achat des machines ont été engagés au cours d'une période antérieure.

** Il s'agit d'un coût de renonciation puisqu'il représente l'avantage économique perdu ou sacrifié en raison de l'utilisation de l'usine pour fabriquer des tables. Le coût de renonciation est une catégorie particulière de coût qui, en général, ne figure pas dans les livres comptables d'une organisation.

Problème de révision 2

L'état du coût des produits fabriqués et l'état des résultats

Les renseignements ci-après, qui remontent à l'an dernier, sont extraits des livres comptables de la société Monfort.

Coûts commerciaux	140 000 $
Stock de matières premières au 1er janvier	90 000
Stock de matières premières au 31 décembre	60 000
Services publics de l'usine	36 000
Coût de la main-d'œuvre directe	150 000
Amortissement de l'usine	162 000
Achat de matières premières	750 000
Chiffre d'affaires	2 500 000
Assurance de l'usine	40 000
Fournitures de l'usine	15 000
Charges administratives	270 000

►

▶
Main-d'œuvre indirecte	300 000 $
Entretien de l'usine	87 000
Stock de produits en cours au 1er janvier	180 000
Stock de produits en cours au 31 décembre	100 000
Stock de produits finis au 1er janvier	260 000
Stock de produits finis au 31 décembre	210 000

La direction de l'entreprise veut structurer la présentation de ces données de façon à faciliter la préparation des états financiers de la période.

Travail à faire

1. Préparez un état du coût des produits fabriqués semblable à celui de la figure 2.4 (*p. 49*).
2. Calculez le coût des ventes.
3. À l'aide des données recueillies en réponse aux questions 1) et 2), établissez l'état des résultats de l'entreprise.
4. Supposez que les stocks de produits finis et en cours de fabrication comprennent 412 500 unités au 31 décembre. Calculez les composantes du coût du stock de produits finis à la fin, qui compte 55 176 unités.

Solution au problème de révision 2

1.

SOCIÉTÉ MONFORT
État du coût des produits fabriqués
de la période terminée le 31 décembre

Matières premières :		
Stock de matières premières au 1er janvier	90 000 $	
Plus : Achat de matières premières	750 000	
Matières premières destinées à la production	840 000	
Moins : Stock de matières premières au 31 décembre	60 000	
Matières premières utilisées dans la fabrication		780 000 $
Main-d'œuvre directe		150 000
Frais indirects de fabrication :		
Services publics de l'usine	36 000	
Amortissement de l'usine	162 000	
Assurance de l'usine	40 000	
Fournitures de l'usine	15 000	
Main-d'œuvre indirecte	300 000	
Entretien de l'usine	87 000	
Total des frais indirects de fabrication		640 000
Coût total de fabrication		1 570 000
Plus : Stock de produits en cours au 1er janvier		180 000
		1 750 000
Moins : Stock de produits en cours au 31 décembre		100 000
Coût des produits fabriqués		1 650 000 $

2. Le coût des ventes est calculé comme suit :

Stock de produits finis au 1er janvier	260 000 $
Plus : Coût des produits fabriqués	1 650 000
Marchandises destinées à la vente	1 910 000
Moins : Stock de produits finis au 31 décembre	210 000
Coût des ventes	1 700 000 $

3.

SOCIÉTÉ MONFORT
État des résultats
de la période terminée le 31 décembre

Chiffre d'affaires		2 500 000 $
Moins : Coût des ventes (*page précédente*)		1 700 000
Marge brute...		800 000
Moins : Charges opérationnelles :		
Coûts commerciaux..	140 000 $	
Charges administratives	270 000	410 000
Bénéfice		390 000 $

4. Voici le stock de produits finis à la fin.

Coût des matières premières	
(780 000 $ ÷ 412 500 = 1,8909 $; 1,8909 $ × 55 176)	104 332 $
Coût de la main-d'œuvre directe	
(150 000 $ ÷ 412 500 = 0,3636 $; 0,3636 $ × 55 176)	20 062*
Frais indirects de fabrication	
(640 000 $ ÷ 412 500 = 1,5515 $; 1,5515 $ × 55 176)	85 606
Coût total...	210 000 $

* On a arrondi à la baisse pour tenir compte de l'arrondissement du coût unitaire.

Questions

Q1 Quelles sont les trois principales composantes des coûts incorporables dans une entreprise de fabrication ?

Q2 Faites la distinction entre les coûts suivants : a) les matières premières ; b) les matières indirectes ; c) la main-d'œuvre directe ; d) la main-d'œuvre indirecte ; e) les frais indirects de fabrication.

Q3 En quoi un coût incorporable et un coût non incorporable se distinguent-ils ?

Q4 En quoi l'état des résultats d'une entreprise de fabrication et l'état des résultats d'une entreprise commerciale sont-ils différents ?

Q5 Quelle est l'utilité d'un état du coût des produits fabriqués ? Comment s'intègre-t-il à l'état des résultats ?

Q6 En quoi les comptes de stock d'une entreprise de fabrication et les comptes de stock d'une entreprise commerciale diffèrent-ils ?

Q7 Pourquoi les coûts incorporables sont-ils parfois appelés « coûts relatifs aux stocks ». Décrivez le cheminement de ces coûts dans une entreprise de fabrication, à partir du moment où ils sont engagés jusqu'à ce qu'ils soient inscrits à titre de charges dans l'état des résultats.

Q8 Des coûts tels que les salaires et l'amortissement peuvent-ils être comptabilisés en tant qu'actifs dans l'état de la situation financière ? Justifiez votre réponse.

Q9 Qu'entend-on par « comportement des coûts » ?

Q10 « Un coût variable est un coût qui varie par unité de production ; un coût fixe est un coût constant par unité de production. » Êtes-vous d'accord avec cet énoncé ? Justifiez votre réponse.

Q11 En quoi les coûts fixes posent-ils des problèmes au moment de l'établissement des coûts de revient des unités de production ?

Q12 Pourquoi les frais indirects de fabrication sont-ils considérés comme des coûts indirects d'une unité de production ?

Q13 Définissez les termes suivants : « coût différentiel », « coût de renonciation » et « coût irrécupérable ».

Q14 « Seuls les coûts variables peuvent entrer dans la catégorie des coûts différentiels. » Êtes-vous d'accord avec cet énoncé ? Justifiez votre réponse.

Exercices

E1 La classification des coûts de fabrication

La société À Tribord inc. construit sur commande des voiliers dont les pièces lui sont vendues par différents fournisseurs. L'entreprise est très petite, et son atelier de montage ainsi que son magasin de vente au détail se trouvent dans un hangar à bateaux de Pointe-à-la-Cigale. Vous trouverez ci-après une liste de quelques-uns des coûts engagés par l'entreprise.

Travail à faire

Indiquez si chacun des coûts ci-après serait classé dans la catégorie de coûts de la main-d'œuvre directe, de coûts des matières premières, de frais indirects de fabrication, de coûts commerciaux ou de charges administratives.

1. Les salaires des employés qui construisent les voiliers.
2. Le coût de la publicité dans les journaux locaux.
3. Le coût du mât d'aluminium installé sur chaque bateau.
4. Le salaire du contremaître de l'atelier de montage.
5. Le loyer du hangar à bateaux.
6. Le salaire du commis comptable de l'entreprise.
7. Les commissions versées par l'entreprise aux vendeurs.
8. L'amortissement des outils.

E2 La classification des coûts en coûts incorporables et non incorporables

Vous avez obtenu un emploi d'été à la société d'électronique aéronautique Frontenac, une entreprise qui fabrique des radars très perfectionnés pour les avions commerciaux. Cette société à capital fermé a sollicité, auprès d'une banque, un prêt qui lui permettrait de financer sa croissance spectaculaire. La banque exige des états financiers avant d'approuver un tel prêt. On vous demande d'aider à préparer ces documents et on vous fournit la liste de coûts suivante :

a) Le coût des puces de mémoire qui entrent dans la fabrication d'un radar.
b) Les coûts de chauffage de l'usine.
c) Les coûts d'entretien du matériel de l'usine.
d) Les coûts de formation des nouveaux membres du personnel de soutien.
e) Le coût de la brasure pour le montage des radars.
f) Les coûts de déplacement des représentants de l'entreprise.
g) Le salaire du personnel de sécurité de l'usine.
h) Le coût de la climatisation des bureaux de la direction.
i) Le salaire des employés du service de la facturation à la clientèle.
j) L'amortissement du matériel de conditionnement physique mis à la disposition des employés de l'usine.
k) Le coût du service téléphonique de la direction de l'usine.
l) Le coût de l'expédition des radars aux clients.
m) Le salaire des travailleurs qui montent les radars.
n) Le salaire du chef de la direction de l'entreprise.
o) Les primes d'assurance maladie du personnel de l'usine.

Travail à faire

En vue de la préparation des états financiers exigés par la banque, classez les coûts ci-dessus en deux catégories, soit les coûts incorporables et les coûts non incorporables.

E3 **La préparation d'un état des résultats**

Le mois dernier, le chiffre d'affaires de la société Les cimes, un détaillant d'articles de sport spécialisé dans l'alpinisme, s'élevait à 3 200 000 $, ses coûts commerciaux, à 110 000 $, et ses charges administratives, à 470 000 $. L'entreprise avait un stock de marchandises au début de 140 000 $. Elle a acheté pour 2 550 000 $ de nouvelles marchandises. Son stock valait 180 000 $ à la fin du mois.

Travail à faire

Préparez l'état des résultats de l'entreprise pour ce mois.

E4 **La préparation d'un état du coût des produits fabriqués**

La société Marmette fabrique un assortiment de produits dans son usine. Voici des données sur ses activités du mois dernier.

Stock de matières premières au début	55 000 $
Achat de matières premières	440 000
Stock de matières premières à la fin	65 000
Coût de la main-d'œuvre directe	215 000
Frais indirects de fabrication	380 000
Stock de produits en cours au début	190 000
Stock de produits en cours à la fin	220 000

Travail à faire

Préparez l'état du coût des produits fabriqués de l'entreprise pour ce mois.

E5 **La classification des coûts en coûts fixes et en coûts variables**

Voici des coûts et des mesures d'activité dans diverses entreprises.

Travail à faire

En inscrivant un « X » dans la colonne appropriée, indiquez si le coût de chaque activité est variable ou fixe, suivant la mesure de cette activité.

Coût	Mesure de l'activité	Comportement du coût	
		Variable	Fixe
1. Le coût des lames de verre utilisées pour les tests dans un laboratoire de médecine	Nombre de tests de laboratoire effectués		
2. Le coût du loyer d'une bijouterie dans une galerie marchande	Ventes en dollars		
3. Le salaire des cadres supérieurs de FedEx	Chiffre d'affaires total		
4. Les coûts de l'électricité requise pour le fonctionnement du matériel de fabrication dans une usine de Toyota	Nombre de véhicules produits		
5. Le coût d'une assurance incendie pour un cabinet de dentiste	Nombre de jours-patients		
6. Les commissions versées aux vendeurs d'un concessionnaire Honda	Chiffre d'affaires total		
7. Le coût du chauffage de l'unité de soins intensifs du CHU Sainte-Justine	Nombre de jours-patients		

▶

Coût	Mesure de l'activité	Comportement du coût	
		Variable	Fixe
8. Le coût des batteries installées dans les camions construits dans une usine de la société GM	Nombre de camions produits		
9. Le salaire d'un professeur d'université	Nombre d'étudiants du professeur		
10. Le coût du matériel pour nettoyer la cuisine et les salles à manger dans un établissement de restauration rapide	Nombre de clients servis		

E6 La distinction entre des coûts directs et indirects

L'Hôtel Empire est un établissement quatre étoiles situé dans le centre-ville de Victoria, en Colombie-Britannique.

Travail à faire

Pour chacun des coûts ci-après engagés par l'hôtel, précisez s'il s'agit plus probablement d'un coût direct ou d'un coût indirect, selon l'objet de coût indiqué, en inscrivant un «X» dans la colonne appropriée.

Coût	Objet de coût	Coût direct	Coût indirect
Exemple : Les boissons pour le service aux chambres	Un client de l'hôtel	X	
1. Le salaire du chef cuisinier	Le restaurant de l'hôtel		
2. Le salaire du chef cuisinier	Un client du restaurant de l'hôtel		
3. Le matériel d'entretien des chambres	Un client de l'hôtel		
4. Les fleurs pour le comptoir de la réception	Un client de l'hôtel		
5. Le salaire du portier	Un client de l'hôtel		
6. Les fournitures pour le nettoyage des chambres	Le service d'entretien		
7. L'assurance incendie du bâtiment de l'hôtel	Le gymnase de l'hôtel		
8. Les serviettes utilisées au gymnase	Le gymnase de l'hôtel		

E7 Les coûts différentiel, de renonciation et irrécupérable

L'Hôtel Sorrento est un établissement quatre étoiles situé dans le centre-ville de Montréal. Son vice-président de l'exploitation voudrait remplacer les moniteurs désuets des ordinateurs de l'hôtel installés à la réception par des écrans plats plus attrayants. Les nouveaux écrans occuperaient moins d'espace, consommeraient moins d'énergie et assureraient une plus grande sécurité (grâce à un angle restreint de lecture) que les anciens appareils. Leur installation ne requerrait aucune modification au filage. Pour sa part, le chef cuisinier considère qu'il serait plus justifié de consacrer cet argent à l'achat d'un nouveau congélateur pour la cuisine.

2

Travail à faire

Pour chacun des coûts ci-dessous, inscrivez un « X » dans la colonne appropriée pour indiquer s'il s'agit d'un coût différentiel, de renonciation ou irrécupérable dans la prise de décision concernant le remplacement des anciens moniteurs par des écrans plats. Si le coût n'entre dans aucune des catégories proposées, n'inscrivez rien.

Coût	Coût différentiel	Coût de renonciation	Coût irrécupérable
Exemple : Le coût de l'électricité pour le fonctionnement des moniteurs actuels	X		
1. Le coût des nouveaux écrans plats			
2. Le coût des vieux moniteurs			
3. Le loyer de l'espace occupé par la réception			
4. Le salaire du personnel de la réception			
5. Les avantages économiques découlant de l'achat d'un nouveau congélateur			
6. Le coût du maintien des vieux moniteurs			
7. Le coût de l'enlèvement des vieux moniteurs			
8. Le coût du filage actuel à la réception			

E8 La classification des coûts de la main-d'œuvre

Myriam Vachon apporte son téléviseur à un atelier de réparation. Une fois son appareil réparé, elle constate que les coûts de la main-d'œuvre s'élèvent à 75 $, soit 30 $ pour la première heure et 45 $ pour la seconde.

Interrogé sur la différence entre les tarifs horaires, le gérant de l'atelier explique à Mme Vachon que le travail effectué sur son téléviseur a commencé à 16 h et que l'employé a terminé la réparation deux heures plus tard, soit à 18 h, c'est-à-dire qu'il a fait une heure supplémentaire. La seconde heure comprend donc un coût lié à la majoration pour travail supplémentaire, car l'entreprise doit payer à son technicien un salaire majoré de 50 % pour tout travail effectué en sus de son horaire normal de huit heures par jour. Le gérant précise aussi que ses techniciens faisaient des heures supplémentaires à cause du rattrapage nécessité par des réparations en attente, mais que l'entreprise devait conserver une marge bénéficiaire « raisonnable » sur le travail de chacun d'eux.

Travail à faire

1. Êtes-vous d'accord avec la méthode de calcul des honoraires liés à la réparation du téléviseur de Mme Vachon ?

2. Supposez que l'atelier paie ses techniciens 14 $ l'heure pour les huit premières heures de travail d'une journée, et 21 $ pour chaque heure supplémentaire de travail quotidien. Préparez les calculs montrant comment le coût du temps de travail du technicien ce jour-là (neuf heures) devrait être réparti entre le coût de la main-d'œuvre directe et les frais indirects de fabrication dans les livres comptables de l'entreprise.

3. Dans quel contexte un atelier serait-il justifié de faire payer à Mme Vachon la majoration pour travail supplémentaire pour une réparation effectuée à son téléviseur ?

E9 **Les coûts incorporables et non incorporables**

La société Rivière a été mise sur pied le 1er mai. À cette date, elle a acheté 35 000 emblèmes en plastique ayant chacun un verso adhésif recouvert d'un papier détachable. Le recto de l'emblème porte le nom de l'entreprise et un logo attrayant. Chaque emblème a coûté 2 $ à l'entreprise.

Au cours du mois de mai, on a retiré 31 000 emblèmes du compte « Matières premières ». Le directeur des ventes en a apporté 1 000 à une importante réunion du personnel de vente avec des clients potentiels et les a fait distribuer à titre promotionnel. Les autres emblèmes tirés du stock ont été attachés à des unités du produit de l'entreprise fabriquées au cours du mois de mai. Parmi les unités sur lesquelles on a attaché un emblème en mai, 90 % ont été terminées et transférées du stock de produits en cours au stock de produits finis. L'entreprise a vendu et expédié à des clients 75 % des unités finies au cours de ce mois.

Travail à faire

1. Déterminez le coût des emblèmes qui se retrouveraient dans chacun des comptes ci-après en date du 31 mai.
   a) Matières premières.
   b) Stock de produits en cours.
   c) Stock de produits finis.
   d) Coût des ventes.
   e) Publicité.
2. Précisez si chacun des comptes ci-dessus apparaîtrait dans l'état de la situation financière ou dans l'état des résultats au 31 mai.

E10 **La préparation d'un état du coût des produits fabriqués et de la section du coût des ventes**

Les données ci-après sur les coûts et les stocks de la période qui vient de se terminer sont extraites des livres de la société Étiemble.

Coûts engagés :		
Publicité		100 000 $
Main-d'œuvre directe..		90 000
Achat de matières premières		132 000
Loyer du bâtiment de l'usine..		80 000
Main-d'œuvre indirecte..		56 300
Commissions sur les ventes		35 000
Services publics pour l'usine		9 000
Entretien du matériel de l'usine...		24 000
Fournitures de l'usine...		700
Amortissement du matériel de bureau		8 000
Amortissement du matériel de l'usine......................................		40 000

	Début de la période	Fin de la période
Stocks :		
Matières premières...	8 000 $	10 000 $
Produits en cours..	5 000 $	20 000 $
Produits finis	70 000 $	25 000 $

Travail à faire

1. Préparez un état du coût des produits fabriqués.
2. Préparez la section « Coût des ventes » de l'état des résultats de la société Étiemble pour cette période.

E11 La classification des coûts en coûts variables ou en coûts fixes, et en coûts commerciaux et en charges administratives, ou en coûts incorporables

Voici une liste de différents coûts engagés par des entreprises.

a) Le coût des interrupteurs de feux clignotants utilisés dans une usine de Ford. Il s'agit d'une des pièces installées au cours du montage des colonnes de direction assemblées dans cette usine.

b) Les intérêts débiteurs sur une dette à long terme de la société Radio-Canada.

c) Les commissions des vendeurs de la société Avon, une entreprise qui vend des produits de beauté de porte en porte.

d) L'assurance sur un des bâtiments d'une usine de Bombardier.

e) Le coût de l'expédition de raccords en laiton de l'usine de la société Marine Fournitures inc., en Colombie-Britannique, à des clients en Californie.

f) L'amortissement des rayonnages de Libraire des mers.

g) Le coût des films radiographiques au laboratoire de radiologie de l'Hôpital Maisonneuve-Rosemont.

h) Le coût de la location de 800 numéros de téléphone chez GM Canada. Les coûts mensuels exigés pour ces 800 numéros ne dépendent pas du nombre d'appels effectués.

i) L'amortissement du matériel pour terrain de jeux d'un restaurant McDonald's.

j) Le coût de la mozzarella utilisée dans un restaurant Pizza Hut.

Travail à faire

Classez chacun de ces coûts dans la catégorie des coûts variables ou des coûts fixes, compte tenu du volume de biens ou de services produits et vendus par l'entreprise. Classez également chaque coût selon qu'il s'agit d'un coût commercial et d'une charge administrative, ou d'un coût incorporable. Préparez votre feuille de réponse en utilisant la présentation qui apparaît ci-dessous. Inscrivez un «X» dans la colonne appropriée pour indiquer la catégorie dans laquelle se classe chaque coût.

Objet de coût	Comportement du coût		Coût commercial et charge administrative	Coût incorporable
	Variable	Fixe		

E12 La classification des coûts de la main-d'œuvre

Frédéric Aubry travaille chez Leblanc, où il assemble une composante d'un des produits de l'entreprise. Son salaire horaire est de 12 $ pour les heures régulières de travail, et il est majoré de 50 % (ce qui équivaut à 18 $ l'heure) pour tout travail en sus des 40 heures d'une semaine normale.

Travail à faire

1. Supposez qu'au cours d'une semaine donnée, M. Aubry est inactif durant deux heures à cause d'une panne de machine, et durant quatre autres heures en raison d'une rupture de stock de matières premières. On n'a enregistré aucune rémunération liée à des heures supplémentaires pour cette semaine. Répartissez le salaire de M. Aubry pour la semaine entre le coût de la main-d'œuvre directe et les frais indirects de fabrication.

2. Supposez qu'au cours de la semaine suivante, M. Aubry travaille un total de 50 heures. Il n'y a aucun temps improductif pendant cette semaine. Répartissez le salaire de M. Aubry pour la semaine entre le coût de la main-d'œuvre directe et les frais indirects de fabrication.

3. L'entreprise de M. Aubry offre un ensemble d'avantages sociaux intéressant à ses employés. Cet ensemble comprend un régime de retraite et un régime d'assurance maladie. Expliquez deux manières dont l'entreprise pourrait classer le coût des avantages sociaux de sa main-d'œuvre directe dans ses documents relatifs aux coûts.

Problèmes

P1 La répartition des coûts de la main-d'œuvre

Marc Hudon est employé chez Les Produits de l'Est inc. et travaille à la chaîne de montage. Son salaire de base est de 24 $ l'heure. D'après la convention collective de l'entreprise, le salaire des employés est majoré de 50 % (soit à 36 $ l'heure) pour toute heure de travail en sus de l'horaire normal de 40 heures par semaine.

Travail à faire

1. Supposez que, pour une semaine donnée, M. Hudon travaille 45 heures. Calculez le salaire de M. Hudon pour cette semaine de travail. Quelle partie de cette somme doit-on inscrire à titre de coût de la main-d'œuvre directe ? Quelle partie doit-on attribuer aux frais indirects de fabrication ?

2. Supposez qu'au cours d'une autre semaine, M. Hudon travaille 50 heures, mais qu'il compte 4 heures de temps improductif en raison d'une panne de machine. Calculez le salaire de M. Hudon pour cette semaine de travail. Quelle partie de cette somme doit-on allouer au coût de la main-d'œuvre directe ? Quelle partie doit-on attribuer aux frais indirects de fabrication ?

3. Les Produits de l'Est inc. offre un ensemble intéressant d'avantages sociaux à ses employés. Ces avantages coûtent 8 $ par heure de travail normale ou supplémentaire. Au cours d'une semaine donnée, M. Hudon travaille 48 heures, mais il compte 3 heures de temps improductif en raison d'une rupture de stock. Calculez le salaire et les avantages sociaux de M. Hudon pour cette semaine de travail. Supposons que l'entreprise considère tous les avantages sociaux comme des composantes de ses frais indirects de fabrication. Dans ce cas, quelle proportion du salaire et des avantages sociaux de M. Hudon pour la semaine doit-on inscrire à titre de coût de la main-d'œuvre directe ? à titre de frais indirects de fabrication ?

4. Consultez les données de la question précédente. Supposez que l'entreprise considère la part des avantages sociaux relative à la main-d'œuvre directe comme un coût de main-d'œuvre directe supplémentaire. Dans ce cas, quelle proportion du salaire et des avantages sociaux de M. Hudon pour cette semaine de travail doit-on inscrire à titre de coût de la main-d'œuvre directe ? à titre de frais indirects de fabrication ?

P2 La détermination des coûts

Il y a quelques années, Staci Valek a commencé à faire de la poterie dans ses temps libres. Les objets qu'elle crée sont très originaux. Ils ont connu un succès tel auprès de ses amis et connaissances qu'elle a quitté l'emploi qu'elle occupait au sein d'une société aérospatiale pour se consacrer à la poterie à temps plein. Son poste lui rapportait un salaire mensuel de 2 500 $.

La jeune femme compte louer un petit immeuble à proximité de sa maison pour y réaliser ses objets en poterie. Le loyer sera de 500 $ par mois. Mme Valek estime le coût de l'argile et du vernis à 2 $ pour chaque article fini. Elle compte embaucher des ouvriers pour fabriquer ses pots à un salaire de 8 $ l'unité. Pour faire connaître ses poteries, Mme Valek estime qu'il lui faudra beaucoup de publicité dans la région. Une agence de publicité lui propose ses services moyennant une rémunération mensuelle de 600 $. Le frère de Mme Valek se chargera de vendre les pots. Il recevra une commission de 4 $ sur chaque article vendu. Le matériel nécessaire à la fabrication des pots sera loué au coût de 300 $ par mois.

Mme Valek a déjà acquitté les coûts juridiques et les coûts d'enregistrement liés à l'incorporation de son entreprise dans la province. Ces coûts s'élevaient à 500 $. Mme Valek a loué un petit local dans un endroit touristique qui lui servira de bureau de vente et dont le loyer est de 250 $ par mois. La ligne téléphonique dans ce local, qui servira à prendre les commandes, coûtera 40 $ par mois. En outre, il y aura un répondeur relié à son téléphone pour enregistrer les messages après les heures de bureau.

Mme Valek a des économies lui rapportant des intérêts annuels de 1 200 $. Elle devra toutefois encaisser cet argent et l'utiliser pour la mise sur pied de son entreprise. Pour le moment, Mme Valek ne compte recevoir aucun salaire de sa nouvelle entreprise.

Travail à faire

1. Dressez un tableau comportant les titres de colonnes suivants :

			Coûts incorporables			Coûts non incorporables (coûts commerciaux et charges administratives)	Coût de renonciation	Coût irrécupérable
Objet de coût	Coût variable	Coût fixe	Matières premières	Main-d'œuvre directe	Frais indirects de fabrication			

Énumérez les coûts liés à la mise sur pied de l'entreprise dans la colonne de gauche (« Objet de coût »). Inscrivez ensuite un « X » dans la colonne appropriée pour indiquer la catégorie de chaque coût. Vous pouvez inscrire un « X » dans plusieurs colonnes pour un seul coût (par exemple, un coût peut entrer dans les catégories des coûts fixes, des coûts non incorporables et des coûts irrécupérables ; vous devrez alors inscrire un « X » dans chacune de ces colonnes vis-à-vis du coût en question).

Dans la colonne des coûts variables, indiquez uniquement les coûts qui seraient variables suivant le nombre de pots fabriqués et vendus.

2. Tous les coûts énumérés à la question 1), sauf un, constitueraient des coûts différentiels liés au choix de Mme Valek entre la fabrication de poterie et le fait de conserver son poste au sein de la société aérospatiale. Lequel de ces coûts *n'est pas* un coût différentiel ? Justifiez votre réponse.

P3 Une question d'éthique pour un gestionnaire

Claude Gallant est directeur général de Kionna inc., entreprise dont le titre est coté en Bourse. Au cours d'une rencontre avec des analystes financiers tenue en début de période, il a affirmé que les bénéfices de l'entreprise augmenteraient de 20 % pendant l'année. Malheureusement, les ventes se sont révélées moins importantes qu'il l'espérait. Deux semaines avant la fin de la période financière, M. Gallant a conclu que, sans l'adoption de mesures énergiques, il serait impossible d'obtenir une augmentation des bénéfices aussi élevée que prévu. Il a donc donné l'ordre de reporter, dans la mesure du possible, les charges jusqu'à la période suivante, par exemple en annulant ou en retardant des commandes auprès des fournisseurs, en reportant l'entretien et la formation prévus, et en réduisant les budgets de la publicité et des déplacements de fin de période. En outre, M. Gallant a ordonné au comptable d'examiner à la loupe tous les coûts jusque-là considérés comme des coûts non incorporables et d'en reclasser le plus grand nombre possible dans la catégorie des coûts incorporables. L'entreprise prévoit détenir d'importants stocks de produits en cours de fabrication et de produits finis à la fin de la période.

Travail à faire

1. Pourquoi une reclassification des coûts non incorporables en coûts incorporables aurait-elle pour effet d'augmenter les bénéfices enregistrés pendant la période courante ?

2. À votre avis, les mesures de M. Gallant s'avèrent-elles acceptables sur le plan éthique ? Pourquoi ?

P4 La classification des coûts

Voici une liste de coûts engagés par diverses sociétés.
a) L'amortissement de l'avion d'affaires utilisé par les cadres d'une entreprise.
b) Le coût de l'expédition des produits finis aux clients.
c) Le bois utilisé dans la fabrication de meubles.

► d) Le salaire du directeur des ventes.

e) L'électricité requise pour la fabrication de meubles.

f) Le salaire de la secrétaire du PDG.

g) Le système de vaporisation installé sur une bombe aérosol fabriquée par l'entreprise.

h) Les coûts de facturation.

i) Le matériel d'emballage des produits expédiés outre-mer.

j) Le sable qui entre dans la préparation du béton.

k) Le salaire du contremaître de l'usine.

l) L'assurance vie des cadres supérieurs.

m) Les commissions sur les ventes.

n) Les avantages sociaux des travailleurs de la chaîne de montage.

o) La publicité.

p) L'impôt foncier sur les entrepôts de produits finis.

q) Les lubrifiants pour le matériel de production.

Travail à faire

Dressez un tableau portant les titres de colonnes ci-après. Pour chaque objet de coût, indiquez s'il s'agit d'un coût variable ou d'un coût fixe, compte tenu du nombre d'unités produites et vendues, puis précisez s'il s'agit d'un coût commercial ou d'une charge administrative, ou encore d'un coût de fabrication.

Dans le cas d'un coût de fabrication, indiquez si on le traiterait normalement comme un coût direct ou indirect suivant le nombre d'unités produites. Trois réponses vous sont fournies à titre d'exemples.

Objet de coût	Coût variable ou fixe	Coût commercial	Charge administrative	Coût de fabrication	
				Direct	Indirect
Main-d'œuvre directe	V			X	
Salaire des cadres supérieurs	F		X		
Loyer de l'usine	F				X

P5 La classification des coûts

Il y a plusieurs années, la société Martinet a acheté un petit immeuble adjacent à son usine de production pour ménager l'espace lorsqu'un agrandissement serait nécessaire. Comme l'entreprise n'avait aucun besoin immédiat de cet espace, elle l'a loué à une autre entreprise, en échange de produits locatifs de 40 000 $ par année. Ce bail expire le mois prochain et, plutôt que de le renouveler, la société Martinet a décidé d'utiliser elle-même cet immeuble pour fabriquer un nouveau produit.

Le coût total des matières premières pour le nouveau produit s'élève à 40 $ l'unité. L'entreprise devra engager un contremaître pour surveiller la production, à un salaire de 2 500 $ par mois. Elle devra aussi embaucher des travailleurs pour la fabrication du nouveau produit ; le coût de la main-d'œuvre directe sera de 18 $ l'unité. Comme les activités de production nécessiteront l'utilisation de tout l'immeuble, il faudra louer un local dans un bâtiment à proximité pour y entreposer les produits finis. Le loyer sera de 1 000 $ par mois. En outre, l'entreprise devra louer du matériel pour la fabrication du nouveau produit. Cet autre coût de location s'élèvera à 3 000 $ par mois. L'amortissement de l'immeuble continuera de se faire suivant la méthode linéaire, comme par les années passées. Le montant de cet amortissement est de 10 000 $ par an.

Les coûts de publicité pour le nouveau produit atteindront 50 000 $ annuellement, et son coût d'expédition aux clients, 10 $ par unité. Le coût de l'électricité requise pour faire fonctionner les machines sera de 2 $ par unité.

Pour obtenir les liquidités nécessaires à l'achat des matières premières, au paiement des employés, etc., l'entreprise devra liquider certains placements courants qui lui rapportent actuellement 6 000 $ par an.

Travail à faire

Préparez un tableau comportant les titres de colonnes suivants :

Objet de coût	Coût variable	Coût fixe	Coûts incorporables			Coûts non incorporables (coûts commerciaux et charges administratives)	Coût de renonciation	Coût irrécupérable
			Matières premières	Main-d'œuvre directe	Frais indirects de fabrication			

Dressez la liste des différents coûts associés à la décision de fabriquer un nouveau produit dans la première colonne du tableau (« Objet de coût »). Inscrivez ensuite un « X » sous chaque titre de colonne qui permet de décrire le type du coût en question. Il peut y avoir des « X » dans plusieurs colonnes pour un même coût (par exemple, un coût peut être à la fois un coût fixe, un coût non incorporable et un coût irrécupérable ; vous devez alors placer un « X » dans ces trois colonnes vis-à-vis de l'objet de coût).

P6 La classification des coûts en coûts variables ou fixes, et en coûts directs ou indirects

Voici une liste de divers coûts associés à des activités de production.

a) Les rondelles de plastique utilisées dans la construction des voitures.

b) Le salaire du directeur de la production.

c) Le salaire des employés qui travaillent à assembler un produit.

d) L'électricité requise pour le fonctionnement du matériel de production.

e) Le salaire des concierges.

f) L'argile qui sert à fabriquer des briques.

g) Le loyer de l'immeuble d'une usine.

h) La résine utilisée pour fabriquer des skis.

i) Les vis qui servent à la fabrication de meubles.

j) Le salaire d'un contremaître.

k) Le tissu utilisé pour confectionner des chemises.

l) L'amortissement de l'équipement d'une cafétéria.

m) La colle qui sert à relier les manuels scolaires.

n) Les lubrifiants nécessaires au fonctionnement des machines.

o) Le papier qui entre dans la fabrication des manuels scolaires.

Travail à faire

Classez chacun des coûts ci-dessus dans la catégorie des coûts variables ou des coûts fixes, suivant le nombre d'unités fabriquées et vendues. Précisez également si chaque coût serait normalement considéré comme un coût direct ou un coût indirect en fonction du nombre d'unités produites. Dressez un tableau organisé comme suit :

Objet de coût	Comportement du coût		Suivant le nombre d'unités produites	
	Variable	Fixe	Direct	Indirect
Exemple : Assurance de l'usine		X		X

P7 L'état du coût des produits fabriqués, l'état des résultats et le comportement des coûts

Différentes données sur les coûts et le chiffre d'affaires de la société Montmorency pour la période qui vient de se terminer apparaissent ci-dessous.

	A	B
1	Achat de matières premières	90 000 $
2	Stock de matières premières au début	10 000
3	Stock de matières premières à la fin	17 000
4	Amortissement de l'usine	42 000
5	Assurance de l'usine	5 000
6	Coût de la main-d'œuvre directe	60 000
7	Entretien de l'usine	30 000
8	Charges administratives	70 000
9	Chiffre d'affaires	450 000
10	Services publics pour l'usine	27 000
11	Fournitures de l'usine	1 000
12	Coûts commerciaux	80 000
13	Coût de la main-d'œuvre indirecte	65 000
14	Stock de produits en cours au début	7 000
15	Stock de produits en cours à la fin	30 000
16	Stock de produits finis au début	10 000
17	Stock de produits finis à la fin	40 000
18		

Travail à faire

1. Préparez un état du coût des produits fabriqués.

2. Dressez un état des résultats.

3. Supposez que l'entreprise a fabriqué l'équivalent de 10 000 unités d'un produit au cours de la dernière période. Quel serait le coût moyen par unité en matières premières ? Quel serait le coût moyen par unité de l'amortissement de l'usine ?

4. Posez l'hypothèse que l'entreprise s'attende à fabriquer 15 000 unités du produit au cours de la prochaine période. Quel coût moyen par unité et quel coût total l'entreprise devrait-elle engager pour ses matières premières à ce niveau d'activité ? pour l'amortissement de l'usine ? (Dans la préparation de votre réponse, supposez que les matières premières constituent un coût variable, et l'amortissement, un coût fixe. Supposez aussi qu'on calcule l'amortissement selon la méthode linéaire.)

5. À titre de gestionnaire responsable des coûts de fabrication, expliquez au chef de la direction chaque écart entre les coûts moyens par unité de vos réponses aux questions 3) et 4).

6. En supposant que l'entreprise a fabriqué 20 000 unités du produit entièrement et partiellement terminées au cours de la période, déterminez les composantes des coûts du stock de produits finis, qui comporte 4 000 unités.

P8 La classification du coût des salaires

Vous venez d'être engagé par la société EduRom, constituée le 2 janvier de la période en cours. Cette entreprise fabrique et vend toute une gamme de DVD éducatifs pour les ordinateurs personnels. Votre tâche consiste à superviser les employés qui reçoivent les commandes des clients par téléphone, et à organiser l'expédition des commandes par FedEx, Postes Canada et d'autres services d'expédition de marchandises.

L'entreprise hésite sur la façon de classer votre salaire annuel dans ses documents relatifs aux coûts. Selon son analyste des coûts, votre salaire devrait être considéré comme un coût de fabrication (incorporable). Le contrôleur de gestion le classerait plutôt comme un coût commercial. Quant au chef de la direction, il affirme que ces distinctions ne feront aucune différence.

Travail à faire

1. Lequel de ces points de vue est juste ? Pourquoi ?
2. Dans une perspective de présentation des résultats de la période en cours, le chef de la direction a-t-il raison de penser que la façon dont votre salaire est classé n'a pas d'importance ? Expliquez votre réponse.

P9 La classification de différents coûts

Frieda Bronkowski a inventé un nouveau type de tapette tue-mouches. Après avoir longuement réfléchi, elle a décidé de démissionner de son poste dans une société d'experts-conseils où elle gagnait 4 000 $ par mois pour se consacrer à plein temps à la production et à la vente de son invention. Elle compte louer un garage qui lui servira d'atelier de production et pour lequel elle versera 150 $ de loyer par mois. Elle louera également le matériel de fabrication au coût de 500 $ par mois.

Le coût des matières premières pour les tapettes tue-mouches est de 0,30 $ l'unité. Mme Bronkowski embauchera des travailleurs qu'elle compte payer 0,50 $ pour chaque unité fabriquée. Elle veut aussi louer une pièce dans la maison voisine, qui lui servira de bureau de vente et dont le loyer sera de 75 $ par mois. Elle s'est entendue avec son fournisseur de service téléphonique pour qu'il fixe un dispositif enregistreur à son téléphone personnel lui permettant de recevoir les messages de ses clients après les heures d'ouverture. Ce dispositif fera augmenter de 20 $ sa facture de téléphone.

Mme Bronkowski a économisé une certaine somme d'argent qui lui rapporte un intérêt annuel de 1 000 $. Elle va le retirer et l'utiliser durant environ un an pour démarrer son entreprise. Elle compte aussi faire une intense publicité dans la région de façon à favoriser la vente de son invention. Les coûts de publicité devraient s'élever à 400 $ par mois. En outre, elle versera une commission de 0,10 $ sur chaque tapette tue-mouches vendue.

Pour le moment, elle n'a pas l'intention de se payer un salaire à même les revenus de l'entreprise.

Mme Bronkowski a déjà payé les coûts juridiques et de constitution de son entreprise, qui s'élevaient au total à 600 $.

Travail à faire

1. Préparez un tableau avec les titres de colonnes suivants :

Objet de coût	Coût variable	Coût fixe	Coûts incorporables			Coûts non incorporables (coûts commerciaux et charges administratives)	Coût de renonciation	Coût irrécupérable
			Matières premières	Main-d'œuvre directe	Frais indirects de fabrication			

Dressez la liste des différents coûts associés à la constitution de l'entreprise de Mme Bronkowski dans la première colonne du tableau (« Objet de coût »). Inscrivez ensuite un « X » sous chaque titre de colonne qui permet de décrire le type du coût en question. Il peut y avoir des « X » dans plusieurs colonnes pour un même coût (par exemple, un coût peut être à la fois un coût fixe, un coût non incorporable et un coût irrécupérable ; vous devez alors placer un « X » dans ces trois colonnes vis-à-vis de l'objet de coût). Dans la colonne du coût variable, indiquez seulement les coûts qui varieront en fonction du nombre de tapettes tue-mouches fabriquées et vendues.

2. Tous les coûts énumérés ci-dessus sauf un constitueraient des coûts différentiels associés à la possibilité pour Mme Bronkowski de choisir entre démarrer son entreprise ou conserver son poste dans la société d'experts-conseils. Lequel de ces coûts n'est pas un coût différentiel ? Justifiez votre réponse.

P10 La classification et le comportement des coûts

La société Hénault fabrique un magnifique modèle de bibliothèque qui jouit d'une grande popularité. Elle a un carnet de commandes suffisamment rempli pour maintenir indéfiniment la production à sa capacité maximale de 4 000 de ces meubles par année. Voici les données annuelles sur les coûts de l'entreprise à ce niveau d'activité.

Matières premières utilisées (bois et vitre)	430 000 $
Salaires du personnel de l'administration	110 000
Supervision de l'usine	70 000
Commissions sur les ventes	60 000
Amortissement du bâtiment de l'usine	105 000
Amortissement du matériel de bureau	2 000
Fournitures de fabrication de l'usine	18 000
Main-d'œuvre de l'usine (coupe et montage)	90 000
Publicité	100 000
Assurance de l'usine	6 000
Fournitures du service administratif pour la facturation	4 000
Impôt foncier de l'usine	20 000
Services publics pour l'usine	45 000

Travail à faire

1. Dressez un tableau en vous servant des titres de colonnes ci-dessous. Inscrivez chaque objet de coût et indiquez le montant correspondant en dollars dans la colonne appropriée. Les deux premiers coûts de la liste ont déjà été inscrits à titre d'exemples. Notez que le montant de chacun de ces objets de coût apparaît dans deux colonnes simultanément : premièrement à titre de coût variable ou de coût fixe, et deuxièmement, à titre de coût commercial et de charge administrative, ou de coût incorporable.

Objet de coût	Comportement du coût		Coût commercial et charge administrative	Coût incorporable	
	Coût variable	Coût fixe		Coût direct	Coût indirect*
Matières premières utilisées	430 000 $			430 000 $	
Salaires du personnel de l'administration		110 000 $	110 000 $		

* par rapport aux unités produites

2. Calculez le total des montants de chaque colonne de la question 1). Déterminez le coût moyen de production (incorporable) par bibliothèque.

3. Supposez qu'en raison d'une récession, la production diminue à seulement 2 000 bibliothèques par année. À votre avis, le coût moyen par unité devrait-il augmenter, diminuer ou demeurer identique? Justifiez votre réponse. Aucun calcul n'est nécessaire.

4. Référez-vous aux données de départ. Le voisin du chef de la direction a considéré la possibilité de se construire lui-même une bibliothèque et a déterminé ce qu'il lui en coûterait pour les matières dans un magasin de matériaux de construction. Il a demandé à acheter une bibliothèque chez Hénault au coûtant; le chef de la direction a donné son consentement.

    a) Croyez-vous qu'il y aura désaccord entre ces deux personnes sur le prix que le voisin devrait payer? Expliquez votre réponse. Quel prix le chef de la direction a-t-il probablement en tête? Et son voisin?

    b) Comme l'entreprise fonctionne à sa capacité maximale, quel type de coûts défini dans ce chapitre pourrait justifier la décision du chef de la direction de réclamer le prix régulier à son voisin, tout en affirmant qu'il lui vend au «coûtant»? Expliquez votre réponse.

P11 **Les coûts variables et fixes ; les subtilités des coûts directs et indirects**

La clinique Aux Joyeux Nourrissons offre toute une gamme de soins de santé aux nouveau-nés et à leurs parents. Elle compte différents services parmi lesquels on retrouve le Centre d'immunisation. Voici quelques-uns des coûts de la clinique et de ce service.

Exemple : Le coût des comprimés immunisant contre la poliomyélite.

a) Le salaire de l'infirmière-chef du Centre d'immunisation.
b) Le coût des fournitures accessoires utilisées au Centre, comme les essuie-tout.
c) Le coût de l'éclairage et du chauffage du Centre.
d) Le coût des seringues à usage unique utilisées au Centre.
e) Le salaire du gestionnaire des systèmes d'information de la clinique.
f) Le coût de l'envoi par la poste de lettres sollicitant des dons pour la clinique.
g) Le salaire des infirmières qui travaillent au Centre d'immunisation.
h) Le coût de l'assurance pour la responsabilité professionnelle de la clinique.
i) L'amortissement des installations et du matériel du Centre.

Travail à faire

Pour chacun des coûts énumérés ci-dessus, indiquez s'il s'agit d'un coût direct ou indirect du Centre d'immunisation ou de l'immunisation de patients en particulier, et s'il s'agit d'un coût variable ou fixe. Pour ce faire, reproduisez le modèle de présentation qui apparaît ci-dessous.

Objet de coût	Coût direct ou indirect du Centre d'immunisation		Coût direct ou indirect de patients en particulier		Coût variable ou fixe selon le nombre d'immunisations effectuées	
	Coût direct	Coût indirect	Coût direct	Coût indirect	Coût variable	Coût fixe
Exemple: Le coût des comprimés immunisant contre la poliomyélite	X		X		X	

P12 **L'état du coût des produits fabriqués et l'état des résultats**

La société Sylvestre a été constituée le 1er novembre de l'année précédente. Après sept mois de pertes liées au démarrage, la direction prévoyait réaliser des bénéfices au cours du mois de juin. Toutefois, elle a été déçue d'apprendre, à la sortie de l'état des résultats pour ce mois, que l'entreprise avait encore essuyé des pertes. Voici l'état des résultats du mois de juin.

SOCIETE SYLVESTRE
État des résultats du mois terminé le 30 juin

Chiffre d'affaires		600 000 $
Moins : Charges opérationnelles :		
Coûts commerciaux et charges administratives	35 000 $	
Loyer	40 000	
Achat de matières premières	190 000	
Assurance	8 000	
Amortissement du matériel de vente	10 000	
Services publics	50 000	
Main-d'œuvre indirecte	108 000	
Main-d'œuvre directe	90 000	
Amortissement du matériel de l'usine	12 000	
Entretien de l'usine	7 000	
Publicité	80 000	630 000
Perte		(30 000) $

▶

▶ Pour le chef de la direction de la société Sylvestre, la perte de 30 000 $ en juin est un dur coup. «J'étais convaincu que l'entreprise deviendrait rentable en moins de six mois, mais après huit mois, nous nageons encore dans les pertes. Il est peut-être temps de s'avouer vaincu et d'accepter une des offres d'achat qui nous ont été faites. Pour empirer les choses, Mme Letellier, qui se remet d'une chirurgie, vient de m'apprendre qu'elle ne rentrera pas au travail avant au moins six autres semaines.»

Mme Letellier est la comptable de l'entreprise. En son absence, son assistant, un nouveau venu qui a peu d'expérience dans les activités de production, a préparé l'état des résultats précédent. Voici d'autres renseignements sur la société Sylvestre.

a) Seulement 80 % du loyer est applicable aux activités de l'usine. Le reste doit être attribué aux activités de vente et d'administration.

b) Les stocks ont les soldes ci-dessous au début et à la fin du mois.

	1er juin	30 juin
Matières premières	17 000 $	42 000 $
Produits en cours	70 000 $	85 000 $
Produits finis	20 000 $	60 000 $

c) Environ 75 % du coût de l'assurance et 90 % du coût des services publics sont applicables aux activités de production; les montants qui restent devraient être imputés aux activités de vente et d'administration.

Le chef de la direction vous a demandé de vérifier l'état des résultats de juin et de formuler une recommandation pour l'aider à décider si l'entreprise devrait ou non poursuivre ses activités.

Travail à faire

1. Préparez un état du coût des produits fabriqués pour le mois terminé le 30 juin.

2. Dressez un nouvel état des résultats du mois terminé le 30 juin.

3. D'après les états financiers que vous avez établis aux deux premiers numéros, recommanderiez-vous que l'entreprise poursuive ses activités d'exploitation?

P13 L'éthique et le gestionnaire

La haute direction de la société Électroglobale est bien connue pour ses méthodes de «gestion par les chiffres». En tenant compte de la croissance du bénéfice souhaitée par l'entreprise, la chef de la direction a établi, au début de la période, des bénéfices cibles pour chacune des divisions. Voici en quels termes elle a énoncé sa ligne de conduite: «Je ne me mêlerai pas des activités des divisions. Je suis toujours disponible si quelqu'un a besoin de mes conseils, mais les vice-présidents des divisions peuvent agir comme bon leur semble, à condition qu'ils atteignent les objectifs en ce qui a trait aux bénéfices qui leur ont été assignés pour la période.»

En novembre, Stanislas Richard, le vice-président de la division Technologies des cellulaires, s'est rendu compte qu'il aurait beaucoup de difficulté à atteindre le bénéfice cible de la période en cours. Entre autres mesures, il a demandé que la comptabilisation de ses charges discrétionnaires soit différée jusqu'au début de la période suivante.

Le 30 décembre, il s'est mis en colère en apprenant que, plus tôt au cours du mois, un employé de l'entrepôt avait commandé des pièces de téléphones cellulaires pour un total de 350 000 $, même si les travailleurs de la chaîne de montage n'en avaient pas vraiment besoin avant le mois de janvier ou de février. Contrairement aux méthodes comptables couramment utilisées, le manuel des politiques comptables de la société Électroglobale requiert l'enregistrement de telles pièces à titre de charge au moment de leur livraison. Pour éviter la comptabilisation de cette charge, M. Richard a demandé l'annulation pure et simple de la commande. Toutefois, le service des achats lui a fait savoir que le fournisseur avait déjà livré les pièces et qu'il n'accepterait pas de les reprendre. Comme la facture n'avait pas encore été payée, M. Richard a exigé du service de comptabilité qu'il corrige l'erreur de l'employé de l'entrepôt en retardant la comptabilisation de la livraison jusqu'au paiement de la facture en janvier.

Travail à faire

1. Les mesures prises par M. Richard respectent-elles les règles d'éthique? Expliquez votre réponse.
2. La philosophie de la haute direction et les méthodes comptables de la société Électroglobale encouragent-elles ou non un comportement éthique? Expliquez votre réponse.

P14 L'état du coût des produits fabriqués, l'état des résultats et le comportement des coûts

Voici quelques soldes de comptes de la société Vaillancourt de la période terminée le 31 décembre.

Publicité	215 000 $
Assurance du matériel de l'usine	8 000
Amortissement du matériel de vente	40 000
Loyer du bâtiment de l'usine	90 000
Services publics pour l'usine	52 000
Commissions sur les ventes	35 000
Fournitures de nettoyage pour l'usine	6 000
Amortissement du matériel de l'usine	110 000
Salaires du personnel de vente et de l'administration	85 000
Entretien de l'usine	74 000
Main-d'œuvre directe	?
Achat de matières premières	260 000

Les soldes des stocks au début et à la fin de la période sont les suivants :

	Début de la période	Fin de la période
Matières premières	50 000 $	40 000 $
Produits en cours	?	33 000 $
Produits finis	30 000 $	?

Le total des coûts de fabrication de la période s'élevait à 675 000 $, celui des marchandises destinées à la vente, à 720 000 $ et celui des ventes, à 635 000 $.

Travail à faire

1. Préparez un état du coût des produits fabriqués et la section du coût des ventes de l'état des résultats de la société pour cette période.
2. Supposez que les montants en dollars fournis ci-dessus correspondent à la production de 30 000 unités au cours de la période. Calculez le coût moyen unitaire en matières premières utilisées et le coût moyen unitaire du loyer de l'usine.
3. Supposez que l'entreprise prévoit produire 50 000 unités pendant la prochaine période. D'après vous, quel coût moyen à l'unité et quel coût total devrait-elle engager pour les matières premières? pour le loyer de l'usine?
4. À titre de gestionnaire responsable des coûts de fabrication, expliquez au chef de la direction la raison de chaque différence en matière de coûts moyens unitaires entre vos réponses aux questions 2) et 3).

P15 Des données incomplètes dans l'état des résultats et dans l'état du coût des produits fabriqués

Fournissez les données qui manquent dans les quatre cas ci-après. Chaque situation est indépendante des autres.

	Cas			
	1	2	3	4
État du coût de fabrication				
Matières premières..................................	7 000 $	9 000 $	6 000 $	8 000 $
Main-d'œuvre directe.............................	2 000 $	4 000 $	?	3 000 $
Frais indirects de fabrication.................	10 000 $	?	7 000 $	21 000 $
Total des coûts de fabrication...............	?	25 000 $	18 000 $	?
Stock de produits en cours au début.....	?	1 000 $	2 000 $	?
Stock de produits en cours à la fin	4 000 $	3 500 $	?	2 000 $
Coût des produits fabriqués...................	18 000 $	?	16 000 $	31 500 $
État des résultats				
Chiffre d'affaires.....................................	25 000 $	40 000 $	30 000 $	50 000 $
Stock de produits finis au début	6 000 $	?	7 000 $	9 000 $
Coût des produits fabriqués.....................	18 000 $	?	16 000 $	31 500 $
Coût des marchandises destinées à la vente.....................................	?	?	?	?
Stock de produits finis à la fin...............	9 000 $	4 000 $	?	7 000 $
Coût des ventes	?	26 500 $	18 000 $	?
Marge brute...	?	?	?	?
Coûts commerciaux et charges administratives.......................	6 000 $	?	?	10 000 $
Bénéfice (perte)......................................	?	5 500 $	3 000 $	?

P16 L'état des résultats et l'état du coût des produits fabriqués

La société Heurfils fabrique un seul produit. Les renseignements qui suivent concernant la production, les ventes et les coûts de la période qui vient de se terminer proviennent des documents comptables de l'entreprise.

Production en unités	30 000
Ventes en unités..	?
Stock de produits finis à la fin, en unités	?
Chiffre d'affaires..	650 000 $
Coûts :	
Publicité	50 000 $
Main-d'œuvre directe	80 000 $
Main-d'œuvre indirecte	60 000 $
Achat de matières premières	160 000 $
Loyer du bâtiment (la production occupe 80 % de l'espace ; les bureaux de l'administration et des ventes se partagent le reste)	50 000 $
Services publics pour l'usine	35 000 $
Redevance pour l'exploitation du brevet de production (1 $ par unité produite)	?
Entretien de l'usine	25 000 $
Location d'un équipement spécial de production (6 000 $ par an + 0,10 $ par unité produite).................................	?
Salaires du personnel des ventes et de l'administration...............	140 000 $
Autres frais indirects de fabrication	11 000 $
Autres coûts commerciaux et charges administratives	20 000 $

	Début de la période	Fin de la période
Stocks :		
Matières premières..	20 000 $	10 000 $
Produits en cours...	30 000 $	40 000 $
Produits finis	-0- $	?

Le stock de produits finis est comptabilisé au coût moyen unitaire de production pour la période. Le prix de vente du produit est de 25 $ l'unité.

Travail à faire

1. Préparez un état du coût des produits fabriqués pendant la période.
2. Calculez les éléments suivants :
   a) Le nombre d'unités comprises dans le stock de produits finis à la fin de la période.
   b) Le coût total du stock de produits finis à la fin de la période.
3. Préparez un état des résultats de la période.

Cas

C1 Des données manquantes, l'état des résultats et l'état du coût des produits fabriqués

«En tant que scientifique, je suis très compétente, mais j'ai encore des choses à apprendre en matière de gestion d'entreprise, a déclaré Sylvie Morales, la fondatrice et directrice générale de la société Technologie médicale inc. La demande pour notre moniteur cardiaque a été si élevée que j'ai cru que l'entreprise serait rentable dès ses débuts, mais le résultat du premier trimestre est désastreux ! À ce rythme, nous serons en faillite avant la fin de l'année.» Voici les données que Mme Morales examine avec consternation.

TECHNOLOGIE MÉDICALE INC.
État des résultats
du trimestre terminé le 30 juin

Chiffre d'affaires (16 000 moniteurs)		975 000 $
Moins : Charges opérationnelles :		
Salaires du personnel des ventes et de l'administration	90 000 $	
Publicité	200 000	
Fournitures de nettoyage pour l'usine	6 000	
Main-d'œuvre indirecte	135 000	
Amortissement du matériel de bureau	18 000	
Main-d'œuvre directe...	80 000	
Achat de matières premières	310 000	
Entretien de l'usine	47 000	
Location des immobilisations	65 000	
Assurance de l'usine..	9 000	
Services publics..	40 000	
Amortissement du matériel de production............................	75 000	
Déplacement du personnel de vente	60 000	1 135 000
Perte..		(160 000)$

La société Technologie médicale inc. a commencé ses activités le 1er avril de la période en cours en vue de produire et de mettre en marché un nouveau moniteur cardiaque qui pourrait révolutionner le milieu médical. Le beau-frère de Mme Morales, qui a suivi un cours de comptabilité il y a 10 ans, a mis sur pied le système d'information comptable de l'entreprise.

«Nous n'en aurons peut-être même pas pour un an, a déclaré Mme Morales, si la compagnie d'assurances ne nous verse pas les 227 000 $ qu'elle nous doit en compensation ▶

▶ des 4 000 moniteurs perdus dans l'accident du camion de livraison survenu la semaine dernière. Leur agent prétend que notre réclamation est gonflée, mais c'est complètement ridicule!» Au début du deuxième trimestre, un camion de livraison transportant 4 000 moniteurs a été embouti dans une collision et a pris feu. Sa cargaison a été entièrement détruite. Les moniteurs faisaient partie d'un lot de produits finis de 20 000 unités qui avaient été fabriquées au cours du trimestre terminé le 30 juin. Ils se trouvaient dans un entrepôt en attendant d'être vendus. La vente et l'expédition de ces 4 000 unités ont eu lieu 3 juillet (cette vente n'apparaît pas dans l'état financier qui précède). L'assureur du transporteur routier est responsable du coût des marchandises perdues. Le beau-frère de Mme Morales a déterminé ce coût de la façon suivante :

$$\frac{\text{Total des coûts du trimestre}}{\text{Nombre de moniteurs produits au cours de ce trimestre}} = 1\ 135\ 000\ \$ \div 20\ 000 \text{ unités} = 56{,}75\ \$ \text{ l'unité}$$

4 000 unités à 56,75 $ l'unité = 227 000 $

Voici quelques renseignements supplémentaires concernant les activités de l'entreprise au cours du trimestre terminé le 30 juin.

a) Les stocks au début et à la fin du trimestre sont les suivants :

	Début du trimestre	Fin du trimestre
Matières premières	-0- $	40 000 $
Produits en cours	-0- $	30 000 $
Produits finis	-0- $	?

b) Quatre-vingts pour cent du coût de location des immobilisations de production et 90 % du coût des services publics sont liés aux activités de fabrication. Le reste de ces montants est attribuable aux activités de vente et d'administration.

Travail à faire

1. Quelles erreurs conceptuelles, s'il y en a, ont été commises par le beau-frère de Mme Morales dans la préparation de l'état des résultats ?
2. Préparez un état du coût des produits fabriqués pendant le trimestre en question.
3. Dressez un état des résultats corrigé de ce trimestre. Votre rapport devrait montrer en détail la façon dont vous avez calculé le coût des ventes.
4. Êtes-vous d'accord sur le fait que la compagnie d'assurances doit à la société Technologie médicale inc. un montant de 227 000 $? Justifiez votre réponse.

C2 Le calcul des stocks à partir de données incomplètes

Alors qu'il somnolait aux commandes de son avion, le Prévert 6, Daniel Nonchaloir s'est appuyé pesamment sur la porte de l'appareil. Il a eu la surprise de sa vie lorsque celle-ci s'est brusquement ouverte et qu'il a été éjecté en plein vol. Dans sa descente en parachute vers le sol, il a observé, impuissant, le spectacle de son avion vide qui allait s'écraser sur l'usine et les bureaux administratifs de la société Ophicléide.

— La compagnie d'assurances ne croira jamais une histoire pareille!, s'est écriée Mandoline Olifant, la comptable de l'entreprise, en contemplant le feu qui achevait de ravager les bâtiments. Notre société a été complètement anéantie!

— Il est parfaitement inutile de communiquer avec l'agent d'assurances, renchérit Fortin Théorbe, le directeur de la production. Nous ne pouvons pas déposer une réclamation sans documents comptables à l'appui, et tout ce que nous avons est cet exemplaire du dernier rapport annuel. Il indique que le stock de matières premières au début de la période courante (au 1er janvier) s'élevait à 30 000 $, alors que celui des produits en cours valait 50 000 $ et que celui des produits finis totalisait 90 000 $. Mais ce qu'il nous faudrait, c'est le compte de ces stocks au moment de l'accident. Or ces données-là sont parties en fumée.

— Tout a brûlé sauf ce résumé sur lequel je travaillais au moment où l'avion a percuté le bâtiment, précise Mme Olifant. D'après ce tableau, notre chiffre d'affaires depuis le début de la période jusqu'à présent totalisait 1 350 000 $, et les frais indirects de fabrication, 520 000 $.

— Attendez! Ce rapport annuel est plus utile que je le croyais, reprend M. Théorbe avec enthousiasme. Je constate que notre marge brute représente 40 % de notre chiffre d'affaires. Je remarque aussi que le coût de la main-d'œuvre directe équivaut à un quart de nos frais indirects de fabrication.

— Nous avons peut-être une chance de nous en tirer!, s'exclame Mme Olifant, ravie. Mon résumé contient les montants des coûts de la main-d'œuvre directe et des matières premières, qui s'élèvent à 510 000 $ pour la période, et le coût des marchandises destinées à la vente, qui totalise 960 000 $. Si seulement nous connaissions le montant des matières premières achetées jusqu'à présent!

— Je connais ce montant, crie M. Théorbe. C'est 420 000 $! Le responsable des approvisionnements me l'a justement donné hier, lors de notre réunion de planification.

— C'est fantastique! conclut Mme Olifant. Nous allons pouvoir formuler notre réclamation avant la fin de la journée!

Pour déposer une réclamation auprès de la compagnie d'assurances, la société Ophicléide doit déterminer le montant du coût de ses stocks à la date de l'incendie. Supposez que toutes les matières utilisées pour la production au cours de la période étaient des matières premières.

Travail à faire

Déterminez le montant du coût du stock de matières premières, de produits en cours et de produits finis au moment de l'incendie.

C3 Le comportement des coûts

Dyna Tek inc. est une entreprise de haute technologie, récemment déménagée à Bedford, en Nouvelle-Écosse. La société se spécialise dans la fabrication d'une gamme d'unités de stockage de données pour ordinateurs à la fine pointe de la technologie, qu'elle vend partout dans le monde.

Pour le processus de démarrage de l'usine de Bedford, Robert Key, chef de section de la production de la gamme de disques durs A33, doit décider du niveau de mécanisation à mettre en place pour ce disque dur.

L'entreprise vend environ 100 000 unités de A33 par an, à 260 $ l'unité. Grâce à une chaîne de montage comptant deux travailleurs, chacun peut être payé 30 $ pour assembler une unité (coût du matériel : 50 $ l'unité). Une autre possibilité serait qu'un seul travailleur utilise une machine spécialisée coûtant 500 000 $ et effectue ce montage pour une rémunération de 50 $ par disque dur. La durée de vie d'une telle machine est de quatre ans.

Travail à faire

1. Déterminez la structure de coûts des deux possibilités en ce qui a trait à la mécanisation de la chaîne de montage.
2. Si la demande de A33 est irrégulière et que la capacité de production de la machine est de 100 000 unités, quelle structure de coûts recommanderiez-vous?

C4 La détermination des coûts de revient et le comportement des coûts

Jos Picquet doit bientôt obtenir son diplôme en comptabilité de l'Université de l'Ouest. Étant donné les possibilités d'emploi qui s'offrent à lui, il songe à s'acheter une nouvelle voiture. Comme il s'attend à ce que 90 % de ses coûts de déplacement soient remboursés par son employeur, il se demande combien sa voiture lui coûtera au kilomètre, approximativement.

En effectuant une recherche à la bibliothèque, M. Picquet a établi les estimations de coûts ci-après fondées sur des moyennes statistiques canadiennes.

Charges opérationnelles :	
Essence	16,5 %
Assurance	15,0 %
Entretien	7,0 %
Pneus	3,0 %
Divers	3,5 %
Coût total	45,0 %
Coûts fixes :	
Amortissement et financement	55,0 %
Total	100 %
Utilisation annuelle	24 000 km
Prix moyen exigé	0,30 $ par km

Travail à faire

1. Supposez que M. Picquet espère que son employeur lui remboursera 90 % de ses coûts de déplacement à 0,30 $ du kilomètre. Supposez aussi qu'il s'attend à changer de voiture dans quatre ans, lorsqu'elle n'aura plus aucune valeur. Dans ce contexte, combien M. Picquet peut-il débourser pour une automobile alors qu'il estime ses propres dépenses à 0,25 $ du kilomètre ?

2. Combien M. Picquet peut-il payer pour son véhicule en supposant que son employeur lui remboursera l'équivalent de 27 000 km ? de 18 000 km ?

Recherche

R1 Les systèmes de comptabilité de gestion

Les systèmes de comptabilité de gestion tendent à s'adapter aux systèmes de fabrication qu'ils soutiennent et contrôlent. Autrefois, les systèmes de fabrication tablaient sur la productivité (une production moyenne par heure ou par employé) et sur les coûts. Ils résultaient d'une philosophie concurrentielle axée sur la production en série de quelques produits standards, et visant à affronter ou à vaincre la concurrence sur le plan des prix. Lorsqu'une entreprise veut faire une guerre des prix, ses coûts de fabrication doivent être peu élevés.

Les entreprises obtenaient de faibles coûts unitaires de production avec un ensemble donné de ressources en maximisant l'utilisation de ces ressources. En d'autres termes, les stratégies de production traditionnelles se basaient sur les économies réalisées grâce à une production de forts volumes et à une maximisation du nombre d'unités produites pour une capacité de production donnée. L'Amérique du Nord a connu plus d'un siècle de prospérité économique sans précédent en grande partie parce que des innovateurs tels que Henry Ford appliquaient ces principes économiques au pied de la lettre.

Les concurrents, jamais complètement satisfaits de leur situation, recherchaient sans cesse des moyens de réduire davantage le coût d'un produit ou d'un service pour profiter d'un avantage temporaire. Des gains supplémentaires en matière de productivité ont été enregistrés grâce à la standardisation des méthodes de travail, à la spécialisation des travailleurs et à l'utilisation de machines qui avaient pour rôle d'augmenter leur productivité.

Travail à faire

1. Un jour, Henry Ford a lancé cette boutade désormais célèbre : « On peut se procurer le modèle T dans n'importe quelle couleur à condition que ce soit le noir. » Expliquez ce que M. Ford voulait dire.

2. Comment Henry Ford, ou tout autre fabricant misant sur une gamme restreinte de produits, pouvait-il davantage faire preuve d'efficience à partir du modèle de production traditionnel décrit précédemment ?

3. Y a-t-il des limites à réduire le coût des modèles T noirs, des stylos Bic à encre noire ou de tout autre produit courant dont le volume de production est important ? Justifiez votre réponse.

4. Lorsque les principes économiques liés à la production en série ont été compris, ils ont été appliqués à la plupart des secteurs de l'économie nord-américaine. Les universités, les hôpitaux et les compagnies aériennes en sont des exemples probants. Décrivez comment les concepts de production en série, de standardisation et de spécialisation ont été appliqués pour réduire les coûts d'une éducation universitaire et d'un séjour à l'hôpital.

Lorsque vous explorerez les prochains chapitres, référez-vous aux concepts de base décrits ici. Une bonne connaissance de ces concepts vous aidera à comprendre pourquoi les systèmes de comptabilité de gestion traditionnels sont principalement axés sur les coûts.

R2 La communication d'information, la classification des coûts et la publication de l'information financière

Examinez le plus récent rapport annuel de la Compagnie des chemins de fer nationaux du Canada (CN), et plus particulièrement l'état des résultats. Demandez-vous quels coûts sont incorporables et lesquels sont non incorporables. Examinez aussi attentivement ces coûts pour déterminer lesquels sont variables et lesquels sont fixes. Présentez vos conclusions.

Donnez votre opinion sur la quantité d'information fournie dans ces états financiers en comparant celle-ci à ce qui est décrit dans le présent chapitre.

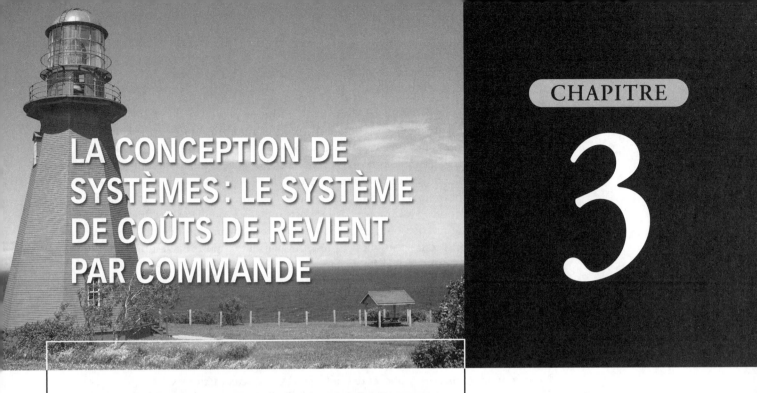

LA CONCEPTION DE SYSTÈMES : LE SYSTÈME DE COÛTS DE REVIENT PAR COMMANDE

Regard sur une entreprise

Une sous-imputation ou une surimputation ?

Accessoires Spot conçoit et fabrique des sacs à dos haut de gamme pouvant contenir des manuels scolaires et un ordinateur portatif. Ils sont discrets, solides et fiables. Ces sacs sont en général très prisés, surtout par les étudiants en administration devant utiliser régulièrement un ordinateur portatif. Accessoires Spot impartit la production de ses sacs à un fournisseur avec lequel elle a paraphé une entente.

Mᵐᵉ Tardif, la propriétaire d'Accessoires Spot, est très préoccupée par les derniers résultats financiers de son entreprise. Elle y constate que les bénéfices sont inférieurs aux prévisions financières. Ayant une solide formation en administration, elle demande à son fournisseur de lui expliquer la hausse des coûts de fabrication qui, en apparence, semble justifier la diminution du bénéfice. Connaissant peu de choses à la gestion des coûts, le fournisseur de Mᵐᵉ Tardif consulte son propre comptable puis répond, presque gêné, ce qui suit : « Il semblerait que les frais indirects de fabrication ont été surimputés. »

Perplexe, Mᵐᵉ Tardif rétorque : « Votre explication est nébuleuse, car si, comme vous le dites, les frais indirects de fabrication ont été effectivement surimputés, alors le bénéfice aurait dû se révéler supérieur. Or, la seule raison valable pouvant justifier une diminution du bénéfice serait plutôt une sous-imputation des frais indirects de fabrication. »

Le fournisseur réplique : « J'en reparlerai à mon comptable. Je pourrai ainsi mieux comprendre la différence entre la sous-imputation et la surimputation des frais indirects de fabrication. »

Recherche et rédaction : Carl Thibeault, Université Laval

OBJECTIFS D'APPRENTISSAGE

Après avoir étudié ce chapitre, vous pourrez :

1. distinguer le système de coûts de revient en fabrication uniforme et continue du système de coûts de revient par commande, et désigner des entreprises recourant à chacun de ces systèmes ;

2. déterminer les documents utilisés dans un système de coûts de revient par commande ;

3. calculer les taux d'imputation prédéterminés des frais indirects de fabrication et expliquer pourquoi les frais indirects de fabrication prévus (plutôt que les frais réels) sont utilisés dans le calcul du coût de revient ;

4. préparer les écritures de journal pour enregistrer les coûts dans un système de coûts de revient par commande ;

5. imputer les frais indirects de fabrication aux produits en cours à l'aide d'un taux d'imputation prédéterminé ;

6. préparer des comptes en T pour illustrer le cheminement des coûts dans un système de coûts de revient par commande, et préparer un état du coût des produits fabriqués et un sommaire du coût des ventes ;

7. calculer les frais indirects de fabrication sous-imputés ou surimputés, et préparer l'écriture de journal pour clôturer le solde des frais indirects de fabrication dans les comptes appropriés ;

8. expliquer les effets d'un taux d'imputation prédéterminé des frais indirects de fabrication basé sur la capacité de production plutôt que sur l'activité prévue d'une période donnée (Annexe 3A en ligne) ;

9. préparer les écritures de journal servant à enregistrer les coûts dans un système de gestion juste-à-temps (JAT) (Annexe 3B en ligne) ;

10. rendre compte des pertes de production (Annexe 3C en ligne).

3

Comme nous l'avons expliqué au chapitre 2, l'établissement du coût d'un produit ou d'un service consiste à attribuer des coûts aux produits et aux services d'une entreprise. Le gestionnaire doit comprendre ce processus de calcul des coûts, puisque la façon d'attribuer des coûts à un produit ou à un service pourra avoir des conséquences importantes sur le résultat déclaré et sur les décisions de gestion clés.

Nous devrions garder à l'esprit que le rôle central de tout système de coûts de revient est de fournir des données relatives aux coûts qui aideront le gestionnaire au cours de ses activités de planification, d'exécution, de contrôle et d'amélioration, ainsi qu'au moment de la prise de décisions. Néanmoins, les rapports financiers publiés à des fins externes et les déclarations de revenus obligatoires exerceront souvent une grande influence sur la façon dont les coûts sont accumulés et présentés dans les rapports de gestion, d'où l'impact du choix d'une méthode d'établissement du coût d'un produit.

Dans les chapitres 3 et 4, nous aurons recours à la *méthode du coût complet* pour déterminer le coût d'un produit, comme nous l'avons fait au chapitre 2. La méthode du coût complet consiste à attribuer *tous* les coûts de fabrication, fixes et variables, à des unités de produit — on dit que les unités *absorbent tous les coûts de fabrication*. Au chapitre 8, nous étudierons l'établissement du coût d'un produit à l'aide de la *méthode du coût variable*, souvent proposée comme solution de rechange à la méthode du coût complet. Nous traiterons aussi des atouts et des faiblesses de ces deux méthodes.

La plupart des entreprises utilisent la méthode du coût complet pour la préparation des rapports financiers publiés à des fins externes et des déclarations de revenus auprès des autorités fiscales. Souvent, ces mêmes entreprises emploient aussi la méthode du coût complet pour la production de rapports de gestion à l'intention des utilisateurs internes. Étant donné que la méthode du coût complet est la méthode la plus fréquemment employée, ce sera celle que nous présenterons d'abord.

Lorsque nous explorerons l'établissement du coût d'un produit, nous devrons garder à l'esprit que le rôle central de tout système de coûts de revient est d'accumuler les coûts aux fins de gestion. Un système de coûts de revient ne constitue pas une fin en soi. Il s'agit plutôt d'un outil de gestion fournissant des données relatives aux coûts, données nécessaires à la direction des activités d'une entreprise.

La conception de la méthode d'établissement du coût de revient peut varier en fonction des compromis à faire entre les coûts et les avantages tels qu'ils sont évalués par les gestionnaires. Le degré de précision et de complexité de ce type de système aura un effet sur les *coûts* qui seront engendrés par sa conception et son exploitation. La pertinence de l'information pour les gestionnaires constitue les *avantages*. En général, plus un système est perfectionné et complexe, plus il présente d'avantages, car il permet de fournir plus de renseignements pertinents. Toutefois, lorsque le coût supplémentaire associé à la production plus rapide de données nouvelles, plus précises ou plus complexes devient égal aux avantages résultant d'une pertinence accrue, le concepteur du système a atteint un point optimal dans le compromis entre les avantages et les coûts, et il devrait alors cesser d'améliorer le système.

La conception de ces systèmes est aussi influencée par la nature de ce qui fait l'objet d'un établissement des coûts. L'explication présentée dans les pages qui suivent portera essentiellement sur la nature de ce dont on veut établir le coût plutôt que sur les compromis avantages-coûts. Elle nous permettra de décrire de façon concrète ce qu'il faut considérer au moment de prendre une décision concernant les avantages et les coûts.

En comptabilité financière, la méthode du coût complet permet d'établir le coût des stocks et des ventes ainsi que l'impôt sur le résultat. Les normes comptables en vigueur et les règles fiscales influeront sur les méthodes d'évaluation des coûts. Ainsi, le recours à une méthode unique de calcul des coûts internes et externes facilitera d'autant la tâche et se révélera plus économique.

Établir le coût de revient des produits ou des services est une activité qui met l'accent sur l'attribution de coûts aux efforts qui ont servi à la fabrication des produits ou à la prestation des services vendus par l'entreprise. L'attribution de coûts aux produits et aux services est l'une des activités principales de la comptabilité de gestion. Nous commencerons par traiter de l'établissement des coûts parce que cette activité, présente dans de nombreux types d'entreprises, occupe une large part des tâches du contrôleur de gestion. Lorsque nous aurons étudié cette tâche en détail dans les prochains chapitres, nous examinerons les deux autres champs d'application majeurs de la comptabilité de gestion, ceux du contrôle et de la prise de décisions, de façon à vous fournir un tableau plus complet de cette discipline.

Le système de coûts de revient en fabrication uniforme et continue, et le système de coûts de revient par commande

Lorsque le gestionnaire calcule le coût de revient d'un produit ou d'un service, il fait face à un problème délicat. De nombreux coûts, tels que le loyer, ne varieront pas d'un mois à l'autre, alors que le niveau de production changera souvent selon la période. Nombre de produits et services seront aussi fabriqués ou rendus sur une période donnée à l'aide du même équipement de production. Dans ce contexte, comment déterminer avec précision le coût de revient d'un produit ou d'un service ? L'attribution de coûts à des produits ou services supposera que l'on établit une moyenne pour des périodes et des produits donnés. La méthode de calcul de cette moyenne dépendra du type de processus de production utilisé par l'entreprise.

OBJECTIF 1

Distinguer le système de coûts de revient en fabrication uniforme et continue du système de coûts de revient par commande, et désigner des entreprises recourant à chacun de ces systèmes.

3

Le système de coûts de revient en fabrication uniforme et continue

L'entreprise opte pour un système de coûts de revient en fabrication uniforme et continue quand elle fabrique de nombreuses unités d'un produit, comme du concentré de jus d'orange congelé, au cours de plusieurs périodes. La fabrication de papier (Cascades), le raffinage de lingots d'aluminium (Rio Tinto Alcan), la préparation et l'embouteillage de boissons (Coca-Cola) et la production de saucisses fumées (Olymel) constituent d'autres exemples. Ces industries se caractérisent toutes par un produit sensiblement homogène circulant régulièrement et sur une base continue tout au long du processus de fabrication.

La structure du système de coûts de revient en fabrication uniforme et continue permet d'accumuler des coûts au sein d'un service particulier (ou d'un atelier de production) au cours d'une période entière (mois, trimestre, année), puis de diviser ce total par le nombre d'unités produites pendant la période. Voici la formule de base de ce système.

$$\text{Coût unitaire (par litre, kilogramme, bouteille)} = \frac{\text{Coût total de fabrication}}{\text{Total des unités produites (litres, kilogrammes, bouteilles)}}$$

On ne peut distinguer l'unité d'un produit spécifique (litre, kilogramme, bouteille) des autres unités fabriquées de ce même produit. C'est pourquoi le même coût de revient moyen est attribué à toutes les unités produites durant la période. Cette technique permet d'obtenir un coût unitaire moyen s'appliquant aux unités homogènes produites de façon continue.

Le système de coûts de revient par commande

L'entreprise privilégie un **système de coûts de revient par commande** quand elle fabrique des produits *différents* au cours de la même période. Par exemple, au cours d'un même mois, une usine de vêtements Parasuco Jeans fabriquerait habituellement plusieurs types de jeans pour homme et pour femme. Une commande précise consisterait à confectionner 1 000 jeans pour homme en denim bleu délavé à la pierre, numéro de modèle A312, tour de taille de 80 centimètres et couture d'entrejambe de 75 centimètres. Cette production de 1 000 jeans constitue un *lot* ou une *commande*. Dans un système de coûts de revient par commande, les coûts sont retracés puis affectés à chaque commande. On obtient le coût de revient moyen par unité en divisant les coûts de la commande par le nombre d'unités produites.

Les projets de construction de grande envergure de SNC-Lavalin, les avions commerciaux fabriqués par Bombardier, les cartes de souhaits conçues et imprimées chez

Système de coûts de revient par commande

Système de calcul permettant de déterminer les coûts lorsque de nombreux produits ou services différents sont réalisés au cours de chaque période.

Hallmark, et les repas servis dans les avions après avoir été préparés par Cara se prête-raient tous très bien à un système de coûts de revient par commande. Ces exemples se ca-ractérisent tous par des produits différents. Chaque projet de SNC-Lavalin sera unique (l'entreprise pourra construire simultanément des installations de traitement de gaz naturel dans le désert du Sahara et un pont en Indonésie). De même, chaque compagnie aérienne commandera un type de repas différent auprès du traiteur Cara.

Le système de coûts de revient par commande est aussi largement utilisé dans l'industrie des services. Hôpitaux, cabinets d'avocats, studios de cinéma, cabinets d'expertise comptable, agences de publicité et ateliers de réparation fonctionnent tous avec un système de coûts de revient par commande pour accumuler les coûts aux fins de comptabilité et de facturation. Radio-Canada, par exemple, a recours à ce système pour la retransmission des Jeux olympiques.

Bien que l'exemple détaillé du système de coûts de revient par commande de la section ci-après traite d'une entreprise manufacturière, de nombreuses entreprises de service privilégient les mêmes concepts de base et procédures. La principale différence qu'on note dans le cas des entreprises de service est l'absence de matières premières dans leurs coûts. Par exemple, un cabinet d'expertise comptable indiquerait, dans ses éléments de coûts, la main-d'œuvre directe et des frais indirects, mais non les matières premières, parce que ce cabinet ne fabrique aucun produit matériel. Toutefois, pour éviter les répétitions, nous utiliserons la situation des entreprises manufacturières pour illustrer les concepts dans ce chapitre, et nous traiterons des particularités qui s'appliquent à la prestation de services dans les exercices et les problèmes.

La tenue des livres comptables et l'attribution des coûts sont plus complexes quand l'entreprise vend des produits et services variés plutôt qu'un seul. Les produits étant dif-férents, les coûts seront en général différents aussi. Ainsi, l'entreprise devra tenir des registres de coûts pour chaque produit ou commande. Par exemple, l'avocat d'un grand cabinet spécialisé en droit pénal comptabilisera séparément les coûts relatifs au conseil et à la défense de chaque client. L'usine Parasuco Jeans dont il a été question plus haut enregistrera séparément les coûts d'exécution d'une commande pour des teintes, des tailles et des modèles de jeans particuliers. En général, un système de coûts de revient par commande exigera donc plus d'efforts qu'un système de coûts de revient en fabrication uniforme et continue. En Amérique du Nord, plus de la moitié des entreprises manufac-turières fonctionnent avec un système de coûts de revient par commande[1].

Dans le présent chapitre, nous nous concentrerons sur la conception d'un système de coûts de revient par commande. Au chapitre 4, nous étudierons le système de coûts de revient en fabrication uniforme et continue, et nous cernerons les similitudes et les différences des deux systèmes.

Une vue d'ensemble du système de coûts de revient par commande

OBJECTIF 2

Déterminer les docu-ments utilisés dans un système de coûts de revient par commande.

Pour comprendre la nature du système de coûts de revient par commande, nous suivrons le cheminement d'un produit tout au long de son processus de fabrication. Ce produit consiste en deux attelages expérimentaux que Machinerie Yost a accepté de fabriquer pour Loupe inc., un fabricant de montagnes russes. Les attelages relient les véhicules, et constituent un élément clé de la performance et de la sécurité du manège. Comme nous l'avons vu au chapitre 2, les entreprises classeront généralement les coûts de fabrication en trois grandes catégories:

1. les matières premières;
2. la main-d'œuvre directe;
3. les frais indirects de fabrication.

L'étude du système des coûts de revient par commande nous permettra de comprendre comment ces trois types de coûts sont enregistrés et accumulés.

---

1. Ce chapitre présente le fonctionnement d'un système de coûts de revient par commande qui suppose qu'une entreprise ne fabrique que des produits exempts de toute défectuosité. L'annexe 3C (en ligne au <www.cheneliere.ca/garrison>) explique comment tenir compte des pertes occasionnées par des unités défectueuses dans un tel système.

La pression exercée par les coûts des matières premières et de l'énergie

Les entreprises qui font des affaires à l'échelle internationale se montrent de plus en plus préoccupées par les coûts de l'énergie et des matières premières, selon les plus récentes indications du *Grant Thornton International Business Report* (IBR). Leur principale inquiétude concerne le coût des matières premières : 44 % d'entre elles affirment qu'il aura des répercussions majeures sur l'ensemble de leurs coûts au cours des 12 prochains mois, tandis que 41 % sont préoccupées par les coûts de leurs effectifs, 37 %, par ceux de l'énergie, et 34 %, par ceux du transport. Par contre, les grandes entreprises prévoient que le coût des actifs immobilisés (qui inquiète sérieusement 15 % d'entre elles) aura moins d'effets au cours de la prochaine année.

Source : GRANT THORNTON LLP, « Emerging Markets Doing More to Manage Future Energy Cost Pressures and Environmental Issues » [communiqué de presse], 9 mai 2007, dans *Canada News Wire*, [En ligne], <www.newswire.ca/fr/releases/archive/May2007/09/c6862.html> (Page consultée le 12 août 2010).

Située en Nouvelle-Écosse, Machinerie Yost est une petite entreprise spécialisée dans la fabrication de pièces de métal de précision. Ces pièces servent à une variété d'applications, des véhicules d'exploration des grandes profondeurs marines aux déclencheurs à inertie des coussins gonflables. Tous les matins, à 8 h, la haute direction se réunit dans la salle de conférences pour établir la planification du jour. La rencontre de ce matin a réuni Jean Yost, président de l'entreprise, David Caron, directeur du marketing, Annie Turner, directrice de la production, et Marc Blanchard, contrôleur.

Jean : Selon le calendrier de production, nous devons nous attaquer à la commande 2B47 aujourd'hui. Il s'agit de la commande des attelages expérimentaux, n'est-ce pas, David ?

David : Oui, en effet. Cette commande provient de Loupe inc. Il s'agit de deux attelages destinés aux nouvelles montagnes russes de la Montagne magique.

Annie : Pourquoi seulement deux attelages ? Loupe inc. n'a pas besoin d'un attelage pour chacun de ses petits véhicules ?

David : C'est exact. Il s'agit toutefois de montagnes russes entièrement nouvelles. Les petits véhicules seront plus rapides. Ils seront soumis à un plus grand nombre de torsions, de virages et de boucles. Les plans ascendants et descendants seront aussi plus nombreux. Les ingénieurs de Loupe inc. ont dû repenser entièrement les véhicules et les attelages. Ils veulent tester sous tous les angles la conception des attelages avant de réaliser une production de masse. C'est pourquoi ils ne désirent que deux nouveaux attelages aux fins d'expérimentation. Si les tests s'avèrent concluants, nous devrons fournir les attelages pour tout le manège.

Jean : Nous réaliserons cette première commande au coût de revient pour entrer par la grande porte. Aurons-nous du mal à justifier le coût de revient et à être payés ?

Marc : Il n'y aura aucun problème. Le contrat stipule que Loupe inc. versera un montant égal au coût des ventes. Grâce à notre système de coûts de revient par commande, je pourrai vous transmettre cette donnée lorsque la commande aura été exécutée.

Jean : Y a-t-il autre chose dont nous devrions discuter au sujet de cette commande ? Non ? Dans ce cas, passons au point suivant.

La détermination du coût des matières premières

Quatre attaches G7 et deux boîtiers M46 seront nécessaires à la fabrication des deux attelages expérimentaux. Si l'attelage devenait un produit standard, il y aurait une **nomenclature** du type et de la quantité de matières premières nécessaires à sa fabrication. Comme il n'existe ici aucune nomenclature, le personnel de production de Machinerie Yost déterminera les matières premières nécessaires à partir du projet présenté par le client. La fabrication de chaque attelage nécessitera finalement deux attaches et un boîtier.

Nomenclature

Document indiquant le type et la quantité des matières premières nécessaires à la fabrication d'un produit.

Lorsque les parties s'entendent sur les quantités, les prix et la date d'expédition d'une commande, l'entreprise qui exécute la commande remplit un *ordre de travail*. Le service de la production prépare alors un *bon de sortie de matières* semblable au bon de la figure 3.1. Le **bon de sortie de matières** précise la nature et la quantité de matières à obtenir, et autorise leur sortie du magasin. Ce document fait aussi état de la commande à laquelle les coûts des matières doivent être attribués. Enfin, il permet de contrôler le cheminement des matières en production et constitue un élément d'information pour enregistrer les opérations dans les livres comptables.

Bon de sortie de matières

Document précisant la nature et la quantité de matières à obtenir, et autorisant leur sortie du magasin ; le document fait aussi état de la commande à laquelle les coûts des matières doivent être attribués.

Selon le bon de sortie de matières de Machinerie Yost illustré à la figure 3.1, le service de fraisage a commandé deux boîtiers M46 et quatre attaches G7 pour la commande 2B47. Une fois rempli, ce bon sera présenté au magasinier qui, en retour, remettra les matières premières requises. Notons que le magasinier ne peut autoriser la sortie de matières premières sans qu'on lui remette un bon portant une signature autorisée.

FIGURE 3.1 **Un exemple de bon de sortie de matières**

Nº du bon de sortie de matières

14873

Date

2 mars

Nº de la commande

2B47

Service

de fraisage

Description	Quantité	Coût unitaire	Total
Boîtier M46	2	124 $	248 $
Attache G7	4	103	412
			660 $

Pierre Lebrun

Signature autorisée

La détermination du coût de la main-d'œuvre directe

Le coût de la main-d'œuvre directe et le coût des matières premières sont traités à peu près de la même manière. La main-d'œuvre directe se compose des coûts de main-d'œuvre qu'il est facile d'attribuer à une commande donnée. À l'opposé, les coûts de main-d'œuvre difficilement attribuables à une commande en particulier font partie des frais indirects de fabrication. Comme nous l'avons expliqué au chapitre 2, cette dernière catégorie de coûts de main-d'œuvre est désignée sous le nom de *main-d'œuvre indirecte*. Elle comprend des tâches comme l'entretien, la surveillance et le nettoyage.

Bon de travail

Document servant à enregistrer les heures de travail qu'un employé consacre à chaque commande et à chaque tâche au cours d'une journée.

Le **bon de travail** permet à l'employé d'enregistrer les heures qu'il consacre à chaque commande et à chaque tâche. La figure 3.2 constitue un exemple de bon de travail. Lorsque l'employé travaille à une commande particulière, il inscrit le numéro de la commande et le nombre d'heures qu'il consacre à celle-ci. Quand il n'est pas affecté à une commande précise, l'employé note la nature du travail indirect, comme le nettoyage et l'entretien, et le nombre d'heures qu'il y consacre.

FIGURE 3.2 Un exemple de bon de travail

N° du bon de travail

843

Date

3 mars

Employé

Michel Hamel

Poste

4

Heure d'entrée	Heure de départ	Heures de travail	Taux	Montant	N° de la commande
9:00	12:00	3,0	15 $	45 $	2B47
12:30	14:30	2,0	15	30	2B50
14:30	15:30	1,0	15	15	Entretien
Totaux		6,0		90 $	

A. Plourde

Superviseur

À la fin de la journée, on récupère les bons de travail, et le service de la comptabilité inscrit les heures de main-d'œuvre directe et les coûts des heures de main-d'œuvre directe sur les fiches de coût de revient appropriées. Les bons de travail serviront à l'enregistrement des coûts de la main-d'œuvre dans les livres comptables.

Le système que nous venons de décrire est une méthode manuelle d'enregistrement et d'écriture des coûts de main-d'œuvre. De nos jours, de nombreuses entreprises ont des systèmes informatiques, ce qui évite à leurs employés d'inscrire à la main le temps de travail sur des feuilles. Les codes à barres, par exemple, leur permettent d'enregistrer des données dans l'ordinateur. Chaque employé et chaque commande disposent d'un code à barres unique. Quand un employé commence un travail, il numérise trois codes à barres à l'aide d'un lecteur optique très semblable à ceux que l'on trouve dans les épiceries. Le premier code indique le début d'une commande ; le second est celui de la carte d'identité de l'employé ; enfin, le troisième est le code de la commande. Grâce à un réseau électronique, cette information est automatiquement acheminée vers un ordinateur qui enregistre l'heure et les données. Quand l'employé termine une tâche, il numérise un code à barres indiquant que le travail est terminé, le code à barres de sa carte d'identité et le code à barres de la commande. Cette information est transférée à l'ordinateur, qui enregistre à nouveau l'heure ; un bon de travail est ensuite préparé automatiquement. Puisque toutes les données de base se trouvent déjà dans les fichiers de l'ordinateur, les coûts de la main-d'œuvre peuvent être saisis automatiquement sur les fiches de coût de revient ou leur équivalent électronique. Les ordinateurs, associés à une technologie telle que celle des codes à barres, éliminent la corvée des activités routinières de la tenue des livres tout en réduisant les délais d'enregistrement et en offrant une précision accrue.

La fiche de coût de revient

Après avoir été informé que l'ordre de travail a été rempli, le service de la comptabilité préparera une *fiche de coût de revient* semblable à celle de la figure 3.3 (*page suivante*). La **fiche de coût de revient** est un formulaire préparé pour chaque commande sur lequel sont inscrits les matières premières, la main-d'œuvre et les frais indirects de fabrication imputés à la commande.

Fiche de coût de revient

Formulaire préparé pour chaque commande sur lequel on inscrit les matières premières, la main-d'œuvre et les frais indirects de fabrication imputés à la commande.

Le service de la comptabilité enregistrera le coût des matières premières livrées directement sur la fiche de coût de revient. Comme l'illustre la figure 3.3, le coût des matières premières de **660 $** figurant sur le bon de sortie de matières (*voir la figure 3.1, p. 92*) a été attribué à la commande **2B47** sur la fiche de coût de revient. Le n° **14873** du bon de sortie apparaît aussi sur la fiche de coût de revient. Ce numéro permettra de déterminer le document ayant servi à la facturation des matières premières. Les bons de travail serviront à inscrire les coûts de main-d'œuvre directe sur la fiche. Ainsi, un montant de **45 $** (*voir la figure 3.2, page précédente*) est attribué à la commande 2B47 pour la main-d'œuvre directe. La portion de la fiche de coût de revient concernant les frais indirects de fabrication sera complétée par le service de la comptabilité selon la méthode d'imputation retenue.

Non seulement la fiche de coût de revient permet d'attribuer les coûts aux produits, mais elle constitue aussi un élément clé des livres comptables. Il suffira de faire la somme des coûts accumulés sur les fiches de coût de revient relatives aux commandes en cours de fabrication d'une période pour établir la valeur du stock de produits en cours.

Les fiches de coût de revient constituent en quelque sorte le grand livre auxiliaire du compte de stock de produits en cours. La somme des coûts accumulés sur les fiches de coût de revient en cours de réalisation doit être égale au solde du compte de stock de produits en cours.

FIGURE 3.3 Un exemple de fiche de coût de revient

FICHE DE COÛT DE REVIENT

N° de la commande
2B47

Date de début
2 mars

Service
de fraisage

Date de fin

Produit
Commande spéciale d'attelages

Nombre d'unités terminées

Matières premières		Main-d'œuvre directe			Frais indirects de fabrication		
N° du bon de sortie	Montant	N° du bon de travail	Nombre d'heures	Montant	Nombre d'heures	Taux	Montant
14873	660 $	843	3	45 $			

Sommaire des coûts		Unités expédiées		
		Date	Nombre	Solde
Matières premières	$			
Main-d'œuvre directe	$			
Frais indirects de fabrication	$			
Coût total	$			
Coût unitaire	$			

L'imputation des frais indirects de fabrication

Les frais indirects de fabrication étant aussi des coûts incorporables, ils doivent faire partie de la fiche de coût de revient d'une commande, tout comme les coûts des matières premières et de la main-d'œuvre directe. Cependant, l'attribution des frais indirects de fabrication à des unités de produit peut se révéler difficile. Il y a trois raisons à cela :

1. Les frais indirects de fabrication constituent des *coûts indirects*. Il est donc difficile, voire impossible, de les relier à une commande ou à un produit particulier.
2. Les frais indirects de fabrication se composent de nombreux éléments ; ces frais vont de la graisse utilisée dans les machines au salaire annuel du directeur de la production.
3. Bien que la production varie en raison de facteurs saisonniers ou d'autres facteurs, les frais indirects de fabrication tendent à demeurer relativement stables du fait des charges fixes.

Étant donné ces difficultés, la seule manière d'attribuer des frais indirects de fabrication aux produits est le recours à une méthode d'imputation. Cette répartition des frais indirects de fabrication se fait à l'aide d'une *base de répartition* commune à tous les produits et services de l'entreprise. Une **base de répartition** est une mesure de l'activité, comme les heures de main-d'œuvre directe ou les heures-machines, qui permet d'imputer les frais indirects de fabrication aux produits et aux services.

Les bases de répartition les plus largement utilisées sont les heures de main-d'œuvre directe, les coûts de la main-d'œuvre directe, les heures-machines et certaines unités de produit (lorsque l'entreprise ne fabrique qu'un seul produit).

La base de répartition est utilisée pour calculer le **taux d'imputation prédéterminé des frais indirects de fabrication** selon la formule suivante :

$$\text{Taux d'imputation prédéterminé des frais indirects de fabrication} = \frac{\text{Total des frais indirects de fabrication prévus}}{\text{Volume d'unités d'œuvre prédéterminé selon la base de répartition choisie}}$$

Notons que le taux d'imputation prédéterminé des frais indirects de fabrication est basé sur une *prévision* plutôt que sur des chiffres réels, et ce, parce que le taux d'imputation *prédéterminé* des frais indirects de fabrication est calculé *avant* que la période commence et est utilisé pour *imputer* les frais indirects de fabrication aux commandes pendant toute la période. Le processus d'imputation des frais indirects de fabrication aux commandes s'appelle **imputation des frais indirects de fabrication**. La formule permettant de déterminer le montant des frais indirects de fabrication à imputer à une commande donnée est la suivante :

$$\text{Frais indirects de fabrication imputés à une commande} = \text{Taux d'imputation prédéterminé des frais indirects de fabrication} \times \text{Volume d'unités d'œuvre réel attribué à la commande selon la base de répartition choisie}$$

Supposons par exemple que le taux d'imputation prédéterminé des frais indirects de fabrication est de 8 $ par heure de main-d'œuvre directe. De ce fait, on imputera des frais indirects de fabrication de 8 $ à une commande pour chaque heure de main-d'œuvre directe découlant de cette commande. Quand la base de répartition repose sur les heures de main-d'œuvre directe, la formule devient ce qui suit :

$$\text{Frais indirects de fabrication imputés à une commande} = \text{Taux d'imputation prédéterminé des frais indirects de fabrication} \times \text{Heures de main-d'œuvre directe réelles attribuées à la commande}$$

OBJECTIF 3

Calculer les taux d'imputation prédéterminés des frais indirects de fabrication et expliquer pourquoi les frais indirects de fabrication prévus (plutôt que les frais réels) sont utilisés dans le calcul du coût de revient.

3

Base de répartition

Mesure de l'activité, comme les heures de main-d'œuvre directe ou les heures-machines, permettant d'imputer les frais indirects aux objets de coût.

Taux d'imputation prédéterminé des frais indirects de fabrication

Taux permettant d'imputer les frais indirects de fabrication aux commandes en cours de production ; ce taux est prédéterminé pour chaque période à partir des frais indirects de fabrication prévus et du total d'activités prévu selon la base de répartition choisie.

Imputation des frais indirects de fabrication

Activité consistant à imputer les frais indirects de fabrication aux fiches de coût de revient et au compte de stock de produits en cours.

L'utilisation du taux d'imputation prédéterminé des frais indirects de fabrication

Pour illustrer les étapes nécessaires au calcul et à l'utilisation d'un taux d'imputation prédéterminé des frais indirects de fabrication, reprenons l'exemple de Machinerie Yost. Selon certaines estimations, les frais indirects de fabrication de la période totaliseront 576 000 $.

Le nombre d'heures de main-d'œuvre directe s'établira à 40 000[2]. Le taux d'imputation prédéterminé des frais indirects de fabrication de la période sera de 14,40 $ par heure de main-d'œuvre directe, comme on l'illustre ci-dessous :

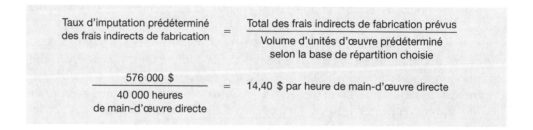

La fiche de coût de revient de la figure 3.4 indique que **15** heures de main-d'œuvre directe ont été attribuées à la commande **2B47**. On imputera donc à la commande des frais indirects de fabrication de **216 $**.

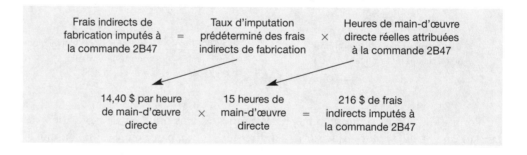

Les frais indirects ont été inscrits sur la fiche de coût de revient de la figure 3.4. Notons qu'il *ne* s'agit *pas* du montant réel des frais indirects de fabrication engendrés par la commande. On ne peut relier les frais indirects de fabrication réels aux commandes ; si on pouvait le faire, les frais seraient des coûts directs, et non des coûts indirects. Les frais indirects imputés à la commande sont simplement une part du total des frais indirects de fabrication prévus au début de la période. Quand une entreprise impute les frais indirects de fabrication aux commandes comme nous l'avons fait (c'est-à-dire en multipliant le volume réel de l'activité par le taux d'imputation prédéterminé des frais indirects de fabrication), il est alors question d'un **système de coûts de revient rationnels** ou **normalisés**.

Les frais indirects de fabrication peuvent être imputés à mesure que les heures de main-d'œuvre directe seront attribuées aux commandes ou lorsque la commande sera terminée. Ce choix revient à l'entreprise. Cependant, quand une commande n'est pas complétée à la fin d'une période, l'entreprise doit imputer les frais indirects de fabrication pour évaluer le coût des unités en cours de production.

Système de coûts de revient rationnels (ou normalisés)

Système de coûts de revient dans lequel les frais indirects de fabrication sont imputés aux commandes ou aux produits en multipliant un taux d'imputation prédéterminé des frais indirects de fabrication par le volume d'unités d'œuvre réel attribué à la commande ou au produit, selon la base de répartition retenue.

---

2. L'annexe 3A (en ligne au <www.cheneliere.ca/garrison>) explique les effets sur le taux d'imputation prédéterminé des frais indirects de fabrication d'un volume d'unités d'œuvre fondé sur la capacité.

FIGURE 3.4 Un exemple de fiche de coût de revient remplie

FICHE DE COÛT DE REVIENT

Nº de la commande

2B47

Date de début

2 mars

Service

de fraisage

Date de fin

8 mars

Produit

Commande spéciale d'attelages

Nombre d'unités terminées

2

Matières premières		Main-d'œuvre directe			Frais indirects de fabrication		
Nº du bon de sortie	Montant	Nº du bon de travail	Nombre d'heures	Montant	Nombre d'heures	Taux	Montant
14873	660 $	843	3	45 $	15	14,40 $/ heure de main-d'œuvre directe	216 $
14875	506	846	5	60			
14912	238	850	2	21			
	1 404 $	851	5	54			
			15	180 $			

Sommaire des coûts		Unités expédiées		
		Date	Nombre	Solde
Matières premières	1 404 $	8 mars	–	2
Main-d'œuvre directe	180 $			
Frais indirects de fabrication	216 $			
Coût total	1 800 $			
Coût unitaire	900 $*			

* 1 800 $ ÷ 2 unités = 900 $

La nécessité d'un taux prédéterminé

Au lieu d'utiliser un taux prédéterminé, l'entreprise pourrait attendre la fin de la période financière et calculer un taux d'imputation réel des frais indirects de fabrication basé sur le total réel des frais indirects de fabrication et le total réel du volume d'unités d'œuvre pour la période, selon la base de répartition retenue.

Les gestionnaires invoquent cependant de nombreuses raisons pour faire appel à des taux d'imputation prédéterminés des frais indirects de fabrication au lieu des taux d'imputation réels :

1. Avant la fin de la période financière, les gestionnaires aimeraient connaître le coût des commandes terminées. Supposons, par exemple, que Machinerie Yost attend la fin de la période pour calculer son taux d'imputation des frais indirects de fabrication. Il n'existe aucune façon pour les gestionnaires de connaître le coût de revient des produits vendus pour la commande 2B47 avant la fin de la période, même si la fabrication des attelages est terminée et qu'ils ont été expédiés au client

en mars. L'entreprise peut relativiser ce problème en calculant les frais indirects de fabrication réels plus souvent. Elle se trouvera cependant devant un autre problème, comme il est expliqué ci-dessous.

2. Lorsque les taux d'imputation prédéterminés des frais indirects de fabrication sont fréquemment calculés, des facteurs saisonniers liés aux frais indirects de fabrication ou à la base de répartition peuvent engendrer des fluctuations de taux. Par exemple, les coûts du chauffage et de la climatisation d'une installation de production à Halifax seront plus élevés pendant les mois d'hiver et d'été qu'au printemps et à l'automne. Si on l'établissait chaque mois ou chaque trimestre, le taux d'imputation des frais indirects de fabrication augmenterait pendant l'hiver et pendant l'été, et diminuerait au cours des deux autres saisons. Deux commandes identiques, l'une achevée en hiver et l'autre au printemps, se verraient alors attribuer des coûts différents en raison des variations dues à l'utilisation d'un taux d'imputation des frais indirects de fabrication calculé sur une base mensuelle ou trimestrielle. En général, les gestionnaires pensent que de telles fluctuations des taux d'imputation des frais indirects de fabrication se révèlent inutiles et trompeuses.

3. L'utilisation d'un taux d'imputation prédéterminé des frais indirects de fabrication simplifie la tenue des livres. Le personnel comptable de Machinerie Yost déterminera les frais indirects de fabrication applicables à une commande en multipliant le nombre d'heures de main-d'œuvre directe inscrites pour la commande par le taux d'imputation prédéterminé des frais indirects de fabrication de 14,40 $ par heure de main-d'œuvre directe.

Pour ces raisons, la plupart des entreprises utiliseront des taux d'imputation prédéterminés des frais indirects de fabrication plutôt que des taux d'imputation réels dans leur système de coûts de revient.

Le choix d'une base de répartition pour les frais indirects de fabrication

La base de répartition retenue pour calculer le taux d'imputation prédéterminé des frais indirects de fabrication devrait être l'*inducteur de coût* de ces frais indirects. Un inducteur de coût est un facteur — tel que les heures-machines, le nombre de lits occupés, le temps d'utilisation des ordinateurs et les heures de vol — qui génère des coûts. Si, pour calculer les taux d'imputation des frais indirects de fabrication, on opte pour une base qui n'induit pas les frais indirects, on obtiendra des taux d'imputation des frais indirects de fabrication imprécis et des coûts de revient des produits faussés. Par exemple, si les heures de main-d'œuvre directe sont utilisées pour imputer les frais indirects de fabrication, mais que dans les faits, les frais indirects de fabrication ont peu à voir avec les heures de main-d'œuvre directe, les produits requérant un nombre d'heures de main-d'œuvre directe élevé endosseront une portion irréaliste des frais indirects de fabrication et seront surévalués.

La plupart des entreprises prennent les heures de main-d'œuvre directe ou le coût de la main-d'œuvre directe comme base de répartition des frais indirects de fabrication. Cependant, comme nous l'avons expliqué dans le chapitre précédent, la structure des coûts de nombreuses industries est l'objet de profondes modifications. Dans le passé, la main-d'œuvre directe représentait jusqu'à 60 % du coût d'un grand nombre de produits, les frais indirects de fabrication ne représentant qu'une partie du reste. Deux raisons sont à l'origine de ces changements. En premier lieu, l'outillage automatisé très perfectionné assume des fonctions qui étaient auparavant réservées à la main-d'œuvre directe. Les coûts d'acquisition et d'entretien d'un tel outillage étant classés à titre de frais indirects de fabrication, ils ont pour effet de faire augmenter les frais indirects et de réduire en même temps ceux de la main-d'œuvre directe. En second lieu, les produits deviennent de plus en plus perfectionnés et complexes, et sont l'objet de changements plus fréquents. Ces modifications font augmenter le besoin de main-d'œuvre indirecte hautement qualifiée telle que les ingénieurs. Ces deux tendances ont pour conséquence que la main-d'œuvre directe devient un facteur moins important et, qu'à l'inverse, les frais indirects deviennent un facteur plus important dans le coût des produits de nombreuses industries.

Dans les entreprises où la main-d'œuvre directe et les frais indirects de fabrication se sont déplacés dans des directions opposées, il serait difficile d'affirmer que la main-d'œuvre directe «génère» les frais indirects. En conséquence, ces dernières années, les gestionnaires de certaines organisations ont utilisé les principes de la *comptabilité par activités* pour repenser leurs systèmes de coûts de revient. La méthode des coûts par activités permet de refléter de manière plus précise la consommation des ressources indirectes par les produits, les clients et d'autres objets de coûts. Nous expliquerons plus en détail l'approche basée sur les activités au chapitre 5.

Bien que la main-d'œuvre directe puisse ne pas être une base de répartition appropriée au sein de certaines industries, elle demeure néanmoins un inducteur important des frais indirects de fabrication dans d'autres organisations. Nous devons comprendre que la base de répartition retenue par l'entreprise devrait réellement induire les frais indirects, ou en être à l'origine, et que la main-d'œuvre directe ne constitue pas toujours une base de répartition appropriée.

SUR LE TERRAIN

Les bases de répartition les plus utilisées

Les entreprises britanniques utilisent la plupart du temps les heures de main-d'œuvre directe à titre de base de répartition des frais indirects de fabrication. Une enquête menée auprès de plus de 280 entreprises manufacturières dans divers secteurs industriels britanniques révèle la répartition suivante :

Base de répartition des frais indirects de fabrication	Pourcentage
Heures de main-d'œuvre directe	46,1 %
Coût de la main-d'œuvre directe	25,5 %
Coût des matières premières	19,4 %
Heures-machines	15,5 %

Source : John A. BRIERLEY, Christopher J. COWTON et Colin DRURY, «Product Costing Practices in Different Manufacturing Industries : A British Survey», *International Journal of Management*, vol. 24, nº 4 (décembre 2007), p. 672.

Le calcul des coûts unitaires

Après avoir imputé les frais indirects de fabrication de Machinerie Yost de **216 $** sur la fiche de coût de revient de la figure 3.4 (*p. 97*), on a presque rempli la fiche. On doit ensuite transférer les totaux concernant les matières premières, la main-d'œuvre directe et les frais indirects de fabrication dans la section «Sommaire des coûts» de la fiche de coût de revient, puis additionner ces totaux pour obtenir le coût de revient total.

On divise ensuite le coût total (**1 800 $**) par le nombre d'unités (**2**) pour obtenir le coût unitaire (**900 $**). Comme nous l'avons précisé, *le coût unitaire est un coût moyen et ne doit pas être interprété comme le coût réel qui serait engagé si une autre unité devait être produite*. La plupart des frais indirects de fabrication réels ne changeraient pas si l'entreprise produisait une autre unité, car ces frais sont fixes. Par conséquent, le coût marginal d'une unité supplémentaire serait sans doute inférieur au coût unitaire moyen de 900 $.

Une fois remplie, la fiche de coût de revient permettra d'évaluer le coût du stock de produits finis pour les commandes non vendues et de déterminer le coût des ventes.

Un résumé du cheminement des documents

La succession d'événements exposée précédemment est résumée à la figure 3.5 (*page suivante*). Une étude attentive du cheminement des documents présenté dans cette figure offrira une bonne vue d'ensemble du fonctionnement global d'un système de coûts de revient par commande.

Pour résumer la situation de Machinerie Yost, au cours de la réunion de planification quotidienne du 9 mars, Jean Yost, président de l'entreprise, a une fois de plus attiré

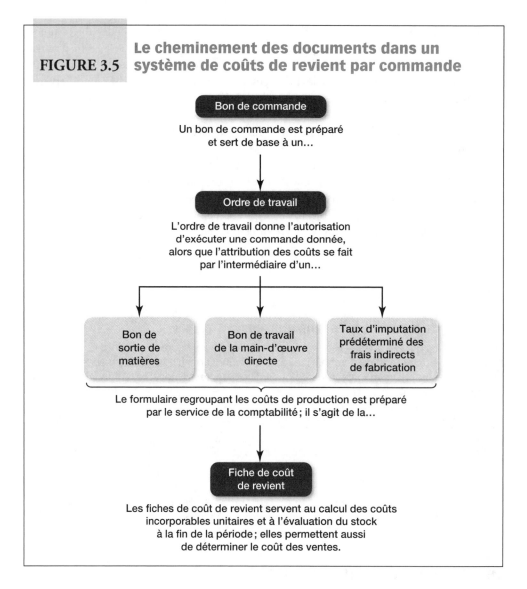

FIGURE 3.5 Le cheminement des documents dans un système de coûts de revient par commande

Bon de commande

Un bon de commande est préparé et sert de base à un...

Ordre de travail

L'ordre de travail donne l'autorisation d'exécuter une commande donnée, alors que l'attribution des coûts se fait par l'intermédiaire d'un...

| Bon de sortie de matières | Bon de travail de la main-d'œuvre directe | Taux d'imputation prédéterminé des frais indirects de fabrication |

Le formulaire regroupant les coûts de production est préparé par le service de la comptabilité ; il s'agit de la...

Fiche de coût de revient

Les fiches de coût de revient servent au calcul des coûts incorporables unitaires et à l'évaluation du stock à la fin de la période ; elles permettent aussi de déterminer le coût des ventes.

l'attention sur la commande 2B47, qui concerne la fabrication d'attelages expérimentaux. Jean constate que la commande 2B47 est maintenant terminée et qu'elle peut être expédiée sur-le-champ à Loupe inc. de façon que cette dernière puisse mettre en œuvre son programme d'essais. Marc mentionne à Jean que Machinerie Yost avait convenu de vendre les attelages expérimentaux au coût de revient. C'est pourquoi Loupe inc. ne paiera que 900 $ l'unité. En terminant la réunion, Jean indique qu'il espère que les attelages conviendront et qu'il sera possible de générer un bénéfice en exécutant la commande complète.

Le coût de revient par commande et le cheminement des coûts

OBJECTIF 4

Préparer les écritures de journal pour enregistrer les coûts dans un système de coûts de revient par commande.

Examinons maintenant plus en détail le cheminement des coûts dans le système comptable d'une entreprise. Pour ce faire, nous analyserons les activités mensuelles de la société Rand, qui se spécialise dans la fabrication de médaillons commémoratifs en or et en argent. En avril, soit au cours du premier mois de sa période financière, deux commandes étaient en cours. Les coûts de fabrication de la commande A, qui a débuté en mars, s'élevaient à 30 000 $ au 1er avril. Cette commande consiste en une émission spéciale de 1 000 médaillons en or pour souligner le 400e anniversaire de la fondation de Québec. La commande B consiste en la fabrication de 10 000 médaillons en argent commémorant le même événement ; elle a débuté en avril.

L'achat et l'utilisation des matières

Le 1er avril, Rand disposait de 7 000 $ de matières. Au cours du mois, l'entreprise a acquis des matières supplémentaires d'une valeur de 60 000 $. Voici l'écriture de journal de cette opération.

	1)		
Matières..		60 000	
Comptes fournisseurs			60 000

Comme nous l'avons expliqué au chapitre 2, le stock de matières est un compte d'actif. Ainsi, l'achat de matières est inscrit à titre d'actif, et non à titre de charge.

L'utilisation des matières premières et des matières indirectes

Au cours du mois d'avril, des matières d'une valeur de 52 000 $ sont transférées du magasin à la production. Ces matières comprennent 50 000 $ de matières premières et 2 000 $ de matières indirectes. Voici l'écriture de journal de cette opération.

	2)		
Produits en cours		50 000	
Frais indirects de fabrication		2 000	
Matières..			52 000

Les matières attribuées aux produits en cours représentent des matières premières se rattachant directement à des commandes précises. Comme ces matières figurent au compte de stock de produits en cours, elles seront aussi enregistrées sur les fiches de coût de revient. Ce point est illustré à la figure 3.6 où, sur le **50 000 $** de matières, une valeur de **28 000 $** est attribuée à la fiche de la commande A, alors que les **22 000 $** restants sont attribués à la fiche de la commande B. (Dans cet exemple, toutes les données sont présentées sous la forme d'un sommaire, et la fiche de coût de revient est abrégée.)

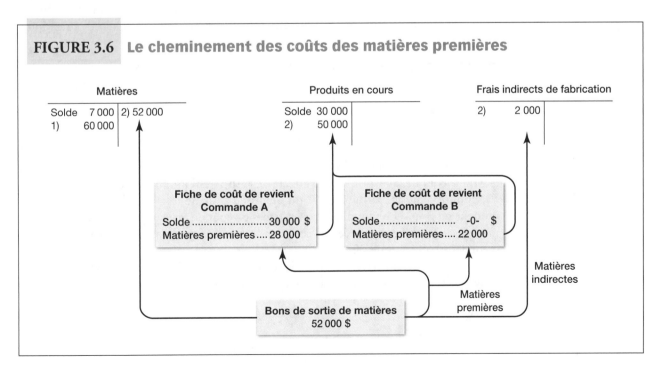

FIGURE 3.6 **Le cheminement des coûts des matières premières**

Le montant de **2 000 $** attribué aux frais indirects de fabrication dans l'écriture de journal 2) (*page précédente*) correspond aux matières indirectes qui ont servi à la production du mois d'avril. Notons que le compte de frais indirects de fabrication est distinct du compte de stock de produits en cours. Le compte de frais indirects de fabrication sert à recenser tous les frais indirects de fabrication à mesure qu'ils sont engagés au cours d'une période donnée.

Le solde d'ouverture de la fiche de coût de revient de la commande A s'établit à **30 000 $**. Comme nous l'avons précisé, ce solde représente le coût du produit dont la fabrication a commencé en mars et s'est poursuivie en avril. Notons aussi que le compte de stock de produits en cours affiche un solde de **30 000 $**. *Le montant de 30 000 $ apparaît aux deux endroits parce que le compte de stock de produits en cours est un compte de contrôle et que les fiches de coût de revient forment le grand livre auxiliaire. Ainsi, le compte de stock de produits en cours regroupe tous les coûts des commandes en cours figurant sur chacune des fiches de coût de revient à un moment donné.*

La société Rand n'avait qu'une commande en cours de production au début du mois d'avril, soit la commande A. C'est pourquoi le solde de 30 000 $ figurant sur la fiche de coût de revient de la commande A est égal au solde du compte de stock de produits en cours.

L'utilisation de matières premières seulement

Les matières retirées du compte du stock de matières sont parfois toutes des matières premières. Voici l'écriture de journal requise pour enregistrer cette opération.

Produits en cours..	XXX	
Matières		XXX

Le coût de la main-d'œuvre

La fabrication du produit étant assurée par divers services de l'entreprise sur une base quotidienne, les travailleurs remplissent des bons de travail qui seront acheminés au service de la comptabilité. Les bons sont remplis selon le salaire horaire des employés, et les coûts obtenus sont classés à titre de main-d'œuvre directe ou indirecte. Pour le mois d'avril, les coûts de la main-d'œuvre directe s'élèvent à 60 000 $, et ceux de la main-d'œuvre indirecte, à 15 000 $; ils se comptabilisent comme suit :

	3)	
Produits en cours	60 000	
Frais indirects de fabrication	15 000	
Salaires et avantages à payer..		75 000

Seule la main-d'œuvre directe est ajoutée au compte des produits en cours. Au mois d'avril, le coût de la main-d'œuvre directe de la société Rand totalisait 60 000 $.

Comme l'illustre la figure 3.7, on ajoute le coût de la main-d'œuvre directe aux produits en cours et on l'indique sur les fiches de coût de revient. En avril, les coûts de la main-d'œuvre directe affectée à la commande A et à la commande B étaient respectivement de **40 000 $** et de **20 000 $**.

Les coûts de main-d'œuvre attribués aux frais indirects de fabrication sont les coûts de la main-d'œuvre indirecte pour la période tels que ceux de la supervision et de l'entretien.

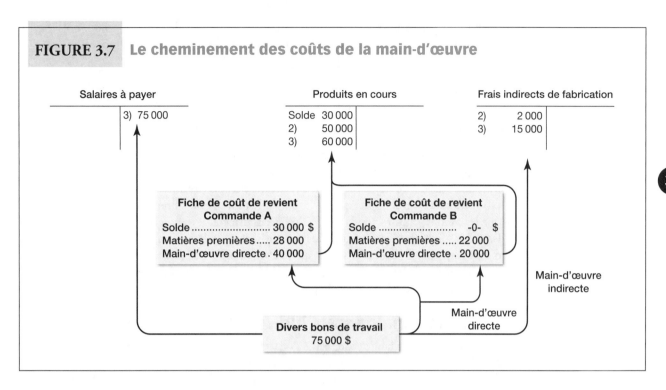

FIGURE 3.7 Le cheminement des coûts de la main-d'œuvre

Les frais indirects de fabrication

Rappelons que tous les coûts d'exploitation de l'usine autres que ceux des matières premières et de la main-d'œuvre directe sont classés en tant que frais indirects de fabrication. Ces coûts sont inscrits directement au compte de frais indirects de fabrication à mesure qu'ils sont engagés. Supposons que la société Rand a engagé les coûts de fonctionnement ci-après au cours du mois d'avril.

Services (chauffage, eau et électricité)	21 000 $
Location de matériel de production	16 000
Coûts de production divers	3 000
	40 000 $

Voici les écritures de journal à passer pour enregistrer ces opérations.

4)		
Frais indirects de fabrication	40 000	
Comptes fournisseurs		40 000

L'assurance payée d'avance, acquise au coût de 7 000 $, a pris fin au mois d'avril. La protection de l'assurance concernait les bâtiments et les installations de l'usine. De plus, à cette date, Rand n'avait toujours pas effectué ses paiements d'impôt foncier de 13 000 $. Voici les écritures de journal à passer pour enregistrer ces opérations.

5)		
Frais indirects de fabrication	20 000	
Impôt foncier à payer		13 000
Assurance payée d'avance		7 000

Enfin, supposons que l'amortissement de l'équipement de production du mois d'avril est de 18 000 $. Voici l'écriture de journal à passer pour enregistrer l'amortissement.

6)		
Frais indirects de fabrication	18 000	
Amortissement cumulé – Équipement de production		18 000

En bref, *tous* les frais indirects de fabrication sont enregistrés directement dans le compte de frais indirects de fabrication puisqu'ils sont engagés sur une base quotidienne tout au long d'une période. Il est important de comprendre que les frais indirects de fabrication constituent un compte de contrôle pour de nombreux comptes auxiliaires tels que les matières indirectes, la main-d'œuvre indirecte, les services de l'usine, etc. Puisque les coûts sont débités au compte de frais indirects de fabrication pendant une période, les divers comptes auxiliaires le seront aussi. Par souci de brièveté, nous avons omis les écritures de journal dans les comptes auxiliaires de l'exemple qui précède. Nous ferons de même pour les exercices de ce chapitre.

L'imputation des frais indirects de fabrication

OBJECTIF 5

Imputer les frais indirects de fabrication aux produits en cours à l'aide d'un taux d'imputation prédéterminé.

Les frais indirects de fabrication réels étant attribués au compte de contrôle des frais indirects de fabrication plutôt qu'aux produits en cours, comment attribuer les frais indirects de fabrication aux produits en cours? À l'aide du taux d'imputation prédéterminé. Rappelons qu'un taux d'imputation prédéterminé des frais indirects de fabrication est calculé au début de chaque période financière annuelle. Ce calcul se fait en divisant le total prévu des frais indirects de fabrication de la période financière par le volume d'unités d'œuvre prévu selon la base de répartition choisie (heures-machines, heures de main-d'œuvre directe, etc.). On privilégie alors le taux d'imputation prédéterminé des frais indirects de fabrication pour imputer les frais indirects aux commandes. Par exemple, supposons que les heures de main-d'œuvre directe constituent la base de répartition. Dans ce cas, on impute les frais indirects à chaque commande en multipliant le nombre d'heures de main-d'œuvre directe attribué à la commande par le taux d'imputation prédéterminé des frais indirects de fabrication.

Pour illustrer ce calcul, supposons que la société Rand a utilisé les heures-machines pour calculer son taux d'imputation prédéterminé des frais indirects et que ce taux est de 6 $ par heure-machine. Admettons aussi que, pendant le mois d'avril, le nombre d'heures-machines de la commande A et celui de la commande B s'élèvent respectivement à 10 000 et à 5 000, pour un total de 15 000 heures-machines.

Ainsi, des frais indirects de 90 000 $ (15 000 heures-machines × 6 $) seront imputés aux produits en cours. Voici l'écriture de journal requise pour enregistrer cette opération.

7)		
Produits en cours	90 000	
Frais indirects de fabrication[3]		90 000

La figure 3.8 illustre le cheminement des coûts dans le compte de frais indirects de fabrication. Les frais indirects de fabrication réels qui apparaissent au débit du compte de frais indirects de fabrication sont les coûts qui ont été ajoutés au compte dans les écritures de

---

3. Notons que l'on pourrait utiliser un compte intitulé « Frais indirects de fabrication imputés ». À la fin de la période, on fermerait le compte de frais indirects de fabrication et celui de frais indirects de fabrication imputés en dégageant une surimputation ou une sous-imputation. Ces deux notions seront expliquées un peu plus loin.

journal 2) à 6) (*p. 101 à 104*). Notons que l'enregistrement de ces frais indirects réels et l'imputation des frais indirects aux produits en cours, soit l'écriture de journal 7), constituent deux processus séparés et entièrement distincts.

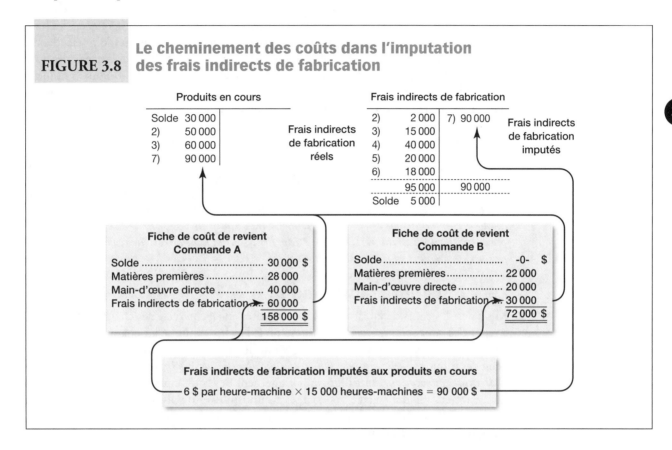

FIGURE 3.8 **Le cheminement des coûts dans l'imputation des frais indirects de fabrication**

Le concept de compte de contrôle

Le compte de frais indirects de fabrication est un compte de contrôle. Rappelons que les frais indirects de fabrication réels sont débités au compte à mesure qu'ils sont engagés, sur une base quotidienne, tout au long de la période. À certains intervalles au cours de la période, en général quand une commande est terminée, les frais indirects sont retirés du compte de frais indirects de fabrication, et imputés au compte de stock de produits en cours au moyen du taux d'imputation prédéterminé des frais indirects. Le compte de stock de produits en cours est alors débité et celui des frais indirects de fabrication est crédité. Cette suite d'événements est illustrée ci-après :

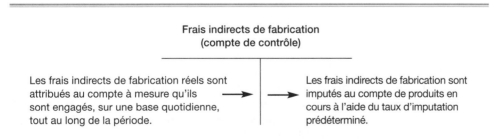

Le total des frais indirects réels engagés figurant au débit du compte de frais indirects de fabrication regroupe de nombreux types de frais indirects. Une courte liste de ces frais est présentée dans les écritures de journal 4), 5) et 6), et à la figure 2.4 (*p. 49*). Le compte de contrôle au grand livre général est supporté par un grand livre auxiliaire contenant des renseignements détaillés sur chaque type de frais indirects.

Comme nous l'avons souligné précédemment, le taux d'imputation prédéterminé des frais indirects de fabrication est basé entièrement sur les prévisions de ce que devraient être les frais indirects, et il est établi avant que la période commence. En conséquence, les frais indirects imputés pendant une période se révéleront sans doute plus ou moins élevés que les frais indirects réellement engagés. Par exemple, à la figure 3.8 (*page précédente*), les frais indirects réels de la société Rand pour la période sont supérieurs de 5 000 $ aux frais indirects imputés aux produits en cours, d'où le solde débiteur de 5 000 $ dans le compte de frais indirects de fabrication. Nous parlerons de ce solde plus en détail à la section «Les difficultés liées à l'imputation des frais indirects de fabrication» (*p. 112*).

À partir de la figure 3.8, nous pouvons conclure pour le moment que le coût de fabrication d'un produit se compose du coût réel des matières premières utilisées, et du coût réel de la main-d'œuvre et des frais indirects de fabrication *imputés* au produit. Nous devons porter une attention particulière au fait que *les frais indirects réels ne sont pas attribués aux produits, que les frais indirects réels ne figurent ni sur la fiche de coût de revient ni au compte de stock de produits en cours, et que seuls les frais indirects basés sur le taux d'imputation prédéterminé des frais indirects doivent être présentés sur la fiche de coût de revient et au compte de stock de produits en cours.*

Les coûts hors fabrication

Mis à part les coûts de fabrication, les entreprises engagent aussi des charges administratives et des coûts commerciaux. Comme nous l'avons expliqué au chapitre 2, ces coûts devraient être traités comme des charges non incorporables et présentés directement à l'état des résultats. *Les coûts hors fabrication ne doivent pas être inclus dans le compte de frais indirects de fabrication.* Pour illustrer le traitement des coûts hors fabrication, supposons que la société Rand a engagé des charges administratives de 30 000 $ au cours du mois d'avril, soit les salaires des employés de bureau. Voici les écritures de journal à passer pour enregistrer cette opération.

8)		
Salaires..	30 000	
Salaires et avantages à payer		30 000

Supposons que l'amortissement de l'équipement de bureau durant le mois d'avril a été de 7 000 $. Voici l'écriture de journal requise pour enregistrer cette opération.

9)		
Amortissement	7 000	
Amortissement cumulé – Équipement de bureau		7 000

Portez une attention particulière à la différence entre cette écriture de journal et l'écriture de journal 6) (*p. 104*) où l'amortissement de l'équipement de production a été débité aux frais indirects de fabrication et entre donc dans le coût de fabrication. À l'écriture de journal 9) ci-dessus, l'amortissement de l'équipement de bureau a été débité aux charges d'amortissement. L'amortissement de l'équipement de bureau est donc considéré comme un coût non incorporable qui ne fait pas partie du coût de fabrication.

Admettons qu'au mois d'avril, les coûts de publicité et les autres coûts commerciaux ont totalisé respectivement 42 000 $ et 8 000 $. Voici les écritures de journal requises pour enregistrer ces coûts.

	10)		
Publicité		42 000	
Autres coûts commerciaux		8 000	
Comptes fournisseurs*			50 000

* Le compte «Caisse» aurait pu être crédité.

Comme les montants des écritures de journal 8), 9) et 10) seront directement inscrits dans les comptes de charges, ils n'exerceront aucun effet sur l'établissement des coûts de revient de la production de la société Rand pour le mois d'avril. Il en sera de même pour les autres coûts commerciaux et administratifs engagés durant le mois d'avril, soit les commissions sur les ventes, l'amortissement de l'équipement de vente, la location d'équipement de bureau, l'assurance de l'équipement de bureau et les autres coûts connexes.

Distinguer les frais indirects de fabrication et les coûts hors fabrication tels que les coûts commerciaux et les charges administratives s'avère parfois difficile, les types de coûts — par exemple, l'amortissement ou les salaires — étant les mêmes, mais leur classification étant différente. En pratique, la classification dépend de l'activité qui a généré les coûts. Quand il s'agit d'activités de vente ou de mise en marché, il n'est aucunement question d'activités de production, et la distinction est claire. Cependant, pour l'administration, la distinction dépend de ce qui est administré et de son importance lorsqu'il est question de séparer l'administration de la production de l'administration générale. Supposons, par exemple, qu'une entreprise fabrique uniquement une plateforme pétrolière comme Hibernia. Dans ce cas, l'administration fera partie des frais indirects de fabrication. Cependant, si l'entreprise gère de nombreuses commandes et sollicite de nouvelles commandes en même temps, elle pourra être incapable de partager le temps de la haute direction entre les frais indirects de fabrication, les charges administratives et les coûts commerciaux. À moins que la facturation prévoie le recouvrement de ces coûts, la manière la plus simple de traiter les salaires de la haute direction est de les considérer comme des charges administratives.

Le coût des produits fabriqués

Quand une commande est terminée, le produit fini passe du service de la production à l'entrepôt de produits finis. Entre-temps, le service de la comptabilité aura attribué les coûts des matières premières et de la main-d'œuvre directe au produit, et les frais indirects de fabrication auront été imputés selon le taux prédéterminé. On doit transférer ces coûts dans le système de coûts de revient qui *correspond* au transfert physique des produits à l'entrepôt des produits finis. Les coûts de la commande terminée sont retirés du compte de stock de produits en cours et transférés au compte de stock de produits finis. Comme l'illustre la figure 2.6 (*p. 51*), le total de tous les montants transférés entre ces deux comptes représente le coût des produits fabriqués et terminés pendant la période.

Le 1er avril, Rand disposait de 10 000 $ de produits finis. Supposons que la société Rand a terminé la commande A au cours du mois d'avril. L'écriture de journal ci-après permet d'enregistrer le transfert du coût de la commande A du compte des produits en cours au compte des produits finis.

	11)		
Produits finis..		158 000	
Produits en cours			158 000

Le coût total de la commande A s'élève à 158 000 $, comme l'illustre la fiche de coût de revient illustrée à la figure 3.8. Ce montant représente aussi le coût des produits fabriqués et terminés au cours du mois d'avril, la commande A étant la seule commande terminée durant cette période.

La commande B n'était pas terminée à la fin du mois. Le coût de cette commande demeurera donc dans le compte de stock de produits en cours. Si un état de la situation financière était préparé à la fin du mois d'avril, le coût de la commande B figurerait alors à titre de produits en cours dans la section des actifs.

Le coût des ventes

Alors que les unités de produits finis sont expédiées chez les clients, leurs coûts sont transférés du compte de stock de produits finis au compte du coût des ventes. Si la commande entière est terminée et expédiée, comme c'est le cas lorsque la commande a été produite selon les spécifications du client, il est simple de transférer le coût total figurant sur la fiche de coût de revient au compte du coût des ventes. Cependant, dans beaucoup de cas, seule une partie des unités d'une commande particulière sera aussitôt vendue. Dans ce contexte, on doit utiliser le coût unitaire pour déterminer le montant qui devrait être retiré des produits finis et attribué au coût des ventes.

Supposons que la société Rand a expédié 750 des 1 000 médaillons en or de la commande A chez le client à la fin du mois, pour des ventes de 225 000 $. Comme elle a fabriqué 1 000 unités et que le coût de revient total du produit selon la fiche de coût de revient s'élève à 158 000 $, le coût d'une unité de produit sera de 158 $. Voici les écritures de journal à passer pour enregistrer les ventes, qui sont toutes à crédit.

	12)		
Comptes clients		225 000	
Ventes..			225 000

	13)		
Coût des ventes		118 500	
Produits finis (158 $ par unité × 750 unités)................................			118 500

L'écriture 13) met un terme au cheminement des coûts dans le système de coûts de revient par commande.

Un résumé du cheminement des coûts

OBJECTIF 6

Préparer des comptes en T pour illustrer le cheminement des coûts dans un système de coûts de revient par commande, et préparer un état du coût des produits fabriqués et un sommaire du coût des ventes.

Toutes les écritures de journal de la société Rand sont résumées au tableau 3.1. Le cheminement des coûts dans les comptes est présenté sous forme de comptes en T au tableau 3.2 (p. 110).

Le tableau 3.3 (p. 111) présente un état du coût des produits fabriqués et un sommaire du coût des ventes de la société Rand. Notons que les frais indirects de fabrication de l'état du coût des produits fabriqués correspondent aux frais indirects de fabrication imputés aux produits pendant le mois, et non aux frais indirects de fabrication réels engagés. Il suffit de se reporter à l'écriture de journal 7) (p. 104) et au compte en T des produits en cours du tableau 3.2 pour comprendre. Dans un système de coûts de revient rationnels tel que celui présenté dans ce chapitre, on attribue au coût des produits des frais indirects imputés, et non les frais indirects réels. En comparaison, au chapitre 2, ce sont les frais indirects réels qui ont été imputés au compte de stock de produits en cours et qui sont inclus dans le coût des produits fabriqués. Cette manière de procéder a été utilisée dans le précédent chapitre parce que le concept de coût de revient rationnel n'avait pas encore été vu. Notons aussi que le coût des produits fabriqués pendant le mois (158 000 $) correspond au montant transféré du compte de stock de produits en cours au compte de stock de produits finis, comme l'illustre l'écriture de journal 11) (*page précédente*). Enfin, remarquons que le montant de 158 000 $ sert au calcul du coût des ventes durant le mois.

Le tableau 3.4 (*p. 111*) contient l'état des résultats du mois d'avril. Le coût des ventes de cet état (123 500 $) est tiré du tableau 3.3.

TABLEAU 3.1	**Un récapitulatif des écritures de journal – Rand**	

1)		
Matières..	60 000	
Comptes fournisseurs..		60 000

2)		
Produits en cours..	50 000	
Frais indirects de fabrication................................	2 000	
Matières..		52 000

3)		
Produits en cours..	60 000	
Frais indirects de fabrication................................	15 000	
Salaires et avantages à payer................................		75 000

4)		
Frais indirects de fabrication................................	40 000	
Comptes fournisseurs..		40 000

5)		
Frais indirects de fabrication................................	20 000	
Impôt foncier à payer..		13 000
Assurance payée d'avance....................................		7 000

6)		
Frais indirects de fabrication................................	18 000	
Amortissement cumulé – Équipement de production....		18 000

7)		
Produits en cours..	90 000	
Frais indirects de fabrication		90 000

8)		
Salaires	30 000	
Salaires et avantages à payer................................		30 000

9)		
Amortissement..	7 000	
Amortissement cumulé – Équipement de bureau........		7 000

10)		
Publicité	42 000	
Autres coûts commerciaux	8 000	
Comptes fournisseurs..		50 000

11)		
Produits finis	158 000	
Produits en cours..		158 000

12)		
Comptes clients..	225 000	
Ventes		225 000

13)		
Coût des ventes..	118 500	
Produits finis..		118 500

TABLEAU 3.2 **Un récapitulatif du cheminement des coûts – Rand**

Comptes clients		
	XXX	
12)	225 000	

Comptes fournisseurs		
		XXX
	1)	60 000
	4)	40 000
	10)	50 000

Capital social	
	XXX

Assurance payée d'avance		
	XXX	
	5)	7 000

Résultats non distribués	
	XXX

Matières		
Solde	7 000	2)	52 000
1)	60 000		
Solde	15 000		

Salaires et avantages à payer		
		XXX
	3)	75 000
	8)	30 000

Ventes		
		12)	225 000

Produits en cours		
Solde	30 000	11)	158 000
2)	50 000		
3)	60 000		
7)	90 000		
Solde	72 000		

Impôt foncier à payer		
		XXX
	5)	13 000

Coût des ventes		
13)	118 500	

Produits finis		
Solde	10 000	13)	118 500
11)	158 000		
Solde	49 500		

Amortissement cumulé – Équipement de bureau		
		XXX
	9)	7 000

Salaires		
8)	30 000	

Amortissement		
9)	7 000	

Amortissement cumulé – Équipement de production		
		XXX
	6)	18 000

Publicité		
10)	42 000	

Autres coûts commerciaux		
10)	8 000	

Frais indirects de fabrication		
2)	2 000	7)	90 000
3)	15 000		
4)	40 000		
5)	20 000		
6)	18 000		
Solde	5 000		

Explication des écritures
1) Matières achetées
2) Matières premières et matières indirectes fournies à la production
3) Coût de la main-d'œuvre directe et indirecte
4) Coûts de fonctionnement engagés
5) Impôt foncier et assurance de l'usine
6) Amortissement de l'équipement de production
7) Frais indirects de fabrication imputés aux produits en cours

8) Salaires du personnel de l'administration
9) Amortissement de l'équipement de bureau
10) Publicité et autres coûts commerciaux
11) Coût des produits fabriqués transféré aux produits finis
12) Ventes de la commande A
13) Coût des ventes pour la commande A

XXX : Solde normal figurant dans le compte (par exemple, les comptes clients affichent d'ordinaire un solde débiteur)

TABLEAU 3.3	Un état du coût des produits fabriqués et un sommaire du coût des ventes

RAND
État du coût des produits fabriqués
de la période d'un mois terminée le 30 avril

Coût des produits fabriqués

Matières premières :
Matières au début	7 000 $	
Plus : Achat de matières	60 000	
Total des matières disponibles..................................	67 000	
Moins : Matières à la fin	15 000	
Matières utilisées pour la production	52 000	
Moins : Matières indirectes incluses dans les frais indirects de fabrication	2 000	
Matières premières utilisées pour la production...........................		50 000 $
Main-d'œuvre directe		60 000
Frais indirects de fabrication imputés aux produits en cours........		90 000
Total des coûts de production..		200 000
Plus : Produits en cours au début...		30 000
		230 000
Moins : Produits en cours à la fin...		72 000
Coût des produits fabriqués..		158 000 $

Coût des ventes

Produits finis au début	10 000 $
Plus : Coût des produits fabriqués	158 000
Produits destinés à la vente	168 000
Moins : Produits finis à la fin	49 500
Coût des ventes avant retraitement	118 500
Plus : Frais indirects de fabrication sous-imputés*......................	5 000
Coût des ventes	123 500 $

* Notons que les frais indirects de fabrication sous-imputés sont ajoutés au coût des ventes. Si les frais indirects de fabrication étaient surimputés, ils seraient déduits du coût des ventes.

TABLEAU 3.4	Un état des résultats

RAND
État des résultats
de la période d'un mois terminée le 30 avril

Chiffre d'affaires		225 000 $
Moins : Coût des ventes		123 500
Marge brute		101 500
Moins : Coûts commerciaux et charges administratives :		
Salaires..	30 000 $	
Amortissement	7 000	
Publicité...	42 000	
Autres coûts commerciaux....................................	8 000	87 000
Bénéfice..		14 500 $

Les difficultés liées à l'imputation des frais indirects de fabrication

OBJECTIF 7

Calculer les frais indirects de fabrication sous-imputés ou surimputés, et préparer l'écriture de journal pour clôturer le solde des frais indirects de fabrication dans les comptes appropriés.

3

Frais indirects de fabrication sous-imputés

Solde débiteur du compte de frais indirects de fabrication qui apparaît quand les frais indirects réellement engagés sont supérieurs aux frais indirects imputés aux produits en cours durant une période.

Frais indirects de fabrication surimputés

Solde créditeur du compte de frais indirects de fabrication qui apparaît quand les frais indirects imputés aux produits en cours sont supérieurs aux frais indirects réellement engagés durant une période.

Deux difficultés peuvent survenir au moment d'imputer des frais indirects. Il s'agit du calcul des frais indirects de fabrication sous-imputés et surimputés, et de la disposition de ces frais indirects de fabrication sous-imputés ou surimputés.

Les frais indirects de fabrication sous-imputés et surimputés

Le taux d'imputation des frais indirects de fabrication est établi avant le début d'une période, et il repose entièrement sur des prévisions. En général, il y aura donc une différence entre les frais indirects de fabrication imputés aux produits en cours et les frais indirects réellement engagés durant une période. Par exemple, le taux d'imputation prédéterminé des frais indirects de fabrication de 6 $ par heure-machine de la société Rand a donné lieu à des frais indirects de fabrication de 90 000 $ imputés aux produits en cours, alors que les frais indirects réels du mois d'avril se sont en fait élevés à 95 000 $ (*voir la figure 3.8, p. 105*). Les **frais indirects de fabrication sous-imputés** et les **frais indirects de fabrication surimputés** sont la différence entre les frais indirects imputés aux produits en cours et les frais indirects réels pour une période ; on parle aussi de *sous-imputation* ou de *surimputation*. Dans le cas de la société Rand, les frais indirects sont sous-imputés parce que les frais imputés de 90 000 $ sont inférieurs de 5 000 $ aux frais réels. Inversons les tableaux. Supposons que l'entreprise impute des frais indirects de fabrication de 95 000 $ aux produits en cours et que les frais indirects réels engagés ne sont que de 90 000 $. Dans ce cas, les frais indirects seraient surimputés.

Pourquoi y a-t-il sous-imputation ou surimputation des frais indirects de fabrication ? Les causes peuvent se révéler nombreuses ; nous les expliquerons en détail au chapitre 10. À la base, le problème tient en ce que la méthode d'imputation des frais indirects de fabrication aux produits à l'aide d'un taux d'imputation prédéterminé des frais indirects de fabrication suppose que les frais indirects réels seront proportionnels au volume réel d'unités d'œuvre de la période selon la base de répartition choisie. Supposons par exemple que le taux d'imputation prédéterminé des frais indirects de fabrication est de 6 $ par heure-machine. Les frais indirects sont présumés être réellement engagés à 6 $ pour chaque heure-machine réellement travaillée. Il existe au moins deux raisons pour lesquelles cela peut être faux. En premier lieu, la plupart des frais indirects de fabrication se composent d'ordinaire de frais fixes. Puisque ces frais sont constants, ils n'augmentent pas en fonction du nombre d'heures-machines. En second lieu, il est possible que les frais indirects de fabrication soient bien ou mal contrôlés. Si les personnes qui en sont responsables contrôlent bien leurs coûts, les frais indirects de fabrication pourraient se révéler moins élevés que ceux prévus au début de la période ; l'inverse est aussi vrai. Comme nous l'avons indiqué, nous expliquerons en détail les causes de sous-imputation et de surimputation des frais indirects de fabrication au chapitre 10.

Pour illustrer ce qui peut se produire, supposons que deux entreprises, Turbo et Propulsion, ont préparé les données prévisionnelles ci-après pour la période à venir.

	Compagnie	
	Turbo	**Propulsion**
Taux d'imputation prédéterminé des frais indirects de fabrication basé sur	heures-machines	coût des matières premières
Frais indirects de fabrication prévus	300 000 $ a)	120 000 $ a)
Heures-machines prévues....................................	75 000 b)	–
Coût des matières premières prévu......................	–	80 000 $ b)
Taux d'imputation prédéterminé des frais indirects de fabrication prévu, a) ÷ b)	4 $ par heure-machine	150 % du coût des matières premières

Remarquez que lorsque l'unité d'œuvre est exprimée en dollars — par exemple, le coût des matières premières dans le cas de Propulsion —, le coefficient prédéterminé d'imputation des frais indirects de fabrication constitue un *pourcentage* de l'unité d'œuvre. En effet, si l'on divise des dollars par des dollars, on obtient un pourcentage.

Les frais indirects de fabrication et la demande de produits des deux entreprises sont l'objet de changements imprévus. Voici les frais indirects de fabrication *réels* et l'activité *réelle* au cours de la période pour chaque entreprise.

	Compagnie	
	Turbo	Propulsion
Frais indirects de fabrication réels.....................................	290 000 $	130 000 $
Heures-machines réelles	68 000	–
Coût réel des matières premières.......................................	–	90 000 $

Notons que les données réelles liées aux coûts et à l'activité de chaque société diffèrent des prévisions utilisées dans le calcul du taux d'imputation prédéterminé des frais indirects de fabrication, d'où les frais indirects de fabrication sous-imputés et surimputés suivants :

	Compagnie	
	Turbo	Propulsion
Frais indirects de fabrication réels..	290 000 $	130 000 $
Frais indirects de fabrication imputés aux produits en cours durant la période :		
68 000 heures-machines réelles × 4 $............................	272 000	–
Coût réel des matières premières de 90 000 $ × 150 %..	–	135 000
Frais indirects de fabrication sous-imputés (surimputés)	18 000 $	(5 000)$

Les frais indirects de fabrication imputés aux produits en cours (272 000 $) de la société Turbo sont inférieurs aux frais indirects réels de la période (290 000 $). Les frais indirects de fabrication de l'entreprise sont donc sous-imputés. Notons que la prévision initiale des frais indirects de la société Turbo (300 000 $) n'est pas directement comprise dans ce calcul. Elle aura une incidence seulement quand on établira le taux d'imputation prédéterminé des frais indirects de 4 $ par heure-machine.

En ce qui concerne la société Propulsion, les frais indirects de fabrication imputés aux produits en cours (135 000 $) sont supérieurs aux frais indirects réels de la période (130 000 $). Les frais indirects de l'entreprise sont donc surimputés.

La figure 3.9 (*page suivante*) contient un résumé des concepts étudiés précédemment.

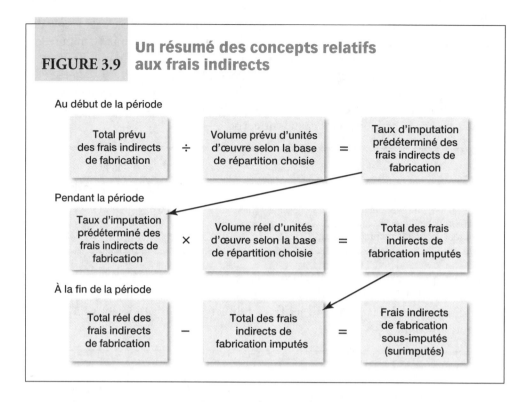

FIGURE 3.9 Un résumé des concepts relatifs aux frais indirects

La disposition des frais indirects de fabrication sous-imputés ou surimputés

Comment procéder à la disposition du solde sous-imputé ou surimputé d'un compte de frais indirects de fabrication à la fin d'une période ? En général, tout solde de compte pourra être traité comme suit :

1. L'entreprise ajustera le coût des ventes.
2. L'entreprise répartira le solde entre les produits en cours, les produits finis et le coût des ventes en proportion des frais indirects imputés se retrouvant dans les soldes de clôture de ces comptes[4].
3. Le solde sera reporté à la période suivante.

La deuxième méthode qui permet de répartir les frais indirects de fabrication sous-imputés ou surimputés entre les soldes de clôture des comptes de stock et du coût des ventes revient à utiliser un taux d'imputation des frais indirects « réel ». C'est pourquoi plusieurs la considèrent comme plus précise que la première méthode. En conséquence, lorsque les frais indirects de fabrication sous-imputés ou surimputés sont élevés, de nombreux comptables insistent pour utiliser la deuxième méthode. (Dans la section des exercices et problèmes, nous indiquons la méthode que vous devrez suivre pour répartir les frais indirects de fabrication sous-imputés ou surimputés.)

L'ajustement du coût des ventes

Comme nous l'avons mentionné, la fermeture du solde des frais indirects de fabrication au coût des ventes est plus simple que la méthode de répartition. Reprenons l'exemple de la société Rand. Voici l'écriture de journal à passer pour enregistrer la fermeture des frais indirects sous-imputés de 5 000 $ au coût des ventes.

---

4. Certaines entreprises préfèrent procéder à la répartition en proportion du solde des produits en cours, des produits finis et du coût des ventes à la fin de la période. Cette méthode n'est pas aussi précise que la répartition du solde du compte de frais indirects de fabrication sur la base des frais indirects imputés dans chaque compte pendant la période en cours.

	14)		
Coût des ventes...		5 000	
Frais indirects de fabrication			5 000

Puisque le compte de frais indirects de fabrication affiche un solde débiteur, les frais indirects devront être crédités pour clôturer le compte. Cette opération aura pour effet d'augmenter le coût des ventes en avril à 123 500 $.

Coût non retraité des ventes [*écriture de journal 13*]	118 500 $
Frais indirects sous-imputés [*écriture de journal 14*]	5 000
Coût des ventes	123 500 $

Après cet ajustement, l'état des résultats de la société Rand pour le mois d'avril apparaîtra tel qu'il est illustré au tableau 3.4 (*p. 111*).

La répartition dans les comptes

La répartition des frais indirects de fabrication sous-imputés ou surimputés entre les produits en cours, les produits finis et le coût des ventes constitue une méthode plus précise que l'ajustement du coût des ventes.

Supposons que la société Rand a réparti les frais indirects de fabrication sous-imputés entre les comptes de stock et le coût des ventes. Pour ce faire, elle aurait dû d'abord déterminer les frais indirects de fabrication imputés se trouvant dans ces comptes à la fin du mois d'avril. Les calculs auraient été les suivants :

Frais indirects de fabrication imputés au stock de produits en cours au 30 avril	30 000 $	33,33 %
Frais indirects de fabrication imputés au stock de produits finis au 30 avril (60 000 $ ÷ 1 000 unités = 60 $ par unité ; 60 $ × 250 unités)	15 000	16,67 %
Frais indirects de fabrication imputés au coût des ventes en avril (60 000 $ ÷ 1 000 unités = 60 $ par unité ; 60 $ × 750 unités)	45 000	50,00 %
Total des frais indirects de fabrication imputés	90 000 $	100,00 %

En se basant sur les pourcentages précédents, les frais indirects de fabrication sous-imputés, c'est-à-dire le solde débiteur du compte de frais indirects de fabrication, auraient dû être répartis comme suit :

Produits en cours (33,33 % × 5 000 $)	1 666,50
Produits finis (16,67 % × 5 000 $)	833,50
Coût des ventes (50 % × 5 000 $)	2 500,00
Frais indirects de fabrication	5 000,00

Notons que la première étape de la répartition consistait à déterminer les frais indirects de fabrication imputés de chaque compte.

En ce qui concerne les produits finis, par exemple, on a divisé les frais indirects de 60 000 $ imputés à la commande A par le nombre d'unités de la même commande, soit 1 000 unités, pour obtenir des frais indirects moyens imputés de 60 $ par unité. Comme il y avait encore 250 unités de la commande A au stock de clôture des produits finis, les frais indirects imputés se trouvant au stock de produits finis étaient de 60 $ par unité, et ils ont été multipliés par 250 unités pour obtenir un total de 15 000 $.

Si l'on avait surimputé les frais indirects de fabrication, l'écriture précédente aurait été exactement l'inverse, puisque le compte de frais indirects de fabrication aurait affiché un solde créditeur.

Une autre manière moins précise de répartir les frais indirects sous-imputés ou surimputés entre les produits en cours, les produits finis et le coût des ventes consiste à faire appel au coût total de fabrication de chaque compte.

Si nous avions choisi de répartir les frais indirects sous-imputés selon cette façon de faire dans l'exemple de la société Rand, les calculs et écritures auraient été les suivants :

Produits en cours au 30 avril		72 000 $	36,00 %
Produits finis au 30 avril		49 500	24,75 %
Coût des ventes	118 500 $		
Moins : Produits en cours au 1er avril	30 000		
Moins : Produits finis au 1er avril	10 000	78 500	39,25 %
Total du coût de fabrication		200 000 $	100,00 %

Produits en cours (36,00 % × 5 000 $)	1 800	
Produits finis (24,75 % × 5 000 $)	1 237	
Coût des ventes (39,25 % × 5 000 $)	1 963	
Frais indirects de fabrication		5 000

Une comparaison des pourcentages précédents avec ceux n'utilisant que les frais indirects de fabrication suggère que les proportions des coûts totaux de fabrication et des frais indirects n'étaient pas les mêmes dans chaque compte.

On déduit du coût des ventes le stock de produits en cours au début et le stock de produits finis au début pour répartir les coûts de la période en cours seulement. Ainsi, la portion de 39,25 % de l'exemple de la société Rand reflète uniquement les coûts du mois d'avril et correspond à la période au cours de laquelle les frais indirects de fabrication sous-imputés ont été engagés. Sans cet ajustement, on imputerait au coût des ventes des frais indirects de fabrication basés sur les coûts reportés du mois de mars, et il supporterait par conséquent un montant disproportionné de frais indirects de fabrication sous-imputés ou surimputés.

Le report

Rappelez-vous la section « L'imputation des frais indirects de fabrication » de ce chapitre (*p. 104*). La production de certaines entreprises subit d'importantes variations saisonnières, et ces entreprises assument des frais indirects de fabrication relativement constants. Les frais indirects prédéterminés ont été utilisés pour limiter les fluctuations des frais indirects causées par les variations saisonnières de la production et des coûts (par exemple, les coûts de chauffage). Le taux prédéterminé des frais indirects est calculé à l'aide du total prévu des frais de fabrication d'une année financière. Le taux est divisé par le volume prévu d'unités d'œuvre selon la base de répartition choisie. Le nombre obtenu sera un taux moyen. Quand on applique le taux moyen prédéterminé à la production réelle de la période, on obtient les frais indirects de fabrication imputés. Les frais indirects de fabrication sous-imputés ou surimputés découlent de deux facteurs : un volume réel d'unités d'œuvre différent d'un douzième du volume prévu d'unités d'œuvre pour une année, et des frais indirects de fabrication réels n'égalant pas le douzième du total estimatif. De ce fait, on s'attendra chaque mois à des frais indirects de fabrication sous-imputés ou surimputés. Selon les mois, ces frais seront positifs ou négatifs, et pourront se compenser sur une ou plusieurs périodes. Dans ce cas, les débits et les crédits pourront être reportés jusqu'à la fin de la période. À la fin de la période financière, le coût des ventes sera ajusté, ou le montant sera réparti dans les stocks et le coût des ventes.

L'exemple de la société Rand serait ainsi traité :

Frais indirects de fabrication sous-imputés		
(solde débiteur reporté à l'état de la situation financière)	5 000	
Frais indirects de fabrication		5 000

Un modèle général du cheminement des coûts des produits fabriqués

La figure 3.10 présente le cheminement des coûts dans un système de coûts de revient sous forme de comptes en T. Cet exemple s'applique aussi bien à un système de coûts de revient en fabrication uniforme et continue qu'à un système de coûts de revient par commande. Il se révèle très utile pour obtenir une vue d'ensemble sur la façon dont les coûts entrent et circulent dans le système pour finalement paraître à l'état des résultats à titre de coût des ventes. Dans les entreprises qui adoptent les principes de la production optimisée et qui mettent en place un système juste-à-temps (JAT), le cheminement des coûts pourra être plus simple. L'annexe 3B (en ligne au <www.cheneliere.ca/garrison>) explique ce cheminement des coûts.

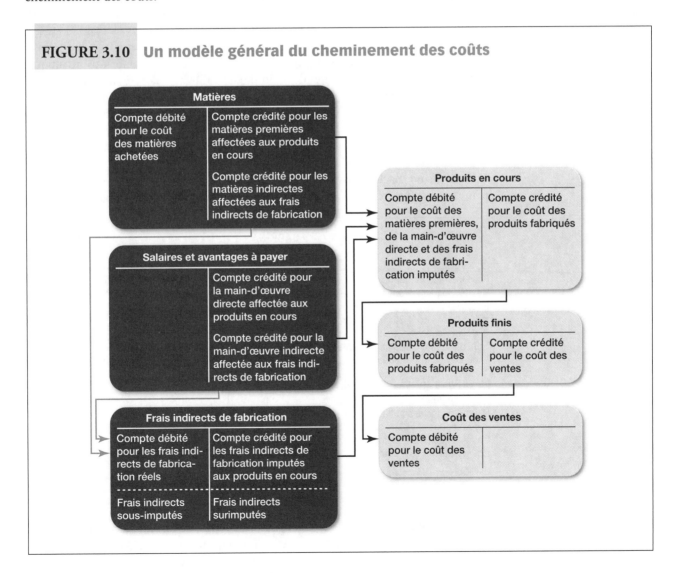

FIGURE 3.10 Un modèle général du cheminement des coûts

Taux d'imputation prédéterminé des frais indirects unique

Taux d'imputation prédéterminé des frais indirects utilisé à l'échelle de l'entreprise.

Taux d'imputation prédéterminés des frais indirects multiples

Système de calcul des coûts comportant plusieurs centres de regroupement de frais indirects dont le taux d'imputation prédéterminé varie selon le centre; souvent, chaque section de production sera considérée comme un centre de regroupement des frais indirects.

Les taux d'imputation prédéterminés des frais indirects multiples

Dans ce chapitre, nous avons supposé qu'il y avait un seul taux d'imputation prédéterminé des frais indirects pour l'ensemble d'une entreprise, soit le **taux d'imputation prédéterminé des frais indirects unique**. Il s'agit en fait d'une pratique courante, en particulier dans les petites entreprises. Par contre, les entreprises plus grandes utiliseront souvent les *taux d'imputation prédéterminés des frais indirects multiples*. En général, quand l'entreprise opte pour un système de **taux d'imputation prédéterminés des frais indirects multiples**, le taux d'imputation des frais indirects différera pour chaque section de production. Bien que ce système s'avère complexe, il est plus précis. Il fait ressortir les différences entre les sections quant aux façons dont les frais indirects de fabrication sont engagés.

Par exemple, on pourrait ventiler les frais indirects de fabrication sur la base des heures de main-d'œuvre directe dans les sections à forte présence de main-d'œuvre et sur la base d'heures-machines dans les sections à forte utilisation de machines. Quand une entreprise choisit des taux d'imputation prédéterminés des frais indirects multiples, elle impute les frais indirects de fabrication à chaque section en fonction du taux d'imputation des frais indirects propre à celle-ci, et ce, à mesure que la commande progresse dans la section. Notons que la section pourrait aussi fonctionner avec plusieurs taux d'imputation.

À titre d'illustration, examinez les données du tableau ci-dessous concernant la société Carignan, qui compte deux ateliers (A et B) et plusieurs commandes en cours d'exécution. Les données fournies portent sur deux de ces commandes (X et Y). Si l'entreprise utilise un taux prédéterminé d'imputation des frais indirects de fabrication unique de 12 $ (336 000 $ ÷ 28 000 heures de main-d'œuvre directe), alors les frais indirects de fabrication imputés aux commandes X et Y seront respectivement de 8 400 $ (12 $ × [700 + 0] heures de main-d'œuvre directe) et de 12 $ (12 $ × [0 + 1] heure de main-d'œuvre directe). Toutefois, si elle se sert de taux prédéterminés d'imputation des frais indirects de fabrication multiples qui varient selon les sections de production, elle imputera 2 800 $ à la commande X (4 $ × 700 heures de main-d'œuvre directe dans l'atelier A + 12 $ × 0 heure-machine dans l'atelier B) et 8 400 $ à la commande Y (4 $ × 0 heure de main-d'œuvre directe dans l'atelier A + 12 $ × 700 heures-machines dans l'atelier B).

CARIGNAN

	Atelier A	Atelier B	Total
Frais indirects de fabrication.................	84 000 $	252 000 $	336 000 $
Heures de main-d'œuvre directe	21 000	7 000	28 000
Heures-machines....................................	7 000	21 000	28 000
Inducteur de coût des frais indirects de fabrication.....................	21 000 HMOD	21 000 HM	
Taux d'imputation des frais indirects de fabrication: unique			12 $/HMOD
par atelier.................	4 $/HMOD	12 $/HM	
Heures de main-d'œuvre directe – commande X	700	-0-	
Heures de main-d'œuvre directe – commande Y	-0-	1	
Heures-machines – commande X........	1	-0-	
Heures-machines – commande Y........	-0-	700	

HMOD: heures de main-d'œuvre directe
HM: heures-machines

La décision d'utiliser un taux unique pour l'ensemble de l'usine plutôt que des taux distincts selon les sections de production est une question d'avantages-coûts. Il est moins coûteux d'utiliser un taux unique, mais l'emploi de taux distincts fournit plus de renseignements lorsque les activités qui servent d'inducteurs de frais indirects diffèrent d'un atelier à un autre. Des données plus précises sur les frais indirects permettent de prendre des décisions plus éclairées, ce qui peut justifier les coûts additionnels que représente la collecte de ces données par section.

Le coût de revient par commande dans les entreprises de service

Nous avons dit dans ce chapitre que des entreprises de service, telles que les cabinets d'avocats, les studios de cinéma, les hôpitaux et les ateliers de réparation, font aussi appel à un système de coûts de revient par commande. Dans un cabinet d'avocats, par exemple, chaque client représente une « commande ». Les coûts de cette commande s'accumulent jour après jour sur une fiche de coût de revient à mesure que le cabinet s'occupe du client. La matière première de la commande se compose en quelque sorte de formulaires juridiques et d'autres données comparables. Le temps consacré par les avocats représente la main-d'œuvre directe ; les coûts des secrétaires et des employés, le loyer, l'amortissement, etc. sont des coûts indirects.

Dans un studio de cinéma, chaque film produit par le studio constitue une « commande ». Les coûts des matières premières (costumes, accessoires, pellicule, etc.) et de la main-d'œuvre directe (acteurs, réalisateur et figurants) sont comptabilisés, puis attribués à la fiche de coût de revient de chaque film. On impute aussi à chacun une part des frais indirects du studio, tels que les services publics, l'amortissement du matériel, les salaires des préposés à l'entretien, etc.

Très souple, la méthode du coût de revient par commande peut s'avérer utile dans presque toutes les organisations offrant différents produits et services.

L'utilisation des technologies de l'information

Précédemment dans ce chapitre, nous avons vu que la technologie des codes à barres peut servir à enregistrer les heures de travail — ce qui réduit le caractère fastidieux de cette tâche et augmente sa précision. Une telle technologie offre beaucoup d'autres avantages.

Dans une entreprise qui étend cette technologie de système de code à barres à toutes ses activités de production, le cycle de production commence par la réception de la commande d'un client sous forme électronique. Jusqu'à tout récemment, la commande aurait été reçue par la voie de l'échange de données informatisé (EDI), qui nécessite un réseau d'ordinateurs reliant les sociétés. Un réseau EDI permet aux entreprises d'échanger par voie électronique des documents commerciaux et d'autres éléments d'information qui touchent tous les domaines de l'activité de l'entreprise, de la commande de matières premières à l'expédition des produits finis. L'EDI a été mis au point dans les années 1980 et requiert des investissements importants en matériel de programmation et de réseautage. Depuis quelque temps dans l'internet, ce système a un nouveau concurrent dont les services sont beaucoup moins coûteux — le langage XML (ou langage de balisage extensible, en anglais *Extensible Markup Language*), développé à partir du langage HTML (ou langage de balisage hypertexte, en anglais *Hypertext Markup Language*). Le langage HTML utilise des codes pour indiquer à un navigateur Web la façon d'afficher des renseignements sur un écran, mais l'ordinateur ne sait pas en quoi consiste cette information. Il se contente de l'afficher. Le langage XML fournit des étiquettes supplémentaires qui indiquent le type d'information échangée. Par exemple, des données sur les prix pourraient avoir le code <prix> 14,95 <prix>. Lorsque l'ordinateur lit cette donnée et voit l'étiquette <prix> de chaque côté de 14,95, il sait immédiatement qu'il s'agit d'un prix. Les étiquettes XML permettent de désigner de nombreux types de renseignements différents — des commandes de clients, des dossiers médicaux, des relevés bancaires, et ainsi de suite —, et indiquent à l'ordinateur la manière de les afficher, de les entreposer et de les récupérer. La société Office Depot a été l'une des premières entreprises à adopter le langage XML pour faciliter le commerce électronique avec ses principaux clients.

Une fois la commande reçue par EDI ou par l'internet sous la forme d'un fichier XML, l'ordinateur dresse une liste des matières premières nécessaires et envoie des bons de commande électroniques aux fournisseurs. Dès l'arrivée de ces matières à l'usine, un numériseur enregistre les codes à barres apposés par les fournisseurs pour mettre à jour les comptes de stock et déclenche l'opération de paiement des matières reçues. On numérise à nouveau les codes à barres lorsque la production présente un bon de sortie pour obtenir des matières. À ce stade, l'ordinateur porte au crédit du compte de stock de matières le montant et le type des marchandises demandées, et les porte au débit du compte de stock de produits en cours.

Un seul code à barres est attribué à chaque commande. Ce code est numérisé et assure la mise à jour des comptes de produits en cours, des coûts de la main-d'œuvre et des autres coûts engagés dans le processus de fabrication. Une fois les produits terminés, les codes à barres sont une fois de plus numérisés. Cette opération permet de transférer le coût de revient et la quantité de produits fabriqués du compte de stock de produits en cours au compte de stock de produits finis ou, si les produits sont prêts à être expédiés, au coût des ventes.

Les produits prêts pour l'expédition sont emballés, et placés dans des contenants sur lesquels on inscrit un code à barres portant des renseignements tels que le numéro du client, le type et la quantité de produits prêts pour l'expédition et le numéro de la commande. Ce code sert ensuite à la préparation de la facture et au suivi des marchandises emballées jusqu'à ce qu'elles se retrouvent entre les mains du transporteur chargé de les expédier au client. Certains clients demandent que les produits emballés comportent un code à barres et qu'ils soient accompagnés d'une étiquette indiquant le point de vente. Le détaillant peut ainsi assurer la mise à jour de ses dossiers d'inventaire, vérifier les prix et remettre un reçu au client.

Bref, les entreprises sont en train d'intégrer la technologie des codes à barres à tous leurs champs d'activité. Combinée à l'EDI ou au langage XML, cette technologie élimine une grande partie du travail de bureau fastidieux, et permet aux entreprises de saisir et d'échanger davantage de données ainsi que d'analyser et de communiquer ces renseignements beaucoup plus rapidement et de façon plus complète, tout en commettant moins d'erreurs qu'avec les systèmes manuels.

L'installation du langage XML et d'un système informatisé interne pour faciliter la production des rapports de gestion porte le nom de *système de gestion intégré* (mieux connu sous le nom de *système ERP*). Ce système informatique en temps réel utilise une seule base de données uniforme combinée à des modules de comptabilité, de logistique et de ressources humaines. Une pleine exploitation de ces modules permet d'obtenir des réponses intégrées en langage XML pour les commandes par l'internet, les achats auprès des fournisseurs, la gestion des stocks, la production, les ventes et les comptes clients, la gestion de la trésorerie et celle des immobilisations. Parmi les principaux fournisseurs de systèmes ERP, mentionnons Oracle, SAP et JD Edwards[5]. D'autres entreprises fournissent des logiciels certifiés qui sont compatibles avec ces systèmes. La figure 3.11 donne des exemples des menus globaux du progiciel SAP.

Sur le plan opérationnel, ces systèmes fournissent des outils capables de régler diverses situations en matière de comptabilité financière et de fiscalité, et ce, dans le langage approprié. Le système peut effectuer une combinaison de ces différents types de rapports et possède des capacités de « forage » qui permettent l'analyse plus détaillée de situations particulières.

Lorsqu'on décide d'installer de tels systèmes, il est essentiel d'en choisir un qui comporte toutes les caractéristiques requises et de faire appel à un personnel qui a reçu la formation appropriée. La configuration de ces systèmes pour les adapter aux besoins de secteurs particuliers se fait au moment de l'installation du logiciel. Par exemple, SAP, le chef de file mondial en matière de logiciels de ce type, offre des configurations qui répondent aux besoins de secteurs comme la défense, le vêtement, l'automobile, la construction, les produits chimiques et l'enseignement, pour ne nommer que ceux-là.

---

5. Les sites internet de ces entreprises fournissent des renseignements sur chacun de leurs produits et services : <www.oracle.com> et <www.sap.com/canada>.

FIGURE 3.11 **Des exemples de menus du progiciel SAP**

Combinés à des technologies accessibles par l'internet et à un système expert d'aide à la prise de décisions, les systèmes ERP constituent la technologie la plus utilisée en ce moment par les sociétés d'avant-garde dans le domaine commercial, mais aussi dans d'autres domaines à but lucratif ou non lucratif. Évidemment, il faut que la taille de l'entreprise soit suffisamment importante pour justifier le recours aux vastes systèmes présentés ici, mais il existe des logiciels pour petites entreprises capables d'effectuer des activités similaires de façon simplifiée[6].

Résumé

En général, l'entreprise veillera au suivi de ses coûts grâce à un système de coûts de revient par commande et à un système de coûts de revient en fabrication uniforme et continue. L'organisation utilise le coût de revient par commande quand elle offre de nombreux produits et services différents. Tel est le cas des fabricants de meubles, des hôpitaux et des cabinets d'avocats. L'entreprise recourt à un système de coûts de revient en fabrication uniforme et continue quand les unités de produit sont homogènes, comme dans la meunerie et la fabrication de ciment.

Dans un système de coûts de revient par commande, les bons de sortie de matières et les bons de travail permettent d'attribuer aux produits les coûts des matières premières et de la

---

6. Pour des renseignements supplémentaires sur les systèmes ERP, voir Gerald TRITES, *Enterprise Resource Planning*, Toronto, The Canadian Institute of Chartered Accountants, 2000, 162 p., ainsi que F. Robert JACOBS et D. Clay WHYBACK, *Why ERP? A Primer on SAP Implementation*, New York, McGraw-Hill/Irwin, 2000, 144 p.

main-d'œuvre directe. On utilise un taux d'imputation prédéterminé des frais indirects de fabrication pour imputer les frais indirects de fabrication aux produits. On détermine ce taux avant le début de la période en divisant les frais indirects de fabrication prévus pour la période par le volume prévu d'unités d'œuvre selon la base de répartition choisie. Les bases de répartition les plus courantes sont les heures de main-d'œuvre directe et les heures-machines. On impute les frais indirects de fabrication aux produits en multipliant le taux d'imputation préétabli des frais indirects de fabrication par le volume réel d'unités d'œuvre selon la base de répartition choisie.

Puisque le taux prédéterminé des frais indirects de fabrication repose sur des prévisions, les frais indirects réels engagés au cours d'une période peuvent être supérieurs ou inférieurs aux frais indirects imputés à la production. Il s'agit de la sous-imputation ou de la surimputation des frais indirects de fabrication. Les frais indirects sous-imputés ou surimputés pendant une période peuvent servir à ajuster le coût des ventes, être répartis entre les produits en cours, les produits finis et le coût des ventes, ou être reportés à la période suivante. Quand les frais indirects sont sous-imputés, les frais indirects de fabrication ont été sous-évalués, et les stocks ou le coût des ventes doivent être ajustés à la hausse. Quand les frais indirects sont surimputés, les frais indirects de fabrication ont été surévalués, et les stocks ou le coût des ventes doivent être ajustés à la baisse.

Activités d'apprentissage

Problème de révision

Le système de coûts de revient par commande

Hogle est une entreprise de fabrication qui utilise un système de coûts de revient par commande. Voici les soldes de certains comptes de l'entreprise au 1er janvier, date de début de la période.

Matières	20 000 $
Produits en cours	15 000
Produits finis	30 000

Les frais indirects de fabrication sont imputés aux produits sur la base des heures-machines travaillées. Pour la période financière en cours, l'entreprise compte effectuer 75 000 heures-machines et engager des frais indirects de fabrication de 450 000 $. Voici les opérations enregistrées au cours de la période financière.

a) L'entreprise a acquis à crédit des matières au coût de 410 000 $.

b) Le coût des matières nécessaires à la production s'élève à 380 000 $ et se répartit comme suit : matières premières, 360 000 $, et matières indirectes, 20 000 $.

c) Les coûts de la main-d'œuvre directe, de la main-d'œuvre indirecte, des commissions sur les ventes et des salaires du personnel de l'administration s'élèvent respectivement à 75 000 $, 110 000 $, 90 000 $ et 200 000 $.

d) Les déplacements ont coûté 17 000 $.

e) Les coûts des services dans l'usine s'élèvent à 43 000 $.

f) La publicité a coûté 180 000 $.

g) L'amortissement pour la période est de 350 000 $, dont 80 % se rapporte aux activités d'exploitation de l'usine, et 20 % aux activités de vente et aux activités administratives.

h) L'entreprise dispose d'une assurance payée d'avance acquise au coût de 10 000 $, dont 70 % couvre les activités de l'usine, le reste couvrant les activités de vente et administratives.

i) Les frais indirects de fabrication ont été imputés à la production. La demande se révélant plus importante que prévu, l'entreprise a utilisé 80 000 heures-machines au cours de la période.

j) Le coût de fabrication des produits achevés au cours de la période s'élève à 900 000 $ selon les fiches de coût de revient.

k) Au cours de la période, des produits ont été vendus à crédit au prix de 1,5 million de dollars. Le coût de fabrication de ces produits s'élève à 870 000 $, selon les fiches de coût de revient.

Travail à faire

1. Préparez les écritures de journal pour enregistrer les opérations précédentes.
2. Reportez les écritures de la question précédente dans des comptes en T. N'oubliez pas d'inscrire les soldes d'ouverture dans les comptes de stock.

►

▶ 3. Les frais indirects de fabrication de la période sont-ils sous-imputés ou surimputés? Préparez une écriture de journal pour reporter tout solde du compte de frais indirects de fabrication au coût des ventes. Ne ventilez pas le solde entre les stocks de clôture et le coût des ventes.

4. Préparez un état des résultats de la période, et un état du coût des produits fabriqués et du coût des ventes.

Solution au problème de révision

1.

a) Matières	410 000	
Comptes fournisseurs		410 000
b) Produits en cours	360 000	
Frais indirects de fabrication	20 000	
Matières		380 000
c) Produits en cours	75 000	
Frais indirects de fabrication	110 000	
Commissions sur les ventes	90 000	
Salaires du personnel de l'administration	200 000	
Salaires et avantages à payer		475 000
d) Déplacements	17 000	
Comptes fournisseurs		17 000
e) Frais indirects de fabrication	43 000	
Comptes fournisseurs		43 000
f) Publicité	180 000	
Comptes fournisseurs		180 000
g) Frais indirects de fabrication	280 000	
Amortissement	70 000	
Amortissement cumulé		350 000
h) Frais indirects de fabrication	7 000	
Assurance	3 000	
Assurance payée d'avance		10 000

i) Le taux d'imputation prédéterminé des frais indirects de fabrication de la période devrait être calculé comme suit:

$$\frac{\text{Frais indirects de fabrication prévus, 450 000 \$}}{\text{Nombre d'heures-machines prévu, 75 000}} = 6 \text{ \$ par heure-machine}$$

En se basant sur les 80 000 heures-machines réellement effectuées pendant l'année, l'entreprise imputera des frais indirects de fabrication de 480 000 \$ à la production, soit 80 000 heures-machines × 6 \$ = 480 000 \$. Voici l'écriture à passer pour enregistrer cette opération.

Produits en cours	480 000	
Frais indirects de fabrication		480 000
j) Produits finis	900 000	
Produits en cours		900 000
k) Comptes clients	1 500 000	
Ventes		1 500 000
Coût des ventes	870 000	
Produits finis		870 000

2.

Comptes clients

k)	1 500 000		

Assurance payée d'avance

		h)	10 000

Matières

Solde	20 000	b)	380 000
a)	410 000		
Solde	50 000		

Produits en cours

Solde	15 000	j)	900 000
b)	360 000		
c)	75 000		
i)	480 000		
Solde	30 000		

Produits finis

Solde	30 000	k)	870 000
j)	900 000		
Solde	60 000		

Frais indirects de fabrication

b)	20 000	i)	480 000
c)	110 000		
e)	43 000		
g)	280 000		
h)	7 000		
	460 000		480 000
		Solde	20 000

Amortissement cumulé

		g)	350 000

Comptes fournisseurs

		a)	410 000
		d)	17 000
		e)	43 000
		f)	180 000

Salaires et avantages à payer

		c)	475 000

Ventes

		k)	1 500 000

Coût des ventes

k)	870 000		

Commissions sur les ventes

c)	90 000		

Salaires du personnel de l'administration

c)	200 000		

Déplacements

d)	17 000		

Publicité

f)	180 000		

Amortissement

g)	70 000		

Assurance

h)	3 000		

3. Les frais indirects de fabrication sont surimputés pour la période. L'écriture de journal requise pour reporter cette surimputation au coût des ventes est la suivante :

Frais indirects de fabrication...	20 000	
Coût des ventes		20 000

▶

► 4.

HOGLE
État des résultats de la période terminée le 31 décembre

Chiffre d'affaires		1 500 000 $
Moins : Coût des ventes (870 000 $ − 20 000 $)		850 000
Marge brute		650 000
Moins : Coûts commerciaux et charges administratives :		
Commissions sur les ventes	90 000 $	
Salaires du personnel de l'administration	200 000	
Déplacements	17 000	
Publicité	180 000	
Amortissement	70 000	
Assurance	3 000	560 000
Bénéfice		90 000 $

HOGLE
État du coût des produits fabriqués et sommaire du coût des ventes

Matières premières :		
Matières au 1er janvier	20 000 $	
Plus : Achat de matières	410 000	
Total des matières disponibles	430 000	
Moins : Matières au 31 décembre	50 000	
Matières utilisées pour la production	380 000	
Moins : Matières indirectes	20 000	
Matières premières utilisées pour la production		360 000 $
Main-d'œuvre directe		75 000
Frais indirects de fabrication :		
Matières indirectes	20 000	
Main-d'œuvre indirecte	110 000	
Services	43 000	
Amortissement	280 000	
Assurances	7 000	
Frais indirects de fabrication réels	460 000	
Plus : Surimputation	20 000	
Frais indirects de fabrication imputés		480 000*
Total des coûts de fabrication		915 000
Plus : Produits en cours au début		15 000
		930 000
Moins : Produits en cours à la fin		30 000
Coût des produits fabriqués		900 000
Plus : Produits finis au 1er janvier		30 000
Produits destinés à la vente		930 000
Moins : Produits finis au 31 décembre		60 000
Coût des ventes avant retraitement		870 000
Moins : Surimputation		20 000
Coût des ventes		850 000 $

* On peut laisser de côté les précisions concernant les frais indirects de fabrication comme le montre le tableau 3.3 (*p. 111*). Si l'on en tient compte, comme dans ce problème de révision, il faut additionner les frais indirects surimputés aux frais indirects réels ; seul le total (480 000 $) est ajouté aux coûts des matières premières et de la main-d'œuvre directe. En effet, l'état du coût des produits fabriqués constitue un résumé des coûts qui passent dans le compte de stock de produits en cours pendant une période donnée et, par conséquent, il doit comprendre les frais indirects imputés à la production. Dans le cas contraire, c'est-à-dire si l'on avait sous-imputé les frais indirects au cours de la période en question, il aurait fallu déduire le montant de ces coûts de celui des frais indirects réels dans l'état du coût des produits fabriqués. Il en aurait découlé une réduction des frais indirects réels au montant déjà imputé à la production.

Questions

Q1 Pourquoi n'attribue-t-on pas les frais indirects de fabrication réels aux produits de la même manière que l'on attribue les coûts des matières premières et de la main-d'œuvre directe aux produits ?

Q2 Dans quel contexte utilise-t-on un système de coûts de revient par commande de préférence à un système de coûts de revient en fabrication uniforme et continue ?

Q3 Quelle est l'utilité de la fiche de coût de revient dans un système de coûts de revient par commande ?

Q4 En quoi consiste un taux d'imputation prédéterminé des frais indirects de fabrication ? Comment le calcule-t-on ?

Q5 Expliquez le rôle du bon de commande, de l'ordre de travail, du bon de sortie de matières et du bon de travail dans la production et l'établissement du coût des produits.

Q6 Pourquoi doit-on utiliser une méthode d'imputation pour attribuer certains coûts de fabrication aux produits ? Donnez quelques exemples de ce type de coûts. Ces coûts sont-ils directs ou indirects ?

Q7 Pourquoi les entreprises font-elles appel à des taux d'imputation prédéterminés des frais indirects de fabrication plutôt qu'aux frais indirects de fabrication réels pour imputer les frais indirects de fabrication aux produits ?

Q8 De quels facteurs doit-on tenir compte au moment de choisir une base d'activité qui servira à calculer le taux d'imputation prédéterminé des frais indirects de fabrication ?

Q9 Quand une entreprise impute tous ses frais indirects de fabrication aux commandes, est-elle assurée de générer des bénéfices pour la période concernée ?

Q10 Quel compte crédite-t-on quand on impute les frais indirects de fabrication aux produits en cours de fabrication ? Le montant imputé à la période concernée sera-t-il égal aux frais indirects de fabrication réels de cette période ? Justifiez votre réponse.

Q11 En quoi consistent les frais indirects de fabrication sous-imputés ? les frais indirects de fabrication surimputés ? Comment disposer de ces montants en fin de période ?

Q12 Pourquoi les frais indirects de fabrication peuvent-ils être sous-imputés pour une période donnée ? Illustrez votre réponse à l'aide de deux exemples.

Q13 Comment présente-t-on les frais indirects de fabrication sous-imputés à l'état du coût des ventes ?

Q14 La société Sigma impute ses frais indirects de fabrication aux produits en cours de fabrication en se basant sur le coût de la main-d'œuvre directe. La fiche de coût de revient de la commande A, dont la fabrication a commencé et s'est terminée durant la période courante, indique des coûts de 5 000 $ pour les matières premières, de 8 000 $ pour la main-d'œuvre directe et de 6 000 $ pour les frais indirects de fabrication. La commande B, qui est toujours en cours de fabrication à la fin de la période, indique des coûts de 2 500 $ pour les matières premières et de 4 000 $ pour la main-d'œuvre directe. Des frais indirects de fabrication devront-ils être ajoutés à la commande B à la fin de la période ? Justifiez votre réponse.

Q15 Une entreprise impute ses frais indirects de fabrication aux commandes terminées en se basant sur un taux de 125 % des coûts de la main-d'œuvre directe. Selon la fiche de coût de revient de la commande n° 313, le coût des matières premières et le coût de la main-d'œuvre directe s'élèvent respectivement à 10 000 $ et à 12 000 $. Quel serait le coût unitaire d'une commande de 1 000 unités ?

Q16 En quoi consiste un taux d'imputation des frais indirects de fabrication unique ? Pourquoi certaines entreprises utilisent-elles des taux d'imputation des frais indirects multiples plutôt qu'un taux unique ?

Q17 Qu'advient-il des taux d'imputation des frais indirects de fabrication basés sur les heures de main-d'œuvre directe quand la main-d'œuvre directe fait place à de l'outillage automatisé ?

Q18 Les taux d'imputation des frais indirects de fabrication prédéterminés permettent d'uniformiser les coûts des produits. Êtes-vous d'accord avec cet énoncé ? Pourquoi ?

Q19 Expliquez pourquoi l'on devrait porter à l'état de la situation financière les frais indirects de fabrication sous-imputés et surimputés pour une période intermédiaire. Sur quel concept cet argument repose-t-il ?

Q20 Pourquoi le calcul des pourcentages partageant les frais indirects de fabrication sous-imputés et surimputés a-t-il pour effet de réduire ou d'augmenter le coût des ventes ? Qu'arriverait-il si l'on ne procédait pas à une telle déduction ou augmentation ?

Exercices

E1 La fabrication uniforme et continue, et la fabrication sur commande

Pour chacune des situations ci-après, quel système serait le plus approprié pour établir le coût de revient d'un produit : un système de coûts de revient par commande, ou un système de coûts de revient en fabrication uniforme et continue ?

a) Une usine de fabrication de colle de la société Lepage.
b) Un éditeur de manuels scolaires tel que Chenelière Éducation.
c) Une raffinerie de pétrole Esso.
d) Une unité de production de jus d'orange congelé Minute Maid.
e) Une usine de papiers Cascades.
f) Un constructeur de maisons personnalisées.
g) Un atelier spécialisé dans la personnalisation des fourgonnettes.
h) Un fabricant de produits chimiques spéciaux.
i) Un atelier de réparation d'automobiles.
j) Une usine de fabrication de pneus Michelin.
k) Une agence de publicité.
l) Un cabinet d'avocats.

E2 La variation du taux d'imputation prédéterminé des frais indirects de fabrication

Située aux Bahamas, Kingsport ltée se spécialise dans la fabrication de tonneaux d'acier de 200 litres. La demande de ses tonneaux est l'objet de grandes variations. Les tonneaux étanches en acier inoxydable qu'elle fabrique servent à l'entreposage de liquides et de matières en vrac, et d'instruments de musique improvisés. Ces tonneaux sont fabriqués sur demande et peints selon les spécifications du client, souvent avec des motifs et des dessins aux couleurs vives. L'entreprise est bien connue pour les illustrations figurant sur ses tonneaux. Elle calcule ses coûts unitaires sur une base trimestrielle en divisant ses coûts de fabrication de chaque trimestre (matières, main-d'œuvre directe et frais indirects) par la production d'unités du trimestre. Voici les coûts prévus par l'entreprise, par trimestre.

	Trimestre			
	Premier	Deuxième	Troisième	Quatrième
Matières premières...........................	240 000 $	120 000 $	60 000 $	180 000 $
Main-d'œuvre directe........................	128 000	64 000	32 000	96 000
Frais indirects de fabrication...............	300 000	220 000	180 000	260 000
Total des coûts de production	668 000 $	404 000 $	272 000 $	536 000 $
Nombre d'unités à produire	80 000	40 000	20 000	60 000
Coût unitaire prévu............................	8,35 $	10,10 $	13,60 $	8,93 $

La direction de l'entreprise est déroutée par la variation des coûts unitaires. Elle a supposé que les frais indirects de fabrication étaient à l'origine du problème, ces frais constituant l'élément de coût le plus important. On vous a demandé de trouver un moyen plus approprié d'imputer les frais indirects de fabrication aux unités produites. Après analyse, vous avez déterminé que les frais indirects de l'entreprise sont en général fixes et qu'ils sont donc très peu sensibles au niveau de production.

Travail à faire

1. L'entreprise utilise un système de coûts de revient par commande. Que lui recommanderiez-vous pour que les frais indirects de fabrication soient imputés à la production? Formulez des recommandations précises et présentez tous vos calculs.

2. Calculez de nouveau les coûts unitaires de l'entreprise, cette fois à l'aide des recommandations que vous avez formulées à la question précédente.

E3 Des pièces justificatives pour le coût de revient par commande

La société Montbarre a engagé les coûts ci-après pour la commande ES34 de 40 engrenages qui doivent être livrés à la fin du prochain mois.

a) Matières premières :
- 5 mars : réquisition nº 870 portant sur 40 flans de titane nécessaires pour exécuter la commande spéciale; coût des flans : 8,00 $ l'unité.
- 8 mars : réquisition nº 873 portant sur 960 pointes renforcées devant servir à l'exécution de la commande spéciale; coût des pointes : 0,60 $ l'unité.

b) Main-d'œuvre directe :
- 9 mars : Henri Ken a travaillé de 9 h à 12 h 15 sur la commande ES34. Il est payé 12 $ l'heure.
- 21 mars : Mariette Rose a travaillé de 14 h 15 à 16 h 30 sur la commande ES34. Son salaire est de 14 $ l'heure.

Travail à faire

1. Dans quels documents ces coûts devraient-ils être enregistrés?
2. Quels coûts auraient dû être enregistrés dans chacun des documents pour la commande ES34?

E4 La préparation des écritures de journal

Une l'entreprise utilise un système de coûts de revient par commande. Les données ci-après se rapportent au mois d'octobre, premier mois de la période financière annuelle de la société.

a) Le coût des matières achetées à crédit s'élève à 210 000 $.

b) Le coût des matières attribuable à la production s'élève à 190 000 $ et se répartit comme suit : matières premières, 178 000 $, et matières indirectes, 12 000 $.

c) Les coûts de la main-d'œuvre directe et de la main-d'œuvre indirecte s'élèvent respectivement à 90 000 $ et à 110 000 $.

d) L'amortissement du matériel de l'usine s'établit à 40 000 $.

e) Au mois d'octobre, l'entreprise a engagé à crédit d'autres frais indirects de fabrication qui s'élèvent à 70 000 $.

f) L'entreprise impute des frais indirects de fabrication à la production sur la base de 8 $ par heure-machine; 30 000 heures-machines ont été enregistrées au mois d'octobre.

g) Selon les fiches de coût de revient, des commandes totalisant 520 000 $ ont été achevées au mois d'octobre et transférées au poste des produits finis.

h) Selon certaines fiches de coût de revient, des commandes dont le coût de production s'élève à 480 000 $ ont été expédiées aux clients durant le mois. Les produits ont tous été vendus à crédit. Le prix de vente était de 25 % supérieur au coût de revient.

Travail à faire

1. Préparez les écritures de journal requises pour enregistrer les opérations précédentes.
2. Préparez les comptes en T des frais indirects de fabrication et des produits en cours. Inscrivez l'information pertinente donnée précédemment dans chaque compte. Calculez le solde de clôture de chaque compte, en tenant pour acquis que le solde d'ouverture du compte de stock de produits en cours est de 42 000 $.

E5 Les frais indirects de fabrication imputés et le coût des produits fabriqués

Les renseignements ci-après se rapportent aux activités de production de la société Chang pour la période qui vient de se terminer.

Frais indirects de fabrication engagés :	
Matières indirectes	15 000 $
Main-d'œuvre indirecte	130 000
Impôt foncier de l'usine	8 000
Services de l'usine	70 000
Amortissement de l'usine	240 000
Assurance de l'usine	10 000
Total des coûts réels engagés	473 000 $
Autres coûts engagés :	
Achat de matières premières et indirectes	400 000 $
Main-d'œuvre directe	60 000
Stocks :	
Matières au début	20 000
Matières à la fin	30 000
Produits en cours au début	40 000
Produits en cours à la fin	70 000

L'entreprise utilise un taux d'imputation prédéterminé des frais indirects de fabrication. Ces frais sont imputés à la production. Le taux de la période était de 25 $ par heure-machine. L'entreprise a enregistré un total de 19 400 heures-machines. Le coût des ventes de la période s'élève à 870 000 $.

Travail à faire

1. Calculez les frais indirects de fabrication sous-imputés ou surimputés de la période.
2. Préparez un état du coût des produits fabriqués pour la période qui vient de se terminer.
3. Répartissez les frais indirects de fabrication sous-imputés ou surimputés dans les trois comptes.

E6 Les frais indirects de fabrication, les écritures de journal, et la fermeture de la sous-imputation ou de la surimputation

Les renseignements ci-après proviennent des comptes de la société Latta. Les écritures des comptes en T résument les opérations effectuées au cours de la période.

Frais indirects de fabrication

a)	460 000	b)	390 000
Solde	70 000		

Produits en cours

Solde	5 000	c)	710 000
	260 000		
	85 000		
b)	390 000		
Solde	30 000		

Produits finis

Solde	50 000	d)	640 000
c)	710 000		
Solde	120 000		

Coût des ventes

d)	640 000

Les frais indirects de fabrication imputés aux produits en cours pendant la période sont distribués comme suit :

Produits en cours à la fin	19 500 $
Produits finis	58 500
Coût des ventes..	312 000
Frais indirects de fabrication imputés	390 000 $

Par exemple, du solde de clôture de 30 000 $ du compte de stock de produits en cours, 19 500 $ sont des frais indirects de fabrication imputés au cours de la période.

Travail à faire

1. Justifiez les écritures a) à d).
2. Supposez que l'entreprise transfère directement tout solde du compte de frais indirects de fabrication au compte du coût des ventes. Préparez l'écriture de journal nécessaire.
3. Supposez maintenant que l'entreprise répartit tout solde du compte des frais indirects de fabrication proportionnellement aux frais indirects imputés à leur solde de clôture. Préparez l'écriture de journal nécessaire et les calculs justificatifs.

E7 Les taux d'imputation prédéterminés multiples

La compagnie Vulcain inc. dispose d'un service de coupe et de finition. Elle utilise un système de coûts de revient par commande et elle calcule un taux d'imputation prédéterminé des frais indirects de fabrication pour chaque service. Le service de coupe base son taux sur les heures-machines, et le service de finition, sur le coût de la main-d'œuvre directe. Au début de la période, la société a établi les prévisions suivantes :

	Service	
	Coupe	Finition
Heures de main-d'œuvre directe	6 000	30 000
Heures-machines..	48 000	5 000
Frais indirects de fabrication......................................	360 000 $	486 000 $
Main-d'œuvre directe..	50 000 $	270 000 $

Travail à faire

1. Calculez le taux d'imputation prédéterminé des frais indirects de fabrication de chaque service.
2. Tenez pour acquis que les taux d'imputation prédéterminés des frais indirects de fabrication que vous avez calculés à la question précédente sont en vigueur. La fiche de coût de revient du produit n° 203, que l'on a commencé et achevé au cours de la période, contient les renseignements suivants :

	Service	
	Coupe	Finition
Heures de main-d'œuvre directe.................................	6	20
Heures-machines	80	4
Frais indirects de fabrication......................................	500 $	310 $
Main-d'œuvre directe..	70 $	150 $

Calculez les frais indirects de fabrication imputés au produit n° 203.

▶ 3. À votre avis, les frais indirects de fabrication imputés aux produits seraient-ils en substance différents si l'entreprise optait pour un taux d'imputation des frais indirects unique basé sur le coût de la main-d'œuvre directe plutôt que pour un taux différent pour chaque service ? Justifiez votre réponse. Aucun calcul n'est nécessaire.

E8 Les frais indirects de fabrication, les comptes en T et les écritures de journal

La société Harrison est une entreprise manufacturière. Elle utilise un système de coûts de revient par commande. Les frais indirects de fabrication sont imputés aux produits sur la base des heures-machines. Au début de la période, la direction a estimé que l'entreprise engagerait des frais indirects de fabrication de 192 000 $ et que 80 000 heures-machines seraient nécessaires.

Travail à faire

1. Calculez le taux d'imputation prédéterminé des frais indirects de fabrication de l'entreprise.

2. Supposez que, au cours de la période, seulement 75 000 heures-machines ont été nécessaires. Voici les coûts liés aux frais indirects de fabrication et aux produits en cours.

Frais indirects de fabrication			Produits en cours		
Entretien	21 000	?	Matières premières	710 000	
Matières indirectes	8 000		Main-d'œuvre directe	90 000	
Main-d'œuvre indirecte	60 000		Frais indirects de fabrication	?	
Services publics	32 000				
Assurance	7 000				
Amortissement	56 000				

Reprenez les données des comptes en T précédents sur votre feuille de réponses. Calculez les frais indirects de fabrication à imputer aux produits en cours pour la période et inscrivez-les dans les comptes en T.

3. Établissez si les frais indirects sont sous-imputés ou surimputés pour la période, et préparez l'écriture de fermeture du solde du compte de frais indirects de fabrication dans le compte du coût des ventes.

4. Expliquez pourquoi les frais indirects de fabrication sont sous-imputés ou surimputés.

E9 Les frais indirects de fabrication sous-imputés et surimputés

La société Créteuil utilise un taux prédéterminé d'imputation des frais indirects de fabrication de 21,40 $ par heure de main-d'œuvre directe. Ce taux est basé sur une estimation de 8 000 heures de main-d'œuvre directe et d'un total de 171 200 $ de frais indirects de fabrication.

Au total, l'entreprise a engagé des frais indirects de fabrication réels de 172 500 $ et a enregistré 8 250 heures de main-d'œuvre directe pour cette période.

Travail à faire

1. Déterminez le montant des frais indirects de fabrication sous-imputés ou surimputés pour cette période.

2. En supposant que le montant total des frais indirects de fabrication sous-imputés ou surimputés est fermé dans le compte « Coût des ventes », quel sera l'effet de ces frais indirects de fabrication sur la marge brute de l'entreprise pour cette période ?

E10 Les frais indirects de fabrication, les écritures de journal et les comptes en T

La société Dillon inc. fabrique une gamme de pièces détachées qu'elle usine selon les spécifications du client. L'entreprise recourt à un système de coûts de revient par commande et impute les frais indirects de fabrication aux produits sur la base des heures-machines. Au début de la période, on a estimé que 240 000 heures-machines seraient nécessaires et que les frais indirects de fabrication s'établiraient à 4,8 millions de dollars.

L'entreprise a consacré le mois de janvier à la fabrication de la commande n° 382 de 16 000 pièces usinées sur mesure, ne disposant au départ d'aucun produit en cours. Voici les coûts engagés au cours de ce mois.

a) Le coût des matières achetées à crédit s'élève à 325 000 $.

b) Le coût des matières premières nécessaires à la production s'établit à 290 000 $ et se répartit comme suit : matières premières, 80 %, et matières indirectes, 20 %.

c) Le coût de main-d'œuvre de l'usine s'établit à 180 000 $, soit un tiers sous forme de main-d'œuvre directe, et deux tiers sous forme de main-d'œuvre indirecte.

d) L'amortissement du matériel de l'usine s'établit à 75 000 $.

e) L'entreprise a engagé d'autres frais indirects de fabrication qui s'élèvent à 62 000 $.

f) Au cours du mois, les frais indirects de fabrication ont été imputés à la production sur la base de 15 000 heures-machines réellement effectuées.

g) Les produits achevés ont été transférés dans le magasin des produits finis le 31 janvier, avant d'être livrés au client. (En préparant cette écriture de journal, rappelez-vous que le coût d'un produit achevé se compose des matières premières, de la main-d'œuvre directe et des frais indirects de fabrication *imputés*.)

Travail à faire

1. Préparez les écritures de journal pour enregistrer les opérations a) à f).

2. Préparez les comptes en T pour les frais indirects de fabrication et les produits en cours. Reportez-y vos écritures de journal.

3. Préparez une écriture de journal pour l'opération effectuée en g).

4. Calculez le coût unitaire qui figurera sur la fiche de coût de revient de la commande n° 382.

E11 L'imputation des frais indirects dans une entreprise de service

La société d'architectes-conseils Lee a commencé ses activités le 2 janvier. Au cours du premier mois d'exploitation, on a enregistré les opérations ci-après au compte des produits en cours.

Produits en cours			
Coût du travail en sous-traitance	230 000	Projets achevés	390 000
Main-d'œuvre directe	75 000		
Frais indirects de création	120 000		

La société d'architectes-conseils Lee est une entreprise de service. De ce fait, les intitulés de ses comptes sont différents de ceux des entreprises manufacturières. Les coûts du travail en sous-traitance s'apparentent à ceux des matières premières ; il en est de même des frais indirects de création et des frais indirects de fabrication ; enfin, les projets achevés ont quelque analogie avec les produits finis. Mis à part le fait que les termes sont différents, les méthodes de comptabilité de la société sont identiques à celles utilisées par les entreprises manufacturières.

La société d'architectes-conseils Lee utilise un système de coûts de revient par commande. Elle impute les frais indirects de création aux projets en cours sur la base des coûts de main-d'œuvre directe. À la fin du mois de janvier, un seul projet était toujours en cours. La société avait imputé au projet des Jardins Lexington des coûts de main-d'œuvre directe de 6 500 $.

Travail à faire

1. Calculez le taux d'imputation prédéterminé des frais indirects utilisé au cours du mois de janvier.

▶ 2. Remplissez la fiche de coût de revient relative au projet des Jardins Lexington.

FICHE DE COÛT DE REVIENT
Projet des Jardins Lexington au 31 janvier

Coût du travail en sous-traitance..	? $
Main-d'œuvre directe..	?
Frais indirects de création..	?
Coût total au 31 janvier	? $

E12 Des écritures de journal et des comptes en T

La société Faubert utilise un système de coûts de revient par commande. Les données ci-après concernent le mois d'octobre, le premier mois de sa période financière annuelle.

a) Matières achetées à crédit : 210 000 $.

b) Matières premières envoyées à la production : 190 000 $ (80 % en coût des matières premières, et 20 % en fournitures).

c) Coût de la main-d'œuvre directe engagé : 49 000 $, et coût de la main-d'œuvre indirecte engagé : 21 000 $.

d) Amortissement pour le matériel de l'usine : 105 000 $.

e) Autres frais indirects de fabrication engagés au cours du mois d'octobre : 130 000 $ (portés au crédit des comptes fournisseurs).

f) L'entreprise impute des frais indirects de fabrication au taux de 4 $ par heure-machine. On a enregistré un total de 75 000 heures-machines pour le mois d'octobre.

g) Au cours du mois d'octobre, des bons de travail dont les coûts totalisaient 510 000 $ selon leur fiche de coût de revient ont été exécutés, et les produits ont été transférés au compte de stock de produits finis.

h) Pendant ce mois, on a expédié aux clients des marchandises qui avaient coûté 450 000 $ à produire selon les fiches de coût de revient. Les marchandises ont été vendues à crédit à 50 % de plus que le coût de revient.

Travail à faire

1. Préparez les écritures de journal permettant d'enregistrer les renseignements fournis ci-dessus.

2. Préparez des comptes en T concernant les frais indirects de fabrication et les produits en cours. Reportez les renseignements pertinents ci-dessus dans chaque compte. Calculez le solde final de chaque compte en supposant que le compte de stock de produits en cours a un solde d'ouverture de 35 000 $.

E13 Les frais indirects de fabrication dans une entreprise de service et les écritures de journal

La société Vista recourt à un système de coûts de revient par commande pour déterminer les coûts de ses projets. L'entreprise offre des services de conception de jardins et d'aménagement paysager. Le tableau ci-après contient des renseignements au sujet de trois projets d'aménagement paysager qui étaient en cours au mois d'avril. Notez qu'il n'y avait aucun projet en cours au début du mois.

	Projet		
	Tulipes	Roses	Lys
Nombre d'heures consacrées à la conception.............	120	100	90
Matières premières..	4 500 $	3 700 $	1 400 $
Main-d'œuvre directe...	9 600 $	8 000 $	7 200 $

Les frais indirects réels s'élevaient à 30 000 $ au mois d'avril. Les frais indirects sont imputés aux projets sur la base des heures consacrées à la conception puisque la plus grande partie des frais indirects est relative aux coûts de conception des jardins. Le taux d'imputation prédéterminé des frais indirects est de 90 $ par heure consacrée à la conception. Les projets Tulipes et Roses ont été terminés en avril. De son côté, le projet Lys n'était toujours pas terminé à la fin du mois.

Travail à faire

1. Calculez les frais indirects imputés à chaque projet au cours du mois d'avril.
2. Préparez l'écriture de journal requise pour l'achèvement des projets Tulipes et Roses.
3. Quel est le solde du compte des projets en cours à la fin du mois ?
4. Quel est le solde du compte des frais indirects à la fin du mois ? Comment appelle-t-on ce solde ?

Problèmes

P1 Les écritures de journal, les comptes en T et l'état des résultats

La société Almeda inc. recourt à un système de coûts de revient par commande. Le 1er avril marque le début de sa période financière annuelle. Voici les soldes des stocks de l'entreprise à cette date.

Matières	32 000 $
Produits en cours	20 000
Produits finis	48 000

Voici les opérations qui ont eu lieu au cours de la période.

a) L'entreprise a acquis des matières à crédit au coût de 170 000 $.

b) Des matières entreposées au magasin ont été acheminées à la production. Le coût de ces matières totalise 180 000 $, et il se répartit comme suit : matières premières, 80 %, et matières indirectes, 20 %.

c) Les salaires des employés étaient les suivants : main-d'œuvre directe, 200 000 $, main-d'œuvre indirecte, 82 000 $, et salaires du personnel de vente et de l'administration, 90 000 $.

d) Les coûts des services publics engagés par l'usine ont totalisé 65 000 $.

e) Les coûts de publicité s'élèvent à 100 000 $.

f) L'assurance payée d'avance, acquise au coût de 20 000 $, a pris fin au cours de la période ; 90 % de l'assurance couvrait les activités de l'usine ; le reste couvrait les activités liées aux ventes et à l'administration.

g) L'amortissement s'établit à 180 000 $ et se répartit comme suit : immobilisations de l'usine, 85 %, et immobilisations liées aux ventes et à l'administration, 15 %.

h) Les frais indirects de fabrication ont été imputés aux produits au taux de 175 % du coût de la main-d'œuvre directe.

i) Le coût de fabrication des produits s'élève à 700 000 $, selon leur fiche de coût de revient. Ils ont tous été transférés à l'entrepôt des produits finis.

j) Les ventes à crédit de la période s'élèvent à un million de dollars. Selon les fiches de coût de revient, le coût de fabrication de ces produits s'élève à 720 000 $.

Travail à faire

1. Préparez les écritures de journal requises pour enregistrer les opérations de la période.
2. Préparez les comptes en T pour les matières premières, les produits en cours, les produits finis, les frais indirects de fabrication et le coût des ventes, et reportez-y vos ►

▶ écritures de journal. Déterminez le solde de clôture de chaque compte. (N'oubliez pas de faire figurer les soldes d'ouverture aux comptes de stock.)

3. Les frais indirects de fabrication sont-ils sous-imputés ou surimputés ? Préparez une écriture de journal pour transférer ce solde au compte du coût des ventes.

4. Préparez l'état des résultats de la période. (Pour ce faire, ne préparez pas d'état du coût des produits fabriqués, l'information requise se trouvant dans les écritures de journal et les comptes en T que vous avez préparés.)

P2 Les comptes en T et l'état des résultats

Voici la balance de vérification de la société Hudson au 1er janvier, date d'ouverture de sa période financière annuelle.

Caisse	7 000 $	
Comptes clients	18 000	
Matières	9 000	
Produits en cours	20 000	
Produits finis	32 000	
Assurance payée d'avance	4 000	
Immobilisations corporelles	210 000	
Amortissement cumulé – Immobilisations corporelles		53 000 $
Comptes fournisseurs		38 000
Capital social...		160 000
Résultats non distribués....................................		49 000
	300 000 $	300 000 $

Hudson est une entreprise manufacturière qui utilise un système de coûts de revient par commande. Voici les opérations qui ont eu lieu au cours de la période.

a) Le coût des matières achetées à crédit s'élève à 40 000 $.

b) Le coût des matières ayant servi à la production totalise 38 000 $ et se répartit comme suit : matières premières, 85 %, et matières indirectes, 15 %.

c) Le coût des services publics est de 19 100 $.

d) L'amortissement des immobilisations corporelles s'élève à 36 000 $ et se répartit comme suit : équipement de l'usine, 75 %, équipement du service des ventes et du service de l'administration, 25 %.

e) Les coûts de publicité totalisent 48 000 $.

f) Voici le coût de la main-d'œuvre.

Main-d'œuvre directe..	45 000 $
Main-d'œuvre indirecte	10 000
Salaires du personnel de l'administration	30 000

g) L'assurance payée d'avance, acquise au coût de 3 000 $, a pris fin au cours de la période ; 80 % de l'assurance couvre les activités de l'usine, et 20 %, les activités de vente et d'administration.

h) Les coûts commerciaux et les charges administratives s'élèvent à 9 500 $.

i) Les frais indirects de fabrication ont été imputés à la production sur la base de 8 $ par heure-machine ; 7 500 heures-machines ont été enregistrées au cours de la période.

j) Selon leur fiche de coût de revient, des produits dont le coût de fabrication s'élevait à 140 000 $ ont été transférés à l'entrepôt des produits finis.

k) Les ventes de la période ont totalisé 250 000 $, et elles étaient toutes à crédit. Le coût de fabrication de ces produits a totalisé 130 000 $, selon leur fiche de coût de revient.

l) Les sommes provenant des clients s'élèvent à 245 000 $.

m) Les acomptes versés aux fournisseurs s'élèvent à 150 000 $. Le total des salaires est de 84 000 $.

3

Travail à faire

1. Préparez un compte en T pour chaque compte de la balance de vérification et notez y chaque solde d'ouverture.
2. Inscrivez les opérations précédentes directement dans les comptes en T. Préparez de nouveaux comptes en T, le cas échéant. Enregistrez toutes les opérations précédentes. Déterminez le solde de clôture de chaque compte.
3. Les frais indirects de fabrication sont-ils sous-imputés ou surimputés ? Préparez les écritures nécessaires dans les comptes en T appropriés pour enregistrer tout solde de clôture des frais indirects de fabrication au coût des ventes.
4. Préparez l'état des résultats de la période. (Pour ce faire, ne préparez pas d'état du coût des produits fabriqués, l'information requise se trouvant dans les comptes en T que vous avez préparés.)

P3 Les taux des frais indirects et le coût de revient par unité

La société Poterie du désert fabrique divers produits en terre cuite qu'elle vend à des détaillants tels que RONA. L'entreprise utilise un système de coûts de revient par commande dans lequel elle se sert de taux d'imputation prédéterminés pour imputer les frais indirects de fabrication aux produits. Le taux d'imputation prédéterminé des frais indirects de fabrication du service de moulage est basé sur les heures-machines ; celui du service de peinture est basé sur le coût de la main-d'œuvre directe. La direction de la société a fait les prévisions ci-après au début de la période.

	Service	
	Moulage	Peinture
Heures de main-d'œuvre directe	12 000	60 000
Heures-machines	70 000	8 000
Coût des matières premières	510 000 $	650 000 $
Coût de la main-d'œuvre directe	130 000 $	420 000 $
Frais indirects de fabrication	602 000 $	735 000 $

L'entreprise a commencé à exécuter la commande n° 205 le 1er août pour la terminer le 10 août. Les livres comptables contenaient les renseignements ci-après au sujet de cette commande.

	Service	
	Moulage	Peinture
Heures de main-d'œuvre directe	30	85
Heures-machines	110	20
Matières premières mises en production	470 $	332 $
Coût de la main-d'œuvre directe	290 $	680 $

Travail à faire

1. Calculez le taux d'imputation prédéterminé des frais indirects de fabrication utilisé au cours de la période pour ce qui est du service de moulage et du service de peinture.
2. Calculez les frais indirects de fabrication imputés à la commande n° 205.
3. Quel serait le coût total de la commande n° 205 ? Si la commande comptait 50 unités, quel serait le coût unitaire ?

► 4. À la fin de la période, les livres de Poterie du désert contenaient les renseignements ci-après au sujet des commandes exécutées.

	Service	
	Moulage	Peinture
Heures de main-d'œuvre directe	10 000	62 000
Heures-machines	65 000	9 000
Coût des matières premières	430 000 $	680 000 $
Coût de la main-d'œuvre directe	108 000 $	436 000 $
Frais indirects de fabrication	570 000 $	750 000 $

À la fin de la période, les frais indirects de fabrication de chaque service étaient-ils sous-imputés ou surimputés ? de combien ?

P4 L'état du coût des produits fabriqués et l'analyse des frais indirects de fabrication

La société Gitano recourt à un système de coûts de revient par commande. Les frais indirects de fabrication sont imputés aux produits sur la base des matières premières *utilisées*, et non sur la base des matières premières achetées. Lors du calcul du taux d'imputation prédéterminé des frais indirects de fabrication, lequel a été fait au début de la période, la société a prévu des frais indirects de fabrication de 800 000 $, tandis que le coût des matières premières devant être utilisées pour la production s'élevait à 500 000 $. Voici les comptes de stock de la société au début et à la fin de la période.

	Au début	À la fin
Matières	20 000 $	80 000 $
Produits en cours	150 000	70 000
Produits finis	260 000	400 000

Les coûts réels engagés au cours de la période sont les suivants :

Achat de matières (uniquement des matières premières)	510 000 $
Main-d'œuvre directe	90 000
Frais indirects de fabrication :	
Main-d'œuvre indirecte	170 000
Impôt foncier	48 000
Amortissement du matériel	260 000
Entretien	95 000
Assurance	7 000
Loyer	180 000

Travail à faire

1. a) Calculez le taux d'imputation prédéterminé des frais indirects de fabrication de la période.
   b) Calculez les frais indirects de fabrication sous-imputés ou surimputés de la période.
2. Préparez l'état du coût des produits fabriqués pour la période.
3. Calculez le coût des ventes au cours de la période. (N'incluez pas les frais indirects de fabrication sous-imputés ou surimputés dans vos calculs.) Quelles possibilités s'offrent à vous pour présenter les frais indirects sous-imputés ou surimputés ?
4. L'entreprise a commencé et terminé la commande n° 215 au cours de la période. Supposez maintenant que les coûts des matières premières et de la main-d'œuvre directe s'élèvent respectivement à 8 500 $ et à 2 700 $, et que le prix des produits vendus est de 25 % supérieur au coût de fabrication. Dans ce contexte, quel sera le prix de la commande n° 215 ?

5. Le coût des matières premières représentait 24 000 $ des 70 000 $ du solde de clôture des produits en cours. Déterminez le coût de la main-d'œuvre directe et les frais indirects de fabrication ci-dessous :

Matières premières	24 000 $
Main-d'œuvre directe	?
Frais indirects de fabrication	?
Produits en cours	70 000 $

P5 Les écritures de journal dans un système de coûts de revient par commande, les comptes en T et l'état des résultats

Spécialités vidéo inc. exploite un petit studio de production dans lequel elle produit des films publicitaires pour la télévision et d'autres types de films. L'entreprise utilise un système de coûts de revient par commande pour accumuler les coûts de chaque film. Voici la balance de vérification de la société au 1er mai, date de début de sa période financière annuelle.

Caisse	60 000 $	
Comptes clients	210 000	
Matières et fournitures	130 000	
Films en cours	75 000	
Films terminés	860 000	
Assurance payée d'avance	90 000	
Studio et équipement	5 200 000	
Amortissement cumulé – Studio et équipement		1 990 000 $
Comptes fournisseurs		700 000
Salaires à payer...		35 000
Capital social..		2 500 000
Résultats non distribués.................................		1 400 000
	6 625 000 $	6 625 000 $

Spécialités vidéo inc. utilise un compte de frais indirects de fabrication pour y enregistrer les transactions relatives aux frais indirects. Les frais indirects sont imputés aux films sur la base des heures-caméras. Elle estime les frais indirects de fabrication à 1 350 000 $ et les heures-caméras à 15 000. Les opérations ci-après ont été réalisées au cours de la période.

a) Les matières et fournitures achetées à crédit ont totalisé 690 000 $.

b) Le coût des matières et des fournitures utilisées pour la production de différents films s'élève à 700 000 $. Le coût se répartit comme suit : 80 % des matières et des fournitures étaient directement liées aux films, et 20 %, indirectement.

c) Les coûts des services publics engagés par le studio de production totalisaient 90 000 $.

d) Les salaires des employés ont été répartis comme suit :

Comédiens, réalisateurs et équipe de tournage..	1 300 000 $
Main-d'œuvre indirecte...	230 000
Personnel du marketing et de l'administration	650 000

e) La publicité a coûté 800 000 $.

f) L'assurance payée d'avance, acquise au coût de 70 000 $, a pris fin au cours de la période. De ce montant, 60 000 $ se rapportaient à l'exploitation du studio de production ; les 10 000 $ restants se rapportaient aux activités de marketing et d'administration.

▶ g) L'amortissement de la période s'établit à 650 000 $ et se répartit comme suit : amortissement du studio de production, des caméras et du matériel de production, 80 %, amortissement des installations servant aux activités de marketing et d'administration, 20 %.

h) Les coûts de location des différentes pièces d'équipement et des installations servant à la production de films ont totalisé 360 000 $; les coûts de location de l'équipement servant aux activités de marketing et aux activités d'administration ont été de 40 000 $.

i) Les frais indirects de fabrication ont été imputés aux films produits durant la période. L'entreprise a enregistré 16 500 heures-caméras.

j) Le coût de production des films achevés au cours de la période s'est chiffré à 3,4 millions de dollars, selon leur fiche de coût de revient. Ces films ont été transférés dans la section des films terminés dans l'attente d'être livrés aux clients.

k) Les ventes de films de la période, toutes à crédit, se sont élevées à six millions de dollars. Leur coût de production s'établissait à quatre millions de dollars, selon leur fiche de coût de revient.

l) Les encaissements au cours de la période ont totalisé 5,4 millions de dollars.

m) Au cours de la période, les paiements au comptant de la société s'élevaient à 4,7 millions de dollars, soit 2,5 millions aux créanciers et 2,2 millions de dollars sous forme de salaires.

Travail à faire

1. Rédigez les écritures de journal pour enregistrer les opérations de la période.

2. Préparez un compte en T pour chaque compte de la balance de vérification et inscrivez chaque solde d'ouverture. Reportez-y vos écritures. Préparez de nouveaux comptes en T, le cas échéant. Déterminez le solde de clôture de chaque compte.

3. Les frais indirects de fabrication de la période sont-ils sous-imputés ou surimputés ? Préparez l'écriture de journal nécessaire pour enregistrer le solde de clôture des frais indirects de fabrication au coût des films vendus.

4. Dressez l'état des résultats de la période.

P6 Les comptes en T, les taux d'imputation des frais indirects de fabrication et les écritures de journal

La société AOZT se spécialise dans la fabrication des moteurs de navires, des remorqueurs de port aux brise-glaces en eau libre, et utilise un système de coûts de revient par commande. Les commandes n°s 208, 209 et 210 étaient toujours en cours en mai et juin. L'entreprise a achevé la commande n° 208 le 20 juin, alors qu'elle n'avait toujours pas terminé les deux autres le 30 juin. Voici les fiches de coût de revient relatives aux trois commandes. Tous les montants sont en milliers de dollars.

	Fiche de coût de revient		
	Commande n° 208	Commande n° 209	Commande n° 210
Coûts engagés au mois de mai* :			
Matières premières..........................	9 500 $	5 100 $	–
Main-d'œuvre directe.........................	8 000	3 000	–
Frais indirects de fabrication...............	11 200	4 200	–
Coûts engagés au mois de juin :			
Matières premières..........................	–	6 000	7 200 $
Main-d'œuvre directe.........................	4 000	7 500	8 500
Frais indirects de fabrication...............	?	?	?

* Les commandes n°s 208 et 209 ont été commencées en mai.

Voici quelques renseignements supplémentaires.

a) Les frais indirects de fabrication sont imputés aux produits sur la base du coût de la main-d'œuvre directe.

b) Les soldes des comptes de stock au 31 mai étaient les suivants :

Matières	30 000 $
Produits en cours	?
Produits finis	50 000

Travail à faire

1. Préparez des comptes en T pour les matières, les produits finis et les frais indirects de fabrication. Inscrivez les soldes au 31 mai donnés précédemment ; dans le cas des produits en cours, calculez le solde au 31 mai et inscrivez-le dans le compte en T des produits en cours.

2. Préparez les écritures de journal du mois de juin comme suit :
   a) Préparez une écriture pour enregistrer l'utilisation des matières et reportez-la aux comptes en T appropriés. (Il n'est pas nécessaire de préparer une écriture distincte pour chaque produit.) Le coût des matières indirectes du mois de mai totalisait 3 600 $.
   b) Préparez une écriture pour enregistrer les coûts de la main-d'œuvre et reportez-la aux comptes en T appropriés. (Il n'est pas nécessaire de préparer une écriture distincte pour chaque produit.) Le coût de la main-d'œuvre indirecte du mois de juin totalisait 7 000 $.
   c) Préparez une écriture pour enregistrer un montant de 19 400 $; il s'agit de divers frais indirects de fabrication réels engagés au mois de juin. Créditez les comptes fournisseurs et reportez cette écriture aux comptes en T appropriés.

3. Quel taux d'imputation prédéterminé des frais indirects de fabrication la société utilise-t-elle pour imputer les frais indirects aux commandes ? À l'aide de ce taux, préparez une écriture de journal pour enregistrer l'imputation des frais indirects de fabrication aux commandes du mois de juin. (Il n'est pas nécessaire de préparer une écriture distincte pour chaque produit.) Reportez cette écriture aux comptes en T appropriés.

4. Comme nous l'avons indiqué précédemment, l'entreprise a achevé la commande nº 208 au mois de juin. Préparez une écriture de journal pour enregistrer le transfert de cette commande au magasin des produits finis. Reportez cette écriture aux comptes en T appropriés.

5. Déterminez le solde du compte de produits en cours au 30 juin. Quelle proportion de ce solde est attribuable à la commande nº 209 ? à la commande nº 210 ?

P7 Les services et les taux d'imputation des frais indirects

Hobart, Evans et Nix est un petit cabinet d'avocats comptant 10 associés et 12 collaborateurs. Le cabinet utilise un système de coûts de revient par commande pour déterminer les coûts à attribuer à chaque client. Le cabinet se compose d'un service de recherche et de documentation, et d'un service du contentieux. Le cabinet utilise des taux d'imputation prédéterminés des frais indirects pour facturer le coût de ces services. Voici les prévisions de la direction au début de la période.

	Service	
	Recherche et documentation	Contentieux
Heures de recherche	24 000	–
Heures directes de travail d'avocat	9 000	18 000
Formulaires juridiques et fournitures	16 000 $	5 000 $
Coûts directs de travail d'avocat	450 000 $	900 000 $
Frais indirects des services	840 000 $	360 000 $

► Le taux d'imputation prédéterminé des frais indirects du service de recherche et de documentation est basé sur les heures de recherche. Pour le service du contentieux, ce taux est basé sur le coût direct de travail d'avocat.

Les coûts imputés à chaque client se composent des fournitures et des formulaires juridiques utilisés, des coûts directs de travail d'avocat, et de frais indirects liés à chaque cas et découlant de chaque service.

Le cas n° 418-3 s'est échelonné du 23 février au 16 mai. Au cours de cette période, on a enregistré les coûts et les heures ci-dessous :

	Service	
	Recherche et documentation	Contentieux
Heures de recherche...	26	–
Heures directes de travail d'avocat	7	114
Formulaires juridiques et fournitures	80 $	40 $
Coûts directs de travail d'avocat	350 $	5 700 $

Travail à faire

1. Calculez le taux d'imputation prédéterminé des frais indirects du service de recherche et de documentation pour la période. Calculez aussi le taux du service du contentieux.

2. À l'aide des taux calculés à la question précédente, calculez les frais indirects imputés au cas n° 418-3.

3. Quel serait le coût total du cas n° 418-3 ? Présentez vos calculs par service et indiquez-en le total.

4. À la fin de la période, les livres du cabinet contenaient les renseignements ci-après concernant les cas traités pendant l'année.

	Service	
	Recherche et documentation	Contentieux
Heures de recherche...	26 000	–
Heures directes de travail d'avocat...............................	8 000	15 000
Formulaires juridiques et fournitures...........................	19 000 $	6 000 $
Coûts directs de travail d'avocat	400 000 $	750 000 $
Frais indirects des services..	870 000 $	315 000 $

Déterminez les frais indirects sous-imputés ou surimputés de chaque service pour la période.

P8 Les taux d'imputation des frais indirects unique et multiples

« La barbe ! dit David Wilson, président de la société Teledex. Nous venons de perdre la soumission du projet Koopers pour seulement 2 000 $. Nos tarifs sont, semble-t-il, soit trop élevés pour obtenir les contrats, soit trop bas pour rentabiliser la moitié des contrats que nous soumissionnons. »

Teledex fabrique des produits selon les spécifications des clients et privilégie un système de coûts de revient par commande. Les frais indirects de fabrication de l'entreprise sont imputés aux commandes sur la base du coût de la main-d'œuvre directe. Les prévisions ci-après remontent au début de la période.

	Service			
	Fabrication	Usinage	Assemblage	Total
Main-d'œuvre directe........................	200 000 $	100 000 $	300 000 $	600 000 $
Frais indirects de fabrication..............	350 000	400 000	90 000	840 000

Les commandes nécessitent des volumes de travail différents au sein des trois services. La commande du client Koopers, par exemple, aurait nécessité les coûts de production suivants :

	Service			
	Fabrication	Usinage	Assemblage	Total
Matières premières..................................	3 000 $	200 $	1 400 $	4 600 $
Main-d'œuvre directe..............................	2 800	500	6 200	9 500
Frais indirects de fabrication..................	?	?	?	?

Travail à faire

1. Considérez que le taux d'imputation des frais indirects est unique.
   a) Calculez le taux d'imputation de la période en cours.
   b) Déterminez les frais indirects de fabrication imputés à la commande du client Koopers.
2. Supposez maintenant que l'entreprise utilise un taux d'imputation prédéterminé des frais indirects différent pour chaque service.
   a) Calculez le taux d'imputation de chaque service pour la période en cours.
   b) Déterminez les frais indirects de fabrication qui auraient été imputés à la commande du client Koopers.
3. Expliquez la différence entre les frais indirects de fabrication qui auraient été imputés à l'aide d'un taux unique et à l'aide d'un taux différent pour chaque service.
4. Supposez que la pratique de l'industrie consiste à soumissionner des travaux à 150 % du coût total de production (matières premières, main-d'œuvre directe et frais indirects imputés). Quel aurait été le prix proposé dans la soumission pour l'obtention de la commande du client Koopers dans le cas de l'utilisation d'un taux d'imputation unique ? Quel aurait été le prix de la soumission si la société avait utilisé des taux d'imputation prédéterminés des frais indirects pour chaque service ?
5. À la fin de la période, la société a regroupé les données relatives aux coûts *réels*. Ces coûts concernent les commandes exécutées au cours de la même période.

	Service			
	Fabrication	Usinage	Assemblage	Total
Matières premières..........................	190 000 $	16 000 $	114 000 $	320 000 $
Main-d'œuvre directe......................	210 000	108 000	262 000	580 000
Frais indirects de fabrication	360 000	420 000	84 000	864 000

Calculez les frais indirects sous-imputés ou surimputés de la période en supposant :
a) que l'entreprise utilise un taux d'imputation prédéterminé des frais indirects unique ;
b) que l'entreprise utilise des taux d'imputation des frais indirects pour chaque service.

P9 Les écritures de journal, les comptes en T, les états financiers et l'établissement des prix

Froya est une petite entreprise spécialisée dans la fabrication d'équipement lourd. L'équipement est utilisé dans les champs de pétrole de la mer du Nord. L'entreprise fait appel à un système de coûts de revient par commande et impute les frais indirects de fabrication aux commandes sur la base des heures de main-d'œuvre directe. Elle a utilisé les prévisions ci-après pour déterminer le taux d'imputation prédéterminé des frais indirects : frais indirects de fabrication, 360 000 $, et heures de main-d'œuvre directe, 900.

Les opérations ci-dessous ont eu lieu au cours de la période. (Notez que tous les achats et services ont été effectués à crédit.)

a) Achat de matières destinées à la production, 200 000 $.

b) Matières premières utilisées, 185 000 $.

c) Coût des services publics, 70 000 $ (90 % du coût est lié aux activités de l'usine ; le reste est associé aux activités de vente et d'administration).

d) Les salaires versés sont répartis comme suit :

Main-d'œuvre directe (975 heures)	230 000 $
Main-d'œuvre indirecte	90 000
Salaires liés aux activités de vente et d'administration	110 000

e) Coûts d'entretien de l'usine, 54 000 $.

f) Publicité, 136 000 $.

g) Amortissement annuel, 95 000 $ (80 % de l'amortissement est lié à l'équipement de l'usine ; le reste est associé au matériel de vente et d'administration).

h) Coûts de location des bâtiments, 120 000 $ (85 % des coûts sont liés aux activités de l'usine ; le reste est associé aux installations du service des ventes et de l'administration).

i) Frais indirects de fabrication imputés aux commandes, ? .

j) Coût annuel des produits fabriqués, 770 000 $.

k) Total des ventes de la période, entièrement à crédit, 1 200 000 $; selon leur fiche de coût de revient, le coût de fabrication de ces produits s'élève à 800 000 $.

Voici les soldes des comptes de stock au début de la période.

Matières	30 000 $
Produits en cours	21 000
Produits finis	60 000

Travail à faire

1. Préparez les écritures de journal requises pour enregistrer les opérations précédentes.

2. Reportez vos écritures dans les comptes en T. (N'oubliez pas d'inscrire les soldes des stocks d'ouverture.) Déterminez le solde de clôture des comptes de stock et du compte de frais indirects de fabrication.

3. Préparez un état du coût des produits fabriqués.

4. Rédigez une écriture de journal pour transférer tout solde de clôture du compte de frais indirects de fabrication au compte du coût des ventes. Préparez un sommaire du coût des ventes.

5. Dressez un état des résultats de la période.

6. L'entreprise a exécuté un grand nombre de commandes au cours de la période. Le coût des matières premières de la commande n° 412, par exemple, s'élevait à 8 000 $, et cette commande a nécessité 39 heures de main-d'œuvre directe, pour un total de 9 200 $. La commande ne comptait que quatre unités. Supposez que l'entreprise facture ses produits à un prix 60 % supérieur au coût unitaire figurant sur la fiche de coût de revient. Quel sera alors le prix par unité facturé au client ?

P10 L'analyse du cheminement des coûts à l'aide de comptes en T

Quelques comptes du grand livre de la société Rollet apparaissent ci-dessous pour la période qui vient de se terminer.

Matières premières			
Solde 01/01	30 000	Crédit	?
Débit	420 000		
Solde 31/12	60 000		

Frais indirects de fabrication			
Débit	385 000	Crédit	?

Produits en cours			
Solde 01/01	70 000	Crédit	810 000
Matières premières	320 000		
Main-d'œuvre directe	110 000		
Frais indirects de fabrication	400 000		
Solde 31/12	?		

Salaires à payer (usine)			
Débit	179 000	Solde 01/01	10 000
		Crédit	175 000
		Solde 31/12	6 000

Produits finis			
Solde 01/01	40 000	Crédit	?
Débit	?		
Solde 31/12	130 000		

Coût des ventes		
Débit	?	

Travail à faire

1. Quel est le coût des matières utilisées par la production au cours de cette période ?

2. Quelle portion du coût des matières dont il est question en 1) représente les matières indirectes ?

3. Quelle portion du coût de la main-d'œuvre de production de la période représente le coût de la main-d'œuvre indirecte ?

4. À combien s'élève le coût des produits fabriqués de la période ?

5. À combien s'élève le coût des ventes de la période (avant qu'on considère les frais indirects de fabrication sous-imputés ou surimputés) ?

6. Si l'on avait imputé des frais indirects de fabrication en fonction du coût des matières premières, quel aurait été le taux d'imputation pour la période ?

7. A-t-on sous-imputé ou surimputé les frais indirects de fabrication ? de combien ?

8. Calculez le solde de clôture du compte de stock de produits en cours. Supposez que ce solde correspond uniquement aux marchandises dont la fabrication a commencé au cours de la période. Si 32 000 $ de ce solde représentent le coût des matières premières, quel montant correspond au coût de la main-d'œuvre directe ? aux frais indirects de fabrication ?

P11 La disposition des frais indirects sous-imputés ou surimputés

Mobilart fabrique ses meubles à l'aide de la technologie automatisée la plus récente. L'entreprise recourt à un système de coûts de revient par commande et impute les frais indirects de fabrication aux meubles sur la base des heures-machines. Elle a utilisé les prévisions ci-après pour déterminer le taux d'imputation prédéterminé des frais indirects au début de la période.

Heures-machines..	75 000
Frais indirects de fabrication..	900 000 $

Au cours de la période, une saturation du marché du mobilier a contraint Mobilart à réduire sa production et à entreposer un grand nombre de meubles. Les livres comptables contenaient les renseignements suivants:

Heures-machines	60 000
Frais indirects de fabrication	850 000 $
Stocks de clôture:	
Matières	30 000 $
Produits en cours (y compris des frais indirects imputés de 36 000 $)............	100 000 $
Produits finis (y compris des frais indirects imputés de 180 000 $)	500 000 $
Coût des ventes (y compris des frais indirects imputés de 504 000 $)	1 400 000 $

Travail à faire

1. Calculez le taux d'imputation prédéterminé des frais indirects de fabrication de l'entreprise.
2. Calculez les frais indirects sous-imputés ou surimputés.
3. Supposez que l'entreprise ferme directement les frais indirects sous-imputés ou surimputés au compte du coût des ventes. Préparez l'écriture de journal appropriée.
4. Supposez que les frais indirects sous-imputés ou surimputés sont répartis entre les produits en cours, les produits finis et le coût des ventes en fonction des frais indirects imputés de chaque compte. Préparez l'écriture de journal requise pour enregistrer la répartition annuelle de ces frais.
5. En quoi le bénéfice sera-t-il différent si l'on répartit les frais indirects sous-imputés ou surimputés plutôt que de les fermer directement au coût des ventes?

P12 Les écritures à partir de comptes en T

La société Cheko inc. fabrique des produits selon les spécifications des clients et recourt à un système de coûts de revient par commande. Vous trouverez ci-après les comptes en T de la société couvrant les transactions de l'année se terminant le 31 décembre 20X9. Les frais indirects de fabrication sont imputés aux commandes sur la base du coût des matières premières. Notez que le traitement des frais indirects de fabrication réels et imputés se fait à l'aide d'un seul compte en T.

Travail à faire

1. Déterminez le taux d'imputation utilisé par la société Cheko inc.
2. Inscrivez, sous forme d'écritures de journal, toutes les opérations de l'année en vous fiant aux comptes en T précédents.
3. Déterminez le total de la surimputation ou de la sous-imputation.
4. Préparez un état du coût des produits fabriqués pour l'année 20X9.
5. Rédigez une écriture de journal pour enregistrer tout solde de clôture du compte «Frais indirects de fabrication» au coût des ventes.
6. Dressez un état des résultats de l'année 20X9 en détaillant le coût des ventes.

3

Caisse

Solde	35 000	970 000
	1 350 000	300 000
	115 000	

Comptes clients

Solde	127 000	1 350 000
	1 400 000	
	177 000	

Assurance payée d'avance

Solde	9 000	7 000
	2 000	

Matières

Solde	10 000	370 000*
	400 000	
	40 000	

Produits en cours

Solde	44 000	890 000
	320 000	
	76 000	
	480 000	
	30 000	

Produits finis

Solde	75 000	930 000
	890 000	
	35 000	

Immobilisations corporelles

Solde	400 000

Amortissement cumulé – Immobilisations corporelles

	110 000	Solde
	40 000	
	10 000	
	160 000	

Comptes fournisseurs

970 000	86 000	Solde
	400 000	
	81 000	
	43 000	
	70 000	
	9 000	
	200 000	
	120 000	
	39 000	

Salaires et avantages à payer

300 000	9 000	Solde
	76 000	
	130 000	
	110 000	
	25 000	

Capital social

	375 000	Solde

Résultats non distribués

	120 000	Solde

Ventes

	1 400 000

Coût des ventes

930 000	

Frais indirects de fabrication

50 000	480 000
130 000	
81 000	
7 000	
70 000	
9 000	
120 000	
40 000	
27 000	

Salaire personnel V/A

110 000	

Amortissement V/A

10 000	

Déplacements

43 000	

Publicité

200 000	

* Matières directes utilisées = 320 000 $

V/A : vente et administration

Cas

C1 L'éthique et le gestionnaire

Pierre Côté a récemment été muté au sein de la division des systèmes de sécurité domiciliaires de la société Nationale. Peu de temps après son entrée en fonction à titre de contrôleur de division, on lui a demandé de déterminer le taux d'imputation prédéterminé des frais indirects de fabrication de la division pour la période à venir. Le taux doit être précis, car il sera utilisé tout le long de la période, et les frais indirects sous-imputés ou surimputés ne sont fermés dans le coût des ventes qu'à la fin de la période. Les divisions de l'entreprise utilisent les heures de main-d'œuvre directe comme base de répartition des frais indirects de fabrication.

▶

▶ Pour calculer le taux d'imputation prédéterminé des frais indirects, M. Côté divise le total des frais indirects de fabrication prévus pour l'année à venir par le nombre d'heures de main-d'œuvre directe prévu par la directrice de la production pour la même période. M. Côté soumet ses calculs à M. Henri Irving, directeur général de la division des systèmes de sécurité à domicile. Il est très surpris lorsque M. Irving lui suggère de modifier la base de ses calculs. Voici la conversation qu'ils ont eue.

Pierre : Voici mes calculs concernant le taux d'imputation prédéterminé des frais indirects de fabrication pour la prochaine année. Si vous les approuviez, nous pourrions appliquer le taux dès le 1er janvier et implanter aussitôt le système de coûts de revient par commande.

Henri : Vos calculs me semblent bien, et je vous en remercie. J'aimerais cependant qu'ils soient légèrement modifiés. Le nombre d'heures de main-d'œuvre directe prévu pour la période s'élève à 440 000 heures. Pourquoi ne pas réduire ce nombre à 420 000 ?

Pierre : J'ai des doutes. La directrice de la production estime à 440 000 les heures de main-d'œuvre directe pour être en mesure de répondre aux prévisions de ventes de la période. Il y aura plus de 430 000 heures de main-d'œuvre directe pour la période qui se termine. De plus, on prévoit une augmentation du volume des ventes l'an prochain.

Henri : Je sais. Je souhaite néanmoins que l'on réduise le nombre d'heures de main-d'œuvre directe à 420 000 heures. Votre prédécesseur et moi avions convenu de réduire d'environ 5 % par an le nombre d'heures de main-d'œuvre directe. De cette manière, nous gardions une réserve qui avait pour effet d'engendrer une forte hausse du bénéfice à la fin de la période. C'était notre « prime de Noël ». Les membres de la direction étaient ravis que nous puissions accomplir un tel miracle à la fin de l'année. Pourquoi tout changer, alors ?

Travail à faire

1. Expliquez en quoi la réduction de 5 % des heures de main-d'œuvre directe servant de base au taux d'imputation prédéterminé des frais indirects de fabrication aura pour effet d'engendrer une forte hausse du bénéfice à la fin de la période financière.

2. Pierre Côté devrait-il réduire à 420 000 le nombre d'heures de main-d'œuvre directe pour calculer le taux d'imputation prédéterminé des frais indirects de fabrication, comme le lui a proposé le directeur général ?

C2 Des données incomplètes et une révision du cheminement des coûts

Luc Lapointe est contrôleur chez Bucolic inc. Pour dissimuler un détournement de fonds, il a placé une bombe dans la pièce où se situent les serveurs de l'entreprise et les copies de sécurité (électroniques et sur papier) des livres comptables. L'explosion qui a eu lieu n'a laissé que des fragments de l'exemplaire sur papier du grand livre de la société.

Matières premières		Frais indirects de fabrication	
Solde 01/06 8 000		Frais réels pour juin 79 000	
			Frais surimputés 6 100

Produits en cours		Comptes fournisseurs	
Solde 01/06 7 200			
			Solde 30/06 16 000

Produits finis		Coût des ventes	
Solde 30/06 21 000			

L'entreprise doit rétablir ses opérations du mois de juin pour que M. Lapointe soit traduit en justice. Vous avez été désigné pour réaliser cette tâche. Après avoir questionné certains membres du personnel et passé au crible les fragments carbonisés, vous avez obtenu les renseignements suivants :

a) Selon le trésorier, les comptes fournisseurs ne servent qu'aux achats de matières premières. L'état de la situation financière au 31 mai indique que le solde des comptes fournisseurs était de 20 000 $ au début du mois de juin. La banque vous a fourni des photocopies des chèques honorés au mois de juin. Les documents indiquent que les paiements faits aux fournisseurs pour ce mois totalisaient 119 000 $. (Tous les matériaux utilisés au cours de cette même période étaient des matières premières.)

b) Le directeur de la production a confirmé que les frais indirects de fabrication sont imputés aux produits sur la base des heures de main-d'œuvre directe. Il ne se souvient toutefois pas du taux retenu.

c) Les fiches de coût de revient conservées dans le bureau du directeur de la production confirment qu'une seule commande était en cours le 30 juin, soit au moment de l'explosion. Le coût des matières attribué à la commande était de 6 600 $; le coût de la main-d'œuvre directe avait été évalué à 500 heures, à raison de 18 $ l'heure.

d) Le livre comptable du magasin des produits finis tient compte du transfert de tous les produits depuis l'usine. Au mois de juin, le coût des produits transférés de l'usine au magasin des produits finis s'élevait à 390 000 $.

e) L'état de la situation financière au 31 mai indique que le stock des produits finis totalisait 36 000 $ au début du mois de juin.

f) Un morceau carbonisé du livre de paie révèle que 11 500 heures de main-d'œuvre directe ont été enregistrées en juin. En vertu de la convention collective, il n'existe aucune variation des taux des salaires entre les employés de l'usine.

g) Il n'y avait aucuns frais indirects de fabrication sous-imputés ou surimputés au compte de frais indirects de fabrication au 31 mai, selon le directeur de la production.

Travail à faire

1. Déterminez le taux d'imputation prédéterminé des frais indirects de fabrication.
2. Calculez l'achat des matières acquises au mois de juin.
3. Déterminez le stock de produits en cours au 30 juin.
4. Calculez les frais indirects de fabrication imputés aux produits en cours du mois de juin.
5. Déterminez le coût des matières utilisées au cours du mois de juin.
6. Calculez le stock de matières au 30 juin.
7. Déterminez le coût des ventes du mois de juin.

Indice : Mettez à jour les fragments des comptes en T jusqu'au 30 juin et reportez toutes les écritures de journal que vous pourrez préparer à partir des renseignements fournis.

C3 Une réflexion critique : l'interprétation des taux des frais indirects de fabrication

Sher Aérospatial inc. fabrique des pièces telles que des articulations de gouverne pour l'industrie aérospatiale. L'entreprise recourt à un système de coûts de revient par commande et à un taux d'imputation prédéterminé des frais indirects unique basé sur les heures de main-d'œuvre directe. Le 16 décembre 20X2, le contrôleur de la société a effectué une première estimation du taux d'imputation prédéterminé des frais indirects de fabrication pour l'année 20X3. Le nouveau taux était basé sur le coût total prévu des frais indirects de fabrication de 3 402 000 $ et sur le temps de travail prévu total de 63 000 heures de main-d'œuvre directe.

▶

$$\text{Taux d'imputation prédéterminé des frais indirects de fabrication} = \frac{3\,402\,000\,\$}{63\,000\,\text{heures}}$$

$$= 54\,\$ \text{ par heure de main-d'œuvre directe}$$

On a fait part aux dirigeants du nouveau taux d'imputation prédéterminé des frais indirects de fabrication au cours de la réunion du 19 décembre. Le taux n'a suscité aucun commentaire, se rapprochant beaucoup de celui de l'année 20X2. Pendant la réunion, le directeur de la production a proposé l'achat d'une fraiseuse automatisée de marque Sunchi. Henri Arcand, président de Sher Aérospatial inc., a accepté de rencontrer la représentante commerciale des Industries Sunchi pour discuter de la proposition du directeur de la production.

Le lendemain, M. Arcand a rencontré Jasmine Ménard, représentante commerciale des Industries Sunchi. La discussion s'est déroulée comme suit:

Henri: Notre directeur de la production m'a prié de vous rencontrer, car l'achat d'une fraiseuse automatisée l'intéresse au plus haut point. Je vous avouerai que je suis très sceptique à l'égard de cette idée. Vous devrez me démontrer qu'il ne s'agit pas simplement d'un nouveau jouet coûteux.

Jasmine: Il s'agit d'une machine exceptionnelle qui rapportera des avantages directs. Notre fraiseuse automatisée offre trois principaux avantages. D'abord, elle se révélera beaucoup plus rapide que les méthodes manuelles que vous employez. Elle peut traiter près de deux fois plus de pièces par heure que vos fraiseuses. Ensuite, elle s'avère beaucoup plus flexible. Il y a certes des coûts initiaux de programmation, après quoi presque aucune configuration particulière ne sera nécessaire pour la réalisation d'une opération courante. Il vous suffira alors de saisir le code de l'opération courante, de remplir la trémie avec la matière première, et la fraiseuse fera le reste.

Henri: Qu'en est-il du prix? Disposer de deux fois plus de capacité en fait de fraiseuse ne nous apportera pas grand-chose. De toute façon, le centre est inactif la plupart du temps.

Jasmine: J'y arrivais. Le troisième avantage de la fraiseuse automatisée est son coût de revient plus bas. Votre directeur de la production et moi avons jeté un coup d'œil sur les opérations actuelles. Nous estimons que la fraiseuse automatisée permettrait d'éliminer, sur une base annuelle, environ 6 000 heures de main-d'œuvre. Quel est le coût horaire de la main-d'œuvre directe?

Henri: Le salaire horaire moyen dans le secteur du fraisage est d'environ 32 $ l'heure. Les avantages sociaux le font augmenter à près de 41 $.

Jasmine: N'oubliez pas vos frais indirects de fabrication.

Henri: L'an prochain, le taux d'imputation des frais indirects de fabrication sera de 54 $ par heure.

Jasmine: Ainsi, en incluant les avantages sociaux et les frais indirects de fabrication, le coût par heure de la main-d'œuvre directe est d'environ 95 $.

Henri: C'est exact.

Jasmine: Puisque vous pouvez économiser 6 000 heures de main-d'œuvre directe par an, les économies sur la même base s'élèveraient à environ 570 000 $. Un contrat de location de 60 mois ne coûterait que 348 000 $ par an.

Henri: Cela tombe sous le sens. Quand pourriez-vous installer la fraiseuse?

Peu après la réunion, M. Arcand fait part de sa décision au contrôleur. Il lui dit aussi que le nouveau matériel sera installé pendant les vacances de Noël. La décision aura des répercussions sur les frais indirects de fabrication et sur le nombre d'heures de main-d'œuvre directe pour la période. Un nouveau calcul du taux d'imputation prédéterminé des frais indirects de fabrication pour l'année 20X3 sera donc nécessaire. Après avoir discuté avec le directeur de la production et la représentante commerciale des Industries Sunchi, le contrôleur constate que, en plus du coût de location annuel de 348 000 $, la nouvelle fraiseuse exigera l'embauche d'un technicien-programmeur qualifié au coût de 50 000 $

par an. Le rôle du nouvel employé consistera à entretenir et à programmer le matériel. Les deux coûts seront inclus dans les frais indirects de l'usine. Les frais indirects de fabrication totaux, qui sont presque entièrement fixes, ne subiront aucune autre modification. Le contrôleur suppose que le nouveau matériel permettra de réduire de 6 000 heures la main-d'œuvre directe pour la période par rapport au nombre d'heures prévu à l'origine.

Les dirigeants de la société ont été atterrés par le nouveau taux d'imputation prédéterminé des frais indirects de fabrication de l'année 20X3.

Travail à faire

1. Calculez le taux d'imputation en supposant que la nouvelle fraiseuse sera installée.
2. Le cas échéant, quel effet aurait ce nouveau taux sur le coût des produits pour lesquels on n'utilise pas la nouvelle fraiseuse automatisée ?
3. Pourquoi les gestionnaires seraient-ils préoccupés par le nouveau taux d'imputation prédéterminé des frais indirects de fabrication ?
4. Après avoir pris connaissance du nouveau taux d'imputation prédéterminé des frais indirects de fabrication, le directeur de la production a admis qu'il serait sans doute incapable d'éliminer les 6 000 heures de main-d'œuvre directe. Il comptait y parvenir en ne remplaçant pas les employés sur le point de prendre leur retraite ou de quitter l'entreprise, mais en vain. En conséquence, les économies réelles de main-d'œuvre seraient seulement d'environ 2 000 heures, soit l'équivalent d'un employé. Dans ce contexte, évaluez la décision initiale autorisant l'acquisition de la fraiseuse automatisée.

C4 Une analyse du cheminement des coûts et des stocks dans un système de coûts de revient par commande

Verdure ltée fabrique des fournitures pour jardin et pelouse. Elle recourt à un système de coûts de revient par commande, car les produits sont fabriqués par lots plutôt que sur une base continue. L'entreprise a commencé ses activités le 2 janvier 20X9. Voici l'ensemble des opérations pour les 11 premiers mois de la période (jusqu'au 30 novembre).

Matières		Frais indirects de fabrication	
Solde 36 000		2 260 000*	?
		Solde ?	

Produits en cours		Coût des ventes	
Solde 1 200 000		Solde 14 200 000	

Produits finis	
Solde 2 785 000	

* Ce montant représente les frais indirects de fabrication réels engagés jusqu'au 30 novembre 20X9.

Voici d'autres renseignements au sujet de l'entreprise.

a) Le stock de produits en cours au 30 novembre se composait de deux commandes.

Commande n°	Nombre d'unités	Article	Coût total au 30 novembre
1105...........................	50 000	Arroseur haut de gamme	700 000 $
1106...........................	40 000	Arroseur bas de gamme	500 000
			1 200 000 $

▶

► b) Le stock de produits finis au 30 novembre se composait des cinq articles suivants :

Article	Quantité et coût unitaire	Coût total
Arroseur haut de gamme.....	5 000 unités à 22 $ l'unité	110 000 $
Arroseur oscillant................	115 000 unités à 17 $ l'unité	1 955 000
Jet en laiton........................	10 000 lots de 12 douzaines à 14 $ le lot	140 000
Simulateur de pluie.............	5 000 lots de 12 douzaines à 16 $ le lot	80 000
Raccord.............................	100 000 lots de 12 douzaines à 5 $ le lot	500 000
		2 785 000 $

c) Les frais indirects de fabrication sont imputés aux produits sur la base des heures de main-d'œuvre directe. Pour l'année 20X9, la direction prévoit un nombre d'heures de main-d'œuvre de 400 000 heures et des frais indirects de fabrication de 2,4 millions de dollars.

d) Les 11 premiers mois de la période ont nécessité 367 000 heures de main-d'œuvre directe. Les lettres e) à j) regroupent les opérations du mois de décembre 20X9.

e) Au cours du mois, l'entreprise s'est portée acquéreur de matières au coût de 708 000 $.

f) Les matières ont été retirées des stocks et imputées comme suit :

Commande n°	Quantité et article	Matière facturée
1105..	*Voir page précédente*	210 000 $
1106..	*Voir page précédente*	6 000
1201..	30 000 lots de 12 douzaines de simulateurs de pluie	181 000
1202..	10 000 arroseurs oscillants	92 000
1203..	50 000 anneaux arroseurs	163 000
Matières indirectes	–	20 000
		672 000 $

g) Voici les salaires versés au mois de décembre.

Commande n°	Nombre d'heures de travail	Coût total
1105..	6 000	62 000 $
1106..	2 500	26 000
1201..	18 000	182 000
1202..	500	5 000
1203..	5 000	52 000
Main-d'œuvre indirecte....................................	8 000	84 000
Coûts commerciaux et charges administratives	–	120 000
....		531 000 $

h) Voici les autres coûts engagés dans l'usine au mois de décembre.

Amortissement	62 500 $
Services publics	15 000
Assurance...	1 000
Impôt foncier	3 500
Entretien	5 000
	87 000 $

i) Voici les commandes terminées et le nombre d'unités de produit transférées au magasin des produits finis au cours du mois de décembre.

Commande n°	Quantité	Article
1105..	48 000 unités	Arroseur haut de gamme
1106..	39 000 unités	Arroseur bas de gamme
1201..	29 500 lots	12 douzaines de simulateurs de pluie
1203..	49 000 unités	Anneau arroseur

j) En décembre, les produits finis ont été expédiés aux clients de la façon suivante :

Article	Quantité
Arroseur haut de gamme	16 000 unités
Arroseur oscillant	32 000 unités
Arroseur bas de gamme.......................................	20 000 unités
Anneau arroseur	22 000 unités
Jet en laiton..	5 000 lots de 12 douzaines
Simulateur de pluie	10 000 lots de 12 douzaines
Raccord	26 000 lots de 12 douzaines

Travail à faire

1. Déterminez les frais indirects de fabrication sous-imputés ou surimputés de l'année 20X9.

2. Quel est le traitement comptable approprié pour le solde des frais indirects sous-imputés ou surimputés ? Justifiez votre réponse.

3. Déterminez le solde du compte de stock de produits en cours au 31 décembre 20X9. Présentez tous vos calculs.

4. Pour les arroseurs haut de gamme seulement, déterminez le solde du compte de stock de produits finis au 31 décembre 20X9. Partez de l'hypothèse d'un épuisement successif des unités. Présentez tous vos calculs.

5. Combien d'unités de simulateurs de pluie ont été perdues ? Comment devrait-on traiter cette perte pour déterminer le coût de revient ?

(Adaptation substantielle d'un problème de la Société des comptables en management du Canada)

C5 Les systèmes de coûts de revient par commande

Carl ltée est une petite entreprise spécialisée dans la construction d'habitations et la rénovation de logements. Son système de coûts de revient par commande lui permet d'accéder à une foule de renseignements sur les coûts des commandes et de vérifier l'exactitude de ses soumissions.

Les renseignements ci-après se rapportent aux activités du mois de février de l'entreprise.

Caisse	1 000 $
Comptes clients	2 500
Matières	500
Travaux en cours (commande n° 507)...	1 500
Projets finis (commande n° 505)	400
Assurance payée d'avance	500
Biens immobiliers et équipement..	50 000
Amortissement cumulé – Biens immobiliers et équipement...............	(20 000)
Véhicule...	15 000
Amortissement cumulé – Véhicule	(3 500)
	47 900 $
Comptes fournisseurs	3 000 $
Emprunt bancaire..	22 500
Capital social..	2 500
Résultats non distribués..	19 900
	47 900 $

▶

► Voici les écritures qui ont permis d'enregistrer les opérations du mois de février.

a)	Matières	3 000	
	Comptes fournisseurs		3 000
b)	Travaux de construction terminés	3 250*	
	Matières		3 250

     * Projets :   n° 601   400 $
                   n° 602   350
                   n° 603   1 500
                   n° 604   1 000

c)	Travaux de construction terminés	3 250*	
	Caisse**		3 250

     *   Projets :   n° 507   150 $
                   n° 601   350
                   n° 602   1 000
                   n° 603   1 250
                   n° 604   500

     **   Les déductions et les charges sociales ont été omises par souci de simplicité.

d)	Frais indirects de fabrication – Supervision	1 000	
	Caisse		1 000
e)	Frais indirects de fabrication – Amortissement		
	des biens immobiliers et de l'équipement	1 000	
	Frais indirects de fabrication – Amortissement du véhicule	500	
	Amortissement cumulé – Biens immobiliers et équipement		1 000
	Amortissement cumulé – Véhicule		500
f)	Frais indirects de fabrication – Assurance	75	
	Assurance payée d'avance		75
g)	Frais indirects de fabrication – Entretien	250	
	Comptes fournisseurs		250
h)	Travaux de construction terminés	2 925*	
	Frais indirects de fabrication imputés		2 925

     * Projets :   n° 507   135 $
                   n° 601   315
                   n° 602   900
                   n° 603   1 125
                   n° 604   450

i)	Coûts de soumission	400	
	Caisse		400
j)	Salaires du personnel de l'administration	1 250	
	Caisse		1 250
k)	Comptes clients	11 850	
	Revenus de la construction		11 850*

     * Projets :   n° 505   1 000 $
                   n° 507   2 500
                   n° 601   1 250
                   n° 602   2 100
                   n° 603   5 000

l)	Caisse	11 500	
	Comptes clients		11 500
m)	Comptes fournisseurs	4 000	
	Caisse		4 000
n)	Intérêts débiteurs	250	
	Caisse		250
o)	Travaux de construction terminés	1 500*	
	Stock de travaux en cours		1 500

     * Projet :   n° 507   1 500 $

p)	Travaux de construction terminés	400*	
	Stock de projets finis		400

     * Projet :   n° 505   400 $

q)	Stock de travaux en cours	1 450*	
	Travaux de construction terminés		1 450

     * Projet :   n° 604   1 450 $

Travail à faire

1. Préparez l'état des résultats du mois de février et l'état de la situation financière au 28 février.
2. Calculez les coûts et les revenus générés par les projets n°s 507 et 602.

C6 **Les réductions des coûts et l'environnement**

Propet inc. est une entreprise de service. Elle a obtenu récemment le contrat d'entretien et de nettoyage de 42 écoles membres d'une commission scolaire de la ville de Québec. Le contrat, évalué à 10,3 millions de dollars, sera d'une durée de 5 ans et mettra à contribution 35 préposés à l'entretien et 104 préposés au nettoyage.

Comptable de Propet inc., Marie Dugal souhaite établir les coûts des services de nettoyage de chaque école importante afin de mettre en œuvre un programme de réduction des coûts conforme aux économies d'ensemble promises dans le contrat passé avec la commission scolaire. En comparant ces coûts dans le temps et en révisant les coûts liés aux activités d'entretien de chaque école, la direction croit être en mesure de réaliser les économies promises à la signature du contrat.

Voici les activités liées au nettoyage de deux écoles secondaires.

Nettoyage..	382,5 heures
Accessoires de nettoyage	310 $
Utilisation du matériel..	120 heures

Les frais indirects ci-après sont imputés aux travaux.
a) Matériel : coût, 56 000 $; durée de vie, 28 000 heures.
b) Administration centrale : 330 000 $; l'évaluation est basée sur 165 000 heures de main-d'œuvre.
c) Entreposage des articles de nettoyage : 100 000 $; le coût des articles est évalué à 90 000 $.

Travail à faire

1. Déterminez le coût du premier mois de nettoyage des deux écoles secondaires. Tenez pour acquis que le salaire horaire des préposés à l'entretien est de 13 $.
2. Au cours du deuxième mois, le total des heures de nettoyage était de 380 heures, le coût des fournitures se chiffrait à 225 $, et le matériel a été utilisé pendant 130 heures. Décrivez l'amélioration, le cas échéant, enregistrée au cours du deuxième mois d'activité.
3. Quelles préoccupations environnementales Propet inc. devrait-elle considérer comme faisant partie de ses activités de nettoyage ?

C7 **Le coût de revient d'un nouveau projet**

Anderson ltée est une agence de placement située à Oakville, en Ontario. Elle recherche et présélectionne des candidats pour le compte d'un grand nombre d'organisations de la région d'Oakville.

Anderson ltée s'est vu remettre récemment trois vidéocassettes de candidats présélectionnés de Tamisage inc., une entreprise montréalaise. Les vidéocassettes, au coût de 5 000 $ chacune, contiennent plusieurs scénarios destinés à évaluer les qualités et compétences des postulants. Anderson ltée est sur le point d'évaluer l'économie de coût générée par l'emploi des vidéocassettes par rapport aux méthodes d'évaluation utilisées jusqu'ici.

Anderson ltée a décroché un contrat de présélection de 25 candidats qui consiste à pourvoir 5 nouveaux postes de caissier au sein d'une société de fiducie locale. Voici les activités liées à la présélection.
a) Entrevue et compte rendu, 1,5 heure.
b) Coût du traitement et des avantages sociaux de l'enquêteur, 18,50 $ l'heure.

c) Frais indirects imputés au service, 35 $ par heure d'entrevue.
d) Durée de vie des vidéocassettes, 500 entrevues.
e) Matériel de présélection, 10 000 $; durée de vie, 500 entrevues.

Deux mois plus tôt, lors d'un projet semblable, l'entrevue et le compte rendu réalisés pour chaque candidat avaient nécessité six heures.

Travail à faire

1. Évaluez les économies de coût découlant de l'utilisation des vidéocassettes, le cas échéant.
2. De quelles considérations éthiques Anderson ltée devrait-elle tenir compte quand elle fait sa sélection à partir des vidéocassettes plutôt que des entrevues ?
3. Du point de vue de l'entreprise, de quelles considérations Anderson ltée devrait-elle tenir compte avant de recourir uniquement aux vidéocassettes ?

C8 Le coût de revient et les mesures incitatives

Auto Fix est un garage avec atelier de réparation qui est situé à Port Sydney, en Ontario. Cette entreprise est réputée pour la qualité de son service et l'efficacité de son personnel.

La propriétaire du garage, Hélène Boivin, envisage un nouveau système de coûts de revient par commande. Elle compte aussi offrir un nouveau système de primes au gérant du service d'entretien et de réparation.

Le salaire horaire des mécaniciens imputé aux clients est de 50 $. Le client doit aussi assumer le coût des pièces de remplacement. Le fournisseur, qui dispose d'un vaste stock de pièces, répond immédiatement à chaque demande.

Le salaire horaire des mécaniciens est de 16,50 $. Le coût de location des installations s'élève à 50 000 $ par an. Le gérant du service d'entretien et de réparation est responsable de toutes les évaluations. Il assure la supervision des mécaniciens, qu'il affecte à l'un des cinq postes de travail. L'amortissement annuel de l'équipement s'élève à 30 000 $.

Le salaire annuel du gérant du service d'entretien et de réparation est de 40 000 $. La proposition de Mme Boivin consiste à réduire le salaire du gérant à 35 000 $ et à lui verser l'équivalent de 2 % du tarif horaire imputé aux clients.

Mme Boivin compare les deux modes de rémunération à l'aide de l'exemple suivant :
a) Pièces de rechange, 128 $.
b) Heures de travail, 2,5.

Les frais indirects sont imputés à chaque réparation sur la base des heures de main-d'œuvre directe. Le nombre d'heures de main-d'œuvre prévu pour la période s'établit à 7 800.

Travail à faire

1. Comparez le coût des deux modes de rémunération.
2. De quels facteurs éthiques Mme Boivin devrait-elle tenir compte au moment de proposer le nouveau mode de rémunération au gérant du service d'entretien et de réparation ?

Recherche

R1 Une discussion avec un contrôleur

Pour connaître les entreprises manufacturières de votre région, consultez les Pages Jaunes ou communiquez avec votre chambre de commerce régionale. Prenez rendez-vous avec le contrôleur ou le directeur financier de l'une de ces entreprises.

Travail à faire

Posez les questions ci-après au contrôleur ou au directeur financier de l'entreprise de votre choix. Rédigez ensuite un bref rapport à propos des renseignements que vous aurez obtenus.

1. L'entreprise utilise-t-elle un système de coûts de revient par commande ? un système de coûts de revient en fabrication uniforme et continue ? une autre méthode de détermination des coûts du produit ?

2. Les frais indirects de fabrication sont-ils imputés aux produits ? de quelle façon ? Quel est le taux des frais indirects ? Quelle est la base de répartition ? L'entreprise calcule-t-elle plusieurs taux d'imputation des frais indirects ?

3. Les coûts du produit sont-ils utiles aux prises de décisions ? Si oui, en quoi ? En quoi ces décisions consistent-elles ?

4. En quoi les variations du volume de production et du volume des ventes ont-elles une incidence sur le résultat ?

5. L'entreprise utilise-t-elle un nouveau système de coûts depuis peu ? Sinon, compte-t-elle le changer ? Le cas échéant, pourquoi ? Selon la situation, quels changements l'entreprise a-t-elle réalisés ? Quels changements envisage-t-elle ?

R2 Le système de coûts de revient par commande par opposition au système de coûts de revient en fabrication uniforme et continue

Comme nous l'avons précisé au début du chapitre, SNC-Lavalin (<www.snc-lavalin.com>) et Bombardier (<www.bombardier.com>) fonctionnent sans doute avec le système de coûts de revient par commande dans la plupart de leurs secteurs d'activité. Pour mieux comprendre la nature de leurs activités, visitez leur site internet respectif.

Travail à faire

1. À l'aide de l'information trouvée dans les sites, expliquez pourquoi ces deux entreprises recourent vraisemblablement davantage au coût de revient par commande plutôt qu'au coût de revient en fabrication uniforme et continue dans la plupart de leurs secteurs d'activité.

2. Parcourez le site de KPMG (<www.kpmg.ca>). Pour ses prestations de service, l'entreprise utilise-t-elle vraisemblablement plus le coût de revient par commande ou le coût de revient en fabrication uniforme et continue ? Pourquoi ?

R3 Le coût de revient par commande et les risques

Les questions ci-après portent sur la société Groupe CGI, un important fournisseur de services en technologies de l'information et en gestion des processus d'affaires dont le siège social est situé à Montréal. Pour y répondre, rendez-vous sur le site internet de la société à l'adresse <www.cgi.com>, et recherchez dans les divers documents et rubriques des réponses aux questions.

Travail à faire

1. Quels sont les facteurs clés du succès de la société Groupe CGI ?

2. Déterminez les risques d'entreprise auxquels la société Groupe CGI est exposée et qui sont susceptibles de nuire à sa capacité de répondre aux attentes de ses actionnaires. Donnez quelques exemples de mesures de contrôle que l'entreprise pourrait appliquer pour réduire de tels risques.

3. Est-il plus probable que cette société emploie la méthode du coût de revient en fabrication uniforme et continue, ou celle du coût de revient par commande ? Pourquoi ?

4. Décrivez le type de coût de la main-d'œuvre directe que la société Groupe CGI engagerait pour la réalisation d'un mandat de gouvernance des technologies de l'information. Utiliserait-elle des feuilles de temps pour ses employés ? Pourquoi ?

5. Quels exemples pouvez-vous donner de coûts indirects engagés par la société Groupe CGI pour un mandat de gestion des processus d'affaires ?

6. Supposez que la société Groupe CGI s'est lancée dans plusieurs mandats de gestion des processus d'affaires. Suggérez une ou des façons possibles d'imputer les coûts indirects associés à ces mandats.

LA CONCEPTION DE SYSTÈMES : LE SYSTÈME DE COÛTS DE REVIENT EN FABRICATION UNIFORME ET CONTINUE

Regard sur une entreprise

Le coût du soda mousse

À l'aide d'une vieille recette de famille, Marianne Tremblay a mis sur pied une entreprise de production de soda mousse. Au début, l'entreprise a connu des difficultés, mais, à mesure que son chiffre d'affaires augmentait, elle s'est mise à croître rapidement. Mme Tremblay s'est bientôt rendu compte qu'elle devrait emprunter de l'argent pour que cette croissance se poursuive. En effet, l'investissement en équipement supplémentaire se révélait trop important pour qu'elle puisse le financer à même les liquidités de l'entreprise. Malheureusement, peu de banques acceptent d'accorder des prêts à des entreprises aussi petites. Mme Tremblay en a finalement trouvé une qui consentirait à examiner son cas, à condition qu'elle fournisse des états financiers à jour.

Jamais auparavant Mme Tremblay ne s'était donné la peine de dresser des états financiers. Dans son esprit, tant que le solde du compte bancaire de l'entreprise continuait d'augmenter, celle-ci se portait bien. Elle ignorait donc comment déterminer la valeur du soda mousse dans les stocks de produits en cours et de produits finis. Cette évaluation influerait à la fois sur le coût des ventes et sur les soldes des comptes de stocks. Mme Tremblay a songé à utiliser un système de coûts de revient par commande, mais son entreprise ne fabrique qu'un seul produit. D'un côté, des ingrédients de base sont continuellement mélangés pour fabriquer du soda mousse ; de l'autre, de nouvelles bouteilles quittent sans cesse la chaîne d'embouteillage. Mme Tremblay ne voyait pas comment elle pourrait appliquer un système de coûts de revient par commande, étant donné que la production ne s'interrompait pour ainsi dire jamais. Il existait peut-être un autre moyen de comptabiliser les coûts de fabrication du soda mousse.

OBJECTIFS D'APPRENTISSAGE

Après avoir étudié ce chapitre, vous pourrez :

1. préparer des écritures de journal pour enregistrer le coût des matières premières, le coût de la main-d'œuvre directe et les frais indirects de fabrication dans un système de coûts de revient en fabrication uniforme et continue ;

2. calculer les unités équivalentes de production d'une période donnée à l'aide de la méthode du coût moyen pondéré ;

3. préparer un tableau des quantités pour une période donnée à l'aide de la méthode du coût moyen pondéré ;

4. calculer les coûts par unité équivalente pour une période donnée à l'aide de la méthode du coût moyen pondéré ;

5. préparer un tableau de répartition des coûts pour une période donnée à l'aide de la méthode du coût moyen pondéré ;

6. calculer les unités équivalentes de production pour une période donnée à l'aide de la méthode de l'épuisement successif (Annexe 4A **en ligne**) ;

7. dresser un tableau des quantités pour une période donnée à l'aide de la méthode de l'épuisement successif (Annexe 4A **en ligne**) ;

8. calculer les coûts par unité équivalente pour une période donnée à l'aide de la méthode de l'épuisement successif (Annexe 4A **en ligne**) ;

9. dresser un tableau de répartition des coûts pour une période donnée à l'aide de la méthode de l'épuisement successif (Annexe 4A **en ligne**) ;

10. distinguer les pertes normales des pertes anormales (Annexe 4B **en ligne**) ;

11. calculer et comptabiliser le coût des unités perdues normalement et anormalement (Annexe 4B **en ligne**) ;

12. calculer le nombre d'unités de production lorsqu'il y a un changement de l'unité de mesure ou une augmentation du nombre d'unités traitées (Annexe 4C **en ligne**).

4

Comme nous l'avons vu au chapitre précédent, il existe deux systèmes de base pour établir des coûts de revient : le système de coûts de revient par commande et le système de coûts de revient en fabrication uniforme et continue[1]. Le premier type de système est utilisé lorsqu'une entreprise doit s'occuper d'un grand nombre de commandes ou de produits différents à chaque période. Des secteurs comme ceux de la fabrication de mobilier, de l'impression publicitaire et de la construction navale, de même que divers types d'organisations de service tels que les firmes comptables et les services de réparation automobile emploient d'ordinaire un système de coûts de revient par commande.

Par contre, le **système de coûts de revient en fabrication uniforme et continue** est le plus souvent employé dans des secteurs où l'on fabrique des produits essentiellement homogènes (uniformes) de manière continue, par exemple des briques, des céréales ou du papier journal. C'est surtout le cas des entreprises qui transforment des matières premières de base en produits homogènes, comme Rio Tinto Alcan (lingots d'aluminium), Cascades (papier hygiénique), Industries Lassonde (jus de fruits), Petro-Canada (produits pétroliers) et Boulangeries Weston (pains et pâtisseries). En outre, d'autres entreprises recourent à un système d'établissement des coûts de revient en fabrication uniforme et continue pour leurs activités de montage. Panasonic (téléviseurs), Hewlett-Packard (ordinateurs personnels), General Electric (réfrigérateurs), Toyota (automobiles), Maytag (laveuses) et Sony (lecteurs de DVD) en sont tous des exemples. On utilise aussi parfois une forme du système de coûts de revient en fabrication uniforme et continue dans les services publics qui fournissent du gaz, de l'eau et de l'électricité. L'ampleur de cette liste montre bien qu'il s'agit d'un système très largement répandu.

Dans le présent chapitre, nous proposons d'étendre l'étude de l'établissement des coûts de revient des produits pour y inclure un système de coûts de revient en fabrication uniforme et continue[2].

Système de coûts de revient en fabrication uniforme et continue

Méthode d'établissement du coût de revient employée lorsqu'il y a fabrication de produits essentiellement homogènes de façon continue (du ciment ou de la farine, par exemple).

Une comparaison entre le système de coûts de revient par commande et le système de coûts de revient en fabrication uniforme et continue

Sous certains aspects, le système de coûts de revient en fabrication uniforme et continue ressemble beaucoup au système de coûts de revient par commande ; sous certains autres, il en diffère grandement. Un examen des ressemblances et des différences entre ces systèmes nous permettra de définir les notions indispensables à l'analyse détaillée du système de coûts de revient en fabrication uniforme et continue, qui suivra.

Les ressemblances entre le système de coûts de revient par commande et le système de coûts de revient en fabrication uniforme et continue

Une grande partie de ce que nous avons vu au chapitre précédent concernant l'établissement des coûts de revient et le cheminement des coûts s'applique aussi au système de coûts de revient en fabrication uniforme et continue. En d'autres termes, il ne sera pas nécessaire de faire table rase de tout ce que vous avez appris sur l'établissement des coûts de revient et de recommencer à neuf avec un système entièrement différent. Les ressemblances entre le système de coûts de revient par commande et le système de coûts de revient en fabrication uniforme et continue peuvent se résumer comme suit :

---

1. Les expressions *fabrication en série* et *fabrication par lots* sont aussi employées pour désigner la fabrication uniforme et continue.

2. Notons que les exemples présentés tout au long de ce chapitre ne traitent pas des pertes. La notion de pertes est expliquée à l'annexe 4B (en ligne au <www.cheneliere.ca/garrison>). De plus, mentionnons que le changement de l'unité de mesure et l'augmentation du nombre d'unités traitées seront abordés à l'annexe 4C (en ligne au <www.cheneliere.ca/garrison>).

1. Les deux systèmes possèdent les mêmes objectifs de base, soit attribuer les coûts des matières premières et de la main-d'œuvre ainsi que les frais indirects de fabrication aux produits, et permettre de calculer les coûts unitaires.

2. Les deux systèmes maintiennent et utilisent les mêmes comptes de fabrication de base, y compris ceux des frais indirects de fabrication, des matières premières, des produits en cours et des produits finis.

3. Le cheminement des coûts entre les comptes de fabrication est à peu près le même dans les deux systèmes.

Comme le montre cette comparaison, une grande partie de ce que nous avons déjà vu concernant l'établissement des coûts de revient s'applique au système de coûts de revient en fabrication uniforme et continue. Notre tâche consiste en fait à préciser les connaissances précédemment acquises pour les étendre à ce nouveau système.

Les différences entre le système de coûts de revient par commande et le système de coûts de revient en fabrication uniforme et continue

Les différences entre le système de coûts de revient par commande et le système de coûts de revient en fabrication uniforme et continue sont attribuables à trois facteurs. En premier lieu, dans un système de coûts de revient en fabrication uniforme et continue, les unités sont fabriquées par lots de grandes quantités de produits identiques en suivant un cheminement la plupart du temps continu.

En deuxième lieu, ces unités ne peuvent être distinguées les unes des autres. Il s'avère donc inutile d'essayer de rattacher les coûts des matières premières et de la main-d'œuvre directe ainsi que les frais indirects de fabrication à telle commande d'un client (comme il est possible de le faire dans le système de coûts de revient par commande), car il s'agit plutôt d'un grand nombre de lots exécutés à partir d'un flot continu d'unités presque identiques issues de la chaîne de production. Dans le système de coûts de revient en fabrication uniforme et continue, les coûts sont accumulés *par atelier* plutôt que par commande. On attribue ces coûts aussi à toutes les unités qui passent dans un atelier au cours d'une période.

En troisième lieu, la fiche de coût de revient par commande s'avère inutile dans le système de coûts de revient en fabrication uniforme et continue puisque l'accent est mis sur les ateliers. On utilise plutôt un **rapport de production** préparé par chaque atelier dans lequel du travail est effectué sur les produits. Ce document remplit différentes fonctions. Il fournit un sommaire du nombre d'unités qui passent dans un atelier au cours d'une période et un calcul des coûts unitaires. En outre, il indique le total des coûts accumulés dans l'atelier et la manière dont ils ont été répartis. Le rapport de production d'atelier est un document essentiel dans un système d'établissement des coûts de revient en fabrication uniforme et continue.

Les principales différences entre ce système et celui des coûts de revient par commande sont résumées au tableau 4.1.

Rapport de production

Rapport servant à résumer toutes les activités qui influent sur le compte de stock de produits en cours de fabrication d'un atelier durant une période. Le rapport renferme trois parties : un tableau des quantités et des unités équivalentes, un calcul du coût total et des coûts unitaires, et un tableau de répartition des coûts.

TABLEAU 4.1 **Les différences entre le système de coûts de revient par commande et le système de coûts de revient en fabrication uniforme et continue**

Système de coûts de revient par commande	Système de coûts de revient en fabrication uniforme et continue
Il existe un grand nombre de commandes différentes en préparation au cours de chaque période. Chaque commande possède ses caractéristiques propres issues des spécifications fournies par le client.	Un seul produit est fabriqué, généralement en grande quantité, soit de manière continue, soit pendant de longues périodes. Les unités de produit sont toutes identiques.

TABLEAU 4.1 (*suite*)

Système de coûts de revient par commande	Système de coûts de revient en fabrication uniforme et continue
Les coûts sont accumulés par commande.	Les coûts sont accumulés par atelier de production.
La *fiche de coût de revient par commande* constitue le document essentiel pour contrôler l'accumulation des coûts de chaque commande.	Le *rapport de production par atelier* constitue le document essentiel pour indiquer l'accumulation et la répartition des coûts dans cet atelier.
On calcule le coût total *de la commande* sur la fiche de coût de revient par commande. Pour déterminer le coût unitaire, on divise le coût total de la commande par le nombre d'unités fabriquées dans cette commande.	On calcule les coûts unitaires *par atelier* en se basant sur le rapport de production de l'atelier.

SUR LE TERRAIN

Les ateliers de transformation de Coca-Cola

En 2006, la société Coca-Cola a vendu pour plus de 24 milliards de dollars de produits dans plus de 200 pays. Parmi les principales étapes de la transformation qui font partie de son processus d'embouteillage, il y a le lavage et le rinçage des bouteilles, le mélange et la dilution des ingrédients, le remplissage et le capsulage, et enfin l'étiquetage et l'emballage. On additionne les coûts des matières premières aux différentes étapes de ce processus, là où ces matières sont utilisées. Par exemple, les coûts du sucre, de l'eau filtrée, du dioxyde de carbone et du sirop sont ajoutés à l'étape du remplissage et du capsulage, et celui des étiquettes de papier, à l'étape de l'étiquetage et de l'emballage.

Le système de coûts de revient en fabrication uniforme et continue convient à Coca-Cola en raison de son processus de production qui génère un flot continu de bouteilles de boissons gazeuses identiques. On peut attribuer aux produits les coûts des matières premières et de la transformation engagés aux différentes étapes de ce processus en les répartissant également sur le volume total de production.

Source: Rapport annuel (2006) de la société Coca-Cola et site internet <www.thecoca-colacompany.com>.

Un aperçu du cheminement des coûts de revient en fabrication uniforme et continue

Avant d'examiner en détail un exemple du système de coûts de revient en fabrication uniforme et continue, il serait utile de voir comment s'effectue le cheminement des coûts de production dans un tel système.

Les ateliers de production

On appelle **atelier de production** tout endroit d'une organisation où du travail est effectué sur un produit, et où l'on ajoute des matières premières, de la main-d'œuvre ou des frais indirects de fabrication à ce produit.

Par exemple, une usine de croustilles Humpty Dumpty pourrait compter trois ateliers de production — le premier pour la préparation des pommes de terre, le deuxième pour leur cuisson, et le troisième pour l'inspection et l'emballage. Un fabricant de briques disposerait

---

Atelier de production

Tout endroit dans une organisation où du travail est effectué sur un produit, et où des matières premières, de la main-d'œuvre directe et des frais indirects de fabrication sont ajoutés au produit en cours de fabrication.

4

sans doute de deux ateliers de production — l'un chargé du mélange et du moulage de l'argile en forme de briques, et l'autre, de la cuisson des briques moulées. Une entreprise peut avoir autant ou aussi peu d'ateliers de production qu'elle en aura besoin pour fabriquer un produit ou fournir un service. Certains produits et services peuvent passer par plusieurs ateliers de production ; d'autres passent par seulement un ou deux ateliers. Peu importe leur nombre, tous les ateliers de production ont en commun deux caractéristiques essentielles. D'abord, l'activité effectuée dans un atelier doit l'être de façon uniforme pour toutes les unités d'un produit qui y passent. Ensuite, l'extrant de cet atelier doit être homogène.

En général, les ateliers de production participant à la fabrication d'un produit comme des briques sont organisés suivant un schéma *séquentiel*. En d'autres termes, les unités passent successivement d'un atelier à l'autre. La figure 4.1 présente un exemple d'ateliers de production organisés de façon séquentielle dans une usine de transformation de pommes de terre en croustilles.

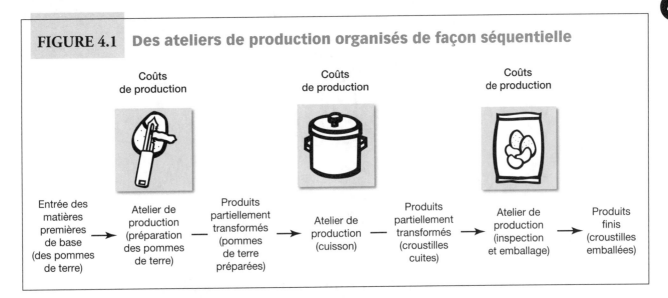

FIGURE 4.1 **Des ateliers de production organisés de façon séquentielle**

Il existe aussi un autre type de processus de transformation, la *transformation parallèle* requise pour la fabrication de certains produits. On la retrouve dans les situations où, à partir d'un certain point, les unités de produit se séparent entre différents ateliers de production. Prenons l'exemple de Petro-Canada et de Shell Canada. Ces entreprises raffinent leur pétrole brut dans un atelier de production. Le produit issu de cet atelier est ensuite transformé de nouveau en différents produits finis tels que l'essence, le mazout domestique et les lubrifiants. Chaque produit passe alors par diverses étapes de transformation après le raffinage initial ; certaines sont communes à plusieurs autres produits finis, et d'autres non.

La figure 4.2 (*page suivante*) est un exemple de transformation parallèle qui illustre la suite des processus d'une usine d'embouteillage de cola. Dans le premier atelier, on mélange les matières premières pour fabriquer le concentré de base. Ce concentré sera utilisé pour fabriquer du cola vendu en bouteilles, ou à des restaurants et à des bars qui ont des fontaines à soda. Dans le premier cas, le concentré est envoyé à l'atelier d'embouteillage où il est mélangé à de l'eau gazéifiée, puis versé sous pression dans des bouteilles stérilisées qui sont ensuite capsulées. Dans l'atelier de production final, les bouteilles sont inspectées, on leur appose une étiquette et on les emballe dans des boîtes. Lorsque le concentré doit être vendu pour être utilisé dans des fontaines, il est versé sous pression dans de grands contenants métalliques (stérilisés, inspectés et emballés) qui sont par la suite expédiés aux clients. Il s'agit d'un exemple parmi tant d'autres de processus de transformation parallèle. Dans ce domaine, les possibilités sont presque illimitées.

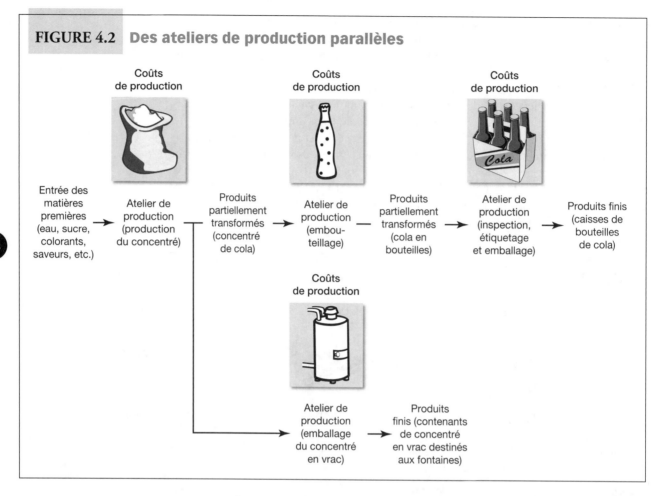

FIGURE 4.2 Des ateliers de production parallèles

Le cheminement des coûts des matières premières et de la main-d'œuvre directe, et des frais indirects de fabrication

L'accumulation des coûts est plus simple à effectuer dans un système de coûts de revient en fabrication uniforme et continue que dans un système de coûts de revient par commande. En effet, dans un système de coûts de revient en fabrication uniforme et continue, on rattache les coûts non pas à des centaines de commandes différentes, mais seulement à quelques ateliers de production. En général, on accumule les coûts sur une période donnée (une semaine, un mois, etc.). Une seule répartition suffit à la fin de la période pour les coûts accumulés entre les unités terminées et celles en cours de fabrication à la fin de cette période.

La figure 4.3 présente un modèle de comptes en T pour illustrer le cheminement des coûts des matières premières et de la main-d'œuvre ainsi que des frais indirects de fabrication dans un système de coûts de revient en fabrication uniforme et continue. Il faut insister sur quelques aspects importants de ce modèle. Notons d'abord que l'on maintient un compte distinct de produits en cours de fabrication pour *chaque atelier de production*; dans un système de coûts de revient par commande, il est possible de se contenter d'un seul compte de produits en cours pour l'ensemble des commandes de l'entreprise. Ensuite, le produit fini du premier atelier de production (atelier A de la figure) est transféré aux produits en cours du second atelier de production (atelier B), et du travail est à nouveau effectué sur lui. Les unités terminées sont alors transférées aux produits finis. (À la figure 4.3, nous n'avons représenté que deux ateliers de production, mais une entreprise en comporte souvent un bon nombre.)

Enfin, on peut ajouter des coûts de matières premières et de main-d'œuvre ainsi que des frais indirects de fabrication dans *n'importe quel* atelier, et non seulement dans le premier. Les coûts du compte de produits en cours de l'atelier B seraient alors composés

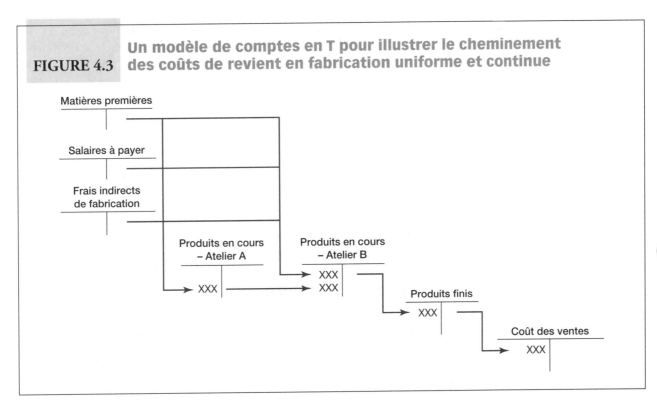

FIGURE 4.3 Un modèle de comptes en T pour illustrer le cheminement des coûts de revient en fabrication uniforme et continue

des coûts des matières premières et de la main-d'œuvre directe ainsi que des frais indirects de fabrication qui y sont engagés, auxquels s'ajouteraient les coûts attachés aux unités partiellement transformées transférées de l'atelier A (appelés **coûts en amont**).

Coût en amont

Coût rattaché aux produits reçus d'un atelier de production précédent.

L'enregistrement comptable des coûts des matières premières et de la main-d'œuvre directe, ainsi que des frais indirects de fabrication

Pour conclure notre analyse du cheminement des coûts dans un système de coûts de revient en fabrication uniforme et continue, nous présenterons maintenant des écritures de journal relatives au coût des matières premières, au coût de la main-d'œuvre directe et aux frais indirects de fabrication que passerait la société de Marianne Tremblay, qui produit le soda mousse traditionnel dont il a été question au début de ce chapitre. Cette société a deux ateliers de production — la préparation et l'embouteillage. Dans l'atelier de préparation, les employés inspectent les différents ingrédients pour s'assurer de leur qualité, puis ils les mélangent et y injectent du dioxyde de carbone pour obtenir du soda mousse en vrac. Dans l'atelier d'embouteillage, d'autres employés inspectent les bouteilles pour s'assurer qu'elles ne présentent aucun vice de fabrication. Ils les remplissent ensuite de soda mousse, les capsulent, font une inspection visuelle pour s'assurer qu'elles sont en bon état et, enfin, les emballent pour l'expédition.

OBJECTIF 1

Préparer des écritures de journal pour enregistrer le coût des matières premières, le coût de la main-d'œuvre directe et les frais indirects de fabrication dans un système de coûts de revient en fabrication uniforme et continue.

Le coût des matières premières

Comme dans le système de coûts de revient par commande, les employés retirent les matières premières du magasin en utilisant des bons de sortie. On peut ajouter le coût de ces matières dans tout atelier de production. Toutefois, il n'est pas inhabituel qu'on le fasse seulement dans le premier de ces ateliers, et que les ateliers subséquents se contentent d'ajouter le coût de la main-d'œuvre directe et les frais indirects de fabrication à mesure que les unités en cours progressent vers leur état final.

À l'entreprise de fabrication de soda mousse de Marianne Tremblay, on ajoute certaines matières premières (l'eau, les agents aromatisants, le sucre et le dioxyde de carbone) à l'atelier de préparation, et d'autres matières premières (les bouteilles, les capsules et le matériel d'emballage) à l'atelier d'embouteillage. L'écriture de journal qui reflète l'arrivée des matières dans le processus de production du premier atelier se présente comme suit :

Produits en cours – Préparation...	XXX	
Matières premières		XXX

Voici l'écriture de journal qui permet d'enregistrer le matériel utilisé dans le second atelier de production, celui de l'embouteillage.

Produits en cours – Embouteillage	XXX	
Matières premières		XXX

Le coût de la main-d'œuvre

Dans un système de coûts de revient en fabrication uniforme et continue, on rattache le coût de la main-d'œuvre directe aux ateliers, et non aux commandes en particulier. On se sert d'un horodateur ou d'une feuille de présence pour accumuler les coûts de la main-d'œuvre directe et pour les attribuer à l'atelier approprié. L'écriture ci-après sert à enregistrer le coût de la main-d'œuvre de l'atelier de préparation dans l'entreprise de Marianne Tremblay.

Produits en cours – Préparation...	XXX	
Salaires à payer		XXX

Les frais indirects de fabrication

Si la production demeure stable d'une période à l'autre et que les frais indirects de fabrication sont engagés de façon régulière sur l'ensemble de la période, les frais indirects de fabrication réels peuvent être répartis aux produits. Toutefois, si les niveaux de production varient ou si les frais indirects de fabrication ne sont pas engagés de façon régulière, la répartition de ces frais réels aux produits aura pour effet de faire varier les coûts unitaires du produit d'une période à l'autre, et ce, de façon aléatoire. Dans une telle situation, on devrait employer des taux d'imputation prédéterminés des frais indirects de fabrication pour assigner les frais indirects de fabrication aux produits, comme dans le système de coûts de revient par commande. Chaque atelier a alors le sien propre, calculé suivant le système présenté au chapitre 3. On impute ensuite les frais indirects de fabrication aux unités du produit à mesure qu'elles passent d'un atelier à un autre. Comme les taux d'imputation prédéterminés des frais indirects de fabrication sont fréquemment employés dans le système de coûts de revient en fabrication uniforme et continue, nous supposerons que toutes les entreprises dont il sera question dans le reste du chapitre les utilisent.

Voici l'écriture de journal qui sert à imputer les frais indirects de fabrication aux unités de produit dans le cas de l'atelier de préparation de l'entreprise de soda mousse de Marianne Tremblay.

Produits en cours – Préparation...	XXX	
Frais indirects de fabrication		XXX

Les dernières étapes du cheminement des coûts

Une fois la transformation terminée dans l'atelier de préparation, on transfère les unités de produit à l'atelier suivant où elles subissent une transformation complémentaire, comme le montrent les comptes en T de la figure 4.3 (*p. 165*). L'écriture ci-après sert à enregistrer le transfert des coûts des unités partiellement transformées de l'atelier de préparation à l'atelier d'embouteillage.

Produits en cours – Embouteillage	XXX	
Produits en cours – Préparation		XXX

Une fois la transformation effectuée dans le dernier atelier[3], on transfère les coûts des unités terminées au compte « Produits finis ».

Produits finis	XXX	
Produits en cours – Embouteillage		XXX

Enfin, après la vente des unités de produit, le coût des unités est transféré au compte « Coût des ventes ».

Coût des ventes	XXX	
Produits finis		XXX

En résumé, le cheminement des coûts entre les comptes est essentiellement le même dans le cas du système de coûts de revient en fabrication uniforme et continue que dans le cas du système de coûts de revient par commande. La seule différence notable à ce stade réside dans le fait que le système de coûts de revient en fabrication uniforme et continue prévoit un compte « Produits en cours » distinct pour chaque atelier.

La production équivalente

Examinons maintenant le cas de la société Skis Double Diamant, une entreprise qui fabrique des skis à haute performance en neige poudreuse profonde. Cette entreprise utilise le système de coûts de revient en fabrication uniforme et continue pour déterminer ses coûts de revient unitaires. Son processus de fabrication est illustré à la figure 4.4 (*page suivante*). Les skis passent par une suite ordonnée de cinq ateliers de production, une séquence qui commence par l'atelier de façonnage et de fraisage, et se termine par celui de finition et d'appariement. Le système de coûts de revient en fabrication uniforme et continue est basé sur l'idée qu'il faut additionner tous les coûts engagés dans un atelier au cours d'une période, puis répartir ces coûts uniformément à toutes les unités fabriquées dans cet atelier pendant la même période. Comme nous le verrons, l'application de cette idée pourtant simple pose quelques difficultés.

Le comptable de Skis Double Diamant se préoccupe du problème suivant : après que les coûts des matières premières et de la main-d'œuvre directe, ainsi que les frais indirects de fabrication ont été accumulés dans un atelier, il faut déterminer le nombre d'unités produites dans l'atelier pour pouvoir calculer les coûts unitaires. Or, un atelier a généralement des unités en partie terminées à la fin d'une période.

OBJECTIF 2

Calculer les unités équivalentes de production d'une période donnée à l'aide de la méthode du coût moyen pondéré.

---

3. Selon les ressources utilisées dans l'atelier d'embouteillage, les écritures pour enregistrer l'ajout des matières premières et de la main-d'œuvre directe ainsi que l'imputation des frais indirects de fabrication seront effectuées comme dans le cas de l'atelier de préparation avant de transférer l'ensemble des coûts accumulés dans l'atelier d'embouteillage aux produits finis.

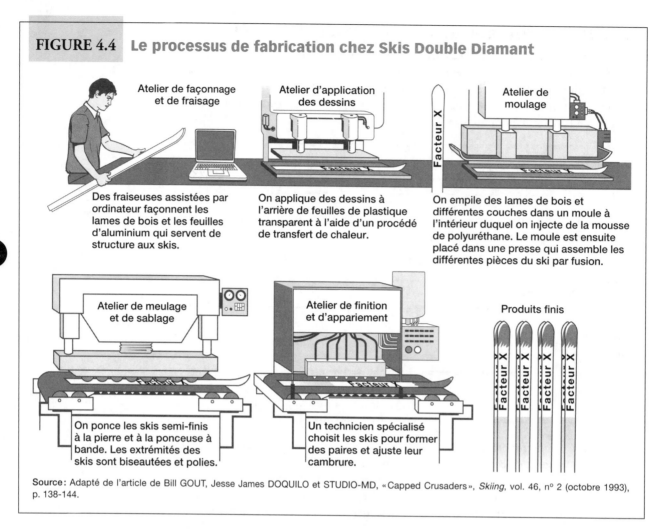

FIGURE 4.4 **Le processus de fabrication chez Skis Double Diamant**

Atelier de façonnage et de fraisage

Des fraiseuses assistées par ordinateur façonnent les lames de bois et les feuilles d'aluminium qui servent de structure aux skis.

Atelier d'application des dessins

On applique des dessins à l'arrière de feuilles de plastique transparent à l'aide d'un procédé de transfert de chaleur.

Atelier de moulage

On empile des lames de bois et différentes couches dans un moule à l'intérieur duquel on injecte de la mousse de polyuréthane. Le moule est ensuite placé dans une presse qui assemble les différentes pièces du ski par fusion.

Atelier de meulage et de sablage

On ponce les skis semi-finis à la pierre et à la ponceuse à bande. Les extrémités des skis sont biseautées et polies.

Atelier de finition et d'appariement

Un technicien spécialisé choisit les skis pour former des paires et ajuste leur cambrure.

Produits finis

Source: Adapté de l'article de Bill GOUT, Jesse James DOQUILO et STUDIO-MD, «Capped Crusaders», *Skiing*, vol. 46, n° 2 (octobre 1993), p. 138-144.

Il ne paraît pas raisonnable de considérer ces unités en partie terminées comme équivalant à des unités terminées au moment de dénombrer la production d'un atelier. Par conséquent, Skis Double Diamant convertira mathématiquement les unités en partie terminées en un nombre équivalent d'unités terminées.

Dans le système de coûts de revient en fabrication uniforme et continue, on utilise pour ce faire la formule suivante:

Unité équivalente

Nombre d'unités en partie terminées multiplié par leur degré d'avancement en ce qui concerne un élément de coût donné; les unités équivalentes représentent, sous forme d'unités terminées, les unités en cours de fabrication en ce qui concerne la matière première, la main-d'œuvre directe et les frais indirects de fabrication.

Unités équivalentes $=$ Nombre d'unités partiellement terminées $\times$ Degré d'avancement[4]

Comme cette formule l'indique, on définit les **unités équivalentes** comme le produit du nombre d'unités en partie terminées par leur degré d'avancement. En d'autres termes, il s'agit du nombre d'unités terminées qui auraient été obtenues à partir des matières premières et du travail déjà investis dans ces unités en partie terminées.

Supposons, par exemple, que l'atelier de moulage de Skis Double Diamant compte 500 unités avancées à 60 % dans son stock de produits en cours à la fin de la période. Ces 500 unités en partie terminées équivalent à 300 unités terminées (500 unités $\times$ 60 % = 300 unités équivalentes). Par conséquent, on pourrait dire que le stock de produits en cours à la fin comprend 300 unités équivalentes. Il suffit d'additionner ces

---

4. On détermine le degré d'avancement en estimant le pourcentage de travail effectué sur les unités en cours de fabrication.

unités équivalentes à toutes les unités terminées et transférées pour déterminer la production de l'atelier pendant la période, qui constitue la *production équivalente*.

Il existe diverses manières de calculer la production équivalente pour une période. Dans ce chapitre, nous étudierons en particulier la *méthode du coût moyen pondéré*. À l'annexe 4A (en ligne au <www.cheneliere.ca/garrison>), vous trouverez une description de la *méthode de l'épuisement successif*. Dans le système de coûts de revient en fabrication uniforme et continue, la **méthode de l'épuisement successif** consiste à relier les unités équivalentes et les coûts uniquement au travail effectué pendant la période en cours. Par opposition, la **méthode du coût moyen pondéré** consiste à combiner les unités et les coûts de la période en cours avec ceux de la période précédente. Ainsi, la **production équivalente selon la méthode du coût moyen pondéré** d'un atelier correspond au nombre d'unités transférées à l'atelier suivant (ou aux produits finis) auquel on additionne les unités équivalentes du stock de produits en cours à la fin de l'atelier.

La méthode du coût moyen pondéré

Selon la méthode du coût moyen pondéré, il faut calculer les unités équivalentes d'un atelier de la façon décrite ci-dessous.

Méthode du coût moyen pondéré
(effectuer un calcul distinct pour chaque catégorie de coûts dans chaque atelier de production)

Production équivalente = Unités transférées à l'atelier suivant ou au stock de produits finis + Unités équivalentes dans le stock de produits en cours à la fin

Il n'est pas nécessaire d'effectuer un calcul des unités équivalentes pour les unités transférées à l'atelier suivant puisqu'on peut supposer qu'elles n'auraient pas été transférées si elles n'étaient pas entièrement terminées (du moins en ce qui a trait au travail exécuté dans l'atelier qu'elles ont quitté).

Considérez l'atelier de façonnage et de fraisage de Skis Double Diamant. Cet atelier utilise des fraiseuses assistées par ordinateur pour façonner le panneau latté et les feuilles métalliques qui serviront à former la structure de base du ski. L'activité ci-après a eu lieu dans cet atelier en mai, soit plusieurs mois après le début de la production du nouveau modèle L'Ultime.

	Unités	Degré d'avancement	
		Matières premières	Coût de transformation
Produits en cours au 1er mai...........................	200	55 %	30 %
Unités mises en fabrication en mai.....................	5 000		
Unités terminées au cours du mois de mai et transférées à l'atelier suivant...........................	4 800	100 %*	100 %*
Produits en cours au 31 mai.................................	400	40 %	25 %

* On suppose toujours que les unités transférées d'un atelier au suivant sont terminées à 100 % en ce qui a trait à la transformation effectuée dans le premier de ces deux ateliers.

Notez l'emploi du terme *transformation* dans le tableau qui précède. Le coût de transformation, tel que nous l'avons défini au chapitre 2, correspond à la somme du coût de la main-d'œuvre directe et des frais indirects de fabrication. Dans le système de coûts de revient en fabrication uniforme et continue, le coût de transformation combiné à la matière première est souvent utilisé — mais pas toujours — pour représenter le coût incorporable.

Méthode de l'épuisement successif

Méthode de cheminement des coûts employée dans un système de coûts de revient en fabrication uniforme et continue selon laquelle on ne considère que les unités équivalentes et les coûts se rapportant uniquement au travail effectué pendant la période en cours pour calculer le coût unitaire de fabrication.

Méthode du coût moyen pondéré

Méthode utilisée par les entreprises en mode de fabrication uniforme et continue qui consiste à combiner les unités en cours de fabrication au début de la période aux unités fabriquées pendant la période en cours en considérant les coûts se rattachant à toutes ces unités pour calculer le coût unitaire de fabrication.

Production équivalente selon la méthode du coût moyen pondéré

Somme des unités transférées à l'atelier suivant (ou aux produits finis) au cours de la période et des unités équivalentes qui se trouvent dans le stock de produits en cours à la fin de l'atelier.

Remarquez aussi que le 1er mai, les unités contenues dans le stock de produits en cours étaient avancées à 55 % en ce qui a trait aux matières premières, et à 30 % en ce qui concerne le coût de transformation. En d'autres mots, 55 % du coût des matières premières requises pour compléter les unités avait déjà été engagé, tout comme l'avait été 30 % du coût de transformation nécessaire à l'achèvement des produits.

Comme les stocks de produits en cours de Skis Double Diamant se trouvent avancés à différents degrés de transformation pour les éléments du coût des matières premières et du coût de transformation qui leur ont été ajoutés, on doit calculer deux nombres d'unités équivalentes. Ces calculs sont illustrés au tableau 4.2.

TABLEAU 4.2 La production équivalente : la méthode du coût moyen pondéré	Matières premières	Coût de transformation
Unités transférées à l'atelier suivant..	4 800	4 800
Produits en cours au 31 mai :		
400 unités × 40 %..	160	
400 unités × 25 %..		100
Production équivalente..	4 960	4 900

Notez que, dans ces calculs, on ne se préoccupe pas du fait que du travail avait été effectué sur les produits en cours au début. Par exemple, d'après la méthode du coût moyen pondéré, on considère qu'il y a 4 900 unités équivalentes en ce qui concerne le coût de transformation. Aucune distinction n'est faite entre le travail effectué au cours des périodes précédentes pour que les unités en cours de fabrication au 1er mai soient avancées à 30 % en ce qui concerne leur coût de transformation. Cet aspect essentiel de la méthode est trop souvent oublié.

La méthode du coût moyen pondéré permet de combiner le travail effectué au cours d'une période antérieure au travail effectué durant la période en cours. Le tableau ci-après permet de mieux comprendre la manière dont on considère le travail effectué au cours d'une période donnée et le travail effectué pendant la période en cours pour ce qui est du calcul de la production équivalente du coût de transformation selon la méthode du coût moyen pondéré.

Unités transférées à l'atelier suivant :	
Produits en cours au 1er mai :	
Unités avancées à 30 % au cours de la période précédente (200 unités × 30 %)...	60
Unités achevées à 70 % pendant la période en cours (200 unités × 70 %)...	140
Produits en cours au 1er mai terminés pendant la période en cours........................	200
Unités commencées et terminées pendant la période en cours............................	4 600*
	4 800
Produits en cours au 31 mai (400 unités × 25 %)..	100
Production équivalente..	4 900

* En supposant un processus de fabrication uniforme et continue, 5 000 unités ont été mises en fabrication en mai, mais 400 d'entre elles n'étaient toujours pas terminées à la fin du mois. On compte donc 4 600 unités commencées et terminées au mois de mai (5 000 unités − 400 unités).

Avec la méthode de l'épuisement successif, le travail réalisé au cours de la période précédente pour que soient avancées à 30 % les 200 unités en cours de fabrication au 1er mai n'est pas considéré dans la production équivalente. Lorsqu'on recourt à la méthode de l'épuisement successif, le travail réalisé sur les unités au cours de la ou des *périodes antérieures* et les coûts se rattachant à ce travail sont clairement séparés de ceux de la période en cours. C'est pourquoi certains gestionnaires considèrent que la méthode de l'épuisement successif s'avère plus précise. Toutefois, elle se montre aussi plus complexe que la méthode du coût moyen pondéré. Rappelons que la méthode de l'épuisement successif est présentée à l'annexe 4A (en ligne au <www.cheneliere.ca/garrison>).

Les moyennes ne permettent habituellement pas de connaître les particularités des éléments qui les composent. Par exemple, la moyenne de 2 + 4 est 3, mais la moyenne de 1 + 5 est aussi 3. Le gestionnaire ne s'intéressant pas aux composantes des coûts trouvera l'information dont il a besoin dans ce type de mesures. En outre, quand les coûts ne varient à peu près pas (par exemple, 3 + 3) d'une période à une autre, la moyenne sera aussi une représentation acceptable des coûts. Il y a une troisième raison pouvant expliquer l'utilisation de la méthode du coût moyen pondéré. Elle concerne l'importance relative du stock de produits en cours au début par rapport à la production de la période courante.

Par exemple, si le stock au début, dont le coût est égal à 1, correspond à seulement un dixième de la production courante, dont le coût est égal à 5, la moyenne (pondérée) de 1/10 (1) + 9/10 (5) = 4,60 donne un résultat se rapprochant de celui obtenu avec la méthode de l'épuisement successif. En plus d'être assez simple, la méthode du coût moyen pondéré permet d'obtenir un coût se rapprochant beaucoup du coût de fabrication propre à la période lorsque les coûts sont relativement stables d'une période à une autre ou lorsque l'importance relative des unités produites au cours de la période est de beaucoup supérieure à celle des unités en cours de fabrication au début de la période.

La figure 4.5 permet de se représenter visuellement le calcul de la production équivalente. Les données concernent le coût de transformation de l'atelier de façonnage et de fraisage de Skis Double Diamant. Examinez cette figure avec soin avant de poursuivre l'étude du présent chapitre.

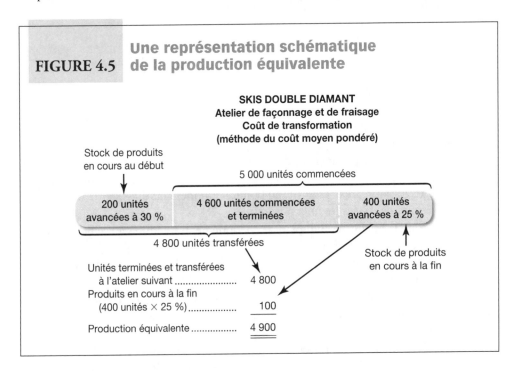

FIGURE 4.5 Une représentation schématique de la production équivalente

Le rapport de production – la méthode du coût moyen pondéré

L'objectif d'un rapport de production est de résumer toutes les activités ayant lieu dans l'atelier pendant une période donnée. Ces activités concernent le travail effectué sur les unités ayant circulé dans un atelier et les coûts qui passent par le compte de stock de produits en cours. Comme le montre la figure 4.6, on établit un rapport de production distinct pour chaque atelier.

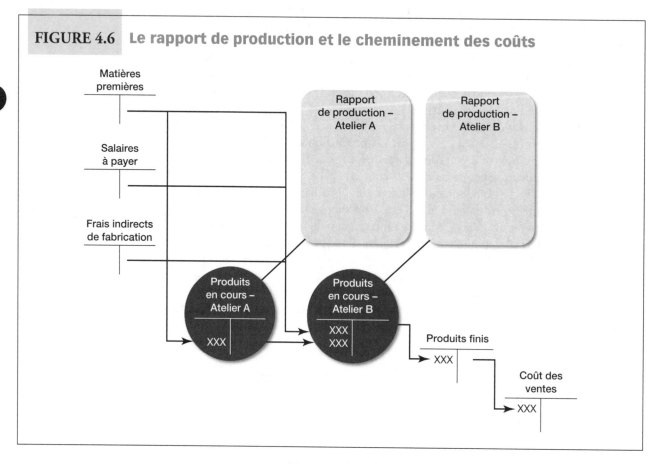

FIGURE 4.6 **Le rapport de production et le cheminement des coûts**

Lorsque nous avons décrit les différences entre le système de coûts de revient par commande et celui de coûts de revient en fabrication uniforme et continue, nous avons précisé que le rapport de production du second système remplace la fiche de coût de revient par commande du premier. Le rapport de production constitue un document indispensable au gestionnaire et essentiel au bon fonctionnement du système. Il renferme trois parties, étroitement liées les unes aux autres :

1. Un tableau des quantités indiquant le cheminement des unités au sein d'un atelier et un calcul des unités équivalentes.

2. Un tableau résumant les coûts accumulés dans un atelier et un calcul des coûts par unité équivalente.

3. Une répartition de tous les coûts d'un atelier au cours de la période considérée entre les unités terminées et transférées, et les produits en cours à la fin.

Nous utiliserons les données de la page suivante (relatives aux activités du mois de mai de l'atelier de façonnage et de fraisage de Skis Double Diamant) pour illustrer ce en quoi consiste un rapport de production. N'oubliez pas que ce document n'est qu'un des cinq rapports de production devant être établis par l'entreprise, puisqu'elle compte cinq ateliers de production.

Activités relatives au mois de mai – Atelier de façonnage et de fraisage

Produits en cours au début :		
Unités en cours de fabrication..	200	
Degré d'avancement sur le plan des matières premières	55 %	
Degré d'avancement sur le plan de la transformation................	30 %	
Coûts accumulés dans le stock au début :		
Coût des matières premières		9 600 $
Coût de transformation		5 575
Total du coût des produits en cours au début....................		15 175 $
Unités mises en fabrication en mai..	5 000	
Unités terminées et transférées à l'atelier suivant..........................	4 800	
Coûts ajoutés à la fabrication en mai :		
Coût des matières premières..		368 600 $
Coût de transformation		350 900
Total des coûts ajoutés dans cet atelier*.............................		719 500 $
Produits en cours à la fin :		
Unités en cours de fabrication..	400	
Degré d'avancement sur le plan des matières premières	40 %	
Degré d'avancement sur le plan de la transformation................	25 %	

* Correspond au coût total de fabrication propre à la période tel qu'il a été défini au chapitre 2 (*voir la note 1, p. 48*).

Dans cette section, nous verrons comment préparer un rapport de production lorsqu'on emploie la méthode du coût moyen pondéré pour calculer les unités équivalentes et les coûts unitaires. Vous trouverez un exemple de rapport de production établi conformément à la méthode de l'épuisement successif à l'annexe 4A (en ligne au <www.cheneliere.ca/garrison>).

Première étape : la préparation d'un tableau des quantités et le calcul des unités équivalentes

La première partie d'un rapport de production est constituée d'un **tableau des quantités** indiquant le cheminement des unités au sein d'un atelier et un calcul des unités équivalentes. Par exemple, voici un tableau des quantités et un calcul des unités équivalentes de l'atelier de façonnage et de fraisage de l'entreprise Skis Double Diamant.

OBJECTIF 3

Préparer un tableau des quantités pour une période donnée à l'aide de la méthode du coût moyen pondéré.

Tableau des quantités

Partie du rapport de production indiquant le cheminement des unités au sein d'un atelier au cours d'une période et le calcul des unités équivalentes.

Tableau des quantités et des unités équivalentes – Atelier de façonnage et de fraisage

	Quantités	Unités équivalentes	
		Matières premières	Coût de transformation
Quantités dont il faut rendre compte :			
Produits en cours au 1er mai (55 % des matières premières, et 30 % de la transformation ajoutée le mois précédent)	200		
Unités mises en fabrication............................	5 000		
Total d'unités...	5 200		
Compte rendu des quantités :			
Unités transférées à l'atelier suivant	4 800	4 800	4 800
Produits en cours au 31 mai (40 % des matières premières, et 25 % de la transformation ajoutée pendant le présent mois)	400	160*	100**
Total d'unités et production équivalente.....	5 200	4 960	4 900

* 400 unités avancées à 40 % = 160 unités équivalentes
** 400 unités avancées à 25 % = 100 unités équivalentes

Le tableau des quantités permet au gestionnaire de savoir d'un coup d'œil le nombre d'unités ayant circulé dans un atelier au cours de la période et le degré d'avancement de n'importe quelle unité en cours. En outre, le tableau des quantités constitue un outil essentiel à la préparation des autres parties du rapport de production.

Deuxième étape : le calcul des coûts par unité équivalente

OBJECTIF 4

Calculer les coûts par unité équivalente pour une période donnée à l'aide de la méthode du coût moyen pondéré.

Comme nous l'avons vu, la méthode du coût moyen pondéré confond le travail exécuté pendant la période précédente sur les unités en cours de fabrication au début avec celui qui est effectué dans la période en cours sur toutes les unités. La production équivalente selon cette méthode comprend à la fois les unités équivalentes correspondant au travail réalisé au cours de la période précédente sur les unités en cours de fabrication au début et les unités équivalentes pour le travail effectivement réalisé au cours de la période courante. Comme il s'agit de calculer un coût moyen unitaire, on doit donc additionner le total du coût des produits en cours au début aux coûts propres à la période.

Voici les calculs effectués dans le cas de l'atelier de façonnage et de fraisage pour le mois de mai.

Coûts par unité équivalente – Atelier de façonnage et de fraisage

	Coût total	Matières premières	Coût de transformation	Unité complète
Accumulation des coûts :				
Produits en cours au 1er mai	15 175 $	9 600 $	5 575 $	
Coût propre à la période de l'atelier de façonnage et de fraisage..........................	719 500	368 600	350 900	
Total des coûts, a)	734 675 $	378 200 $	356 475 $	
Production équivalente (*étape 1, page précédente*), b)		4 960	4 900	
Coûts par UÉ, a) ÷ b)		76,25 $ +	72,75 $ =	149,00 $

UÉ : unités équivalentes

Le coût par unité équivalente (UÉ) calculé pour l'atelier de façonnage et de fraisage servira à déterminer le coût des unités transférées à l'atelier suivant, celui de l'application des dessins, et le coût des produits en cours à la fin de la période. Par exemple, chaque unité quittant l'atelier de façonnage et de fraisage pour entrer dans celui de l'application des dessins apporte un coût de 149,00 $. Comme les coûts sont transférés d'un atelier à un autre en même temps que les unités, le coût unitaire évalué dans le dernier atelier, celui de la finition et de l'appariement, représente le coût unitaire final d'une unité de production qui est passée par tous les ateliers et qui est maintenant un produit fini.

Troisième étape : la préparation d'un tableau de répartition des coûts

OBJECTIF 5

Préparer un tableau de répartition des coûts pour une période donnée à l'aide de la méthode du coût moyen pondéré.

L'objectif du tableau de répartition des coûts est de montrer comment les coûts accumulés dans un atelier au cours d'une période sont distribués entre les produits. En général, ces coûts se décomposent comme suit :

1. Le coût accumulé dans le stock de produits en cours au début.
2. Les coûts des matières premières et de la main-d'œuvre directe ainsi que les frais indirects de fabrication ajoutés au cours de la période.
3. Le coût provenant de l'atelier précédent, le cas échéant.

Dans un rapport de production, ces coûts figurent d'ordinaire sous l'intitulé «Accumulation des coûts». On établit leur répartition en calculant les coûts suivants :

1. Le coût transféré à l'atelier suivant (ou aux produits finis).
2. Le coût qui reste dans le stock de produits en cours à la fin.

En résumé, au moment de préparer un tableau de répartition des coûts, les coûts accumulés à la deuxième étape sont rapprochés de la somme des coûts transférés à un autre atelier au cours de la période et du coût qui reste dans le compte du stock de produits en cours à la fin. Ce concept est illustré à la figure 4.7. Examinez-la avec soin avant de passer à la répartition des coûts de l'atelier de façonnage et de fraisage.

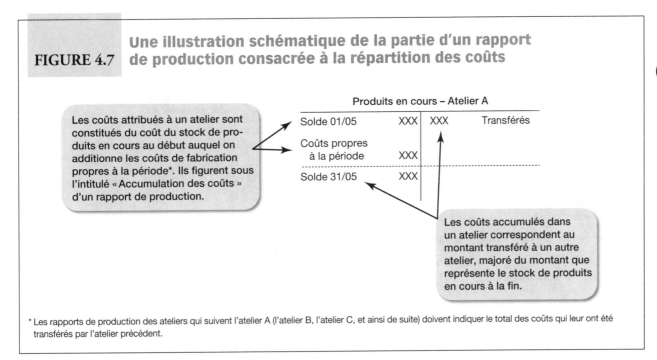

FIGURE 4.7 Une illustration schématique de la partie d'un rapport de production consacrée à la répartition des coûts

Les coûts attribués à un atelier sont constitués du coût du stock de produits en cours au début auquel on additionne les coûts de fabrication propres à la période*. Ils figurent sous l'intitulé «Accumulation des coûts» d'un rapport de production.

Produits en cours – Atelier A

Solde 01/05	XXX	XXX	Transférés
Coûts propres à la période	XXX		
Solde 31/05	XXX		

Les coûts accumulés dans un atelier correspondent au montant transféré à un autre atelier, majoré du montant que représente le stock de produits en cours à la fin.

* Les rapports de production des ateliers qui suivent l'atelier A (l'atelier B, l'atelier C, et ainsi de suite) doivent indiquer le total des coûts qui leur ont été transférés par l'atelier précédent.

Pour préparer une répartition de coûts, *on doit suivre le tableau des quantités, ligne à ligne, et indiquer le coût associé à chaque groupe d'unités*. Le tableau 4.3 (*page suivante*) en donne un exemple. Il s'agit du rapport de production complet de l'atelier de façonnage et de fraisage de Skis Double Diamant.

Le tableau des quantités indique que **200** unités étaient en cours de fabrication le 1er mai et que **5 000** unités supplémentaires ont été mises en production au cours de ce mois. En examinant l'accumulation des coûts de la partie centrale du tableau, on note qu'un coût de **15 175 $** était lié aux unités en cours de fabrication le 1er mai, et que l'atelier de façonnage et de fraisage a ajouté à ce coût une somme de **719 500 $** en coûts de production propres à ce mois. Par conséquent, l'atelier est responsable de **734 675 $** (15 175 $ + 719 500 $) de coûts qui devront être répartis.

Ce coût total est réparti entre deux objets de coûts. Comme le montre le tableau des quantités, **4 800** unités ont été transférées à l'atelier suivant, celui d'application des dessins. À la fin du mois, **400** autres unités étaient encore en cours de fabrication dans l'atelier de façonnage et de fraisage. Ainsi, une partie des **734 675 $** de coûts à répartir est transférée avec les **4 800** unités à l'atelier d'application des dessins, tandis que l'autre partie, liée aux **400** unités qui n'ont pas quitté le premier atelier, reste dans le stock de produits en cours à la fin de l'atelier de façonnage et de fraisage.

On a attribué à chacune des 4 800 unités transférées à l'atelier d'application des dessins un coût de 149 $, ce qui représente un total de **715 200 $**. On attribue ensuite des coûts aux 400 unités se trouvant toujours en cours de fabrication à la fin du mois en tenant compte de leur degré d'avancement. Pour ce faire, il faut se baser sur le calcul des unités équivalentes et reporter les résultats dans la partie du rapport consacrée à la répartition

TABLEAU 4.3	**Un rapport de production préparé selon la méthode du coût moyen pondéré**

SKIS DOUBLE DIAMANT
Rapport de production de l'atelier de façonnage et de fraisage
de la période terminée le 31 mai selon la méthode du coût moyen pondéré

Tableau des quantités et des unités équivalentes

	Quantités		
Quantités dont il faut rendre compte :			
Produits en cours de fabrication au 1er mai (55 % des matières premières ; 30 % de la transformation ajoutée le mois précédent)	200		
Unités mises en fabrication	5 000		
Total d'unités	5 200		

		Unités équivalentes	
		Matières premières	Coût de transformation
Compte rendu des quantités :			
Unités transférées à l'atelier suivant	4 800	4 800	4 800
Produits en cours au 31 mai (40 % des matières premières ; 25 % de la transformation ajoutée pendant le mois)	400	160*	100**
Total d'unités et production équivalente	5 200	4 960	4 900

Coûts par unité équivalente

	Coût total	Matières premières	Coût de transformation	Unité complète
Accumulation des coûts :				
Produits en cours au 1er mai	15 175 $	9 600 $	5 575 $	
Coût propre à la période de l'atelier de façonnage et de fraisage	719 500	368 600	350 900	
Total des coûts, a)	734 675 $	378 200 $	356 475 $	
Production équivalente (*ci-dessus*), b)		4 960	4 900	
Coûts par UÉ, a) ÷ b)		76,25 $ +	72,75 $ =	149,00 $

Répartition des coûts

		Unités équivalentes (*ci-dessus*)	
	Coût total	Matières premières	Coût de transformation
Coûts à répartir comme suit :			
Unités transférées à l'atelier suivant :			
4 800 unités × 149,00 $	715 200 $	4 800	4 800
Produits en cours au 31 mai :			
Matières premières, à 76,25 $ par UÉ	12 200	160	
Coût de transformation, à 72,75$ par UÉ	7 275		100
Total des produits en cours au 31 mai	19 475		
Coût total	734 675 $		

* 400 unités avancées à 40 % = 160 unités équivalentes
** 400 unités avancées à 25 % = 100 unités équivalentes

UÉ : unités équivalentes

des coûts. On attribue alors des coûts à ces unités en multipliant le coût par unité équivalente déjà calculé par le nombre d'unités équivalentes pour chaque objet de coût du stock de produits en cours à la fin.

Lorsqu'un coût a été attribué au stock de produits en cours de fabrication, à la fin, on constate que le coût total réparti (**734 675 $**) concorde avec le total accumulé dans l'atelier. La répartition des coûts est donc terminée. Cette dernière étape fournit l'information nécessaire pour effectuer les écritures de journal dans le compte des produits en cours.

À noter que lorsque vous utilisez une calculatrice ou un tableur et que vous n'arrondissez pas les coûts par unité équivalente, aucun écart ne devrait exister entre le tableau d'accumulation des coûts et celui de la répartition des coûts au moment de les comparer. Par contre, quand vous arrondirez les coûts par unité équivalente, les deux résultats ne concorderont pas toujours en tous points. En ce qui concerne le rapport du tableau 4.3, les résultats concordent, mais ce ne sera pas toujours le cas. Dans tous les calculs de ce manuel qui requièrent un arrondissement, y compris ceux des activités d'apprentissage que vous aurez à effectuer, nous appliquons les deux règles suivantes :

1. Tous les coûts par unité équivalente sont arrondis à deux ou à trois décimales près comme au tableau 4.3.
2. Tout ajustement nécessaire pour faire concorder le tableau d'accumulation des coûts et celui de la répartition des coûts est apporté au coût « transféré » plutôt qu'au stock à la fin.

Le système de coûts de revient pour la fabrication par lots

Les systèmes d'établissement des coûts étudiés aux chapitres 3 et 4 représentent les deux extrémités d'un continuum. D'un côté, il y a le système de coûts de revient par commande employé par des entreprises produisant une grande variété d'articles différents — en général, conformément aux exigences de leurs clients — et, de l'autre, il y a le système de coûts de revient en fabrication uniforme et continue employé par des entreprises fabriquant essentiellement des produits homogènes en grande quantité. Entre ces deux extrêmes, on retrouve plusieurs méthodes hybrides comportant des caractéristiques de l'un et de l'autre système. L'une de ces méthodes porte le nom de *système de coûts de revient pour la fabrication par lots*.

Le **système de coûts de revient pour la fabrication par lots** est utilisé lorsque les produits possèdent certaines caractéristiques communes, mais aussi des caractéristiques particulières. Les chaussures, par exemple, ont des caractéristiques communes. En effet, peu importe le style, leur fabrication nécessite toujours des activités de coupe et de couture exécutées sur une base répétitive, à l'aide du même équipement et en suivant les mêmes étapes. Toutefois, les chaussures ont aussi des caractéristiques propres ; certaines sont fabriquées avec des cuirs coûteux ; d'autres, avec des matières synthétiques bon marché. Certaines chaussures devront passer par toutes les étapes de fabrication ; d'autres passeront seulement par quelques-unes. Dans de telles situations où les produits ont quelques caractéristiques communes, mais doivent aussi subir des transformations particulières, le système de coûts de revient pour la fabrication par lots peut servir à déterminer les coûts des produits fabriqués.

Comme nous l'avons mentionné, le système de coûts de revient pour la fabrication par lots est un système hybride comportant certains aspects du système de coûts de revient par commande, et d'autres du système de coûts de revient en fabrication uniforme et continue. On l'utilise en général lorsque les produits sont fabriqués par lots. Le coût de chaque lot est alors déterminé en fonction des matières que ce dernier requiert en propre. En ce sens, le système de coûts de revient pour la fabrication par lots ressemble au système de coûts de revient par commande. Toutefois, le coût de la main-d'œuvre et les frais indirects sont accumulés par activité ou par atelier, et on les attribue aux unités de la même façon que dans

Système de coûts de revient pour la fabrication par lots

Système hybride d'établissement des coûts employé lorsque des produits sont fabriqués par lots, et qu'ils possèdent certaines caractéristiques communes et certaines caractéristiques particulières. Selon cette méthode, les matières sont traitées de la même façon que dans le système d'établissement des coûts de revient par commande, tandis que le coût de la main-d'œuvre directe ainsi que les frais indirects de fabrication le sont de la même façon que dans le système de coûts de revient en fabrication uniforme et continue.

le système de coûts de revient en fabrication uniforme et continue. Par exemple, au moment de la fabrication d'un lot de chaussures, si ce lot passe par trois ateliers de fabrication, on attribue à chaque chaussure le même coût de transformation par unité dans chaque atelier de production, et on lui attribue le coût des matières premières qui lui sont propres. Quand un lot de fabrication passe par deux ateliers, les chaussures de ce lot n'endosseront que le coût de transformation de ces deux ateliers et le coût des matières premières qui leur sont propres. Ainsi, l'entreprise peut faire une distinction entre les styles sur le plan des matières premières et des étapes de production. Toutefois, elle a aussi la possibilité d'utiliser un système plus simple, celui des coûts de revient en fabrication uniforme et continue, pour la main-d'œuvre et les frais indirects de fabrication.

D'autres exemples de production utilisant un système de coûts de revient pour la fabrication par lots touchent entre autres le matériel électronique (par exemple, les semi-conducteurs), les textiles, les vêtements et les bijoux (par exemple, les bagues, les bracelets et les médaillons). Ces types de produits sont le plus souvent fabriqués en lots. Ils peuvent toutefois varier de façon considérable d'un modèle à un autre ou d'un style à un autre en ce qui concerne le coût des matières premières utilisées et les étapes de production. Le système de coûts de revient pour la fabrication par lots se révèle alors particulièrement approprié pour fournir des données sur les coûts.

Les systèmes de fabrication flexible

Une usine qui utilise un système de fabrication flexible est fortement automatisée, et ses activités sont organisées autour de cellules, ou îlots de travail. Ce concept touche de différentes manières l'établissement des coûts de revient. Par exemple, il permet à l'entreprise de changer de méthode et de passer d'un système de coûts de revient par commande coûteux à un système de coûts de revient en fabrication uniforme et continue ou de coûts de revient pour la fabrication par lots, qui le sont moins. Ce changement est rendu possible par le fait que les systèmes de fabrication flexible se montrent d'une grande efficience au chapitre de la réduction du temps de mise en route requis entre les différents produits et les commandes. Lorsque ce temps représente seulement une fraction des délais antérieurs, l'entreprise peut changer rapidement de produit ou de commande comme s'il s'agissait d'un mode de fabrication uniforme et continue. L'entreprise est alors en mesure d'employer des méthodes propres au système de coûts de revient en fabrication uniforme et continue dans des contextes qui, auparavant, exigeaient un système de coûts de revient par commande. L'utilisation de plus en plus répandue (et l'efficience de plus en plus grande) des systèmes de fabrication flexible amène certains gestionnaires à prédire que le système de coûts de revient par commande est appelé à disparaître de manière progressive, sauf dans quelques secteurs choisis.

Un autre effet des systèmes de fabrication flexible est attribuable au fait qu'ils mettent l'accent sur les cellules plutôt que sur les ateliers. Bien que les entreprises qui ont adopté un système de fabrication flexible continuent de préparer des rapports de production, ceux-ci sont soit plus généraux, de façon à inclure tout le processus de fabrication (un grand nombre de cellules), soit beaucoup plus restreints, de façon à porter sur une seule cellule ou un seul poste de travail. Si la méthode juste-à-temps (JAT) est utilisée, le rapport de production devient alors beaucoup plus simple, peu importe le niveau auquel il a été établi.

Résumé

Les entreprises utilisent un système de coûts de revient en fabrication uniforme et continue lorsqu'elles fabriquent des produits ou fournissent des services homogènes sur une base continue. Le cheminement des coûts dans les comptes de fabrication est à peu près le même dans ce système que dans celui des coûts de revient par commande. La différence entre les deux systèmes est surtout attribuable au fait que, dans le système de coûts de revient en fabrication uniforme et continue, les coûts sont accumulés par atelier plutôt que par commande et que le rapport de production de chaque atelier remplace la fiche de coût de revient par commande.

Pour calculer les coûts unitaires d'un atelier, on doit déterminer la production de cet atelier sous forme d'unités équivalentes. Lorsque l'entreprise recourt à la méthode du coût moyen pondéré, les unités équivalentes pour une période donnée correspondent à la somme des unités transférées à un autre atelier (ou au stock de produits finis pendant cette période) et des unités équivalentes dans le stock de produits en cours à la fin de la période.

Le rapport de production sert à résumer l'activité d'un atelier. Il comporte trois parties distinctes, mais étroitement reliées. La première partie présente un tableau des quantités comprenant un calcul des unités équivalentes et indiquant le cheminement des unités au sein d'un atelier au cours d'une période donnée. La deuxième partie comprend un calcul des coûts par unité équivalente dans lequel sont fournis les coûts unitaires déterminés distinctement pour les matières premières et la main-d'œuvre directe ainsi que pour les frais indirects de fabrication. On y trouve aussi le total des coûts pour la période donnée. Dans la troisième partie, une répartition des coûts résume tous les cheminements de coûts dans un atelier pour la période considérée.

Activités d'apprentissage

Problème de révision 1

Le cheminement des coûts et les rapports dans le système de coûts de revient en fabrication uniforme et continue

Les Peintures Benjamin fabriquent de la peinture d'extérieur au latex qui se vend dans des contenants de un litre. L'entreprise dispose de deux ateliers de production : la fabrication de la base et la finition. La peinture blanche servant de base à toutes les peintures de l'entreprise est fabriquée à partir de matières premières dans l'atelier de fabrication de la base. L'ajout de pigments à cette peinture et le remplissage sous pression de contenants de un litre, qui sont ensuite étiquetés et emballés pour être expédiés, se font dans l'atelier de finition.

Voici quelques renseignements sur les activités de l'entreprise pour le mois d'avril.

a) Utilisation de matières premières pour la production : atelier de fabrication de la base, 851 000 $, et atelier de finition, 629 000 $.

b) Coûts engagés pour la main-d'œuvre directe : atelier de fabrication de la base, 330 000 $, et atelier de finition, 270 000 $.

c) Imputation des frais indirects de fabrication : atelier de fabrication de la base, 665 000 $, et atelier de finition, 405 000 $.

d) Peinture blanche de base transférée de l'atelier de fabrication de la base à l'atelier de finition, 1 850 000 $.

e) Peinture préparée pour l'expédition, transférée de l'atelier de finition aux produits finis, 3 200 000 $.

Travail à faire

1. Préparez les écritures de journal requises pour enregistrer les éléments a) à e).

2. Reportez les écritures de journal effectuées à la question précédente dans des comptes en T. En date du 1er avril, le solde du compte des produits en cours de l'atelier de fabrication de la base s'élevait à 150 000 $, et celui de l'atelier de finition, à 70 000 $. Après avoir reporté ces écritures dans vos comptes en T, déterminez le solde du compte des produits en cours à la fin d'avril pour chacun des ateliers.

3. Préparez le rapport de production de l'atelier de fabrication de la base pour le mois d'avril. Voici des renseignements supplémentaires concernant la production de cet atelier au cours d'avril.

Données sur la production :	
Produits en cours au 1er avril (en litres) (100 % des matières premières, et 60 % de la main-d'œuvre directe et des frais indirects de fabrication)	30 000
Unités mises en fabrication en avril (en litres)...	420 000
Unités terminées et transférées à l'atelier de finition (en litres)..............	370 000
Unités en cours au 30 avril (en litres) (50 % des matières premières, 25 % de la main-d'œuvre directe et des frais indirects de fabrication)..	80 000

Données sur les coûts :
Produits en cours au 1er avril :

Matières premières	92 000 $
Main-d'œuvre directe	21 000
Frais indirects de fabrication	37 000
Coût total	150 000 $

Coût ajouté au mois d'avril :

Matières premières	851 000 $
Main-d'œuvre directe	330 000
Frais indirects de fabrication	665 000

Solution au problème de révision 1

1.

a) Produits en cours – Atelier de fabrication de la base	851 000	
Produits en cours – Atelier de finition	629 000	
Matières premières		1 480 000
b) Produits en cours – Atelier de fabrication de la base	330 000	
Produits en cours – Atelier de finition	270 000	
Salaires à payer		600 000
c) Produits en cours – Atelier de fabrication de la base	665 000	
Produits en cours – Atelier de finition	405 000	
Frais indirects de fabrication		1 070 000
d) Produits en cours – Atelier de finition	1 850 000	
Produits en cours – Atelier de fabrication de la base		1 850 000
e) Produits finis	3 200 000	
Produits en cours – Atelier de finition		3 200 000

2.

Matières premières

Solde	XXX	a)	1 480 000

Salaires à payer

	b)	600 000

Produits en cours – Atelier de fabrication de la base

Solde	150 000	d)	1 850 000
a)	851 000		
b)	330 000		
c)	665 000		
Solde	146 000		

Frais indirects de fabrication

Différents coûts réels	XXX	c)	1 070 000

Produits en cours – Atelier de finition

Solde	70 000	e)	3 200 000
a)	629 000		
b)	270 000		
c)	405 000		
d)	1 850 000		
Solde	24 000		

Produits finis

Solde			XXX
e)	3 200 000		

▶

► 3.

LES PEINTURES BENJAMIN
Rapport de production de l'atelier de fabrication de la base
du mois terminé le 30 avril

Tableau des quantités et des unités équivalentes

	Quantités
Quantités (en litres) dont il faut rendre compte :	
Produits en cours au 1er avril (100 % des matières premières, et 60 % de la main-d'œuvre directe et des frais indirects de fabrication ajoutés le mois précédent)............	30 000
Unités mises en fabrication	420 000
Total d'unités	450 000

	Quantités	Unités équivalentes		
		Matières premières	Main-d'œuvre directe	Frais indirects de fabrication
Compte rendu des quantités (en litres) :				
Unités transférées à l'atelier de finition....................	370 000	370 000	370 000	370 000
Produits en cours au 30 avril (50 % des matières premières ; 25 % de la main-d'œuvre directe et des frais indirects de fabrication ajoutés pendant le présent mois).......	80 000	40 000*	20 000*	20 000*
Total d'unités et production équivalente.............	450 000	410 000	390 000	390 000

Coûts par unité équivalente

	Coût total	Matières premières	Main-d'œuvre directe	Frais indirects de fabrication	Unité complète
Accumulation des coûts :					
Produits en cours au 1er avril.........	150 000 $	92 000 $	21 000 $	37 000 $	
Coût propre à la période de l'atelier de finition	1 846 000	851 000	330 000	665 000	
Total des coûts, a)	1 996 000 $	943 000 $	351 000 $	702 000 $	
Production équivalente, b)		410 000	390 000	390 000	
Coûts par UÉ, a) ÷ b)		2,30 $ +	0,90 $ +	1,80 $ =	5,00 $

Répartition des coûts

	Coût total	Unités équivalentes (*ci-dessus*)		
		Matières premières	Main-d'œuvre directe	Frais indirects de fabrication
Coûts à répartir comme suit :				
Unités transférées à l'atelier de finition :				
370 000 unités × 5,00 $..................................	1 850 000 $**	370 000	370 000	370 000
Produits en cours au 30 avril :				
Matières premières, à 2,30 $ par UÉ...............	92 000	40 000		
Main-d'œuvre directe, à 0,90 $ par UÉ	18 000		20 000	
Frais indirects de fabrication, à 1,80 $ par UÉ....	36 000			20 000
Total des produits en cours au 30 avril	146 000			
Coût total	1 996 000 $			

---

* Matières premières : 80 000 unités avancées à 50 % = 40 000 unités équivalentes ; main-d'œuvre directe et frais indirects de fabrication : 80 000 unités avancées à 25 % = 20 000 unités équivalentes

** Ce montant, une fois déterminé, permet de passer l'écriture de journal effectuée à la partie 1 d) de la solution du problème de révision 1 (*page précédente*).

UÉ : unités équivalentes

Problème de révision 2

Le rapport de production et le dernier atelier

La société Power inc. fabrique des étuis de téléphones cellulaires. Il s'agit d'étuis haut de gamme devant passer par plusieurs ateliers de fabrication. Dans le dernier atelier, celui de la finition, le coût de transformation est ajouté aux unités, uniformément, tout au long du processus de fabrication. Vingt-cinq pour cent des matières premières sont ajoutées au début du processus de fabrication ; le reste est ajouté lorsque le processus est avancé à 50 %. Au cours du mois de juin, 475 000 unités ont été terminées et transférées aux produits finis. De ces unités, 100 000 provenaient des produits en cours au début du mois de juin, et 375 000 unités ont été commencées et terminées durant cette période. Les unités en cours au début étaient avancées à 40 % en ce qui a trait au coût de transformation. À la fin du mois de juin, il y avait 225 000 unités en cours de fabrication qui étaient avancées à 30 % pour ce qui est du coût de transformation. Voici le coût total de l'atelier : coûts provenant des ateliers précédents, 3 710 000 $, coût de transformation, 938 525 $, et matières premières, 605 625 $. Le coût total de l'atelier comprend le coût des produits en cours au début de juin, qui se répartit comme suit : coûts provenant des ateliers précédents, 500 000 $, coût de transformation, 37 500 $, et matières premières, 64 000 $.

Travail à faire

1. Préparez un rapport de production pour l'atelier de finition pour le mois de juin.
2. Passez toutes les écritures de journal nécessaires pour comptabiliser les opérations de l'atelier de finition au cours du mois de juin.

Solution au problème de révision 2

1.

POWER INC.
Rapport de production de l'atelier de finition
du mois terminé le 30 juin

Tableau des quantités et des unités équivalentes

	Quantités
Quantités dont il faut rendre compte :	
Produits en cours au 1er juin (40 % du coût de transformation ajouté le mois précédent)	100 000
Unités reçues de l'atelier précédent	600 000*
Total d'unités	700 000

		Unités équivalentes	
	Amont	Matières premières	Coût de transformation
Compte rendu des quantités :			
Unités transférées aux produits finis	475 000	475 000	475 000	475 000
Produits en cours au 30 juin (30 % du coût de transformation ajouté pendant le mois)	225 000	225 000**	56 250**	67 500**
Total d'unités et production équivalente	700 000	700 000	531 250	542 500

Coûts par unité équivalente

	Coût total	Amont	Matières premières	Coût de transformation	Unité complète
Accumulation des coûts :					
Produits en cours au 1er juin....	601 500 $	500 000 $	64 000 $	37 500 $	
Coût propre à la période de l'atelier de finition	4 652 650	3 210 000***	541 625***	901 025***	
Total des coûts, a).............	5 254 150 $	3 710 000 $	605 625 $	938 525 $	
Production équivalente, b)........		700 000	531 250	542 500	
Coûts par UÉ, a) ÷ b)		5,30 $ +	1,14 $ +	1,73 $ =	8,17 $

Répartition des coûts

		Unités équivalentes (*page précédente*)		
	Coût total	Amont	Matières premières	Coût de transformation
Coûts à répartir comme suit :				
Unités transférées aux produits finis :				
475 000 unités × 8,17 $............................	3 880 750 $	475 000	475 000	475 000
Produits en cours au 30 juin :				
Amont, à 5,30 $ par UÉ........................	1 192 500	225 000		
Matières premières, à 1,14 $ par UÉ.........	64 125		56 250	
Coût de transformation, à 1,73 $ par UÉ	116 775			67 500
Total des produits en cours au 30 juin	1 373 400			
Coût total	5 254 150 $			

* Total des unités dans l'atelier : 475 000 + 225 000 = 700 000 ; unités reçues de l'atelier précédent : 700 000 − 100 000 = 600 000
** Amont : 225 000 unités avancées à 100 % = 225 000 unités équivalentes ; matières premières : 225 000 unités avancées à 25 % = 56 250 unités équivalentes ; coût de transformation : 225 000 unités avancées à 30 % = 67 500 unités équivalentes
*** Amont : 3 710 000 $ − 500 000 $ = 3 210 000 $; matières premières : 605 625 $ − 64 000 $ = 541 625 $; coût de transformation : 938 525 $ − 37 500 $ = 901 025 $

UÉ : unités équivalentes

2.

a)	Produits en cours – Finition	3 210 000	
	Produits en cours – Atelier précédent		3 210 000
b)	Produits en cours – Finition	541 625	
	Matières premières		541 625
c)	Produits en cours – Finition	901 025	
	Salaires à payer et frais indirects de fabrication...........		901 025
d)	Produits finis	3 880 750	
	Produits en cours – Finition		3 880 750

Questions

Q1 Dans quel contexte un système de coûts de revient en fabrication uniforme et continue est-il approprié ?

Q2 En quoi un système de coûts de revient par commande et un système de coûts de revient en fabrication uniforme et continue se ressemblent-ils ?

Q3 Dans un système de coûts de revient par commande, les coûts sont accumulés par commande. Comment ces coûts sont-ils accumulés dans un système de coûts de revient en fabrication uniforme et continue ?

Q4 Quelles sont deux des principales caractéristiques de la production des entreprises utilisant un système de coûts de revient en fabrication uniforme et continue ?

Q5 Faites la distinction entre des ateliers agencés en mode séquentiel et d'autres agencés en mode parallèle.

Q6 Pourquoi l'accumulation des coûts est-elle plus facile dans un système de coûts de revient en fabrication uniforme et continue que dans un système de coûts de revient par commande ?

Q7 Combien de comptes de produits en cours une entreprise doit-elle maintenir lorsqu'elle recourt à un système de coûts de revient en fabrication uniforme et continue ?

Q8 Supposez qu'une entreprise compte deux ateliers de production, soit l'atelier de mélange et l'atelier de cuisson. Préparez une écriture de journal pour enregistrer le transfert d'unités terminées de l'atelier de mélange à l'atelier de cuisson.

Q9 Supposez encore une fois qu'une entreprise compte deux ateliers, l'atelier de mélange et l'atelier de cuisson. Expliquez quels coûts pourraient être ajoutés au compte de stock de produits en cours de l'atelier de cuisson pendant une période donnée.

Q10 Qu'entend-on par l'expression « production équivalente » lorsqu'on utilise la méthode du coût moyen pondéré ?

Q11 En quoi consiste un tableau des quantités ? À quoi sert-il ?

Q12 Quand on parle d'un système de coûts de revient en fabrication uniforme et continue, on compare souvent les produits à une boule de neige qui grossit en se déplaçant d'un atelier à un autre. Pourquoi cette comparaison vous semble-t-elle juste ?

Q13 Les Trophées Watson inc. fabrique des milliers de médailles en bronze, en argent et en or. Ces médailles sont toutes identiques sauf en ce qui concerne les matières premières entrant dans leur fabrication. Quel système d'établissement des coûts de revient recommanderiez-vous à cette entreprise ?

Q14 Donnez des exemples d'entreprises qui pourraient employer un système de coûts de revient pour la fabrication par lots.

Exercices

E1 Les écritures dans un système de coûts de revient en fabrication uniforme et continue

La Chocolaterie de Bruxelles, en Belgique, fabrique des truffes au chocolat vendues dans des boîtes en fer-blanc gravées en relief très recherchées. Elle compte deux ateliers de production : la cuisson et le moulage. À l'atelier de cuisson, on mélange les ingrédients de base des truffes et on les fait cuire dans des cuves à confiserie. À l'atelier de moulage, on verse avec soin dans des moules le chocolat fondu et d'autres ingrédients provenant de l'atelier de cuisson. On ajoute par la suite des décorations à la main. Lorsque les truffes sont refroidies, on les emballe pour la vente. L'entreprise emploie un système de coûts de revient en fabrication uniforme et continue. Les comptes en T ci-après indiquent le cheminement des coûts au sein des deux ateliers pour le mois d'avril (tous les montants sont en euros).

Produits en cours – Cuisson			
Solde 01/04	8 000	Unités transférées	
Matières premières	42 000	à l'atelier suivant	160 000
Main-d'œuvre directe	50 000		
Frais indirects de fabrication	75 000		

Produits en cours – Moulage			
Solde 01/04	4 000	Unités transférées au stock	
Unités reçues du premier atelier	160 000	de produits finis	240 000
Main-d'œuvre directe	36 000		
Frais indirects de fabrication	45 000		

Travail à faire

Préparez les écritures de journal requises pour enregistrer les opérations des deux ateliers de production pour le mois d'avril.

E2 **Les écritures dans un système de coûts de revient en fabrication uniforme et continue**

La Société Brique d'Abitibi fabrique des briques dans deux sections d'exploitation — le moulage et la cuisson. Voici des renseignements concernant ses activités au cours du mois de mars.

a) Des matières premières ont été acheminées aux sections de production à des coûts de 28 000 $ pour l'atelier de moulage et de 5 000 $ pour l'atelier de cuisson.

b) L'entreprise a engagé des coûts de main-d'œuvre directe : 18 000 $ pour l'atelier de moulage, et 5 000 $ pour l'atelier de cuisson.

c) Des frais indirects de fabrication ont été attribués comme suit : 24 000 $ à l'atelier de moulage et 37 000 $ à l'atelier de cuisson.

d) On a transféré des briques moulées mais non cuites de l'atelier de moulage à l'atelier de cuisson ; le coût des briques non cuites mais moulées s'élevait à 67 000 $.

e) On a transféré des briques terminées de l'atelier de cuisson à l'entrepôt des produits finis ; le coût de ces briques était alors de 108 000 $.

f) L'entreprise a vendu des briques à des clients. Le coût de ces produits finis vendus était de 106 000 $.

Travail à faire

Préparez les écritures de journal requises pour enregistrer les éléments a) à f) ci-dessus.

E3 **Le calcul des unités équivalentes suivant la méthode du coût moyen pondéré**

Les Laboratoires Clonex inc. utilisent un système de coûts de revient en fabrication uniforme et continue. Les données ci-après concernent un des ateliers pour le mois d'octobre.

	Unités	Pourcentage d'avancement	
		Matières premières	Coût de transformation
Produits en cours au 1er octobre	30 000	65 %	30 %
Produits en cours au 31 octobre	15 000	80 %	40 %

Cet atelier a mis en production 175 000 unités au cours du mois et a transféré 190 000 unités terminées à l'atelier suivant.

Travail à faire

Calculez la production équivalente du mois d'octobre en supposant que l'entreprise utilise la méthode du coût moyen pondéré pour calculer ses coûts unitaires.

E4 **Les coûts par unité équivalente suivant la méthode du coût moyen pondéré**

La société Belle-Isle utilise la méthode du coût moyen pondéré dans son système de coûts de revient en fabrication uniforme et continue. Voici des données provenant de son atelier de montage pour le mois de mai.

	Matières premières	Main-d'œuvre directe	Frais indirects de fabrication
Produits en cours au 1er mai	14 550 $	23 620 $	118 100 $
Coût ajouté en mai................................	88 350 $	14 330 $	71 650 $
Unités équivalentes de production	1 200	1 100	1 100

Travail à faire

Calculez les coûts par unité équivalente des matières, de la main-d'œuvre et des frais indirects de fabrication, et le coût total.

E5 Les unités équivalentes selon la méthode du coût moyen pondéré

L'entreprise La Poissonnerie du Labrador inc. transforme du saumon pour le compte de différents distributeurs. Elle compte deux ateliers, l'atelier 1 et l'atelier 2. Les données relatives aux kilogrammes de saumon transformé à l'atelier 1 au cours du mois de juillet sont présentées ci-après.

	Kilogrammes de saumon	Pourcentage d'avancement*
Produits en cours au 1er juillet	20 000	30 %
Unités mises en fabrication en juillet	380 000	–
Produits en cours au 31 juillet..	25 000	60 %

* Main-d'œuvre directe et frais indirects de fabrication seulement

Toutes les matières premières sont ajoutées au début de la transformation dans l'atelier 1. Le coût de la main-d'œuvre directe et les frais indirects de fabrication sont engagés de façon uniforme tout au long du processus de préparation.

Travail à faire

Dressez un tableau des quantités et effectuez le calcul des unités équivalentes du mois de juillet pour l'atelier 1, en supposant que l'entreprise utilise la méthode du coût moyen pondéré pour calculer ses coûts unitaires.

E6 Les unités équivalentes selon la méthode du coût moyen pondéré

Unibois est une entreprise spécialisée dans la transformation de la pâte de bois pour différents fabricants de produits papetiers. Voici quelques données relatives aux tonnes de pâte transformées pendant le mois de juin.

		Pourcentage d'avancement	
	Tonnes de pâte de bois	Matières premières	Main-d'œuvre directe et frais indirects de fabrication
Produits en cours au 1er juin	20 000	90 %	80 %
Produits en cours au 30 juin.....................	30 000	60 %	40 %
Unités mises en fabrication en juin	190 000	–	–

Travail à faire

1. Calculez le nombre de tonnes de pâte de bois terminées et transférées aux produits finis pendant le mois de juin.
2. Dressez un tableau des quantités et des unités équivalentes pour le mois de juin, en supposant que l'entreprise emploie la méthode du coût moyen pondéré.

E7 Les coûts des unités équivalentes selon la méthode du coût moyen pondéré

Pureforme inc. fabrique un produit qui doit passer par deux ateliers de production. Voici quelques données du dernier mois concernant le premier atelier.

	Unités	Matières premières	Main-d'œuvre directe	Frais indirects de fabrication
Produits en cours au début	5 000	4 500 $	1 250 $	1 875 $
Unités mises en fabrication	45 000			
Unités transférées au second atelier...	42 000			
Produits en cours à la fin.................	8 000			
Coût ajouté pendant le mois		52 800 $	21 500 $	32 250 $

Les unités en cours au début étaient terminées à 80 % en ce qui a trait aux matières premières et à 60 % en ce qui concerne la transformation. Les unités en cours à la fin étaient terminées à 75 % en ce qui a trait aux matières premières et à 50 % en ce qui concerne la transformation.

Travail à faire

1. Supposez que l'entreprise emploie la méthode du coût moyen pondéré pour calculer ses coûts unitaires. Dressez un tableau des quantités et effectuez un calcul des unités équivalentes pour le mois.
2. Déterminez les coûts par unité équivalente pour le mois considéré.

E8 Les coûts des unités équivalentes selon la méthode du coût moyen pondéré

Hélox inc. fabrique un produit qui doit passer par deux ateliers de production. Voici un tableau des quantités relatives au premier atelier pour le dernier mois.

Tableau des quantités et des unités équivalentes

	Quantités
Quantités dont il faut rendre compte :	
Produits en cours au 1er mai (100 % des matières premières, et 40 % du coût de transformation ajouté le mois précédent)........	5 000
Unités mises en fabrication	180 000
Total d'unités	185 000

	Quantités	Unités équivalentes	
		Matières premières	Coût de transformation
Compte rendu des quantités :			
Unités transférées à l'atelier suivant	175 000	?	?
Produits en cours au 31 mai (100 % des matières premières, et 30 % du coût de transformation ajouté pendant le mois).................................	10 000	?	?
Total d'unités et production équivalente..........	185 000	?	?

Voici les coûts accumulés du stock de produits en cours au début pour le premier atelier : matières premières, 1 200 $, et coût de transformation, 3 800 $. Les coûts ajoutés au cours du mois sont les suivants : matières premières, 54 000 $, et coût de transformation, 352 000 $.

Travail à faire

1. Supposez que l'entreprise utilise la méthode du coût moyen pondéré pour calculer ses coûts unitaires. Déterminez les unités équivalentes du premier atelier pour le mois.
2. Calculez les coûts par unité équivalente du premier atelier pour le mois.

E9 Le tableau de répartition des coûts

Servez-vous des données de l'exercice précédent, ainsi que des unités équivalentes et des coûts par unité équivalente que vous avez déjà calculés dans cet exercice.

Travail à faire

Remplissez le tableau de répartition des coûts ci-après pour le premier atelier.

Répartition des coûts

| | Coût total | Unités équivalentes | |
		Matières premières	Coût de transformation
Coûts à répartir comme suit :			
Unités transférées à l'atelier suivant :			
__?__ unités × __?__ $	? $		
Produits en cours au 31 mai :			
Matières premières, à __?__ par UÉ	?	?	
Coût de transformation, à __?__ par UÉ	?		?
Total des produits en cours au 31 mai	?		
Coût total	? $		

UÉ : unités équivalentes

E10 Les écritures de journal avec un système de coûts de revient en fabrication uniforme et continue

La société Pétrin est une boulangerie située à Montréal. Elle utilise un système de coûts de revient en fabrication uniforme et continue pour son unique produit — un pain de seigle noir. Elle a deux ateliers de production : l'atelier de préparation et l'atelier de cuisson. Les comptes en T ci-après indiquent le cheminement des coûts dans ces deux ateliers en avril.

Produits en cours – Préparation			
Solde 01/04	10 000	Coûts transférés	
Matières premières	330 000	à l'atelier de cuisson	760 000
Main-d'œuvre directe	260 000		
Frais indirects de fabrication	190 000		

Produits en cours – Cuisson			
Solde 01/04	20 000	Coûts transférés au stock	
Coûts reçus de l'atelier de préparation	760 000	de produits finis	980 000
Main-d'œuvre directe	120 000		
Frais indirects de fabrication	90 000		

Travail à faire

Préparez les écritures requises pour enregistrer le cheminement des coûts dans les deux ateliers de fabrication au cours du mois d'avril.

E11 Les unités équivalentes et les coûts par unité équivalente suivant la méthode du coût moyen pondéré

La société Kéramour fabrique un antiacide grâce à un procédé en deux étapes qui nécessite du travail dans deux ateliers de production, de façon successive. Les données du mois de mai concernant le premier de ces ateliers apparaissent ci-après.

►

	Litres	Matières premières	Main-d'œuvre directe	Frais indirects de fabrication
Produits en cours au 1er mai	80 000	68 600 $	30 000 $	48 000 $
Litres mis en fabrication	760 000			
Litres transférés à l'atelier suivant....	790 000			
Produits en cours au 31 mai	50 000			
Coût ajouté au cours du mois de mai...		907 200 $	370 000 $	592 000 $

Le stock de produits en cours au début du mois était terminé à 80 % sur le plan des matières premières, et à 75 % sur le plan de la main-d'œuvre et des frais indirects de fabrication. Le stock de produits en cours à la fin du mois était terminé à 60 % sur le plan des matières premières, et à 20 % sur le plan de la main-d'œuvre et des frais indirects de fabrication.

Travail à faire

Supposez que l'entreprise utilise la méthode du coût moyen pondéré.
1. Calculez les unités équivalentes pour les activités du mois de mai dans le premier atelier.
2. Déterminez les coûts par unité équivalente pour ce même mois.

E12 Les unités équivalentes et les coûts par unité équivalente suivant la méthode du coût moyen pondéré

La société Sabrevois fabrique du matériel d'isolation haut de gamme qui requiert deux étapes de production. Voici des données concernant la première étape pour le mois de juin.

	Unités	Achèvement sur le plan des matières premières	Achèvement sur le plan de la transformation
Stock de produits en cours au 1er juin......	60 000	75 %	40 %
Stock de produits en cours au 30 juin......	40 000	50 %	25 %
Coût des matières premières du stock de produits en cours au 1er juin		56 600 $	
Coût de transformation du stock de produits en cours au 1er juin		14 900 $	
Unités mises en fabrication		280 000	
Unités transférées à l'atelier suivant.........		300 000	
Coût des matières premières ajouté au cours du mois de juin............		385 000 $	
Coût de transformation ajouté au cours du mois de juin		214 500 $	

Travail à faire

1. Supposez que l'entreprise utilise la méthode du coût moyen pondéré. Déterminez les unités équivalentes de la première étape de fabrication pour le mois de juin.
2. Calculez les coûts par unité équivalente de la première étape de fabrication pour le mois de juin.
3. Déterminez le coût total du stock de produits en cours à la fin et le coût total des unités transférées à l'étape de production suivante en juin.

E13 Les coûts de revient en fabrication uniforme et continue – trois ateliers

La compagnie Évard inc. fabrique un seul produit de façon uniforme et continue. L'usine comprend trois ateliers : l'atelier de mélange, l'atelier de raffinage et l'atelier de finition. Vous avez accès, pour le mois de février 20X9, au rapport de production de l'atelier de raffinage, auquel il manque plusieurs informations. Pour le compléter, vous avez recueilli les éléments ci-après concernant les deux autres ateliers.

a) Unités mises en fabrication dans l'atelier de mélange : 300 000 unités.

b) Stock de produits en cours à la fin dans l'atelier de mélange : 6 000 unités.

c) Unités terminées au mois de février dans l'atelier de finition : 280 000 unités.

d) Stock de produits en cours à la fin dans l'atelier de finition : 8 000 unités.

Vous espérez donc qu'avec le rapport de production partiel ci-après et les données précédentes, vous serez en mesure de compléter l'information pour l'atelier de raffinage. Notez que pour chacun des ateliers, il n'y avait aucun stock de produits en cours au début. Pour le stock de produits en cours à la fin dans l'atelier de raffinage, le degré d'avancement est de 0 %.

ÉVARD INC.
Rapport de production de l'atelier de raffinage
du mois terminé le 28 février 20X9

Tableau des quantités et des unités équivalentes

	Quantités
Quantités dont il faut rendre compte :	
Produits en cours au début............................	-0-
Unités reçues de l'atelier de mélange.............	?
Total d'unités..	?

			Unités équivalentes		
		Amont	Matières premières	Main-d'œuvre directe	Frais indirects de fabrication
Compte rendu des quantités :					
Unités transférées à l'atelier suivant...............	?	?	?	?	?
Produits en cours à la fin...............................	?	?	?	?	?
Total d'unités et production équivalente.....	?	?	?	?	?

Coûts par unité équivalente

	Coût total	Amont	Matières premières	Main-d'œuvre directe	Frais indirects de fabrication
Accumulation des coûts :					
Produits en cours au début.........................	-0- $	-0- $	-0- $	-0- $	-0- $
Coût propre à la période.............................	?	?	?	?	?
Total des coûts, a)...................................	? $	? $	? $	? $	? $
Production équivalente, b)...........................		?	?	?	?
Coûts par UÉ, a) ÷ b)...................................	0,17 $ =	0,12 $ +	0,00 $ +	0,02 $ +	0,03 $

Répartition des coûts

	Coût total	Amont	Matières premières	Main-d'œuvre directe	Frais indirects de fabrication
			Unités équivalentes (*ci-dessus*)		
Coûts à répartir comme suit :					
Unités transférées à l'atelier suivant.............	?	?	?	?	?
Produits en cours à la fin :					
Amont	?	?			
Matières premières	?		?		
Main-d'œuvre directe...............................	?			?	
Frais indirects de fabrication	?				?
Total des produits en cours à la fin........	?				
Coût total	?				

► **Travail à faire**

1. Complétez le tableau de répartition des coûts du rapport de production de l'atelier de raffinage.
2. Rédigez l'écriture pour comptabiliser le transfert des unités de l'atelier de raffinage à l'atelier de finition.

E14 Les coûts de revient en fabrication uniforme et continue – trois ateliers et le rapport de production selon la méthode du coût moyen pondéré

La compagnie Bossé ltée fabrique un seul produit, lequel est traité successivement dans trois ateliers. La matière première A est versée à la production au premier atelier dès le début de la fabrication. Quant à elle, la matière première B est versée à la production dans le deuxième atelier quand le produit est avancé à 60 %. Il n'y a aucune nouvelle matière première ajoutée dans le troisième atelier.

Le service de la comptabilité a recueilli les renseignements ci-après pour la semaine terminée le 5 février 20X0.

	Premier atelier	Deuxième atelier	Troisième atelier
Unités terminées et transférées	50 000	30 000	21 000
Unités terminées et non transférées	10 000	5 000	-0-
Produits en cours à la fin avancés à 33,33 %	30 000	15 000	9 000

Notez qu'au début de la semaine, soit le 31 janvier 20X0, il n'y avait pas de stock de produits en cours, dans aucun des ateliers.

Les coûts engagés dans la semaine sont les suivants :

	Premier atelier	Deuxième atelier	Troisième atelier
Matières premières A..	36 000 $		
Matières premières B		12 250 $	
Main-d'œuvre directe	56 000	28 000	60 000 $
Frais indirects de fabrication	35 000	40 000	45 000
	127 000 $	80 250 $	105 000 $

Travail à faire

1. Préparez le rapport de production, pour chacun des trois ateliers, de la semaine terminée le 5 février 20X0, selon la méthode du coût moyen pondéré.
2. Comptabilisez, sous forme d'écriture de journal général, les coûts engagés de la semaine, les transferts entre ateliers et les transferts du dernier atelier aux produits finis.

Problèmes

P1 La méthode du coût moyen pondéré et l'établissement d'un rapport de production étape par étape

Les Produits Expo inc. fabriquent un produit d'isolation par un processus comportant trois étapes de transformation. Voici des renseignements concernant l'activité du premier atelier de production, la cuisson, pour le mois de mai.

Données sur la production :	
Unités en cours de fabrication au 1er mai	
(terminées à 100 % sur le plan des matières premières,	
et à 80 % sur le plan de la main-d'œuvre directe et	
des frais indirects de fabrication)	10 000
Unités mises en fabrication en mai	100 000
Unités terminées et transférées à l'atelier suivant	95 000
Unités en cours au 31 mai (terminées à 60 % sur le plan	
des matières premières, et à 20 % sur le plan de la main-	
d'œuvre directe et des frais indirects de fabrication)	?
Données sur les coûts :	
Produits en cours au 1er mai :	
Matières premières	1 500 $
Main-d'œuvre directe	1 800
Frais indirects de fabrication	5 400
Coûts ajoutés au mois de mai :	
Matières premières	154 500
Main-d'œuvre directe	22 700
Frais indirects de fabrication	68 100

Les matières premières s'ajoutent à différentes étapes du processus de cuisson ; la main-d'œuvre et les frais indirects, de leur côté, sont engagés de manière uniforme. L'entreprise emploie la méthode du coût moyen pondéré.

Travail à faire

Préparez le rapport de production de l'atelier de cuisson pour le mois de mai en suivant ces trois étapes.

1. Dressez un tableau des quantités et effectuez le calcul des unités équivalentes.
2. Calculez les coûts par unité équivalente pour le mois.
3. Répartissez les coûts à l'aide des données calculées précédemment.

P2 La méthode du coût moyen pondéré et l'établissement d'un rapport de production partiel

La Société Martin fabrique un seul produit. Elle utilise un système de coûts de revient en fabrication uniforme et continue, et la méthode du coût moyen pondéré. Ses activités du mois de juin viennent de se terminer. Voici un rapport de production incomplet relatif à son premier atelier de production.

Tableau des quantités et des unités équivalentes

	Quantités
Quantités dont il faut rendre compte :	
Produits en cours au 1er juin (100 % des matières premières, et 75 % de la main-d'œuvre directe et des frais indirects de fabrication ajoutés le mois précédent)	8 000
Unités mises en fabrication	45 000
Total d'unités	53 000

		Unités équivalentes		
	Quantités	Matières premières	Main-d'œuvre directe	Frais indirects de fabrication
Compte rendu des quantités :				
Unités transférées à l'atelier suivant	48 000	?	?	?
Produits en cours au 30 juin (100 % des matières premières, et 40 % de la main-d'œuvre directe et des frais indirects de fabrication ajoutés pendant le mois)	5 000	?	?	?
Total d'unités et production équivalente	53 000	?	?	?

Coûts par unité équivalente

	Coût total	Matières premières	Main-d'œuvre directe	Frais indirects de fabrication	Unité complète
Accumulation des coûts :					
Produits en cours au 1er juin..............................	7 130 $	5 150 $	660 $	1 320 $	
Coût propre à la période de l'atelier...................	58 820	29 300	9 840	19 680	
Total des coûts, a)	65 950 $	34 450 $	10 500 $	21 000 $	
Production équivalente, b)...................................		53 000	50 000	50 000	
Coûts par UÉ, a) ÷ b)..		0,65 $ +	0,21 $ +	0,42 $ =	1,28 $

UÉ : unités équivalentes

Travail à faire

1. Complétez la portion traitant des unités équivalentes du rapport de production ci-dessus pour le premier atelier.
2. Dressez la section intitulée « Répartition des coûts » du rapport de production pour le premier atelier.

P3 La méthode du coût moyen pondéré et le rapport de production

Les Boissons du Rivage inc. est une entreprise de Gatineau. Elle prépare des boissons aux fruits tropicaux en deux étapes. Dans l'atelier de mélange, on extrait d'abord les jus des fruits frais, puis on les combine et on les mélange. Les boissons ainsi obtenues sont ensuite embouteillées et emballées à l'atelier d'embouteillage. Les renseignements ci-après concernent les activités de l'atelier de mélange pour le mois de juin.

		Pourcentage d'avancement	
	Unités	Matières premières	Coût de transformation
Produits en cours au début...............................	20 000	100 %	75 %
Unités mises en fabrication...............................	180 000		
Unités terminées et transférées	160 000		
Produits en cours à la fin	40 000	100 %	25 %

Voici le coût accumulé du stock de produits en cours au début et le coût propre ajouté pendant le mois de juin de l'atelier de mélange.

	Matières premières	Coût de transformation
Produits en cours au début...	25 200 $	24 800 $
Coût propre ajouté pendant le mois de juin..........................	334 800 $	238 700 $

Travail à faire

Préparez le rapport de production de l'atelier de mélange pour le mois de juin. L'entreprise utilise la méthode du coût moyen pondéré.

P4 La méthode du coût moyen pondéré

Voici quelques renseignements concernant les activités de l'atelier d'embouteillage des Boissons du Rivage inc. Référez-vous au problème P3 pour les données de base.

		Pourcentage d'avancement	
	Unités	Matières premières	Coût de transformation
Produits en cours au début..............................	16 000	50 %	80 %
Unités reçues de l'atelier de mélange.................	?		
Unités terminées et transférées..........................	?		
Produits en cours à la fin....................................	12 000	40 %	60 %

Voici les coûts accumulés dans l'atelier d'embouteillage.

	Amont	Matières premières	Coût de transformation
Produits en cours au début	48 000 $	4 000 $	2 560 $
Coût propre ajouté pendant le mois de juin	536 000 $	96 480 $	56 560 $

Travail à faire

Préparez le rapport de production de l'atelier d'embouteillage pour le mois de juin en supposant que l'entreprise utilise la méthode du coût moyen pondéré.

P5 La méthode du coût moyen pondéré et l'interprétation d'un rapport de production

La Coopérative San José est située au sud de l'État de Sonora, au Mexique. L'entreprise fabrique un sirop unique à base de sucre de canne et de plantes locales. Vendu en petites bouteilles, ce sirop est très apprécié comme parfum dans les boissons et les desserts. Chaque bouteille se vend 12 $. La première étape du processus de fabrication a lieu dans l'atelier de mélange. Cette étape consiste à nettoyer les matières premières de toutes les impuretés et à les combiner selon les proportions voulues dans de grandes cuves. L'entreprise utilise la méthode du coût moyen pondéré dans son système de coûts de revient en fabrication uniforme et continue.

▶ Voici un rapport de production préparé à la hâte. Il concerne l'atelier de mélange pour le mois d'avril.

Tableau des quantités

Quantités dont il faut rendre compte:	
Produits en cours au 1er avril (90 % des matières premières, et 80 % du coût de transformation ajouté le mois précédent)....................	30 000
Unités mises en fabrication..	200 000
Total d'unités..	230 000

Compte rendu des quantités:	
Unités transférées à l'atelier suivant	190 000
Produits en cours au 30 avril (75 % des matières premières, et 60 % du coût de transformation ajouté pendant le mois)........................	40 000
Total d'unités..	230 000

Total des coûts

Accumulation des coûts:	
Produits en cours au 1er avril	98 000 $
Coût propre ajouté pendant le mois	827 000
Total des coûts..	925 000 $

Répartition des coûts

Coûts à répartir comme suit:	
Coûts transférés à l'atelier suivant..	805 600 $
Produits en cours au 30 avril...	119 400
Coût total	925 000 $

La Coopérative San José vient d'être achetée par une autre entreprise. La direction de cette société voudrait obtenir des renseignements supplémentaires sur les activités de sa nouvelle acquisition.

Travail à faire

1. Quelles étaient les unités équivalentes en avril?
2. Quels étaient les coûts par unité équivalente en avril? Les coûts accumulés du stock au début étaient les suivants: matières premières, 67 800 $, et coût de transformation, 30 200 $. Les coûts ajoutés pendant le mois étaient les suivants: matières premières, 579 000 $, et coût de transformation, 248 000 $.
3. Parmi les unités transférées à l'atelier suivant, combien avaient été commencées et terminées au cours du mois?
4. Désireux de faire bonne impression auprès des nouveaux propriétaires, le directeur de l'atelier de mélange a déclaré ce qui suit: « Les prix des matières premières ont grimpé à environ 2,50 $ par unité en mars et à 3 $ en avril. Grâce à un contrôle efficace des coûts, j'ai réussi à maintenir le coût de revient des matières premières de l'entreprise à moins de 3 $ par unité pour le mois. » Ce directeur devrait-il être récompensé pour son efficacité à contrôler les coûts? Expliquez votre réponse.

P6 La méthode du coût moyen pondéré et une analyse d'un compte en T des produits en cours

Les Produits Weston inc. fabriquent un produit de nettoyage industriel qui doit passer par trois ateliers de production: le tamisage, le mélange et la cuisson. Dans l'atelier de tamisage, les matières premières sont introduites tout au début des activités; le coût de transformation, de son côté, est engagé de façon uniforme tout au long du processus. Voici le compte en T des produits en cours de l'atelier de tamisage pour le mois de mai.

Produits en cours – Tamisage			
Stock au 1er mai (18 000 kg avancés à 33 %)	21 800	Produits terminés et transférés à l'atelier de mélange (___?___ kg)	?
Coûts ajoutés en mai : Matières premières (167 000 kg)	133 400		
Main-d'œuvre directe et frais indirects de fabrication	226 800		
Stock au 31 mai (15 000 kg avancés à 67 %)	?		

Les coûts accumulés du stock de produits en cours en date du 1er mai étaient répartis comme suit : coût des matières premières, 14 600 $, et coût de la main-d'œuvre directe et frais indirects de fabrication, 7 200 $. L'entreprise utilise la méthode du coût moyen pondéré pour calculer ses coûts unitaires.

Travail à faire

1. Préparez le rapport de production de l'atelier de tamisage pour le mois de mai.
2. Quelle critique pourrait-on formuler au sujet des coûts unitaires calculés dans votre rapport de production ?

P7 La méthode du coût moyen pondéré, les écritures de journal, les comptes en T et le rapport de production

Hilox inc. fabrique un antiacide nécessitant la présence de deux ateliers : un atelier de cuisson et un atelier de mise en flacons. Le comptable adjoint nouvellement embauché a préparé le résumé des coûts de production de l'atelier de cuisson pour le mois de mai à l'aide de la méthode du coût moyen pondéré.

Coûts de l'atelier de cuisson :		
Produits en cours au 1er mai (70 000 litres, avancés à 60 % sur le plan des matières premières, et à 30 % sur le plan de la main-d'œuvre directe et des frais indirects de fabrication)	61 000 $*	
Coûts des matières premières ajoutés en mai	570 000	
Coûts de la main-d'œuvre directe ajoutés en mai	100 000	
Frais indirects de fabrication imputés en mai	235 000	
Total des coûts de l'atelier	966 000 $	
Coûts de l'atelier de cuisson répartis ainsi :		
Litres terminés et transférés à l'atelier de mise en flacons (400 000 litres à ___?___ $ par litre)	?	$
Produits en cours au 31 mai (50 000 litres avancés à 70 % sur le plan des matières premières, et à 40 % sur le plan de la main-d'œuvre directe et des frais indirects de fabrication)	?	
Total des coûts de l'atelier	?	$

* Comprend les matières premières, 39 000 $, la main-d'œuvre directe, 5 000 $, et les frais indirects de fabrication, 17 000 $.

▶ Le comptable adjoint a déterminé que le coût par litre terminé est de 2,415 $, soit :

$$\frac{\text{Total des coûts de l'atelier}}{\text{Nombre de litres terminés et transférés}} = \frac{966\,000\ \$}{400\,000\ \text{L}} = 2{,}415\ \$/\text{L}$$

Toutefois, le comptable adjoint ignore comment se servir de ce coût unitaire dans l'attribution des coûts au stock de produits en cours à la fin. En outre, le grand livre de l'entreprise indique des coûts transférés de l'atelier de cuisson à l'atelier de mise en flacons de seulement 900 000 $, ce qui ne concorde pas avec le montant de 966 000 $ calculé précédemment.

Le grand livre contient aussi les coûts engagés par l'atelier de mise en flacons pour le mois de mai : matières premières utilisées, 130 000 $, coût engagé pour la main-d'œuvre directe, 80 000 $, et frais indirects de fabrication imputés aux produits, 158 000 $.

Travail à faire

1. Préparez les écritures de journal nécessaires pour enregistrer les opérations de l'entreprise pour le mois de mai. Faites correspondre vos écritures avec les éléments a) à g) ci-après.
   a) Les activités des deux ateliers de fabrication ont nécessité des matières premières.
   b) Des coûts de main-d'œuvre directe ont été engagés dans les deux ateliers.
   c) Des frais indirects de fabrication réels de 400 000 $ ont été engagés. (Créditez les comptes fournisseurs.) L'entreprise tient un seul compte de frais indirects de fabrication réels pour toute l'usine.
   d) Les frais indirects de fabrication ont été imputés à la production dans chaque atelier à l'aide de taux d'imputation prédéterminés.
   e) Les unités dont la transformation était terminée à l'atelier de cuisson ont été transférées à l'atelier de mise en flacons, 900 000 $.
   f) Les unités dont la transformation était terminée à l'atelier de mise en flacons ont été transférées aux produits finis, 1 300 000 $.
   g) Des unités ont été vendues à crédit, 2 000 000 $. Le coût des ventes relatif à ces unités s'élevait à 1 250 000 $.
2. Reportez les écritures de journal passées en 1) dans des comptes en T. Voici les soldes de quelques comptes en date du 1er mai.

Matières premières..	710 000 $
Produits en cours – Atelier de mise en flacons...	85 000
Produits finis	45 000

Après avoir reporté les écritures dans des comptes en T, déterminez le solde de fin des comptes de stock et du compte de frais indirects de fabrication.

3. Préparez le rapport de production de l'atelier de cuisson pour le mois de mai.

P8 La méthode du coût moyen pondéré, les unités équivalentes et l'évaluation des stocks à la fin d'une période

Spirit inc. est un fabricant de montres à affichage numérique. Le directeur financier de l'entreprise voudrait vérifier l'exactitude des soldes à la fin de l'année du stock de produits en cours et du stock de produits finis avant de fermer les livres. On vous a demandé de procéder à cette vérification. Voici les soldes de fin de période figurant dans les livres de l'entreprise.

	Unités	Coûts
Produits en cours au 31 décembre (avancés à 50 % en ce qui a trait à la main-d'œuvre directe et aux frais indirects de fabrication)	300 000	660 960 $
Produits finis au 31 décembre	200 000	1 009 800 $

Les matières premières sont ajoutées à la production au début du processus de fabrication. Les frais indirects de fabrication sont imputés à chaque produit au taux de 60 % du coût de la main-d'œuvre directe. Il n'y avait aucun stock de produits finis au début de la période. Une révision des stocks et des comptes de coûts de l'entreprise a permis de présenter les données ci-après, qui sont rigoureusement exactes.

		Coûts	
	Unités	Matières premières	Main-d'œuvre directe
Produits en cours au 1er janvier (avancés à 80 % en ce qui a trait à la main-d'œuvre directe et aux frais indirects de fabrication)	200 000	200 000 $	315 000 $
Unités mises en fabrication	1 000 000		
Coût propre ajouté au cours de la période :			
Coût des matières premières		1 300 000 $	
Coût de la main-d'œuvre directe...................			1 995 000 $
Unités terminées au cours de la période............	900 000		

L'entreprise utilise la méthode du coût moyen pondéré.

Travail à faire

1. Déterminez la production équivalente et les coûts par unité équivalente des matières premières, de la main-d'œuvre directe et des activités de soutien (ou frais indirects de fabrication) pour la période.
2. Déterminez les coûts que l'on devrait attribuer au stock de produits en cours à la fin et au stock de produits finis.
3. Passez l'écriture de correction nécessaire pour ramener les comptes du stock de produits en cours et du stock de produits finis à leur solde exact en date du 31 décembre.
4. Déterminez le coût des ventes au cours de la période en supposant qu'il n'y a aucuns frais indirects de fabrication sous-imputés ou surimputés.

(Adaptation d'un problème de l'American Institute of Certified Public Accountants)

P9 La méthode du coût moyen pondéré, les écritures de journal, les comptes en T et le rapport de production

Les Lubrifiants inc. fabriquent un type de graisse particulier très prisé des coureurs automobiles. La fabrication de cette graisse requiert deux processus, le raffinage et le mélange. Dans l'atelier de raffinage, les produits de pétrole brut sont introduits à différents stades ; la main-d'œuvre et les frais indirects de fabrication, de leur côté, sont engagés de façon uniforme tout au long de cette opération. Le produit raffiné est ensuite transféré à l'atelier de mélange.

Voici une partie du compte des produits en cours des activités de l'atelier de raffinage montrant certaines opérations du mois de mars.

▶

Produits en cours – Atelier de raffinage			
Stock au 1er mars (20 000 litres ; produits avancés à 100 % sur le plan des matières premières, et à 90 % sur le plan de la main-d'œuvre directe et des frais indirects de fabrication)	38 000	Produits terminés et transférés à l'atelier de mélange (? litres)	?
Coûts propres ajoutés en mars : Matières premières de pétrole brut (390 000 litres)	495 000		
Main-d'œuvre directe	72 000		
Frais indirects de fabrication	181 000		
Stock au 31 mars (40 000 litres ; produits avancés à 75 % sur le plan des matières premières, et à 25 % sur le plan de la main-d'œuvre directe et des frais indirects de fabrication)	?		

Au 1er mars, le stock des produits en cours de l'atelier de raffinage était composé des éléments de coûts suivants : matières premières, 25 000 $, main-d'œuvre directe, 4 000 $, et frais indirects de fabrication, 9 000 $.

L'atelier de mélange a engagé les coûts ci-après pendant le mois de mars : matières premières utilisées, 115 000 $, main-d'œuvre directe, 18 000 $, et frais indirects de fabrication imputés, 42 000 $. L'entreprise calcule ses coûts unitaires à l'aide de la méthode du coût moyen pondéré.

Travail à faire

1. Passez les écritures de journal requises pour enregistrer les opérations de l'atelier de raffinage et de l'atelier de mélange pour le mois de mars. Faites correspondre vos écritures avec les éléments a) à g) ci-après.
   a) Des matières premières ont été utilisées par les ateliers pour leurs activités de fabrication.
   b) Des coûts de main-d'œuvre directe ont été engagés.
   c) Des frais indirects de fabrication réels de 225 000 $ ont été engagés pour l'usine entière. (Créditez les comptes fournisseurs.)
   d) Des frais indirects de fabrication ont été imputés à la production à l'aide d'un taux d'imputation prédéterminé.
   e) Les unités dont la transformation était terminée à l'atelier de raffinage ont été transférées à l'atelier de mélange, 740 000 $.
   f) Les unités dont la transformation était terminée à l'atelier de mélange ont été transférées aux produits finis, 950 000 $.
   g) Des unités terminées ont été vendues à crédit au prix de 1 500 000 $; le coût des ventes relatif à ces unités s'élevait à 900 000 $.
2. Reportez les écritures de journal passées en 1) dans des comptes en T. Voici les soldes de quelques comptes au début du mois de mars. (Le solde du stock de produits en cours au début de l'atelier de raffinage est fourni ci-dessus.)

Matières premières..	618 000 $
Produits en cours – Atelier de mélange	65 000
Produits finis	20 000

Après avoir reporté les écritures dans des comptes en T, déterminez le solde à la fin des comptes de stock et du compte de frais indirects de fabrication.

3. Préparez le rapport de production de l'atelier de raffinage pour le mois de mars.

P10 **La méthode du coût moyen pondéré et l'analyse des coûts**

Les Produits Chimiques ARB inc. préparent un type particulier de produit chimique dont le processus de fabrication, unique au monde, dure 10 jours. L'entreprise est en activité 365 jours par an.

Les matières premières sont introduites comme suit : 10 % tout au début du processus ; lorsque le processus est avancé à 35 %, on ajoute un supplément de 30 % ; à 65 % d'avancement, on ajoute encore 40 % ; enfin, lorsque le processus est avancé à 95 %, on ajoute le reste.

Le coût de transformation est ajouté de façon uniforme tout au long du processus. Toutefois, la fabrication de ce produit ne requiert ni main-d'œuvre indirecte ni matières indirectes. L'entreprise utilise la méthode du coût moyen pondéré pour établir le coût de ses produits. Voici quelques renseignements qui la concernent pour le mois de juillet 20X1.

Produits en cours au 31 juillet (produits avancés à 20 % sur le plan du coût de transformation)	15 000 unités
Unités mises en fabrication en juillet	57 000
Unités terminées en juillet	54 000
Produits finis au 31 juillet	58 000
Produits en cours au 1er juillet (produits avancés à 70 % sur le plan du coût de transformation)	?

Les comptes en T ci-après contiennent des renseignements partiels pour le mois de juillet.

Matières premières			
01/07	20 000		
15/07	74 000		
31/07	35 000		

Produits en cours			
01/07	62 590*		
31/07	9 573		

Salaires à payer			
15/07	48 000	01/07	48 000
		31/07	40 000

Frais indirects de fabrication			
01/07	44 000		
15/07	76 000		
31/07	58 150		

* De ce montant, 26 400 $ sont attribuables aux matières premières.

Travail à faire

1. Combien d'unités réelles se trouvent dans le stock de produits en cours au début ?

2. Quelle était la production du mois de juillet en unités équivalentes en ce qui a trait aux matières premières et au coût de transformation ?

3. Quel était le coût unitaire des produits terminés et transférés au mois de juillet ? (Présentez vos calculs à trois décimales près.) Indiquez la partie des matières premières et celle du coût de transformation séparément, de même que le coût complet des unités.

4. Quelle est la valeur du produit chimique terminé et transféré aux produits finis ? Quelle est la valeur du stock de produits en cours à la fin en ce qui a trait aux matières premières et au coût de transformation ?

5. Quel était le coût unitaire des matières premières du stock de produits en cours au début ?

6. Un client a commandé 60 000 unités du produit, qui devraient être livrées le 10 août. L'entreprise est-elle en mesure d'exécuter cette commande ? Fournissez tous vos calculs.

(Adaptation d'un problème de l'Association des comptables généraux accrédités du Canada)

P11 **La méthode du coût moyen pondéré et le coût unitaire**

La société Cycle inc. fabrique des vélos de montagne de façon uniforme et continue. Chaque vélo doit passer par trois ateliers de production : la fabrication du cadre, la peinture du cadre et l'assemblage des pièces. Au sein de chaque atelier, les matières premières et la main-d'œuvre directe sont engagées de manière uniforme ; les frais indirects de fabrication sont imputés au taux de 125 % du coût de la main-d'œuvre directe.

Les données informatiques enregistrées au mois de janvier concernant le troisième atelier ont été supprimées accidentellement par le nouveau contrôleur, qui connaissait mal le logiciel comptable de l'entreprise. Ainsi, toutes les données relatives aux coûts de revient de fabrication pour le mois ont été perdues. Les renseignements dont dispose l'entreprise proviennent du grand livre et du rapport de production de cet atelier pour le mois de décembre. Le contrôleur sollicite votre aide pour reconstituer les données supprimées à partir des renseignements suivants :

1.

Produits en cours au 31 décembre (400 unités avancées à 60 %) :	
Coûts liés aux 400 unités :	
Coûts provenant du premier et du second atelier :	
Matières premières	12 000 $
Main-d'œuvre directe	8 000
Frais indirects de fabrication imputés...	10 000
	30 000 $
Coûts du troisième atelier :	
Matières premières	2 400 $
Main-d'œuvre directe	1 200
Frais indirects de fabrication imputés...	?
	? $

2. Au cours du mois de janvier, 2 700 unités ont été transférées du deuxième atelier au troisième atelier. Le directeur de production se rappelle que 600 unités du troisième atelier étaient toujours en cours de fabrication à la fin du mois et qu'elles étaient avancées à 30 %.

3. Le processus de fabrication ne compte aucune unité gâchée.

4. Les écritures de journal ci-après ont été passées au mois de janvier.

a) Produits en cours – Troisième atelier.......................................	202 500	
Produits en cours – Deuxième atelier		202 500
b) Produits en cours – Troisième atelier.......................................	85 752	
Matières premières		37 800
Main-d'œuvre directe...		21 312
Frais indirects de fabrication imputés...................................		26 640
c) Produits finis..	272 250	
Produits en cours – Troisième atelier...................................		272 250

Travail à faire

1. Calculez le coût de fabrication d'une unité transférée aux produits finis à l'aide de la méthode du coût moyen pondéré.

2. Calculez le coût total des produits en cours à la fin du troisième atelier à l'aide de la méthode du coût moyen pondéré. Veillez à distinguer les coûts relatifs aux deux premiers ateliers combinés du coût propre au troisième atelier.

3. À partir de la réponse que vous avez trouvée en 2), passez l'écriture de journal nécessaire pour comptabiliser correctement les produits en cours à la fin du troisième atelier.

Cas

C1 L'éthique et les gestionnaires

Georges Salvail et Marie St-Jean sont directeurs de production des produits électroniques de consommation de Électro inc., qui compte plusieurs douzaines d'usines établies à différents endroits dans le monde. Mme St-Jean dirige l'usine de Montréal, et M. Salvail, celle de Calgary. Les directeurs de production reçoivent un salaire ainsi qu'une prime équivalant à 5 % de leur rémunération de base lorsque la division entière atteint ou dépasse ses bénéfices cibles pour la période. L'attribution de la prime est déterminée en mars après la préparation du rapport annuel de l'entreprise et son envoi aux actionnaires.

Peu après le début de la nouvelle période, Mme St-Jean a reçu un coup de téléphone de M. Salvail.

Georges : Comment ça va, Marie ?

Marie : Très bien, et toi, Georges ?

Georges : À merveille ! Je viens de recevoir les chiffres préliminaires des bénéfices de la division pour la dernière période. Nous en sommes à 200 000 $ des bénéfices cibles de la période. Il suffit de tirer quelques ficelles, et nous y serons !

Marie : Que veux-tu dire ?

Georges : Par exemple, on pourrait facilement modifier ton estimation du pourcentage d'avancement des stocks de produits en cours à la fin.

Marie : Je ne sais pas si je peux faire ça. Ces pourcentages d'avancement ont été établis par Thomas Thibault, mon principal superviseur d'atelier. Je lui ai toujours fait confiance pour me fournir de bonnes estimations. Et puis, j'ai déjà expédié les pourcentages au siège social de l'entreprise.

Georges : Tu pourrais toujours leur dire qu'il y a eu une erreur. Penses-y, Marie ! Nous, directeurs, travaillons comme des forcenés pour obtenir cette prime. Ce chèque-là te laisse peut-être indifférente mais, pour le reste d'entre nous, il est bien utile !

Le dernier atelier de production de l'usine de Mme St-Jean a commencé la période sans stock de produits en cours. Au cours de la période, 210 000 unités lui ont été transférées de l'atelier précédent, et 200 000 unités ont été terminées et vendues. Les coûts provenant de l'atelier précédent s'élevaient à 39 375 000 $. Aucun coût de matières premières n'est ajouté dans le dernier atelier de production. Le coût total de transformation engagé à ce dernier atelier au cours de la période se chiffre à 20 807 500 $.

Travail à faire

1. Thomas Thibault a estimé que les unités du stock à la fin du dernier atelier de production étaient avancées à 30 % en ce qui concerne le coût de transformation engagé. Si l'on utilisait cette estimation du pourcentage d'avancement, quel serait le coût des ventes de la période ?

2. M. Salvail souhaite-t-il que l'estimation du pourcentage d'avancement soit augmentée ou diminuée ? Expliquez pourquoi.

3. Quel pourcentage d'avancement entraînerait un accroissement de 200 000 $ du bénéfice constaté ?

4. À votre avis, Mme St-Jean devrait-elle se plier à la demande de son collègue et modifier les estimations du pourcentage d'achèvement ?

C2 La méthode du coût moyen pondéré

« Je crois que nous nous sommes trompés en engageant ce contrôleur adjoint, s'exclame Ruth Scarpino, présidente d'Industries Provost. Regardez le rapport de production du mois dernier qu'il a préparé pour l'atelier de finition ! Je n'y comprends rien ! »

« Il essaie d'apprendre notre système, répond François Harvey, directeur de l'exploitation. Malheureusement, il y a trop longtemps qu'il n'a pas travaillé dans un environnement de fabrication uniforme et continue. Ça lui revient lentement.

— Ce n'est pas uniquement la présentation de son rapport qui m'inquiète. Qu'est-ce que c'est que ce coût unitaire de 25,71 $ pour le mois d'avril ? Il ne vous paraît pas un peu élevé ?

— Vous avez raison. D'un autre côté, je sais que les prix des matières premières ont augmenté en avril, ce qui pourrait expliquer bien des choses. Je vais demander à une autre personne de refaire ce rapport. Nous y verrons peut-être un peu plus clair. »

Industries Provost fabrique un produit de céramique en deux étapes correspondant à deux ateliers de production : le moulage et la finition. L'entreprise emploie la méthode du coût moyen pondéré pour calculer ses coûts unitaires.

Voici le rapport de production du mois d'avril.

Coûts de l'atelier de finition :	
Stock de produits en cours au 1er avril	
(450 unités avancées à 100 % sur le plan	
des matières premières, et à 60 % sur le plan	
du coût de transformation)..	8 208 $*
Coûts reçus en avril de l'atelier précédent, 1 950 unités..................................	17 940
Coûts des matières premières ajoutés en avril	
(lorsque la transformation est avancée à 50 %	
dans l'atelier de finition)	6 210
Coût de transformation engagé en avril..	13 920
Total des coûts de l'atelier	46 278 $
Coûts de l'atelier de finition répartis aux :	
Unités terminées et transférées aux produits finis :	
1 800 unités à 25,71 $..	46 278 $
Produits en cours au 30 avril (600 unités avancées	
à 0 % sur le plan des matières premières,	
et à 35 % sur le plan de la transformation)	-0-
Total des coûts de l'atelier	46 278 $

* Comprend les coûts reçus de l'atelier précédent, 4 068 $; les coûts des matières premières, 1 980 $; et le coût de transformation, 2 160 $.

Travail à faire

1. Préparez un rapport de production révisé pour l'atelier de finition.
2. Expliquez à la présidente pourquoi le coût unitaire est si élevé dans le rapport du nouveau contrôleur adjoint.

Recherche

R1 Un processus de fabrication uniforme et continue

Les questions de cette recherche portent sur Anheuser-Busch. Cette société a eu un chiffre d'affaires net de près de 37 milliards de dollars en 2009. Même si elle tire ses revenus de différentes sources, nous ne nous intéresserons qu'à sa principale activité, soit la fabrication de bières. Pour répondre aux questions ci-après, vous devrez télécharger et examiner une présentation en ligne du processus de brassage de cette entreprise sur le site <www.budweisertours.com>.

Travail à faire

1. Dressez une liste de tous les ateliers de fabrication qui font partie du processus de brassage chez Anheuser-Busch. Pour chacun d'eux, déterminez toutes les matières premières ajoutées à la fabrication.
2. À votre avis, le processus de brassage d'Anheuser-Busch nécessite-t-il des montants relativement élevés de frais indirects de fabrication ? Pourquoi ?
3. Préparez un modèle de comptes en T du cheminement des coûts en fabrication uniforme et continue chez Anheuser-Busch semblable à celui qui apparaît dans la figure 4.3 (*p. 165*). Contentez-vous de représenter les deux premières étapes du processus, soit l'empâtage et la filtration.
4. Pourquoi l'entreprise pourrait-elle utiliser la méthode comptable généralement utilisée pour les systèmes de coûts de revient en fabrication uniforme et continue ?

R2 La fabrication par lots

La fabrication par lots combine des caractéristiques de deux systèmes : celui des coûts de revient par commande, et celui des coûts de revient en fabrication uniforme et continue. On s'en sert lorsque les produits ont certaines caractéristiques communes, mais aussi quand ils ont des caractéristiques particulières. Parmi les secteurs auxquels ce type de système pourrait convenir, citons ceux de la chaussure, du vêtement, des bijoux et des semi-conducteurs.

Travail à faire

Choisissez l'un des produits énumérés ci-dessus et faites une recherche sur sa fabrication. Dessinez un diagramme de son processus de production. Indiquez pour quelles étapes de ce processus on utiliserait un système de coûts de revient par commande, et pour quelles étapes on se servirait d'un système de coûts de revient en fabrication uniforme et continue.

LA COMPTABILITÉ PAR ACTIVITÉS : UN OUTIL D'AIDE À LA PRISE DE DÉCISIONS

Regard sur une entreprise

Un trajet rentable ?

Transport Migneault est une entreprise du secteur du transport forestier. Comme tout bon gestionnaire, M. Migneault, son propriétaire, se pose plusieurs questions au sujet du coût de ses activités d'exploitation. Il a donc commandé une étude afin de déterminer le coût de revient de l'un des services de son entreprise. La présence de compétiteurs de moyenne et grande taille allant croissant, l'entreprise doit avoir une connaissance approfondie de son coût de revient afin de fixer des prix de vente concurrentiels et de consolider sa rentabilité.

La demande de M. Migneault portait principalement sur l'analyse de l'une des activités les plus importantes de son organisation : le transport de bois par rapport à un trajet donné. L'analyse consistait donc à déterminer le coût de revient de ce trajet à l'aide de la comptabilité par activités (CPA) et de le comparer au coût de revient obtenu à l'aide de la méthode traditionnellement utilisée par l'organisation.

Les résultats de cette étude ont étonné M. Migneault. Alors que la méthode traditionnelle de détermination du coût de revient démontrait une marge bénéficiaire faible, la CPA menait à des conclusions très différentes. En effet, le coût de revient déterminé par la CPA surpassait de beaucoup le coût de revient obtenu à l'aide de la méthode traditionnelle.

Les auteurs de l'étude ont expliqué à M. Migneault que l'écart important entre les deux méthodes s'expliquait par le fait que la CPA tenait précisément compte de la consommation des ressources liée au transport du bois par rapport au trajet étudié. Ainsi, plusieurs frais indirects étaient inclus dans le calcul du coût de revient effectué à l'aide de la CPA ; par contre, avec la méthode traditionnelle, les coûts liés au retour du camion avec la remorque vide n'étaient pas pris en compte dans la détermination du coût de revient.

Recherche et rédaction : Carl Thibeault, Université Laval
Source : Joël Gauthier, coauteur de l'étude

OBJECTIFS D'APPRENTISSAGE

Après avoir étudié ce chapitre, vous pourrez :

1. expliquer la comptabilité par activités (CPA), et les différences qui existent entre cette méthode et l'établissement du coût de revient selon une approche traditionnelle ;

2. attribuer des coûts à des centres de regroupement des coûts par activité à l'aide de la première phase de la répartition des coûts et calculer les coûts unitaires des activités ;

3. attribuer des coûts à un objet de coûts à l'aide de la deuxième phase de la répartition des coûts ;

4. utiliser la CPA pour calculer les marges sur coûts des produits et la rentabilité des clients ;

5. comparer les coûts des produits calculés suivant l'approche traditionnelle d'établissement du coût de revient et suivant celle de la CPA ;

6. préparer et interpréter un rapport d'analyse des activités basé sur des données obtenues grâce à la CPA (Annexe 5A en ligne) ;

7. utiliser la CPA pour établir les coûts unitaires des produits pour la publication d'états financiers à usage général (Annexe 5B en ligne) ;

8. effectuer les enregistrements des coûts à l'aide de la CPA (Annexe 5C en ligne).

Comptabilité par activités (CPA)

Méthode d'établissement du coût de revient basée sur les activités ; elle fournit des renseignements sur les coûts qui permettent aux gestionnaires de prendre des décisions d'ordre stratégique, et d'autres types de décisions susceptibles d'influer sur la capacité de production de l'entreprise et, par conséquent, sur ses coûts fixes.

Ce chapitre présente le concept de la *comptabilité par activités* qui est adoptée par des entreprises de fabrication, des entreprises de service et des organismes à but non lucratif partout dans le monde. La **comptabilité par activités (CPA)** est une méthode d'établissement du coût de revient conçue pour fournir aux gestionnaires des renseignements sur les coûts qui leur permettent de prendre des décisions stratégiques, ou d'autres décisions susceptibles d'avoir des effets sur la capacité de production de leur entreprise et, par conséquent, sur ses coûts fixes et ses coûts variables. En général, la CPA sert de complément à la méthode traditionnelle de détermination du coût de revient d'une entreprise plutôt que de méthode de remplacement. La plupart des organisations qui y ont recours utilisent deux méthodes d'établissement du coût de revient — la méthode traditionnelle pour la préparation des états financiers à usage général, et la CPA pour la prise de décisions internes et la gestion des activités.

Dans le présent chapitre, nous nous intéresserons principalement aux applications de la CPA dans les entreprises de fabrication, ce qui constituera un changement par rapport à ce que nous avons vu aux chapitres précédents. En effet, les chapitres 2, 3 et 4 portaient sur des méthodes du coût complet traditionnelles employées par des entreprises de fabrication pour calculer les coûts unitaires des produits en vue principalement d'évaluer des stocks et de déterminer le coût des ventes pour la publication des états financiers à usage général. Dans le présent chapitre, nous procéderons différemment et nous expliquerons comment ces entreprises peuvent se servir de la CPA plutôt que des méthodes traditionnelles pour établir les coûts unitaires des produits afin de gérer leurs coûts indirects et de prendre des décisions. En raison du rôle important que la CPA peut jouer dans la prise de décisions en matière de fixation des prix des produits, de gestion des coûts, d'utilisation de la capacité de production et de rentabilité des clients, il est essentiel que les comptables, mais aussi les gestionnaires et différents employés, comprennent sa raison d'être et son application.

Le traitement des coûts dans la CPA

OBJECTIF 1

Expliquer la comptabilité par activités (CPA), et les différences qui existent entre cette méthode et l'établissement du coût de revient selon une approche traditionnelle.

Comme nous venons de le mentionner, les méthodes traditionnelles du coût de revient complet ont d'abord été conçues pour fournir principalement des données destinées à la publication d'états financiers à usage général. Pour sa part, la CPA sert à la prise de décisions internes. Il en résulte qu'elle diffère de la comptabilité traditionnelle du coût de revient par divers aspects, comme le montrent les points ci-dessous.

1. Les coûts hors fabrication comme les coûts de fabrication peuvent être attribués à des produits, mais uniquement sur une base de cause à effet.
2. On peut exclure certains coûts de fabrication du coût des produits.
3. On utilise de nombreux centres de regroupement des coûts indirects, et on répartit leurs coûts entre des produits et d'autres objets de coûts à l'aide d'une unité d'œuvre qui leur est propre.
4. Les taux d'imputation des coûts indirects, ou coûts unitaires des activités, peuvent être établis en fonction du volume d'activité correspondant à la capacité de production plutôt qu'en fonction de l'activité prévue.

Nous étudierons séparément chacune de ces différences entre la CPA et le coût de revient traditionnel[1].

Les coûts hors fabrication et la CPA

Dans le coût de revient traditionnel, seuls les coûts de fabrication sont attribués aux produits. Les coûts commerciaux et charges administratives y sont considérés comme des coûts

---

1. Dans T. COLWYN JONES et D. DUGDALE, « The ABC Bandwagon and the Juggernaut of Modernity », *Accounting, Organizations and Society,* vol. 27, n° 1-2 (2002), p. 121-163, on trouve un historique intéressant, quoique long, des différents courants de pensée concernant la CPA. De nombreuses leçons implicites à tirer de cette étude se retrouvent dans le présent chapitre.

non incorporables qui ne doivent pas être attribués aux produits. Toutefois, bon nombre de ces coûts ne sont pas des coûts de fabrication, mais font quand même partie des coûts pour produire, vendre, distribuer et offrir un service après-vente pour des produits de l'entreprise. Par exemple, on peut facilement rattacher les commissions versées aux vendeurs, les coûts de livraison et les coûts de réparation compris dans la garantie à des produits particuliers. Dans ce chapitre, nous emploierons l'expression *coûts indirects* pour désigner les coûts hors fabrication aussi bien que les frais indirects de fabrication. Dans la CPA, tous les coûts indirects — de fabrication et hors production (hors fabrication) — sont attribués aux produits dont on peut raisonnablement supposer qu'ils en sont la cause. Nous allons donc déterminer la totalité du coût d'un produit, alors que dans les chapitres 2, 3 et 4, nous nous contentions de chercher à établir son coût de fabrication.

Les coûts de fabrication et la CPA

Avec le coût de revient traditionnel, *tous* les coûts de fabrication sont attribués aux produits — même s'il n'y a parfois aucune relation de cause à effet entre eux et ces produits. Par exemple, on imputerait une partie du salaire de l'agent de sécurité d'une usine à chaque produit, même si le fait de fabriquer ou non certains types de produits au cours d'une période n'a pas d'influence sur le salaire de l'agent. Dans la CPA, on n'attribue un coût à un produit que lorsqu'on a de bonnes raisons de croire que des décisions prises concernant ce produit pourraient modifier le coût en question. On traite alors les coûts qui ne sont pas touchés par des décisions portant sur les produits comme des coûts de période plutôt que comme des coûts de produits. Nous verrons, dans l'exemple présenté ici, que cette différence par rapport au coût de revient traditionnel (étudié au chapitre 3) représente un des principaux avantages de la CPA parce celle-ci fournit des informations pour une prise de décisions de meilleure qualité.

Les centres de regroupement, les unités d'œuvre et la CPA

Dans le passé, la conception des systèmes de coût de revient était simple. En général, on imputait les frais indirects de fabrication aux produits en se servant soit d'un taux unique d'imputation qui englobait les frais indirects de fabrication de toute l'usine, soit de taux d'imputation des frais indirects de fabrication par atelier. Que l'on ait eu recours à un seul taux d'imputation pour l'ensemble de l'usine ou à des taux d'imputation par atelier, une caractéristique commune ressortait : on se servait le plus souvent d'unités d'œuvre comme les heures de main-d'œuvre directe ou les heures-machines pour répartir les frais indirects de fabrication entre les produits. Autrefois, la main-d'œuvre était prédominante à l'intérieur des processus de production. Ainsi, la main-d'œuvre directe était l'unité d'œuvre la plus couramment employée parce qu'elle constituait une composante importante des coûts de production, que les heures de main-d'œuvre directe faisaient l'objet d'un suivi minutieux, et que, pour bon nombre de gestionnaires, il existait une corrélation positive très étroite entre les heures de main-d'œuvre directe, la quantité totale d'unités produites et les frais indirects de fabrication. Étant donné que la plupart des entreprises de l'époque produisaient une gamme très réduite de produits dont la fabrication exigeait des ressources semblables, des unités d'œuvre comme les heures de main-d'œuvre directe ou même les heures-machines donnaient de bons résultats parce qu'en fait, il y avait probablement peu de différences entre les frais indirects de fabrication attribuables aux différents produits, ces frais comptant pour une faible proportion du coût total.

Puis, les conditions ont évolué. De nombreuses tâches jusque-là effectuées par la main-d'œuvre directe ont peu à peu été exécutées par un outillage automatisé — une composante des frais indirects de fabrication. Les entreprises se sont également mises à créer à un rythme sans cesse accéléré de nouveaux produits et de nouveaux services dont le volume et la complexité variaient, de la même façon qu'étaient modifiées les opérations des machines nécessaires à leur production. La gestion et le maintien de cette diversité de produits commandaient des investissements dans un nombre croissant de ressources « indirectes »,

Activité

Événement (tâche ou partie d'un processus) entraînant la consommation de ressources dans une organisation, par exemple l'assemblage ou la gestion des comptes clients.

Centre de regroupement des coûts par activité

« Compte » dans lequel on accumule les coûts des activités influencées par le même inducteur de coût dans le modèle de CPA.

Inducteur de coût (ou unité d'œuvre)

Facteur — tel que les heures-machines, le nombre de lits occupés, le temps d'utilisation des ordinateurs et les heures de vol — qui génère des coûts.

Inducteur fondé sur les opérations

Simple décompte du nombre de fois qu'une activité se produit.

Inducteur fondé sur la durée

Mesure de la quantité de temps requise pour effectuer une activité.

Activité liée aux unités

Activité qui est en lien avec le volume total de marchandises et de services produits ou vendus, et qui est effectuée chaque fois qu'une unité est fabriquée ou vendue.

Activité liée aux lots

Activité effectuée chaque fois qu'un lot de marchandises est manipulé ou transformé, quel que soit le nombre d'unités qu'il contient; la quantité de ressources consommées dépend du nombre de lots plutôt que du nombre d'unités dans le lot.

telles que des ingénieurs en conception de produits, lesquels n'avaient aucun lien évident avec les heures de main-d'œuvre directe ou les heures-machines. Dans ce nouvel environnement, la proportion des frais indirects de fabrication dans le coût total de production augmente de façon importante. Le fait de continuer à utiliser exclusivement un taux unique d'imputation ou des taux par atelier ainsi que des unités d'œuvre traditionnelles risque alors d'entraîner des distorsions dans les coûts unitaires des produits présentés et, par conséquent, de rendre le résultat moins utile pour la prise de décisions. L'approche par activités paraît plus appropriée à l'environnement actuel de beaucoup d'entreprises parce qu'elle utilise des centres de regroupement de coûts et des unités d'œuvre particulières qui permettent de mieux comprendre le comportement des coûts relatifs à la gestion et au maintien de la diversité des produits.

Dans la CPA, on définit une **activité** comme étant n'importe quel événement, tâche ou partie d'un processus qui entraîne la consommation de ressources. Un **centre de regroupement des coûts par activité** est un « compte » dans lequel on accumule les coûts des activités influencées par le même inducteur de coût. Un **inducteur de coût** (aussi appelé **unité d'œuvre**) est un facteur — tel que les heures-machines, le nombre de lits occupés, le temps d'utilisation des ordinateurs et les heures de vol — qui génère des coûts. Idéalement, un inducteur de coût mesure de façon quantitative l'activité inductrice de coûts dans un centre de regroupement des coûts par activité. L'expression *unité d'œuvre* sert également à désigner l'inducteur de coût parce que cette unité devrait « induire » le coût qu'on est en train de répartir ou en être la cause. Les deux types d'unités d'œuvre les plus courants sont l'*inducteur fondé sur les opérations* et l'*inducteur fondé sur la durée*. L'**inducteur fondé sur les opérations** est simplement le compte du nombre de fois qu'une activité se produit, par exemple, le nombre de factures envoyées à des clients. L'**inducteur fondé sur la durée** mesure le temps requis pour effectuer une activité, par exemple, le temps que des employés mettent à préparer les factures individuelles des clients.

De nombreuses entreprises dans le monde continuent à se servir des heures de main-d'œuvre directe et des heures-machines comme unités d'œuvre pour répartir leurs frais indirects. Dans les situations où les frais indirects et les heures de main-d'œuvre directe (ou les heures-machines) ont une corrélation positive très étroite, ou lorsque le processus de répartition de ces coûts sert à la préparation des états financiers, cette façon de procéder est appropriée. Toutefois, si dans l'ensemble de l'usine, les frais indirects ne varient pas en corrélation avec les heures de main-d'œuvre directe ou les heures-machines, l'utilisation de telles unités d'œuvre entraînera une distorsion du coût des produits. La CPA s'attaque à ce problème en définissant cinq types d'activités — les *activités liées aux unités*, les *activités liées aux lots*, les *activités de soutien aux produits*, les *activités de soutien aux clients* et les *activités de soutien à l'organisation* — parmi lesquels seuls les coûts et les unités d'œuvre correspondant aux activités liées aux unités ont un rapport avec le volume des unités produites. Les autres catégories n'en ont pas. On peut décrire ces types de la façon suivante[2] :

1. Les **activités liées aux unités** sont effectuées chaque fois qu'une unité est fabriquée ou vendue. Les coûts de ces activités devraient être proportionnels au nombre d'unités produites ou vendues. Par exemple, fournir l'énergie nécessaire pour faire fonctionner le matériel de production est une activité liée aux unités lorsque l'énergie est consommée en proportion du nombre d'unités fabriquées.

2. Les **activités liées aux lots** sont effectuées chaque fois qu'un lot est manipulé ou transformé, peu importe le nombre d'unités contenues dans ce lot. Des tâches telles que la préparation des bons de commande, le réglage d'une machine et l'ordonnancement des livraisons aux clients sont des activités liées aux lots. Elles sont effectuées chaque fois qu'un lot (ou une commande) est traité. Les coûts dépendent ainsi du nombre de lots traités plutôt que du nombre d'unités fabriquées ou vendues, ou de toute autre mesure de volume. Par exemple, le coût de réglage d'une machine pour produire un lot sera le même, que ce lot renferme 100 ou 10 000 unités.

---

2. Robin COOPER, « Cost Classification in Unit-Based and Activity-Based Manufacturing Cost Systems », *Journal of Cost Management*, automne 1990, p. 4-14.

3. Les **activités de soutien aux produits** sont liées à l'existence de gammes précises de produits et doivent généralement être effectuées, quel que soit le nombre de lots exécutés ou d'unités fabriquées ou vendues. Par exemple, la conception d'un produit, sa publicité ou le maintien d'un service des ventes comprenant un directeur et son personnel constituent tous des activités de soutien aux produits.

4. Les **activités de soutien aux clients** se rapportent à l'existence de clients et comprennent des activités (telles que la visite de représentants, la livraison de catalogues et un soutien technique général) qui ne sont pas liées à l'existence de gammes précises de produits ou au nombre d'unités fabriquées et vendues.

5. Les **activités de soutien à l'organisation** sont effectuées, quels que soient les clients servis, les gammes existantes de produits, le nombre de lots exécutés, ou le nombre d'unités fabriquées et vendues. Cette catégorie comprend des activités telles que l'entretien des bureaux de la direction, la mise en réseau des postes de travail, les démarches en vue d'obtenir des prêts, la préparation des rapports annuels destinés aux actionnaires, et ainsi de suite.

Les coûts de la capacité non utilisée dans la CPA

Dans l'établissement du coût de revient traditionnel, on calcule souvent les taux d'imputation prédéterminés des frais indirects de fabrication en divisant les frais indirects de fabrication budgétés par un volume d'activité budgété comme les heures de main-d'œuvre directe prévues. Il en résulte qu'on impute les coûts de la capacité non utilisée ou excédentaire aux produits, ce qui donne des coûts unitaires de produits instables, comme nous l'avons vu à l'annexe 3A (en ligne au <www.cheneliere.ca/garrison>). Lorsque l'activité budgétée diminue, le taux d'imputation prédéterminé des frais indirects de fabrication augmente parce que les composantes fixes de ces coûts sont réparties sur un plus petit volume, ce qui provoque une hausse des coûts unitaires de production.

Selon la CPA, on impute toujours aux produits les coûts de la capacité qu'ils utilisent, et non ceux de la capacité qu'ils n'utilisent pas, contrairement à ce qui peut se faire dans l'établissement du coût de revient selon une approche traditionnelle. Autrement dit, selon cette méthode, on ne répartit pas les coûts de la capacité non utilisée entre les produits, comme il arrive qu'on le fasse avec le coût de revient traditionnel. Il en résulte des coûts unitaires plus stables, ce qui est conforme à l'objectif de n'attribuer aux produits que des coûts dont ils sont effectivement la cause. Dans la CPA, plutôt que d'attribuer les coûts de la capacité non utilisée aux produits, on considère ces coûts comme des coûts de période qui apparaissent dans l'état des résultats à titre de charges de la période en cours. Cette façon de procéder met en évidence le coût de la capacité non utilisée plutôt que de l'inclure dans le coût unitaire des produits qui sert ensuite à établir le coût des stocks et le coût des ventes[3].

La conception d'un modèle de CPA

Les spécialistes s'entendent sur un certain nombre de caractéristiques essentielles au succès de la mise en œuvre de la CPA. En premier lieu, l'initiative d'une telle mise en application doit être solidement appuyée par la direction. En second lieu, la conception et l'application d'une CPA devraient être prises en charge par une équipe plurifonctionnelle plutôt que par le service de la comptabilité. Cette équipe devrait comprendre des représentants de chaque service de l'entreprise qui utilisera des données fournies par la CPA.

Activité de soutien aux produits

Activité devant être effectuée en raison de l'existence de gammes précises de produits, peu importe le nombre d'unités fabriquées et vendues ou le nombre de lots exécutés.

Activité de soutien aux clients

Activité effectuée en raison de l'existence de clients, mais qui n'est pas liée à l'existence de gammes précises de produits, au nombre de lots exécutés, ou au nombre d'unités fabriquées et vendues.

Activité de soutien à l'organisation

Activité réalisée, peu importe la clientèle servie, les gammes existantes de produits, le nombre de lots exécutés, ou le nombre d'unités fabriquées et vendues.

---

3. De nombreux énoncés sur la comptabilité de gestion, publiés par l'Institute of Management Accountants (<www.imanet.org>), traitent de l'application de la CPA, y compris les énoncés 4T, *Implementing Activity-Based Costing*, 4CC, *Implementing Activity-Based Management*, et 4EE, *Tools and Techniques for Implementing ABC/ABM*. Un grand nombre de ces études sont également disponibles à la Société des comptables en management du Canada, un des cocommanditaires de certaines de ces études (<www.cma-canada.org>).

En général, on choisira des représentants du marketing, de la production, de l'ingénierie et de la haute direction, ainsi que des membres du personnel comptable ayant une bonne connaissance de la CPA. Un consultant externe spécialisé en CPA pourra aussi conseiller l'équipe.

Pourquoi insistons-nous sur la nécessité d'un appui solide de la haute direction et de la mise sur pied d'une équipe plurifonctionnelle? Parce qu'il est difficile d'effectuer des changements dans une organisation sans le soutien complet de ceux qui auront à en subir les effets. La CPA modifie les «règles du jeu» en remplaçant certaines mesures traditionnelles fondamentales utilisées par les gestionnaires dans leur prise de décisions et dans leur évaluation du rendement des employés. Si les gestionnaires directement touchés par ces changements n'ont pas leur mot à dire dans les choix effectués, il y aura inévitablement de la résistance. En outre, l'élaboration d'un bon modèle de CPA requiert une connaissance approfondie de nombreux aspects des activités générales de l'organisation. Or, une telle connaissance peut provenir uniquement des gens qui se sont familiarisés avec ces activités.

Le soutien de la haute direction s'avère nécessaire pour deux raisons. D'abord, sans le leadership des cadres supérieurs, certains gestionnaires ne verront pas la nécessité d'effectuer des changements. Ensuite, si les membres de la haute direction ne soutiennent pas le changement et continuent de se servir des anciennes informations, leurs subalternes présumeront vite de l'inutilité du modèle et l'abandonneront. À maintes reprises, lorsque des comptables ont tenté de mettre en œuvre la CPA de leur propre initiative, sans l'appui de la haute direction et sans la coopération des autres gestionnaires, les résultats se sont révélés lamentables.

Pour illustrer la conception et l'utilisation du système de CPA, prenons l'exemple de la société Laiton classique inc., qui fabrique principalement deux gammes de produits pour les yachts de luxe — des chandeliers standards et des boîtiers à compas personnalisés. Compte tenu des résultats financiers décevants de la période la plus récente (*voir le tableau 5.1*), le président de l'entreprise, Jean Toupin, a décidé qu'il fallait disposer de renseignements plus précis sur l'établissement du coût de revient pour prendre certaines décisions, par exemple celles concernant la fixation des prix des produits.

TABLEAU 5.1 **L'état des résultats de Laiton classique inc.**

LAITON CLASSIQUE INC.
État des résultats
de la période terminée le 31 décembre 20X8

Chiffre d'affaires..		3 200 000 $
Moins : Coût des ventes :		
Matières premières...	975 000 $	
Main-d'œuvre directe...	351 250	
Frais indirects de fabrication*...................................	1 000 000	2 326 250
Marge brute...		873 750
Moins : Coûts commerciaux et charges administratives :		
Livraison...	65 000	
Coûts de marketing..	300 000	
Administration générale...	510 000	875 000
Perte...		(1 250) $

* Suivant sa méthode traditionnelle d'établissement du coût de revient, l'entreprise répartit les frais indirects de fabrication entre les produits à l'aide d'un taux unique d'imputation prédéterminé des frais indirects de fabrication pour l'ensemble de l'usine et en utilisant les heures-machines comme unités d'œuvre. Les niveaux de stocks n'ont pas varié au cours de la période.

Jean Toupin a réuni les cadres supérieurs de son entreprise pour discuter de la situation actuelle. Suzanne Richard, directrice de production, Thomas Olafson, directeur du marketing, et Marie Goudrault, directrice financière, assistaient à cette réunion.

Jean : Je vous remercie de vous être libérés pour répondre à mon appel ce matin. Je souhaite discuter de certaines questions qui nous préoccupent tous depuis quelque temps.

Thomas : Jean, sait-on pourquoi toutes les soumissions que nous avons faites récemment pour des commandes régulières à fort volume ont été rejetées ?

Jean : Tu ne t'y attendais peut-être pas, Thomas, mais, oui, il pourrait y avoir une raison simple au fait que nous n'obtenons aucune de ces commandes.

Thomas : Laissez-moi deviner. Nos soumissions ne sont pas acceptées parce que nous avons davantage de concurrence !

Jean : Oui, la concurrence constitue sans doute une grande partie de notre problème, mais il se pourrait aussi, mon cher Thomas, que nous soyons les artisans de notre propre malheur !

Thomas : Comment ça ? Je ne peux pas répondre pour mes collègues, mais en ce qui concerne mon personnel de vente, tous ont fait des pieds et des mains pour amener de la clientèle à notre entreprise.

Suzanne : Un petit instant, Thomas ! En tant que directrice de la production, je tiens à dire que mon personnel a fait des progrès remarquables en ce qui concerne par exemple les pourcentages de défectuosité, les délais de livraison, etc.

Jean : Doucement ! À mon avis, personne n'est à blâmer pour le rejet de nos soumissions. Thomas, lorsque tu discutes avec des clients, quelles raisons te donnent-ils pour faire affaire avec nos concurrents ? Sont-ils mécontents de la qualité de nos produits ou de nos délais de livraison ?

Thomas : Non ! Ils ne se plaignent ni de nos produits ni de notre service. Ils admettent volontiers que nous sommes les meilleurs dans le domaine !

Suzanne : Et ils ont raison !

Jean : D'après toi, Thomas, qu'est-ce qui ne va pas ?

Thomas : Les prix ! La concurrence bat nos prix sur les commandes régulières à fort volume.

Jean : Et pourquoi nos prix sont-ils trop élevés ?

Thomas : Nos prix ne sont pas trop élevés. Ce sont les leurs qui sont trop bas. Nos concurrents établissent sûrement leur prix de vente à un niveau inférieur à leurs coûts.

Jean : Pourquoi dis-tu ça, Thomas ?

Thomas : Si nous réclamions les mêmes prix que nos concurrents sur le travail en série, ils seraient inférieurs à nos coûts. Pourtant, nous sommes aussi efficients que n'importe lequel de nos concurrents !

Suzanne : Quelqu'un peut-il m'expliquer pourquoi nos concurrents fixeraient des prix inférieurs à leurs coûts ?

Thomas : Ils essaient de s'emparer d'une part du marché.

Suzanne : Ce n'est pas logique, voyons ! Qu'est-ce que ça leur donnerait d'avoir une plus grande part du marché s'ils ne pouvaient pas couvrir leurs coûts ?

Jean : Thomas, je pense que Suzanne soulève un point intéressant. Marie, c'est toi la spécialiste des chiffres. Aurais-tu une autre explication à nous suggérer ?

Marie : Je sentais que vous me poseriez cette question ! Les coûts de revient unitaires de nos produits fournis par le service de comptabilité servent surtout à l'évaluation des stocks et à la détermination du coût des ventes en vue de la préparation des états financiers à usage général. Je suis de plus en plus mal à l'aise à l'idée qu'on les utilise pour faire des soumissions. En fait, je l'ai déjà fait remarquer à quelques reprises, mais personne ne m'écoutait.

Jean : Nous t'écoutons maintenant, Marie. Es-tu en train de nous dire que les coûts de revient unitaires dont nous nous sommes servis jusqu'ici pour les soumissions sont erronés ? Nous soupçonnons la concurrence de fixer des prix inférieurs à nos coûts, mais peut-être n'avons-nous aucune idée de nos propres coûts.

Marie : En effet, ça pourrait être le problème. J'aurais bien aimé que l'on m'écoute avant aujourd'hui.

Jean : Est-ce que tout le monde s'entend sur le fait qu'il s'agit d'un problème auquel nous devrions nous attaquer ?

Thomas : Absolument, si ça nous permet d'obtenir un plus grand nombre de commandes !

Jean : Parfait ! Je veux que chacun de vous choisisse un de ses cadres qui fera partie d'une équipe spéciale chargée d'examiner comment nous déterminerons le coût de revient de nos produits.

Suzanne : N'est-ce pas le genre de choses dont Marie pourrait s'occuper avec son personnel ?

Jean : Non, Suzanne. Je ne doute pas qu'elle puisse le faire, mais vous en savez plus qu'elle sur vos activités respectives. De plus, je veux m'assurer que tout le monde sera d'accord avec les résultats de cette étude et s'en servira. Tu penses comme moi, Marie ?

Marie : Absolument.

Après avoir étudié la méthode actuelle de détermination du coût de revient chez Laiton classique inc., et avoir consulté des articles dans des revues professionnelles et des journaux d'affaires, l'équipe a décidé de mettre en œuvre la CPA. La CPA est destinée à compléter plutôt qu'à remplacer la méthode actuelle de détermination du coût de revient, qui pourra continuer de servir à la préparation des états financiers à usage général. Elle sera utile à la préparation de rapports spéciaux de calcul des coûts en vue d'éclairer les décisions de la direction concernant, par exemple, les soumissions pour de nouvelles commandes.

La directrice financière a préparé la figure 5.1 pour expliquer la structure générale du modèle de CPA. Dans ce modèle, on suppose que des objets de coûts comme des produits ou des clients génèrent des activités. Par exemple, la commande de barres de gouvernail entraîne un ordre de travail, qui est une activité. On présume aussi que les activités consomment des ressources. Ainsi, un ordre de travail requiert une feuille de papier et du temps pour qu'une personne puisse la remplir. On suppose également que la consommation de ressources entraîne des coûts. Plus on utilise de feuilles de papier pour inscrire les ordres de travail et plus on consacre de temps à le faire, plus le coût est élevé. La CPA tente de repérer ces relations dans le but de déterminer comment les produits et les clients agissent sur les coûts.

Comme dans la plupart des entreprises, l'équipe responsable de la CPA de Laiton classique inc. a constaté que la méthode traditionnelle de détermination du coût de revient mesurait correctement les coûts des produits en ce qui a trait aux matières premières et à la main-d'œuvre directe. Leur étude devait donc porter principalement sur les autres coûts de l'entreprise, soit les frais indirects de fabrication, les coûts commerciaux, les charges administratives et les autres frais généraux.

L'équipe a reconnu l'importance de planifier avec soin le processus de mise en œuvre du nouveau modèle de CPA chez Laiton classique inc. Par conséquent, ce processus a été décomposé en cinq étapes de base, qui sont présentées à l'encadré 5.1 et expliquées dans les pages qui suivent.

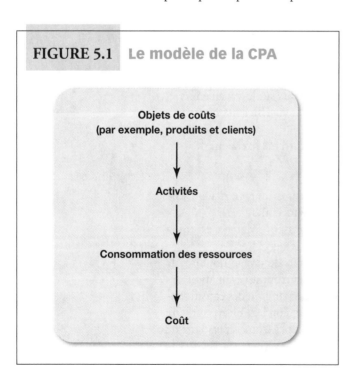

FIGURE 5.1 Le modèle de la CPA

Objets de coûts
(par exemple, produits et clients)

↓

Activités

↓

Consommation des ressources

↓

Coût

ENCADRÉ 5.1 | Les cinq étapes de base de la mise en œuvre de la CPA

La définition des activités

1. Définir les activités, et déterminer les centres de regroupement des coûts par activité et les unités d'œuvre (ou inducteurs de coûts).

La première phase de la répartition des coûts

2. Attribuer des coûts indirects aux centres de regroupement des coûts par activité.

3. Calculer les coûts unitaires des activités pour chaque centre de regroupement.

La deuxième phase de la répartition des coûts

4. Attribuer les coûts des activités à des objets de coûts à l'aide du coût unitaire des activités et des unités d'œuvre consommées par l'objet de coûts.

L'analyse des marges

5. Préparer des rapports de gestion.

5

Les étapes de la mise en œuvre de la CPA

La définition des activités

Étape 1 : Définir les activités, et déterminer les centres de regroupement des coûts par activité et les unités d'œuvre (ou inducteurs de coûts)

La première étape importante de la mise en œuvre de la CPA consiste à définir les activités qui constitueront la base du système. Cette tâche peut se révéler difficile, exiger beaucoup de temps et nécessiter une bonne dose de jugement. Les membres de l'équipe de mise en œuvre de la CPA procèdent souvent en interviewant tout le monde, ou, du moins, tous les directeurs et gestionnaires des services qui génèrent des coûts indirects pour leur demander de décrire leurs principales activités. En général, il en résulte une très longue liste d'activités.

La longueur de ces listes pose un problème. D'un côté, plus la CPA repère d'activités, plus l'évaluation du coût de revient a de chances d'être précise. D'un autre côté, la conception, la mise en application, le maintien et l'utilisation d'un modèle complexe comprenant un grand nombre d'activités peuvent devenir très coûteux. Par conséquent, on réduit généralement la longue liste de départ à un petit nombre d'activités en combinant celles qui sont similaires. Ainsi, il peut y avoir plusieurs actions liées à la manutention et au déplacement des matières premières — de la réception de ces matières sur la plate-forme de chargement jusqu'à leur triage en vue de leur rangement dans divers contenants appropriés dans l'entrepôt. Il est possible de combiner toutes ces activités en une seule appelée *manutention des matières*.

Lorsqu'on combine des activités dans le cadre de la CPA, on doit les regrouper sur un plan approprié. En d'autres termes, on ne doit pas combiner des activités liées aux lots à des activités liées aux unités, ou des activités de soutien aux produits à des activités liées aux lots, et ainsi de suite. En général, il vaut mieux réunir seulement des activités étroitement liées à l'intérieur d'un même type. Deux activités sont liées l'une à l'autre lorsqu'elles tendent à évoluer en même temps. Par exemple, le nombre de commandes reçues devrait être étroitement lié au nombre de commandes exécutées et expédiées. En général, on peut donc combiner ces deux activités liées aux lots (réception et livraison des commandes) sans vraiment perdre en matière de précision.

Chez Laiton classique inc., l'équipe d'implantation de la CPA, en collaboration avec les principaux directeurs, a choisi les *centres de regroupement des coûts par activité* et les *unités d'œuvre* présentées ci-après.

Centres de regroupement de Laiton classique inc.

Centre de regroupement des coûts par activité	Unité d'œuvre
Commandes des clients..	Nombre de commandes des clients
Conception des produits...	Nombre de produits conçus
Opération des machines	Heures-machines
Relations avec les clients..	Nombre de clients actifs
Autres...	Sans objet

SUR LE TERRAIN

Mieux comprendre les raisons d'une baisse de rentabilité à l'aide de la CPA

Xi Agricultural Machine Company (XAMC), une société d'État chinoise qui fabrique de l'équipement et des machines agricoles, constitue un bon exemple à l'échelle internationale des avantages potentiels de la CPA. XAMC a adopté cette méthode en raison de la baisse de ses marges bénéficiaires, de coûts indirects élevés, et d'importantes différences de volume de production et de complexité entre ses produits. Auparavant, cette entreprise employait une méthode traditionnelle de répartition des frais indirects de fabrication entre les produits en fonction des heures de main-d'œuvre directe. Les prix des produits étaient déterminés d'après le total des coûts (y compris les frais indirects) auxquels s'ajoutait une majoration pour atteindre la marge bénéficiaire voulue. Au cours des dernières années, la direction de la société XAMC s'est montrée de plus en plus préoccupée par la diminution de la demande pour un de ses produits dont le volume de production était très élevé, un tracteur à quatre roues motrices, alors que ses concurrents offraient constamment le même produit à un prix inférieur au sien. Par contre, la demande pour un de ses modèles de semoirs, un produit de fabrication très complexe et à faible volume de production, augmentait rapidement parce que XAMC le vendait à un prix nettement inférieur à ceux de ses concurrents. La direction a commencé à soupçonner que sa méthode d'établissement du coût de revient était à blâmer pour ces variations de la demande.

L'entreprise a donc procédé à une application en profondeur de la CPA et a distingué 14 activités importantes. En employant le processus standard de répartition en deux phases, la direction a d'abord déterminé, au cours de la première phase, le coût total de chaque activité. Durant la deuxième phase, elle a attribué les coûts des activités aux produits en fonction de la quantité de l'unité d'œuvre consommée par chacun d'eux. Chaque unité d'œuvre a été choisie d'après son degré de corrélation positive avec les coûts des activités engagés. Les résultats ont été spectaculaires. Les coûts révisés des produits, suivant la méthode de CPA, indiquaient que les frais indirects concernant le tracteur à quatre roues motrices avaient été surestimés de 46 % tandis que ceux du semoir étaient sous-estimés de 43 %. Quelques mois après la mise en œuvre de la CPA, la société XAMC a commencé à constater les avantages d'établir avec plus de précision les coûts de ses produits. Elle a pu abaisser le prix de ses tracteurs, et la demande s'est mise à augmenter.

Source: Pingxin WANG, Qingiu JIN et Thomas LIN, « How an ABC Study Helped a China State-Owned Company Stay Competitive », *Cost Management*, vol. 19, n° 6 (novembre-décembre 2005), p. 39-47.

On attribuera au centre de regroupement intitulé « Commandes des clients » tous les coûts des ressources employées pour la réception et le traitement des commandes des clients, y compris les coûts liés à la production de documents écrits et tout autre coût lié à l'exécution d'une commande précise. L'unité d'œuvre de ce centre de regroupement est simplement le nombre de commandes de clients reçues. Il s'agit d'une activité liée aux lots puisque chaque commande exige du travail, indépendamment du fait qu'elle porte sur une ou sur 1 000 unités. De même, on attribue au centre de regroupement des coûts par activité « Conception des produits » tous les coûts des ressources employées pour concevoir des produits. L'unité d'œuvre de ce centre de regroupement est le nombre de produits conçus. Il s'agit d'une activité de soutien aux produits puisque la quantité de travail de conception exigée par un nouveau produit ne dépend ni du nombre d'unités qui seront commandées ni des lots qui seront produits.

On attribue au centre de regroupement « Opération des machines » tous les coûts des ressources consommées en raison du nombre d'unités fabriquées, y compris les coûts de différentes matières indirectes, de l'énergie requise pour faire fonctionner les machines et de l'amortissement d'une partie du matériel. Il s'agit d'une activité liée aux unités puisque chaque unité requiert une partie de ces ressources. L'unité d'œuvre de ce centre est les heures-machines.

Dans le cas du centre de regroupement « Relations avec les clients », on lui attribue tous les coûts associés au maintien des relations avec la clientèle, y compris les coûts des visites des représentants et les coûts engagés pour fidéliser des clients. L'unité d'œuvre utilisée ici est le nombre de clients que l'entreprise compte sur sa liste de clients actifs. Il s'agit d'une activité de soutien aux clients.

Enfin, le centre de regroupement « Autres » se voit attribuer tous les coûts indirects (ou de soutien) qui ne sont associés ni aux commandes des clients, ni à la conception des produits, ni à l'opération des machines, ni aux relations avec les clients. Il s'agit principalement de coûts de soutien à l'organisation et des coûts de la capacité non utilisée. Laiton classique inc. a choisi de *ne pas* attribuer ces coûts aux produits puisqu'ils représentent des ressources qui *ne* sont *pas* consommées par les produits.

Il est peu probable qu'une autre entreprise adopte exactement les mêmes centres de regroupement et les mêmes activités que Laiton classique inc. En effet, en raison de l'importance que prend le jugement dans ces choix, il existe des variations considérables dans le nombre et les définitions des centres de regroupement et des unités d'œuvre employées par les entreprises.

La première phase de la répartition des coûts

Après la conception du système de CPA, l'équipe était prête à entreprendre concrètement le processus du calcul du coût de revient de plusieurs objets de coûts : les produits, les clients, etc. L'encadré 5.1 (*p. 215*) et la figure 5.2 montrent que, suivant la CPA, l'attribution de coûts à des objets de coûts se fait en deux phases. Dans la première phase, on attribue les frais indirects de fabrication et hors fabrication aux centres de regroupement des coûts par activité, et on calcule les coûts unitaires des activités. Au cours de la deuxième phase, on impute les coûts unitaires des activités aux différents objets de coûts. Comme dans le cas du coût de revient traditionnel, que nous avons étudié aux chapitres 3 et 4, on rattache directement les coûts directs aux objets de coûts. Commençons notre analyse des mécanismes de la CPA par la première phase de répartition, qui comprend les étapes 2 et 3 de la mise en œuvre de la CPA.

OBJECTIF 2

Attribuer des coûts à des centres de regroupement des coûts par activité à l'aide de la première phase de la répartition des coûts et calculer les coûts unitaires des activités.

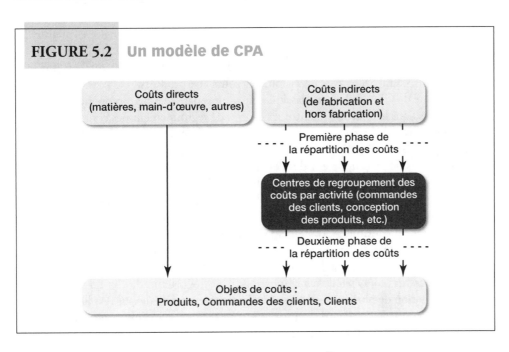

FIGURE 5.2 Un modèle de CPA

Étape 2 : Attribuer des coûts indirects aux centres de regroupement des coûts par activité

Le tableau 5.2 dresse la liste des coûts indirects annuels (de fabrication et hors fabrication) que la société Laiton classique inc. compte attribuer aux centres de regroupement des coûts par activité. Remarquez que les données du tableau sont présentées par service (production, administration générale et marketing). Cette façon de procéder s'explique par le fait que les données sont tirées du grand livre général de l'entreprise. Dans ce type de document, on classe les coûts selon les fonctions dans lesquelles ils sont engagés. Par exemple, les salaires, les fournitures, le loyer, etc. engagés par le service de marketing sont attribués à ce service. La structure du grand livre général reflète la présentation des coûts de l'état des résultats apparaissant dans le tableau 5.1 (*p. 212*), laquelle respecte les règles de la comptabilité financière. En fait, vous remarquerez que le total des coûts du service de la production (**1 000 000 $**) dans le tableau 5.2 est égal au total des frais indirects de fabrication de l'état des résultats du tableau 5.1. De même, les coûts totaux des services d'administration générale et de marketing dans le tableau 5.2 (**510 000 $** et **300 000 $**) composent la majeure partie des coûts commerciaux et charges administratives indiqués au tableau 5.1.

TABLEAU 5.2	**Les frais indirects de fabrication et hors fabrication de Laiton classique inc.**		

Production :			
	Salaires de la main-d'œuvre indirecte	500 000 $	
	Amortissement du matériel de l'usine	300 000	
	Services publics	120 000	
	Loyer du bâtiment de l'usine	80 000	1 000 000 $
Administration générale :			
	Salaires du personnel de l'administration	400 000	
	Amortissement du matériel de bureau	50 000	
	Loyer de l'immeuble de l'administration	60 000	510 000
Marketing :			
	Salaires du personnel de marketing	250 000	
	Coûts commerciaux	50 000	300 000
	Total des coûts indirects		1 810 000 $

Trois des coûts inclus dans l'état des résultats du tableau 5.1 — les matières premières, la main-d'œuvre directe et la livraison — n'apparaissent pas dans le tableau 5.2. Les membres de l'équipe chargée de l'implantation de la CPA les ont exclus parce qu'il est possible de rattacher directement, et avec précision, ces coûts aux produits.

La méthode de CPA de Laiton classique inc. doit répartir les neuf types de coûts indirects énumérés dans le tableau 5.2 entre ses centres de regroupement des coûts par activité à l'aide d'un processus d'attribution appelé la *première phase de la répartition des coûts*. Dans la CPA, la **première phase de la répartition des coûts** est un processus par lequel on attribue à des centres de regroupement des coûts par activité des coûts indirects (ou coûts de soutien) organisés par service, et provenant du grand livre général de l'entreprise.

Dans certains cas, une partie de ces coûts peuvent être directement rattachés à l'un des centres de regroupement des coûts par activité du modèle de CPA. Par exemple, lorsque la CPA comporte une activité intitulée « Traitement des approvisionnements », on pourra sans doute rattacher tous les coûts du service des achats (ou service de l'approvisionnement) à cette activité. Dans la mesure du possible, les coûts devraient être rattachés directement aux centres de regroupement des coûts par activité. Toutefois, il est très courant de voir un service participer à la réalisation de plusieurs activités définies dans le modèle de la CPA. Dans de telles situations, les coûts de ce service devront être répartis entre les centres de regroupement des coûts par activité au moyen d'un processus de répartition appelé *première phase de la*

Première phase de la répartition des coûts

Processus par lequel on attribue à des centres de regroupement des coûts par activité des coûts indirects (ou coûts de soutien) organisés par service, et provenant du grand livre général de l'entreprise.

répartition des coûts ou *répartition primaire*. Les répartitions de cette première phase sont généralement basées sur des données recueillies au cours d'entrevues avec des employés qui connaissent bien les activités visées. Ainsi, la société Laiton classique inc. doit répartir **500 000 $** de salaires de sa main-d'œuvre indirecte entre ses cinq centres de regroupement des coûts par activité. Ces répartitions se feront avec plus d'exactitude si l'on demande au personnel directement concerné (notamment les chefs de service, les ingénieurs et les inspecteurs de la qualité) d'estimer le pourcentage du temps qu'ils consacrent au traitement des commandes de clients, à la conception des produits, à la fabrication des produits (par exemple à l'opération des machines) et aux relations avec les clients. Ces entrevues doivent être préparées avec soin. Les personnes interviewées doivent comprendre parfaitement tout ce qui entre dans la définition de chaque activité et ce que l'entrevue vise à mettre en lumière. On rencontre généralement les directeurs des services pour qu'ils établissent la manière dont les coûts non liés au personnel devraient être répartis entre les centres de regroupement des coûts par activité. Dans le cas de la société Laiton classique inc., on interrogera la directrice de production pour déterminer les façons d'attribuer le montant de 300 000 $ servant à l'amortissement du matériel de l'usine (*voir le tableau 5.2*) aux centres de regroupement. La question déterminante est la suivante : Quel pourcentage de la capacité de production du matériel disponible chaque activité consomme-t-elle en fonction, par exemple, du nombre de commandes de clients ou du nombre d'unités fabriquées ?

Les résultats des entrevues effectuées à la société Laiton classique inc. apparaissent dans le tableau 5.3 (*page suivante*). Ainsi, on y voit que l'amortissement du matériel de l'usine est réparti comme suit : **20 %** aux commandes des clients, **60 %** à l'opération des machines et **20 %** au centre de regroupement des coûts par activité intitulé « Autres ». Dans ce cas, il s'agira de répartir le coût de l'amortissement du matériel de l'usine. La ressource consommée ici est le temps machine. D'après les estimations de la directrice de production, 60 % du temps disponible total a été consacré à la fabrication d'unités pour exécuter des commandes. Par ailleurs, chaque commande nécessite un réglage requérant aussi du temps machine. Cette activité emploie 20 % du temps machine total disponible, et ce pourcentage est inscrit dans la colonne des commandes des clients. Le 20 % de temps machine restant représente du temps mort (ou temps improductif), et il entre dans la colonne « Autres ».

Notons que le tableau 5.3 et plusieurs autres tableaux de ce chapitre ont été préparés dans un tableur. Il est souvent pratique d'utiliser un tableur en CPA en raison du grand nombre de calculs à effectuer. L'emploi d'un tableur ou de tout autre logiciel de CPA fera épargner beaucoup de travail à long terme, en particulier dans les entreprises qui ont plusieurs centres de regroupement ou qui désirent régulièrement mettre à jour les données de la CPA.

Nous n'examinerons pas en détail la façon dont tous les pourcentages du tableau 5.3 ont été déterminés. Remarquons toutefois que l'ensemble du pourcentage du loyer du bâtiment de l'usine (**100 %**) a été attribué au centre de regroupement intitulé « Autres ». Laiton classique inc. possède une seule installation de production. L'entreprise n'a aucun projet d'agrandissement de ses locaux ou de sous-location de l'espace inutilisé. Le coût de cette installation est traité comme un coût de soutien à l'organisation, puisqu'il n'y a pas moyen d'éviter même une partie de ce coût dans le cas où l'entreprise renoncerait à un client ou à un produit. (N'oubliez pas que les coûts de soutien à l'organisation sont attribués au centre de regroupement intitulé « Autres », et non alloués à des produits.) Certaines entreprises ont des installations distinctes pour la fabrication de différents produits. Le cas échéant, les coûts de ces installations pourraient être directement rattachés aux produits en question.

Une fois que l'on a établi les pourcentages de répartition du tableau 5.3, il suffit de répartir les coûts entre les divers centres de regroupement des coûts par activité. Les résultats de cette phase de la répartition des coûts sont illustrés au tableau 5.4 (*page suivante*). On répartit chaque coût entre les centres de regroupement en le multipliant par les pourcentages du tableau 5.3. Par exemple, le montant de **500 000 $** des salaires de la main-d'œuvre indirecte est multiplié par le taux de **25 %** inscrit dans la colonne « Commandes des clients » du tableau 5.3 pour obtenir le montant de **125 000 $** inscrit dans la colonne « Commandes des clients » du tableau 5.4. De même, on multiplie ce montant de **500 000 $** par le pourcentage de **40 %** de la colonne « Conception des produits » du tableau 5.3 pour

---

TABLEAU 5.3 Les résultats des entrevues : la distribution des activités

Modèle de la CPA – Laiton classique inc.

	A	B	C	D	E	F	G
1		Centres de regroupement des coûts par activité					
2		Commandes des clients	Conception des produits	Opération des machines	Relations avec les clients	Autres	Total
3	Production :						
4	Salaires de la main-d'œuvre indirecte	25 %	40 %	20 %	10 %	5 %	100 %
5	Amortissement du matériel de l'usine	20 %	0 %	60 %	0 %	20 %	100 %
6	Services publics	0 %	10 %	50 %	0 %	40 %	100 %
7	Loyer du bâtiment de l'usine	0 %	0 %	0 %	0 %	100 %	100 %
8	Administration générale :						
9	Salaires du personnel de l'administration	15 %	5 %	10 %	30 %	40 %	100 %
10	Amortissement du matériel de bureau	30 %	0 %	0 %	25 %	45 %	100 %
11	Loyer de l'immeuble de l'administration	0 %	0 %	0 %	0 %	100 %	100 %
12	Marketing :						
13	Salaires du personnel de marketing	22 %	8 %	0 %	60 %	10 %	100 %
14	Coûts commerciaux	10 %	0 %	0 %	70 %	20 %	100 %
15							
16							
17							

TABLEAU 5.4 La première phase de la répartition des coûts entre les centres de regroupement des coûts par activité

Modèle de la CPA – Laiton classique inc.

	A	B	C	D	E	F	G
1		Centres de regroupement des coûts par activité					
2		Commandes des clients	Conception des produits	Opération des machines	Relations avec les clients	Autres	Total
3	Production :						
4	Salaires de la main-d'œuvre indirecte	125 000 $	200 000 $	100 000 $	50 000 $	25 000 $	500 000 $
5	Amortissement du matériel de l'usine	60 000	0	180 000	0	60 000	300 000
6	Services publics	0	12 000	60 000	0	48 000	120 000
7	Loyer du bâtiment de l'usine	0	0	0	0	80 000	80 000
8							
9	Administration générale :						
10	Salaires du personnel de l'administration	60 000	20 000	40 000	120 000	160 000	400 000
11	Amortissement du matériel de bureau	15 000	0	0	12 500	22 500	50 000
12	Loyer de l'immeuble de l'administration	0	0	0	0	60 000	60 000
13							
14	Marketing :						
15	Salaires du personnel de marketing	55 000	20 000	0	150 000	25 000	250 000
16	Coûts commerciaux	5 000	0	0	35 000	10 000	50 000
17							
18	Total	320 000 $	252 000 $	380 000 $	367 500 $	490 500 $	1 810 000 $
19							

> Le tableau 5.3 indique que les commandes des clients consomment 25 % des ressources représentées par le montant de 500 000 $ affecté aux salaires de la main-d'œuvre indirecte.
>
> $$25 \% \times 500\ 000\ \$ = 125\ 000\ \$$$
>
> Les autres éléments de ce tableau ont été calculés de la même manière.

obtenir **200 000 $** dans la colonne « Conception des produits » du tableau 5.4. Toutes les données du tableau 5.4 sont calculées de cette manière.

Lorsqu'on a terminé cette phase de la répartition des coûts entre les centres de regroupement des coûts par activité, la prochaine étape de la mise en œuvre de la CPA consiste à calculer les coûts unitaires des activités.

Étape 3 : Calculer les coûts unitaires des activités pour chaque centre de regroupement

Le calcul du coût unitaire des activités qui servira à attribuer les coûts indirects à des produits et à des clients apparaît dans le tableau 5.5. L'équipe chargée de l'implantation de la CPA a déterminé l'activité totale requise dans chaque centre de regroupement pour produire la combinaison de produits actuelle et pour servir les clients de l'entreprise. Ces données sont énumérées dans le tableau 5.5. Par exemple, l'équipe a établi qu'il fallait 400 nouveaux produits conçus chaque année pour répondre à la demande des clients actuels de la société. On calcule les coûts unitaires d'activité en divisant le coût total de chaque activité par le nombre correspondant à l'activité totale. Ainsi, on divise le coût total annuel de 320 000 $ pour le centre de regroupement des coûts par activité « Commandes des clients » par le total de 1 000 commandes de clients par année pour obtenir un coût unitaire d'activité de 320 $ par commande de client. De même, on divise le montant de 252 000 $ représentant le coût total du centre de regroupement des coûts de l'activité « Conception des produits » par le nombre total de produits conçus (c'est-à-dire 400 produits conçus) pour obtenir le coût unitaire d'activité de 630 $ par produit conçu. Remarquez qu'on ne calcule pas de coût unitaire des activités pour la catégorie de la colonne « Autres ». En effet, ce centre de regroupement comprend essentiellement des coûts de soutien à l'organisation et des coûts de capacité non utilisée que Laiton classique inc. a choisi de n'attribuer ni à des produits ni à des clients. Remarquez également que les coûts unitaires des activités représentent des coûts moyens. Par exemple, le coût moyen d'une commande est de 320 $.

TABLEAU 5.5 **Le calcul des coûts unitaires des activités**

Modèle de la CPA – Laiton classique inc.

	A	B	C	D	E	F
1	Centre de regroupement des coûts par activité	(a) Coût total*	(b) Activité totale		(a) ÷ (b) Coût unitaire de l'activité	
2	Commandes des clients	320 000 $	1 000	commandes	320 $	par commande
3	Conception des produits	252 000 $	400	produits conçus	630 $	par produit conçu
4	Opération des machines	380 000 $	20 000	HM	19 $	par HM
5	Relations avec les clients	367 500 $	250	clients	1 470 $	par client
6	Autres	490 500 $		Sans objet		Sans objet
7						
8	* Tiré du tableau 5.4					
9	HM : heures-machines					
10						

Le tableau 5.5 indique qu'en moyenne, l'activité « Commandes des clients » consomme 320 $ de ressources ; la conception d'un produit en consomme 630 $; une unité de produit, 19 $ par heure-machine, et le maintien des relations avec un client, 1 470 $. Il s'agit bien sûr de moyennes. Certains membres de l'équipe qui a élaboré le modèle de CPA de Laiton classique inc. ont affirmé qu'il serait inapproprié d'attribuer à tous les nouveaux produits le même montant de 630 $ en coûts de conception sans égard au temps réellement requis pour les concevoir.

Après avoir examiné les avantages et les inconvénients de l'établissement d'un coût de conception qui tiendrait compte du temps réel consacré à chaque produit, l'équipe a conclu que, pour le moment, les efforts requis pour tenir compte du temps de conception réel consacré à chaque nouveau produit n'en vaudraient pas la peine. De même, certains membres de l'équipe se sentaient mal à l'aise de devoir allouer le même montant de 1 470 $ à chaque client. Certains clients sont peu exigeants et commandent des produits de modèles courants bien avant d'en avoir besoin. Par contre, d'autres sont très capricieux et accaparent une forte proportion du temps du personnel du marketing et de l'administration. En général, ils commandent des produits personnalisés, le plus souvent à la dernière minute, et changent d'avis plusieurs fois. Bien que tous les membres de l'équipe aient reconnu la justesse de ces observations, les données nécessaires à la mesure des demandes de chaque client en matière de ressources n'étaient pas disponibles. Pour éviter de retarder la mise en œuvre de la CPA, l'équipe a décidé de remettre à plus tard les améliorations à cet égard.

Avant de continuer, il serait utile de revoir dans son ensemble le processus de répartition des coûts aux produits et aux autres objets de coûts dans le modèle de la CPA. La figure 5.3, établie à partir de la figure 5.2 (*p. 217*), donne une représentation schématique de ce système chez Laiton classique inc. Nous vous recommandons de l'examiner attentivement. Deux éléments en particulier doivent attirer votre attention.

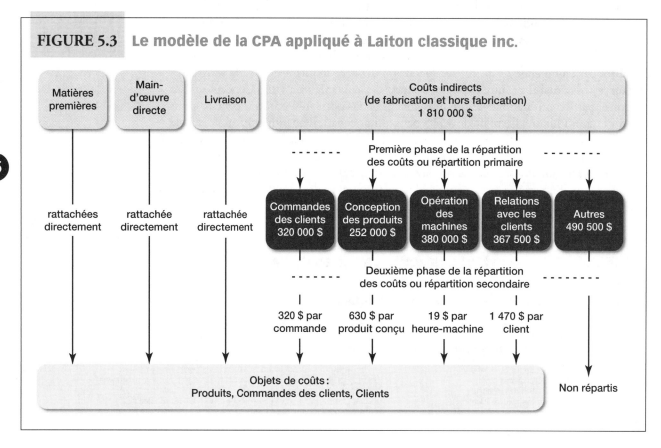

FIGURE 5.3 Le modèle de la CPA appliqué à Laiton classique inc.

Premièrement, les coûts des matières premières et de la main-d'œuvre directe ainsi que les coûts de livraison sont attribués directement aux objets de coûts parce que tous constituent des coûts directs et qu'on doit les considérer lorsqu'on analyse le total des coûts liés aux produits, aux commandes des clients et aux clients. Ils ne faisaient pas partie de la première phase de la répartition des coûts parce que ce processus consiste à attribuer des coûts indirects aux centres de regroupement des coûts par activité. Deuxièmement, les coûts de la catégorie « Autres », dans laquelle se trouvent les coûts de soutien à l'organisation et ceux de la capacité non utilisée, ne sont attribués ni aux produits ni aux clients.

La deuxième phase de la répartition des coûts

Dans la **deuxième phase de la répartition des coûts**, on se sert des coûts unitaires des activités pour attribuer des coûts à des objets de coûts tels que les produits et les clients. Cette phase ne compte qu'une seule étape.

Étape 4 : Attribuer les coûts des activités à des objets de coûts à l'aide du coût unitaire des activités et des unités d'œuvre consommées par l'objet de coûts

Nous montrerons d'abord la manière d'attribuer des coûts à des produits, puis nous examinerons un exemple de la façon d'attribuer des coûts aux clients. Voici les données dont

OBJECTIF 3

Attribuer des coûts à un objet de coûts à l'aide de la deuxième phase de la répartition des coûts.

Deuxième phase de la répartition des coûts

Processus par lequel on utilise les coûts unitaires des activités pour attribuer des coûts à des objets de coûts tels que les produits et les clients en CPA.

les membres de l'équipe de Laiton classique inc. ont besoin pour répartir des coûts indirects entre les deux produits de l'entreprise — les chandeliers standards et les boîtiers à compas personnalisés.

Chandeliers standards

1. Cette gamme de produits ne requiert aucune nouvelle ressource de conception.
2. Au cours de la période, 600 commandes distinctes ont été reçues portant sur 30 000 unités en tout.
3. Chaque chandelier requiert 35 minutes d'heure-machine pour un total de 17 500 heures-machines.

Boîtiers à compas personnalisés

1. Il s'agit d'un produit personnalisé qui requiert de nouvelles ressources de conception.
2. Il y a eu 400 commandes de boîtiers à compas personnalisés. Les commandes pour ce produit sont passées séparément de celles qui portent sur des chandeliers.
3. Au total, 400 produits personnalisés ont été conçus. On a effectué une conception personnalisée pour chacune des commandes.
4. Comme certaines commandes portaient sur plus d'une unité, l'entreprise a fabriqué un total de 1 250 boîtiers à compas personnalisés au cours de la période. La fabrication d'un tel boîtier requiert en moyenne 2 heures-machines pour un total de 2 500 heures-machines.

Remarquez qu'il y a eu 600 commandes de chandeliers standards et 400 commandes de boîtiers à compas personnalisés, ce qui fait 1 000 commandes au total. Les 400 produits conçus sont tous liés aux boîtiers à compas personnalisés ; il n'y a aucune conception associée à la fabrication des chandeliers. Pour produire 30 000 chandeliers standards, il a fallu 17 500 heures-machines, et 2 500 heures-machines pour produire 1 250 boîtiers à compas personnalisés, ce qui fait au total 20 000 heures-machines.

Le tableau 5.6 montre la façon dont on attribue des coûts indirects aux chandeliers standards et aux boîtiers à compas personnalisés. Par exemple, d'après le tableau, **192 000 $** des coûts indirects du centre de regroupement des coûts de l'activité « Commandes des clients » sont attribuables aux chandeliers standards (**320 $** par commande × **600** commandes). De même, **128 000 $** des coûts indirects du centre de regroupement des commandes des clients ont été attribués aux boîtiers à compas personnalisés (**320 $** par commande × **400** commandes). Ce centre de coûts contenait un montant de 320 000 $ (*voir les tableaux 5.4 et 5.5, p. 220 et 221*) qui a été alloué en totalité aux deux produits (192 000 $ + 128 000 $ = 320 000 $).

TABLEAU 5.6 **L'attribution de coûts indirects aux produits**

Modèle de la CPA – Laiton classique inc.

Centre de regroupement des coûts par activité	(a) Coût unitaire des activités*	(b) Activité	(a) × (b) Coût selon la CPA
Coûts indirects liés aux chandeliers standards			
Commandes des clients	320 $ par commande	600 commandes	192 000 $
Conception des produits	630 $ par produit conçu	0 produit conçu	0
Opération des machines	19 $ par HM	17 500 HM	332 500
Total			524 500 $
Coûts indirects liés aux boîtiers à compas personnalisés			
Commandes des clients	320 $ par commande	400 commandes	128 000 $
Conception des produits	630 $ par produit conçu	400 produits conçus	252 000
Opération des machines	19 $ par HM	2 500 HM	47 500
Total			427 500 $

* Données tirées du tableau 5.5
HM : heures-machines

D'après le tableau 5.6 (*page précédente*), on attribue un montant total de 952 000 $ en coûts indirects aux deux gammes de produits de la société Laiton classique inc., soit 524 500 $ aux chandeliers standards et 427 500 $ aux boîtiers à compas personnalisés. Ce montant est inférieur à celui des coûts indirects compris dans les calculs de la CPA, c'est-à-dire 1 810 000 $ (*voir le tableau 5.4, p. 220*). Pourquoi ? Le montant total des coûts indirects attribués aux produits ne correspond pas au montant total des coûts indirects établi selon la CPA parce que l'équipe d'implantation de la CPA n'a délibérément pas attribué aux produits les montants engagés pour les activités «Relations avec les clients» et «Autres», soit 367 500 $ et 490 500 $, respectivement. Les relations avec les clients constituent une activité de soutien aux clients tandis que la catégorie «Autres» est une activité de soutien à l'organisation — l'existence de ces deux activités n'est pas causée par les produits. Lorsqu'on additionne les coûts des relations avec les clients et des autres activités au montant de 952 000 $ des coûts indirects attribués aux produits, on obtient un total de 1 810 000 $, comme montré ci-dessous.

	Chandeliers standards	Boîtiers à compas personnalisés	Total
Coûts indirects attribués aux produits :			
Commandes des clients	192 000 $	128 000 $	320 000 $
Conception des produits	-0-	252 000	252 000
Opération des machines	332 500	47 500	380 000
Total partiel	524 500 $	427 500 $	952 000
Coûts indirects non attribués aux produits :			
Relations avec les clients			367 500
Autres			490 500
Total partiel			858 000
Total des coûts indirects			1 810 000 $

Nous allons maintenant décrire un autre aspect de la deuxième phase de la répartition des coûts — l'attribution des coûts des activités aux clients.

Les données nécessaires à l'équipe pour attribuer des coûts indirects à l'un des clients de l'entreprise, Bateaux basques, sont les suivantes :

Bateaux basques

1. L'entreprise a passé au total trois commandes.
   a) Deux commandes portaient sur 150 chandeliers standards chacune.
   b) Une commande portait sur un seul boîtier à compas personnalisé.
2. Il a fallu un total de 177 heures-machines pour remplir les trois commandes.
   a) La fabrication des 300 chandeliers standards a nécessité 175 heures-machines.
   b) La fabrication du boîtier à compas personnalisé a demandé 2 heures-machines.
3. Bateaux basques est l'un des 250 clients de Laiton classique inc.

Comme l'indique le tableau 5.7, l'équipe chargée de la CPA a calculé qu'un montant de 6 423 $ en coûts indirects devrait être attribué à la société Bateaux basques. Elle lui a attribué **960 $** (**320 $** par commande × **3** commandes) de coûts indirects provenant du centre de regroupement «Commandes des clients»; 630 $ (630 $ par produit conçu × 1 produit conçu) provenant du centre de regroupement «Conception des produits»; 3 363 $ (19 $ par heure-machine × 177 heures-machines) provenant du centre de regroupement «Opération des machines» et 1 470 $ (1 470 $ par client × 1 client) provenant du centre de regroupement «Relations avec les clients».

Une fois la deuxième phase de la répartition des coûts terminée, l'équipe d'implantation de la CPA a concentré son attention sur la réalisation de rapports qui permettraient d'expliquer les premières pertes d'exploitation de l'entreprise.

TABLEAU 5.7 L'attribution de coûts indirects aux clients

Modèle de la CPA – Laiton classique inc.

	A	B	C	D	E	F
1	Coûts indirects pour la société Bateaux basques					
2	Centre de regroupement des coûts par activité	(a) Coût unitaire des activités*		(b) Activité		(a) × (b) Coût selon la CPA
3	Commandes des clients	320 $ par commande		3 commandes		960 $
4	Conception des produits	630 $ par produit conçu		1 produit conçu		630
5	Opération des machines	19 $ par HM		177 HM		3 363
6	Relations avec les clients	1 470 $ par client		1 client		1 470
7	Total des coûts indirects attribués au client					6 423 $
8						
9	* Données tirées du tableau 5.5					
10	HM : heures-machines					
11						

L'analyse des marges

Les rapports de gestion les plus couramment préparés à partir de données obtenues à l'aide de la CPA portent sur la rentabilité des produits et des clients. Ces rapports permettent aux entreprises d'orienter leurs ressources vers les secteurs de croissance les plus rentables tout en attirant l'attention sur les produits et les clients qui grugent leurs profits. Nous étudierons donc deux rapports, l'un sur la rentabilité des produits, puis un autre sur celle des clients.

OBJECTIF 4

Utiliser la CPA pour calculer les marges sur coûts des produits et la rentabilité des clients.

Étape 5 : Préparer des rapports de gestion

L'équipe de conception de la CPA de la société Laiton classique inc. s'est rendu compte que le profit découlant d'un produit, appelé aussi *marge sur coûts d'un produit*, dépend des ventes de ce produit, et des coûts directs et indirects qu'il occasionne. Les répartitions de coûts suivant la méthode de CPA présentées dans le tableau 5.6 font uniquement état des coûts indirects de chaque produit. Par conséquent, pour calculer le profit généré par un produit (c'est-à-dire la marge sur coûts de ce produit), l'équipe a dû recueillir des données sur le montant des ventes du produit et sur ses coûts directs en plus des coûts indirects déjà calculés. Les données pertinentes concernant les ventes et les coûts directs de chaque produit apparaissent ci-dessous. Remarquez que les chiffres inscrits dans la colonne du total concordent avec ceux de l'état des résultats du tableau 5.1 (*p. 212*).

	Chandeliers standards	Boîtiers à compas personnalisés	Total
Ventes	2 660 000 $	540 000 $	3 200 000 $
Coûts directs :			
Matières premières	905 500	69 500	975 000
Main-d'œuvre directe	263 750	87 500	351 250
Livraison	60 000	5 000	65 000

Après avoir recueilli ces données, l'équipe a préparé le rapport de rentabilité des produits présenté au tableau 5.8 (*page suivante*). Ce rapport montre que les chandeliers standards sont rentables — la marge sur coûts de ce produit est positive et s'élève à **906 250 $** — tandis que les boîtiers à compas personnalisés ne le sont pas — leur marge sur coûts de **49 500 $** étant négative. Rappelez-vous que, dans le rapport de rentabilité des produits, on laisse délibérément de côté les centres de regroupement « Relations avec les clients » et « Autres ». Ces coûts, qui atteignent un total de 858 000 $, ont été exclus du rapport parce qu'ils ne sont pas attribuables aux produits. Ainsi, les coûts des relations avec les clients sont occasionnés par les clients, et non par les produits. De même, les coûts classés dans la catégorie « Autres » sont des coûts de soutien à l'organisation et ne sont imputables à aucun produit en particulier.

TABLEAU 5.8 **Les marges sur coûts des produits dans la CPA**

Modèle de la CPA – Laiton classique inc.

	A	B	C	D	E	F
1	Marges sur coûts des produits – CPA					
2		Chandeliers standards			Boîtiers à compas personnalisés	
3	Ventes		2 660 000 $			540 000 $
4	Coûts :					
5	Matières premières	905 500 $			69 500 $	
6	Main-d'œuvre directe	263 750			87 500	
7	Livraison	60 000			5 000	
8	Commandes des clients (*voir le tableau 5.6*)	192 000			128 000	
9	Conception des produits (*voir le tableau 5.6*)	0			252 000	
10	Opération des machines (*voir le tableau 5.6*)	332 500			47 500	
11	Coût total		1 753 750			589 500
12	Marge sur coûts des produits		906 250 $			(49 500) $
13						
14						
15						

On peut rapprocher les marges sur coûts des produits de la perte de l'entreprise présentée au tableau 5.1 (*p. 212*) comme suit :

	Chandeliers standards	Boîtiers à compas personnalisés	Total
Ventes (*voir le tableau 5.8*)	2 660 000 $	540 000 $	3 200 000 $
Coût total (*voir le tableau 5.8*)	1 753 750	589 500	2 343 250
Marges sur coûts des produits (*voir le tableau 5.8*)	906 250 $	(49 500) $	856 750
Moins : Coûts indirects non attribués aux produits :			
Relations avec les clients (*voir le tableau 5.5, p. 221*).....................			367 500
Autres (*voir le tableau 5.5*).........................			490 500
Total des coûts indirects non attribués aux produits			858 000
Perte			(1 250) $

L'équipe de la conception de la CPA de Laiton classique inc. a ensuite préparé un rapport sur la rentabilité des clients pour Bateaux basques. Comme dans le cas du rapport sur la rentabilité des produits, les membres de l'équipe devaient recueillir des données sur les ventes à Bateaux basques ainsi que sur les coûts des matières premières, de la main-d'œuvre directe et de la livraison associés à ces ventes. Voici ce qu'ils ont obtenu.

	Bateaux basques
Ventes..	11 350 $
Coûts directs :	
Matières premières...	2 123
Main-d'œuvre directe	1 900
Livraison	205

À l'aide de ces données et de celles du tableau 5.7 (*p. 225*), l'équipe a préparé le rapport sur la rentabilité du client qui apparaît dans le tableau 5.9. Ce rapport a révélé que la marge sur coûts du client, dans le cas de Bateaux basques, était de **699 \$**. Il a été possible d'établir un rapport semblable pour chacun des 250 clients de Laiton classique inc., ce qui a permis à l'entreprise de déterminer ses clients les plus rentables et de renforcer les relations avec ceux-ci, tout en prenant des mesures pour améliorer la rentabilité de ses autres clients.

TABLEAU 5.9 La marge sur coûts du client avec la CPA

Modèle de la CPA – Laiton classique inc.

	A	B	C
1	Marge sur coûts du client – CPA		
2			Bateaux basques
3	Ventes		11 350 \$
4	Coûts :		
5	Matières premières	2 123 \$	
6	Main-d'œuvre directe	1 900	
7	Livraison	205	
8	Commandes du client (*voir le tableau 5.7*)	960	
9	Conception des produits (*voir le tableau 5.7*)	630	
10	Opération des machines (*voir le tableau 5.7*)	3 363	
11	Relations avec le client (*voir le tableau 5.7*)	1 470	10 651
12	Marge sur coûts du client		699 \$
13			
14			

Une comparaison de l'établissement du coût de revient selon l'approche traditionnelle et celle de la CPA

L'équipe d'implantation de la CPA de la société Laiton classique inc. a utilisé un processus en deux parties pour comparer le coût de revient de l'entreprise calculé suivant l'approche traditionnelle d'établissement du coût de revient et suivant la méthode de la CPA. Premièrement, ses membres ont examiné les marges sur coûts des produits présentées suivant l'approche traditionnelle d'établissement du coût de revient. Puis, ils ont mis en évidence les différences entre ces marges et celles obtenues à l'aide de la CPA.

OBJECTIF 5

Comparer les coûts des produits calculés suivant l'approche traditionnelle d'établissement du coût de revient et suivant celle de la CPA.

Le calcul des marges sur coûts des produits suivant l'approche traditionnelle d'établissement du coût de revient

Dans la méthode traditionnelle employée par Laiton classique inc., seuls les coûts de production — qui comprennent les coûts des matières premières et de la main-d'œuvre directe ainsi que les frais indirects de fabrication — sont attribués aux produits. Les coûts commerciaux et charges administratives ne le sont pas. Le tableau 5.10 (*page suivante*) montre les marges sur coûts des produits présentées suivant cette approche. Nous allons expliquer le calcul de ces marges en trois étapes. Premièrement, on utilise les mêmes données sur les ventes ainsi que sur les coûts des matières premières et de la main-d'œuvre directe que celles recueillies par l'équipe de la CPA pour la préparation du tableau 5.8. Autrement dit, l'approche traditionnelle d'établissement du coût de revient et la CPA traitent ces trois types de données (ventes, coûts des matières et de la main-d'œuvre) de la même manière, puisqu'il s'agit de revenus et de coûts qui peuvent être directement rattachés aux produits.

Deuxièmement, suivant l'approche traditionnelle d'établissement du coût de revient, on se sert d'un taux d'imputation prédéterminé des frais indirects à l'échelle de l'entreprise pour imputer les frais indirects de fabrication aux produits. Pour calculer ce taux, on a utilisé comme numérateur 1 000 000 \$, ce qui correspond au montant total des frais indirects de fabrication apparaissant dans l'état des résultats du tableau 5.1. La note de ce tableau indique que, dans l'approche traditionnelle d'établissement du coût de revient, on a recours aux heures-machines comme unité d'œuvre pour imputer des frais indirects de fabrication aux produits. Le volume d'activité de 20 000 heures-machines a été employé comme dénominateur pour établir le taux d'imputation prédéterminé des frais indirects de fabrication, tel que nous l'illustrons ci-après.

$$\text{Taux d'imputation des frais indirects de fabrication pour l'ensemble de l'usine} = \frac{\text{Total estimé des frais indirects de fabrication}}{\text{Total estimé des heures-machines}}$$

$$= \frac{1\ 000\ 000\ \$}{20\ 000\ \text{heures-machines}}$$

$$= 50\ \$\ \text{par heure-machine}$$

Comme la fabrication des chandeliers standards a nécessité 17 500 heures-machines, on attribue à cette gamme de produits 875 000 $ (17 500 heures-machines × 50 $ par heure-machine) en frais indirects de fabrication. De même, la fabrication de boîtiers à compas personnalisés a exigé 2 500 heures-machines, de sorte qu'on a attribué à cette gamme de produits 125 000 $ (2 500 heures-machines × 50 $ par heure-machine) en frais indirects de fabrication. Si l'on soustrait le coût des ventes du montant des ventes, on obtient une marge sur coûts des produits qui s'élève à 615 750 $ dans le cas des chandeliers, et à 258 000 $ dans le cas des boîtiers.

Remarquez que la perte de 1 250 $ indiquée dans le tableau 5.10 concorde avec la perte présentée dans l'état des résultats du tableau 5.1 (*p. 212*) et avec celle qui apparaît dans l'encadré présentant le rapprochement de la marge et des bénéfices, lequel est situé immédiatement sous le tableau 5.8 (*p. 226*). Le chiffre d'affaires total de l'entreprise, le total de ses coûts et la perte qui en résulte sont identiques, peu importe qu'on examine l'état des résultats du tableau 5.1, l'analyse de rentabilité des produits selon la CPA présentée sous le tableau 5.8 ou encore l'analyse de rentabilité des produits du tableau 5.10. Toutefois, même si l'ensemble de la « tarte » demeure constant de la méthode traditionnelle à la CPA, sa répartition entre les deux gammes de produits varie. Selon les calculs établis avec l'approche traditionnelle, la marge sur coûts des produits des chandeliers standards est de 615 750 $, et celle des boîtiers personnalisés, de 258 000 $.

TABLEAU 5.10 Les marges sur coûts des produits dans l'approche traditionnelle d'établissement du coût de revient

Méthode traditionnelle – Laiton classique inc.

	A	B	C	D	E	F	G	H	I
1	Marges sur coûts des produits – Méthode traditionnelle d'établissement du coût de revient								
2									
3		Chandeliers standards			Boîtiers à compas personnalisés			Total	
4	Ventes		2 660 000 $			540 000 $			3 200 000 $
5	Coûts:								
6	Matières premières	905 500 $			69 500 $			975 000 $	
7	Main-d'œuvre directe	263 750			87 500			351 250	
8	Frais indirects de fabrication	875 000	2 044 250		125 000	282 000		1 000 000	2 326 250
9	Marge sur coûts des produits		615 750 $			258 000 $			873 750
10	Coûts commerciaux et charges administratives								875 000
11	Perte								(1 250) $
12									

Ces marges sur coûts des produits diffèrent de celles obtenues avec la CPA qui sont présentées au tableau 5.8. L'approche traditionnelle d'établissement du coût de revient peut ainsi envoyer des messages trompeurs aux gestionnaires de Laiton classique inc. concernant la rentabilité de chaque produit. Nous en verrons les raisons dans la prochaine section.

Les différences entre la CPA et l'approche traditionnelle d'établissement du coût de revient

Les variations dans les marges sur coûts des produits qui surviennent lorsqu'on passe de la méthode traditionnelle d'établissement du coût de revient à la CPA sont représentées ci-dessous.

	Chandeliers standards	Boîtiers à compas personnalisés
Marges sur coûts des produits – méthode traditionnelle	615 750 $	258 000 $
Marges sur coûts des produits – CPA	906 250	(49 500)
Variation dans les marges sur coûts des produits	290 500 $	(307 500) $

L'approche traditionnelle d'établissement du coût de revient surestime le coût des chandeliers standards et, par conséquent, présente une marge sur coûts de ce produit artificiellement basse. Lorsqu'on passe à l'analyse de rentabilité des produits selon la CPA, la marge sur coûts de ce produit augmente de 290 500 $. Par contre, la méthode traditionnelle sous-estime le coût des boîtiers à compas et présente une marge sur coûts artificiellement élevée pour ce produit, alors que dans les calculs de la CPA, cette marge diminue de 307 500 $.

Les raisons de la variation des marges sur coûts des produits entre les deux méthodes apparaissent au tableau 5.11 (*page suivante*). La partie supérieure de ce tableau présente l'attribution à chaque produit de coûts directs et indirects comme celle effectuée à l'aide de la méthode traditionnelle (*voir le tableau 5.10*). Par exemple, le tableau 5.11 renferme les données ci-après concernant les coûts des chandeliers standards : matières premières, 905 500 $, main-d'œuvre directe, 263 750 $, et frais indirects de fabrication, 875 000 $. Ces coûts correspondent à ceux qui apparaissent dans le tableau 5.10. Remarquez que les coûts commerciaux et charges administratives de 875 000 $ n'ont délibérément pas été attribués aux produits parce qu'on les considère comme des coûts de période. De même, la partie inférieure du tableau 5.11 résume la répartition des coûts directs et indirects suivant la CPA telle qu'elle a été présentée dans le tableau 5.8. Les seuls renseignements nouveaux contenus dans le tableau 5.11 sont les deux colonnes de pourcentages. La première de ces colonnes indique le pourcentage de chaque coût attribué aux chandeliers standards. Ainsi, le montant de **905 500 $** de matières premières rattaché à ce produit représente **92,9 %** du total des coûts des matières premières de l'entreprise, qui s'élève à **975 000 $**. La seconde colonne présente les pourcentages associés aux boîtiers à compas.

Il y a trois raisons pour lesquelles la méthode traditionnelle d'établissement du coût de revient et la CPA parviennent à des marges sur coûts des produits différentes :

1. La méthode traditionnelle d'établissement du coût de revient attribue tous les coûts de fabrication à des produits, qu'ils aient ou non consommé ce type de coûts. La CPA n'attribue pas de frais indirects de fabrication aux produits en ce qui concerne les activités « Relations avec les clients » et « Autres » (activités de soutien à l'organisation) parce qu'ils ne sont pas occasionnés par un produit en particulier.

2. La méthode traditionnelle d'établissement du coût de revient attribue tous les frais indirects de fabrication en se basant sur les heures-machines, une unité d'œuvre associée au volume de production. La CPA utilise des unités d'œuvre particulières (dont la plupart ne sont pas associées au volume de production) pour attribuer les coûts de chaque centre de regroupement des coûts par activité. Ces unités d'œuvre sont choisies en fonction de l'évaluation par les gestionnaires de l'inducteur des coûts de cette activité. Ainsi, la méthode traditionnelle d'établissement du coût de revient attribue par exemple des coûts de conception des produits aux chandeliers standards, même si ce produit n'occasionne aucun coût de ce type. En fait, tous les coûts liés à la conception des produits devraient être attribués aux boîtiers à compas personnalisés. Dans

l'ensemble, il en résulte que l'approche traditionnelle surestime le coût des produits à volume de production élevé (comme les chandeliers standards) et sous-estime le coût des produits à faible volume de production (comme les boîtiers à compas personnalisés) parce qu'elle attribue des coûts pour des activités liées aux lots et des activités de soutien aux produits à l'aide d'unités d'œuvre associées au volume de production.

3. La CPA attribue aux produits des coûts indirects hors fabrication tels que les coûts de livraison, en raison d'une relation de cause à effet. Lorsqu'il s'agit de présenter des états financiers à usage général, la méthode traditionnelle exclut ces coûts parce qu'ils sont classés dans la catégorie des charges de la période.

TABLEAU 5.11 — **Une comparaison de l'approche traditionnelle d'établissement du coût de revient et de la CPA en matière d'attribution des coûts**

	Chandeliers standards		Boîtiers à compas personnalisés		Total
	(a) Montant	(a) ÷ (c) %	(b) Montant	(b) ÷ (c) %	(c) Montant
Méthode traditionnelle d'établissement du coût de revient					
Matières premières........................	905 500 $	92,9	69 500 $	7,1	975 000 $
Main-d'œuvre directe.....................	263 750	75,1	87 500	24,9	351 250
Frais indirects de fabrication..........	875 000	87,5	125 000	12,5	1 000 000
Total des coûts attribués aux produits...........	2 044 250 $		282 000 $		2 326 250
Coûts commerciaux et charges administratives...................					875 000
Total des coûts.............................					3 201 250 $
CPA					
Coûts directs :					
Matières premières....................	905 500 $	92,9	69 500 $	7,1	975 000 $
Main-d'œuvre directe..................	263 750	75,1	87 500	24,9	351 250
Livraison.................................	60 000	92,3	5 000	7,7	65 000
Coûts indirects :					
Commandes des clients	192 000	60,0	128 000	40,0	320 000
Conception des produits.............	-0-	-0-	252 000	100,0	252 000
Opération des machines..............	332 500	87,5	47 500	12,5	380 000
Total des coûts attribués aux produits...........	1 753 750 $		589 500 $		2 343 250
Coûts non attribués aux produits :					
Relations avec les clients............					367 500
Autres...................................					490 500
Total des coûts.............................					3 201 250 $

Un résumé de la comparaison de l'établissement du coût de revient selon les deux approches

Les conclusions que Laiton classique inc. peut tirer des résultats de la CPA sont très intéressantes. L'équipe de conception du modèle de CPA présente les résultats de son travail au cours d'une réunion de tous les cadres supérieurs de Laiton classique inc., dont le président, Jean Toupin, la directrice de production, Suzanne Richard, le directeur du marketing, Thomas Olafson, et la directrice financière, Marie Goudrault. Les membres de l'équipe ont apporté des exemplaires du modèle de la CPA qu'ils ont élaboré (*voir la figure 5.3, p. 222*), les tableaux indiquant les marges sur coûts des produits (les chandeliers et les boîtiers à compas personnalisés) dans l'ancien modèle de comptabilité de l'entreprise (*voir le tableau 5.10, p. 228*), et les tableaux présentant l'analyse des coûts de ces mêmes produits à l'aide de la CPA (*voir le tableau 5.8, p. 226*). Après la présentation officielle de l'équipe, la discussion ci-après a été engagée.

Jean : Je voudrais personnellement remercier les membres de l'équipe de CPA pour tout le travail qu'ils ont accompli et pour leur présentation très intéressante. J'avoue que je commence à m'interroger sur un grand nombre de décisions que nous avons prises par le passé à l'aide de l'ancien modèle d'établissement du coût de revient.

Marie : J'espère ne pas devoir vous rappeler que je vous ai tous prévenus de l'existence de ce problème depuis un bon moment déjà !

Jean : D'après cette analyse de CPA, notre raisonnement était erroné. En fait, nous perdons de l'argent sur les produits personnalisés et nous en faisons vraisemblablement sur les produits de modèle courant.

Suzanne : J'avoue que je n'ai jamais cru que les commandes personnalisées étaient très rentables. Vous devriez voir tous les problèmes qu'elles nous causent à la fabrication !

Thomas : Je déteste devoir l'admettre, Suzanne, mais tu as raison. Ces commandes personnalisées sont aussi un véritable cauchemar du côté du marketing.

Jean : Pourquoi ne cessons-nous pas tout simplement de solliciter des commandes personnalisées ? Ça me paraît un non-sens. Si la fabrication des boîtiers à compas nous fait perdre de l'argent, pourquoi ne pas suggérer à nos clients de les commander ailleurs ?

Thomas : Un petit instant, Jean ! Nous perdrions une bonne partie de notre chiffre d'affaires !

Suzanne : Et alors ? Nous réaliserions encore plus d'économies sur les coûts !

Marie : Pas si sûr, Suzanne ! Certains coûts ne disparaîtraient pas, même si nous abandonnions tous ces produits.

Thomas : De quels coûts parles-tu, Marie ?

Marie : Mon cher Thomas, une partie de ton salaire est comprise dans les coûts des produits avec notre modèle de CPA.

Thomas : Où ça ? Je ne vois rien là-dedans qui ressemble à mon salaire !

Marie : Lorsque l'équipe t'a interviewé, nous t'avons demandé quel pourcentage de ton temps était consacré au traitement des commandes des clients et quel montant était alloué au règlement des problèmes de conception de nouveaux produits. Tu t'en souviens ?

Thomas : Bien sûr, mais je ne vois pas le rapport.

Marie : Si je ne me trompe pas, tu as dit que tu consacrais environ 10 % de ton temps à t'occuper des nouveaux produits. Par conséquent, 10 % de ton salaire a été attribué au centre de regroupement « Conception des produits ». Si nous abandonnons tous les produits requérant du travail de conception, serais-tu prêt à renoncer à 10 % de ton salaire ?

Thomas : J'espère que tu veux rire ?

Marie : Comprends-tu notre problème ? Ce n'est pas parce que tu consacres 10 % de ton temps aux produits personnalisés que l'entreprise économiserait 10 % de ton salaire en laissant tomber leur fabrication. Avant de prendre une grave décision comme celle d'abandonner la production de produits personnalisés, il faudrait déterminer les coûts réellement pertinents.

Jean : Je commence à comprendre où tu veux en venir, Marie. Il serait inutile d'abandonner toute une série de produits pour découvrir ensuite que nos coûts n'ont pas vraiment diminué. C'est vrai que l'abandon de certains produits libérerait des ressources comme le temps dont dispose Thomas. Il vaudrait mieux toutefois nous assurer que nous savons comment réutiliser ces ressources avant d'agir !

Marie : C'est pourquoi nous devrions préparer un rapport d'analyse des activités.

Jean : Merci à tous. Nous pourrons nous réunir de nouveau lorsque le rapport d'analyse des activités sera prêt. Y a-t-il autre chose à l'ordre du jour ?

Il faut toujours se montrer prudent avant de prendre des décisions basées sur l'information produite avec la CPA comme celle qui apparaît dans les tableaux 5.8 et 5.9 (*p. 226 et 227*). Les marges sur coûts des produits et des clients calculées dans ces tableaux constituent un point de départ utile pour des analyses plus approfondies, mais les

Rapport d'analyse des activités

Rapport indiquant les coûts attribués à un objet de coûts, par exemple un produit ou un client, et le degré de difficulté de chaque coût à s'ajuster en cas de variation du volume d'activité.

gestionnaires doivent déterminer comment les coûts se comportent réellement avant de décider d'abandonner un produit ou de cesser de faire affaire avec un client, ou encore de modifier les prix de leurs produits ou de leurs services. L'annexe 5A (en ligne au <www.cheneliere.ca/garrison>) montre la manière de préparer un rapport d'analyse des activités qui aiderait les gestionnaires à prendre de telles décisions. Un **rapport d'analyse des activités** fournit plus de renseignements sur les coûts et sur la façon dont ils se comportent à la suite de changements dans les activités que l'analyse de la CPA présentée dans les tableaux 5.8 et 5.9 (*p. 226 et 227*).

SUR LE TERRAIN

L'influence du secteur d'activité

L'application des concepts de la CPA à différents secteurs industriels et commerciaux exige une attention particulière. En effet, les caractéristiques de conception varient d'un secteur à l'autre. Les secteurs de l'assurance, des services bancaires, des services téléphoniques, du transport ferroviaire et de la distribution comportent des particularités par rapport au secteur de fabrication traditionnel, dont les concepteurs doivent tenir compte. Parmi leurs activités, les entreprises de distribution comptent les études de marché, l'acquisition de produits, la mise en marché et la gestion des stocks. Les compagnies d'assurances ont des activités de vente, de traitement des demandes d'indemnisation, ainsi que de traitement et de suivi des contrats d'assurance. Les entreprises de téléphonie ont des activités de service telles que la vente, le service à la clientèle, la facturation et l'entretien. Quant aux activités bancaires, elles nécessitent des centres de données, des réseaux et différents produits similaires à ceux des compagnies d'assurances et des entreprises de téléphonie. Avant d'appliquer la CPA à chacun de ces secteurs, une organisation devrait définir avec soin ses objets de coûts, ses activités et sa structure globale. Il ne saurait être question d'employer un modèle prédéterminé provenant d'un autre secteur.

Source: Paul SHARMAN, «ABC Systems Architecture», *CMA Magazine*, vol. 78, n° 4 (mai 1998), p. 15-18.

L'amélioration ciblée des processus

Gestion par activités (GPA)

Méthode de gestion privilégiant la gestion des activités pour l'élimination du gaspillage, et l'amélioration des délais et de la qualité.

La CPA peut servir à déterminer les domaines où une amélioration des processus serait souhaitable. En fait, un grand nombre de gestionnaires considèrent que c'est l'un de ses principaux avantages[4]. Quand la CPA est utilisée à cette fin, elle est souvent appelée *gestion par activités*. En gros, la **gestion par activités**, ou **GPA**, privilégie l'utilisation des données issues de la CPA comme moyen d'éliminer le gaspillage, et d'améliorer les délais et la qualité. Elle est employée dans des types d'organisations aussi différents que les entreprises de fabrication, les hôpitaux et la Monnaie royale canadienne[5]. Lorsque «40 % des coûts du fonctionnement d'un hôpital sont attribuables à l'entreposage, à la collecte et à l'acheminement de l'information», de toute évidence, il y a beaucoup de gaspillage à éliminer et d'améliorations à apporter[6].

Dans tout programme d'amélioration, la première étape consiste à décider ce qu'il faut améliorer. La théorie des contraintes, dont il sera question au chapitre 12, est un outil efficace pour déterminer les améliorations les plus utiles à l'organisation. La GPA en est un autre. Les coûts unitaires des activités et le coût total de l'activité calculés à l'aide de la CPA peuvent fournir des indices précieux sur les endroits où il y a du gaspillage et où il y a de la place pour l'amélioration dans une organisation. Par exemple, les gestionnaires de Laiton classique inc. ont été surpris de constater le coût élevé de la prise de commandes

---

4. Dan SWENSON, «The Benefits of Activity-Based Cost Management to the Manufacturing Industry», *Journal of Management Accounting Research*, vol. 7 (automne 1995), p. 168-180.
5. Michael SENYSHEN, «ABC/M in the Federal Government», *CGA Magazine*, décembre 1997, p. 19.
6. Kambiz FOROOHAR, «Rx: Software», *Forbes*, vol. 159, n° 7 (7 avril 1997), p. 114.

des clients. Certaines de ces commandes ont une valeur inférieure à 100 $ en produits ; pourtant, leur traitement coûte en moyenne 320 $, d'après les coûts unitaires calculés au tableau 5.5 (*p. 221*). Ce montant a paru considérable aux gestionnaires pour une activité qui n'ajoute aucune valeur au produit. Par conséquent, ils ont ciblé l'activité « Commandes des clients » en vue de l'améliorer.

L'analyse comparative est une façon de déterminer les activités devant être améliorées de façon plus importante. Par exemple, une entreprise de téléphonie a effectué une analyse des activités de son service de comptabilité[7]. Les gestionnaires ont calculé les coûts unitaires des diverses activités de ce service et les ont comparés aux coûts des mêmes activités dans d'autres entreprises. Ils se sont servis de deux points de comparaison :

1. un échantillon d'entreprises de Fortune 100, un classement des 100 plus grandes entreprises des États-Unis ;
2. un échantillon d'entreprises de niveau international désigné par un consultant comme ayant les meilleures pratiques comptables du monde (*voir le résultat de ces comparaisons ci-après*).

Activité	Unité d'œuvre	Coût de l'entreprise de téléphonie	Coût – Entreprises de Fortune 100	Coût – Entreprises de niveau international
Traitement des comptes clients	Nombre de factures traitées	3,80 $ par facture	15,00 $ par facture	4,60 $ par facture
Traitement des comptes fournisseurs	Nombre de factures traitées	8,90 $ par facture	7,00 $ par facture	1,80 $ par facture
Traitement des chèques de paie	Nombre de chèques traités	7,30 $ par chèque	5,00 $ par chèque	1,72 $ par chèque
Gestion du crédit des clients	Nombre de comptes clients	12,00 $ par compte	16,00 $ par compte	5,60 $ par compte

Cette analyse indique clairement la grande efficacité de l'entreprise de téléphonie en ce qui a trait au traitement des comptes clients. Son coût moyen par facture est de 3,80 $, alors que même celui des autres entreprises considérées comme étant de calibre international est plus élevé, soit 4,60 $ par facture. Par contre, son traitement des chèques de paie se révèle nettement plus coûteux que celui des autres entreprises. En effet, son coût par chèque de paie s'élève à 7,30 $, alors que celui des entreprises de Fortune 100 ne dépasse pas 5,00 $ et que celui des entreprises de calibre international se situe en deçà de 1,72 $. Un tel résultat permet de croire qu'il serait possible d'éliminer un certain gaspillage dans l'exécution de cette activité à l'aide des concepts de la gestion intégrale de la qualité (GIQ), de la réingénierie des processus et d'autres méthodes d'amélioration.

La CPA et les états financiers à usage général

Comme la CPA fournit généralement des renseignements plus précis sur les coûts des produits que le modèle traditionnel d'établissement du coût de revient, pourquoi ne l'utilise-t-on pas dans la publication des états financiers à usage général ? Certaines entreprises

---

7. Steve COBURN, Hugh GROVE et Cynthia FUKAMI, « Benchmarking with ABCM », *Management Accounting*, vol. 76, n° 7 (janvier 1995), p. 56-60.

se servent de la CPA à cet effet, mais la plupart ne le font pas pour plusieurs raisons. Premièrement, les états financiers à usage général sont moins détaillés que les rapports internes préparés pour la prise de décisions. Par exemple, les coûts de chaque produit n'apparaissent pas dans les états financiers à usage général. On y indique le coût des ventes et la valeur des stocks, mais on ne décompose pas ces comptes par produit. Si les coûts de certains de ces produits sont sous-évalués, et ceux d'autres produits, surévalués, ces erreurs auront tendance à s'annuler lorsque les coûts seront additionnés ensemble.

Deuxièmement, une méthode de CPA comme celle que nous décrivons dans le présent chapitre n'est pas conforme aux normes comptables en vigueur. Comme nous l'avons vu au chapitre 2, pour la publication d'états financiers à usage général, tous les coûts de fabrication, mais seulement ces coûts, doivent être inclus dans le coût des stocks et le coût de ventes. Tous les autres types de coûts en sont exclus. Or, dans la méthode de CPA, il est possible que les coûts incorporables ne comprennent pas certains coûts de fabrication et englobent certains coûts hors fabrication. Pour ces raisons, la plupart des entreprises limitent leur recours à la CPA à l'obtention de l'information qui sera utile à la prise de décisions et n'essaient pas de l'intégrer dans le système comptable qui produit les états financiers à usage général. Toutefois, il est possible, à la fin d'une période, d'effectuer un ajustement des données obtenues par la CPA pour les rendre conformes aux normes comptables en vigueur, mais ce procédé requiert davantage de travail. L'annexe 5B (en ligne au <www.cheneliere.ca/garrison>) présente une méthode permettant d'utiliser une forme modifiée de la CPA pour la préparation des états financiers à usage général. L'annexe 5C (en ligne au <www.cheneliere.ca/garrison>) explique l'enregistrement des coûts à l'aide de la CPA.

SUR LE TERRAIN

L'adoption de la CPA au Canada

Dans un sondage effectué auprès de grandes sociétés de fabrication du Canada, on a constaté que près de 66 % des gestionnaires interrogés croyaient à la possibilité d'ajouter de la valeur à leur organisation en ayant recours à la CPA. Toutefois, même si ces entreprises reconnaissent l'utilité de cette méthode, seulement 39 % d'entre elles avaient mis en œuvre un tel système dans tous les secteurs de leur organisation. Kaplan et Anderson offrent quelques explications possibles à ce faible taux d'implantation :

- Les coûts élevés d'implantation et de maintien de la CPA.
- Des inexactitudes dans les coûts de diverses activités dues à la nécessité de recourir à des estimations subjectives du temps consacré à chacune d'elles.
- L'incapacité de la CPA à refléter toute la complexité des activités réelles.
- Les difficultés de l'intégration des données fournies par la CPA et provenant des multiples secteurs d'une organisation.

Même si la CPA permet de déterminer les coûts des produits avec plus d'exactitude, les gestionnaires doivent prendre sérieusement en considération tous les coûts associés à la mise en œuvre, au maintien et à l'emploi d'un tel système. En outre, certains arguments mentionnés par Kaplan et Anderson suggèrent que l'implantation d'un système d'établissement du coût de revient plus complexe ne donne pas automatiquement des coûts plus exacts. On ne devrait donc procéder à l'implantation d'une CPA que si les avantages prévus dépassent tous les coûts estimés.

Source : Alnoor BHIMANI, Maurice GOSSELIN, Mthuli NCUBE et Hiroshi OKANO, « Activity-Based Costing : How Far Have We Come Internationally ? », *Cost Management*, vol. 21, n° 3 (mai-juin 2007), p. 12-17 ; Robert KAPLAN et Steve ANDERSON, « The innovation of Time-Driven Activity-Based Costing », *Cost Management*, vol. 21, n° 2 (mars-avril 2007), p. 5-15.

Les limites de la CPA

L'implantation d'un système de CPA est un projet d'envergure qui nécessite des ressources importantes. Et, une fois implanté, un tel système est plus coûteux à maintenir que la méthode traditionnelle d'établissement du coût de revient, qui utilise une ou deux bases de répartition comme les heures ou les coûts de la main-d'œuvre directe pour établir le taux d'imputation prédéterminé des frais indirects de fabrication — il faut dans le premier cas recueillir des données concernant de nombreuses unités d'œuvre, les vérifier et les intégrer au système. Les avantages que procure une plus grande exactitude ne contre-balancent pas nécessairement ces coûts.

SUR LE TERRAIN

Un point de vue critique sur la CPA

La société Marconi est une entreprise de télécommunications portugaise dans laquelle l'application de la CPA a causé des problèmes. Ses directeurs de la production considéraient que 23 % des coûts inclus dans le coût de revient selon la CPA étaient des coûts communs qui n'auraient pas dû être attribués aux produits et que leur répartition entre les produits se révélait non seulement inexacte, mais également non pertinente dans le cadre des efforts consentis pour réduire les coûts de production. En outre, sur le terrain, les employés de l'entreprise ont résisté à l'implantation de la CPA parce qu'ils craignaient qu'elle serve à diminuer leur autonomie et à justifier une rationalisation, une externalisation et une intensification du travail. À leur avis, la CPA créait une sorte de syndrome « des dindes qui se mettent elles-mêmes en file la veille de Noël » parce que l'entreprise attendait d'eux qu'ils fournissent volontairement des renseignements pour établir un coût de revient qui pourrait éventuellement servir à justifier leur licenciement. Ces deux complications ont donné naissance à un troisième problème : les données requises pour l'établissement du coût de revient selon la CPA ont été fournies par des employés mécontents et méfiants. Par conséquent, leur exactitude était pour le moins sujette à caution. Bref, l'expérience de la société Marconi illustre quelques-uns des défis qui compliquent la mise en œuvre d'une méthode de CPA dans une situation concrète.

Source : Maria MAJOR et Trevor HOPPER, « Managers Divided : Implementing ABC in a Portuguese Telecommunications Company », *Management Accounting Research*, vol. 16, n° 2 (juin 2005), p. 205-229.

La CPA permet d'obtenir des chiffres, tels que les marges sur coûts des produits, qui ne correspondent pas toujours à ceux déterminés à l'aide du modèle traditionnel d'établissement du coût de revient. Toutefois, les gestionnaires ont l'habitude d'employer ce modèle traditionnel, qui est souvent utilisé pour évaluer la performance. La CPA change les règles du jeu. Or, par leur nature, les êtres humains ont tendance à résister aux changements dans les organisations, surtout lorsque celles-ci modifient les règles auxquelles ils sont habitués. Cela met en lumière l'importance de l'appui de la haute direction, et de l'entière participation des cadres intermédiaires et du personnel du service de la comptabilité à toute implantation de la CPA. Si la CPA est considérée comme une simple initiative du service de la comptabilité qui n'a pas l'appui inconditionnel de la haute direction, son implantation est vouée à l'échec.

Il est facile de se tromper dans l'interprétation des données de la CPA, de sorte qu'on doit les utiliser avec précaution lorsqu'il s'agit de prendre des décisions. Les coûts attribués aux produits, aux clients et à d'autres objets de coûts ne sont que potentiellement pertinents. Avant de prendre toute décision importante à l'aide de données fournies par la CPA, les gestionnaires doivent déterminer les coûts qui sont réellement pertinents dans les circonstances. Vous trouverez plus de précisions sur ce sujet dans l'annexe 5A (en ligne au <www.cheneliere.ca/garrison>).

Comme nous l'avons vu dans la section précédente, les rapports produits selon la CPA ne sont pas nécessairement conformes aux normes comptables. Une entreprise qui se sert de la CPA devrait probablement avoir deux systèmes d'établissement du coût de revient — un pour l'information de gestion, et l'autre pour la préparation des états financiers. Le recours à deux méthodes est plus coûteux que le maintien d'une seule, et peut entraîner de la confusion quant il s'agit de déterminer laquelle est la plus crédible et la plus fiable compte tenu de la décision à prendre.

Résumé

Les méthodes traditionnelles d'établissement du coût de revient présentent plusieurs défauts qui peuvent avoir pour résultat de fausser les coûts servant à la prise de décisions. Elles attribuent tous les coûts de fabrication — même ceux qui ne sont pas occasionnés par des produits particuliers — aux produits, mais ne leur assignent aucun des coûts hors fabrication qu'ils génèrent. Elles leur assignent également les coûts de la capacité non utilisée. En fait, on impute aux produits les coûts de ressources qu'ils n'ont pas consommées. Enfin, ces méthodes traditionnelles ont tendance à dépendre trop étroitement d'unités d'œuvre liées aux unités telles que la main-d'œuvre directe et les heures-machines. Il en résulte une surestimation des coûts des produits à volume élevé et une sous-estimation des coûts des produits à faible volume qui peuvent entraîner des erreurs au moment de la prise de décisions.

Dans la CPA, on estime les coûts des ressources consommées par des objets de coûts comme les produits et les clients. En appliquant cette méthode, on suppose que les objets de coûts génèrent des activités qui à leur tour consomment des ressources, lesquelles ont des coûts. Les activités constituent le lien entre les coûts et les objets de coûts. La CPA s'intéresse aux coûts indirects — les frais indirects de fabrication ainsi que les coûts commerciaux, généraux et administratifs. La comptabilisation de la main-d'œuvre directe et des matières premières reste généralement la même que dans les méthodes traditionnelles.

Pour élaborer une méthode de CPA, les entreprises choisissent le plus souvent un petit ensemble d'activités qui résument une grande partie du travail effectué dans les sections génératrices de coûts indirects. On associe alors à chaque activité un centre de regroupement des coûts. Dans la mesure du possible, on rattache directement les coûts à ces centres de regroupement. Les coûts indirects qui restent sont attribués aux centres de regroupement au cours de la première phase de la répartition des coûts. Des entrevues avec les gestionnaires servent souvent à établir les façons de procéder à cette répartition.

On détermine un coût unitaire des activités pour chaque centre de regroupement en divisant les coûts attribués à ce centre par la quantité de l'unité d'œuvre qui y correspond. Ces coûts unitaires fournissent des renseignements utiles aux gestionnaires concernant les coûts engagés pour l'exécution d'activités. Un coût particulièrement élevé lié à une activité pourrait déclencher des efforts pour améliorer la façon dont on effectue cette activité dans l'entreprise.

Au cours de la deuxième phase de la répartition des coûts, on se sert des coûts unitaires des activités pour attribuer des coûts aux objets de coûts tels que les produits et les clients. Les coûts calculés à l'aide de la CPA sont souvent très différents de ceux que fournit la méthode traditionnelle d'établissement du coût de revient. Bien que pour un grand nombre d'entreprises, la CPA permette d'obtenir des données habituellement plus précises que le modèle traditionnel, les gestionnaires devraient faire preuve de prudence lorsqu'ils s'en servent pour prendre des décisions. En effet, certains coûts sont parfois inévitables, et, par conséquent, il n'est pas pertinent de les intégrer dans les analyses visant à guider les décisions.

Activités d'apprentissage

Problème de révision

La CPA

Voici des données fournies par la société Produits Perfection à l'aide de la CPA.

Coûts indirects

Salaires des contremaîtres..	300 000 $
Autres coûts indirects...	100 000
	400 000 $

Information sur les activités

Centre de regroupement des coûts par activité	Mesure d'activité	Activité totale pour l'année
Activité liée au volume..........................	Nombre d'heures de main-d'œuvre directe	20 000 HMOD
Activité liée aux commandes................	Nombre de commandes de clients	400 commandes
Activité de soutien aux clients..............	Nombre de clients	200 clients
Autres	Coûts non attribués à des produits ou à des clients	Sans objet

Répartition des ressources consommées entre les activités

	Activité liée au volume	Activité liée aux commandes	Activité de soutien aux clients	Autres	Total
Salaires des contremaîtres	40 %	30 %	20 %	10 %	100 %
Autres coûts indirects..	30 %	10 %	20 %	40 %	100 %

Au cours de l'année, l'entreprise a exécuté une commande pour un nouveau client, la société Shenzhen. Ce client n'a commandé aucun autre produit pendant l'année. Voici les données concernant cette commande.

Données concernant la commande de la société Shenzhen

Unités commandées..	10 unités
Heures de main-d'œuvre directe	2 HMOD par unité
Prix de vente...	300 $ par unité
Matières premières	180 $ par unité
Main-d'œuvre directe..	50 $ par unité

Travail à faire

1. Préparez un rapport présentant la première phase de la répartition des coûts indirects aux centres de regroupement des coûts par activité. Prenez le tableau 5.4 (*p. 220*) comme modèle.
2. Calculez les coûts unitaires des activités des centres de regroupement. Prenez le tableau 5.5 (*p. 221*) comme modèle.

▶

> 3. Préparez un rapport indiquant les coûts indirects liés à la commande de la société Shenzhen. Prenez le tableau 5.7 (*p. 225*) comme modèle. Ne tenez pas compte des coûts de soutien aux clients à ce stade de votre analyse.
>
> 4. Préparez un rapport indiquant la marge sur coûts du produit pour la commande et la marge sur coûts du client pour la société Shenzhen. Procédez comme dans le tableau 5.9 (*p. 227*).

Solution au problème de révision

1. Voici la première phase de la répartition des coûts.

	Activité liée au volume	Activité liée aux commandes	Activité de soutien aux clients	Autres	Total
Salaires des contremaîtres....................	120 000 $	90 000 $	60 000 $	30 000 $	300 000 $
Autres coûts indirects..........................	30 000	10 000	20 000	40 000	100 000
	150 000 $	100 000 $	80 000 $	70 000 $	400 000 $

Par exemple: d'après la répartition des ressources entre les activités, 40 % des 300 000 $ du coût des salaires des contremaîtres sont attribuables aux activités liées au volume.

$$300\ 000\ \$ \times 40\ \% = 120\ 000\ \$$$

On détermine les autres éléments du tableau de la même manière.

2. Le calcul des coûts unitaires des activités.

Centre de regroupement des coûts par activité	(a) Coût total	(b) Activité totale	(a) ÷ (b) Coût unitaire de l'activité
Activité liée au volume	150 000 $	20 000 HMOD	7,50 $ par HMOD
Activité liée aux commandes	100 000 $	400 commandes	250 $ par commande
Activité de soutien aux clients	80 000 $	200 clients	400 $ par client

3. Le calcul des coûts indirects liés à la commande de la société Shenzhen.

Centre de regroupement des coûts par activité	(a) Coût unitaire de l'activité	(b) Activité	(a) × (b) Coût selon la CPA
Activité liée au volume	7,50 $ par HMOD	20 HMOD*	150 $
Activité liée aux commandes	250 $ par commande	1 commande	250
			400 $

* 2 HMOD × 10 unités = 20 HMOD

4. Les marges sur coûts du produit de la commande et du client.

Analyse de rentabilité du produit

Ventes (10 unités × 300 $ l'unité)................................		3 000 $
Moins : Coûts :		
Matières premières (10 unités × 180 $ l'unité)......................	1 800 $	
Main-d'œuvre directe (10 unités × 50 $ l'unité)....................	500	
Coûts indirects liés au volume (7,50 $ × 20 HMOD).............	150	
Coûts indirects liés à la commande (250 $ × 1 commande) ...	250	2 700
Marge sur coûts du produit...		300 $

Analyse de rentabilité du client

Marge sur coûts du produit (*voir ci-dessus*).........................	300 $
Moins : Coûts indirects liés aux clients (1 client × 400 $ le client)..................	400
Marge sur coûts du client	(100) $

5

Questions

Q1 Quelles sont les différences essentielles entre la CPA et la méthode traditionnelle d'établissement du coût de revient décrite aux chapitres 2 et 3 ?

Q2 Pourquoi la main-d'œuvre directe est-elle une unité d'œuvre inappropriée pour la répartition des coûts indirects dans un grand nombre d'entreprises ?

Q3 Définissez les activités liées aux unités et aux lots ainsi que les activités de soutien aux produits, de soutien aux clients et de soutien à l'organisation.

Q4 Quels types de coûts ne devrait-on pas attribuer aux produits dans un modèle de CPA ?

Q5 Pourquoi la première phase de la mise en œuvre de la CPA est-elle souvent basée sur des entrevues ?

Q6 Quelle différence y a-t-il entre un inducteur fondé sur les activités et un inducteur fondé sur la durée ?

Q7 Comment les coûts unitaires (c'est-à-dire le coût par activité) peuvent-ils servir à cibler les améliorations à apporter aux processus de production ?

Q8 Dans la CPA, pourquoi les frais indirects de fabrication sont-ils souvent transférés des produits à volume élevé aux produits à faible volume ?

Q9 Pourquoi l'utilisation de la CPA décrite dans ce chapitre pourrait-elle être inacceptable pour la préparation d'états financiers à usage général ?

Q10 Peut-on utiliser la CPA dans des organisations de service ?

Exercices

E1 La classification des activités

CD Express inc. offre des services de reproduction de cédéroms aux sociétés de conception de logiciels. Le client fournit un cédérom modèle dont l'entreprise fait des copies. Les commandes peuvent varier de un exemplaire à plusieurs milliers. La plupart d'entre elles sont décomposées en lots de façon que les machines soient disponibles pour que la production exécute d'autres commandes moins considérables mais urgentes. Voici la liste d'un certain nombre d'activités effectuées chez CD Express.

a) Visites périodiques de représentants chez des clients pour les tenir au courant des services offerts par CD Express.

b) Commande d'étiquettes à l'imprimeur pour un cédérom en particulier.

c) Réglage de la machine de reproduction des cédéroms pour fabriquer des exemplaires d'un cédérom donné.

d) Alimentation en étiquettes de la machine à étiquetage automatique pour un cédérom donné.

▶ e) Inspection visuelle et rangement à la main des cédéroms dans des boîtiers de plastique protecteurs avant leur livraison.

f) Préparation des documents de livraison relatifs à la commande.

g) Entretien périodique du matériel.

h) Éclairage et chauffage des installations de production de l'entreprise.

i) Préparation des rapports financiers trimestriels.

Travail à faire

Classez chacune des activités précédentes dans l'une des catégories suivantes: activités liées aux unités ou aux lots, ou activités de soutien aux produits, aux clients ou à l'organisation. Supposez que la commande est assez importante pour être décomposée en lots.

E2 La hiérarchie des coûts

La société Prévert construit des voiturettes de golf qu'elle vend directement à des clubs de golf dans le monde entier. Elle offre plusieurs modèles de base pouvant être modifiés pour répondre aux besoins particuliers de chaque terrain. Par exemple, pour un terrain de golf situé en Colombie-Britannique, le client (c'est-à-dire le club) exige généralement que ses voiturettes soient équipées de toits imperméables rétractables. En outre, chaque client demande des voiturettes personnalisées, c'est-à-dire peintes à ses couleurs et portant son logo. En général, l'entreprise fabrique toutes les voiturettes destinées à un même client avant de commencer la production de celles d'un autre. Voici un aperçu de ses activités et de ses coûts.

a) Le service des achats commande au fournisseur de l'entreprise la peinture de la couleur précisée par le client.

b) Un employé installe le volant d'une voiturette de golf.

c) Un avocat externe rédige un nouveau contrat de vente général qui limite la responsabilité de la société Prévert en cas d'accidents causés par ses voiturettes de golf.

d) L'atelier de peinture de l'entreprise fabrique un pochoir pour le logo d'un client.

e) Un représentant de la société Prévert rend visite à un client de longue date pour savoir s'il est satisfait des voiturettes de golf qui lui ont été vendues et essayer de lui en vendre d'autres.

f) Le service des comptes clients prépare la facture d'une commande terminée.

g) Le système de chauffage et d'éclairage de l'usine et des bureaux de l'administration consomme de l'électricité.

h) Des employés peignent les voiturettes de golf.

i) L'ingénieur de l'entreprise modifie la conception d'un modèle pour éliminer un problème de sécurité potentiel.

j) Le service de marketing fait imprimer un catalogue des produits de l'entreprise et en poste des exemplaires à des directeurs de clubs de golf.

k) Des employés testent chaque voiturette de golf terminée sur la piste d'essai de l'entreprise.

l) L'entreprise expédie un nouveau modèle de voiturette au magazine de golf le plus prestigieux pour qu'il l'évalue dans son classement annuel.

Travail à faire

Classez chacun des coûts ou chacune des activités ci-dessus selon qu'il s'agit de coûts ou d'activités liés aux unités ou aux lots, ou encore de soutien aux produits, aux clients ou à l'organisation. Dans le cas présent, les clients sont des clubs de golf, les produits sont des modèles de voiturette de golf, un lot correspond à la commande d'un client particulier et une unité désigne une voiturette.

E3 Les mesures d'activité

Voici une liste d'activités que vous avez observées chez Martin inc., une entreprise de fabrication. Chaque activité est classée dans l'une des catégories suivantes: activités liées aux unités ou aux lots, ou activités de soutien aux produits ou aux clients.

Activité	Catégorie d'activité	Exemples de mesures d'activité
a) La main-d'œuvre directe assemble un produit........................	Unités	
b) Les ingénieurs conçoivent des produits............................	Produits	
c) On procède au réglage des machines...................................	Lots	
d) Les machines servent à façonner et à découper la matière première........................	Unités	
e) On expédie des factures mensuelles aux clients réguliers......	Clients	
f) On déplace les matières premières de l'aire de réception aux chaînes de montage	Lots	
g) Toutes les unités terminées sont inspectées aux fins de recherche de défauts	Unités	

Travail à faire

Remplissez le tableau précédent en fournissant pour chaque activité des exemples de mesures d'activité qui pourraient servir à attribuer ces coûts aux produits ou aux clients.

E4 La première phase de la répartition

La vice-présidente à l'exploitation de la Banque provinciale a décidé de se pencher sur la question de l'efficience des activités de la banque. Elle se préoccupe particulièrement des coûts des activités habituelles et voudrait les comparer à ceux des différentes succursales de l'institution. Elle croit que s'il était possible de déterminer les succursales ayant les activités les plus efficientes, on devrait étudier leurs méthodes et les reproduire ailleurs. Bien que la banque enregistre les salaires et d'autres coûts avec minutie, aucun effort n'a été déployé jusqu'ici pour établir des liens entre ces coûts et les services qu'elle offre. La vice-présidente à l'exploitation vous a demandé de collaborer à une étude des activités de la banque au moyen de la CPA. Elle voudrait savoir en particulier le coût de l'ouverture d'un compte, le coût du traitement des dépôts et des retraits, ainsi que le coût du traitement d'autres transactions effectuées par des clients.

La succursale Bas-du-Fleuve a fourni les renseignements ci-après sur ses coûts pour la période qui vient de se terminer.

Salaires des caissiers	160 000 $
Salaire du directeur adjoint de la succursale..	75 000
Salaire du directeur de la succursale...	80 000
	315 000 $

Presque tous les autres coûts de la succursale (le loyer, l'amortissement, les services publics, etc.) sont des coûts de soutien à l'organisation que l'on peut difficilement — et de façon logique — attribuer aux transactions individuelles des clients comme le dépôt d'un chèque.

En plus de recueillir les données sur les coûts présentées ci-dessus, on a interrogé les employés de la succursale Bas-du-Fleuve sur la répartition de leur temps au cours de la dernière période entre les activités incluses dans l'étude de CPA. Les résultats de ces entrevues donne la répartition des ressources entre les activités suivante :

	Ouverture de comptes	Traitement des dépôts et des retraits	Traitement des autres transactions des clients	Autres activités	Total
Salaires des caissiers...	5 %	65 %	20 %	10 %	100 %
Salaire du directeur adjoint de la succursale...........................	15 %	5 %	30 %	50 %	100 %
Salaire du directeur de la succursale...................................	5 %	-0- %	10 %	85 %	100 %

► **Travail à faire**

Préparez la première phase de la répartition pour l'étude de CPA. Consultez le tableau 5.4 (*p. 220*), qui constitue un exemple de répartition.

E5 L'établissement et l'interprétation du coût unitaire des activités

(Cet exercice est la suite de l'exercice E4. Les étudiants ne peuvent l'entreprendre que s'ils ont *déjà fait* l'exercice E4.) Le directeur de la succursale Bas-du-Fleuve de la Banque provinciale a fourni les renseignements ci-après concernant les transactions de sa succursale au cours de la dernière année.

Activité	Volume total d'activité à la succursale Bas-du-Fleuve
Ouverture de comptes	500 nouveaux comptes ouverts
Traitement des dépôts et des retraits	100 000 dépôts et retraits traités
Traitement des autres transactions des clients.............	5 000 autres transactions traitées

Les coûts les plus bas enregistrés par les autres succursales pour ces activités se présentent comme suit:

Activité	Coût le plus bas de toutes les succursales de la Banque provinciale
Ouverture de comptes...	26,75 $ par nouveau compte
Traitement des dépôts et des retraits...................................	1,24 $ par dépôt ou par retrait
Traitement des autres transactions des clients....................	11,86 $ par transaction

Travail à faire

1. En vous basant sur le modèle de répartition du tableau 5.4 et des données précédentes, calculez les coûts unitaires des activités suivant un système de CPA. Inspirez-vous aussi du tableau 5.5 (*p. 221*). Arrondissez tous vos calculs à deux décimales près.
2. Qu'est-ce que ces résultats vous indiquent concernant les activités de la succursale Bas-du-Fleuve?

E6 L'analyse de rentabilité d'un produit et d'un client

La société Ulysse construit des aérovoiliers qu'elle vend par l'intermédiaire de magasins d'articles de sport. Outre un modèle standard, elle propose aussi des modèles personnalisés. La direction a conçu un système de CPA qui compte les centres de regroupement des coûts par activité et les coûts unitaires des activités suivants:

Centre de regroupement des coûts par activité	Coût unitaire des activités
Soutien à la fabrication..	18 $ par heure de main-d'œuvre directe
Traitement des commandes....................................	192 $ par commande
Conception personnalisée......................................	261 $ par conception personnalisée
Service à la clientèle..	426 $ par client

La direction voudrait avoir une analyse de la rentabilité d'un client en particulier, la boutique Les ailes de l'aigle, qui a commandé les produits ci-après au cours des 12 derniers mois.

	Modèle standard	Modèle personnalisé
Nombre d'aérovoiliers...	10	2
Nombre de commandes	1	2
Nombre de conceptions personnalisées	-0-	2
Heures de main-d'œuvre directe par aérovoilier	28,5	32,0
Prix de vente d'un aérovoilier	1 650 $	2 300 $
Coût des matières premières par aérovoilier	462 $	576 $

Le taux horaire de la main-d'œuvre directe est de 19 $.

Travail à faire

À l'aide de la méthode de la CPA, calculez la marge sur coûts du client pour la boutique Les ailes de l'aigle.

E7 La deuxième phase de la répartition et le calcul de la marge

Produits confort inc. fabrique des coussins en mousse pour des constructeurs d'automobiles et pour des entreprises aérospatiales. Voici les quatre centres de regroupement des coûts par activité que comprend son modèle de CPA.

Centre de regroupement des coûts par activité	Mesure d'activité
Volume..	Nombre d'heures de main-d'œuvre directe
Traitement des lots...............................	Nombre de lots
Traitement des commandes	Nombre de commandes
Service à la clientèle............................	Nombre de clients

On a calculé les coûts unitaires des activités de ces centres de regroupement comme suit :

	Coûts unitaires des activités			
	Volume	Traitement des lots	Traitement des commandes	Service à la clientèle
Frais indirects de fabrication :				
Main-d'œuvre indirecte	0,60 $	60,00 $	20,00 $	-0- $
Amortissement du matériel de l'usine...........................	4,00	17,00	-0-	-0-
Administration de l'usine................	0,10	7,00	25,00	150,00
Coûts commerciaux et charges administratives :				
Salaires...............................	0,40	20,00	160,00	1 600,00
Amortissement	-0-	3,00	10,00	38,00
Coûts de promotion........................	0,45	-0-	60,00	675,00
	5,55 $	107,00 $	275,00 $	2 463,00 $

L'entreprise vient de terminer une commande pour Camions de transport inc. Cette commande de 1 000 coussins fabriqués sur mesure a été exécutée en deux lots. Chaque coussin requiert 0,25 heure de main-d'œuvre directe. À l'unité, son prix de vente est de 20 $, le coût des matières premières, de 8,50 $, et le coût de la main-d'œuvre directe, de 6,00 $. Il s'agit de la seule commande de Camions de transport inc. au cours de la période.

▶

► **Travail à faire**

1. Préparez un rapport indiquant la marge sur coûts du produit pour cette commande. Servez-vous du rapport du tableau 5.8 (*p. 226*) comme modèle. À ce stade, ne tenez pas compte des coûts du service à la clientèle.

2. Préparez un rapport indiquant la marge sur coûts du client Camions de transport inc. Servez-vous de l'analyse de rentabilité du client du tableau 5.9 (*p. 227*) comme modèle.

E8 Le calcul et l'interprétation des données de la CPA

Buffet asiatique est un restaurant très fréquenté situé à Montréal. Dans le but de mieux comprendre les coûts de son entreprise, la propriétaire a engagé un jeune étudiant en dernière année de comptabilité et lui a demandé d'effectuer une étude de CPA. Avec son aide, le jeune étudiant est parvenu à déterminer les principales activités suivantes:

Centre de regroupement des coûts par activité	Mesure d'activité
Service d'un groupe	Nombre de groupes servis
Service d'un client	Nombre de clients servis
Service de consommations	Nombre de consommations commandées

Un certain nombre de personnes demandant à être assises à la même table constituent un groupe. Certains coûts, comme ceux de la buanderie, sont identiques, qu'il y ait une ou plusieurs personnes à une table. D'autres coûts, comme ceux du lavage de la vaisselle, dépendent du nombre de clients servis.

Les renseignements concernant les activités du mois dernier sont présentés ci-après. Le jeune étudiant a déjà effectué la première phase de la répartition des coûts entre les centres de regroupement des coûts par activité.

	Service d'un groupe	Service d'un client	Service de consommations	Total
Coût..	33 000 $	138 000 $	24 000 $	195 000 $
Volume d'activité.....................	6 000 groupes	15 000 clients	10 000 consommations	

Tous les coûts du restaurant sont indiqués ci-dessus, sauf les coûts de soutien à l'organisation tels que le loyer, l'impôt foncier et les salaires de la direction.

Avant de consulter l'étude de CPA, la propriétaire avait une connaissance très limitée des coûts du restaurant. Elle savait que le coût total du dernier mois (y compris les coûts de soutien à l'organisation) s'élevait à 240 000 $ et que 15 000 repas avaient été servis. Par conséquent, le coût moyen par repas était de 16 $.

Travail à faire

1. D'après la CPA, quel est le coût total lié au service de chacun des groupes de personnes suivants?
   a) Un groupe de quatre personnes commandant trois consommations au total.
   b) Un groupe de deux personnes ne commandant aucune consommation.
   c) Une seule personne commandant deux consommations.

2. Transformez les coûts totaux que vous avez calculés en 1) en coût par personne. En d'autres termes, quel est le coût moyen par client pour le service de chacun des groupes de personnes suivants?
   a) Un groupe de quatre personnes commandant trois consommations au total.
   b) Un groupe de deux personnes ne commandant aucune consommation.
   c) Une seule personne commandant deux consommations.

3. Pourquoi les coûts par personne de ces trois groupes diffèrent-ils les uns des autres et pourquoi diffèrent-ils du coût moyen total de 16 $ par client?

Problèmes

P1 Les coûts unitaires des activités et les soumissions aux clients

Nettoyage d'amiante inc. est chargée d'enlever l'isolation potentiellement toxique en amiante et autres produits apparentés dans les immeubles. Il y a un vieux sujet de discorde entre l'évaluateur de l'entreprise et les contremaîtres. Selon ces derniers, l'évaluateur ne tient pas assez compte de la distinction entre le travail habituel, comme l'enlèvement de l'isolation en amiante autour des tuyaux de chauffage dans les vieilles maisons, et un travail occasionnel, comme l'enlèvement du plâtre des plafonds contaminés à l'amiante dans les immeubles industriels. À leur avis, le travail occasionnel s'avère beaucoup plus coûteux et il devrait entraîner des frais plus élevés pour le client que le travail habituel. L'évaluateur résume sa position comme suit : « Mon travail consiste à mesurer l'espace qui sera nettoyé pour en éliminer l'amiante. Comme me l'a demandé la direction, je multiplie tout simplement les mètres carrés par 20 $ pour déterminer le prix de la soumission. Notre coût moyen de nettoyage est de 17,40 $ par mètre carré. La différence est donc suffisante pour couvrir les coûts supplémentaires en cas de travail occasionnel. Et puis, il est difficile de déterminer ce qui sera du travail habituel et ce qui sera du travail occasionnel tant que l'on n'a pas à ouvrir les murs. »

En partie pour faire la lumière sur cette question, l'entreprise a amorcé une étude de tous ses coûts à l'aide de la CPA. Voici les renseignements obtenus.

Information sur les activités

Centre de regroupement des coûts par activité	Mesure d'activité
Surface à nettoyer	Milliers de mètres carrés
Estimation et mise en œuvre des travaux	Nombre de travaux
Exécution des travaux occasionnels	Nombre de travaux occasionnels
Autres (coûts de soutien à l'organisation)	Sans objet ; ces coûts ne sont pas attribués aux travaux.

Coûts pour la période

Salaires	300 000 $
Coûts d'élimination des déchets	700 000
Amortissement du matériel	90 000
Fournitures	50 000
Salaires du personnel de l'administration et fournitures de bureau	200 000
Taxes et assurances	400 000
	1 740 000 $

Répartition des ressources consommées entre les activités

	Surface à nettoyer	Estimation et mise en œuvre des travaux	Exécution des travaux occasionnels	Autres	Total
Salaires	50 %	10 %	30 %	10 %	100 %
Coûts d'élimination des déchets	60 %	-0- %	40 %	-0- %	100 %
Amortissement du matériel	40 %	5 %	20 %	35 %	100 %
Fournitures	60 %	30 %	10 %	-0- %	100 %
Salaires du personnel de l'administration et fournitures de bureau	10 %	35 %	25 %	30 %	100 %
Taxes et assurances	30 %	-0- %	50 %	20 %	100 %

Information sur les volumes d'activité

Centre de regroupement des coûts par activité	Volume d'activité de la période
Surface à nettoyer	100 000 m²
Estimation et mise en œuvre des travaux	500 travaux
Exécution des travaux occasionnels	100 travaux occasionnels

▶   **Remarque :** Les 100 travaux occasionnels sont calculés dans le total de 500 travaux. Les travaux occasionnels comme les travaux habituels requièrent une estimation et une mise en œuvre.

Travail à faire

1. Effectuez la répartition des coûts entre les centres de regroupement des coûts par activité. Servez-vous du tableau 5.4 (*p. 220*) comme modèle.

2. Calculez les coûts unitaires des activités pour chaque centre de regroupement. Servez-vous du tableau 5.5 (*p. 221*) comme modèle.

3. À l'aide des coûts unitaires que vous avez calculés, déterminez le coût total et le coût moyen par millier de mètres carrés de chacun des travaux ci-après, conformément à la CPA. (Vous ne pourrez pas effectuer d'analyse des activités parce que vous ne disposez pas des codes de facilité d'ajustement.)

   a) Un travail habituel d'enlèvement de l'amiante sur 125 mètres carrés.

   b) Un travail habituel d'enlèvement de l'amiante sur 250 mètres carrés.

   c) Un travail occasionnel d'enlèvement de l'amiante sur 250 mètres carrés.

4. Compte tenu des résultats obtenus en 3), croyez-vous, comme l'évaluateur, que la politique actuelle de l'entreprise en matière de soumissions est appropriée ?

P2 Une analyse des activités d'un marché

Le studio Pixel inc. est une petite entreprise qui produit des films d'animation par ordinateur pour le cinéma et la télévision. Une grande partie du travail consiste à produire de courts films publicitaires pour la télévision, mais l'entreprise conçoit aussi des animations sur ordinateur pour les effets spéciaux au cinéma.

Les jeunes fondateurs de Pixel inc. s'inquiètent de plus en plus de la rentabilité de leur entreprise, en particulier depuis que de nombreux concurrents sont apparus sur le marché local. Pour mieux comprendre la structure des coûts de leur entreprise, on a conçu un modèle de CPA. Chez Pixel inc., il y a trois activités principales à considérer : la conception de films d'animation, la production de films d'animation et l'administration des contrats. L'activité de conception a lieu à l'étape de la proposition des contrats, lorsque l'entreprise présente des soumissions. Il s'agit d'une activité importante requérant la participation de personnes provenant de tous les secteurs de l'entreprise, et consistant à créer des ébauches de scénarios et des prototypes d'images qui seront présentés au client potentiel. Lorsque le client accepte le projet, le film d'animation entre en production, et l'administration du contrat commence. Presque tout le travail de production est effectué par le personnel technique ; le personnel de l'administration s'occupe en grande partie de la gestion du contrat. Voici une liste des centres de regroupement des coûts par activité de l'entreprise et des mesures d'activité qui y correspondent.

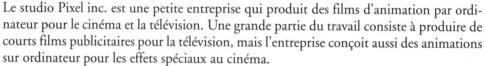

Centre de regroupement des coûts par activité	Mesure d'activité
Conception de films d'animation	Nombre de propositions
Production de films d'animation	Minutes d'animation
Administration des contrats	Nombre de contrats

On a déjà procédé à la première phase de la répartition des coûts et on a calculé les coûts unitaires des activités. Voici comment ces coûts se présentent.

	Coûts unitaires des activités		
	Conception de films d'animation	Production de films d'animation	Administration des contrats
Salaires du personnel technique.....................	4 000 $	6 000 $	1 600 $
Amortissement du matériel d'animation	360	1 125	-0-
Salaires du personnel de l'administration.......	1 440	150	4 800
Fournitures...	120	300	160
Taxes et assurances	120	150	240
	6 040 $	7 725 $	6 800 $

Ces coûts unitaires des activités englobent tous les coûts de l'entreprise sauf les coûts de soutien à l'organisation.

Une analyse préliminaire basée sur ces coûts unitaires montre que le marché local des films publicitaires n'est peut-être pas rentable. Il s'agit d'un marché très concurrentiel. Les producteurs de films publicitaires peuvent demander à trois ou quatre entreprises comme Pixel inc. de soumettre des projets. Il en résulte une proportion remarquablement faible de contrats acceptés par rapport aux soumissions présentées. De plus, les séquences d'animation ont tendance à être beaucoup plus courtes pour les publicités locales que pour toute autre forme de contrat. Comme le travail d'animation est facturé à des taux relativement standards selon la durée de l'animation, les revenus provenant de ces petits projets sont, en général, inférieurs à la moyenne. Voici quelques renseignements concernant cette activité.

Mesure d'activité	Volume total d'activité	Volume d'activité pour les publicités locales
Nombre de propositions	50	25
Minutes d'animation	80	5
Nombre de contrats...	25	10

Le chiffre d'affaires total pour les 10 contrats de films publicitaires locaux s'élève à 180 000 $.

Travail à faire

1. Déterminez le coût du marché local des films publicitaires d'après la CPA. Servez-vous du tableau 5.6 (*p. 223*) comme modèle. Considérez le marché local des films publicitaires comme un produit.
2. Préparez un rapport indiquant la marge sur coûts du marché local des films publicitaires en vous servant du rapport concernant la marge sur coûts des produits du tableau 5.8 (*p. 226*) comme modèle. (Cette entreprise n'a aucun coût de matières premières et de main-d'œuvre directe.)

P3 La CPA comme solution de rechange à la méthode traditionnelle d'établissement du coût de revient

Ellix inc. fabrique deux modèles de haut-parleurs haute fidélité, le modèle X200 et le modèle X99. Les renseignements ci-après concernent ces produits.

▶

Produit	Heures de main-d'œuvre directe par unité	Production annuelle	Total des heures de main-d'œuvre directe
X200	1,8	5 000 unités	9 000
X99	0,9	30 000 unités	27 000
			36 000

Voici des renseignements supplémentaires sur l'entreprise.

a) Le modèle X200 requiert 72 $ de matières premières par unité; le modèle X99 en requiert 50 $.

b) Le salaire horaire de la main-d'œuvre directe est de 20 $.

c) L'entreprise a toujours utilisé les heures de main-d'œuvre directe comme base d'imputation des frais indirects de fabrication aux produits.

d) Le modèle X200 est plus compliqué à fabriquer que le modèle X99 et requiert l'utilisation d'un équipement spécial.

e) Compte tenu du travail spécialisé requis comme mentionné en d), l'entreprise songe à utiliser la CPA pour attribuer les frais indirects de fabrication aux produits pour la préparation de ses états financiers. Elle a déterminé les trois centres de regroupement suivants:

Centre de regroupement des coûts par activité	Mesure d'activité	Frais indirects de fabrication estimés
Réglage des machines............	Nombre de réglages	360 000 $
Traitement spécial...................	Heures-machines	180 000
Production	Heures de main-d'œuvre directe	1 260 000
		1 800 000 $

Mesure d'activité	Activité totale prévue		
	Modèle X200	Modèle X99	Total
Nombre de réglages...........................	50	100	150
Heures-machines	12 000	-0-	12 000
Heures de main-d'œuvre directe.........	9 000	27 000	36 000

Travail à faire

1. Supposez que l'entreprise continue d'utiliser les heures de main-d'œuvre directe comme base d'imputation des frais indirects de fabrication à ses produits.

   a) Calculez le taux d'imputation prédéterminé des frais indirects de fabrication.

   b) Calculez le coût de production par unité de chaque modèle.

2. Supposez que l'entreprise décide d'utiliser la CPA pour attribuer les frais indirects de fabrication à ses produits.

   a) Calculez les coûts unitaires prédéterminés des activités pour chaque centre de regroupement des coûts par activité. Déterminez les frais indirects de fabrication imputés à chaque modèle à l'aide de la CPA.

   b) Calculez le coût de production par unité de chaque modèle.

3. Expliquez pourquoi la CPA a fait passer les frais indirects de fabrication du modèle à fort volume au modèle à faible volume.

P4 **Les coûts unitaires des activités et la CPA**

Aérotraiteur SA est une entreprise québécoise. Elle fournit des repas aux passagers et aux équipages des compagnies aériennes dont les activités s'effectuent à partir de deux aéroports, soit l'aéroport international Pierre-Elliott-Trudeau et l'aéroport international Pearson à Toronto. Les activités de l'entreprise sont gérées séparément dans ces deux aéroports. La direction générale croit toutefois qu'elle pourrait tirer profit d'un plus grand partage d'informations entre ses deux centres d'exploitation.

Pour mieux comparer ces centres d'exploitation, on a conçu un modèle de CPA avec la participation des gestionnaires de l'aéroport Pierre-Elliott-Trudeau et de l'aéroport Pearson. Ce système est basé sur les centres de regroupement des coûts par activité et sur les mesures d'activité qui suivent :

Centre de regroupement des coûts par activité	Mesure d'activité
Préparation des repas	Nombre de repas
Activités relatives aux vols	Nombre de vols
Service à la clientèle	Nombre de clients
Autres (coûts de soutien à l'organisation)	Sans objet

À l'aéroport Pierre-Elliott-Trudeau, l'entreprise sert 1,5 million de repas par an sur 7 500 vols de 10 compagnies aériennes différentes. (Chaque compagnie aérienne est considérée comme un client.) Le coût annuel de l'exploitation des activités à cet aéroport, en excluant les coûts des matières premières pour les repas, s'élève à 29 400 000 $.

Coût annuel du centre d'exploitation de l'aéroport Pierre-Elliott-Trudeau

Salaires des cuisiniers et du personnel de livraison	24 000 000 $
Fournitures de cuisine	300 000
Salaires des chefs	1 800 000
Amortissement du matériel	600 000
Salaires du personnel de l'administration	1 500 000
Coûts de gestion des immeubles	1 200 000
	29 400 000 $

Voici les résultats des entrevues réalisées auprès des employés de l'aéroport Pierre-Elliott-Trudeau.

Répartition des ressources consommées entre les activités au centre d'exploitation de l'aéroport Pierre-Elliott-Trudeau

	Préparation des repas	Activités relatives aux vols	Service à la clientèle	Autres	Total
Salaires des cuisiniers et du personnel de livraison	75 %	20 %	-0- %	5 %	100 %
Fournitures de cuisine	100 %	-0- %	-0- %	-0- %	100 %
Salaires des chefs	30 %	20 %	40 %	10 %	100 %
Amortissement du matériel	60 %	-0- %	-0- %	40 %	100 %
Salaires du personnel de l'administration	-0- %	20 %	60 %	20 %	100 %
Coûts de gestion des immeubles	-0- %	-0- %	-0- %	100 %	100 %

Travail à faire

1. Effectuez la répartition des coûts entre les centres de regroupement des coûts par activité. Servez-vous du tableau 5.4 (*p. 220*) comme modèle.
2. Calculez les coûts unitaires des activités pour chaque centre de regroupement. Servez-vous du tableau 5.5 (*p. 221*) comme modèle. ►

▶ 3. Le centre d'exploitation de l'aéroport Pearson a déjà effectué une étude de CPA et a enregistré les coûts ci-après pour ses activités.

	Préparation des repas	Activités relatives aux vols	Service à la clientèle
Salaires des cuisiniers et du personnel de livraison	12,20 $	780 $	-0- $
Fournitures de cuisine	0,25	-0-	-0-
Salaires des chefs	0,18	32	54 000
Amortissement du matériel..........................	0,23	-0-	-0-
Salaires du personnel de l'administration.....	-0-	45	68 000
Coûts de gestion des immeubles	-0-	-0-	-0-
	12,86 $	857 $	122 000 $

En comparant les coûts unitaires des activités du centre d'exploitation de l'aéroport Pierre-Elliott-Trudeau calculés en 2) aux coûts unitaires des activités de l'aéroport Pearson, auriez-vous des suggestions à formuler auprès de la haute direction d'Aérotraiteur SA?

P5 La CPA comme solution de rechange au modèle traditionnel d'établissement du coût de revient

Singelois fabrique un produit offert à la fois sous forme de modèle de luxe et de modèle courant. Le modèle courant est offert depuis des années. Il y a quelques années, l'entreprise a lancé le modèle de luxe pour s'attaquer à un nouveau segment du marché. Depuis l'apparition du modèle de luxe, les bénéfices de l'entreprise ont diminué de façon constante. La direction doute de plus en plus de la précision de son modèle d'établissement du coût de revient. Notons que les ventes du modèle de luxe ont augmenté rapidement.

Les frais indirects de fabrication sont imputés aux produits en fonction des heures de main-d'œuvre directe. Pour la période en cours, l'entreprise a estimé qu'elle devra engager 900 000 $ en frais indirects de fabrication, et qu'elle produira 5 000 unités du modèle de luxe et 40 000 unités du modèle courant. Le modèle de luxe requiert deux heures de main-d'œuvre directe par unité; le modèle courant n'en exige qu'une. Les coûts des matières premières et de la main-d'œuvre directe par unité sont les suivants :

	Modèle de luxe	Modèle courant
Matières premières	40 $	25 $
Main-d'œuvre directe...	28 $	14 $

Travail à faire

1. En vous servant des heures de main-d'œuvre directe comme unité d'œuvre pour imputer les frais indirects de fabrication aux produits, calculez le taux d'imputation prédéterminé des frais indirects de fabrication. À l'aide de ce taux et des autres données du problème, déterminez le coût de production par unité de chaque modèle.

2. La direction songe à employer la CPA pour attribuer les frais indirects de fabrication aux produits. Voici les quatre centres de regroupement que comprendrait ce modèle.

Centre de regroupement des coûts par activité	Mesure d'activité	Frais indirects de fabrication estimés
Achat..	Émission de bons de commande	204 000 $
Production..	Heures-machines	182 000
Mise au rebut/réusinage	Nombre d'unités mises au rebut/réusinées	379 000
Livraison...	Nombre de livraisons	135 000
		900 000 $

	Activité totale prévue		
Mesure d'activité	Modèle de luxe	Modèle courant	Total
Émission de bons de commande..	200	400	600
Heures-machines	20 000	15 000	35 000
Nombre d'unités mises au rebut/réusinées............................	1 000	1 000	2 000
Nombre de livraisons	250	650	900

Calculez les coûts unitaires des activités pour chaque centre de regroupement.

3. En vous servant des coûts unitaires des activités que vous avez calculés en 2), effectuez les opérations suivantes :

a) Calculez les coûts indirects qui seraient attribués à chaque modèle selon la CPA. Lorsque vous aurez trouvé chaque montant, déterminez les frais indirects de fabrication par unité de chaque modèle.

b) Calculez le coût de production par unité de chaque modèle.

4. À l'aide des réponses aux questions 1) à 3), déterminez les facteurs qui pourraient expliquer la baisse des bénéfices de l'entreprise.

P6 L'évaluation de la rentabilité des commandes

Le Groupe Forget inc. est une petite entreprise de nettoyage exploitée par une famille de Drummondville, au Québec. Pour ses services, l'entreprise a toujours demandé un tarif fixe par 10 mètres carrés de plancher nettoyé. La dizaine de mètres carrés est l'unité de mesure utilisée dans le secteur du nettoyage pour la facturation des clients. En ce moment, ce tarif est de 28 $. Toutefois, le propriétaire s'interroge sur la rentabilité des travaux que son entreprise exécute pour certains clients, particulièrement ceux habitant dans des fermes éloignées, parce qu'ils exigent de longues heures de déplacement. La fille du propriétaire, de retour de l'université pour l'été, a proposé d'examiner cette question à l'aide de la CPA. Après discussion, la famille s'est entendue sur un système simple englobant quatre centres de regroupement des coûts par activité. Voici ces centres et les mesures d'activité correspondantes.

Centre de regroupement des coûts par activité	Mesure d'activité	Activité totale pour la période
Nettoyage de planchers	Mètres carrés nettoyés (en dizaines)	20 000 dizaines de mètres carrés
Transport chez les clients...................................	Kilomètres parcourus	60 000 km
Activités de soutien aux travaux	Nombre de travaux	2 000 travaux
Autres (coûts de soutien à l'organisation)	Aucune	Sans objet

► Le coût d'exploitation total de l'entreprise pour la période est de 430 000 $ et se décompose comme suit :

Salaires..	150 000 $
Produits de nettoyage	40 000
Amortissement du matériel de nettoyage.....................	20 000
Déplacements...	80 000
Coûts administratifs	60 000
Salaire du président..	80 000
	430 000 $

La consommation des ressources est répartie entre les activités de la façon suivante :

Répartition des ressources consommées entre les activités

	Nettoyage de planchers	Transport chez les clients	Activités de soutien aux travaux	Autres	Total
Salaires..	70 %	20 %	-0- %	10 %	100 %
Produits de nettoyage.................................	100 %	-0- %	-0- %	-0- %	100 %
Amortissement du matériel de nettoyage	80 %	-0- %	-0- %	20 %	100 %
Déplacements..	-0- %	60 %	-0- %	40 %	100 %
Coûts administratifs.....................................	-0- %	-0- %	45 %	55 %	100 %
Salaire du président.....................................	-0- %	-0- %	40 %	60 %	100 %

Les activités de soutien aux travaux consistent à recevoir les appels des clients potentiels au bureau principal de l'entreprise, à établir l'ordonnancement des travaux, à faire la facturation, à régler des problèmes, etc.

Travail à faire

1. Préparez la répartition des coûts entre les centres de regroupement des coûts par activité. Servez-vous du tableau 5.4 (*p. 220*) comme modèle.

2. Calculez les coûts unitaires des activités pour chaque centre de regroupement. Servez-vous du tableau 5.5 (*p. 221*) comme modèle.

3. Récemment, l'entreprise a effectué le nettoyage de 50 mètres carrés de planchers à la ferme laitière Miller, ce qui a nécessité un déplacement de 75 kilomètres aller-retour à partir des bureaux de l'entreprise, à Drummondville. Calculez le coût de revient de ce travail à l'aide de la CPA. Servez-vous du tableau 5.6 (*p. 223*) comme modèle.

4. Le revenu du nettoyage effectué à la ferme Miller s'élevait à 140 $ (50 mètres carrés à 28 $ par 10 mètres carrés). Préparez un rapport indiquant la marge sur coûts de ce travail. Servez-vous du tableau 5.8 (*p. 226*) comme modèle. Considérez ce travail comme un produit.

5. Que concluez-vous à propos de la rentabilité du travail exécuté à la ferme Miller ? Justifiez votre réponse.

6. Quel conseil donneriez-vous au président de l'entreprise concernant les soumissions pour des travaux futurs ?

P7 La CPA comme solution de rechange au modèle traditionnel d'établissement du coût de revient

Pendant plusieurs années, Zapro a fabriqué un seul produit, appelé *Mono-lame*. Il y a trois ans, l'entreprise a automatisé une partie de son usine et, en même temps, elle a lancé un deuxième produit, appelé *Bi-lame*, qui est devenu de plus en plus populaire. Le second produit est plus complexe que le premier, et requiert une heure de main-d'œuvre directe par unité à fabriquer et une quantité considérable d'usinage dans la partie automatisée de l'usine. Le Mono-lame demande seulement 0,75 heure de main-d'œuvre directe par unité et une petite quantité d'usinage. En ce moment, les frais indirects de fabrication sont imputés aux produits en fonction des heures de main-d'œuvre directe requises.

Malgré la popularité grandissante du nouveau produit, les bénéfices de l'entreprise ont diminué de façon constante. La direction commence à croire que le problème serait attribuable à l'établissement du coût de revient. Voici les coûts des matières premières et de la main-d'œuvre directe par unité.

	Mono-lame	Bi-lame
Matières premières	35 $	48 $
Main-d'œuvre directe (0,75 h et 1,00 h à 20 $ l'heure)	15 $	20 $

La direction estime que l'entreprise engagera des frais indirects de fabrication de l'ordre de un million de dollars pendant la période en cours, et qu'elle fabriquera et vendra 40 000 unités du Mono-lame et 10 000 unités du Bi-lame.

Travail à faire

1. Calculez le taux d'imputation prédéterminé des frais indirects de fabrication en supposant que l'entreprise continue d'imputer ses frais indirects de fabrication en fonction des heures de main-d'œuvre directe. À l'aide de ce taux et des autres données du problème, déterminez le coût de production par unité de chaque article.

2. La direction songe à utiliser la CPA pour attribuer ses coûts indirects à ses produits. Ce système comporterait les quatre centres de regroupement suivants :

Centre de regroupement des coûts par activité	Mesure d'activité	Frais indirects de fabrication estimés
Gestion du stock de pièces	Nombre de types de pièces	180 000 $
Traitement des achats	Nombre de bons de commande	90 000
Contrôle de la qualité	Nombre de tests effectués	230 000
Usinage..	Heures-machines	500 000
		1 000 000 $

Mesure d'activité	Activité totale prévue		
	Mono-lame	Bi-lame	Total
Nombre de types de pièces	75	150	225
Nombre de bons de commande	800	200	1 000
Nombre de tests effectués	2 500	3 250	5 750
Heures-machines	4 000	6 000	10 000

Calculez les coûts unitaires prédéterminés des activités pour chaque centre de regroupement.

3. En vous servant des coûts unitaires que vous avez déterminés en 2), effectuez les calculs suivants :

   a) Calculez les coûts indirects qui seraient attribués à chaque produit à l'aide de la CPA. Par la suite, déterminez les coûts indirects par unité de chaque produit.

   b) Calculez le coût de production par unité de chaque article.

4. Examinez les données que vous avez obtenues en réponse aux questions 1) à 3). En ce qui concerne les coûts indirects, quels facteurs rendent la fabrication du Bi-lame plus coûteuse que celle du Mono-lame ? Le Bi-lame est-il aussi rentable que la direction le pense ? Justifiez votre réponse.

P8 **La reconstitution des coûts unitaires par activité**

Une entreprise fondée en 1992 fabrique des produits destinés au commerce de détail. Cette entreprise produit, dans son usine, deux modèles de base qui se vendent respectivement 50 $ et 230 $. L'entreprise utilise en ce moment la CPA pour calculer le coût de revient de ses deux modèles de base. Durant l'année, elle a fabriqué 300 000 unités du modèle A et 80 000 unités du modèle B.

Vous avez accès aux détails ci-après concernant le coût de revient des deux modèles.

Détail des coûts	Mesure d'activité	Modèle A	Modèle B
Coût unitaire direct :			
Matières premières		8,000 $	12,000 $
Main-d'œuvre directe		2,000	3,000
Coût unitaire indirect selon la CPA :			
Direction et supervision	Heures de supervision	1,667	12,500
Conception de devis.........................	Nombre de devis	-0-	12,500
Développement de composants........	Nombre de composants	-0-	32,500
Contrôle de la qualité	Nombre d'inspections	0,583	5,833
Fonctionnement des machines	Heures-machines	9,608	51,471
Utilisation de l'espace	Surface en m²	5,000	18,750
Autres	Heures-machines	0,343	1,838
Coût total unitaire		27,201 $	150,392 $

Pour reconstituer ces coûts unitaires selon la CPA, vous avez accès aux informations suivantes :

a) Le modèle A requiert 5 000 des 15 000 heures de direction et de supervision.

b) Le modèle B est le seul modèle qui requiert la conception de devis et le développement de composants.

c) Le modèle A est inspecté selon le ratio suivant : une inspection toutes les 1 000 unités fabriquées ; le modèle B suit le ratio suivant : une inspection toutes les 100 unités.

d) Les heures de fonctionnement des machines ont été de 14 000 heures pour le modèle A et de 20 000 heures pour le modèle B.

e) Les deux modèles utilisent presque le même espace. Les coûts liés à l'espace sont fixes.

Travail à faire

1. Reconstituez les montants totaux des coûts indirects selon les activités énumérées ci-dessus. Détaillez également le coût unitaire par activité lorsque c'est possible.

2. Si le total des coûts indirects était réparti en fonction des heures-machines (approche traditionnelle d'imputation des frais indirects de fabrication), quel serait le taux d'imputation global ?

3. Calculez le coût unitaire selon l'approche traditionnelle d'imputation des frais indirects de fabrication pour les deux modèles, en utilisant le taux d'imputation global calculé en 2).

4. Quelles seraient les marges brutes pour les deux modèles, en pourcentages et en dollars, selon l'approche traditionnelle d'établissement du coût de revient ? Calculez également les marges brutes en pourcentages et en dollars pour les deux modèles, selon la CPA.

Cas

C1 L'analyse des activités[8]

Les renseignements ci-après concernent la société Métallik.

Les données de base

Marc Sauvé a été engagé comme contrôleur chez Métallik il y a deux ans. Située dans le sud-ouest du Québec, cette entreprise familiale est en exploitation depuis environ 20 ans et, jusqu'à cette année, elle a toujours été rentable. Toutefois, au cours de la période actuelle, elle présente une perte, principalement attribuable à une grève dans le secteur de l'automobile qui, en ralentissant la production, a entraîné une diminution des commandes chez Métallik. Pourtant, M. Sauvé n'est pas convaincu que la diminution du chiffre d'affaires est la seule raison des pertes enregistrées par l'entreprise. Le tableau 5.12 (*p. 257*) contient l'état des résultats de Métallik de la période terminée le 31 décembre 20X5.

Métallik est une entreprise de production de composants métalliques réalisés grâce à la métallurgie des poudres. Sa gamme de produits comprend environ 150 modèles de pièces fabriquées à partir de différentes combinaisons de fer, de cuivre, de laiton et d'acier inoxydable. Chaque type de pièce est conçu et fabriqué spécialement pour un client. Le secteur de l'automobile représente environ 65 % de la clientèle de Métallik, le reste consistant en des fabricants d'outils électriques et d'appareils électroménagers.

Les procédés

Métallik fabrique tous ses produits à partir de poudres métalliques. Ces poudres sont mélangées dans de vastes cuves. L'entreprise compte environ 80 mélanges différents préparés selon une « recette » par un technicien spécialisé. Lorsque le mélange est prêt et qu'on l'a testé pour vérifier si sa composition est satisfaisante, il est versé dans des moules puis compressé. Chaque commande requiert un ensemble unique d'outils pour l'opération de compression. La durée de vie de ces outils varie en fonction du type de pièces fabriquées. Certains ensembles d'outils peuvent servir à produire des millions de pièces (par exemple, des tiges de mélangeur) ; d'autres doivent être remplacés assez souvent (pour certaines pièces d'automobile).

Après la compression, on inspecte les pièces pour déterminer si elles ont été correctement modelées. Sinon, les pièces défectueuses peuvent être compressées de nouveau.

Par la suite, toutes les pièces sont soumises à un traitement au cours duquel le mélange poudreux est chauffé jusqu'à ce que les poudres s'agglomèrent par frittage. Le frittage est un traitement qui permet aux poudres métalliques de se souder les unes aux autres sans qu'il soit nécessaire d'atteindre le point de fusion des poudres. C'est le cœur du procédé de la métallurgie des poudres. Les pièces comprimées sont posées sur une courroie transporteuse qui se déplace à travers un long four. Selon leur destination, elles sont placées sur des ripeurs, des plateaux ou des tabliers pour le frittage. La vitesse de la courroie et la température du four varient selon la composition chimique et la taille du type de pièces. Certains mélanges de poudres se frittent à des températures peu élevées ; d'autres requièrent de fortes températures. Les techniciens s'occupant du four règlent manuellement la vitesse de la courroie transporteuse en fonction de la pièce à fritter. Ils ajustent la température du four en modifiant le type et la quantité des gaz utilisés pour le chauffage. En général, il s'agit d'azote, d'ammoniac, de gaz naturel ou d'autres gaz endothermiques. Ces gaz sont essentiels au procédé de la métallurgie des poudres, car ils empêchent l'oxydation des pièces à température élevée. Le coût de ces gaz par mètre cube varie de façon considérable. ▶

8. Traduction libre de Priscilla S. WISNER et Harold P. ROTH, « Metalworks Company », *Issues in Accounting Education,* vol. 13, n° 4 (novembre 1998), p. 1043-1058. © American Accounting Association. Mme Wisner est professeure adjointe à l'American Graduate School of International Management et M. Roth est professeur à l'University of Tennessee. Ce cas est basé sur une entreprise réelle. Les noms et les chiffres ont été modifiés pour préserver l'anonymat. Les auteurs souhaitent exprimer leur reconnaissance à Jim Ross de l'University of Tennessee Center for Industrial Studies pour son aide.

► L'ammoniac, par exemple, est le plus coûteux. On s'en sert pour toutes les opérations de frittage, mais les quantités augmentent dans le cas des pièces en acier inoxydable (qui requièrent une température très élevée pour s'amalgamer). Tous les gaz sont comptabilisés dans le compte « Services publics ».

À leur sortie du four, les pièces sont inspectées. Celles qui ne répondent pas aux normes sont soit broyées de nouveau pour être utilisées dans d'autres produits, soit mises au rebut, selon le type de métal qu'elles contiennent.

Après l'opération de frittage, toutes les pièces sont envoyées à une section d'ébavurage où elles sont nettoyées à l'intérieur de tonneaux dans lesquels on ajoute parfois des cailloux lisses. Le procédé d'ébavurage (ou d'ébarbage) les débarrasse des particules étrangères. On inspecte alors de nouveau les pièces pour déterminer si elles répondent aux normes prescrites. Sinon, elles doivent être broyées ou mises au rebut.

Après l'ébavurage, 40 % des produits sont prêts pour l'étape de la finition et celle de la livraison. Le procédé de finition nécessite que l'on enduise le produit d'une mince pellicule d'huile. On met ensuite les pièces en boîte et on les expédie à leur destinataire. En général, les frais de transport sont payés par le client sauf lorsqu'il faut accélérer la livraison d'une commande à cause de retards dans le déroulement des processus de l'entreprise. Environ 80 % des frais de transport de Métallik sont engagés en raison de la nécessité d'accélérer les livraisons.

Le reste des produits (60 %) requiert un traitement complémentaire. Le plus souvent, il s'agit d'usinage. Au cours de cette opération, la pièce est modifiée d'une manière ou d'une autre, par l'ajout d'une rainure, l'alésage ou le taraudage d'un trou. Un autre traitement complémentaire consiste à combiner des pièces fabriquées par Métallik à des pièces achetées à une autre entreprise. Encore une fois, on inspecte les pièces pour déterminer si l'usinage ou l'opération de combinaison a réussi. Sinon, les pièces doivent être mises au rebut. Après le traitement complémentaire, 75 % des pièces retournent à l'ébavurage, puis passent à l'étape de la finition et à celle de la livraison.

Les pièces restantes requièrent un second traitement à la chaleur semblable à celui du frittage et effectué dans les mêmes fours. Après cette étape, elles repassent à l'ébavurage, à la finition, puis à la livraison.

Métallik accorde une grande importance à la qualité. Des employés sont chargés d'inspecter certains types de pièces à 100 %, et d'autres, par échantillonnage. Le taux de mise au rebut s'élève entre 10 % et 15 % pour certaines pièces, mais en moyenne, il se situe entre 6 % et 7 %. La mise au rebut peut être attribuable à divers facteurs et peut survenir à différentes étapes du traitement. L'inspection est particulièrement minutieuse après l'étape de la compression et avant celle du frittage. Si une pièce défectueuse se rend jusqu'à l'étape du frittage, il faut des opérations supplémentaires pour broyer de nouveau la matière. Or, il est impossible de rebroyer certaines matières après le frittage, de sorte qu'elles doivent être mises au rebut.

Le système de comptabilité

Avant d'effectuer chaque nouvelle commande, on assigne un numéro au lot de pièces que l'on s'apprête à fabriquer. Chaque employé affecté à la fabrication enregistre quotidiennement son temps de travail par numéro de lot et par traitement, ainsi que la quantité de pièces traitées. Cette information quotidienne est intégrée à un système informatique, et constitue une base de données sur les heures consacrées à chaque lot et à chaque procédé. On calcule les coûts de fabrication par numéro de lot, en attribuant directement à chaque lot la main-d'œuvre, les matières premières, les services extérieurs requis et les commissions sur les ventes. Les coûts de la main-d'œuvre sont calculés en multipliant les heures de travail par un taux standard de 15 $ l'heure ou de 17 $ l'heure (les salaires réels varient entre 10 $ et 22 $ l'heure). Les coûts des matières premières sont attribués suivant la recette de fabrication et la composition des pièces. Les coûts réels des services extérieurs sont attribués directement aux lots, et les commissions correspondent à 2,5 % du prix de vente de la plupart des produits. On a établi trois catégories de coûts indirects : les coûts relatifs à l'usinage, les coûts de livraison et d'inspection, et les charges administratives. Ces coûts sont alloués à chaque produit sous forme d'un pourcentage de différentes catégories de main-d'œuvre et conformément aux formules suivantes :

- Les coûts d'usinage correspondent à 200 % de la main-d'œuvre d'usinage.
- Les coûts de livraison et d'inspection représentent 50 % de la main-d'œuvre de livraison et d'inspection.
- Les charges administratives équivalent à 350 % de la main-d'œuvre directe.

Le tableau 5.13 (*page suivante*) permet de comprendre les relations entre l'état des résultats et le coût de revient. Le tableau 5.14 (*page suivante*) contient un exemple de rapport sur les coûts des produits de Métallik.

Travail à faire

1. Comment peut-on utiliser les concepts de la CPA pour mieux comprendre les coûts des produits de Métallik ? Discutez des applications potentielles de ce type de comptabilité.
2. Réalisez un diagramme pour illustrer les activités de la société Métallik.

	TABLEAU 5.12	**L'état des résultats de la période terminée le 31 décembre 20X5**	

			%
Chiffre d'affaires		5 900 000 $	100,0
Moins : Main-d'œuvre :			
Main-d'œuvre directe	255 000 $		4,3
Main-d'œuvre d'usinage	220 000		3,7
Main-d'œuvre d'enduisage	52 000		0,9
Main-d'œuvre de traitement thermique	95 000		1,6
Ingénieurs chargés de l'outillage	96 000		1,6
Livraison	59 000		1,0
Inspection	50 000		0,9
Total des coûts de la main-d'œuvre		827 000	14,0
Moins : Autres éléments de coûts directs :			
Poudres métalliques		1 960 000	33,2
Procédés externes (pièces externes)		675 900	11,5
Moins : Coûts indirects :			
Surveillance de la main-d'œuvre	167 200		2,8
Gestion des déchets	136 500		2,3
Commissions	225 000		3,8
Services publics	360 000		6,1
Remplacement de l'outillage	155 000		2,6
Fournitures	114 000		1,9
Ordonnancement	22 000		0,4
Entretien	168 000		2,8
Ingénierie, outillage et vente	67 500		1,1
Assurance	140 500		2,4
Loyer	103 500		1,8
Livraison	100 000		1,7
Autres	62 000		1,1
Total des coûts indirects		1 821 200	30,8
Moins : Charges administratives :			
Salaires	550 000		9,3
Intérêts	65 000		1,1
Amortissement	185 000		3,2
Total des charges administratives		800 000	13,6
Total des coûts		6 084 100	103,1
Perte		(184 100)$	(3,1)

▶

	La relation entre les charges inscrites dans l'état des résultats et le coût de revient
TABLEAU 5.13	

Main-d'œuvre	Heures réelles, déterminées d'après les cartes de pointage, attribuées aux lots à 17 $/h pour l'usinage et l'inspection, et à 15 $/h pour tous les autres procédés
Poudres métalliques	Attribuées d'après la recette de fabrication du mélange de chaque lot
Procédés externes (pièces externes)....	Pièces ou services achetés à d'autres entreprises – attribués directement
Surveillance de la main-d'œuvre	Coûts indirects
Gestion des déchets............................	Coûts indirects
Commissions	2,5 % du prix de vente
Services publics.................................	Coûts indirects
Remplacement de l'outillage	3 % du prix de vente attribué directement au produit
Fournitures...	Coûts indirects
Ordonnancement	Coûts indirects
Entretien...	Coûts indirects
Ingénierie, outillage et vente................	Coûts indirects
Assurance...	Coûts indirects
Loyer..	Coûts indirects
Livraison...	Coûts indirects (80 % pour les commandes accusant un retard)
Autres...	Coûts indirects
Charges administratives	Coûts indirects

TABLEAU 5.14	**Les coûts associés au produit 400**

		Mars 20X4 Lot 55	Sept. 20X4 Lot 61	Avr. 20X5 Lot 65	Avr. 20X5 Lot 68
Nombre de pièces		49 000	41 064	17 000	35 550
Main-d'œuvre :					
Mélange des poudres (D)........................	heures × 15 $	0,002 0 $	0,002 1 $	0,001 4 $	0,002 6 $
Réglage (D)	heures × 15 $	0,002 2	0,002 5	0,004 2	0,001 9
Ajustement de la presse (D).....................	heures × 15 $	0,002 5	0,002 2	0,004 3	0,002 5
Compression (D)	heures × 15 $	0,012 5	0,009 9	0,015 6	0,010 0
Frittage (D)...	heures × 15 $	0,007 2	0,003 1	0,009 3	0,005 8
Ébavurage/Finition (LI)..........................	heures × 15 $	0,004 6	0,004 2	0,004 3	0,004 9
Inspection en cours de fabrication (LI)............................	heures × 17 $	0,012 2	0,007 0	0,010 3	0,006 4
Inspection finale (LI)...............................	heures × 17 $	0,001 5	0,000 3	0,000 5	0,002 8
Inspection à 100 % (LI)...........................	heures × 15 $	0,013 8	0,023 0	0,036 0	0,020 9
Réparation et entretien (U).....................	heures × 15 $	0,004 7	0,006 7	0,005 7	0,012 2
Mise en boîte des pièces (LI)..................	heures × 15 $	0,002 9	0,005 1	0,003 0	0,002 9
Premier perçage (U)...............................	heures × 15 $	0,029 8	0,035 7	0,034 2	0,032 8
Ajustement complémentaire (U)	heures × 15 $	0,007 6	0,007 3	0,010 8	0,010 2
Inspection de la première pièce (LI)	heures × 15 $	-0-	-0-	-0-	-0-
Usinage (U)	heures × 17 $	0,051 5	0,041 2	0,032 9	0,040 3
Deuxième ébavurage (LI)	heures × 15 $	0,003 3	0,000 6	0,002 3	0,002 0
Réglage complémentaire (U)	heures × 15 $	0,002 0	0,003 2	0,001 6	0,001 5
Chambrage (U)	heures × 15 $	0,014 2	0,012 6	0,014 0	0,014 1

▶

TABLEAU 5.14 (*suite*)

		Mars 20X4 Lot 55	Sept. 20X4 Lot 61	Avr. 20X5 Lot 65	Avr. 20X5 Lot 68
Total des coûts :					
Main-d'œuvre directe.....................		0,026 4 $	0,019 8 $	0,034 8 $	0,022 8 $
Main-d'œuvre d'usinage		0,109 8	0,106 7	0,099 2	0,111 1
Main-d'œuvre de livraison et d'inspection		0,038 3	0,040 2	0,056 4	0,039 9
Matières premières	prix de la poudre	0,126 3	0,126 3	0,126 3	0,126 3
Autres..	procédés externes	0,040 0	0,040 0	0,040 0	0,040 0
Remplacement des outils	3 % du prix	0,020 1	0,020 5	0,020 5	0,020 5
Charges administratives / heure	350 % de la main- d'œuvre directe	0,092 4	0,069 3	0,121 8	0,079 8
Coûts indirects d'usinage / heure	main-d'œuvre d'usinage $\times$ 2,0 $	0,219 6	0,213 4	0,198 4	0,222 2

Coûts indirects de livraison............
    et d'inspection / heure ....
	main-d'œuvre
	    de LI $\times$ 0,5 $
		0,019 2	0,020 1	0,028 2	0,020 0

Commissions	2,5 % du prix	0,016 8	0,017 1	0,017 1	0,017 1
Total des coûts...........................		0,708 9	0,673 4	0,742 7	0,699 7
Prix de vente unitaire		0,671 4	0,682 2	0,682 2	0,682 2
Bénéfice (perte) par unité...................		(0,037 5) $	0,008 8 $	(0,060 5) $	(0,017 5) $
Bénéfice (perte) en pourcentage........		(5,59) %	1,30 %	(8,85) %	(2,55) %

D : main-d'œuvre directe
LI : livraison et inspection
U : usinage

Recherche

R1 La répartition d'une addition

Vous allez au restaurant avec des amis. À la fin du repas, vous vous demandez tous ensemble comment répartir l'addition entre les membres du groupe. Vous pourriez déterminer le coût de ce que chaque personne a consommé et répartir l'addition de cette manière. Vous pourriez aussi diviser également l'addition entre tous les membres du groupe.

Travail à faire

Lequel de ces modèles de répartition de la facture est le plus équitable ? Lequel est le plus facile à appliquer ? Comment ce problème est-il lié aux concepts étudiés dans le chapitre ?

LE COMPORTEMENT DES COÛTS : ANALYSE ET UTILISATION

Regard sur une entreprise

À quel prix ?

Jean Lévesque est propriétaire de MSB, un garage certifié, membre de la bannière Unipro. M. Lévesque doit revoir ses prix de vente en fonction des coûts engagés, comme il le fait chaque année.

Pour une entreprise telle que MSB, la détermination des coûts de revient des services constitue une tâche importante et relativement difficile. Dans un marché aussi concurrentiel, l'analyse doit être juste afin que l'entreprise puisse conserver et accroître sa part de marché.

Pour fixer ses prix avec justesse, M. Lévesque doit connaître les coûts réellement engagés pour chaque service rendu. Les services entraînent à la fois des coûts variables et fixes. Certains coûts variables tels que la quantité d'huile nécessaire à une vidange d'huile sont relativement faciles à quantifier. Cependant, la difficulté principale réside dans la détermination de la part des coûts fixes totaux attribuables à cette même vidange d'huile.

Pour ce faire, M. Lévesque doit d'abord déterminer les coûts fixes, puis les coûts variables. Bien qu'il connaisse très bien l'ensemble des activités de son entreprise, M. Lévesque se questionne sur certains coûts plus difficiles à classer.

Les coûts de la main-d'œuvre directe tels que les salaires des mécaniciens qui travaillent à temps plein s'avèrent difficiles à classer, car le volume d'activité varie selon la journée. Certains jours, les mécaniciens doivent assurer l'entretien et effectuer plusieurs réparations sur un grand nombre de véhicules, de sorte que leur horaire est chargé du matin au soir. D'autres jours, ils travaillent sur un nombre plus restreint de véhicules.

Ainsi, pour fixer des prix appropriés, M. Lévesque devra effectuer une analyse très fine de ses coûts. Il sera alors en mesure de déterminer et de différencier les coûts fixes et variables de son entreprise.

Recherche et rédaction : Carl Thibeault, Université Laval

Source : Jean Lévesque, MSB

OBJECTIFS D'APPRENTISSAGE

Après avoir étudié ce chapitre, vous pourrez :

1. comprendre et prévoir le comportement des coûts fixes et variables ;
2. analyser les coûts semi-variables à l'aide de différentes méthodes ;
3. préparer un état des résultats à l'aide de la méthode des coûts variables ;
4. mieux comprendre la méthode de régression (Annexe 6A en ligne).

Au chapitre 2, nous avons vu qu'il était possible de classer les coûts en fonction de leur comportement. Le *comportement des coûts* est la façon dont un coût réagit ou est modifié lorsque le volume d'activité d'une entreprise varie. Dans tous les types d'organisations, la compréhension du comportement des coûts constitue une condition préalable à la prise de nombreuses décisions. Les gestionnaires qui en saisissent toutes les subtilités sont plus en mesure que les autres de prévoir les coûts dans diverses situations d'exploitation. Toute décision qui repose sur une compréhension superficielle des modèles de comportement des coûts peut avoir des effets désastreux sur une entreprise. Par exemple, l'abandon d'une gamme de produits pourrait se traduire par une économie de coûts très inférieure aux prévisions des gestionnaires ou même par une baisse des résultats. Pour éviter de tels problèmes, les gestionnaires doivent pouvoir prévoir avec précision ce que seront les coûts à différents niveaux d'activité.

Dans ce chapitre, nous reverrons brièvement les définitions des coûts variables et fixes, tout en analysant le comportement de ces coûts. Nous présenterons aussi le concept de coût semi-variable, lequel comporte des éléments de coûts à la fois variables et fixes. Enfin, nous décrirons un nouveau modèle de présentation de l'état des résultats à l'aide de la méthode des coûts variables, modèle dans lequel les coûts sont classés d'après leur comportement plutôt que selon des fonctions traditionnelles de production, de vente et d'administration.

Le comportement des coûts tel que nous le présentons dans ce chapitre nous amènera à étudier les descriptions et les techniques d'analyse nécessaires dans tous les domaines de la comptabilité de gestion, c'est-à-dire dans la détermination du coût de revient, l'établissement du budget, la prise de décisions et le contrôle. Nous avons simplifié ces descriptions et ces techniques pour qu'elles soient claires, mais ces concepts conviennent aussi à l'analyse de situations plus complexes dont nous traiterons dans des chapitres ultérieurs. Par conséquent, il est important de n'omettre aucune des explications qui suivent, car elles serviront de base à de nombreuses analyses à venir. Par exemple, la distinction entre le coût total et le coût unitaire peut constituer une source importante d'inexactitude quand la complexité des situations s'accroît.

Jusqu'à maintenant, nous nous sommes intéressés uniquement aux coûts variables et aux coûts fixes. Il existe toutefois un troisième type de coûts généralement désigné par l'expression *coûts semi-variables*. On retrouve ces trois types de comportements de coûts — variables, fixes et semi-variables — dans la plupart des entreprises. La proportion relative de chacun d'eux porte le nom de *structure de coûts* d'une entreprise. Par exemple, une entreprise peut avoir de nombreux coûts fixes, mais peu de coûts variables ou semi-variables ; une autre aura plusieurs coûts variables, mais peu de coûts fixes ou semi-variables. La structure de coûts a souvent un effet important sur les décisions que doit prendre une organisation. Dans le présent chapitre, nous tâcherons de mieux comprendre le comportement de chaque type de coûts ; au chapitre suivant, nous analyserons plus en profondeur l'influence que peut avoir la structure de coûts sur les décisions d'une entreprise.

Le comportement des coûts

OBJECTIF 1

Comprendre et prévoir le comportement des coûts fixes et variables.

Les coûts variables

Rappelons que le coût variable fluctue en fonction du volume d'activité de l'entreprise. Ainsi, quand ce volume double, le coût variable double aussi ; lorsque le volume augmente de 10 % seulement, le montant total des coûts variables augmente aussi de 10 %.

Nous avons aussi expliqué que le coût variable reste constant lorsqu'il est exprimé sur une *base unitaire*. Illustrons ce concept à l'aide de l'exemple d'Expéditions sauvages, une petite entreprise spécialisée dans les descentes en eau vive sur les rivières du nord du Québec. Elle fournit tout le matériel nécessaire, de même que des guides expérimentés, et sert des repas gastronomiques à ses clients. Chaque repas, au prix de 30 $ par personne, est préparé par un traiteur exclusif. Le coût des repas *par personne* demeurera constant à 30 $, quel que soit le nombre de participants. Le comportement de ce coût variable est illustré ci-dessous.

Nombre de clients	Coût des repas par client	Coût total des repas
250..	30 $	7 500 $
500..	30	15 000
750..	30	22 500
1 000..	30	30 000

L'idée que le coût variable est constant par unité, mais que le total de ce coût varie en fonction du volume d'activité est essentielle à la compréhension du comportement des coûts. Nous reviendrons sur cette notion un peu plus loin et au cours des prochains chapitres.

La figure 6.1 illustre le comportement du coût variable. Notons que la droite du coût total des repas suit une pente ascendante régulière. C'est parce que le coût total des repas est directement proportionnel au nombre de clients. En revanche, la droite du coût des repas à l'unité est aplatie. C'est parce que le coût des repas par client est constant à 30 $.

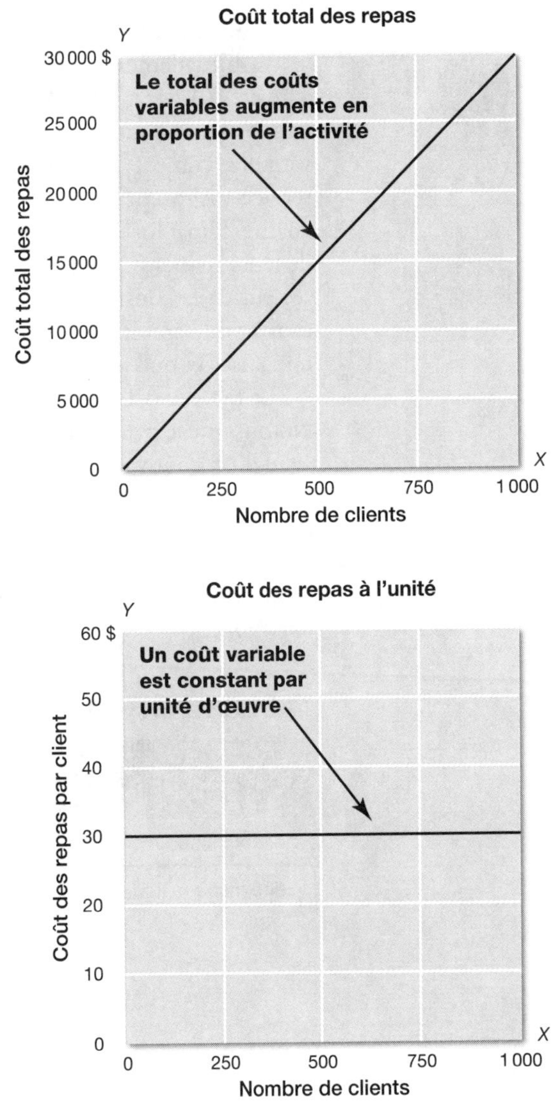

L'inducteur de coût

Le coût est variable en fonction de quelque chose. Ce « quelque chose » est un inducteur de coût. L'inducteur de coût se définit comme tout ce qui est à l'origine d'un coût. Le coût total des films radiographiques dans un hôpital, par exemple, augmente en fonction du nombre de radiographies prises. Ce nombre constitue donc un inducteur de coût permettant de justifier le coût total des films radiographiques. Au chapitre 5, nous avons mentionné que, parfois, l'inducteur de coût fait référence à une unité d'œuvre. Notons que les heures de main-d'œuvre directe, les unités produites, les unités vendues et les heures-machines font partie des unités d'œuvre les plus courantes. Le nombre de kilomètres parcourus par des représentants, le nombre de kilogrammes de vêtements nettoyés et traités par un hôtel, le nombre de lettres tapées par une secrétaire et le nombre de lits occupés dans un hôpital peuvent aussi être des inducteurs de coût.

Pour planifier et contrôler les coûts variables, le gestionnaire doit connaître les inducteurs de coût de l'entreprise. On croit parfois que, lorsqu'un coût ne varie pas en fonction de la production ou des ventes, il ne s'agit pas vraiment d'un coût variable. Ce raisonnement est erroné. Les coûts découlent de nombreuses activités dans une organisation. Un coût n'est variable que s'il est causé par l'activité en question. Par exemple, quand un gestionnaire analyse le coût des appels de service dans le cadre de la garantie d'un produit, une mesure pertinente de l'activité est le nombre d'appels. Ces coûts, dont le total varie en fonction du nombre d'appels de service, constituent les coûts variables du service des réparations.

FIGURE 6.1 Le comportement du coût variable

Coût total des repas

Le total des coûts variables augmente en proportion de l'activité

Coût des repas à l'unité

Un coût variable est constant par unité d'œuvre

Pourtant, à moins d'avis contraire, vous pourriez supposer au départ que le volume total des marchandises et des services fournis par l'organisation est l'unité d'œuvre à considérer. Aussi, demandons-nous si les matières premières utilisées chez Ford Canada font office de coût variable. Le coût des matières premières variant en fonction du volume total de production du constructeur d'automobiles, les matières premières constituent en effet un coût variable. Nous ne précisons l'unité d'œuvre que lorsqu'il s'agit d'autre chose que l'extrant de l'organisation, c'est-à-dire autre chose que les marchandises et services fournis par l'organisation.

Les formes de coûts variables

Le nombre et les formes de coûts variables dépendent en grande partie de la structure et des activités de l'organisation. Une entreprise de services publics telle qu'Hydro-Québec, qui compte d'importants investissements en matière d'infrastructure, a en général peu de coûts variables. La plupart des coûts assumés ici sont liés à son infrastructure, et ils ont peu tendance à réagir aux variations du volume de services fournis. En revanche, un fabricant de vélos tel que Procycle assume de nombreux coûts variables. Ces coûts sont liés à la fois à la fabrication et à la distribution des produits de l'entreprise.

Habituellement, la structure de coûts d'entreprises commerciales telles que Canadian Tire et Wal-Mart affiche une forte proportion de coûts variables. Dans la plupart de ces entreprises, le coût des marchandises achetées pour être revendues, ce qui constitue un coût variable, compte pour une grande partie du coût total. En revanche, les entreprises de service disposent de structures de coûts différentes. Certaines d'entre elles, comme la chaîne Tim Hortons, assument des coûts variables assez importants à cause des coûts de leurs matières premières. D'un autre côté, les coûts fixes des entreprises de service du secteur de la consultation, de l'audit, de l'ingénierie, des soins dentaires, des soins médicaux et de l'architecture se révèlent très élevés parce que les installations de celles-ci sont onéreuses et que leurs employés sont des salariés hautement qualifiés.

Le tableau 6.1 contient une liste non exhaustive des coûts variables les plus fréquents. Notons que le comportement de certains s'apparente davantage à celui d'un coût fixe qu'à celui d'un coût variable ; tout dépend de l'entreprise. Nous verrons quelques exemples de ces coûts un peu plus loin. Le tableau 6.1 fournit néanmoins une liste utile de plusieurs coûts qui, en général, sont considérés comme variables par rapport au volume d'extrants.

Les coûts variables n'ont pas tous le même type de comportement. Certains varient proportionnellement selon le volume d'activité ; d'autres ont un comportement *variable par paliers.*

TABLEAU 6.1 Quelques exemples de coûts variables

Type d'organisation	Coûts généralement variables en fonction du volume d'extrants
Entreprise commerciale	• Coût des ventes

Entreprise manufacturière	• Coûts de fabrication
	  – Matières premières
	  – Main-d'œuvre directe*
	• Portion variable des frais indirects de fabrication
	  – Matières indirectes
	  – Lubrifiants
	  – Fournitures
	  – Énergie

Entreprise commerciale et entreprise manufacturière	• Coûts commerciaux et charges administratives
	  – Commissions sur les ventes
	  – Facturation
	  – Coûts de livraison

Entreprise de service	• Fournitures et déplacements

* La main-d'œuvre directe peut être ou ne pas être variable dans la pratique (*voir la suite du chapitre*).

Les répercussions des événements du 11 septembre 2001

Les coûts d'une organisation peuvent varier pour des raisons qui n'ont aucun lien avec son volume d'activité. Prenons l'exemple de la société Filterfresh. Cette entreprise assure le fonctionnement des machines à café dans des immeubles de bureaux — en leur fournissant du lait, du sucre, des gobelets et du café. Ses activités ont été considérablement perturbées par les mesures de sécurité instaurées par de nombreuses entreprises au lendemain des attaques terroristes contre le World Trade Center et le Pentagone, le 11 septembre 2001. En raison de ces mesures plus sévères, les 250 livreurs de Filterfresh ne peuvent plus traverser tranquillement le hall des immeubles de bureaux de leurs clients avec leur chargement. À présent, un garde de sécurité vérifie généralement leurs papiers d'identité et leurs documents au quai de chargement, et peut même fouiller leur camionnette de livraison avant de leur permettre d'entrer dans l'immeuble. Ces délais ont ajouté une moyenne d'environ une heure par jour au circuit de chaque livreur, ce qui signifie que la société Filterfresh a besoin de 24 livreurs de plus pour effectuer la même quantité de travail qu'avant le 11 septembre 2001. Ce nombre d'employés supplémentaires représente une hausse de 10 % des coûts, sans augmentation correspondante de la quantité de produits vendus.

Source : Anna BERNASEK, « The Friction Economy », *Fortune*, vol. 145, n° 4 (18 février 2002), p. 104-112.

Les coûts variables

Les matières premières constituent des coûts variables, car le montant des coûts varie en proportion du volume d'activité. On peut dire que ce sont des coûts entièrement variables.

Les coûts variables par paliers

En général, les salaires versés au personnel d'entretien sont considérés comme un coût variable. Toutefois, le comportement de ce coût de main-d'œuvre diffère quelque peu de celui du coût des matières premières. À la différence des matières premières, le personnel d'entretien est disponible pour une période de temps donnée (huit heures, par exemple). De plus, le temps non utilisé ne peut être stocké et utilisé dans une période subséquente. Le temps non utilisé au cours de cette période est définitivement perdu. Au cours d'une période de temps donnée, une équipe d'entretien peut travailler à un rythme normal lorsque les contraintes se révèlent légères et intensifier ses efforts quand les contraintes s'avèrent plus nombreuses. Ainsi, les changements mineurs dans le niveau de production n'ont sans doute aucun effet sur le nombre de préposés affectés au travail d'entretien.

Le coût qui est engagé seulement pour un certain segment d'activité, tel que le coût de main-d'œuvre du personnel d'entretien, et qui n'augmente ou ne diminue qu'en fonction de changements importants du volume d'activité, est désigné sous le nom de **coût variable par paliers**. Le comportement de ce coût, de même que celui du coût entièrement variable, est illustré à la figure 6.2 (*page suivante*).

Le besoin en main-d'œuvre est fonction des fluctuations du volume d'activité. Lorsque du personnel d'entretien supplémentaire est nécessaire, il se rattache à un certain segment d'activité correspondant aux variations importantes du volume d'activité. La stratégie de gestion en matière de coûts variables par paliers consiste à utiliser les services au maximum pour chaque palier distinct. La prudence est de mise avec ce type de coûts, car on peut avoir tendance à faire appel à une aide supplémentaire sans que ce soit vraiment nécessaire. De plus, les employeurs ont une réticence naturelle à licencier une partie de leur personnel quand leur volume d'activité diminue.

Coût variable par paliers

Coût qui demeure constant à l'intérieur d'un certain segment d'activité, et qui n'augmente ou ne diminue que s'il survient un changement de segment d'activité.

L'hypothèse de linéarité et le segment significatif

Lorsque nous faisons état des coûts variables, nous supposons une relation strictement linéaire entre le coût et le volume, sauf en ce qui concerne les coûts variables par paliers.

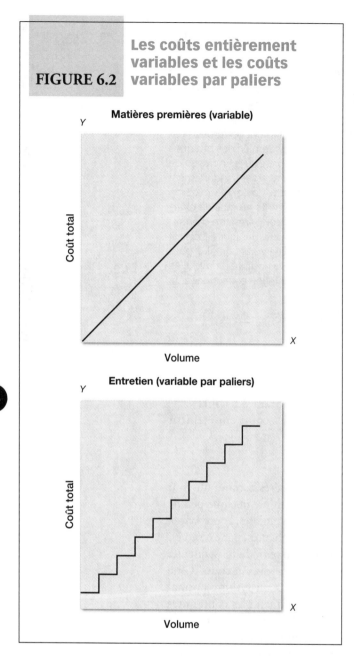

FIGURE 6.2 Les coûts entièrement variables et les coûts variables par paliers

Matières premières (variable)

Coût total (Y) — *Volume* (X)

Entretien (variable par paliers)

Coût total (Y) — *Volume* (X)

Coût curvilinéaire

Relation entre le coût et l'activité représentée par une courbe plutôt que par une droite.

Plusieurs économistes notent à juste titre que de nombreux coûts considérés comme variables se comportent en fait de manière curvilinéaire.

Bien que de nombreux coûts ne soient pas strictement linéaires quand ils sont représentés comme une fonction du volume, le **coût curvilinéaire** peut être rendu de manière satisfaisante par une droite dans un segment significatif donné. Le segment significatif est un champ d'activité à l'intérieur duquel les hypothèses concernant le comportement des coûts sont valables. La droite pointillée de la figure 6.3 pourrait servir à l'approximation du coût curvilinéaire à l'intérieur du segment représenté par la zone ocre pâle. À l'extérieur, toutefois, cette droite particulière fournirait une évaluation peu précise du coût curvilinéaire. Par conséquent, le gestionnaire devrait toujours garder à l'esprit qu'une hypothèse relative au comportement des coûts peut se révéler inappropriée quand l'activité se situe à l'extérieur du segment significatif.

Les coûts fixes

Selon notre exposé sur le comportement des coûts (au chapitre 2), les coûts fixes demeurent constants à l'intérieur d'un segment significatif d'activité. Reportons-nous à l'exemple d'Expéditions sauvages et supposons que l'entreprise décide de louer un immeuble au coût mensuel de 500 $ afin d'y entreposer son matériel. Le coût *total* mensuel du loyer payé demeurera le même, peu importe le nombre de clients prenant part aux expéditions au cours d'un mois donné. Ce type de comportement des coûts est illustré à la figure 6.4 (*p. 268*).

Puisque les coûts fixes globaux demeurent constants, les coûts fixes calculés sur une base *unitaire* diminuent de manière progressive à mesure que le volume d'activité augmente. Supposons que le nombre de clients est de 250 pour un mois donné. Le coût fixe du loyer d'Expéditions sauvages s'élèvera à 2 $ par client, soit 500 $ ÷ 250 clients. Posons maintenant l'hypothèse que l'entreprise compte 1 000 clients pour un mois donné. Le coût fixe de son loyer sera alors seulement de 0,50 $ par client. Cet aspect du comportement des coûts fixes est illustré à la figure 6.4. Notons que toute augmentation du nombre de clients a pour effet de faire baisser le coût moyen par unité; ce coût chutera toutefois à un rythme décroissant. L'impact le plus important sur les coûts par unité est attribuable aux premiers clients.

Comme nous l'avons souligné au chapitre 2, cet aspect des coûts fixes peut être déroutant, bien qu'il soit nécessaire dans certains contextes d'exprimer les coûts fixes sur la base d'une moyenne par unité. Par exemple, nous avons expliqué au chapitre 2 qu'un grand nombre de coûts unitaires contenant à la fois des éléments de coûts variables et fixes figurent dans les rapports financiers publiés à des fins *externes*. Cependant, pour la plupart des utilisations *internes*, les coûts fixes ne devraient pas être exprimés sur une base unitaire en raison de la fausse impression selon laquelle les coûts fixes se comportent de la même façon que les coûts variables. Pour éviter cette confusion pour la plupart des utilisations internes, il est plus facile et plus sûr de traiter les coûts fixes sur une base globale plutôt que sur une base unitaire.

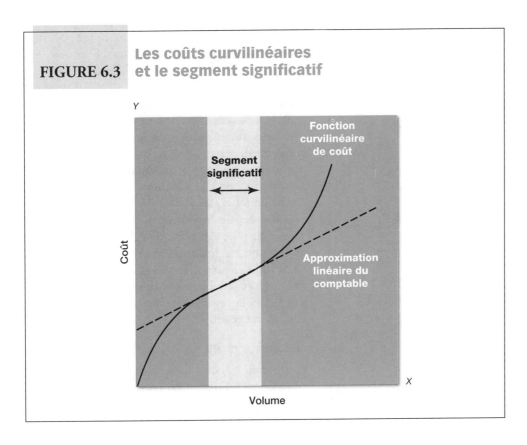

FIGURE 6.3 Les coûts curvilinéaires et le segment significatif

Les coûts variables et fixes d'un vol aérien

Le coût variable d'occupation d'un siège pour un vol régulier est minime. D'un autre côté, les coûts du personnel de cabine, du carburant, de la location des portes d'embarquement, de l'entretien, de l'amortissement de l'avion et ainsi de suite sont presque tous fixes, et ne dépendent aucunement du nombre de passagers. Le coût du personnel de cabine constitue un coût variable par paliers, le nombre d'agents de bord affectés à un vol variant en fonction du nombre de passagers. En fait, seuls les repas et une augmentation négligeable de la consommation de carburant constituent des coûts variables. Un passager de plus rapporte certes un revenu supplémentaire, mais n'a que très peu d'effet sur le coût total d'un vol. C'est pourquoi le nombre de sièges ne cesse d'augmenter.

Les types de coûts fixes

Désignés parfois sous le nom de *coûts de capacité*, les coûts fixes résultent des coûts engagés pour les immeubles, le matériel, les travailleurs professionnels et les autres éléments nécessaires au maintien des activités d'exploitation. Pour les besoins de planification, les coûts fixes peuvent être considérés comme des *coûts de structure* ou des *coûts discrétionnaires*.

Les coûts de structure

Les **coûts de structure** sont liés à l'existence même des structures administratives, des installations de production et du matériel. L'amortissement des bâtiments et du matériel, l'impôt foncier, l'assurance, ainsi que les salaires de la haute direction et du personnel de l'administration constituent tous des exemples probants de coûts de structure.

Les coûts de structure sont, par nature, des coûts à long terme, et ils ne peuvent être réduits à zéro, même pendant une courte durée, sans compromettre la rentabilité ou les objectifs à long terme de l'organisation.

Coût de structure

Coût fixe (lié à l'existence même des structures administratives, des installations de production et du matériel).

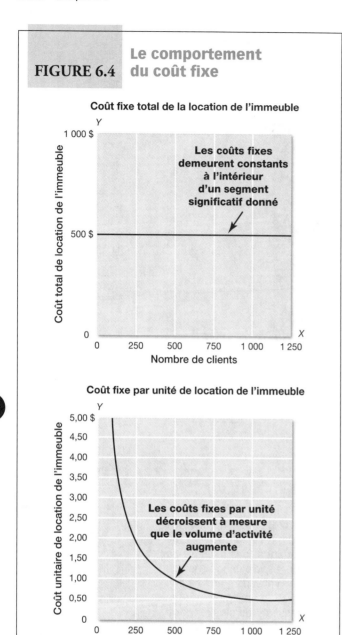

FIGURE 6.4 Le comportement du coût fixe

Coût fixe total de la location de l'immeuble

Les coûts fixes demeurent constants à l'intérieur d'un segment significatif donné

Coût fixe par unité de location de l'immeuble

Les coûts fixes par unité décroissent à mesure que le volume d'activité augmente

Coût fixe discrétionnaire

Coût dont le montant est laissé à la discrétion de la direction, par exemple les coûts promotionnels, et les coûts de recherche et de développement.

Par ailleurs, les coûts de structure sont généralement peu influencés par une interruption ou une réduction des activités, et il est difficile de les modifier. C'est pourquoi la direction doit faire preuve de prudence. La décision d'acquérir de l'équipement principal ou d'engager de nouveaux coûts de structure exige une planification à long terme. De tels engagements devraient être assumés seulement après une analyse consciencieuse des diverses possibilités. La construction d'installations d'une certaine taille demande réflexion, l'entreprise devant assumer sa décision des années durant.

Au chapitre des coûts de structure, la direction jouit d'une marge de manœuvre négligeable à court terme. Elle se préoccupe néanmoins de l'utilisation des ressources. La stratégie de gestion consiste alors à exploiter la capacité de l'organisation avec le plus d'efficacité possible.

Les coûts fixes discrétionnaires

En général, les **coûts fixes discrétionnaires** sont des coûts dont le montant est laissé à la discrétion de la direction. Les coûts promotionnels et de relations publiques, les coûts de recherche et de développement, les coûts de perfectionnement des gestionnaires et ceux des programmes de stages destinés aux étudiants constituent tous des exemples de coûts fixes discrétionnaires.

Deux différences fondamentales permettent de distinguer les coûts fixes discrétionnaires et les coûts de structure. En premier lieu, l'horizon de planification des coûts fixes discrétionnaires est de l'ordre du court terme — en général d'une seule année. En revanche, l'horizon de planification des coûts de structure relève du long terme. En second lieu, une réduction à court terme des coûts fixes discrétionnaires peut être envisagée sans qu'elle entrave les objectifs à long terme de l'organisation. Ainsi, une entreprise qui, chaque année, consacre une somme de 50 000 $ à des programmes de perfectionnement des gestionnaires pourrait être contrainte, en période de ralentissement économique, de réduire ses charges à ce chapitre pendant un an. Cette réduction présenterait certes quelques risques, sans doute moins grands toutefois que si l'entreprise licenciait des employés importants, sous prétexte d'économiser.

Pourquoi des coûts seraient-ils considérés tantôt comme des coûts discrétionnaires, tantôt comme des coûts de structure ? Tout dépend de la stratégie de la direction. En période de récession, par exemple, quand le secteur de la construction de maisons individuelles enregistre une baisse, nombre d'entreprises de construction licencient la plupart de leurs employés et cessent à peu près toutes leurs activités. D'autres, par contre, conservent un grand nombre d'employés, bien qu'il y ait peu ou pas de travail. Des problèmes de trésorerie à court terme guettent ces entreprises. Il leur sera toutefois plus facile de réagir rapidement à la demande du marché quand l'économie prendra du mieux. Du même coup, le bon moral et la loyauté des employés leur conféreront un avantage concurrentiel marqué. Pour une entreprise de haute technologie telle que Apple, il serait difficile de réduire ses coûts de recherche et de développement sans mettre en péril sa compétitivité. Dans ce cas, ces coûts se rapprochent davantage de coûts de structure.

Le principal avantage des coûts fixes discrétionnaires tient à ce qu'ils peuvent être ajustés d'une année à l'autre, même en cours de période, si le contexte le justifie.

La tendance en matière de coûts fixes

Dans de nombreuses entreprises, les coûts fixes prennent de plus en plus d'importance par rapport aux coûts variables. Des tâches autrefois réalisées manuellement sont désormais effectuées par des machines. Songeons notamment aux commis d'épicerie chez Loblaw ou IGA qui, jadis, enregistraient à la main chaque article vendu. De nos jours, la plupart des magasins sont équipés de lecteurs de codes à barres. Ce dispositif enregistre automatiquement le prix des articles et des renseignements sur les produits. Le meilleur rapport qualité-prix pour le consommateur, exigence qui, la plupart du temps, ne peut être satisfaite que par une automatisation des processus opérationnels, résulte de la pression exercée par la concurrence. Autrefois, par exemple, l'employé de H&R Block remplissait les déclarations de revenus en grande partie à la main. Les conseils prodigués aux clients reposaient en majeure partie sur les connaissances qu'il avait acquises avec l'expérience. Les temps ont bien changé. Aujourd'hui, les déclarations de revenus sont remplies à l'aide d'un logiciel perfectionné. Ce logiciel, qui regroupe les connaissances de nombreux experts, assure même la planification fiscale du client et lui offre des conseils adaptés à ses besoins.

Bien qu'un nombre croissant de machines accomplissent désormais des tâches auparavant réalisées par les humains, la demande globale de main-d'œuvre n'a pas pour autant diminué. La demande de travailleurs du savoir, ces employés qui appartiennent à la catégorie des travailleurs intellectuels, a fortement augmenté. En règle générale, ces travailleurs hautement qualifiés jouissent d'une rémunération au-dessus de la moyenne et s'avèrent difficiles à remplacer. Les coûts de rémunération de cette main-d'œuvre sont souvent relativement fixes et constituent des coûts de structure plutôt que des coûts discrétionnaires.

Le coût de la main-d'œuvre est-il variable ou fixe ?

Comme notre analyse le suggère, les salaires peuvent être fixes ou variables. Le comportement des coûts des salaires dépend du pays, de la réglementation du travail, des contrats de travail, et des us et coutumes. Dans des pays tels que la France, l'Allemagne et le Japon, le personnel de gestion dispose de peu de latitude pour réaffecter la main-d'œuvre selon les changements de l'activité industrielle et commerciale, contrairement à ce qui est possible au Canada et au Royaume-Uni. Cependant, même dans ces pays, les dirigeants peuvent considérer la rémunération des salariés comme un coût fixe pour différentes raisons.

Les entreprises sont maintenant beaucoup plus réticentes à réagir aux fluctuations à court terme des ventes en ajustant leurs besoins en main-d'œuvre. Aux yeux de la plupart, leurs employés constituent un atout très précieux. Le personnel hautement spécialisé et qualifié est de plus en plus indispensable au succès d'une entreprise et s'avère très difficile à remplacer. Les travailleurs qualifiés licenciés pourraient ne jamais être réembauchés au même endroit, et les mises à pied nuiraient au moral des troupes toujours en poste.

C'est pourquoi un nombre croissant d'entreprises répugnent à l'idée d'augmenter leur effectif quand il y a reprise des ventes. Ainsi, les travailleurs temporaires et à temps partiel sont de plus en plus populaires auprès des sociétés quand les employés permanents et à temps plein sont incapables de répondre à la demande de leurs produits et services. Dans de telles entreprises, les coûts de main-d'œuvre constituent un curieux mélange de coûts fixes et variables.

La décroissance et le réaménagement des effectifs ont touché nombre de grandes entreprises ces dernières années. Résultat : beaucoup d'employés ont perdu leur emploi, en particulier des cadres intermédiaires. Nous pourrions en conclure que les salaires des gestionnaires devraient être aussi considérés comme des coûts variables, mais cette conclusion serait douteuse. Les compressions de personnel résultent d'une réorganisation des processus opérationnels et d'une réduction des coûts ; il ne s'agit pas d'une réponse à une baisse du volume des ventes. Ces propos mettent en évidence un point important mais subtil. Les coûts fixes peuvent être modifiés, mais ils ne fluctuent pas uniquement en réaction à des changements mineurs du volume d'activité.

En somme, nous ne pouvons répondre avec précision à la question « La main-d'œuvre est-elle un coût variable ou fixe ? » Tout dépend de la souplesse et de la stratégie de la direction. Nous supposons ici que la main-d'œuvre directe constitue un coût variable, sauf avis contraire. Cette hypothèse vaut davantage pour les entreprises canadiennes que pour les sociétés des pays étrangers où le droit du travail s'avère beaucoup plus strict.

SUR LE TERRAIN

Empêcher l'augmentation des coûts fixes

« En 2007, dans 247 sociétés japonaises, les primes d'été se sont élevées en moyenne à 831 009 yens (7 276 $). Il s'agit d'une augmentation de 3,05 % et la cinquième en autant d'années consécutives selon les données recueillies par la société Nikkei. Les constructeurs d'automobiles et les aciéristes ont distribué plus d'un million de yens par employé en moyenne, ce qui indique de solides bénéfices. De plus en plus exposées à une rude concurrence mondiale, les entreprises continuent de se montrer réticentes à augmenter le salaire de base de leurs employés pour ne pas accroître leurs coûts fixes. Dans l'ensemble, les primes représentent une augmentation de presque un point (0,99) de pourcentage par rapport au taux de 2,06 % en 2006. La société Toyota se trouve au haut de la liste sur le plan des yens. Grâce à un bénéfice d'exploitation record en 2006, l'entreprise versera en moyenne 1,43 million de yens par employé. "En cas de bénéfices solides, les primes augmentent de façon proportionnelle", a déclaré le président de Toyota, Katsuaki Watanabe. Toutefois, le plus important constructeur d'automobiles japonais a conservé ses hausses de salaire au même niveau que l'année précédente. » En effet, au Japon, les primes représentent des coûts variables tandis que les salaires sont considérés comme des coûts fixes.

Source: « Japanese Workers Will Have Even More to Spend This Summer, After Getting Bigger Bonuses », *National Post*, 13 juin 2007, p. WK5.

Les coûts fixes et le segment significatif

Le concept de segment significatif présenté dans notre exposé sur les coûts variables s'avère aussi important pour comprendre la nature des coûts fixes, en particulier les coûts fixes discrétionnaires. En général, le niveau des coûts fixes discrétionnaires est déterminé au début de la période et dépend des besoins des programmes planifiés, comme c'est le cas pour les coûts promotionnels et les coûts de formation. L'étendue de ces programmes dépend à son tour du volume global d'activité prévu pour la période. Quand les volumes d'activité sont très élevés, les programmes sont habituellement élargis. Prenons l'exemple de l'entreprise souhaitant augmenter le volume de ses ventes de 25 %. Dans ce cas, les coûts promotionnels seraient sans doute beaucoup plus importants que si aucune augmentation des ventes n'était prévue. Le volume d'activité *prévu* peut donc influer sur le total des coûts fixes discrétionnaires. Une fois budgétés, cependant, ces coûts ne sont pas touchés par le volume d'activité *réel*. Ainsi, le budget de publicité déterminé puis dépensé ne serait aucunement touché par le nombre d'unités réellement vendues. C'est pourquoi le coût est fixe, peu importe le nombre *réel* d'unités vendues.

Les coûts fixes discrétionnaires permettent plus de flexibilité que les coûts de structure. Les coûts de structure regroupent le coût des immeubles et du matériel ainsi que les salaires du personnel clé. Comme il est difficile de se procurer la moitié d'un équipement ou d'engager le quart d'un gestionnaire, le comportement en paliers décrit à la figure 6.5 est caractéristique de tels coûts fixes. Le segment significatif se traduit par l'étendue de l'activité pour laquelle la droite du coût fixe est aplatie. La croissance du volume d'activité peut se révéler trop importante pour les installations existantes ou nécessiter l'embauche de plusieurs gestionnaires clés. Le résultat, bien sûr, est une augmentation des coûts de structure dès la construction de nouvelles installations plus grandes et dès la création de nouveaux postes de gestion.

En ce qui concerne le comportement par paliers décrit à la figure 6.5, on pourrait dire que les coûts discrétionnaires et les coûts de structure ne sont en réalité que des coûts variables par paliers. Ce raisonnement est vrai dans une certaine mesure, puisque presque tous les coûts peuvent être ajustés à long terme.

Il existe deux différences, cependant, entre les coûts variables par paliers décrits à la figure 6.2 (*p. 266*) et les coûts fixes décrits à la figure 6.5.

La première différence tient à ce que les coûts variables par paliers peuvent être ajustés rapidement à mesure que le contexte évolue, contrairement aux coûts fixes établis. Un coût variable par paliers tel que la main-d'œuvre d'entretien peut être ajusté à la hausse ou à la baisse par l'embauche ou le licenciement de préposés à l'entretien. Par contre, la signature d'un bail en vue d'occuper un immeuble oblige l'entreprise à débourser les coûts de location pour la durée du contrat.

La seconde différence tient à ce que l'étendue des paliers des coûts variables par paliers s'avère beaucoup plus restreinte que l'étendue des paliers des coûts fixes

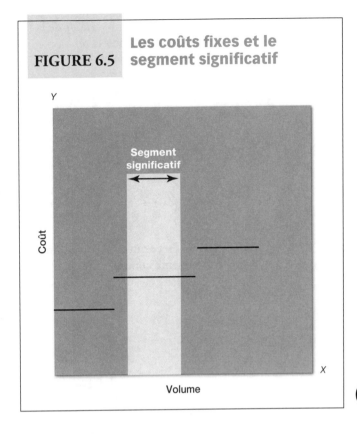

FIGURE 6.5 Les coûts fixes et le segment significatif

de la figure 6.5. L'étendue des paliers est fonction du volume d'activité. En ce qui concerne les coûts variables par paliers, l'étendue d'un palier peut être de 40 heures d'activité ou moins, s'il s'agit par exemple de coûts de main-d'œuvre liés à l'entretien. Pour les coûts fixes, cependant, l'étendue d'un palier peut se traduire par des milliers, voire des dizaines de milliers d'heures d'activité. En réalité, l'étendue des paliers des coûts variables par paliers est en général si restreinte que ces coûts peuvent être essentiellement considérés comme variables dans la plupart des cas. En ce qui concerne les coûts fixes, l'étendue des paliers est si importante qu'ils doivent habituellement être traités comme fixes dans le segment significatif.

Coût semi-variable (ou coût mixte)

Coût comportant à la fois des éléments de coûts variables et fixes.

Les coûts semi-variables

Le **coût semi-variable** (aussi appelé **coût mixte**) comprend à la fois des éléments de coûts variables et fixes. Revenons à l'exemple d'Expéditions sauvages et supposons que l'entreprise doit payer des droits de permis de 25 000 $ par an et des frais de 3 $ par expédition au ministère des Ressources naturelles. Admettons aussi qu'elle organise 1 000 expéditions ; ici, les droits payés à la province totalisent 28 000 $, soit des coûts fixes de 25 000 $ et des coûts variables de 3 000 $. Le comportement de ce coût semi-variable est illustré à la figure 6.6.

Dans le cas où Expéditions sauvages n'arriverait pas à attirer un seul client, elle devrait néanmoins acquitter les droits de permis de 25 000 $. C'est pourquoi la ligne de coût de la figure 6.6 coupe l'axe vertical de coût au point 25. Pour chaque expédition organisée, le coût total des droits de permis augmentera de 3 $. Par conséquent, la ligne du coût total s'inclinera vers le haut à mesure que l'on ajoutera l'élément de coût variable à l'élément de coût fixe.

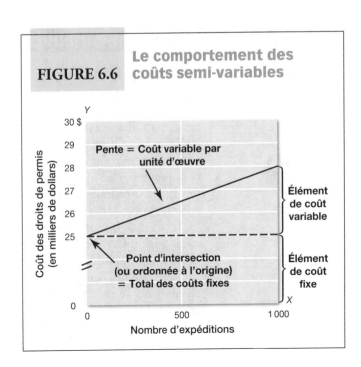

FIGURE 6.6 Le comportement des coûts semi-variables

Le coût semi-variable de la figure 6.6 (*page précédente*) étant représenté par une droite, on peut exprimer la relation entre le coût semi-variable et le volume d'activité par l'équation suivante :

$$Y = a + bX$$

Dans cette équation,

Y	=	Total des coûts semi-variables
a	=	Coût fixe total (intersection verticale de la droite)
b	=	Coût variable par unité d'œuvre (pente de la droite)
X	=	Volume d'activité

En ce qui concerne les frais payés au ministère des Ressources naturelles, l'équation se présente comme suit :

$$Y = 25\ 000\ \$ + 3\ \$\ X$$

Total des coûts semi-variables — Total des coûts fixes — Coût variable par unité d'œuvre — Volume d'activité

Cette équation facilite le calcul du coût semi-variable total, peu importe le volume d'activité du segment significatif. Supposons, par exemple, que l'entreprise prévoit organiser 800 expéditions l'an prochain.

Le total des droits de permis dus à la province s'élèverait alors à 27 400 $, soit :

$$Y = 25\ 000\ \$ + (3\ \$ \times 800\ \text{expéditions})$$
$$= 27\ 400\ \$$$

L'analyse des coûts semi-variables

OBJECTIF 2

Analyser les coûts semi-variables à l'aide de différentes méthodes.

Analyse des comptes

Analyse du comportement des coûts où chaque compte est examiné en vue de classer ces coûts en tant que coût variable ou coût fixe.

Les coûts semi-variables sont fréquents. Le service de radiologie du CHU Sainte-Justine, par exemple, engendre des coûts semi-variables. Le Centre doit aussi assumer une part importante de coûts fixes, tels que l'amortissement du matériel, ainsi que les salaires des radiologues et des techniciens. Il doit aussi composer avec des coûts variables. Les films radiologiques, l'électricité et les fournitures en sont des exemples probants. Chez Air Canada, les coûts d'entretien constituent des coûts semi-variables. L'entreprise doit aussi assumer sa part de coûts fixes en ce qui concerne la location des installations d'entretien et l'embauche de mécaniciens qualifiés. Enfin, le coût des pièces de rechange, des huiles lubrifiantes, des pneus, etc. est variable selon la fréquence des vols et la distance parcourue par les appareils.

Le coût de base minimal du service *prêt à être rendu* constitue la partie fixe du coût semi-variable. La *consommation* du service représente la partie variable du coût semi-variable. Cette partie est fonction de la quantité du service consommé.

L'**analyse des comptes** est cette méthode d'analyse du comportement des coûts où chaque compte est examiné en vue de le classer en tant que coût variable ou coût fixe. En raison de leur nature, les matières premières devraient être classées dans les coûts variables, et le coût de location d'un immeuble, dans les coûts fixes. Le coût fixe total résulte de la somme des coûts des comptes qui ont été classés dans la catégorie des coûts fixes. Le coût variable par unité se calcule en divisant le total des coûts des comptes qui ont été classés dans la catégorie des coûts variables par la production correspondante.

La **méthode du génie industriel** d'analyse des coûts consiste en une étude détaillée du comportement des coûts. Elle est basée sur une évaluation des méthodes de production, des spécifications relatives aux matières, des besoins en main-d'œuvre, de l'utilisation du matériel, de l'efficacité de la production, de la consommation d'énergie, etc.

La chaîne de restaurants Pizza Hut, par exemple, pourrait calculer le coût d'une pizza à emporter à l'aide de la méthode du génie industriel. Pour ce faire, elle évaluera avec soin le coût de revient des ingrédients, de la consommation d'électricité et de l'emballage. La méthode du génie industriel s'avère particulièrement utile quand l'entreprise ne dispose d'aucune expérience concernant l'activité et les coûts. Utilisée parfois avec d'autres approches, la méthode du génie industriel permet d'obtenir une analyse des coûts plus précise. Les résultats d'une analyse des comptes se révèlent satisfaisants lorsqu'il s'agit d'analyser les coûts à une échelle plus globale, tels que les coûts liés aux patients de l'urgence du CHU Sainte-Justine. D'un autre côté, les coûts des médicaments, des fournitures, des formulaires, des salaires et du matériel peuvent être classés d'emblée dans la catégorie des coûts variables ou fixes. On peut déterminer assez rapidement une formule de calcul des coûts semi-variables indiquant le coût global des urgences. Cette méthode fait cependant abstraction du fait que certains comptes peuvent comporter à la fois des éléments de coûts fixes et variables. Par exemple, le coût de l'électricité des urgences constitue un coût semi-variable. Comme la consommation d'électricité est attribuable en grande partie au chauffage et à l'éclairage, elle représente un coût fixe. L'activité des urgences, le matériel de diagnostic, les éclairages des salles d'opération et les défibrillateurs, pour ne nommer que ceux-ci, ont tous pour effet d'augmenter la consommation d'électricité. Il est possible d'estimer les éléments fixes et variables d'un coût semi-variable en analysant les comptes des périodes antérieures et les données relatives aux activités de ces périodes. Ces analyses permettent de déterminer si les coûts de l'électricité varient de manière significative en fonction du nombre de patients et, le cas échéant, de combien. Nous expliquerons la nature de ces analyses un peu plus loin.

Méthode du génie industriel

Analyse détaillée de ce que devrait être le comportement des coûts basée sur une évaluation des méthodes de production, des intrants nécessaires à l'exécution d'une activité particulière et du coût de ces intrants.

6

SUR LE TERRAIN

Des activités inductrices de coûts

White Grizzly Adventures est une entreprise de ski et de surf des neiges située à Meadow Creek, en Colombie-Britannique. Ses propriétaires, Brad et Carole Karafil, l'exploitent ensemble. Un seul véhicule transporte 12 clients au sommet de leur terrain escarpé et boisé. Durant un nombre de jours fixé d'avance, ces personnes vivent en groupe dans un pavillon où on leur sert des repas sains.

Les Karafil doivent déterminer chaque année la date à laquelle les activités de leur entreprise commenceront en décembre et celle à laquelle elles se termineront au début du printemps, ainsi que le nombre de jours sans activité à planifier entre deux groupes de clients pour leur permettre, à eux et à leurs employés, de faire l'entretien des lieux et de prendre un peu de repos. Ces décisions ont un effet sur tout un éventail de coûts. Voici une liste de quelques-uns des coûts fixes et variables liés au nombre de jours d'activité de la société White Grizzly Adventures.

Coûts	Comportement des coûts – fixes ou variables en ce qui concerne le nombre de jours d'activité
Taxe foncière	fixe
Entretien du chemin et des sentiers du boisé en été	fixe
Amortissement du pavillon	fixe
Salaires du conducteur du véhicule et des guides...........................	variable
Salaires des cuisiniers et des aides dans le pavillon.......................	variable
Amortissement du véhicule	variable
Carburant pour le véhicule	variable
Nourriture	variable

La méthode du graphique de dispersion

Alain Francoeur, le directeur financier de la Clinique Bellerose, a commencé l'analyse des coûts d'entretien de la clinique en examinant les comptes de coûts d'entretien et le registre d'activité jours-patient des sept derniers mois. Il souhaite évaluer les éléments fixes et variables des coûts d'entretien.

Mois	Volume d'activité (jours-patient)	Coûts d'entretien
Janvier	5 600	7 900 $
Février	7 100	8 500
Mars	5 000	7 400
Avril	6 500	8 200
Mai	7 300	9 100
Juin	8 000	9 800
Juillet	6 200	7 800

Méthode du graphique de dispersion

Méthode servant à décomposer un coût semi-variable en ses éléments fixes et variables ; avec cette méthode, on trace une droite pour relier un ensemble de points déterminés.

Droite du graphique de dispersion

Droite reliant un ensemble de points déterminés ; l'inclinaison de la pente, représentée par la lettre b dans l'équation $Y = a + bX$, est le coût variable moyen unitaire de l'activité ; le point où la droite coupe l'axe du coût, représenté par la lettre a dans l'équation précédente, est le coût fixe total moyen.

La **méthode du graphique de dispersion** tient compte de toutes les données relatives aux coûts pour déterminer la portion fixe et variable d'un coût. Le graphique de dispersion s'apparente à celui de la figure 6.7. Le coût y est représenté sur l'axe vertical, et le volume d'activité, sur l'axe horizontal. Les coûts observés à divers volumes d'activité sont ensuite définis par des points reliés par une droite. L'analyste tient compte de tous les points au moment de tracer la droite — il évite de tracer uniquement une droite entre le point le plus élevé et le point le plus bas. Pour ce faire, un simple examen visuel des données suffit. En général, un nombre à peu près égal de points se situent au-dessus de la droite et sous celle-ci.

Ce graphique est désigné sous le nom de *graphique de dispersion*. La **droite du graphique de dispersion** est en fait une ligne de moyennes, où le coût variable moyen par unité d'œuvre est représenté par la pente de la droite, et le coût fixe total moyen, par le point où la droite coupe l'axe du coût.

FIGURE 6.7 Une analyse de coûts effectuée à l'aide de la méthode du graphique de dispersion

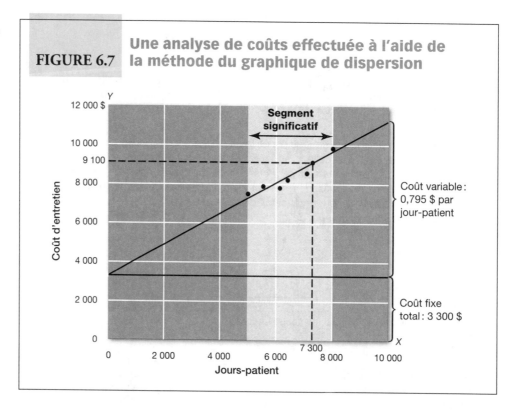

La méthode du graphique de dispersion illustrée à la figure 6.7 prend pour exemple les données de la Clinique Bellerose. Notons qu'on trouve un nombre à peu près égal de points au-dessus de la droite et sous celle-ci.

La droite coupant l'axe vertical au point 3 300, ce montant représente le coût fixe total. Le coût variable total peut être calculé en soustrayant le coût fixe total de 3 300 $ du coût total pour tout point se situant sur la droite. Comme le point représentant 7 300 jours-patient se trouve sur la droite, nous pouvons l'utiliser. Le coût variable, au dixième de cent près, sera de 0,795 $ par jour-patient.

Coût total pour 7 300 jours-patient (un point situé sur la droite)	9 100 $
Moins : Élément de coût fixe total	3 300
Élément de coût variable	5 800 $

$$5\ 800\ \$ \ \div \ 7\ 300\ \text{jours-patient} \ = \ 0{,}795\ \$ \ \text{par jour-patient}$$

Ainsi, la formule de coûts faisant intervenir la droite de la figure 6.7 serait de 3 300 $ par mois plus 79,5 cents par jour-patient. Les points de la figure 6.7 se situent tous relativement près de la droite et à l'intérieur de la zone ocre pâle, de sorte que les estimations des coûts fixes et variables s'avèrent relativement précises dans ce segment d'activité, soit le segment qui s'étend de 5 000 à 8 000 jours-patient. Les coûts pourraient aussi être les mêmes sous 5 000 et au-dessus de 8 000 (nous ne pouvons l'affirmer avec certitude sans examiner un plus grand nombre de données).

L'analyste expérimenté peut tirer avantage d'un graphique de dispersion. Les anomalies constatées dans le comportement des coûts et attribuables aux grèves, au mauvais temps, aux pannes, et ainsi de suite, sautent aux yeux de l'observateur qualifié, qui peut apporter les modifications appropriées aux données au moment de tracer la droite. Nombre d'analystes des coûts soutiennent qu'un graphique de dispersion devrait servir de point de départ à toute analyse de coûts en raison de ses nombreux avantages.

La méthode du graphique de dispersion présente cependant deux inconvénients de taille. D'abord, il s'agit d'une méthode subjective. C'est pourquoi deux analystes examinant le même graphique de dispersion ne traceront pas exactement la même droite. Ensuite, ses estimations des coûts fixes ne sont pas aussi précises qu'elles le seraient avec d'autres méthodes, le montant en dollars où la droite coupe l'axe de coût vertical étant difficile à déterminer. Ces deux désavantages ennuient les gestionnaires désirant une méthode qui leur permet d'obtenir une réponse précise et qui demeure la même, peu importe l'auteur de l'analyse.

La méthode des points extrêmes

L'analyse des coûts semi-variables à l'aide de la **méthode des points extrêmes** consiste à déterminer d'abord la période au cours de laquelle le volume d'activité est le plus faible, puis le plus élevé. La différence de coûts observée entre les deux extrêmes sera ensuite divisée par le changement d'activité entre ces extrêmes de façon à évaluer le coût variable par unité d'œuvre.

Le total des coûts d'entretien à la Clinique Bellerose semble augmenter dès que le volume d'activité s'intensifie. Il est donc vraisemblable de croire qu'il existe un élément de coût variable. À l'aide de la méthode des points extrêmes, on doit d'abord déterminer les périodes au cours desquelles le *volume d'activité* est le plus élevé et le plus faible — ici, le mois de juin et le mois de mars. Les données relatives à l'activité et les coûts inhérents aux deux périodes servent à évaluer la composante du coût variable.

Méthode des points extrêmes

Méthode consistant à décomposer un coût semi-variable en ses éléments fixes et variables en analysant le changement de coût entre un volume d'activité élevé et un volume d'activité faible.

	Volume d'activité (jours-patient)	Coûts d'entretien
Volume d'activité élevé (juin)..	8 000	9 800 $
Moins : Volume d'activité faible (mars).............................	5 000	7 400
Variation..	3 000	2 400 $

$$\text{Coût variable} \quad = \quad \frac{\text{Variation des coûts}}{\text{Variation de l'activité}} \quad = \quad \frac{2\,400\ \$}{3\,000} \quad = \quad 0,80\ \$ \text{ par jour-patient}$$

Après avoir calculé que le coût variable pour l'entretien s'établit à 0,80 $ par jour-patient, on déterminera les coûts fixes. Pour ce faire, on retient le coût total du niveau le plus bas *ou* le plus élevé de l'activité, et l'on déduit l'élément de coût variable, tout en multipliant le coût unitaire par le volume d'activité choisi. Nous avons utilisé le coût total du niveau d'activité le plus élevé pour calculer la portion de coût fixe.

$$
\begin{aligned}
\text{Élément de coût fixe} \quad &= \quad \text{Coût total} \quad - \quad \text{Coût variable total} \\
&= \quad 9\,800\ \$ \quad - \quad (0,80\ \$ \text{ par jour-patient} \quad \times \quad 8\,000 \text{ jours-patient}) \\
&= \quad 3\,400\ \$
\end{aligned}
$$

Nous avons isolé les éléments de coûts variables et fixes. On peut exprimer le coût de l'entretien comme suit : 3 400 $ par mois plus 0,80 $ par jour-patient.

Les coûts d'entretien peuvent aussi être exprimés sous la forme d'une équation linéaire.

$$Y \quad = \quad 3\,400\ \$ \quad + \quad 0,80\ \$\ X$$

Total des coûts d'entretien   Total des jours-patient

Ces données sont illustrées à la figure 6.8. Vous devez noter trois choses au sujet de cette figure :

1. Le coût, représenté par la valeur Y, se situe sur l'axe vertical. Ce coût est la **variable dépendante**, puisque le total des coûts engagés au cours d'une période est fonction du volume d'activité de cette même période.
2. L'activité (ici, les jours-patient), représentée par X, se situe sur l'axe horizontal. Elle est la **variable indépendante**, car elle est à l'origine des variations de coût.
3. Une droite relie les points correspondant aux niveaux d'activité le plus faible et le plus élevé. C'est, en substance, ce que la méthode des points extrêmes permet de réaliser. La formule pour établir le coût variable unitaire est la suivante :

$$\text{Coût variable unitaire} \quad = \quad \frac{\text{Variation du coût (c'est-à-dire la variation de } Y)}{\text{Variation de l'activité (c'est-à-dire la variation de } X)}$$

Cette formule est en fait celle de la pente de la droite apprise en algèbre, la pente représentant le coût variable par unité.

Variable dépendante

Variable réagissant ou répondant à un facteur causal ; dans l'équation $Y = a + bX$, le coût total est la variable dépendante et est représentée par la lettre Y.

Variable indépendante

Variable agissant comme facteur causal ; dans l'équation $Y = a + bX$, l'activité est la variable indépendante et est représentée par la lettre X.

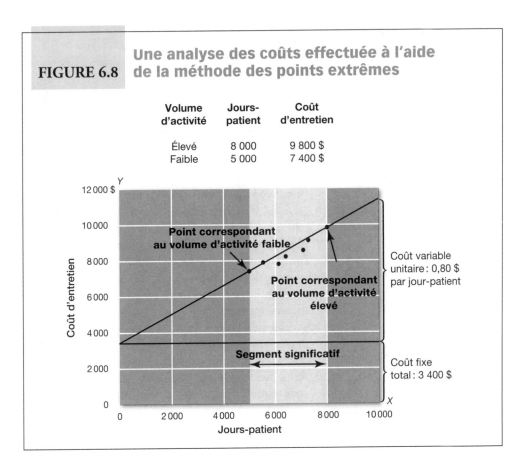

FIGURE 6.8 Une analyse des coûts effectuée à l'aide de la méthode des points extrêmes

Volume d'activité	Jours-patient	Coût d'entretien
Élevé	8 000	9 800 $
Faible	5 000	7 400 $

Plus le coût variable par unité sera élevé, plus la pente de la droite sera abrupte.

Parfois, les volumes d'activité élevé et faible ne coïncident pas avec les montants de coûts élevés et faibles. Par exemple, la période comptant le volume d'activité le plus élevé peut ne pas afficher le montant de coûts le plus élevé. Néanmoins, pour sélectionner les points extrêmes et analyser un coût semi-variable, on se base sur les volumes d'*activité* le plus élevé et le plus faible, et non sur les coûts le plus élevé et le plus faible, l'activité étant vraisemblablement à l'origine des coûts.

Très simple à appliquer, la méthode des points extrêmes présente toutefois un défaut majeur (et parfois problématique) : elle ne fonctionne qu'à partir de deux points de données. En général, deux points se révèlent insuffisants pour aboutir à des résultats précis dans une analyse de coûts. De plus, les périodes pendant lesquelles le volume d'activité est exceptionnellement faible ou exceptionnellement élevé conduisent à des résultats inexacts. Une formule de coûts évaluée uniquement à l'aide de données provenant de ces périodes exceptionnelles peut ne pas être représentative du comportement des coûts pendant les périodes normales. Une telle distorsion apparaît évidente à la figure 6.8. La droite devrait probablement être quelque peu déplacée vers le bas pour se rapprocher d'un plus grand nombre de points de données. D'autres types d'analyses de coûts basées sur un plus grand nombre de points sont habituellement plus précises que la méthode des points extrêmes. Le gestionnaire doit d'ailleurs être conscient des limites de cette méthode[1].

---

1. Heureusement, certains logiciels facilitent l'utilisation des méthodes statistiques sophistiquées, comme l'*analyse de régression*, et permettent d'obtenir un plus grand nombre d'informations que de simples estimations de coûts variables et fixes au moyen d'un graphique de dispersion ou de la méthode des points extrêmes. Une analyse des méthodes statistiques dépasserait le cadre de ce chapitre ; nous en présenterons néanmoins les principes dans la section qui suit. Notons qu'il est toujours pertinent de représenter les données à l'aide d'un graphique de dispersion, même si l'on fait une analyse de régression. Ce graphique permet de vérifier rapidement l'opportunité de tracer une droite reliant les données à l'aide de l'analyse de régression ou d'une autre méthode.

La méthode de régression

Méthode de régression

Méthode permettant de décomposer un coût semi-variable en ses éléments fixes et variables à l'aide d'une droite de régression qui réduira au minimum la somme des carrés des résidus.

La **méthode de régression** s'avère plus objective et plus précise que la méthode des points extrêmes ou du graphique de dispersion pour évaluer la formule de coûts. Plutôt que de tracer une droite à partir de deux points ou par un examen visuel, l'utilisateur de la méthode de régression a recours à des formules mathématiques pour tracer la droite. De plus, contrairement à la méthode des points extrêmes, la méthode de régression tient compte de toutes les données au moment d'estimer la formule de coûts.

La figure 6.9 illustre l'idée de base sous-jacente à la méthode de régression à l'aide de points de données hypothétiques. Notons que la distance entre les points et la droite y est mesurée verticalement. Ces écarts verticaux sont des résidus de régression et constituent la clé pour comprendre la nature de la méthode de régression. Cette méthode n'a rien de complexe. On calcule simplement la droite réduisant au minimum la somme de ces résidus au carré. Les formules utilisées impliquent de nombreux calculs, mais le principe demeure simple.

FIGURE 6.9 — Le concept de la régression

Heureusement, les ordinateurs effectuent fort bien les calculs exigés par les formules de régression. On entre les données (les valeurs observées de X et Y), et le logiciel fait le reste. Nous avons utilisé le progiciel de statistique d'un ordinateur personnel pour calculer les estimations ci-après du total des coûts fixes (a) et du coût variable par unité d'œuvre (b) du coût d'entretien de la Clinique Bellerose.

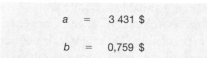

$$a = 3\ 431\ \$$$

$$b = 0,759\ \$$$

Avec la méthode de régression, le coût fixe total d'entretien s'établit à 3 431 $ par mois ; la partie variable est de 0,759 $ par jour-patient.

Soit $Y = a + bX$; la formule de coûts s'établit comme dans l'encadré qui suit, où l'activité (X) est exprimée en jours-patient.

$$Y = 3\ 431\ \$ + 0,759\ \$\ X$$

Bien que nous ayons utilisé un progiciel de statistique pour calculer les valeurs de a et b, nous pourrions aussi les calculer à l'aide d'un tableur tel qu'Excel de Microsoft (*voir l'annexe 6A, en ligne au <www.cheneliere.ca/garrison>*).

Mis à part les estimations de l'ordonnée à l'origine (coût fixe) et de la pente de la droite (coût variable par unité), le progiciel permet d'obtenir plusieurs autres statistiques très utiles. L'une de ces statistiques est le R^2 *ajusté*. Il s'agit d'une mesure de la «validité de l'ajustement». Le R^2 **ajusté** (ou **coefficient de détermination ajusté**) indique la proportion de la variance d'une variable dépendante (le coût) qui s'explique par la variance d'une variable indépendante (l'activité). Le R^2 ajusté varie de 0 % à 100 %. Plus le pourcentage se révèle élevé, plus la droite de régression est un modèle fiable expliquant les variations des valeurs de la variable dépendante Y. En ce qui concerne le coût d'entretien de la Clinique Bellerose, le R^2 ajusté s'établit à 88 %. C'est donc dire que 88 % de la variation des coûts d'entretien s'explique par la variation des jours-patient. Comme ce pourcentage est relativement élevé, on peut considérer comme fiable le modèle indiquant que les changements du coût total d'entretien sont fonction de la variation des jours-patient. Il est

R^2 ajusté (ou coefficient de détermination ajusté)

Mesure de la validité de l'ajustement dans l'analyse de régression ; proportion de variation de la variable dépendante qui s'explique par la variation de la variable indépendante.

toujours préférable de tracer les données dans un graphique de dispersion. Il est très important de vérifier les données quand le R^2 ajusté est bas. Un coup d'œil au graphique de dispersion peut révéler qu'il y a une relation réelle minime entre le coût et l'activité, ou que la relation est autre chose qu'une simple droite. Dans de tels cas, une analyse complémentaire s'avère indispensable.

Une comparaison des méthodes d'estimation des coûts

À l'aide des trois méthodes que nous venons de présenter, on obtient des estimations des coûts fixes et variables légèrement différentes, comme le montre le tableau 6.2. Les résultats de la méthode du diagramme (ou graphique) de dispersion sont basés sur une interprétation subjective de la tendance indiquée par la disposition des points qui représentent les données. La méthode des points extrêmes utilise seulement deux valeurs correspondant aux volumes de patients le plus élevé et le moins élevé, ce qui n'est pas nécessairement très représentatif des données réelles. Enfin, la méthode (de régression) des moindres carrés donne les résultats les plus précis, car elle exige l'emploi d'une technique statistique qui tient compte de toutes les données disponibles.

TABLEAU 6.2   Une comparaison des méthodes d'estimation des coûts

Méthode d'estimation	Coût fixe	Coût variable
Méthode du diagramme (ou graphique) de dispersion	3 300 $	0,795 $ par jour-patient
Méthode des points extrêmes	3 400 $	0,800 $ par jour-patient
Méthode (de régression) des moindres carrés	3 431 $	0,759 $ par jour-patient

Les estimations de coûts obtenues à l'aide de n'importe laquelle de ces méthodes ne sont valables que si l'on se sert de données fiables au départ. L'efficacité de ces méthodes est limitée par le fait que toutes trois sont basées sur des données déjà anciennes et que leurs estimations seront inexactes si les conditions en matière de coûts changent.

En résumé, l'analyse du comportement des coûts commence par la réalisation d'un diagramme de dispersion, qui donne une idée du type d'évolution des coûts observable. Si ce diagramme présente une forme linéaire et que la quantité de données le permet, on obtient généralement la réponse la plus acceptable à l'aide de la méthode de régression linéaire. Si le temps manque ou que la quantité de données est insuffisante, la méthode des points extrêmes fournit une approximation valable de la formule linéaire nécessaire pour les calculs subséquents. En cas de comportements complexes des coûts, il faut avoir recours à des études techniques ou à des méthodes d'analyse statistique sophistiquées comme l'analyse de régression multiple. Par conséquent, un tel travail nécessite des études plus poussées ou une aide spécialisée.

L'analyse de régression multiple

Jusqu'ici, nous avons supposé qu'un seul facteur, comme les jours-patient, induisait l'élément variable d'un coût semi-variable. Cette hypothèse est valable pour de nombreux coûts semi-variables. On parle alors de régression simple. Dans certaines situations, toutefois, il peut y avoir plus d'un facteur causal induisant le coût variable.

Les frais d'expédition, par exemple, peuvent dépendre à la fois du nombre d'unités expédiées *et* du poids de ces unités. La *régression multiple* sera nécessaire en pareil cas. La **régression multiple** est une méthode analytique utilisée quand la variable dépendante, c'est-à-dire le coût, est influencée par plusieurs facteurs. Bien que l'ajout de facteurs ou de variables complexifie les calculs, les principes sont les mêmes que ceux de la régression simple.

Régression multiple

Méthode analytique utilisée lorsque la variable dépendante est influencée par plusieurs facteurs.

La méthode des coûts variables

OBJECTIF 3

Préparer un état des résultats à l'aide de la méthode des coûts variables.

La séparation des coûts en leurs éléments fixes et variables aide à la prévision et à la comparaison des coûts, tout en étant importante pour la prise de décisions. Cette distinction permet une autre forme de présentation de l'état des résultats axée sur le comportement des coûts appelée la *méthode des coûts variables*. Cette forme de présentation de l'état des résultats favorise la planification, le contrôle et la prise de décisions.

Pourquoi une autre forme de présentation de l'état des résultats?

Comme nous l'avons expliqué au chapitre 2, la *méthode traditionnelle* servant à présenter l'état des résultats n'est pas axée sur le comportement des coûts. Elle repose plutôt sur un modèle «fonctionnel» faisant ressortir les fonctions de production, d'administration et de vente pour ce qui est de la classification et de la présentation des données relatives aux coûts. D'aucune façon on ne tente de faire des distinctions entre le comportement des coûts figurant sous chaque poste. Sous le poste «Charges administratives», par exemple, on peut s'attendre à trouver à la fois des coûts variables et des coûts fixes.

L'état des résultats préparé avec le modèle fonctionnel se révèle utile pour la publication de rapports financiers à des fins externes, mais il comporte certaines limitations pour ce qui est de la gestion interne. En effet, le gestionnaire doit disposer de données relatives aux coûts présentées de façon à faciliter la planification, le contrôle et la prise de décisions liées à la gestion interne. Comme nous le verrons dans les prochains chapitres, ces tâches sont facilitées lorsque les données relatives aux coûts sont présentées dans un modèle distinguant les coûts fixes des coûts variables. La méthode des coûts variables a été conçue pour répondre à ce besoin.

L'application de la méthode des coûts variables

À l'aide d'un exemple simple, le tableau 6.3 établit une comparaison entre l'approche traditionnelle expliquée au chapitre 2 et la méthode des coûts variables utilisée pour l'état des résultats.

Marge sur coûts variables

Excédent des ventes après déduction de l'ensemble des coûts variables.

Notons que la méthode des coûts variables permet de distinguer les coûts en catégories fixes et variables, en déduisant d'abord les coûts variables des ventes pour obtenir la *marge sur coûts variables*. La **marge sur coûts variables** représente l'excédent des ventes après déduction des coûts variables. Ce montant *contribue* à couvrir les coûts fixes puis à permettre de dégager des bénéfices pour la période.

TABLEAU 6.3 | **Une comparaison des résultats selon la méthode traditionnelle et la méthode des coûts variables**

Méthode traditionnelle (coûts présentés par fonction)			Méthode des coûts variables (coûts présentés selon leur comportement)		
Ventes		12 000 $	Ventes		12 000 $
Moins: Coût des ventes		6 000	Moins: Coûts variables:		
			Coût des ventes.........................	2 000 $	
Marge brute		6 000	Coûts commerciaux....................	600	
			Charges administratives	400	3 000
Moins: Charges opérationnelles:					
Coûts commerciaux...................	3 100 $		Marge sur coûts variables		9 000
Charges administratives	1 900	5 000			
			Moins: Charges fixes:		
Bénéfice..		1 000 $	Fabrication.................................	4 000	
			Coûts commerciaux....................	2 500	
			Charges administratives	1 500	8 000
			Bénéfice..		1 000 $

La méthode des coûts variables servant à la présentation de l'état des résultats est particulièrement utile à la planification interne et à la prise de décisions. La mise en valeur du comportement des coûts facilite l'analyse coût-volume-bénéfice, comme nous le verrons au prochain chapitre. La méthode des coûts variables s'avère aussi très avantageuse pour comparer les données sur les bénéfices réels et budgétés. Enfin, la méthode des coûts variables est utile à l'analyse d'une gamme de produits, à l'établissement des prix, à l'utilisation des ressources limitées, et à l'analyse du « faire » ou du « faire faire ». Nous étudierons tous ces sujets dans les prochains chapitres.

Résumé

Comme nous le verrons dans des chapitres ultérieurs, la capacité de prévoir la façon dont les coûts réagissent à des variations dans le volume d'activité est essentielle lorsqu'il s'agit de prendre des décisions, d'exercer un contrôle sur les activités et d'évaluer la performance. Dans ce chapitre, nous avons étudié trois grandes catégories de coûts — les coûts variables, fixes et semi-variables. Les coûts semi-variables comprennent à la fois des éléments fixes et variables. On peut les exprimer par une équation du type $Y = a + bX$, où Y représente le coût, a, l'élément de coût fixe, b, le coût variable par unité d'activité, et X, l'activité. Il existe plusieurs méthodes pour estimer les composantes fixes et variables d'un coût semi-variable en se basant sur des données passées relatives à ce coût et à l'activité qui en est la cause. Si la relation entre le coût et l'activité paraît linéaire dans un diagramme de dispersion, alors il est possible d'estimer les composantes variables et fixes du coût semi-variable à l'aide de la méthode des points extrêmes ou de la méthode de régression. La méthode du diagramme de dispersion consiste à tracer une droite dans le nuage de points, puis à utiliser la pente et l'ordonnée à l'origine pour estimer les composantes variables et fixes du coût semi-variable. Dans la méthode des points extrêmes, on trace une droite qui passe par le point le plus élevé et le point le moins élevé du niveau d'activité. Toutefois, dans la plupart des situations, il serait préférable d'employer la méthode de régression plutôt que celles du diagramme de dispersion et des points extrêmes. Il existe de nombreux logiciels qui peuvent être utilisés pour appliquer la méthode de régression, et la plupart d'entre eux produisent automatiquement diverses statistiques utiles, de même qu'ils calculent l'ordonnée à l'origine (les coûts fixes) et la pente (les coûts unitaires variables). Néanmoins, même lorsqu'on se sert de la méthode de régression, on devrait porter les données dans un graphique pour vérifier si la relation en est bien une de linéarité. En terminant, il faut noter qu'on peut employer l'analyse de comptes, les outils destinés à la réalisation de graphiques, de même que la méthode du génie industriel et la méthode de régression pour analyser le comportement des coûts en conjonction avec d'autres inducteurs d'activités. Le volume des ventes et de la production, ou encore celui des services ne constituent que deux exemples de tels inducteurs. Nous en avons vu d'autres au chapitre 5.

Les gestionnaires se servent de coûts classés en fonction de leur comportement pour prendre de nombreuses décisions. Pour leur faciliter la tâche, on peut établir l'état des résultats suivant la méthode des coûts variables. Cette façon de procéder permet de classer les coûts selon leur comportement dans l'état des résultats (c'est-à-dire en coûts variables et en coûts fixes) plutôt que selon les fonctions de production, d'administration et de vente auxquelles ils se rattachent.

Activités d'apprentissage

Problème de révision 1

Le comportement des coûts

Location Neptune offre un service de location d'embarcations. Les coûts ci-après concernent le segment significatif de 5 000 à 8 000 heures d'exploitation de ses embarcations.

	Nombre d'heures d'exploitation			
	5 000	6 000	7 000	8 000
Total des coûts :				
Coûts variables	20 000 $	? $	? $	? $
Coûts fixes	168 000	?	?	?
Total des coûts	188 000 $	? $	? $	? $
Coût par heure :				
Coût variable	? $	? $	? $	? $
Coût fixe	?	?	?	?
Coût total par heure	? $	? $	? $	? $

Travail à faire

Calculez les montants manquants en tenant pour acquis que le comportement des coûts demeure inchangé dans le segment significatif.

Solution au problème de révision 1

On peut calculer le coût variable par heure comme suit :

$$20\ 000\ \$ \ \div \ 5\ 000\ \text{heures} \ = \ 4\ \$\ \text{par heure}$$

Par conséquent, conformément au comportement des coûts variables et fixes, les montants manquants sont les suivants :

	Nombre d'heures d'exploitation			
	5 000	6 000	7 000	8 000
Total des coûts :				
Coûts variables	20 000 $	24 000 $	28 000 $	32 000 $
Coûts fixes	168 000	168 000	168 000	168 000
Total des coûts	188 000 $	192 000 $	196 000 $	200 000 $
Coût par heure :				
Coût variable	4,00 $	4,00 $	4,00 $	4,00 $
Coût fixe	33,60	28,00	24,00	21,00
Coût total par heure	37,60 $	32,00 $	28,00 $	25,00 $

Notons que le total des coûts variables augmente proportionnellement au nombre d'heures d'exploitation, mais que ces coûts demeurent constants à 4 $ quand ils sont exprimés sur une base horaire.

Par contre, le total des coûts fixes demeure le même quand le volume d'activité varie. Ces coûts demeurent constants (168 000 $) dans le segment significatif. Cependant, toute augmentation de l'activité a pour effet de faire décroître les coûts fixes sur une base horaire, de 33,60 $ par heure quand les embarcations sont exploitées pendant une période de 5 000 heures, à seulement 21,00 $ par heure quand elles sont exploitées pendant 8 000 heures. En raison de cette particularité des coûts fixes, il est beaucoup plus facile et plus sûr de les considérer sur une base totale que sur une base unitaire quand on procède à une analyse de coûts.

Problème de révision 2

La méthode des points extrêmes

L'administrateur d'un hôpital souhaiterait disposer d'une formule de coûts qui lui permettrait d'associer les coûts liés à l'admission de patients au nombre de patients admis pendant un mois. Voici les coûts du service d'admission et le nombre de patients admis au cours des huit derniers mois :

Mois	Nombre de patients admis	Coûts du service d'admission
Mai	1 800	14 700 $
Juin...	1 900	15 200
Juillet..	1 700	13 700
Août...	1 600	14 000
Septembre..	1 500	14 300
Octobre	1 300	13 100
Novembre...	1 100	12 800
Décembre...	1 500	14 600

Travail à faire

1. Déterminez la partie fixe et la partie variable des coûts d'admission à l'aide de la méthode des points extrêmes.
2. Exprimez la partie fixe et la partie variable des coûts d'admission sous forme de formule à l'aide de $Y = a + bX$.

Solution au problème de révision 2

1. Avec la méthode des points extrêmes, la première étape consiste à déterminer les périodes au cours desquelles le volume d'activité est le plus faible et le plus élevé. Ici, ces périodes sont celles du mois de novembre (1 100 patients admis) et du mois de juin (1 900 patients admis). La deuxième étape consiste à calculer le coût variable unitaire à partir de ces deux points.

Mois	Nombre de patients admis	Coûts du service d'admission
Volume d'activité élevé (juin)..............................	1 900	15 200 $
Moins : Volume d'activité faible (novembre).........	1 100	12 800
Variation..	800	2 400 $

►

$$\text{Coût variable} \quad = \quad \frac{\text{Variation des coûts}}{\text{Variation du volume d'activité}} \quad = \quad \frac{2\,400\,\$}{800} \quad = \quad 3\,\$ \text{ par patient admis}$$

La troisième étape consiste à calculer l'élément de coût fixe en soustrayant l'élément de coût variable du coût total du volume d'activité élevé ou faible. Dans le calcul ci-après, on retient le point du volume d'activité élevé.

$$\text{Élément de coût fixe} \quad = \quad \text{Coût total} \quad - \quad \text{Élément de coût variable}$$
$$= \quad 15\,200\,\$ \quad - \quad (3\,\$ \quad \times \quad 1\,900 \text{ patients admis})$$
$$= \quad 9\,500\,\$$$

2. La formule de coûts exprimée dans l'équation linéaire est la suivante :

$$Y \quad = \quad 9\,500\,\$ \quad + \quad 3\,\$\,X$$

Questions

Q1 En quoi un coût variable, un coût fixe et un coût semi-variable sont-ils différents ?

Q2 Quel sera l'effet d'une augmentation du volume d'activité sur :
a) les coûts fixes par unité ?
b) les coûts variables par unité ?
c) le total des coûts fixes ?
d) le total des coûts variables ?

Q3 Définissez les expressions « comportement des coûts » et « segment significatif ».

Q4 Que signifie l'expression « inducteur de coût » lorsque des coûts variables sont traités ? Donnez plusieurs exemples d'inducteurs de coût.

Q5 En quoi un coût variable, un coût semi-variable et un coût variable par paliers sont-ils différents ? Représentez ces coûts sous forme d'un graphique où le volume d'activité sera représenté par l'axe horizontal, et le coût, par l'axe vertical.

Q6 Les gestionnaires tiennent souvent pour acquis qu'il existe une relation strictement linéaire entre le coût et le niveau d'activité. Comment peut-on défendre cette idée, sachant que de nombreux coûts sont curvilinéaires ?

Q7 En quoi les coûts fixes discrétionnaires sont-ils différents des coûts de structure ?

Q8 Indiquez si les coûts fixes ci-après sont d'ordinaire des coûts de structure ou des coûts discrétionnaires.
a) L'amortissement des bâtiments.
b) La publicité.
c) La recherche.
d) La location à long terme de matériel.
e) Les prestations de retraite versées aux anciens employés.
f) Le perfectionnement et la formation des cadres.

Q9 Le concept de segment significatif s'applique-t-il aux coûts fixes ? Justifiez votre réponse.

Q10 Quel est l'inconvénient majeur de la méthode des points extrêmes ?

Q11 De quelles méthodes dispose-t-on pour décomposer un coût semi-variable en ses éléments fixes et variables à l'aide des historiques de coûts et des rapports d'activité ? Quelle méthode considère-t-on comme la plus précise ? Pourquoi ?

Q12 Qu'entend-on par « droite de régression » ? Donnez la formule générale de cette droite. Quel terme représente le coût variable ? le coût fixe ?

Q13 Après avoir tracé la droite sur un graphique, comment peut-on déterminer la partie fixe et la partie variable du coût ?

Q14 Qu'entend-on par « analyse de régression » ?

Q15 En quoi se distinguent l'analyse de régression simple et l'analyse de régression multiple ?

Q16 En quoi consiste le R^2 ajusté ?

Q17 En quoi se distinguent la méthode des coûts variables servant à la présentation de l'état des résultats et la méthode traditionnelle ?

Q18 En quoi consiste la marge sur coûts variables ?

Q19 Quel modèle mathématique peut-on utiliser pour exprimer l'équation du bénéfice avant impôts avec la méthode des coûts variables ?

Exercices

E1 Le comportement des coûts fixes et des coûts variables

Café Express exploite un certain nombre de petits cafés-restaurants dans des galeries marchandes achalandées de banlieue. Chacun de ces établissements a un coût fixe hebdomadaire de 1 100 $ et un coût variable par tasse de café servie de 0,26 $.

Travail à faire

1. Remplissez le tableau ci-dessous en inscrivant vos estimations du total des coûts et du coût par tasse de café aux volumes d'activité indiqués pour un petit café-restaurant. Arrondissez le coût d'une tasse de café au dixième de cent près.

	Tasses de café servies en une semaine		
	1 800	1 900	2 000
Coût fixe	?	?	?
Coût variable	?	?	?
Coût total	?	?	?
Coût par tasse de café servie	?	?	?

2. Le coût par tasse de café servie augmente-t-il, diminue-t-il ou demeure-t-il constant lorsque le nombre de tasses de café servies par semaine augmente ? Expliquez votre réponse.

E2 L'analyse des coûts à l'aide d'un diagramme de dispersion

Les données qui suivent proviennent de documents relatifs aux coûts de la société Transformation Anticosti. Elles portent sur le coût d'exploitation d'une des usines de transformation de cette entreprise à différents volumes d'activité.

Mois	Nombre d'unités transformées	Coût total
Janvier	8 000	14 000 $
Février	4 500	10 000
Mars	7 000	12 500
Avril	9 000	15 500
Mai	3 750	10 000
Juin	6 000	12 500
Juillet	3 000	8 500
Août	5 000	11 500

Travail à faire

1. Préparez un diagramme de dispersion en vous servant des données ci-dessus.
2. Suivant la méthode du diagramme de dispersion, quel est approximativement le coût fixe mensuel ? le coût variable par unité transformée ? Présentez vos calculs.

E3 La méthode des points extrêmes

Les gestionnaires de l'Hôtel Capucine ont conservé des documents relatifs aux coûts totaux d'électricité et au nombre de jours d'occupation des chambres de l'établissement au cours de la dernière année. Un jour-client correspond à une chambre louée pour une nuitée. Les activités de l'hôtel sont saisonnières, avec des périodes de pointe pendant la saison de ski et la saison estivale.

▶

Mois	Taux d'occupation en jours-client	Coûts de l'électricité
Janvier	2 604	6 257 $
Février	2 856	6 550
Mars	3 534	7 986
Avril	1 440	4 022
Mai	540	2 289
Juin	1 116	3 591
Juillet	3 162	7 264
Août	3 608	8 111
Septembre	1 260	3 707
Octobre	186	1 712
Novembre	1 080	3 321
Décembre	2 046	5 196

Travail à faire

1. À l'aide de la méthode des points extrêmes, estimez le coût fixe de l'électricité par mois et son coût variable par jour-client. Arrondissez le coût fixe au dollar près et le coût variable au cent près.

2. Quels autres facteurs que le taux d'occupation en jours-client sont susceptibles d'avoir un effet sur la variation des coûts de l'électricité d'un mois à l'autre ?

E4 L'état des résultats établi selon la méthode des coûts variables

La boutique Hémon est un important détaillant d'articles de sports nautiques. Voici l'état des résultats de son rayon des planches de surf pour le trimestre le plus récent.

LA BOUTIQUE HÉMON
État des résultats – rayon des planches de surf
du trimestre terminé le 31 mai

Chiffre d'affaires		800 000 $
Moins : Coût des ventes		300 000
Marge brute		500 000
Moins : Coûts commerciaux et charges administratives :		
Coûts commerciaux	250 000 $	
Charges administratives	160 000	410 000
Bénéfice		90 000 $

La boutique vend ses planches de surf 400 $ l'unité en moyenne. Une partie des coûts commerciaux du rayon est variable, soit 50 $ l'unité, et le reste est fixe. Les charges administratives sont variables à 25 % et fixes à 75 %. L'entreprise achète ses planches de surf à un fournisseur au coût de 150 $ l'unité.

Travail à faire

1. Préparez un état des résultats du trimestre à l'aide de la méthode des coûts variables.

2. Suivant la méthode des coûts variables, quels sont les coûts fixes et les bénéfices attribuables à chaque planche de surf vendue au cours de ce trimestre ? (Exprimez ce résultat sous forme d'un seul montant en dollars par planche de surf.)

E5 Le comportement des coûts et l'établissement de l'état des résultats selon la méthode des coûts variables

La société Paradis fabrique et vend un seul produit. Voici une liste partielle des coûts de l'entreprise à l'intérieur du segment significatif de 60 000 à 100 000 unités produites et vendues chaque année.

	Unités fabriquées et vendues		
	60 000	80 000	100 000
Total des coûts :			
Coûts variables	150 000 $	? $	? $
Coûts fixes	360 000	?	?
Total des coûts..	510 000 $	? $	? $
Coût par unité :			
Coût variable	? $	? $	? $
Coût fixe..	?	?	?
Coût total par unité	? $	? $	? $

Travail à faire

1. Remplissez le tableau ci-dessus.
2. Supposez que l'entreprise fabrique et vend 90 000 unités au cours de la période à un prix de vente de 7,50 $ l'unité. Préparez un état des résultats de cette période selon la méthode des coûts variables.

E6 La méthode des points extrêmes et la méthode du diagramme de dispersion

La société Zerbel, qui fabrique sur commande des appareils de climatisation pour des immeubles commerciaux, a constaté d'importantes fluctuations dans ses coûts de livraison d'un mois à l'autre, comme l'indiquent les données suivantes :

Mois	Nombre d'unités livrées	Total des coûts de livraison
Janvier	4	2 200 $
Février..	7	3 100
Mars..	5	2 600
Avril	2	1 500
Mai	3	2 200
Juin	6	3 000
Juillet..	8	3 600

Travail à faire

1. À l'aide de la méthode des points extrêmes, déterminez une formule de coûts pour les coûts de livraison.
2. Le chef de la direction de l'entreprise doute de la fiabilité de la méthode des points extrêmes et vous demande de vérifier vos résultats à l'aide de la méthode du diagramme de dispersion.
   a) Préparez un diagramme de dispersion en vous servant des données ci-dessus.
   b) Servez-vous de votre diagramme de dispersion pour estimer de façon approximative le coût variable par unité livrée et le coût fixe par mois.
3. Quels facteurs, autres que le nombre d'unités livrées, sont susceptibles d'influer sur les coûts de livraison de l'entreprise ? Expliquez votre réponse.

E7 Le comportement des coûts et la méthode des points extrêmes

La société Paquet Express gère une flotte de camions de livraison dans la grande région urbaine de Montréal. Une étude effectuée par l'analyste des coûts de l'entreprise montre que le coût moyen d'exploitation d'un camion qui parcourt 120 000 kilomètres en une année est de 11,6 cents par kilomètre. Si le camion ne parcourt que 80 000 kilomètres en un an, ce coût moyen augmente à 13,6 cents par kilomètre.

Travail à faire

1. À l'aide de la méthode des points extrêmes, estimez les éléments variables et fixes du coût annuel d'exploitation d'un camion.
2. Exprimez les coûts variables et fixes sous la forme $Y = a + bX$.
3. Si un camion parcourt 100 000 kilomètres au cours d'une année, quel coût total l'entreprise engagera-t-elle selon vous?

E8 La méthode des points extrêmes et la prévision des coûts

Le nombre et le coût des radiographies effectuées pour les neuf derniers mois à l'Hôpital Beauséjour apparaissent ci-après.

Mois	Radiographies effectuées	Coût des radiographies
Janvier	6 250	28 000 $
Février	7 000	29 000
Mars	5 000	23 000
Avril	4 250	20 000
Mai	4 500	22 000
Juin	3 000	17 000
Juillet	3 750	18 000
Août	5 500	24 000
Septembre	5 750	26 000

Travail à faire

1. À l'aide de la méthode des points extrêmes, estimez la formule qui permet de déterminer les coûts des radiographies.
2. D'après la formule de coûts que vous avez établie en 1), quels coûts l'Hôpital engagerait-il pour un mois au cours duquel 4 600 radiographies sont effectuées?

E9 Une analyse à l'aide de la méthode du diagramme de dispersion et de la méthode des points extrêmes

Reportez-vous aux données de l'exercice E8 concernant l'Hôpital Beauséjour.

Travail à faire

1. Tracez un diagramme de dispersion en utilisant les données de l'exercice.
2. D'après la méthode du diagramme de dispersion, quel est le coût fixe mensuel approximatif des radiographies? Et quel est le coût variable approximatif par radiographie effectuée?
3. Examinez les points de votre diagramme. Expliquez pourquoi la méthode des points extrêmes permettrait ou non d'obtenir une formule de coûts qui donne des résultats précis dans ce cas.

E10 **La méthode des points extrêmes et la prévision des coûts**

La société Radisson offre un total de 2 000 chambres dans sa chaîne d'hôtels à l'échelle du pays. En moyenne, 70 % de ces chambres sont occupées chaque jour. Les coûts d'exploitation de l'entreprise sont de 21 $ par chambre louée par jour à ce taux d'occupation, en supposant qu'un mois compte 30 jours. Ce montant de 21 $ représente à la fois des éléments de coûts variables et de coûts fixes. Au cours du mois d'octobre, le taux d'occupation des chambres a diminué à seulement 45 %. Pendant ce mois, l'entreprise a engagé un total de 792 000 $ en coûts d'exploitation.

Travail à faire

1. Estimez le coût variable par chambre occupée par jour.
2. Estimez le total des coûts d'exploitation fixes par mois.
3. Supposez que le taux d'occupation augmente jusqu'à 60 % en novembre. À votre avis, quel serait le montant total des coûts d'exploitation engagés par l'entreprise pour ce mois ?

Problèmes

P1 **La méthode des points extrêmes et la prévision des coûts**

Les totaux des frais indirects de fabrication de la société Garon à différents volumes d'activité apparaissent ci-dessous.

Mois	Heures-machines	Total des frais indirects de fabrication
Mars	50 000	194 000 $
Avril	40 000	170 200
Mai	60 000	217 800
Juin	70 000	241 600

Supposez que ces frais indirects de fabrication comprennent les services publics, ainsi que les salaires du personnel de supervision et d'entretien. Voici le montant de ces frais à un volume d'activité de 40 000 heures-machines.

Services publics (coût variable)	52 000 $
Salaires du personnel de supervision (coût fixe)	60 000
Entretien (coût semi-variable)	58 200
Total des frais indirects de fabrication	170 200 $

La direction de l'entreprise veut décomposer le coût de l'entretien en ses éléments fixes et variables.

Travail à faire

1. Estimez la partie des 241 600 $ de frais indirects de fabrication enregistrés en juin qui représente les frais d'entretien.
2. À l'aide de la méthode des points extrêmes, déterminez une formule de coûts pour calculer les frais d'entretien.
3. Exprimez le total des frais indirects de fabrication par une équation du type $Y = a + bX$.
4. À votre avis, quel serait le montant total des frais indirects de fabrication qui devrait être engagé à un volume d'activité de 45 000 heures-machines ?

P2 La méthode des points extrêmes et le coût des produits fabriqués

La société Nordet fabrique un seul produit. Voici quelques renseignements concernant ses activités des deux derniers mois.

	Volume d'activité	
	Juillet	Octobre
Nombre d'unités fabriquées	9 000	12 000
Coût des produits fabriqués	285 000 $	390 000 $
Produits en cours au début	14 000 $	22 000 $
Produits en cours à la fin	25 000 $	15 000 $
Coût des matières premières par unité...................................	15 $	15 $
Coût de la main-d'œuvre directe par unité.............................	6 $	6 $
Total des frais indirects de fabrication	? $	? $

Les frais indirects de fabrication de l'entreprise sont composés à la fois d'éléments fixes et variables. Pour avoir en main les données nécessaires à sa planification, la direction veut déterminer la partie de ces coûts qui est variable en fonction du nombre d'unités produites et celle qui est fixe.

Travail à faire

1. Pour les mois de juillet et d'octobre, estimez le montant des frais indirects de fabrication.
2. À l'aide de la méthode des points extrêmes, déterminez une formule de coûts permettant de calculer les frais indirects de fabrication. Exprimez la partie variable de cette formule sous la forme d'un taux variable par unité de produit.
3. Si l'entreprise fabriquait 9 500 unités au cours d'un mois, quel serait le coût des produits fabriqués ? (Supposez que, pour ce mois, les produits en cours ont une valeur de 16 000 $ au début et de 19 000 $ à la fin.)

P3 La méthode des points extrêmes et la prévision des coûts

La société Echeverria est une entreprise de fabrication argentine dont le total des frais indirects de fabrication fluctue d'une année à l'autre en fonction du nombre d'heures-machines effectuées dans son usine. Ces coûts (en pesos argentins) aux volumes d'activité le plus élevé et le plus bas des dernières périodes apparaissent ci-dessous.

	Volume d'activité	
	Le plus bas	Le plus élevé
Heures-machines..	60 000	80 000
Total des frais indirects de fabrication	274 000 pesos	312 000 pesos

Les frais indirects de fabrication indiqués ci-dessus comprennent les matières indirectes, le loyer et l'entretien. La direction a analysé ces coûts à un volume d'activité de 60 000 heures-machines.

Matières indirectes (coût variable)	90 000 pesos
Loyer (coût fixe)...	130 000
Entretien (coût semi-variable)..	54 000
Total des frais indirects de fabrication	274 000 pesos

À des fins de planification, l'entreprise souhaite décomposer le coût d'entretien en ses éléments fixes et variables.

Travail à faire

1. Estimez la partie du total des frais indirects de fabrication au volume d'activité le plus élevé, soit 312 000 pesos, ce qui représente les frais d'entretien.
2. À l'aide de la méthode des points extrêmes, estimez une formule de coûts pour calculer les frais d'entretien.
3. Quel serait le total des frais indirects de fabrication engagés par l'entreprise à un volume d'activité de 65 000 heures-machines ?

P4 La préparation d'un état des résultats suivant la méthode des coûts variables ou suivant la méthode traditionnelle

La Maison de l'orgue achète des orgues d'un fabricant de renom et les revend au détail. Elle les vend en moyenne 2 500 $ l'unité. Le coût moyen d'un orgue est de 1 500 $.

La Maison de l'orgue a toujours tenu minutieusement à jour ses documents relatifs aux coûts. Voici les coûts qu'elle engage au cours d'un mois d'activité.

Coûts	Formule de coût
Coûts commerciaux :	
Publicité..	950 $ par mois
Livraison des orgues	60 $ par orgue vendu
Salaires et commissions sur les ventes......	4 800 $ par mois, plus 4 % des ventes
Services publics	650 $ par mois
Amortissement des locaux commerciaux.....	5 000 $ par mois
Charges administratives :	
Salaires des directeurs	13 500 $ par mois
Amortissement du matériel de bureau	900 $ par mois
Salaires du personnel de bureau................	2 500 $ par mois, plus 40 $ par orgue vendu
Assurance..	700 $ par mois

Au cours du mois de novembre, l'entreprise a vendu et livré 60 orgues.

Travail à faire

1. Préparez un état des résultats pour le mois de novembre selon la méthode traditionnelle, en classant les coûts par fonction.
2. Reprenez la question 1) en utilisant la méthode des coûts variables. Indiquez tous les montants sous forme de total et par unité jusqu'à la marge sur coûts variables.
3. Reprenez l'état des résultats que vous avez préparé à la question 2). Pourquoi le fait de présenter les coûts fixes sur une base unitaire pourrait-il induire les utilisateurs en erreur ?

P5 La méthode des points extrêmes et l'état des résultats établi selon la méthode des coûts variables

La société Frankel, une entreprise commerciale britannique, est le distributeur exclusif d'un produit de plus en plus recherché sur le marché. Ses résultats (en livres sterling [£]) pour les trois derniers mois apparaissent ci-après. ▶

FRANKEL
État des résultats comparatifs
du trimestre terminé le 30 juin

	Avril	Mai	Juin
Unités vendues	3 000	3 750	4 500
Chiffre d'affaires	420 000 £	525 000 £	630 000 £
Moins: Coût des ventes	168 000	210 000	252 000
Marge brute	252 000	315 000	378 000
Moins: Coûts commerciaux et charges administratives:			
Livraison	44 000	50 000	56 000
Publicité	70 000	70 000	70 000
Salaires et commissions sur les ventes	107 000	125 000	143 000
Coûts d'assurance	9 000	9 000	9 000
Amortissement	42 000	42 000	42 000
Total des coûts commerciaux et charges administratives	272 000	296 000	320 000
Bénéfice (perte)	(20 000)£	19 000 £	58 000 £

Travail à faire

1. Déterminez si chacune des charges de l'entreprise (y compris le coût des ventes) est un coût variable, fixe ou semi-variable.
2. À l'aide de la méthode des points extrêmes, distinguez les éléments variables et les éléments fixes de chaque coût semi-variable. Indiquez la formule de coûts correspondant à chaque charge semi-variable.
3. Présentez l'état des résultats de la société Frankel au volume d'activité de 4 500 unités à l'aide de la méthode des coûts variables.

P6 Une analyse des coûts à l'aide de la méthode des points extrêmes et du diagramme de dispersion

La société Ségur chauffe des lingots de cuivre à des températures très élevées en les plaçant à l'intérieur d'une grosse bobine thermique. Les lingots ramollis passent ensuite par une machine à façonner qui leur donne la forme de fils. En raison de la durée du chauffage, la bobine n'est jamais éteinte. Lorsqu'on place un lingot dans cette bobine, on y élève la température, puis on la laisse retomber à un degré d'attente entre deux lingots. La direction de l'entreprise veut déterminer le coût variable de l'énergie requise pour chauffer un lingot et le coût fixe de cette énergie durant les périodes d'attente. Voici les données disponibles concernant la transformation des lingots et les coûts d'énergie.

Mois	Lingots transformés	Coût de l'énergie
Janvier	110	5 500 $
Février	90	4 500
Mars	80	4 400
Avril	100	5 000
Mai	130	6 000
Juin	120	5 600
Juillet	70	4 000
Août	60	3 200
Septembre	50	3 400
Octobre	40	2 400

Travail à faire

1. À l'aide de la méthode des points extrêmes, estimez une formule de coûts pour l'énergie. Exprimez cette formule sous la forme $Y = a + bX$.

2. Préparez un diagramme de dispersion en inscrivant d'un côté les lingots transformés, et de l'autre, le coût de l'énergie. Tracez une droite qui passe entre les points que vous avez déterminés, puis estimez une formule de coûts pour l'énergie à l'aide de la méthode du diagramme de dispersion.

P7 Le comportement des coûts

Vous trouverez, à la page suivante, plusieurs modèles de comportements des coûts. Le coût total est représenté sur l'axe vertical de chaque graphique et le volume d'activité est représenté sur l'axe horizontal.

Travail à faire

1. Pour chacune des situations ci-après, indiquez le graphique illustrant le mieux le comportement des coûts concerné. Vous pouvez utiliser les graphiques plus d'une fois.

   a) Le coût des matières premières utilisées.

   b) La facture d'électricité (une charge fixe, plus un coût variable après un certain nombre de kilowattheures consommés).

   c) La facture municipale pour l'eau, calculée comme suit :

Les 1 000 000 premiers litres ou moins.........................	Facture unique de 1 000 $
Les 10 000 litres suivants	0,003 $ par litre consommé
Les 10 000 litres suivants	0,006 $ par litre consommé
Les 10 000 litres suivants	0,009 $ par litre consommé
Etc.	Etc.

   d) L'amortissement du matériel ; le montant est calculé à l'aide de la méthode de l'amortissement linéaire.

   e) Le loyer d'une usine offerte gratuitement par la Ville ; l'accord prévoit le paiement de droits fixes, sauf si l'on enregistre un total de 200 000 heures de travail ou plus, auquel cas aucun loyer ne sera dû.

   f) Les salaires du personnel d'entretien ; chaque tranche de 1 000 heures-machines ou moins nécessite la présence d'un préposé (c'est-à-dire qu'un employé d'entretien sera nécessaire pour effectuer entre 0 et 1 000 heures, que deux employés d'entretien seront nécessaires pour effectuer entre 1 001 et 2 000 heures, etc.).

   g) Le coût des matières premières, où le coût décroît de 5 % par unité pour chacune des 100 premières unités achetées, après quoi il demeure constant à 2,50 $ par unité.

   h) Le loyer d'une usine fournie par la municipalité régionale de comté ; l'accord prévoit le paiement d'une location de 100 000 $, moins 1 $ pour chaque heure de main-d'œuvre directe réalisée au-dessus de 200 000 heures, mais un loyer minimal de 20 000 $ devra être versé.

   i) L'utilisation d'une machine louée, où un montant minimal de 1 000 $ sera payé jusqu'à concurrence de 400 heures de temps-machine, après quoi des frais supplémentaires de 2 $ par heure seront payés jusqu'à concurrence de 2 000 $ par période.

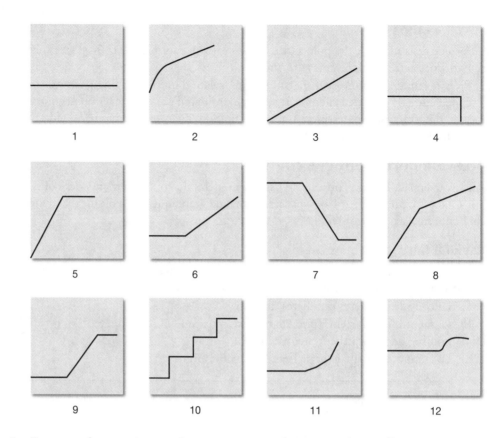

2. Comment la connaissance du comportement des coûts aiderait-elle un gestionnaire à analyser la structure de coûts de son entreprise?

(Adaptation d'un problème de l'American Institute of Certified Public Accountants)

Cas

C1 Une analyse à l'aide du graphique de dispersion et le choix d'une unité d'œuvre

La société Mapleleaf Sweepers de Toronto fabrique des balais rotatifs de remplacement pour les balayeuses-laveuses qui débarrassent les rues de la ville des feuilles mortes et de la neige. Il s'agit d'une activité saisonnière, car la demande la plus élevée a lieu pendant et juste avant les mois d'automne et d'hiver. Comme ses clients utilisent de nombreux types de balais différents, l'entreprise fabrique toutes ces pièces d'équipement sur commande.

La société a analysé ses comptes de frais indirects de fabrication pour déterminer leurs composantes fixes et variables à des fins de planification. Vous trouverez ci-après des données concernant les coûts du travail des superviseurs pour les neuf derniers mois.

Mois	Nombre d'unités produites	Nombre de jours de travail des superviseurs	Coût du travail des superviseurs
Janvier	115	21	3 840 $
Février	109	19	3 648
Mars	102	23	4 128
Avril	76	20	3 456
Mai	69	23	4 320
Juin	108	22	4 032
Juillet	77	16	2 784
Août	71	14	2 688
Septembre	127	21	3 840

Le nombre de jours de travail varie d'un mois à l'autre en raison du nombre de jours de semaine, de congés fériés, de jours de vacances et de congés de maladie. Le nombre d'unités fabriquées mensuellement varie en fonction de la demande et du nombre de jours de travail pendant le mois.

Il y a deux superviseurs qui effectuent respectivement un quart de travail de huit heures chaque jour. L'un et l'autre disposent chaque année d'un total de 10 jours de congé de maladie rémunérés. Leur salaire ces jours-là et leur indemnité de vacances sont imputés aux frais indirects divers plutôt qu'au compte des coûts liés au travail des superviseurs.

Travail à faire

1. Tracez un graphique de dispersion du coût de main-d'œuvre des superviseurs en fonction du nombre d'unités fabriquées.
2. Tracez un graphique de dispersion du coût de main-d'œuvre des superviseurs en fonction du nombre de jours de travail.
3. Laquelle des deux mesures d'activité — le nombre d'unités fabriquées ou les jours de travail des superviseurs — devrait-on utiliser comme unité d'œuvre pour expliquer le coût de main-d'œuvre des superviseurs ?

C2 L'analyse de coûts semi-variables dans l'établissement d'un prix

Jasmine Lin est propriétaire d'un service de traiteur qui sert des aliments et des boissons dans des réceptions et des réunions d'affaires. Ses activités ont un caractère saisonnier. Son calendrier est plus chargé durant les mois d'été et la période des fêtes que pendant le reste de l'année.

Le buffet de fin d'après-midi est très populaire auprès de la clientèle. Le coût estimatif par invité de ce type de buffet a été établi comme suit :

Nourriture et boisson	17,00 $
Main-d'œuvre (0,5 heure à 10,00 $ l'heure)..	5,00
Frais indirects (0,5 heure à 18,63 $ l'heure)...	9,32
Coût total par invité	31,32 $

La durée du service est de trois heures ; Mme Lin embauche alors un employé par six invités, ce qui représente une demi-heure de main-d'œuvre par invité. Elle embauche ces employés uniquement selon les besoins et elle ne les paie que pour les heures réelles de travail.

Mme Lin demande généralement 45 $ par invité. Elle est convaincue que ses estimations des coûts de la nourriture, des boissons et de la main-d'œuvre sont exactes. Par contre, elle a des doutes sur son estimation des frais indirects. Elle a déterminé le montant de 18,63 $ en frais indirects par heure de main-d'œuvre en divisant le total de ses frais indirects des 12 derniers mois par le total des heures de main-d'œuvre accumulées pour la même période. Les données mensuelles concernant ses frais indirects et les heures de main-d'œuvre apparaissent ci-dessous.

Mois	Heures de main-d'œuvre	Frais indirects
Janvier	1 500	44 000 $
Février	1 680	47 200
Mars...	1 800	48 000
Avril	2 520	51 200
Mai...	2 700	53 600
Juin...	3 300	56 800
Juillet	3 900	59 200
Août..	4 500	61 600
Septembre...	4 200	60 000
Octobre...	2 700	54 400
Novembre..	1 860	49 600
Décembre..	3 900	58 400
	34 560	644 000 $

► 6

▶ On a proposé à Mme Lin de présenter une soumission pour un buffet qui sera servi au cours d'une soirée-bénéfice réunissant 120 personnes, organisée le mois prochain par un important organisme local de charité. (Le service durerait trois heures comme d'habitude.) Mme Lin aimerait bien obtenir ce contrat, car la liste des invités comporte des personnes bien en vue qu'elle souhaiterait compter parmi ses clients. Elle est convaincue que son service de traiteur pourrait faire bonne impression sur ces clients potentiels.

Travail à faire

1. Estimez la marge sur coût variable d'un buffet standard pour 120 invités si Mme Lin fait payer, comme d'habitude, 45 $ par invité. (Autrement dit, de combien ses résultats augmenteraient-ils ?)

2. Quelle est la soumission la moins élevée — en ce qui a trait au prix par invité — que Mme Lin peut présenter tout en évitant de perdre de l'argent dans l'organisation du buffet ?

3. La personne qui organise la collecte de fonds a fait savoir à Mme Lin qu'elle a déjà reçu une offre inférieure d'un autre traiteur, soit 42 $ par invité. À votre avis, Mme Lin devrait-elle soumissionner ce buffet à un prix moindre que son tarif habituel de 45 $ par invité ? Pourquoi ?

(Adaptation d'un problème de la Société des comptables en management du Canada)

Recherche

R1 Les coûts fixes et variables en pratique

En équipe, renseignez-vous sur la manière dont une organisation de votre région traite ses coûts fixes et ses coûts variables. Il peut s'agir de n'importe quel type d'organisation, y compris un commerce, un organisme à but non lucratif ou un organisme gouvernemental. Faites une recherche sur cette organisation dans l'internet et dans des périodiques pour connaître ses activités et sa performance financière. Prenez rendez-vous avec le contrôleur de gestion, le directeur des finances ou tout autre cadre supérieur qui connaît bien la situation financière de l'organisation. Après cette rencontre, rédigez une note dans laquelle vous traiterez des sujets suivants :

1. Cette organisation fait-elle la distinction entre les coûts fixes et les coûts variables dans la planification et le contrôle de ses activités ? Sinon, pourquoi ?

2. Si l'organisation fait la distinction entre ses coûts variables et ses coûts fixes, comment estime-t-elle ces types de coûts ? Quelles formules de coûts par activité utilise-t-elle ? Comment établit-elle ces coûts ? Procède-t-elle souvent à ces estimations ? Prépare-t-elle des graphiques de dispersion avec des données sur des coûts et des activités passés ?

3. Si l'organisation fait la distinction entre les coûts fixes et variables, en quoi cette distinction aide-t-elle les gestionnaires dans la planification et le contrôle des activités ?

LES RELATIONS COÛT-VOLUME-BÉNÉFICE

Regard sur une entreprise

Où sont passés les bénéfices ?

Chip Conley est chef de la direction de la société Joie de Vivre Hospitality, qui possède et exploite 28 hôtels-boutiques. Il décrit comme suit l'expérience vécue par l'entreprise après l'effondrement du secteur des sociétés Internet et les attentats terroristes du 11 septembre 2001. « Dans l'histoire de l'hôtellerie nord-américaine, on n'avait jamais observé une baisse des revenus aussi soudaine que celle des deux dernières années. En moyenne, les revenus des hôtels [...] ont chuté de 40 % à 45 %. [...] Nous avons eu de la chance parce que notre seuil de rentabilité est plus bas que ceux de nos concurrents. [...] Malheureusement, l'industrie hôtelière est un secteur dans lequel les coûts fixes sont la norme. Par conséquent, dans un contexte où il y a des baisses soudaines de revenus et où, en moyenne, les coûts sont fixes, nos bénéfices nets, ce ne sont plus des bénéfices, mais des pertes. »

Source : Karen DILLON, « Shop Talk », *Inc. Magazine*, décembre 2002, p. 111-114.

OBJECTIFS D'APPRENTISSAGE

Après avoir étudié ce chapitre, vous pourrez :

1. expliquer comment des changements dans le volume d'activité influent sur la marge sur coûts variables et sur le bénéfice ;

2. calculer le ratio de la marge sur coûts variables, et vous en servir pour calculer les changements dans la marge sur coûts variables et le résultat qui découlent d'une variation du volume de ventes ;

3. montrer les effets des changements dans les coûts variables, les coûts fixes, le prix de vente et le volume sur la marge sur coûts variables ;

4. calculer le seuil de rentabilité en unités et en dollars de ventes ;

5. préparer et interpréter un graphique coût-volume-bénéfice (CVB) ;

6. à l'aide de formules CVB, déterminer le volume de ventes nécessaire pour atteindre un bénéfice cible choisi ;

7. calculer la marge de sécurité et expliquer sa signification ;

8. expliquer la structure des coûts, calculer le ratio du levier d'exploitation à un niveau donné des ventes et expliquer comment ce ratio peut servir à prévoir des variations dans le bénéfice ;

9. calculer le seuil de rentabilité d'une entreprise vendant plusieurs produits, et expliquer les effets de variation dans la composition des ventes sur la marge sur coûts variables et sur le seuil de rentabilité ;

10. comprendre l'analyse CVB en situation d'incertitude (Annexe 7A en ligne) ;

11. préparer un graphique volume-bénéfice et expliquer la signification de chacune de ses composantes (Annexe 7B en ligne).

L'analyse coût-volume-bénéfice (CVB) est l'un des outils les plus efficaces mis à la disposition des gestionnaires. Cet outil leur permet de comprendre les relations entre le coût, le volume et le bénéfice dans une organisation, et ce, en démontrant les interactions entre les cinq éléments suivants:

1. Les prix des produits.
2. Le volume ou le niveau d'activité.
3. Les coûts variables par unité.
4. Le total des coûts fixes.
5. La composition des ventes.

C'est un outil essentiel pour prendre nombre de décisions de nature opérationnelle, dont le choix des produits à fabriquer ou à vendre, la politique à adopter en matière d'établissement des prix, le type de stratégie de mise en marché à employer et le type d'installations de production à acquérir.

Pour comprendre le rôle de l'analyse CVB dans la prise de décisions, nous nous intéresserons à l'entreprise Concepts acoustiques inc., qui a été fondée par Paul Narayan, un diplômé en génie, pour commercialiser un haut-parleur révolutionnaire qu'il a lui-même conçu pour les chaînes stéréo pour automobile. Ce haut-parleur, appelé *Sonic Blaster*, est doté d'un microprocesseur d'avant-garde capable d'amplifier le son à des niveaux encore inégalés. M. Narayan a octroyé un contrat à une entreprise manufacturière de produits électroniques de Taïwan pour la fabrication de son haut-parleur. Grâce à un capital de départ fourni par sa famille, il a passé une commande d'unités auprès du fabricant et a fait de la publicité dans les magazines traitant d'automobile.

Le Sonic Blaster a connu un succès quasi immédiat. Les ventes ont été telles que M. Narayan a dû renoncer à exploiter son entreprise de son appartement et louer des locaux dans le parc industriel de sa ville. Il a aussi engagé une réceptionniste, un comptable, un directeur des ventes et une petite équipe de vendeurs chargés de proposer ses haut-parleurs à des détaillants. Le comptable, Robert Lavoie, a déjà travaillé pour diverses petites entreprises à titre de conseiller en gestion et de comptable. La discussion ci-après a eu lieu entre lui et M. Narayan peu après son arrivée à Concepts acoustiques inc.

Paul: Robert, je me pose des tas de questions au sujet des finances de l'entreprise. J'espère que tu pourras m'aider à y répondre.

Robert: Les affaires vont bien. L'argent prêté par ta famille devrait être remboursé d'ici quelques mois.

Paul: Je sais, mais je suis préoccupé par les risques que j'ai pris en développant les activités de l'entreprise. Que se passerait-il si un concurrent arrivait sur le marché et que nos ventes commençaient à diminuer? Jusqu'à quel point notre chiffre d'affaires peut-il baisser avant que nous commencions à subir des pertes? Et puis, je me pose encore une autre question. De combien notre chiffre d'affaires devrait-il augmenter pour justifier l'importante campagne de marketing que réclame l'équipe des ventes?

Robert: Les gens du marketing veulent toujours plus d'argent pour faire de la publicité!

Paul: Et, en plus, ils reviennent constamment à la charge pour me faire baisser le prix de vente du haut-parleur. Je reconnais qu'un prix plus bas ferait augmenter notre volume des ventes. Je ne suis pas certain cependant qu'une augmentation du volume des ventes compenserait la perte de revenus occasionnée par une baisse de prix!

Robert: Toutes ces questions me paraissent liées de près ou de loin aux relations entre nos prix de vente, nos coûts et notre volume. Nous ne devrions pas avoir de difficulté à y trouver des réponses. Donne-moi quand même un ou deux jours pour recueillir les données nécessaires.

Paul: Pourquoi ne pas organiser une réunion dans trois jours? Jeudi, par exemple.

Robert: C'est parfait! J'aurai déjà quelques réponses préliminaires. Je t'apporterai un modèle dont tu pourras te servir à l'avenir pour répondre à ce type de questions.

Paul: Excellent! J'ai bien hâte de découvrir ce que tu auras à m'apprendre.

Les principes de l'analyse CVB

OBJECTIF 1

Expliquer comment des changements dans le volume d'activité influent sur la marge sur coûts variables et sur le bénéfice.

Les analyses de Robert Lavoie en vue de la réunion de jeudi commencent là où notre étude du comportement des coûts s'est terminée au chapitre précédent, soit à l'état des résultats établi selon la méthode des coûts variables. L'état des résultats établi à l'aide de la méthode des coûts variables met en évidence le comportement des coûts. De ce fait, il aide grandement le gestionnaire à évaluer l'effet des variations du prix de vente, du coût ou du volume sur les bénéfices. M. Lavoie basera son analyse sur l'état des résultats qu'il a préparé le mois dernier à l'aide de la méthode des coûts variables.

CONCEPTS ACOUSTIQUES INC.
État des résultats du mois de juin établi
selon la méthode des coûts variables

	Total	Par unité
Ventes (400 haut-parleurs)	100 000 $	250 $
Moins : Coûts variables	60 000	150
Marge sur coûts variables	40 000	100 $
Moins : Coûts fixes	35 000	
Bénéfice	5 000 $	

Notons que le chiffre d'affaires, les coûts variables et la marge sur coûts variables sont exprimés non seulement au total, mais aussi par unité. Les données par unité seront utiles pour effectuer des analyses CVB car, comme nous le verrons plus loin, elles facilitent l'évaluation de la rentabilité.

La marge sur coûts variables

Nous avons vu au chapitre 6 que la marge sur coûts variables[1] se définit comme l'excédent du produit des ventes après déduction de l'ensemble des coûts variables. En d'autres termes, il s'agit du montant servant à couvrir les coûts fixes. Tout montant restant après qu'on a soustrait les coûts fixes constitue le bénéfice de la période. Remarquez l'ordre indiqué. La marge sur coûts variables sert *d'abord* à absorber les coûts fixes, le résidu constituant le bénéfice.

Lorsque la marge sur coûts variables ne peut couvrir les coûts fixes, on enregistre une perte pour la période en question. Un exemple quelque peu exagéré servira à illustrer cette situation. Supposons qu'au milieu d'un mois quelconque, Concepts acoustiques inc. n'a vendu qu'un seul haut-parleur. L'état des résultats de l'entreprise prendra alors la forme suivante :

	Total	Par unité
Ventes (1 haut-parleur)	250 $	250 $
Moins : Coûts variables	150	150
Marge sur coûts variables	100	100 $
Moins : Coûts fixes	35 000	
Perte	(34 900) $	

1. La marge sur coûts variables est aussi appelée *contribution marginale*.

Pour chaque haut-parleur vendu au cours du mois, une somme supplémentaire de 100 $ de marge sur coûts variables aidera à couvrir les coûts fixes. Par exemple, la vente d'un deuxième haut-parleur fera augmenter le total de la marge sur coûts variables de 100 $ (en tout 200 $). Les pertes de l'entreprise diminueront d'une somme équivalente pour se chiffrer à 34 800 $.

	Total	Par unité
Ventes (2 haut-parleurs)	500 $	250 $
Moins : Coûts variables	300	150
Marge sur coûts variables	200	100 $
Moins : Coûts fixes	35 000	
Perte	(34 800)$	

Quand l'entreprise vendra un nombre suffisant de haut-parleurs pour atteindre une marge sur coûts variables de 35 000 $, elle pourra couvrir tous ses coûts fixes. Elle aura réussi à atteindre le *seuil de rentabilité* ce mois-là, c'est-à-dire qu'elle n'aura ni bénéfice ni perte, mais qu'elle pourra couvrir tous ses coûts. Pour atteindre ce seuil, elle devra vendre 350 haut-parleurs par mois puisque chaque article vendu génère une marge sur coûts variables de 100 $.

	Total	Par unité
Ventes (350 haut-parleurs)	87 500 $	250 $
Moins : Coûts variables	52 500	150
Marge sur coûts variables	35 000	100 $
Moins : Coûts fixes	35 000	
Résultat	-0- $	

Seuil de rentabilité

Volume de ventes correspondant à un résultat égal à zéro ; on peut aussi définir le seuil de rentabilité comme le point où le chiffre d'affaires total est égal au montant total des charges ou comme le point où la marge totale sur coûts variables est égale au total des coûts fixes (Ventes − Charges variables − Charges fixes = 0 $).

Il sera question du calcul du seuil de rentabilité plus loin dans le chapitre. Pour l'instant, notons que le **seuil de rentabilité** peut se définir comme le niveau du chiffre d'affaires correspondant à un résultat de zéro.

Lorsque l'entreprise a atteint le seuil de rentabilité, son bénéfice augmente d'une somme équivalant à la marge sur coûts variables par unité pour chaque unité supplémentaire vendue. Par exemple, si Concepts acoustiques inc. vend 351 haut-parleurs pendant le mois, on peut s'attendre à ce que le bénéfice pour ce mois soit de 100 $ puisqu'elle a vendu un haut-parleur de plus que le nombre requis pour atteindre le seuil de rentabilité.

	Total	Par unité
Ventes (351 haut-parleurs)	87 750 $	250 $
Moins : Coûts variables	52 650	150
Marge sur coûts variables	35 100	100 $
Moins : Coûts fixes	35 000	
Bénéfice	100 $	

Lorsque l'entreprise vend 352 haut-parleurs, soit deux haut-parleurs de plus que le volume de ventes requis pour atteindre le seuil de rentabilité, son bénéfice pour le mois devrait être de 200 $, et ainsi de suite. Le gestionnaire ne devra donc pas établir toute une série d'états des résultats pour déterminer les résultats à différents volumes d'activité. Il pourra se contenter de prendre le nombre d'unités à vendre en sus du seuil de rentabilité et de le multiplier par la marge sur coûts variables par unité. Le produit de ce calcul représentera les bénéfices anticipés pour la période. De même, pour estimer l'effet d'une augmentation planifiée des ventes sur les résultats, il suffira de multiplier le nombre supplémentaire d'unités qu'on prévoit vendre par la marge sur coûts variables par unité. Le produit de ce calcul correspondra alors à l'augmentation anticipée des bénéfices. Pour illustrer cette notion, supposons que Concepts acoustiques inc. vend actuellement 400 haut-parleurs par mois et qu'elle compte augmenter ses ventes à 425 haut-parleurs par mois. L'effet anticipé de cette augmentation sur le bénéfice se calcule comme suit :

Nombre supplémentaire de haut-parleurs à vendre..	25
Marge sur coûts variables par haut-parleur	× 100 $
Augmentation du bénéfice	2 500 $

On peut vérifier ces calculs de la façon suivante :

	Volume des ventes			
	400 haut-parleurs	425 haut-parleurs	Différence	Par unité
Ventes	100 000 $	106 250 $	6 250 $	250 $
Moins : Coûts variables	60 000	63 750	3 750	150
Marge sur coûts variables.....................	40 000	42 500	2 500	100 $
Moins : Coûts fixes................................	35 000	35 000	-0-	
Bénéfice..................................	5 000 $	7 500 $	2 500 $	

Pour résumer les exemples précédents, lorsqu'il n'y aura aucune vente, la perte de l'entreprise sera égale à ses coûts fixes. Chaque unité vendue aura pour effet de faire diminuer cette perte d'une somme correspondant à la marge sur coûts variables par unité. Dès que l'entreprise aura atteint son seuil de rentabilité, chaque unité supplémentaire vendue aura pour effet d'augmenter son bénéfice d'une somme correspondant à la marge sur coûts variables par unité.

Les états des résultats simplifiés de la société Concepts acoustiques inc. illustrent les principes fondamentaux de la relation CVB. Des simplifications comme le fait que les ventes engendrent des coûts variables, que les coûts fixes demeurent fixes même lorsqu'il y a d'importantes variations dans le volume des ventes et qu'il n'y a aucune limite quant au nombre d'unités pouvant être vendues sont quelques-unes des hypothèses souvent employées dans l'analyse CVB, même dans des situations complexes. Elles permettent un premier examen des situations possibles. L'utilisation de tableurs augmente le degré de réalisme des analyses parce qu'ils facilitent l'étude de situations plus complexes en permettant diverses simulations de volumes, de coûts et de revenus.

Le ratio de la marge sur coûts variables

OBJECTIF 2

Calculer le ratio de la marge sur coûts variables, et vous en servir pour calculer les changements dans la marge sur coûts variables et le résultat qui découlent d'une variation du volume de ventes.

On peut exprimer les ventes, les coûts variables et la marge sur coûts variables de Concepts acoustiques inc. non seulement sur une base unitaire, mais aussi sous forme de pourcentage des ventes.

	Total	Par unité	Pourcentage des ventes
Ventes (400 haut-parleurs)	100 000 $	250 $	100 %
Moins : Coûts variables	60 000	150	60 %
Marge sur coûts variables............................	40 000	100 $	40 %
Moins : Coûts fixes	35 000		
Bénéfice	5 000 $		

Ratio de la marge sur coûts variables

Marge sur coûts variables exprimée sous forme de pourcentage des ventes totales.

Lorsque la marge sur coûts variables est indiquée sous forme de pourcentage des ventes totales, elle porte le nom de **ratio de la marge sur coûts variables**. Ce ratio se calcule comme suit :

$$\text{Ratio de la marge sur coûts variables} = \frac{\text{Marge sur coûts variables}}{\text{Ventes}}$$

Dans le cas de Concepts acoustiques inc., les calculs sont les suivants :

$$\frac{\text{Marge sur coûts variables totale, 40 000 \$}}{\text{Ventes totales, 100 000 \$}} = 40\% \quad \text{ou} \quad \frac{\text{Marge sur coûts variables par unité, 100 \$}}{\text{Ventes par unité, 250 \$}} = 40\%$$

Le ratio de la marge sur coûts variables s'avère très utile, car il montre l'effet d'une variation des ventes totales sur la marge sur coûts variables. Dans l'exemple de Concepts acoustiques inc., notons que ce taux est de 40 %. En d'autres termes, chaque fois que les ventes augmentent de un dollar, la marge totale sur coûts variables augmente de 0,40 $ (1 $ × Ratio de la marge sur coûts variables de 40 % des ventes). Le résultat augmentera aussi de 0,40 $, à condition que les coûts fixes ne changent pas.

Comme le montre cet exemple, *pour calculer en quelques instants l'effet sur le résultat de toute variation des ventes totales, il suffit d'appliquer le ratio de la marge sur coûts variables à la somme équivalant à cette variation.* Si Concepts acoustiques inc. planifiait une augmentation de 30 000 $ de ses ventes pour le mois prochain, la direction pourrait s'attendre à ce que la marge sur coûts variables augmente de 12 000 $, soit 30 000 $ d'augmentation des ventes × Ratio de la marge sur coûts variables de 40 %. Comme nous l'avons mentionné, le résultat augmentera de 12 000 $ seulement si les coûts fixes ne changent pas.

Le tableau ci-après permet de vérifier ces résultats.

	Volume des ventes		Augmentation	Pourcentage des ventes
	Actuel	Prévu		
Ventes..	100 000 $	130 000 $	30 000 $	100 %
Moins : Coûts variables	60 000	78 000*	18 000	60 %
Marge sur coûts variables	40 000	52 000	12 000	40 %
Moins : Coûts fixes	35 000	35 000	-0-	
Bénéfice	5 000 $	17 000 $	12 000 $	

* Des ventes prévues de 130 000 $ ÷ 250 $ par unité = 520 unités ; 520 unités × 150 $ par unité
= 78 000 $ ou (1 − 0,40) × 130 000 $ = 78 000 $.

Certains gestionnaires préfèrent employer le ratio de la marge sur coûts variables plutôt que la marge sur coûts variables par unité.

Ce ratio se révèle très utile dans les situations où la direction doit faire des compromis entre favoriser la hausse des ventes d'un produit ou celle d'un autre. De façon générale, lorsqu'on cherche à accroître les revenus, on devrait concentrer ses efforts sur les produits assurant la marge sur coûts variables par dollar de ventes la plus élevée.

Le ratio de la marge sur coûts variables se révèle aussi utile dans le cas d'un groupe de produits ou de services dont on ne peut pas logiquement additionner les unités. Par exemple, il est possible d'additionner en dollars les revenus de la vente de poupées et de maisons de poupée, mais deux poupées et une maison de poupée ne constituent pas trois unités d'un même produit appelé *poupée*. Comme la plupart des entreprises fabriquent ou vendent des gammes de produits, il s'agit d'une situation fréquente.

SUR LE TERRAIN

7

La console PlayStation 3

« Le *Wall Street Journal* s'est penché sur le cas de la PS3 et nous apprend que la console de Sony n'est plus très loin du seuil de rentabilité puisque le constructeur ne perdrait plus que 18 dollars (13 euros) par machine vendue. Un gain essentiellement dû à des coûts de production en baisse (composants moins chers, fonctionnalités supprimées) qui permettra à Sony d'envisager d'engranger de vrais bénéfices sur la PS3 d'ici 2011. »

Source : Gracieuseté de jeuxvideo.com. « La PS3 presque rentable », *Jeuxvideo.com*, [En ligne], <www.jeuxvideo.com/news/ 2010/00040427-la-ps3-presque-rentable.htm> (Page consultée le 10 mai 2010).

Quelques applications des concepts de CVB

Le comptable de Concepts acoustiques inc., M. Lavoie, veut démontrer au président de l'entreprise, Paul Narayan, comment les notions exposées dans les pages précédentes pourraient servir à la planification et à la prise de décisions. Il a donc recueilli les données suivantes :

OBJECTIF 3

Montrer les effets des changements dans les coûts variables, les coûts fixes, le prix de vente et le volume sur la marge sur coûts variables.

	Par unité	Pourcentage des ventes
Prix de vente..	250 $	100 %
Moins : Coûts variables..	150	60 %
Marge sur coûts variables..	100 $	40 %

On se rappellera que les coûts fixes s'élèvent à 35 000 $ par mois. M. Lavoie souhaite se servir de ces données pour montrer les effets de variations dans les coûts variables, les coûts fixes, les prix de vente et le volume des ventes sur la rentabilité de l'entreprise.

Une variation des coûts fixes et du volume des ventes

En ce moment, Concepts acoustiques inc. vend 400 haut-parleurs par mois, ce qui représente des ventes mensuelles de 100 000 $. Selon le directeur des ventes, une augmentation de 10 000 $ du budget mensuel de la publicité accroîtrait les ventes de 30 000 $ par mois. L'entreprise devrait-elle augmenter son budget de publicité? Le tableau ci-après montre l'effet de cette augmentation sur le bénéfice.

	Ventes actuelles	Ventes avec un budget de publicité accru	Différence	Pourcentage des ventes
Ventes..........................	100 000 $	130 000 $	30 000 $	100 %
Moins : Coûts variables	60 000	78 000*	18 000	60 %
Marge sur coûts variables	40 000	52 000	12 000	40 %
Moins : Coûts fixes	35 000	45 000**	10 000	
Bénéfice	5 000 $	7 000 $	2 000 $	

* 520 unités × 150 $ par unité = 78 000 $
** 35 000 $ + 10 000 $ de budget mensuel supplémentaire pour la publicité = 45 000 $

Supposons qu'il n'y a aucun autre facteur à considérer. L'entreprise devrait alors approuver l'accroissement de son budget de publicité puisqu'une telle mesure entraînerait une hausse du bénéfice de 2 000 $. Il existe deux façons plus rapides de présenter cette solution.

Solution de rechange 1

Total de la marge sur coûts variables prévue (130 000 $ × 40 % de ratio de la marge sur coûts variables)..............................	52 000 $
Moins : Total de la marge sur coûts variables actuelle (100 000 $ × 40 % de ratio de la marge sur coûts variables).............................	40 000
Augmentation de la marge sur coûts variables...	12 000
Changement dans les coûts fixes : Moins : Coûts de publicité supplémentaires	10 000
Augmentation du bénéfice...	2 000 $

Comme seuls les coûts fixes et le volume des ventes varient dans ce cas, on peut présenter cette solution sous une seconde forme, encore plus rapide.

Solution de rechange 2

Augmentation de la marge sur coûts variables (30 000 $ × 40 % de ratio de la marge sur coûts variables)................................	12 000 $
Moins : Coûts de publicité supplémentaires	10 000
Augmentation du bénéfice...	2 000 $

Notons que cette méthode ne requiert aucune connaissance des ventes antérieures. De plus, il s'avère inutile selon ces deux approches de préparer un état des résultats. Les deux solutions sont présentées selon la démarche de l'**analyse différentielle**, car elles ne tiennent compte que des éléments des ventes, des coûts et du volume qui changeraient en cas d'application de la mesure proposée. Bien que, pour chacune d'elles, on ait pu établir un nouvel état des résultats, la plupart des gestionnaires préféreront l'analyse différentielle. En effet, elle est plus simple et plus directe, et permet aux gestionnaires de concentrer leur attention sur les éléments propres à la décision à prendre.

Analyse différentielle

Démarche analytique qui met l'accent uniquement sur les éléments des ventes, des coûts et du volume qui changeraient à la suite d'une décision.

Une variation des coûts variables et du volume des ventes

Revenons aux données de départ. En ce moment, Concepts acoustiques inc. vend 400 haut-parleurs par mois. La direction songe à utiliser des composants de qualité supérieure qui feraient augmenter les coûts variables, ce qui réduirait la marge sur coûts variables de 10 $ par haut-parleur. Toutefois, le directeur des ventes croit que la qualité supérieure de l'ensemble permettrait d'augmenter les ventes à 480 haut-parleurs par mois. L'entreprise devrait-elle utiliser des composants de qualité supérieure ?

L'augmentation de 10 $ des coûts variables aura pour effet de diminuer la marge sur coûts variables de 10 $, la faisant passer de 100 $ à 90 $.

Total prévu de la marge sur coûts variables dans le cas de composants de qualité supérieure (480 haut-parleurs × 90 $)	43 200 $
Moins : Total actuel de la marge sur coûts variables (400 haut-parleurs × 100 $)	40 000
Augmentation du total de la marge sur coûts variables	3 200 $

D'après les renseignements précédents, l'entreprise aurait avantage à se servir de composants de qualité supérieure. Comme les coûts fixes ne varieront pas, le bénéfice devrait s'accroître de 3 200 $, ce qui correspond à l'augmentation de la marge sur coûts variables indiquée ci-dessus.

Une variation des coûts fixes, du prix de vente et du volume des ventes

Reprenons les données de départ. Précisons encore une fois que l'entreprise vend en ce moment 400 haut-parleurs par mois. Pour accroître les revenus de l'entreprise, le directeur des ventes voudrait réduire le prix de vente de 20 $ par article et augmenter le budget de publicité de 15 000 $ par mois. Selon lui, si l'entreprise adopte ces deux mesures, les ventes du produit augmenteront de 50 %, soit jusqu'à 600 haut-parleurs par mois. L'entreprise devrait-elle approuver les changements proposés ?

Une baisse de 20 $ du prix de vente du haut-parleur entraînera une réduction de la marge sur coûts variables par unité de 20 $, la faisant passer de 100 $ à 80 $.

Total prévu de la marge sur coûts variables dans le cas d'une baisse du prix de vente (600 haut-parleurs × 80 $)	48 000 $
Moins : Total actuel de la marge sur coûts variables (400 haut-parleurs × 100 $)	40 000
Augmentation du total de la marge sur coûts variables	8 000
Changement dans les coûts fixes :	
Moins : Coûts de publicité supplémentaires	15 000
Diminution du résultat	(7 000) $

D'après les renseignements précédents, ces changements ne devraient pas être effectués. L'entreprise pourrait parvenir à la même conclusion en préparant des états des résultats comparatifs.

	Volume actuel 400 haut-parleurs par mois		Volume prévu 600 haut-parleurs par mois		
	Total	Par unité	Total	Par unité	Différence
Ventes............................	100 000 $	250 $	138 000 $	230 $	38 000 $
Moins : Coûts variables	60 000	150	90 000	150	30 000
Marge sur coûts variables ...	40 000	100 $	48 000	80 $	8 000
Moins : Coûts fixes	35 000		50 000*		15 000
Bénéfice (perte)	5 000 $		(2 000)$		(7 000)$

* 35 000 $ + 15 000 $ de budget de publicité mensuel supplémentaire = 50 000 $

Notons que l'effet sur le résultat est le même que dans l'analyse différentielle précédente.

Une variation des coûts variables, des coûts fixes et du volume des ventes

Revenons encore une fois aux données de départ, c'est-à-dire qu'en ce moment, l'entreprise vend 400 haut-parleurs par mois. Le directeur des ventes songe à rémunérer son personnel en attribuant à chaque vendeur une commission de 15 $ par haut-parleur vendu plutôt qu'un salaire fixe se chiffrant actuellement, pour l'ensemble des vendeurs, à 6 000 $ par mois. Selon le directeur, ce changement aurait pour effet d'entraîner une augmentation des ventes mensuelles de 15 %, soit jusqu'à 460 haut-parleurs par mois. L'entreprise devrait-elle effectuer ce changement ?

Le passage d'un salaire fixe à une commission pour le personnel de vente aura des effets sur les coûts fixes et sur les coûts variables. Les coûts fixes diminueront de 6 000 $, passant de 35 000 $ à 29 000 $. Par contre, les coûts variables augmenteront de 15 $ par unité, passant de 150 $ à 165 $, et la marge sur coûts variables par unité diminuera de 100 $ à 85 $.

Total prévu de la marge sur coûts variables lorsque le personnel de vente touchera des commissions (460 haut-parleurs × 85 $)..	39 100 $
Moins : Total de la marge sur coûts variables actuelle (400 haut-parleurs × 100 $)..	40 000
Diminution du total de la marge sur coûts variables	(900)
Changement dans les coûts fixes :	
Plus : Salaires économisés si des commissions sont versées............................	6 000
Augmentation du bénéfice...	5 100 $

D'après ces renseignements, l'entreprise devrait adopter les mesures proposées. Encore une fois, on obtiendra la même réponse en préparant des états des résultats comparatifs.

	Volume actuel 400 haut-parleurs par mois		Volume prévu 460 haut-parleurs par mois		
	Total	Par unité	Total	Par unité	Différence
Ventes...............................	100 000 $	250 $	115 000 $	250 $	15 000 $
Moins : Coûts variables........	60 000	150	75 900	165	(15 900)
Marge sur coûts variables ...	40 000	100 $	39 100	85 $	(900)
Moins : Coûts fixes	35 000		29 000		6 000
Bénéfice.............................	5 000 $		10 100 $		5 100 $

Un changement du prix de vente courant

Revenons à la situation de départ, d'après laquelle Concepts acoustiques inc. vend 400 haut-parleurs par mois. L'entreprise a la possibilité d'effectuer une vente en bloc de 200 haut-parleurs à un grossiste à condition de s'entendre avec lui sur un prix raisonnable. Cette vente ne nuirait en rien à ses ventes habituelles. Quel prix par unité la direction de l'entreprise devrait-elle proposer à ce client si elle souhaite augmenter le bénéfice mensuel de 3 000 $?

Coûts variables par unité...	150 $
Plus : Bénéfice souhaité par unité (3 000 $ ÷ 200 unités)	15
Prix proposé par unité	165 $

Notons qu'aucun élément du coût fixe ne figure dans ce calcul. En effet, comme cette vente en bloc n'influe pas sur les coûts fixes, tous les revenus supplémentaires excédant les coûts variables font augmenter les bénéfices ou réduire les pertes de l'entreprise.

Les coûts variables par unité sont majorés de 15 $ pour obtenir le prix de vente. La marge sur coûts variables de la commande sera donc de 15 $ par unité. La commande étant de 200 haut-parleurs, le total de la marge sur coûts variables et le bénéfice augmenteront de 3 000 $, car les coûts fixes ne changent pas.

Si Concepts acoustiques inc. enregistrait des pertes, bon nombre de gestionnaires considéreraient la question d'un autre œil. Au lieu de se contenter d'une modeste réduction de la perte de 3 000 $, ils tenteraient d'éliminer une partie, sinon l'ensemble de la perte totale de l'entreprise, en fixant un prix plus élevé que celui proposé ci-dessus. Supposons, par exemple, que l'entreprise enregistre actuellement une perte de 6 000 $ pour le mois et que, grâce à la vente de haut-parleurs au grossiste, elle veut fixer un prix de vente suffisant pour transformer sa perte en bénéfice de 3 000 $. Dans ce contexte, le prix des 200 haut-parleurs neufs sera calculé comme suit :

Coûts variables par unité...	150 $
Plus : Perte actuelle (6 000 $ ÷ 200 unités)	30
Plus : Bénéfice souhaité (3 000 $ ÷ 200 unités)	15
Prix proposé par haut-parleur...	195 $

Les coûts variables par unité étant majorés de 45 $ (30 $ + 15 $), la marge sur coûts variables s'établira à 45 $. L'augmentation du résultat sera donc de 9 000 $ (45 $ × 200 unités) puisque les coûts fixes ne changent pas. La perte de 6 000 $ se transformera alors en bénéfice de 3 000 $ (−6 000 $ + 9 000 $), comme le souhaitaient les gestionnaires.

Ce prix de 195 $ représente une réduction substantielle par rapport au prix de vente courant par haut-parleur, qui est de 250 $. Par conséquent, autant le grossiste que l'entreprise profiteraient des avantages d'une commande en bloc à ce prix. Ce ne sera toutefois pas toujours le cas. En tentant d'éliminer toutes les pertes de l'entreprise grâce à une seule commande, un gestionnaire peut proposer un prix si élevé qu'il la perdra. En fait, à court terme, tout prix supérieur à 150 $ contribuerait à réduire les pertes.

Dans l'exemple précédent, on a supposé que la commande à prix spécial n'avait aucune incidence sur les autres clients. Cependant, il aurait pu en être autrement. En effet, ces clients pourraient exiger le prix payé par le grossiste ou opter pour un produit concurrent. Cette commande pourra, par contre, fidéliser un nouveau client qui paiera le prix courant plus tard. Ainsi, avant d'accepter ou d'écarter une commande à prix spécial, le gestionnaire devra faire preuve de prudence et considérer les incidences possibles, à court et à long terme, de ses décisions en matière de prix.

L'importance de la marge sur coûts variables

Comme nous l'avons vu dans l'introduction de ce chapitre, l'analyse CVB visera à déterminer la combinaison la plus avantageuse de coûts variables, de coûts fixes, de prix de vente et de volume des ventes. Les exemples précédents ont montré que la marge sur coûts variables doit être sérieusement considérée dans les décisions concernant le choix de cette combinaison de facteurs.

Nous avons vu qu'il est parfois possible d'augmenter les résultats en réduisant la marge sur coûts variables lorsqu'on est en mesure de diminuer les coûts fixes d'un montant plus important. Nous avons vu aussi qu'une façon courante d'accroître les résultats est d'augmenter la somme totale de la marge sur coûts variables. Pour ce faire, il sera parfois possible de réduire le prix de vente en vue d'entraîner un accroissement du volume des ventes, ou d'augmenter les coûts fixes (par exemple, le budget de la publicité), ce qui devrait aussi permettre un accroissement du volume des ventes. On peut également compenser une augmentation des coûts fixes et variables par des variations appropriées de volume. Il existe bien d'autres combinaisons possibles de ces facteurs.

L'importance du montant de la marge sur coûts variables par unité (et le ratio de la marge sur coûts variables) influe fortement sur les mesures qu'une entreprise acceptera d'adopter pour améliorer ses résultats. Par exemple, plus la marge sur coûts variables par unité liée à un produit est élevée, plus le montant que l'entreprise est prête à dépenser pour augmenter ses ventes du produit d'un pourcentage donné sera important. C'est ce qui explique, en partie du moins, pourquoi les entreprises ayant une marge sur coûts variables par unité élevée (telles que les constructeurs de véhicules automobiles) font autant de publicité, tandis que les entreprises ayant une marge sur coûts variables faible (par exemple, les fabricants de vaisselle) ont tendance à dépenser beaucoup moins dans ce domaine.

L'analyse du seuil de rentabilité

OBJECTIF 4

Calculer le seuil de rentabilité en unités et en dollars de ventes.

L'analyse CVB est parfois appelée simplement *analyse du seuil de rentabilité*. C'est regrettable, car l'analyse du seuil de rentabilité ne constitue que l'un des éléments d'une analyse CVB, bien qu'il s'agisse d'un élément important. L'analyse du seuil de rentabilité est conçue pour répondre à des questions comme celles que se posait Paul Narayan, président de Concepts acoustiques inc., concernant le niveau de ventes minimal à atteindre afin d'éviter que l'entreprise perde de l'argent.

Le calcul du seuil de rentabilité

À la page 300, nous avons défini le seuil de rentabilité comme le niveau de vente correspondant à un résultat égal à zéro. On peut calculer ce niveau à l'aide de la *méthode de l'équation* ou de l'*approche de la marge sur coûts variables* puisque les deux sont équivalentes.

La méthode de l'équation

La **méthode de l'équation** traduit l'état des résultats établi selon la méthode des coûts variables que nous avons étudiée précédemment dans ce chapitre, sous forme d'équation. On peut exprimer cette équation ainsi :

> **Méthode de l'équation**
>
> Méthode de calcul du seuil de rentabilité reposant sur l'équation Ventes = Coûts variables + Coûts fixes + Résultat.

$$\text{Résultat} = \text{Ventes} - \text{Coûts variables} - \text{Coûts fixes}$$

Lorsqu'on réorganise quelque peu ces termes, on obtient l'équation ci-après, très utilisée dans l'analyse CVB.

$$\text{Ventes} = \text{Coûts variables} + \text{Coûts fixes} + \text{Résultat}$$

Au seuil de rentabilité, le résultat est égal à zéro. Par conséquent, on peut calculer le seuil de rentabilité en déterminant le point où les ventes sont exactement égales à la somme des coûts variables et des coûts fixes. Dans le cas de Concepts acoustiques inc., on calcule le seuil de rentabilité en nombre d'unités vendues, *Q*, de la façon suivante :

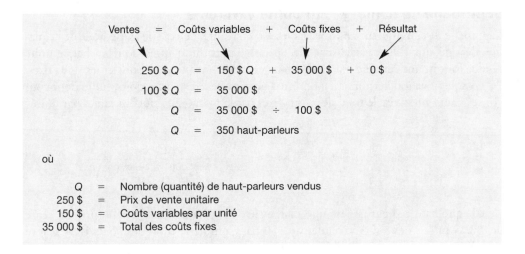

$$\text{Ventes} = \text{Coûts variables} + \text{Coûts fixes} + \text{Résultat}$$

$$250\,\$\,Q = 150\,\$\,Q + 35\,000\,\$ + 0\,\$$$
$$100\,\$\,Q = 35\,000\,\$$$
$$Q = 35\,000\,\$ \div 100\,\$$$
$$Q = 350 \text{ haut-parleurs}$$

où

Q	=	Nombre (quantité) de haut-parleurs vendus
250 $	=	Prix de vente unitaire
150 $	=	Coûts variables par unité
35 000 $	=	Total des coûts fixes

On peut aussi calculer le seuil de rentabilité en dollars de ventes en multipliant le nombre d'unités vendues au seuil de rentabilité par le prix de vente unitaire.

$$350 \text{ haut-parleurs} \times 250\,\$ = 87\,500\,\$$$

Il est également possible de calculer directement le seuil de rentabilité exprimé en dollars de ventes totales, *X*.

$$
\begin{array}{rcl}
\text{Ventes} & = & \text{Coûts variables} + \text{Coûts fixes} + \text{Résultat} \\
X & = & 0{,}60\,X + 35\,000\,\$ + 0\,\$ \\
0{,}40\,X & = & 35\,000\,\$ \\
X & = & 35\,000\,\$ \div 0{,}40 \\
X & = & 87\,500\,\$
\end{array}
$$

où

$$
\begin{array}{rcl}
X & = & \text{Ventes totales (total des ventes en dollars)} \\
0{,}60 & = & \text{Coûts variables exprimés en pourcentage des ventes} \\
35\,000\,\$ & = & \text{Total des coûts fixes}
\end{array}
$$

Ratio des coûts variables

Coefficient qui sert à exprimer le rapport entre les coûts variables et les ventes en dollars.

Remarquez que, dans l'analyse ci-dessus, on utilise le *ratio des coûts variables*. Le **ratio des coûts variables** exprime le rapport qui existe entre les coûts variables et le montant des ventes. On le calcule en divisant le total des coûts variables par le montant total des ventes en dollars ou, dans le cas d'une analyse portant sur un seul produit, en divisant le coût variable unitaire par le prix de vente unitaire.

Notons que l'utilisation de pourcentages dans cette équation donne un seuil de rentabilité en dollars de ventes plutôt qu'en unités vendues. En unités vendues, le seuil de rentabilité est :

$$
87\,500\,\$ \div 250\,\$ = 350 \text{ haut-parleurs}
$$

L'approche de la marge sur coûts variables

Approche de la marge sur coûts variables

Méthode de calcul du seuil de rentabilité dans laquelle on divise les coûts fixes par la marge sur coûts variables par unité.

L'**approche de la marge sur coûts variables** est, en réalité, dérivée de la méthode de l'équation déjà décrite. Elle est axée sur l'idée, exposée plus tôt, d'après laquelle chaque unité vendue fournit une certaine marge sur coûts variables servant à rembourser les coûts fixes.

Lorsqu'on veut déterminer le nombre d'unités que l'entreprise doit vendre pour couvrir ses coûts, on divise le total des coûts fixes par la marge sur coûts variables par unité.

$$
\text{Seuil de rentabilité en unités vendues} = \frac{\text{Coûts fixes}}{\text{Marge sur coûts variables par unité}}
$$

Chaque haut-parleur génère une marge sur coûts variables de 100 $ (prix de vente de 250 $ moins des coûts variables de 150 $). Comme le total des coûts fixes s'élève à 35 000 $, le seuil de rentabilité est le suivant :

$$
\text{Seuil de rentabilité en unités vendues} = \frac{35\,000\,\$}{100\,\$} = 350 \text{ haut-parleurs}
$$

Dans une variante de cette méthode, on utilise le ratio de la marge sur coûts variables, qui a été défini à la page 302, au lieu de la marge sur coûts variables par unité. On obtient alors le seuil de rentabilité exprimé sous forme de dollars de ventes totales plutôt que de nombre total d'unités vendues.

$$\text{Seuil de rentabilité en dollars de ventes} = \frac{\text{Coûts fixes}}{\text{Ratio de la marge sur coûts variables}}$$

Dans le cas de Concepts acoustiques inc., le calcul est le suivant:

$$\text{Seuil de rentabilité en dollars de ventes} = \frac{35\,000\ \$}{40\,\%} = 87\,500\ \$$$

Cette méthode, fondée sur le ratio de la marge sur coûts variables, s'avère très utile lorsque l'entreprise a de multiples gammes de produits et cherche à déterminer un seul seuil de rentabilité pour l'ensemble de ses activités. Nous reviendrons plus longuement sur ce sujet dans la section du chapitre intitulée «La composition des ventes» (*p. 325*).

Les relations CVB sous forme graphique

On peut exprimer sous forme graphique les relations entre les revenus, les coûts, les bénéfices et le volume des ventes en préparant un **graphique coût-volume-bénéfice**. Un graphique CVB met en évidence les interactions à plusieurs niveaux d'activité et fournit au gestionnaire une perspective difficile à obtenir autrement. Pour expliquer son analyse de la situation à Paul Narayan, M. Lavoie a décidé de préparer un graphique CVB portant sur Concepts acoustiques inc.

La préparation d'un graphique CVB

La préparation d'un graphique CVB, appelé parfois *graphique du seuil de rentabilité*, s'effectue en trois étapes, comme l'illustre la figure 7.1 (*page suivante*).
1. Tracer une droite parallèle à l'axe du volume des ventes pour représenter le total des coûts fixes. Dans le cas de Concepts acoustiques inc., ce montant est de 35 000 $.
2. Choisir un volume des ventes, et porter le point représentant le total des coûts fixes et variables au volume d'activité choisi. À la figure 7.1, M. Lavoie a choisi un volume de 600 haut-parleurs. Le total des coûts à ce volume d'activité se calcule comme suit:

Coûts fixes	35 000 $
Coûts variables (600 haut-parleurs × 150 $)	90 000
Total des coûts	125 000 $

Après avoir porté ce point sur le graphique, tracer une droite passant par ce point et rejoignant le point où la droite des coûts fixes coupe l'axe des dollars.
3. Choisir encore une fois un volume des ventes et porter le point représentant les ventes totales à ce volume d'activité. À la figure 7.1, M. Lavoie a de nouveau choisi un volume de 600 haut-parleurs, qui correspond à des ventes de 150 000 $ (600 haut-parleurs × 250 $). Tracer alors une droite passant par ce point et allant jusqu'à l'origine.

L'interprétation du graphique CVB est illustrée à la figure 7.2 (*page suivante*). On détermine le bénéfice anticipé (ou la perte anticipée) à n'importe quel niveau de ventes en

OBJECTIF 5

Préparer et interpréter un graphique coût-volume-bénéfice (CVB).

Graphique coût-volume-bénéfice

Ensemble des relations entre les revenus, les coûts et le volume d'activité dans une organisation, présenté sous forme graphique.

7

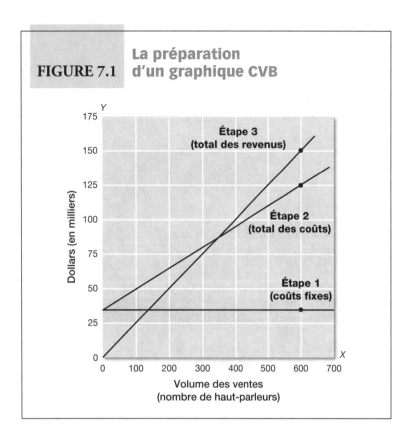

FIGURE 7.1 La préparation d'un graphique CVB

mesurant la distance verticale entre la droite du total des revenus (chiffre d'affaires) et la droite du total des coûts (coûts variables additionnés aux coûts fixes).

Le seuil de rentabilité se situe au point où les droites du total des revenus et du total des coûts se croisent. Le seuil de rentabilité de la figure 7.2 concorde avec les calculs antérieurs de Concepts acoustiques inc. concernant les 350 haut-parleurs.

Comme nous l'avons vu précédemment, lorsque les ventes se situent sous le seuil de rentabilité, c'est-à-dire en deçà de 350 unités dans le cas présent, l'entreprise enregistre une perte. Remarquez que cette perte (représentée par la distance verticale entre la droite du total des coûts et celle du total des revenus) augmente à mesure que les ventes diminuent. Lorsque les ventes se trouvent au-dessus du seuil de rentabilité, l'entreprise enregistre un bénéfice dont le montant (représenté par la distance verticale entre la droite du total des revenus et celle du total des coûts) augmente à mesure que les ventes s'accroissent.

Il est possible de représenter les relations CVB sous une autre forme. L'annexe 7B (en ligne au <www.cheneliere.ca/garrison>) expose la relation entre le volume et le bénéfice, et la façon de la représenter graphiquement.

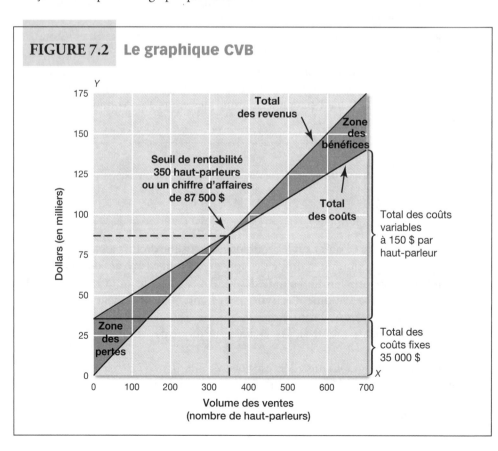

FIGURE 7.2 Le graphique CVB

L'analyse du bénéfice cible

Les formules CVB peuvent servir à déterminer le volume des ventes nécessaire pour atteindre un bénéfice cible. Supposons que M. Narayan, de Concepts acoustiques inc., souhaite obtenir un bénéfice cible de 40 000 $ par mois. Combien de haut-parleurs devrait-il vendre pour y arriver?

L'équation CVB

Pour répondre à la question précédente, une démarche possible consiste à utiliser la méthode de l'équation, dont il a été question à la page 309. Dans le cas présent, il s'agit de résoudre l'équation en fonction du nombre d'unités vendues ou à vendre, non pas lorsque le bénéfice est de zéro, mais lorsqu'il égale 40 000 $.

Ventes	=	Coûts variables	+	Coûts fixes	+	Résultat
250 $ Q	=	150 $ Q	+	35 000 $	+	40 000 $
100 $ Q	=	75 000 $				
Q	=	75 000 $	÷	100 $		
Q	=	750 haut-parleurs				

où

Q	=	Nombre (quantité) de haut-parleurs à vendre
250 $	=	Prix de vente unitaire
150 $	=	Coûts variables par unité
35 000 $	=	Total des coûts fixes
40 000 $	=	Bénéfice cible

7

Par conséquent, il est possible d'atteindre le bénéfice cible en vendant 750 haut-parleurs par mois, ce qui représente des ventes totales de 187 500 $ (250 $ × 750 haut-parleurs).

L'approche de la marge sur coûts variables

Une autre démarche consiste à utiliser l'approche de la marge sur coûts variables pour y inclure le bénéfice cible.

$$\text{Unités à vendre pour atteindre le bénéfice cible} = \frac{\text{Coûts fixes} + \text{Bénéfice cible}}{\text{Marge sur coûts variables par unité}}$$

$$= \frac{35\,000\ \$ + 40\,000\ \$}{100\ \$}$$

$$= 750 \text{ haut-parleurs}$$

Cette approche permet d'obtenir le même résultat que la méthode de l'équation puisqu'il s'agit en fait d'une version abrégée de cette méthode. De même, on peut calculer de la façon suivante le montant des ventes requis pour atteindre le bénéfice cible.

$$\text{Ventes en dollars pour atteindre le bénéfice cible} = \frac{\text{Coûts fixes} + \text{Bénéfice cible}}{\text{Ratio de la marge sur coûts variables}}$$

$$= \frac{35\,000\,\$ + 40\,000\,\$}{0,40}$$

$$= 187\,500\,\$$$

Le calcul d'un niveau cible de ventes soulève des questions semblables à celui de la détermination d'un seuil de rentabilité. Dans le cas du seuil de rentabilité, le bénéfice cible est nul. Pour tout montant de ventes cible supérieur à zéro, il suffit d'additionner le bénéfice souhaité aux coûts fixes, puisque ce bénéfice est considéré comme un autre montant fixe qu'on doit récupérer.

Le bénéfice cible net d'impôts

L'analyse précédente ne tient pas compte des impôts dans le calcul du bénéfice, de sorte qu'il s'agit en fait d'un résultat avant impôts. En général, le bénéfice cible recherché est un bénéfice net d'impôts. Dans le calcul du volume des ventes à atteindre pour réaliser un bénéfice cible net d'impôts, on devra ramener ce bénéfice à sa valeur avant impôts. En général, on calcule le bénéfice après impôts en soustrayant du bénéfice avant impôts (BAI) les impôts sur le bénéfice. Pour calculer les impôts sur le bénéfice, on se contente de multiplier le taux d'imposition (t) par le bénéfice avant impôts. Le bénéfice après impôts est égal au bénéfice avant impôts multiplié par 1, moins le taux d'imposition. On le calcule comme suit :

$$\text{Bénéfice après impôts} = \text{Bénéfice avant impôts} - \text{Impôts}$$

$$= \text{BAI} - t\,(\text{BAI})$$

d'où :

$$= \text{BAI}\,(1 - t)$$

Lorsqu'on divise les deux côtés de l'équation par $(1 - t)$, le bénéfice avant impôts est égal au bénéfice après impôts divisé par 1 moins le taux d'imposition $(1 - t)$.

$$\frac{\text{Bénéfice après impôts}}{(1 - t)} = \frac{\text{BAI}\,(1 - t)}{(1 - t)}$$

$$\frac{\text{Bénéfice après impôts}}{(1 - t)} = \frac{\text{BAI}\,\cancel{(1 - t)}}{\cancel{(1 - t)}}$$

d'où :

$$\frac{\text{Bénéfice après impôts}}{(1 - t)} = \text{BAI}$$

Dans l'exemple précédent, supposons que le taux d'imposition est de 30 %, et le bénéfice cible, de 48 000 $ après impôts. Ce bénéfice cible pourrait être atteint par la vente de 1 036 haut-parleurs. Voici la formule convenant à cette situation.

$$\frac{\text{Coûts fixes} + [\text{Bénéfice cible après impôts} \div (1 - \text{taux d'imposition})]}{\text{Marge sur coûts variables par unité}}$$

$$\frac{35\,000\,\$ + [48\,000\,\$ \div (1 - 0,30)]}{100\,\$} = 1\,036 \text{ haut-parleurs}$$

L'analyse CVB est souvent utilisée pour évaluer les résultats à venir. Ces résultats dépendent de la combinaison de plusieurs facteurs qui ne sont pas connus avec certitude au moment de l'analyse. L'analyse CVB en situation d'incertitude, dont il est question à l'annexe 7A (en ligne au <www.cheneliere.ca/garrison>), permet de tenir compte de cette combinaison de facteurs.

La marge de sécurité

La **marge de sécurité** est l'excédent des ventes prévues (ou réelles) sur les ventes correspondant au seuil de rentabilité. Elle indique le montant dont les ventes peuvent être réduites avant que l'entreprise enregistre des pertes. Plus la marge de sécurité sera grande, plus le risque de ne pas atteindre le seuil de rentabilité sera faible. La formule permettant de la calculer est la suivante :

Marge de sécurité   =   Ventes totales prévues (ou réelles)   —   Ventes au seuil de rentabilité

OBJECTIF 7
Calculer la marge de sécurité et expliquer sa signification.

Marge de sécurité

Excédent des ventes prévues (ou réelles) sur les ventes correspondant au seuil de rentabilité.

On peut aussi exprimer la marge de sécurité sous forme de pourcentage en la divisant par le total des ventes.

$$\text{Marge de sécurité en pourcentage des ventes} = \frac{\text{Marge de sécurité en dollars}}{\text{Ventes totales prévues (ou réelles)}}$$

7

Dans le cas de Concepts acoustiques inc., le calcul de la marge de sécurité s'effectue comme suit :

Ventes (au volume actuel de 400 unités), a)	100 000 $
Moins : Ventes au seuil de rentabilité (350 unités)	87 500
Marge de sécurité en dollars, b)	12 500 $
Marge de sécurité en pourcentage des ventes, b) ÷ a)	12,5 %

Cette marge de sécurité indique qu'au présent volume des ventes, si l'entreprise maintient ses prix et sa structure de coûts actuels, une réduction des ventes de 12 500 $ ou de 12,5 % la mènerait exactement au seuil de rentabilité.

Pour l'entreprise vendant un seul produit, comme Concepts acoustiques inc., on peut aussi exprimer la marge de sécurité sous la forme du nombre d'unités vendues en divisant cette marge en dollars par le prix de vente unitaire. Dans le cas qui nous intéresse, la marge de sécurité est de 50 unités (12 500 $ ÷ 250 $ par unité).

De plus, le pourcentage de marge de sécurité et le ratio de la marge sur coûts variables permettent de déterminer le pourcentage de bénéfice avant impôts.

Pourcentage du bénéfice avant impôts   =   Pourcentage de la marge de sécurité   ×   Ratio de la marge sur coûts variables

Ainsi, dans le cas de Concepts acoustiques inc., le pourcentage du bénéfice avant impôts se calcule comme suit :

$$12,5\,\% \quad \times \quad 40\,\% \quad = \quad 5\,\%$$

Le bénéfice en dollars s'élève à 5 000 $, soit 5 % $\times$ 100 000 $.

SUR LE TERRAIN

La marge de sécurité d'un restaurant

L'équation CVB peut aussi servir à déterminer la structure des coûts d'une entreprise. L'exemple ci-après sera utilisé afin d'illustrer ce point. Denise Marchand et Karine Houde sont d'anciennes camarades d'université. Elles ont ouvert, à Montréal, le restaurant À la soupe!, qui se spécialise dans les soupes maison. Le chef cuisinier mexicain embauché compte plus de 500 recettes de soupes à son actif. Pour 6 $ par portion, le client choisit entre 12 soupes maison mijotées quotidiennement, comme la bisque de homard au piment, et la soupe aux crevettes et à la coriandre. Au cours de leur première année d'exploitation, les propriétaires ont réalisé un bénéfice de 210 000 $ sur des ventes de 700 000 $. Le coût des soupes est d'environ 2 $ par portion, de sorte que les coûts variables correspondent à un tiers des ventes (2 $ de coûts ÷ prix de vente de 6 $). La marge sur coûts variables est donc de 4 $ par unité, ou 66,67 % en pourcentage des ventes. Dans ces conditions, à combien s'élèvent les coûts fixes ? On peut répondre à cette question à l'aide de la méthode de l'équation.

Ventes	=	Coûts variables	+	Coûts fixes	+	Résultat
700 000 $	=	$\left(\dfrac{1}{3} \times 700\,000\,\$\right)$	+	Coûts fixes	+	210 000 $
Coûts fixes	=	700 000 $	−	$\left(\dfrac{1}{3} \times 700\,000\,\$\right)$	−	210 000 $
	=	256 667 $				

Grâce à cette information, on peut établir que le seuil de rentabilité du restaurant À la soupe! se situe à des ventes d'environ 385 000 $ (256 667 $ ÷ 66,67 %). Un tel résultat indique que la marge de sécurité du restaurant, assez rassurante, correspond à 45 % de ses ventes [(700 000 $ − 385 000 $) ÷ 700 000 $].

Revenons sur les questions de Paul Narayan. Robert Lavoie a préparé une analyse des résultats qu'il présente à Paul au moment de la rencontre du jeudi matin.

Paul : Tout ce que tu m'as montré est assez clair, Robert. Je peux voir l'effet que les suggestions de notre directeur des ventes pourraient avoir sur nos résultats. Certaines suggestions sont pertinentes, d'autres, beaucoup moins. Je comprends aussi que notre seuil de rentabilité se situe à 350 haut-parleurs, de sorte que nous devons nous assurer que nos ventes ne descendent pas sous ce niveau. Ce qui m'embête, c'est que nous vendons seulement 400 haut-parleurs par mois en ce moment. Comment as-tu appelé le « coussin » de 50 unités ?

Robert : C'est la marge de sécurité.

Paul : Le fait que ce coussin soit si petit m'inquiète. Que pourrions-nous faire pour augmenter notre marge de sécurité ?

Robert : Nous devons augmenter nos ventes totales, diminuer notre seuil de rentabilité, ou encore combiner ces deux solutions.

Paul : Et pour abaisser notre seuil de rentabilité, il faudrait diminuer nos coûts fixes ou augmenter notre marge sur coûts variables par unité. C'est ça ?

Robert : Exactement.

Paul : Et pour augmenter notre marge sur coûts variables par unité, il faudrait augmenter notre prix de vente ou diminuer le coût variable par unité.

Robert : Tu as raison.

Paul : Dans ce cas, que suggères-tu ?

Robert : L'analyse ne nous dit pas laquelle de ces solutions il faudrait choisir. Elle indique toutefois que nous avons un problème potentiel.

Paul : Si tu n'as pas de suggestion immédiate, nous pourrions convoquer une assemblée générale la semaine prochaine afin de discuter des moyens à prendre pour augmenter notre marge de sécurité. Je suis convaincu que tout le monde se rendra compte de notre vulnérabilité à la moindre diminution des ventes.

Robert : D'accord. Ce problème concerne tout le monde. Tous auront certainement à cœur de trouver une solution.

Des considérations en matière de CVB dans le choix d'une structure de coûts

La **structure des coûts** représente la proportion relative entre les coûts fixes et les coûts variables d'une organisation. Une entreprise dispose souvent d'une certaine latitude dans le choix qu'elle peut faire entre les coûts fixes et les coûts variables. Un tel choix consiste par exemple à automatiser l'usine plutôt que d'employer de la main-d'œuvre directe.

Dans la présente section, il sera question de diverses considérations relatives au choix d'une structure de coûts. Nous étudierons d'abord la question de la structure des coûts et de la stabilité des bénéfices. Nous nous intéresserons ensuite à un important concept, connu sous le nom de *levier d'exploitation*. Enfin, nous terminerons la section en comparant les entreprises à fort investissement en capital (automatisées) et les entreprises à prédominance de main-d'œuvre au chapitre des avantages et des risques potentiels inhérents aux structures de coûts que ces entreprises ont choisies.

La structure des coûts et la stabilité des bénéfices

Lorsque le gestionnaire dispose d'une certaine latitude dans les choix qu'il peut faire entre les coûts fixes et les coûts variables, quelle structure de coûts devrait-il privilégier : des coûts variables élevés et de faibles coûts fixes, ou l'inverse ? Il est impossible de répondre à cette question de façon catégorique. Chacune des solutions comporte des avantages, selon les circonstances. Pour bien comprendre cette affirmation, examinez les états des résultats figurant ci-après de deux fermes cultivant des bleuets. D'un côté, la ferme Deschamps embauche des travailleurs pour cueillir ses fruits à la main. De l'autre, la ferme Dubois a investi dans des récolteuses ; il s'agit d'une machinerie coûteuse permettant d'automatiser la cueillette. La ferme Deschamps a donc des coûts variables plus élevés que la ferme Dubois, mais celle-ci a des coûts fixes plus importants.

	Ferme Deschamps		Ferme Dubois	
	Montant	Pourcentage	Montant	Pourcentage
Ventes	100 000 $	100 %	100 000 $	100 %
Moins : Coûts variables	60 000	60 %	30 000	30 %
Marge sur coûts variables..........	40 000	40 %	70 000	70 %
Moins : Coûts fixes......................	30 000		60 000	
Bénéfice	10 000 $		10 000 $	

Quelle ferme possède la meilleure structure de coûts ? La réponse dépendra de nombreux facteurs, y compris les tendances de ventes à long terme, les variations du niveau des ventes d'une année à une autre et l'attitude des propriétaires en matière de risques. Si l'on s'attend à ce que les ventes dépassent 100 000 $ à l'avenir, alors la ferme Dubois a sans doute une structure de coûts plus avantageuse. En effet, son ratio de la marge sur coûts variables s'avère plus élevé que celui de son concurrent. Par conséquent, ses bénéfices augmenteront plus rapidement à mesure que ses ventes s'accroîtront. Pour illustrer ce fait, supposons que chaque ferme profite d'une augmentation de ses ventes de 10 % sans que ses coûts fixes changent. Voici ce à quoi ressembleraient les nouveaux états des résultats.

	Ferme Deschamps		Ferme Dubois	
	Montant	Pourcentage	Montant	Pourcentage
Ventes	110 000 $	100 %	110 000 $	100 %
Moins : Coûts variables	66 000	60 %	33 000	30 %
Marge sur coûts variables	44 000	40 %	77 000	70 %
Moins : Coûts fixes	30 000		60 000	
Bénéfice	14 000 $		17 000 $	

La ferme Dubois connaîtrait un accroissement de bénéfice plus élevé que sa concurrente grâce à son ratio de la marge sur coûts variables plus élevé, bien que toutes deux auraient profité de la même hausse des ventes.

Qu'adviendrait-il si les ventes diminuaient sous le niveau de 100 000 $? Quel serait le seuil de rentabilité de chaque ferme ? Quelle serait la marge de sécurité de chacune ? Les calculs répondant à ces questions ont été effectués ci-après à l'aide de l'approche de la marge sur coûts variables.

	Ferme Deschamps	Ferme Dubois
Coûts fixes	30 000 $	60 000 $
Ratio de la marge sur coûts variables	÷ 40 %	÷ 70 %
Seuil de rentabilité en dollars de ventes	75 000 $	85 714 $
Ventes actuelles, a)	100 000 $	100 000 $
Moins : Seuil de rentabilité en dollars de ventes	75 000	85 714
Marge de sécurité en dollars, b)	25 000 $	14 286 $
Marge de sécurité en pourcentage des ventes, b) ÷ a)	25,0 %	14,3 %

Cette analyse indique clairement que la ferme Deschamps se montrerait moins vulnérable aux ralentissements économiques que la ferme Dubois pour deux raisons. D'abord, étant donné sa structure de coûts, la ferme Deschamps possède un seuil de rentabilité moins élevé et une plus grande marge de sécurité que sa concurrente, comme le montrent les calculs précédents. Elle ne réaliserait donc pas aussi rapidement des pertes que la ferme Dubois si les ventes diminuaient beaucoup. Ensuite, comme son ratio de la marge sur coûts variables se révèle plus bas, sa marge sur coûts variables fondra moins vite que celle de sa concurrente quand les ventes des deux fermes connaîtront la même diminution. Par conséquent, les résultats de la ferme Deschamps s'avéreront moins volatils. Nous avons vu que cette situation constitue un inconvénient lorsque les ventes augmentent. Par contre, il s'agit d'un avantage lorsque les ventes diminuent.

En résumé, on ne peut pas, sans connaître l'avenir, affirmer qu'une telle structure de coûts est la meilleure. Chacune comporte ses avantages et ses inconvénients. Avec ses coûts fixes plus élevés et ses coûts variables plus faibles, la ferme Dubois pourrait subir de plus grandes fluctuations de résultats que sa concurrente lorsqu'il y aura des variations dans les ventes, c'est-à-dire des bénéfices plus élevés dans les bonnes années et des pertes plus

Des structures de coûts différentes pour deux compagnies aériennes

Les compagnies aériennes JetBlue et United Airlines utilisent toutes deux un Airbus A320 pour assurer la liaison entre l'aéroport international Dulles, près de Washington DC, et Oakland, en Californie. L'équipage des deux avions comprend un pilote, un copilote et quatre agents de bord. Là s'arrêtent les ressemblances entre les deux sociétés. D'après des données de 2002, le pilote de la United Airlines gagnait entre 16 350 $ et 18 000 $ par mois tandis que celui de JetBlue recevait 6 800 $ par mois. Les agents de bord de United Airlines qui avaient le plus d'ancienneté gagnaient plus de 41 000 $ par année, alors que tous ceux de JetBlue étaient payés entre 16 800 $ et 27 000 $ annuellement. Principalement en raison de coûts de main-d'œuvre plus élevés, les frais d'exploitation de United Airlines pour cette liaison étaient de 60 % supérieurs à ceux de JetBlue. À cause de la vive concurrence en matière de tarifs que lui livraient JetBlue et d'autres transporteurs à bas prix, la société United Airlines a été incapable de couvrir les coûts d'exploitation de ses nombreux vols et elle s'est placée sous la protection de la loi américaine sur la faillite à la fin de 2002. Après maints efforts de réorganisation, United Airlines a cessé d'être sous la protection de la loi le 1er février 2006; le transporteur poursuit depuis son exploitation normalement. Il a annoncé sa fusion avec Continental Airlines au printemps 2010. La nouvelle société portera le nom de United Continental Holdings Inc.

Source: Susan CAREY, «Costly Race in the Sky», *The Wall Street Journal*, 9 septembre 2002, p. B1 et B3, et UNITED AIRLINES, «United and Continental Announce Merger of Equals to Create World-Class Global Airline», [Communiqué de presse], 3 mai 2010, [En ligne], <www.unitedcontinentalmerger.com/press-release> (Page consultée le 28 mai 2010).

importantes dans les mauvaises années. Par contre, en raison de coûts fixes moins élevés et de coûts variables plus importants, la ferme Deschamps aura un résultat plus stable et sera mieux protégée que sa rivale contre les pertes des mauvaises années, mais au prix d'un bénéfice moins élevé dans les années prospères.

Le levier d'exploitation

Un levier est un outil servant à multiplier la force exercée. Avec son aide, on peut déplacer un objet énorme en utilisant peu de force. En affaires, le *levier d'exploitation* fonctionne sur le même principe. Le **levier d'exploitation** est une mesure de l'élasticité des résultats par rapport à des variations du pourcentage des ventes. Il agit comme un multiplicateur. Lorsque sa valeur est élevée, une faible augmentation du pourcentage des ventes permet d'obtenir une augmentation beaucoup plus élevée du pourcentage des résultats.

Nous pouvons illustrer le levier d'exploitation en revenant aux données relatives aux deux fermes de culture du bleuet. Nous avons vu précédemment qu'une hausse de 10 % des ventes (de 100 000 $ à 110 000 $ pour chaque ferme) entraînait une augmentation du bénéfice de 70 % dans le cas de la ferme Dubois (de 10 000 $ à 17 000 $) et de 40 % seulement dans le cas de la ferme Deschamps (de 10 000 $ à 14 000 $). Par conséquent, une croissance du chiffre d'affaires de 10 % entraîne une hausse du pourcentage des bénéfices de la ferme Dubois de beaucoup supérieure à celle des bénéfices de la ferme Deschamps. La première a donc un levier d'exploitation plus important que sa concurrente.

Le **ratio du levier d'exploitation** est une mesure, à un niveau donné des ventes, de l'effet d'une variation du pourcentage du volume des ventes sur les bénéfices. On calcule ce ratio à l'aide de la formule suivante:

$$\text{Ratio du levier d'exploitation} = \frac{\text{Marge sur coûts variables}}{\text{Bénéfice}}$$

Levier d'exploitation

Mesure de l'élasticité du résultat par rapport à des variations du pourcentage des ventes.

Ratio du levier d'exploitation

À un niveau donné des ventes, mesure de l'effet d'une variation du pourcentage du volume des ventes sur les résultats; on calcule ce ratio en divisant la marge sur coûts variables par le bénéfice.

Ainsi, le ratio du levier d'exploitation des deux fermes à un niveau de ventes de 100 000 $ se calcule comme suit :

$$\text{Ferme Deschamps :} \quad \frac{40\,000\,\$}{10\,000\,\$} = 4$$

$$\text{Ferme Dubois :} \quad \frac{70\,000\,\$}{10\,000\,\$} = 7$$

Comme le ratio du levier d'exploitation de la ferme Deschamps est de quatre, son bénéfice augmentera quatre fois plus rapidement que ses ventes.

De même, le bénéfice de la ferme Dubois augmentera sept fois plus rapidement que ses ventes. Par conséquent, si les ventes augmentaient de 10 %, on pourrait s'attendre à ce que le bénéfice de la ferme Deschamps augmente de quatre fois ce pourcentage, soit de 40 % ; celui de sa concurrente augmenterait de sept fois ce pourcentage, soit de 70 %.

	Pourcentage d'augmentation des ventes a)	Ratio du levier d'exploitation b)	Pourcentage d'augmentation du bénéfice a) × b)
Ferme Deschamps......................................	10 %	4	40 %
Ferme Dubois	10 %	7	70 %

Le pourcentage d'augmentation du bénéfice représente la hausse du bénéfice par rapport au bénéfice à un niveau donné de ventes. Dans le cas de la ferme Deschamps, le bénéfice pour des ventes de 100 000 $ est de 10 000 $. Des ventes additionnelles de 10 % entraîneront un accroissement du bénéfice de 40 %, c'est-à-dire de 4 000 $ (10 000 $ × 40 %). À un autre niveau de ventes, le pourcentage d'augmentation du bénéfice sera différent.

Pourquoi le levier d'exploitation de la ferme Dubois est-il plus élevé que celui de la ferme Deschamps ? Seule la structure des coûts différencie les deux fermes. Lorsque les deux entreprises ont les mêmes ventes totales et le même montant total de coûts, mais des structures de coûts différentes, celle qui présente la proportion de coûts fixes la plus élevée dans sa structure de coûts aura un levier d'exploitation plus important. Revenons à des ventes de 100 000 $ et à un montant total de coûts de 90 000 $. Les coûts fixes représentent 30 % des coûts de la ferme Deschamps et 60 % de ceux de la ferme Dubois. Il en résulte que le ratio du levier d'exploitation de la ferme Dubois s'avère plus élevé que celui de sa concurrente[2].

Le levier d'exploitation est plus grand lorsque le niveau des ventes se rapproche du seuil de rentabilité. Le levier diminue à mesure que les ventes et les bénéfices augmentent. On peut le constater ci-après en examinant le ratio du levier d'exploitation de la ferme Deschamps à différents niveaux de ventes.

2. Pour une analyse en profondeur de l'effet de la structure des coûts sur le ratio du levier d'exploitation, consulter Richard A. LORD, « Interpreting and Measuring Operating Leverage », *Issues in Accounting Education*, vol. 10, n° 2 (automne 1995), p. 317-329.

Ventes	75 000 $	80 000 $	100 000 $	150 000 $	225 000 $
Moins: Coûts variables	45 000	48 000	60 000	90 000	135 000
Marge sur coûts variables, a)...	30 000	32 000	40 000	60 000	90 000
Moins: Coûts fixes	30 000	30 000	30 000	30 000	30 000
Bénéfice, b)	-0- $	2 000 $	10 000 $	30 000 $	60 000 $
Ratio du levier d'exploitation, a) ÷ b)	∞	16	4	2	1,5

Ainsi, une hausse de 10 % des ventes entraîne une augmentation des bénéfices de seulement 15 % (10 % $\times$ 1,5) lorsque l'entreprise atteint le niveau où ses ventes s'élèvent à 225 000 $, par rapport à 40 % pour un niveau de 100 000 $. Le ratio du levier d'exploitation continue de diminuer à mesure que l'entreprise s'éloigne de son seuil de rentabilité. Au seuil de rentabilité même, il devient infiniment élevé (30 000 $ de marge sur coûts variables ÷ 0 $ de bénéfice = ∞).

Le ratio du levier d'exploitation permet au gestionnaire d'estimer rapidement l'effet de différentes variations du pourcentage des ventes sur les résultats, sans devoir établir des états des résultats détaillés. Comme le montrent les exemples, les effets du levier d'exploitation peuvent être spectaculaires. Lorsque les revenus se situent à proximité du seuil de rentabilité de l'entreprise, même de faibles augmentations du pourcentage des ventes peuvent produire une forte croissance du pourcentage des bénéfices. *Ce résultat explique pourquoi la direction d'une entreprise est prête à travailler très fort, simplement pour parvenir à une petite augmentation du volume des ventes.* Quand le ratio du levier d'exploitation est de 5, une augmentation de 6 % des ventes se traduira par une hausse de 30 % des bénéfices. En résumé, on peut appliquer la formule ci-après pour calculer le changement attendu dans le résultat qui découle d'un changement donné dans les ventes exprimé en pourcentage. On multiplie le pourcentage de variation des ventes par le ratio du levier d'exploitation.

$$\text{Pourcentage de variation du bénéfice} = \text{Pourcentage de variation des ventes} \times \text{Ratio du levier d'exploitation}$$

L'automatisation: les risques et les avantages sous l'angle de l'analyse CVB

Dans les chapitres précédents, nous avons mentionné que différents facteurs, dont une tendance à l'adoption de systèmes de fabrication flexibles et d'autres formes d'automatisation, ont entraîné une augmentation des coûts fixes et une diminution des coûts variables dans les organisations. À son tour, ce changement dans la structure des coûts a eu un effet sur le ratio de la marge sur coûts variables, le seuil de rentabilité et le ratio du levier d'exploitation. Une partie de cet effet est favorable, mais une autre ne l'est pas, comme l'indique le tableau 7.1 (*page suivante*).

Il y a beaucoup d'avantages à tirer de l'automatisation. Toutefois, le tableau 7.1 montre clairement que certains risques apparaissent lorsqu'une entreprise accroît ses coûts fixes. Compte tenu de ces risques, la direction de l'entreprise doit être prudente dans sa démarche d'automatisation et s'assurer que ses décisions en matière d'investissement respectent une stratégie à long terme mûrement réfléchie.

TABLEAU 7.1 **Une comparaison CVB entre les entreprises à fort investissement en capital (automatisées) et les entreprises à prédominance de main-d'œuvre**

La comparaison ci-après porte sur deux entreprises rentables aux structures de coûts différentes, mais identiques sur les autres plans. Ces entreprises vendent les mêmes produits et services, ont les mêmes produits d'exploitation et les mêmes charges. L'une d'elles a choisi de s'automatiser et a fait des investissements importants dans ses installations. L'autre dépend davantage de sa main-d'œuvre. En supposant que le coût de la main-d'œuvre est variable, l'entreprise automatisée a une proportion plus élevée de coûts fixes dans sa structure de coûts que l'autre.

Élément	Entreprise automatisée	Entreprise à prédominance de main-d'œuvre	Commentaires
Le ratio de la marge sur coûts variables tend à être relativement…	Élevé	Faible	Dans une entreprise automatisée, les coûts variables ont tendance à être inférieurs à ceux d'une entreprise à prédominance de main-d'œuvre, de sorte que le ratio de la marge sur coûts variables d'un produit donné est plus élevé.
Le levier d'exploitation tend à être…	Élevé	Faible	Le levier d'exploitation est plus élevé dans l'entreprise automatisée que dans l'entreprise à prédominance de main-d'œuvre parce que dans le cas où les deux sont similaires en tout, sauf en ce qui a trait à leur structure de coûts, l'entreprise automatisée a des coûts variables moins élevés et, par conséquent, une marge sur coûts variables plus grande que l'entreprise à prédominance de main-d'œuvre.
Lorsque les ventes augmentent, le bénéfice tend à augmenter…	Rapidement	Lentement	Comme le levier d'exploitation et le ratio de la marge sur coûts variables ont tendance à être plus élevés dans l'entreprise automatisée que dans l'entreprise à prédominance de main-d'œuvre, son résultat augmente plus rapidement.
Lorsque les ventes diminuent, le bénéfice tend à diminuer…	Rapidement	Lentement	De même que le résultat augmente plus vite dans une entreprise automatisée, il diminue plus vite à mesure que les ventes diminuent.
La volatilité du bénéfice en fonction des variations des ventes tend à être…	Plus grande	Plus petite	Comme le levier d'exploitation est plus grand dans une entreprise automatisée, le résultat a tendance à être davantage influencé par la variation des ventes que dans une entreprise à prédominance de main-d'œuvre.
Le seuil de rentabilité tend à être…	Plus élevé	Moins élevé	Le seuil de rentabilité d'une entreprise automatisée a tendance à être plus élevé parce que ses coûts fixes sont plus importants, bien que ce désavantage puisse dans certains cas être compensé par un ratio de la marge sur coûts variables plus élevé que celui de l'entreprise à prédominance de main-d'œuvre.
La marge de sécurité à un niveau donné des ventes tend à être…	Plus faible	Plus élevée	La marge de sécurité d'une entreprise automatisée a tendance à être moins grande que celle de l'entreprise à prédominance de main-d'œuvre en raison de son seuil de rentabilité plus élevé.
La latitude dont dispose la direction en période économiquement difficile tend à être…	Moins grande	Plus grande	Avec des coûts fixes plus élevés, la direction de l'entreprise automatisée a moins de marge de manœuvre et dispose de moins de choix lorsque les conditions économiques changent par rapport à l'entreprise à prédominance de main-d'œuvre.

Le point d'indifférence entre une production à prédominance de main-d'œuvre et une production fortement automatisée

Nous avons vu qu'il est possible d'utiliser l'analyse coût-volume-bénéfice pour produire des informations qui guideront les décisions concernant la rentabilité de produits particuliers. L'analyse CVB permet aussi de prendre des décisions sur la rentabilité relative d'autres produits ou sur les méthodes de production. Les analyses CVB facilitent la comparaison de solutions de rechange qui présentent différentes structures de coûts fixes et variables.

Prenons comme exemple la décision de la société Gervais de lancer sur le marché un nouveau produit pouvant être fabriqué soit par un système de production à prédominance de main-d'œuvre, soit par un système de production fortement automatisé. La méthode de fabrication n'aura aucun effet sur la qualité du produit. Voici une estimation des coûts de fabrication associés à ces deux types de systèmes de production.

	Système de production à prédominance de main-d'œuvre		Système de production fortement automatisé	
Prix de vente par unité vendue...................		30,00 $		30,00 $
Matières premières...		6,00		5,00
Heures de main-d'œuvre directe (HMOD)...	0,8 HMOD à 9 $ par HMOD	7,20	0,5 HMOD à 12 $ par HMOD	6,00
Frais indirects de fabrication variables........	0,8 HMOD à 6 $ par HMOD	4,80	0,5 HMOD à 6 $ par HMOD	3,00
Coûts commerciaux variables.....................		2,00		2,00
Total des coûts variables............................		20,00		16,00
Marge sur coûts variables		10,00 $		14,00 $
Frais indirects de fabrication fixes*		1 200 000 $		2 550 000 $
Coûts commerciaux fixes...........................		600 000 $		600 000 $
Seuil de rentabilité en dollars de ventes......		5 400 000 $		6 750 000 $
Seuil de rentabilité en unités		180 000		225 000

* On peut rattacher directement ces frais à la nouvelle de gamme de produits. Ils ne seraient pas engagés si le nouveau produit n'était pas fabriqué.

Il est possible de calculer le point où la société Gervais obtiendrait le même bénéfice, qu'elle ait recours à un système de fabrication ou à l'autre. C'est le point où la société serait indifférente entre une production à prédominance de main-d'œuvre ou fortement automatisée. Voici comment calculer ce point d'indifférence.

1. Pour chaque système de production, on multiplie la marge sur coûts variables par unité par le nombre d'unités (Q), puis on soustrait le total des coûts fixes.
2. À partir de l'étape précédente, on établit l'équation du bénéfice pour chacun des deux systèmes et on les dispose de chaque côté d'un signe d'égalité.
3. On résout l'équation afin de déterminer la valeur de Q qui représente le point d'indifférence.

$$10\ \$\ Q\ -\ 1\ 800\ 000\ \$\ =\ 14\ \$\ Q\ -\ 3\ 150\ 000\ \$$$
$$4\ \$\ Q\ =\ 1\ 350\ 000\ \$$$
$$Q\ =\ 337\ 500\ \text{unités}$$

Remarquez à la deuxième ligne de l'équation que la variation de 4 $ dans la marge sur coûts variables se trouve du côté gauche de l'équation et que le montant de 1 350 000 $, placé du côté droit, représente la variation des coûts fixes. Il est donc possible de déterminer rapidement le point d'indifférence en divisant la variation des coûts fixes par la variation de la marge sur coûts variables.

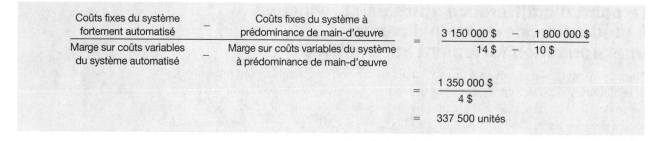

Si les ventes étaient inférieures au point d'indifférence de 337 500 unités, le système de production à prédominance de main-d'œuvre serait plus rentable que l'autre. Si les ventes dépassaient ce point, la rentabilité du système de production fortement automatisé serait plus grande, car ce dernier donne lieu à une marge sur coûts variables par unité plus élevée que l'autre système.

Les commissions sur les ventes

En général, les entreprises rémunèrent leurs vendeurs en leur versant soit une commission basée sur leurs revenus, soit un salaire auquel on ajoute une commission. Les commissions établies d'après le revenu peuvent entraîner une baisse des résultats de l'entreprise. Pour le démontrer, considérons le cas de Sports de glisse inc., un fabricant de planches à neige. Les vendeurs offrent les produits de l'entreprise à des détaillants d'articles de sport dans toute l'Amérique du Nord. Les données concernant deux planches à neige, les modèles XR7 et Turbo, se trouvent ci-dessous.

	Modèle	
	XR7	Turbo
Prix de vente	100 $	150 $
Moins : Coûts variables	75	132
Marge sur coûts variables	25 $	18 $

Quel modèle les vendeurs chercheront-ils à vendre en priorité s'ils reçoivent une commission équivalant à 10 % des revenus ? Le modèle Turbo, évidemment, puisque son prix de vente est le plus élevé des deux. Par contre, l'entreprise réaliserait de meilleurs bénéfices si le personnel de vente proposait plutôt aux clients le modèle XR7, étant donné que la marge sur coûts variables est la plus élevée.

Pour éviter ce type de conflits d'intérêts, certaines entreprises se basent sur la marge sur coûts variables plutôt que sur le chiffre d'affaires pour déterminer les commissions de leurs vendeurs. Leur raisonnement est le suivant : comme la marge sur coûts variables représente les revenus disponibles pour couvrir les coûts fixes et constituer les bénéfices, on peut maximiser la rentabilité d'une entreprise en vendant les produits ou services à plus fortes marges. En faisant dépendre leurs commissions de la marge sur coûts variables, on encourage nécessairement les vendeurs à concentrer leurs efforts sur les produits ou services les plus rentables pour l'entreprise. Dès lors, il n'est plus nécessaire de se préoccuper de la combinaison de produits proposée aux clients par les vendeurs puisque ceux-ci devraient choisir *automatiquement* celle maximisant la marge sur coûts variables totale. En fait, en maximisant leur propre intérêt, ils maximisent forcément celui de l'entreprise, si les coûts fixes ne sont l'objet d'aucun changement. Ce raisonnement ne tient compte que de l'aspect quantitatif lié à la rentabilité. Les vendeurs considéreront aussi des éléments qualitatifs et d'autres éléments quantitatifs dans l'offre de produits ou services aux clients.

La composition des ventes

Dans les sections précédentes, nous avons examiné quelques principes de l'analyse CVB et des exemples de la façon dont les gestionnaires les appliquent. Avant de conclure notre étude, il serait utile de considérer une autre application des notions que nous avons présentées, soit l'utilisation des concepts de CVB dans l'analyse de la composition des ventes.

Une définition de la composition des ventes

La **composition des ventes** désigne les proportions relatives dans lesquelles les produits d'une entreprise sont vendus. Les gestionnaires cherchent à connaître la combinaison, ou composition, qui rapportera le bénéfice le plus élevé possible. La plupart des entreprises offrent plusieurs produits mais, souvent, ils ne sont pas tous également rentables. En pareil cas, les bénéfices dépendent jusqu'à un certain point de la composition des ventes de l'entreprise. Ainsi, ils seront plus élevés quand la proportion des articles dont la marge est élevée (et non celle des articles dont la marge est faible) est plus grande à l'intérieur des ventes totales.

Les variations de la composition des ventes peuvent entraîner des fluctuations importantes, et parfois difficiles à interpréter, dans les résultats de l'entreprise. Par exemple, une variation entraînant une baisse du volume des ventes des articles à marge élevée au profit d'articles à marge faible peut produire une baisse du total des bénéfices, et ce, bien que les ventes totales augmentent. À l'inverse, une variation qui augmenterait la proportion des articles à marge élevée par rapport à celle des articles à faible marge dans la composition des ventes peut faire augmenter les bénéfices, bien que les ventes totales diminuent. Il est relativement facile d'atteindre un volume des ventes cible. Il s'avère toutefois plus difficile de vendre la combinaison d'articles la plus rentable.

La composition des ventes et l'analyse du seuil de rentabilité

Lorsque l'entreprise vend plus d'un produit, l'analyse du seuil de rentabilité devient un peu plus complexe que ce que nous avons vu précédemment dans ce chapitre. En effet, les différents produits ont des prix de vente, des coûts et des marges sur coûts variables différents. Par conséquent, le seuil de rentabilité dépendra de la combinaison des produits vendus. Prenons l'exemple de Logiculture inc., qui importe des cédéroms de France pour les ordinateurs personnels. En ce moment, cette petite entreprise distribue les produits ci-après aux détaillants : le CD *Le Louvre*, qui offre une visite virtuelle du célèbre musée d'art de Paris, et le CD *Le vin*, qui porte sur les vins et les régions vinicoles de France. Les deux produits multimédias comportent un logiciel, une bande sonore, des photos et des clips vidéo. Le tableau 7.2 (*page suivante*) présente les ventes, les coûts et le seuil de rentabilité de l'entreprise pour le mois de septembre.

L'entreprise offrant plusieurs produits déterminera son seuil de rentabilité en fonction de l'ensemble de ses produits, et non pour chaque produit pris séparément. Il peut être impossible ou peu pratique d'affecter directement les coûts fixes à un produit en particulier. On évitera de répartir de façon arbitraire les coûts fixes entre les produits pour ensuite tenter de calculer le seuil de rentabilité de chacun. On cherchera plutôt à établir le nombre d'unités à vendre ou les ventes totales à atteindre pour couvrir la totalité des coûts de l'entreprise. Pour ce faire, on utilisera la marge sur coûts variables pondérée. On divisera ensuite les coûts fixes totaux de l'entreprise par cette marge pour déterminer le seuil de rentabilité de l'entreprise. La *marge sur coûts variables pondérée* représente la somme des marges sur coûts variables de chaque produit multipliée par la proportion de chacun des produits dans les ventes totales. Pour établir cette marge, on devra connaître la composition des ventes. On pourra la calculer sous forme de pourcentage des ventes ou à l'unité.

OBJECTIF 9

Calculer le seuil de rentabilité d'une entreprise vendant plusieurs produits, et expliquer les effets de variation dans la composition des ventes sur la marge sur coûts variables et sur le seuil de rentabilité.

Composition des ventes

Proportions relatives dans lesquelles les produits d'une entreprise sont vendus ; on calcule cette composition en exprimant les ventes de chaque produit sous forme de pourcentage des ventes totales.

7

TABLEAU 7.2	**Une analyse du seuil de rentabilité effectuée lorsque plusieurs produits sont vendus**	

LOGICULTURE INC.
Résultats établis selon la méthode des coûts variables
pour le mois de septembre

	CD *Le Louvre*		CD *Le vin*		Total	
	Montant	Pourcentage	Montant	Pourcentage	Montant	Pourcentage
Ventes*......................................	20 000 $	100 %	80 000 $	100 %	100 000 $	100 %
Moins : Coûts variables	15 000	75 %	40 000	50 %	55 000	55 %
Marge sur coûts variables	5 000 $	25 %	40 000 $	50 %	45 000	45 %
Moins : Coûts fixes					27 000	
Bénéfice					18 000 $	

Calcul du seuil de rentabilité

$$\frac{\text{Coûts fixes}}{\text{Ratio de la marge sur coûts variables pondérée en pourcentage}} = \frac{27\ 000\ \$}{45\ \%} = 60\ 000\ \$$$

Vérification du seuil de rentabilité

	CD *Le Louvre*		CD *Le vin*		Total	
	Montant	Pourcentage	Montant	Pourcentage	Montant	Pourcentage
Ventes...............................	12 000 $**	100 %	48 000 $***	100 %	60 000 $	100 %
Moins : Coûts variables	9 000	75 %	24 000	50 %	33 000	55 %
Marge sur coûts variables	3 000 $	25 %	24 000 $	50 %	27 000	45 %
Moins : Coûts fixes					27 000	
Bénéfice					-0- $	

* La composition des ventes correspond à 20 % pour le CD *Le Louvre* (20 000 $ ÷ 100 000 $) et à 80 % pour le CD *Le vin* (80 000 $ ÷ 100 000 $).
** 60 000 $ × 20 % = 12 000 $
*** 60 000 $ × 80 % = 48 000 $

Supposons que le volume des ventes de Logiculture inc. totalise 25 000 unités, soit 5 000 exemplaires du CD *Le Louvre* et 20 000 exemplaires du CD *Le vin*. Voici quelques renseignements concernant chacun des cédéroms. Les ventes du CD *Le Louvre* représentent 20 % du chiffre d'affaires (5 000 unités ÷ 25 000 unités), et celles du CD *Le vin*, 80 % (20 000 unités ÷ 25 000 unités), ce qui correspond à la composition prévue.

	CD *Le Louvre*	CD *Le vin*
Prix de vente...	4,00 $	4,00 $
Moins : Coûts variables..	3,00	2,00
Marge sur coûts variables unitaire.................................	1,00 $	2,00 $
Marge sur coûts variables en pourcentage...................	25 %	50 %

Le calcul de la marge sur coûts variables pondérée est présenté ci-après.

Marge sur coûts variables pondérée en pourcentage

	Composition a)	Marge sur coûts variables b)	a) × b)
CD Le *Louvre*..	20 %	25 %	5 %
CD *Le vin*...	80 %	50 %	40 %
Marge sur coûts variables pondérée en pourcentage			45 %

Marge sur coûts variables pondérée unitaire

	Composition a)	Marge sur coûts variables b)	a) × b)
CD *Le Louvre*..	20 %	1,00 $	0,20 $
CD *Le vin*...	80 %	2,00	1,60
Marge sur coûts variables pondérée unitaire			1,80 $

Comme le montre le tableau 7.2, le seuil de rentabilité en dollars de ventes est de 60 000 $. On l'a déterminé en divisant les coûts fixes par le ratio de la marge sur coûts variables pondérée exprimée en pourcentage des ventes totales de l'entreprise, qui s'élève à 45 %. On peut aussi établir le seuil de rentabilité en unités avec la marge sur coûts variables pondérée unitaire. Dans le cas de Logiculture inc., ce seuil s'établira à 15 000 unités.

$$\text{Seuil de rentabilité en unités} = \frac{\text{Coûts fixes}}{\text{Marge sur coûts variables pondérée unitaire}} = \frac{27\ 000\ \$}{1,80\ \$} = 15\ 000\ \text{unités}$$

Logiculture inc. couvrira l'ensemble de ses coûts variables et fixes dans la mesure où ses ventes s'établiront à 60 000 $, soit 15 000 unités vendues. Elle devra donc vendre 3 000 unités du CD *Le Louvre* (15 000 × 20 %) et 12 000 unités du CD *Le vin* (15 000 × 80 %), ce qui correspond à 12 000 $ de ventes, soit 60 000 $ × 20 % ou 3 000 unités × 4 $ pour le CD *Le Louvre,* et à 48 000 $ de ventes, soit 60 000 $ × 80 % ou 12 000 unités × 4 $ pour le CD *Le vin.* Toutefois, le montant de 60 000 $ ne représente le seuil de rentabilité de l'entreprise que si la composition des ventes correspond à 20 % pour le CD *Le Louvre* et à 80 % pour le CD *Le vin. Si cette composition variait, le seuil de rentabilité varierait aussi.* C'est ce qu'indiquent les résultats du mois d'octobre, au cours duquel la composition des ventes a changé.

Ainsi, pour le mois d'octobre, le CD *Le Louvre,* moins rentable (avec un ratio de la marge sur coûts variables de seulement 25 %), représente 80 % du chiffre d'affaires (80 000 $ ÷ 100 000 $), alors que le CD *Le vin,* plus rentable (son ratio de la marge sur coûts variables est de 50 %), représente 20 % du chiffre d'affaires (20 000 $ ÷ 100 000 $). Ces résultats sont illustrés au tableau 7.3 (*page suivante*).

Bien que les ventes totales soient demeurées les mêmes à 100 000 $, la composition est exactement l'inverse de ce qu'elle était au tableau 7.2. La proportion la plus importante de ce chiffre provient désormais du CD *Le Louvre,* moins rentable que l'autre.

TABLEAU 7.3	**L'analyse du seuil de rentabilité effectuée lorsque plusieurs produits sont vendus : une variation dans la composition des ventes**

LOGICULTURE INC.
Résultats établis selon la méthode des coûts variables
pour le mois d'octobre

	CD *Le Louvre*		CD *Le vin*		Total	
	Montant	Pourcentage	Montant	Pourcentage	Montant	Pourcentage
Ventes..................................	80 000 $	100 %	20 000 $	100 %	100 000 $	100 %
Moins : Coûts variables	60 000	75 %	10 000	50 %	70 000	70 %
Marge sur coûts variables	20 000 $	25 %	10 000 $	50 %	30 000	30 %
Moins : Coûts fixes					27 000	
Bénéfice					3 000 $	

Calcul du seuil de rentabilité

$$\frac{\text{Coûts fixes}}{\text{Ratio de la marge sur coûts variables pondérée en pourcentage}} = \frac{27\,000\ \$}{30\ \%} = 90\,000\ \$$$

Dans le tableau 7.3, le seuil de rentabilité a été établi en dollars de ventes. Voici comment le calculer en unités.

Marge sur coûts variables pondérée unitaire

	Composition a)	Marge sur coûts variables b)	a) × b)
CD *Le Louvre*....................................	80 %	1,00 $	0,80 $
CD *Le vin*	20 %	2,00	0,40
Marge sur coûts variables pondérée			1,20 $

Le seuil de rentabilité en unités se calcule comme suit :

$$\text{Seuil de rentabilité en unités} = \frac{\text{Coûts fixes}}{\text{Marge sur coûts variables pondérée unitaire}} = \frac{27\,000\ \$}{1,20\ \$} = 22\,500\ \text{unités}$$

Notons que cette variation dans la composition des ventes a entraîné une baisse importante du ratio de la marge sur coûts variables pondérée et du total des bénéfices par rapport au mois précédent — le ratio a diminué, passant de 45 % en septembre à seulement 30 % en octobre, alors que la marge sur coûts variables pondérée unitaire est passée de 1,80 $

à 1,20 $, et le bénéfice, de 18 000 $ à seulement 3 000 $. En outre, avec la baisse du ratio de la marge sur coûts variables, le seuil de rentabilité de l'entreprise n'est plus de 60 000 $. Comme l'entreprise a une marge sur coûts variables pondérée moindre, il lui faut un plus gros volume des ventes pour couvrir le même montant de coûts fixes. Par conséquent, le seuil de rentabilité a augmenté, passant de 60 000 $ à 90 000 $ ou de 15 000 à 22 500 unités par mois.

Lorsqu'on effectue une analyse du seuil de rentabilité, on doit poser certaines hypothèses concernant la composition des ventes. En général, on suppose que cette composition ne variera pas. Toutefois, si les gestionnaires savent que les variations de différents facteurs (les préférences des consommateurs, la part de marché de l'entreprise, etc.) entraîneront des modifications dans la composition des ventes, ils doivent s'assurer que ces facteurs sont considérés explicitement dans tout calcul CVB. Autrement, ils risquent de prendre des décisions en se basant sur des données non valides ou erronées.

Les hypothèses de l'analyse CVB

En général, un certain nombre d'hypothèses sous-tendent une analyse CVB.
1. Le prix de vente demeure constant à l'intérieur d'un segment significatif donné. Le prix d'un produit ou d'un service ne varie pas en fonction des variations de volume.
2. Les coûts ont un comportement linéaire à l'intérieur d'un segment significatif donné. On peut les séparer avec exactitude en éléments variables et en éléments fixes. Le coût variable unitaire est constant, et le coût fixe total est aussi constant à l'intérieur d'un segment significatif donné.
3. Dans les entreprises vendant plusieurs produits, la composition des ventes ne varie pas.
4. Dans les entreprises manufacturières, les stocks ne varient pas. Le nombre d'unités produites est égal au nombre d'unités vendues. (Nous examinerons plus en détail cette hypothèse dans le prochain chapitre.)

Bien qu'en réalité, certaines de ces hypothèses ne soient pas toujours respectées, les déviations ne sont généralement pas assez graves pour que l'on remette en question la pertinence de l'analyse CVB. Par exemple, dans la plupart des entreprises vendant plusieurs produits, la composition des ventes demeure assez constante pour que les résultats de ce type d'analyse soient acceptables.

Le plus grand danger pour le gestionnaire réside peut-être dans le fait de se fier à une seule analyse CVB, surtout lorsqu'il envisage une modification importante de volume qui se situerait hors du segment significatif utilisé pour effectuer cette analyse. Ainsi, un gestionnaire pourrait considérer la possibilité d'augmenter le niveau des ventes très au-dessus de ce que l'entreprise a connu jusqu'ici, d'où des impacts possibles sur le prix de vente, le volume, la composition, les coûts fixes et variables. Toutefois, même dans de telles situations, il suffit d'ajuster le modèle, comme nous l'avons fait dans ce chapitre, pour tenir compte des variations anticipées des prix de vente, des coûts fixes et de la composition des ventes qui, autrement, ne respecteraient plus les hypothèses de base. Ainsi, lorsqu'on veut prendre une décision qui influerait sur les coûts fixes, on doit tenir compte de leur variation de façon explicite, comme le montre l'exemple de Concepts acoustiques inc., en page 303.

Résumé

L'analyse CVB est basée sur un modèle simple qui révèle comment les bénéfices réagissent aux variations de prix, de coûts et de volume. Il est possible d'utiliser ce modèle pour répondre à diverses questions importantes pour une entreprise telles que celles ayant trait à son seuil de rentabilité, à sa marge de sécurité, et à ce qui se produirait si elle apportait des changements précis à ses prix de vente, à ses coûts ou à son volume de ventes.

Un graphique CVB décrit les relations entre le volume des ventes (en unités), d'une part, et les coûts fixes, les coûts variables, le total des coûts, les ventes totales et les résultats, d'autre part. Il permet de prévoir la façon dont les coûts et les résultats réagiront à des variations dans le volume des ventes.

Le ratio de la marge sur coûts variables est le rapport entre la marge sur coûts variables totale et les ventes totales. On peut s'en servir pour estimer rapidement l'effet qu'aurait une variation des ventes totales sur le résultat. On utilise aussi ce ratio dans l'analyse du seuil de rentabilité.

Le seuil de rentabilité est le volume des ventes (en unités ou en dollars) auquel l'entreprise ne fait ni bénéfice ni perte. On peut calculer ce seuil à l'aide de différentes techniques qui sont toutes basées sur le modèle simple de la relation CVB. La même technique, légèrement modifiée, peut servir à déterminer le volume de ventes requis pour atteindre un bénéfice cible.

La marge de sécurité se définit comme le montant correspondant à l'excédent des ventes actuelles de l'entreprise sur les ventes à son seuil de rentabilité.

Le ratio du levier d'exploitation permet une estimation rapide de l'effet d'une variation d'un pourcentage de ventes donné sur le résultat de l'entreprise. Plus ce ratio est élevé, plus l'effet sur le résultat de l'organisation est important. Ce ratio n'est pas constant. Il est fonction du volume de ventes actuel de l'entreprise.

Les résultats d'une entreprise qui vend différents produits dépendent de la composition de ses ventes. Des modifications de cette composition peuvent avoir un effet sur le seuil de rentabilité, la marge de sécurité et d'autres mesures importantes pour une organisation.

7

Activités d'apprentissage

Problème de révision

Les relations CVB

La société Voltar inc. fabrique et vend un répondeur téléphonique. Voici ses résultats établis selon la méthode des coûts variables pour la période le plus récente.

	Total	Par unité	Pourcentage des ventes
Ventes (20 000 unités)	1 200 000 $	60 $	100 %
Moins : Coûts variables	900 000	45	? %
Marge sur coûts variables	300 000	15 $	? %
Moins : Coûts fixes	240 000		
Bénéfice	60 000 $		

La direction est désireuse d'accroître le rendement de l'entreprise sur le plan des bénéfices et elle a demandé plusieurs éléments d'information.

Travail à faire

1. Calculez le ratio de la marge sur coûts variables et le ratio des coûts variables de l'entreprise.
2. Calculez le seuil de rentabilité de l'entreprise en unités et en dollars à l'aide de la méthode de l'équation.
3. Supposez que les ventes augmentent de 400 000 $ au cours de la période suivante. Si les modèles de comportement des coûts demeurent les mêmes, de combien le bénéfice de l'entreprise augmentera-t-il ? Déterminez la réponse à l'aide du ratio de la marge sur coûts variables.
4. Revenez aux données de départ. Supposez que la direction veut que le bénéfice minimal de l'entreprise s'élève à 90 000 $ au cours de la période suivante. Combien d'unités l'entreprise devra-t-elle vendre pour réaliser cet objectif ?
5. Reprenez les données de départ. Calculez la marge de sécurité de l'entreprise en dollars et sous forme de pourcentage.
6. a) Calculez le ratio du levier d'exploitation de l'entreprise au niveau actuel des ventes.
   b) Supposez que, grâce à un effort supplémentaire de l'équipe de vendeurs, les ventes de l'entreprise augmentent de 8 % au cours de la prochaine période. De quel pourcentage pourrait-on s'attendre à voir le bénéfice s'accroître ? Servez-vous du concept de levier d'exploitation pour répondre à cette question.
   c) Vérifiez votre réponse en b) en préparant un nouvel état des résultats qui indique l'augmentation de 8 % des ventes.
7. Retournez à la situation de départ. Dans son effort pour accroître les ventes et les bénéfices, la direction considère la possibilité d'utiliser des haut-parleurs de qualité supérieure. Cette mesure aurait pour effet d'augmenter les coûts variables de 3 $ par unité. La direction pourrait toutefois se passer des services d'un inspecteur de la qualité, lequel reçoit un salaire annuel de 30 000 $. Selon le directeur des ventes, ce haut-parleur de qualité accroîtrait les revenus annuels d'au moins 20 %. ▶

▶ a) En supposant que les changements décrits précédemment ont lieu, préparez un état prévisionnel des résultats de la période suivante. Présentez vos données sous forme d'un total, par unité et en trois colonnes : « Total », « Par unité » et « Pourcentage des ventes ».

b) Calculez le nouveau seuil de rentabilité de l'entreprise en unités et en dollars. Servez-vous de l'approche de la marge sur coûts variables.

c) Recommanderiez-vous l'application de ces changements ?

Solution au problème de révision

1. Ratio de la marge sur coûts variables

$$\frac{\text{Marge sur coûts variables}}{\text{Prix de vente}} = \frac{15\ \$}{60\ \$} = 25\ \%$$

Ratio des coûts variables

$$\frac{\text{Coûts variables}}{\text{Prix de vente}} = \frac{45\ \$}{60\ \$} = 75\ \%$$

2.
$$\text{Ventes} = \text{Coûts variables} + \text{Coûts fixes} + \text{Résultat}$$
$$60\ \$\ Q = 45\ \$\ Q + 240\ 000\ \$ + 0\ \$$$
$$15\ \$\ Q = 240\ 000\ \$$$
$$Q = 240\ 000\ \$ \div 15\ \$$$
$$Q = 16\ 000 \text{ unités ou, à } 60\ \$ \text{ l'unité, } 960\ 000\ \$$$

Autre solution

$$X = 0,75\ X + 240\ 000\ \$ + 0\ \$$$
$$0,25\ X = 240\ 000\ \$$$
$$X = 240\ 000\ \$ \div 0,25$$
$$X = 960\ 000\ \$ \text{ ou, à } 60\ \$ \text{ l'unité, } 16\ 000 \text{ unités}$$

3.

Accroissement des ventes	400 000 $
Ratio de la marge sur coûts variables	× 25 %
Accroissement prévu de la marge sur coûts variables...........................	100 000 $

Comme on ne s'attend pas à ce que les coûts fixes changent, le bénéfice augmentera de 100 000 $, soit la hausse de la marge sur coûts variables calculée ci-dessus.

4. Méthode de l'équation

$$\text{Ventes} = \text{Coûts variables} + \text{Coûts fixes} + \text{Bénéfice}$$
$$60\ \$\ Q = 45\ \$\ Q + 240\ 000\ \$ + 90\ 000\ \$$$
$$15\ \$\ Q = 330\ 000\ \$$$
$$Q = 330\ 000\ \$ \div 15\ \$$$
$$Q = 22\ 000 \text{ unités}$$

Approche de la marge sur coûts variables

$$\frac{\text{Coûts fixes} + \text{Bénéfice cible}}{\text{Marge sur coûts variables par unité}} = \frac{240\ 000\ \$ + 90\ 000\ \$}{15\ \$} = 22\ 000 \text{ unités}$$

5. Marge de sécurité en unités

$$\text{Ventes totales} - \text{Ventes au seuil de rentabilité} = \text{Marge de sécurité en dollars}$$
$$1\ 200\ 000\ \$ - 960\ 000\ \$ = 240\ 000\ \$$$

Marge de sécurité en pourcentage des ventes

$$\frac{\text{Marge de sécurité en dollars}}{\text{Ventes totales}} = \frac{240\ 000\ \$}{1\ 200\ 000\ \$} = 20\ \%$$

6. a) Ratio du levier d'exploitation

$$\frac{\text{Marge sur coûts variables}}{\text{Bénéfice}} = \frac{300\,000\,\$}{60\,000\,\$} = 5$$

b)

Augmentation prévue des ventes..	8 %
Ratio du levier d'exploitation...	× 5
Augmentation prévue du bénéfice	40 %

c) Si les ventes augmentent de 8 %, c'est que l'entreprise aura vendu 21 600 unités (20 000 × 1,08) au cours de la prochaine période. Son nouvel état des résultats se lira comme suit :

	Total	Par unité	Pourcentage des ventes
Ventes (21 600 unités)........................	1 296 000 $	60 $	100 %
Moins : Coûts variables	972 000	45	75 %
Marge sur coûts variables...................	324 000	15 $	25 %
Moins : Coûts fixes.............................	240 000		
Bénéfice	84 000 $		

Par conséquent, le bénéfice de 84 000 $ prévu pour la prochaine période représente une augmentation de 40 % sur le bénéfice de 60 000 $ obtenu pendant la période en cours.

$$\frac{84\,000\,\$ - 60\,000\,\$}{60\,000\,\$} = 40\,\%\ \text{d'accroissement}$$

Notons que, d'après l'état des résultats précédent, l'accroissement des ventes de 20 000 à 21 600 unités a engendré une augmentation non seulement du revenu total, mais *aussi* du total des coûts variables. Le fait de ne pas tenir compte de l'augmentation des coûts variables lorsqu'on prépare un état prévisionnel des résultats est malheureusement une erreur courante.

7. a) Un accroissement de 20 % des ventes correspondrait à la vente de 24 000 unités au cours de la prochaine période (20 000 unités × 1,20).

	Total	Par unité	Pourcentage des ventes
Ventes (24 000 unités)........................	1 440 000 $	60 $	100 %
Moins : Coûts variables	1 152 000	48*	80 %
Marge sur coûts variables...................	288 000	12 $	20 %
Moins : Coûts fixes.............................	210 000**		
Bénéfice	78 000 $		

* 45 $ + 3 $ = 48 $; 48 $ ÷ 60 $ = 80 %
** 240 000 $ − 30 000 $ = 210 000 $

Notons que la variation des coûts variables par unité entraîne une variation non seulement de la marge sur coûts variables par unité, mais aussi du ratio de la marge sur coûts variables.

7

▶ b) Seuil de rentabilité en unités

$$\frac{\text{Coûts fixes}}{\text{Marge sur coûts variables par unité}} = \frac{210\,000\,\$}{12\,\$} = 17\,500 \text{ unités}$$

Seuil de rentabilité en dollars

$$\frac{\text{Coûts fixes}}{\text{Ratio de la marge sur coûts variables}} = \frac{210\,000\,\$}{20\,\%} = 1\,050\,000\,\$ \text{ de ventes}$$

c) Oui, d'après ces données, la direction devrait procéder aux changements considérés. Ils accroîtront le bénéfice de l'entreprise du niveau actuel de 60 000 $ à 78 000 $ par période. L'entreprise aura aussi un seuil de rentabilité plus élevé qu'avant (17 500 unités au lieu des 16 000 unités actuelles), mais sa marge de sécurité sera alors plus grande.

Ventes totales − Ventes au seuil de rentabilité = Marge de sécurité en dollars
1 440 000 $ − 1 050 000 $ = 390 000 $

Comme nous l'avons vu en 5), la marge de sécurité actuelle de l'entreprise s'élève à seulement 240 000 $. Par conséquent, plusieurs avantages découleront des changements proposés.

Questions

Q1 Qu'entend-on par «ratio de la marge sur coûts variables» d'un produit? En quoi ce ratio s'avère-t-il utile à la planification des activités d'une entreprise?

Q2 La voie la plus rapide pour l'analyse de données conduisant à une décision d'affaires consiste souvent à effectuer une analyse différentielle d'après les renseignements disponibles. Qu'entend-on par «analyse différentielle»?

Q3 La structure des coûts de l'entreprise A comporte principalement des coûts variables; celle de l'entreprise B est surtout constituée de coûts fixes. Dans une période où leurs ventes respectives augmentent, laquelle des entreprises aura tendance à présenter l'accroissement de bénéfice le plus rapide? Justifiez votre réponse.

Q4 Que signifie l'expression «levier d'exploitation»?

Q5 Une diminution de 10 % du prix de vente d'un produit aura le même effet sur le résultat qu'une augmentation de 10 % des coûts variables. Êtes-vous d'accord avec cette idée? Pourquoi?

Q6 Que signifie l'expression «seuil de rentabilité»?

Q7 Énumérez trois méthodes d'analyse du seuil de rentabilité. Expliquez brièvement comment on se sert de chacune.

Q8 En réponse à une demande de votre supérieur immédiat, vous avez établi un graphique CVB illustrant les caractéristiques des coûts et des revenus du produit et des activités de votre entreprise. Expliquez comment les droites du graphique et le seuil de rentabilité pourraient changer si:

a) le prix de vente par unité diminuait;

b) les coûts fixes augmentaient pour le segment significatif de l'activité illustrée par votre graphique;

c) les coûts variables par unité augmentaient.

Q9 Au lave-auto Alain, il en coûte 4 $ pour faire laver une voiture. Les coûts variables de cette activité correspondent à 15 % des ventes. Les coûts fixes s'élèvent à 1 700 $ par mois. Combien de voitures doit-on laver par mois pour que l'entreprise atteigne son seuil de rentabilité?

Q10 Qu'entend-on par «marge de sécurité»?

Q11 Les entreprises X et Y appartiennent au même secteur d'activité. L'entreprise X est fortement automatisée, tandis que l'entreprise Y compte principalement sur de la main-d'œuvre pour la fabrication de ses produits. Si les ventes et le total des coûts sont à peu près identiques pour les deux entreprises, laquelle a la plus faible marge de sécurité d'après vous? Pourquoi?

Q12 Qu'entend-on par «composition des ventes»? En général, quelle hypothèse formule-t-on concernant la composition des ventes dans une analyse CVB?

Q13 Expliquez comment une variation dans la composition des ventes peut entraîner à la fois une élévation du seuil de rentabilité et une baisse du bénéfice.

Q14 Quel serait l'effet d'un taux d'imposition de 30 % sur l'analyse CVB?

Q15 Qu'adviendrait-il à l'analyse CVB si la productivité des travailleurs augmentait?

Exercices

E1 Le seuil de rentabilité, le bénéfice cible, la marge de sécurité et le ratio de la marge sur coûts variables

Moulin inc. fabrique et vend un seul produit. Voici quelques renseignements sur les ventes et les coûts de l'entreprise pour le dernier trimestre.

	Total	Par unité
Ventes...	450 000 $	30 $
Moins: Coûts variables...............................	180 000	12
Marge sur coûts variables...........................	270 000	18 $
Moins: Coûts fixes......................................	216 000	
Bénéfice..	54 000 $	

Travail à faire

1. Quel est le seuil de rentabilité trimestriel de l'entreprise en unités vendues et en dollars?

2. Sans recourir à des calculs, déterminez la marge sur coûts variables totale associée au seuil de rentabilité.

3. Combien d'unités l'entreprise devrait-elle vendre chaque trimestre pour atteindre un bénéfice cible de 90 000 $? Servez-vous de l'approche de la marge sur coûts variables. Vérifiez votre réponse en préparant un état des résultats établi selon la méthode des coûts variables au niveau des ventes cibles.

4. Revenez aux données de départ. Calculez la marge de sécurité de l'entreprise en dollars et en pourcentage.

5. Quel est le ratio de la marge sur coûts variables de l'entreprise? Si les ventes augmentaient de 50 000 $ par trimestre et qu'il n'y avait aucun changement dans les coûts fixes, de combien le bénéfice trimestriel augmenterait-il selon vous? (Ne préparez pas d'état des résultats. Servez-vous du ratio de la marge sur coûts variables pour obtenir votre réponse.)

E2 Le seuil de rentabilité dans un organisme à but non lucratif

Le comité des Amis de l'Orchestre symphonique de Trois-Rivières planifie son dîner dansant annuel. Le comité a recueilli les renseignements ci-après concernant les coûts anticipés de cette soirée.

Repas (par personne)...	18 $
Programme (par personne)..	2
Orchestre...	2 800
Location d'une salle de bal..	900
Divertissement par des artistes professionnels pendant l'entracte............	1 000
Billets et publicité	1 300

Les membres du comité voudraient demander 35 $ par personne pour les activités de la soirée.

7

► **Travail à faire**

1. Calculez le seuil de rentabilité de ce dîner dansant, c'est-à-dire le nombre de participants qui permettrait au comité de couvrir les coûts reliés à l'organisation.
2. Supposez que, l'année précédente, seulement 300 personnes ont assisté à cette soirée. Si le nombre de participants était le même cette année, quel prix le comité devrait-il exiger par billet pour atteindre le seuil de rentabilité?
3. Revenez aux données de départ, soit 35 $ par billet. Préparez un graphique CVB pour le dîner dansant à un volume d'activité variant entre 0 et 900 billets vendus.

E3 Des variations dans les coûts variables, les coûts fixes, le prix de vente et le volume

Voici des données concernant la société Héron inc.

	Par unité	Pourcentage des ventes
Prix de vente	75 $	100 %
Moins : Coûts variables	45	60 %
Marge sur coûts variables	30 $	40 %

Les coûts fixes mensuels s'élèvent à 75 000 $, et l'entreprise vend 3 000 unités de son produit par mois.

Travail à faire

1. Selon le directeur du marketing, une hausse de 8 000 $ du budget de publicité mensuel ferait augmenter les ventes de 15 000 $ par mois. L'entreprise devrait-elle augmenter ce budget?
2. Servez-vous des données de départ. La direction considère la possibilité d'utiliser des composantes de qualité supérieure qui accroîtraient le coût variable de 3 $ par unité. Le directeur du marketing est convaincu qu'un produit de meilleure qualité ferait augmenter les ventes de 15 % par mois. L'entreprise devrait-elle utiliser les composantes de qualité supérieure?

E4 Les concepts de base de l'analyse CVB et des données manquantes

Déterminez les données manquantes dans chacun des huit cas présentés ci-dessous en traitant chacun indépendamment.

1. Supposez que, dans chacun des quatre cas ci-après, l'entreprise vend un seul produit.

Cas	Unités vendues	Ventes	Coûts variables	Marge sur coûts variables par unité	Coûts fixes	Bénéfice (Perte)
a)	15 000	180 000 $	120 000 $	? $	50 000 $	? $
b)	?	100 000	?	10	32 000	8 000
c)	10 000	?	70 000	13	?	12 000
d)	6 000	300 000	?	?	100 000	(10 000)

2. Supposez que, dans chacun des quatre cas ci-après, l'entreprise vend plus d'un produit qui permettrait au comité de couvrir les coûts reliés à l'organisation.

Cas	Ventes	Coûts variables	Marge sur coûts variables pondérée	Coûts fixes	Bénéfice (Perte)
a)	500 000 $	? $	20 %	? $	7 000 $
b)	400 000	260 000	? %	100 000	?
c)	?	?	60 %	130 000	20 000
d)	600 000	420 000	? %	?	(5 000)

E5 Le calcul du volume de ventes requis pour atteindre un bénéfice cible

La société Lyman inc. fabrique un seul produit dont le prix de vente est de 140 $, et les coûts variables, de 60 $ par unité. Les coûts fixes mensuels de l'entreprise s'élèvent à 40 000 $.

Travail à faire

1. À l'aide de la méthode de l'équation, déterminez combien d'unités devront être vendues pour obtenir un bénéfice cible avant impôts de 6 000 $.
2. À l'aide de la méthode de la marge sur coûts variables, déterminez le montant des ventes requis pour que l'entreprise obtienne un bénéfice cible avant impôts de 8 000 $.
3. Calculez le nombre d'unités que l'entreprise doit vendre pour obtenir un bénéfice cible après impôts de 7 000 $, en supposant un taux d'imposition de 30 %.

E6 Le seuil de rentabilité et la vente de plusieurs produits

Sports Olongapo inc. est le distributeur canadien de deux balles de golf haut de gamme : la Dynamique et la Grande distance. Voici les ventes mensuelles et le ratio de la marge sur coûts variables de chaque produit.

	Produit		
	Dynamique	Grande distance	Total
Ventes.......................................	150 000 $	250 000 $	400 000 $
Ratio de la marge sur coûts variables	80 %	36 %	? %

Le montant total des coûts fixes se chiffre à 183 750 $ par mois.

Travail à faire

1. Préparez un état des résultats de l'entreprise dans son ensemble. Effectuez vos calculs à une décimale près.
2. Calculez le seuil de rentabilité de l'entreprise en dollars d'après la composition actuelle de ses ventes.
3. Si les ventes augmentaient de 100 000 $ par mois, de combien le bénéfice devrait-il s'accroître selon vous ? Quelles hypothèses devez-vous poser ?

E7 Le calcul et l'utilisation du ratio du levier d'exploitation

La société Eneliko inc. installe des systèmes de cinéma maison. Voici son état des résultats établi à l'aide de la méthode des coûts variables du mois le plus récent.

7

	Montant	Pourcentage des ventes
Ventes	120 000 $	100 %
Moins : Coûts variables	84 000	70 %
Marge sur coûts variables	36 000	30 %
Moins : Coûts fixes	24 000	
Bénéfice	12 000 $	

Travail à faire

1. Calculez le ratio du levier d'exploitation de l'entreprise.
2. À l'aide de ce ratio du levier d'exploitation, estimez l'effet d'une augmentation des ventes de 10 % sur le bénéfice.
3. Pour vérifier votre estimation en 2), préparez un nouvel état des résultats de l'entreprise à l'aide de la méthode des coûts variables en supposant une augmentation de 10 % de ses ventes.

E8 Le calcul du seuil de rentabilité d'une entreprise qui fabrique plusieurs produits

La société Lachance inc. commercialise deux jeux d'ordinateur : Piste de décollage et Rançon. Voici des résultats établis à l'aide de la méthode des coûts variables pour la vente de ces deux jeux au cours du dernier mois.

	Piste de décollage	Rançon	Total
Ventes	100 000 $	50 000 $	150 000 $
Moins : Coûts variables	25 000	5 000	30 000
Marge sur coûts variables	75 000 $	45 000 $	120 000
Moins : Coûts fixes			90 000
Bénéfice			30 000 $

Travail à faire

1. Calculez le ratio de la marge sur coûts variables totale pour l'entreprise.
2. Établissez le seuil de rentabilité de l'ensemble de l'entreprise en dollars de ventes.
3. Vérifiez le seuil de rentabilité de l'ensemble de l'entreprise en préparant un état des résultats à l'aide de la méthode des coûts variables. Cet état des résultats doit présenter les volumes de ventes appropriés pour les deux produits.

Problèmes

P1 L'analyse de base CVB et un graphique

Mode chaussures inc. exploite une chaîne de magasins de chaussures pour dames. Ces magasins offrent de multiples modèles de souliers, tous vendus au même prix. Sur chaque paire de souliers vendue, le personnel de vente reçoit, en plus d'un salaire de base, une importante commission visant à encourager le dynamisme dans les efforts de vente.

Les données ci-après concernant les coûts et les revenus du magasin n° 48 représentent bien la situation des points de vente de l'entreprise.

	A	B
1		**Par paire de souliers**
2	Prix de vente	30,00 $
3		
4	Coûts variables :	
5	Coût d'achat	13,50 $
6	Commission sur les ventes	4,50
7	Total des coûts variables	18,00 $
8		
9		**Annuel**
10	Coûts fixes :	
11	Publicité	30 000 $
12	Location	20 000
13	Salaires	100 000
14	Total des coûts fixes	150 000 $
15		

Travail à faire

1. Calculez le seuil de rentabilité annuel en dollars et en unités du magasin n° 48.
2. Préparez un graphique CVB indiquant les données sur les coûts et les revenus du magasin n° 48 pour un volume d'activité variant entre 0 et 20 000 paires de souliers vendues chaque année.
3. Supposez que le magasin n° 48 vend 12 000 paires de souliers par année. Quel sera alors son bénéfice ou sa perte ?
4. L'entreprise songe à verser au gérant du magasin n° 48 une commission d'encouragement de 0,75 $ par paire de souliers vendue, en plus de la commission des vendeurs. Si elle adopte cette mesure, quel sera le nouveau seuil de rentabilité en dollars et en unités ?
5. Revenez aux données de départ. Au lieu de la mesure proposée en 4), l'entreprise songe à verser 0,50 $ de commission au gérant du magasin sur chaque paire de souliers vendue en sus du seuil de rentabilité. Si cette nouvelle mesure est adoptée, quel sera le bénéfice ou la perte du magasin pour des ventes de 15 000 paires de souliers ?
6. Utilisez les données de départ. L'entreprise songe à éliminer entièrement les commissions sur les ventes dans ses magasins et à augmenter plutôt les salaires fixes de 31 500 $ annuellement. Si ce changement était mis en application, quel serait le nouveau seuil de rentabilité en dollars et en nombre d'unités vendues pour le magasin n° 48 ? Recommanderiez-vous un tel changement ? Justifiez votre réponse.

P2 Les principes de l'analyse CVB et la structure des coûts

PEM inc. n'offre qu'un seul produit, un accessoire pour console de jeu vidéo. L'entreprise connaît des difficultés depuis quelque temps, parce que ses ventes sont irrégulières. Voici son état des résultats du dernier mois.

Ventes (19 500 unités × 30 $)	585 000 $
Moins : Coûts variables	409 500
Marge sur coûts variables	175 500
Moins : Coûts fixes	180 000
Perte	(4 500) $

Travail à faire

1. Calculez le ratio de la marge sur coûts variables de l'entreprise, et son seuil de rentabilité en unités et en dollars.
2. Selon le président de l'entreprise, une augmentation de 16 000 $ du budget de publicité mensuel, combinée à un effort accru du personnel de vente, pourrait entraîner une hausse des ventes de 80 000 $ par mois. S'il avait raison, quel serait l'effet de ces changements sur le résultat mensuel de l'entreprise ?

▶ 3. Revenez aux données de départ. Le directeur du marketing est convaincu qu'une diminution de 10 % du prix de vente, combinée à une augmentation de 60 000 $ du budget de publicité mensuel, ferait doubler le nombre d'unités vendues. À quoi ressemblerait le nouvel état des résultats après l'adoption de telles mesures ?

4. Servez-vous de nouveau des données de départ. D'après le directeur du marketing, un nouvel emballage attrayant aurait un effet positif sur les ventes de l'accessoire pour console de jeu vidéo. Toutefois, il ferait d'abord augmenter les coûts d'emballage de 0,75 $ par unité. Supposez qu'il n'y aura aucun autre changement. Combien d'unités l'entreprise devra-t-elle vendre alors chaque mois pour réaliser un bénéfice de 9 750 $?

5. Utilisez encore les données de départ. En automatisant certaines opérations, l'entreprise pourrait réduire ses coûts variables de 3 $ l'unité. Toutefois, les coûts fixes augmenteraient alors de 72 000 $ chaque mois.

   a) Calculez le nouveau ratio de la marge sur coûts variables, et le nouveau seuil de rentabilité en unités et en dollars.

   b) Supposez que l'entreprise prévoit vendre 26 000 unités le mois prochain. Préparez deux états des résultats, le premier basé sur l'hypothèse que les activités de l'entreprise ne sont pas automatisées, et le second, sur l'hypothèse qu'elles le sont.

   c) Recommanderiez-vous que l'entreprise automatise ses activités ? Justifiez votre réponse.

P3 Des hypothèses sur la composition des ventes et une analyse du seuil de rentabilité

Riz thaï inc. importe du riz thaïlandais qu'elle distribue partout au Canada. L'entreprise achète trois variétés de riz : blanc, parfumé et à grains longs. Voici quelques données prévisionnelles sur les ventes par produit et au total pour le prochain mois.

	Produit							
	Blanc		Parfumé		Grains longs		Total	
Pourcentage des ventes totales.........................	20 %		52 %		28 %		100 %	
Ventes	150 000 $	100 %	390 000 $	100 %	210 000 $	100 %	750 000 $	100 %
Moins : Coûts variables	108 000	72 %	78 000	20 %	84 000	40 %	270 000	36 %
Marge sur coûts variables..........	42 000 $	28 %	312 000 $	80 %	126 000 $	60 %	480 000	64 %
Moins : Coûts fixes......................							449 280	
Bénéfice							30 720 $	

$$\text{Seuil de rentabilité en dollars} = \frac{\text{Coûts fixes}}{\text{Ratio de la marge sur coûts variables pondérée}} = \frac{449\ 280\ \$}{0,64} = 702\ 000\ \$$$

Comme le montrent ces données, l'entreprise prévoit un bénéfice de 30 720 $ pour le mois et un seuil de rentabilité en dollars de ventes de 702 000 $.

Supposez que les ventes actuelles pour le mois représentent un total de 750 000 $ comme prévu. Ce chiffre se décompose ainsi : 300 000 $ pour le riz blanc, 180 000 $ pour le riz parfumé et 270 000 $ pour le riz à grains longs.

Travail à faire

1. Préparez un état des résultats pour le mois selon la méthode des coûts variables en utilisant les données sur les ventes actuelles.

2. Calculez le seuil de rentabilité en dollars pour le mois d'après vos données actuelles.

3. Compte tenu du fait que l'entreprise a atteint les ventes prévues de 750 000 $ pour le mois, son président est atterré par les résultats figurant dans le rapport que vous avez préparé à la question 1). Rédigez une courte note dans laquelle vous lui expliquerez pourquoi les résultats et le seuil de rentabilité sont si différents des prévisions.

P4 Les principes de l'analyse CVB

Les Amis des oiseaux inc. fabrique des nichoirs en bois haut de gamme qui se vendent 20 $ l'unité. Ses coûts variables de fabrication sont de 8 $ l'unité, et ses coûts fixes par période s'élèvent à 180 000 $.

Travail à faire

Répondez aux questions ci-après en les traitant indépendamment les unes des autres.

1. Quel est le ratio de la marge sur coûts variables du produit?

2. À l'aide du ratio de la marge sur coûts variables, déterminez le seuil de rentabilité en dollars.

3. En raison d'une augmentation de la demande, l'entreprise estime que ses ventes s'accroîtront de 75 000 $ au cours de la prochaine période. De combien le bénéfice devrait-il augmenter (ou la perte diminuer) si les coûts fixes ne varient pas?

4. Supposez que les résultats de la dernière période se présentent comme suit:

Ventes	400 000 $
Moins: Coûts variables	160 000
Marge sur coûts variables	240 000
Moins: Coûts fixes	180 000
Bénéfice	60 000 $

a) Calculez le ratio du levier d'exploitation au niveau actuel des ventes.

b) Le président prévoit une augmentation des ventes de 20 % pour la prochaine période. De quel pourcentage le bénéfice devrait-il alors augmenter?

5. Supposez que l'entreprise a vendu 18 000 nichoirs au cours de la période précédente. Le directeur du marketing est convaincu qu'une diminution de 10 % du prix de vente, combinée à une augmentation de 30 000 $ du budget de la publicité, entraînerait une hausse d'un tiers du nombre annuel d'unités vendues. Préparez deux états des résultats selon la méthode des coûts variables. Dans le premier, indiquez les résultats des activités de la période précédente et, dans le second, les résultats des activités, en supposant que ces suggestions ont été adoptées. Recommanderiez-vous à la direction d'accepter les propositions du directeur du marketing?

6. Supposez encore une fois que l'entreprise a vendu 18 000 unités au cours de la période précédente. Au lieu de modifier le prix de vente, le président voudrait augmenter les commissions sur les ventes de 1 $ par unité. Selon lui, cette mesure, combinée à une augmentation de la publicité, ferait grimper les ventes annuelles de 25 %. De quel montant pourrait-il augmenter le budget de la publicité tout en obtenant un bénéfice identique à celui de la période précédente? Servez-vous de la méthode de l'analyse différentielle.

P5 Le seuil de rentabilité et le bénéfice cible

L'Empire du chandail inc. vend une grande variété de tee-shirts et de pulls molletonnés. Son propriétaire, Steve Harvey, songe à augmenter ses ventes en engageant des élèves de l'école secondaire locale, à commission, pour vendre des pulls molletonnés arborant le nom et la mascotte de leur école. Ces pulls doivent être commandés au fabricant six semaines d'avance et ne peuvent pas lui être retournés, en raison de l'impression propre à ces pulls. Les pulls coûteraient 8 $ chacun à M. Harvey pour une commande minimale de 75 unités. Tous les pulls supplémentaires devraient être commandés par lots de 75.

▶   Comme le projet de M. Harvey ne requiert aucune installation supplémentaire, les seuls coûts relatifs à cette activité sont ceux des pulls et des commissions sur les ventes. Le prix de vente serait fixé à 13,50 $ l'unité, et les élèves recevraient une commission de 1,50 $ pour chaque pull vendu.

Travail à faire

1. Afin que le projet en vaille la peine, M. Harvey doit réaliser un bénéfice de 1 200 $ pour les trois premiers mois. À quel volume des ventes en unités et en dollars correspond ce bénéfice cible?

2. Supposez que M. Harvey se lance dans cette aventure et qu'il commande 75 pulls. Quel serait le seuil de rentabilité en nombre d'unités vendues et en dollars? Présentez vos calculs et expliquez le raisonnement justifiant votre réponse.

P6 Des questions d'interprétation relatives au graphique CVB

Un graphique CVB comme celui ci-après constitue un outil utile pour illustrer les relations entre les coûts, le volume et les bénéfices d'une organisation.

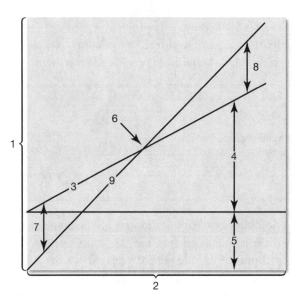

Travail à faire

1. Identifiez les éléments numérotés de ce graphique.

2. Indiquez l'effet de chacune des actions ci-après sur la droite 3, la droite 9 et le seuil de rentabilité. Dans le cas des droites 3 et 9, indiquez si chaque changement aura l'un des effets suivants:
   - Aucune variation.
   - Déplacement vers le haut.
   - Déplacement vers le bas.
   - Pente plus abrupte (c'est-à-dire rotation vers le haut).
   - Pente moins abrupte (c'est-à-dire rotation vers le bas).
   - Déplacement vers le haut *et* pente plus abrupte.
   - Déplacement vers le haut *et* pente moins abrupte.
   - Déplacement vers le bas *et* pente plus abrupte.
   - Déplacement vers le bas *et* pente moins abrupte.

   Dans le cas du seuil de rentabilité, indiquez lequel des effets ci-après aura chaque action.
   - Aucune variation.
   - Hausse.
   - Baisse.
   - Variation probable, mais direction incertaine.

Exemple: Les coûts fixes sont diminués de 5 000 $ par période.

Réponses (*voir les choix indiqués précédemment*):

Droite 3: Déplacement vers le bas.

Droite 9: Aucune variation.

Seuil de rentabilité: Baisse.

Traitez chacun de ces cas indépendamment.

a) Le prix de vente à l'unité augmente, passant de 18 $ à 20 $.

b) Les coûts variables par unité diminuent, passant de 12 $ à 10 $.

c) Les coûts fixes augmentent de 3 000 $ par période.

d) Au cours de la période, on vend 2 000 unités de plus que la quantité prévue.

e) Comme les vendeurs reçoivent une commission plutôt qu'un salaire fixe, les coûts fixes totaux diminuent de 8 000 $ par période, et les coûts variables par unité augmentent de 3 $.

f) En raison d'une hausse du coût des matières, les coûts variables et le prix de vente augmentent de 2 $ par unité.

g) Les coûts de la publicité augmentent de 10 000 $ par période, ce qui entraîne un accroissement de 10 % du nombre d'unités vendues.

h) En raison de l'automatisation d'une activité jusque-là effectuée par des travailleurs, les coûts fixes totaux augmentent de 12 000 $ par période, et les coûts variables diminuent de 4 $ par unité.

P7 La composition des ventes, le seuil de rentabilité et la marge de sécurité

Située en Gaspésie, Nouveautés marines inc. fabrique deux produits, Fantaisies de Gaspé et Joies du rocher. Voici des données sur les revenus, le volume et les coûts actuels de cette entreprise relativement à ces deux produits.

	Fantaisies de Gaspé	Joies du rocher
Prix de vente par unité	15 $	100 $
Coûts variables par unité	9 $	20 $
Nombre d'unités vendues par période	20 000	5 000

Les coûts fixes par période s'élèvent à 475 800 $.

Travail à faire

1. À partir de la composition des ventes présentée précédemment:

   a) préparez un état des résultats selon la méthode des coûts variables, avec des colonnes de calculs en dollars et en pourcentages pour chaque produit et pour l'entreprise dans son ensemble;

   b) calculez le seuil de rentabilité en dollars pour l'entreprise dans son ensemble, et la marge de sécurité en dollars et en pourcentage.

2. Un autre produit, Délice de mer, vient d'apparaître sur le marché. Supposez que l'entreprise peut en vendre 10 000 unités à 45 $ chacune. Ses coûts variables s'élèveraient à 36 $ l'unité, mais ses coûts fixes ne changeraient pas.

   a) Préparez un autre état des résultats selon la méthode des coûts variables en incluant les ventes du produit Délice de mer. (Les ventes des deux premiers produits ne changent pas.) Calculez les pourcentages à une décimale près.

   b) Calculez le nouveau seuil de rentabilité de l'entreprise en dollars, et sa nouvelle marge de sécurité en dollars et en pourcentage.

▶ 3. Après avoir examiné vos chiffres, le président de Nouveautés marines inc. vous convoque à son bureau. « Quelque chose m'étonne. Nos coûts fixes n'ont pas changé, et vous parvenez à une marge sur coûts variables totale plus élevée lorsque vous tenez compte du nouveau produit. Pourtant, vous indiquez aussi que notre seuil de rentabilité est plus élevé. Avec une marge sur coûts variables accrue, le seuil de rentabilité devrait diminuer, et non augmenter. Vous avez dû commettre une erreur quelque part. » Expliquez au président ce qui s'est passé.

P8 L'analyse de sensibilité du bénéfice et les variations dans le volume

L'an dernier, Minden inc. a lancé un nouveau produit pour lequel elle cherche à établir un prix de vente optimal. D'après certaines études de marché, l'entreprise pourrait augmenter ses ventes de 5 000 unités pour chaque réduction de 2 $ du prix de vente. Le prix de vente actuel est de 70 $ l'unité, et les coûts variables, de 40 $ l'unité. Les coûts fixes annuels s'élèvent à 540 000 $. En ce moment, le volume des ventes annuel (au prix de vente de 70 $) est de 15 000 unités.

Travail à faire

1. Quel est le bénéfice (ou la perte) par période en ce moment ?
2. Quel est le seuil de rentabilité actuel en unités et en dollars ?
3. En supposant que les études de marché sont exactes, quel bénéfice maximal l'entreprise peut-elle réaliser par période ? À quel nombre d'unités et à quel prix de vente par unité l'entreprise obtiendrait-elle ce bénéfice ?
4. Quel serait le seuil de rentabilité en unités et en dollars si le prix de vente était celui que vous avez déterminé en 3), c'est-à-dire le prix de vente correspondant au bénéfice maximal ? Pourquoi ce seuil de rentabilité est-il différent de celui que vous avez calculé en 2) ?

P9 Le graphique, l'analyse différentielle et le levier d'exploitation

Annie Simard a récemment ouvert à Montréal une boutique qui se spécialise dans les sandales à la mode, La Boutique de la sandale. Mme Simard vient d'obtenir un diplôme en commerce et elle se propose d'appliquer à son entreprise les principes qu'elle a appris pendant sa formation. Elle espère pouvoir un jour ouvrir une chaîne de boutiques de sandales. Comme première étape, elle a préparé l'analyse ci-après pour sa nouvelle boutique.

Prix de vente par paire de sandales	40 $
Moins : Coûts variables par paire de sandales	16
Marge sur coûts variables par paire de sandales	24 $
Coûts fixes par période :	
Location de l'espace	15 000 $
Amortissement du matériel	7 000
Coûts commerciaux	20 000
Charges administratives	18 000
Total des coûts fixes	60 000 $

Travail à faire

1. Combien de paires de sandales la boutique devra-t-elle vendre à chaque période pour atteindre son seuil de rentabilité ? Que représente cette quantité en dollars ?
2. Préparez un graphique CVB pour la boutique à un volume d'activité variant entre 0 et 5 000 paires de sandales vendues périodiquement. Indiquez-y le seuil de rentabilité.

3. Mme Simard a décidé qu'elle devrait réaliser un bénéfice minimal de 18 000 $ au cours de la première période pour justifier le temps et l'énergie qu'elle consacre à sa boutique. Combien de paires de sandales devra-t-elle vendre pour atteindre ce bénéfice cible ?

4. Mme Simard a engagé deux vendeurs dans sa boutique : le premier travaille à temps plein, et l'autre, à temps partiel. Elle devrait débourser un montant supplémentaire de 8 000 $ par période pour convertir l'emploi à temps partiel en un emploi à temps plein. Toutefois, Mme Simard croit que ce changement pourrait faire augmenter ses ventes de 25 000 $ périodiquement. Devrait-elle effectuer ce changement ? Utilisez la méthode de l'analyse différentielle.

5. Revenez aux données de départ. Au cours de la première période, la boutique a vendu seulement 3 000 paires de sandales et a enregistré les résultats suivants :

Ventes (3 000 paires)	120 000 $
Moins : Coûts variables	48 000
Marge sur coûts variables	72 000
Moins : Coûts fixes	60 000
Bénéfice	12 000 $

a) Quel est le ratio du levier d'exploitation de la boutique ?

b) Mme Simard est convaincue qu'avec un effort de vente plus soutenu et un programme de publicité plus original, elle pourrait augmenter ses ventes de 50 % dès l'an prochain. Quel serait le pourcentage d'augmentation du bénéfice prévu ? Servez-vous du ratio du levier d'exploitation pour effectuer ce calcul.

P10 La composition des ventes, la structure des commissions et le seuil de rentabilité

7

Carbex inc. fabrique des coutelleries en bois et en acier de qualité supérieure. L'entreprise produit un modèle courant et un modèle de luxe qu'elle vend à de grands magasins dans tout le Canada. Le modèle courant se vend 60 $, et le modèle de luxe, 75 $. Voici des données sur les coûts variables liés à chaque jeu.

	Modèle courant	Modèle de luxe
Coûts de fabrication variables	15,00 $	30,00 $
Commissions sur les ventes (15 % du prix de vente)	9,00 $	11,25 $

Les coûts fixes mensuels de l'entreprise sont les suivants :

Publicité	105 000 $
Amortissement	21 700
Charges administratives	63 000

L'entreprise rémunère ses vendeurs à la commission pour les encourager à être dynamiques dans leurs efforts de vente. La vice-présidente à l'exploitation financière, Marie Paquin, surveille les commissions sur les ventes très attentivement. Elle a remarqué qu'elles ont augmenté de façon régulière au cours de la dernière période. C'est pourquoi elle a été atterrée de constater que, même si les ventes ont augmenté, les bénéfices pour le mois en cours — le mois de mai — ont diminué de façon considérable par rapport au mois d'avril. ▶

▶ Voici quelques données concernant le nombre de coutelleries vendues pendant les deux derniers mois.

	Modèle courant	Modèle de luxe	Total
Avril	4 000	2 000	6 000
Mai	1 000	5 000	6 000

Travail à faire

1. Préparez les états des résultats du mois d'avril et du mois de mai. Complétez le tableau proposé ci-après :

	Modèle courant		Modèle de luxe		Total	
	Montant	Pourcentage	Montant	Pourcentage	Montant	Pourcentage
Ventes						
Etc.						

Calculez les pourcentages à une décimale près.

2. Expliquez pourquoi le bénéfice des deux mois est différent bien que l'entreprise ait vendu un *nombre identique* de coutelleries chaque mois.
3. Que pourrait-on faire au sujet des commissions sur les ventes pour optimiser la composition des ventes ?
4. a) À l'aide des données du mois d'avril, déterminez le seuil de rentabilité du mois en dollars.
   b) Le seuil de rentabilité du mois de mai est-il plus ou moins élevé que celui du mois d'avril ? Expliquez votre réponse sans calculer le seuil de rentabilité de mai.

P11 Diverses questions de CVB, de seuil de rentabilité, de structure des coûts et de ventes cibles

Beaujeu inc. fabrique des ballons de basket-ball. Son modèle courant se vend 25 $ et est fabriqué dans une petite usine qui dépend beaucoup de sa main-d'œuvre directe. Par conséquent, les coûts variables sont élevés et se chiffrent à un total de 15 $ par ballon.

Au cours de la dernière période, l'entreprise a vendu 30 000 ballons de ce modèle courant et a obtenu les résultats suivants :

Ventes (30 000 ballons)..	750 000 $
Moins : Coûts variables...	450 000
Marge sur coûts variables..	300 000
Moins : Coûts fixes...	210 000
Bénéfice...	90 000 $

Travail à faire

1. a) Calculez le ratio de la marge sur coûts variables et le seuil de rentabilité en nombre de ballons.
   b) Calculez le ratio du levier d'exploitation.
2. À cause d'une augmentation du salaire horaire des employés, on estime que les coûts variables augmenteront de 3 $ par ballon au cours de la prochaine période. Si ce changement se produit et que le prix de vente à l'unité demeure constant à 25 $, quels seront le nouveau ratio de la marge sur coûts variables et le nouveau seuil de rentabilité en nombre de ballons ?

3. Servez-vous des données de la question 2). Si l'augmentation des coûts variables a lieu comme prévu, combien de ballons l'entreprise devra-t-elle vendre au cours de la prochaine période pour réaliser un bénéfice égal à celui de la période précédente, soit 90 000 $?

4. Servez-vous encore une fois des données de la question 2). Selon le président de Beaujeu inc., l'entreprise devrait augmenter le prix de vente des modèles de ballons courants. Si elle veut maintenir le même ratio de la marge sur coûts variables que lors de la période précédente, quel prix de vente par ballon devra-t-elle exiger pour la prochaine période pour couvrir l'augmentation des coûts de la main-d'œuvre?

5. Revenez aux données de départ. L'entreprise étudie la possibilité de construire une usine automatisée pour fabriquer le modèle courant. Elle réduirait ainsi les coûts variables par ballon de 40 %, mais ses coûts fixes par période doubleraient. Si l'usine était construite, quels seraient le nouveau ratio de la marge sur coûts variables et le nouveau seuil de rentabilité de l'entreprise en nombre de ballons?

6. Référez-vous aux données de la question précédente.

   a) Si l'usine est construite, combien l'entreprise devra-t-elle vendre de ballons au cours de la prochaine période pour réaliser un bénéfice égal à celui de la période précédente, soit 90 000 $?

   b) Supposez que la nouvelle usine est construite et que, au cours de la période suivante, l'entreprise fabrique et vend 30 000 ballons, soit le même nombre que lors de la période précédente. Préparez un état des résultats selon la méthode des coûts variables et calculez le ratio du levier d'exploitation.

   c) Si vous aviez été membre de la haute direction de l'entreprise, auriez-vous été en faveur de la construction de l'usine? Justifiez votre réponse.

P12 Un changement dans la structure des coûts

Voici l'état des résultats du mois dernier de la société Morton.

Ventes (15 000 unités à 30 $)	450 000 $
Moins : Coûts variables	315 000
Marge sur coûts variables	135 000
Moins : Coûts fixes	90 000
Bénéfice	45 000 $

L'entreprise appartient à un secteur très sensible aux mouvements cycliques de l'économie. Par conséquent, ses résultats varient beaucoup selon la période et la conjoncture économique générale. En ce moment, l'entreprise dispose d'une grande capacité de production non utilisée et cherche des moyens d'améliorer ses bénéfices.

Travail à faire

1. L'apparition d'un nouvel équipement sur le marché devrait permettre à l'entreprise d'automatiser une partie de ses activités. Les coûts variables seraient ainsi réduits de 9 $ par unité. Toutefois, les coûts fixes s'élèveraient jusqu'à 225 000 $ par mois. Préparez deux états des résultats selon la méthode des coûts variables, le premier indiquant les activités actuelles, et le second, les activités dans l'éventualité où le nouvel équipement serait acheté. Insérez une colonne « Total », une colonne « Par unité » et une colonne « Pourcentage des ventes » dans chaque état.

2. Référez-vous aux états des résultats établis en 1). Pour chaque possibilité présentée, calculez :

   a) le ratio du levier d'exploitation;

   b) le seuil de rentabilité en dollars;

   c) la marge de sécurité en dollars et en pourcentage.

▶ 3. Référez-vous encore une fois aux données fournies en 1). À titre de gestionnaire, quel facteur vous paraîtrait primordial dans la décision concernant l'achat du nouvel équipement? (Supposez que vous disposez des sommes nécessaires pour effectuer cet achat.)

4. Reprenez les données de départ. Plutôt que d'acquérir un nouvel équipement, le président songe à modifier la méthode de commercialisation utilisée par l'entreprise. Grâce à la nouvelle méthode, les ventes augmenteraient de 20 % chaque mois, et le bénéfice s'accroîtrait d'un tiers. Les coûts fixes pourraient être réduits à seulement 48 000 $ par mois. Calculez le seuil de rentabilité de l'entreprise avec cette nouvelle méthode de commercialisation.

P13 Quelques données manquantes et l'intégration des facteurs CVB

Mirmen inc., une organisation bien connue et en pleine croissance, vient de vous engager. Votre première tâche consiste à effectuer une analyse portant sur un produit de l'entreprise pour la réunion du conseil d'administration qui aura lieu en fin de journée. Après avoir terminé cette analyse, vous vous absentez de votre bureau pendant quelques minutes pour découvrir, en revenant, qu'un gicleur défectueux a endommagé votre ordinateur et des documents que vous aviez imprimés. Voici tout ce qu'il reste de ces documents.

MIRMEN INC.
État des résultats réels
du mois terminé le 30 juin

	Total	Par unité	Pourcentage
Ventes (? unités)	? $	? $	100 %
Moins: Coûts variables	?	?	? %
Marge sur coûts variables	?	? $	? %
Moins: Coûts fixes	?		
Résultat	? $		
Seuil de rentabilité:			
en unités	? unités		
en dollars	180 000 $		
Marge de sécurité:			
en dollars	? $		
en pourcentage	20 %		
Ratio du levier d'exploitation	?		

Les données précédentes sont basées sur les résultats réels du mois de juin. Voici l'état *prévisionnel* des résultats de l'entreprise pour ce produit, pour le mois de juillet.

MIRMEN INC.
État prévisionnel des résultats
du mois terminé le 31 juillet

	Total	Par unité	Pourcentage
Ventes (33 000 unités)	? $	? $	? %
Moins: Coûts variables	?	?	? %
Marge sur coûts variables	?	? $	? %
Moins: Coûts fixes	?		
Bénéfice	40 500 $		

Pour empirer la situation, l'ordinateur central de l'entreprise est en panne, de sorte que vous ne pouvez obtenir aucune donnée de cette source. Toutefois, vous vous rappelez que, selon les prévisions, les ventes de juillet devraient augmenter de 10 % par rapport à celles de juin. De plus, d'après vos souvenirs, le bénéfice du mois de juin s'élevait à 27 000 $. Enfin, vous savez que le ratio du levier d'exploitation est un outil de prévision très utile au gestionnaire.

Il est prévu que le total des coûts fixes, le prix de vente par unité et les coûts variables par unité seraient les mêmes en juillet qu'en juin.

Le conseil d'administration se réunit dans une heure.

Travail à faire

1. Pour les données du mois de juin, effectuez les tâches suivantes :
   a) Remplissez les trois colonnes de l'état des résultats du mois de juin.
   b) Calculez le seuil de rentabilité en unités et le seuil de rentabilité en dollars.
   c) Évaluez la marge de sécurité en dollars et en pourcentage des ventes.
   d) Calculez le ratio du levier d'exploitation en date du 30 juin.
2. Pour les données du mois de juillet, effectuez les tâches suivantes :
   a) Remplissez les trois colonnes de l'état prévisionnel des résultats du mois de juillet.
   b) Calculez la marge de sécurité en dollars et en pourcentage, ainsi que le ratio du levier d'exploitation. Pourquoi la marge de sécurité a-t-elle augmenté alors que le ratio du levier d'exploitation a diminué ?
3. Ayant repris confiance en vous après avoir effectué les tâches énumérées en 1) et en 2) en moins d'une heure, vous décidez de fournir au conseil d'administration quelques données supplémentaires. Vous savez que la main-d'œuvre directe représente 1,80 $ des coûts variables par unité de l'entreprise. Vous avez aussi appris que les coûts de la main-d'œuvre directe pourraient augmenter d'un tiers au cours de la prochaine période. Supposez que cette hausse des coûts se concrétise sans que le prix de vente et d'autres coûts changent. Combien d'unités l'entreprise devra-t-elle vendre en un mois pour réaliser un bénéfice égal à 20 % de ses ventes ?

P14 L'analyse du seuil de rentabilité et l'analyse de sensibilité

Au cours de la dernière période, Tour inc. a vendu 32 000 unités du seul produit qu'elle fabrique.

Ventes		800 000 $
Moins :		
Coûts variables	480 000 $	
Coûts fixes	150 000	630 000
Bénéfice avant impôts		170 000
Moins : Impôts (45 %)		76 500
Bénéfice		93 500 $

L'entreprise envisage la possibilité d'améliorer son produit au cours de la prochaine période en remplaçant l'un de ses composants qui coûte 3,50 $ par une nouvelle pièce plus solide dont le coût est de 5,50 $ par unité. De plus, pour augmenter la capacité de production de l'usine, l'entreprise devra se procurer une nouvelle machine au coût de 18 000 $. La durée de vie utile du matériel est de six ans, mais il n'a aucune valeur résiduelle. Tour inc. procède à l'amortissement linéaire pour toutes ses immobilisations dans ses rapports financiers et ses déclarations fiscales.

Travail à faire

1. Quel était le seuil de rentabilité de l'entreprise, en nombre d'unités vendues, au cours de la dernière période ?
2. Combien d'unités de produit l'entreprise aurait-elle dû vendre au cours de la dernière période pour réaliser un bénéfice après impôts de 99 000 $?

▶ 3. Supposez que l'entreprise maintient son prix de vente constant et effectue les changements proposés. Combien d'unités de son produit devra-t-elle alors vendre au cours de la prochaine période pour atteindre son seuil de rentabilité ?

4. Admettez que l'entreprise maintient son prix de vente constant et effectue les changements proposés. Combien d'unités de son produit devra-t-elle alors vendre pour réaliser le même bénéfice après impôts que lors de la période précédente ?

5. Supposez que l'entreprise souhaite maintenir le même ratio de la marge sur coûts variables après la mise en application des changements proposés. Quel prix de vente par unité devra-t-elle alors demander au cours de la prochaine période pour couvrir l'augmentation des coûts des composants ?

(Adaptation d'un problème de l'Association des comptables généraux accrédités du Canada)

P15 Des variations des coûts fixes et variables, le seuil de rentabilité et l'analyse du bénéfice cible

La société Dernier Cri inc. fabrique et vend des produits très en vogue destinés au marché des préadolescents. Elle souhaite vivement fabriquer et vendre un nouveau produit qui vient d'apparaître sur le marché. Son usine possède la capacité nécessaire pour en fabriquer 30 000 unités chaque mois. Les coûts variables de fabrication et de vente seraient de 1,60 $ par unité. Les coûts fixes s'élèveraient à 40 000 $ par mois.

Le service de marketing prévoit que la demande de ce produit dépassera les 30 000 unités que l'entreprise peut fabriquer. Or, il serait possible de louer une capacité de production supplémentaire d'une autre entreprise à un coût fixe de 2 000 $ par mois. Les coûts variables des installations louées se chiffreraient au total à 1,75 $ par unité parce que les activités y seraient un peu moins efficientes que dans l'usine principale. Le produit se vendrait 2,50 $ l'unité.

Travail à faire

1. Calculez le seuil de rentabilité mensuel de ce nouveau produit en unités et en dollars.
2. Combien d'unités l'entreprise devrait-elle vendre chaque mois pour réaliser un bénéfice mensuel de 9 000 $?
3. Si le directeur du marketing reçoit une prime de 15 cents sur chaque unité vendue au-delà du seuil de rentabilité, combien d'unités l'entreprise devra-t-elle vendre chaque mois pour obtenir un taux de rendement de 25 % sur son investissement mensuel en coûts fixes ?

P16 Des variations dans la structure des coûts, une analyse de rentabilité et le point d'indifférence

La société Sanzot inc. fabrique en ce moment un nouveau produit qui engendre les coûts suivants :

Matières premières par unité...................................	6 $
Main-d'œuvre directe par unité.............................	0,8 HMOD à 15 $ par HMOD
Frais indirects de fabrication variables par unité	2/3 des coûts de la main-d'œuvre directe
Frais indirects de fabrication fixes.........................	1 200 000 $
Coûts commerciaux et charges administratives	2 000 000 $
Prix de vente par unité	40 $
Coûts commerciaux variables par unité................	2 $

Selon le directeur de la production, il serait possible de faire des économies en automatisant l'usine. Voici les changements qu'on observerait dans les coûts si la société avait recours à cette mesure.

Matières premières par unité..................................	5,50 $
Main-d'œuvre directe par unité............................	0,5 HMOD à 20 $ par HMOD
Frais indirects de fabrication variables par unité....	1/2 des coûts de la main-d'œuvre directe
Frais indirects de fabrication fixes..........................	1 600 000 $

Il n'y aurait aucun changement dans les autres coûts ni dans le prix de vente.

Travail à faire

1. Calculez le seuil de rentabilité du nouveau produit en unités si la société Sanzot inc. utilise :
   a) la méthode actuelle de production ;
   b) une méthode de production automatisée.
2. Calculez le nombre d'unités vendues annuellement pour lequel l'entreprise pourrait indifféremment employer l'une ou l'autre méthode de fabrication. Si la demande dépassait ce nombre, laquelle des deux méthodes de production devrait-on employer ?
3. Déterminez quatre facteurs que la société Sanzot inc. pourrait considérer avant de choisir soit la méthode actuelle de production, soit la méthode automatisée.

(Adaptation d'un problème de l'Association des comptables généraux accrédités du Canada)

P17 Des changements dans la structure des coûts, une analyse du seuil de rentabilité et le bénéfice cible

La société Wallot inc. envisage la possibilité de remplacer une de ses machines par un nouvel équipement plus rapide et pouvant fabriquer un produit plus fiable (qui présente une meilleure tolérance). Comme ce changement permettrait à la société Wallot inc. de produire un article de qualité supérieure, elle pourrait augmenter son prix de vente. Il y aurait une hausse des coûts fixes, mais non des coûts variables. Voici une estimation des coûts et des revenus associés à ce changement.

	Ancienne machine	Nouvelle machine
Coûts fixes mensuels	120 000 $	250 000 $
Coûts variables par unité.......................................	14 $	14 $
Prix de vente par unité	18 $	20 $

Travail à faire

1. Déterminez le seuil de rentabilité des deux machines en nombre d'unités.
2. Calculez le volume des ventes en unités auquel la nouvelle machine atteindrait un ratio cible bénéfice / ventes de 10 %. (Ne tenez pas compte des impôts.)
3. Évaluez le volume de ventes auquel les bénéfices seraient les mêmes, qu'on utilise l'ancienne ou la nouvelle machine.
4. Évaluez des deux machines représente le risque le moins élevé si la demande est incertaine ? Expliquez votre réponse.

(Adaptation d'un problème de l'Association des comptables généraux accrédités du Canada)

P18 Le seuil de rentabilité, la méthode des points extrêmes et le résultat net après impôts

La compagnie LeProha inc., qui fabrique et vend un seul produit, fait rapport de ce qui suit pour la période terminée le 31 décembre 20X9.

COMPAGNIE LEPROHA INC.
État des résultats
de la période terminée le 31 décembre 20X9

Ventes (16 000 unités)..		400 000 $
Moins : Coût des ventes :		
Matières premières utilisées	64 000 $	
Main-d'œuvre directe	96 000	
Frais indirects de fabrication*	92 000	252 000
Marge brute		148 000
Moins : Charges opérationnelles :		
Coûts commerciaux*	26 000	
Charges administratives fixes.....................................	30 000	56 000
Bénéfice avant impôts		92 000 $

* Fixes et variables

À un niveau de ventes de 20 000 unités au même prix de vente, la marge de sécurité est de 291 650 $, les frais indirects de fabrication sont de 100 000 $ et les coûts commerciaux sont de 30 000 $.

Travail à faire

1. Déterminez le seuil de rentabilité en dollars et en unités.
2. Formulez l'équation des frais indirects de fabrication fixes et variables.
3. Formulez l'équation des coûts commerciaux fixes et variables.
4. Calculez le nombre d'unités à vendre si l'entreprise veut obtenir un bénéfice avant impôts de 125 000 $.
5. Quel est le niveau des ventes en dollars lorsqu'il y a des ventes de 20 000 unités?
6. Sans faire un état des résultats, établissez à combien s'élève le bénéfice avant impôts au niveau de ventes de 20 000 unités?
7. Si l'impôt représente habituellement 25 % du montant de bénéfice avant impôts, quel serait le bénéfice après impôts au niveau de ventes de 20 000 unités? au niveau de ventes de 16 000 unités?

P19 Deux produits, le seuil de rentabilité, les scénarios et l'équation

La compagnie Pelchat inc. fabrique et vend deux produits. En 20X9, ces deux produits ont les prix de vente, la structure de coûts et les quantités de ventes suivants :

	Produit A	Produit B
Prix de vente unitaire	10,00 $	20,00 $
Coûts variables unitaires	7,25 $	12,00 $
Unités vendues au cours de l'année 20X9	10 000	25 000

Les coûts fixes annuels en 20X9 de la compagnie Pelchat inc. sont de 110 000 $.

Travail à faire

1. Sans faire un état des résultats, déterminez le bénéfice avant impôts pour l'année 20X9.
2. Déterminez la marge sur coûts variables moyenne de Pelchat inc. pour l'année 20X9.

3. Calculez le seuil de rentabilité en 20X9 pour l'ensemble de la compagnie et détaillez-le par produit.
4. Si la compagnie envisage d'améliorer la fabrication du produit A et d'économiser ainsi 10 % sur ses coûts variables, le seuil de rentabilité sera-t-il affecté? Si oui, veuillez le recalculer par produit.
5. Il y a possibilité d'augmenter les ventes du produit B en établissant une campagne de publicité dynamique. En investissant un montant de 50 000 $ en publicité, la compagnie espère réaliser une augmentation des ventes du produit B. Le seuil de rentabilité serait-il modifié? Si oui, recalculez-le par produit. (Considérez cette question indépendamment de la question précédente.)
6. Avec cette campagne de publicité dynamique (*voir la question 5)*), si l'entreprise veut réaliser un bénéfice avant impôts de 20 % des ventes, quelle sera la quantité du produit B à vendre si les ventes du produit A restent au volume de 20X9, soit 10 000 unités?

Cas

C1 La structure des coûts, le seuil de rentabilité et le bénéfice cible

Pittman inc. est une petite entreprise de fabrication de matériel de télécommunication en plein essor. Elle ne dispose d'aucun personnel de vente et compte entièrement sur des agents de vente indépendants pour commercialiser ses produits. Ces agents reçoivent une commission de 15 % sur le prix de vente de chaque article.

Voici l'état prévisionnel des résultats de la prochaine période, tel que l'a préparé Barbara Chênevert, comptable de l'entreprise.

PITTMAN INC.
État prévisionnel des résultats
de la période terminée le 31 décembre

Ventes		16 000 000 $
Moins: Coûts de fabrication:		
Variables	7 200 000 $	
Fixes	2 340 000	9 540 000
Marge brute		6 460 000
Moins: Coûts commerciaux et charges administratives:		
Commissions des agents	2 400 000	
Coûts fixes de vente	120 000*	
Coûts fixes d'administration	1 800 000	4 320 000
Bénéfice d'exploitation		2 140 000
Moins: Charges financières fixes		540 000
Bénéfice avant impôts		1 600 000
Moins: Impôts (30 %)		480 000
Bénéfice		1 120 000 $

* Principalement l'amortissement des installations d'entreposage

En présentant son rapport à Carl Valois, président de Pittman inc., Mme Chênevert a eu avec lui la conversation qui suit:

Barbara: J'ai préparé cet état des résultats en utilisant un pourcentage de commission de 15 % pour les agents de vente. Je viens toutefois d'apprendre qu'ils refusent de vendre nos produits à partir de la prochaine période si nous n'augmentons pas ce taux à 20 %.

Carl: Ça, c'est un comble! Ces gens en demandent toujours plus. Cette fois, ils ont dépassé les bornes. Comment peuvent-ils justifier une telle hausse?

► **Barbara :** Selon eux, après avoir payé la publicité, les frais de déplacement et les autres frais de promotion, il ne leur reste aucun profit.

Carl : C'est du vol manifeste ! Il est temps de mettre un terme à notre entente avec eux et de nous doter de notre propre personnel de vente. Pourriez-vous demander à vos employés de préparer quelques données sur les coûts, que nous pourrions consulter ?

Barbara : C'est déjà fait. Nous connaissons quelques entreprises qui versent une commission de 7,5 % à leur propre personnel de vente combinée à un modeste salaire. Naturellement, nous devrions aussi payer tous les frais de promotion. D'après nos calculs, nos coûts fixes augmenteraient de 2 400 000 $ par an. Ce montant serait toutefois amplement compensé par l'économie des 3 200 000 $ (soit 20 % × 16 000 000 $) que toucheraient les agents sous forme de commissions. Voici comment se décompose ce montant de 2 400 000 $.

Salaires :	
Directeur des ventes..	100 000 $
Vendeurs..	600 000
Déplacements et représentation......................................	400 000
Publicité...	1 300 000
	2 400 000 $

Carl : Magnifique ! Je constate d'ailleurs que ce montant de 2 400 000 $ correspond exactement à ce que nous versons actuellement aux agents de vente sous forme de commissions au taux de 15 %.

Barbara : Attendez, il y a mieux ! Nous pourrions encore économiser 75 000 $ par période. C'est le montant que nous payons à nos auditeurs pour vérifier les rapports de nos agents, mais nous n'aurons plus besoin de ces services. Par conséquent, nos charges administratives devraient diminuer.

Carl : Mettez tous ces chiffres sur papier. Nous les présenterons au conseil de direction demain. Avec l'approbation du conseil, nous pourrons aller immédiatement de l'avant.

Travail à faire

1. Calculez, en dollars, le seuil de rentabilité de Pittman inc. de la prochaine période, en supposant :
   a) que la commission des agents demeure inchangée à 15 % ;
   b) que cette commission augmente à 20 % ;
   c) que l'entreprise emploie son propre personnel de vente.

2. Supposez que l'entreprise décide de continuer à retenir les services d'agents de vente et de payer une commission de 20 %. Déterminez le volume des ventes requis pour qu'elle réalise le même bénéfice que celui figurant à l'état prévisionnel des résultats de la prochaine période.

3. Déterminez à quel volume des ventes le bénéfice resterait le même, que l'entreprise emploie des agents (à une commission de 20 %) ou son propre personnel de vente.

4. Calculez le ratio du levier d'exploitation auquel l'entreprise devrait s'attendre en date du 31 décembre, à la fin de la prochaine période, en supposant :
   a) que la commission des agents demeure à 15 % ;
   b) que la commission des agents est augmentée jusqu'à 20 % ;
   c) que l'entreprise emploie son propre personnel de vente.
   (Utilisez le bénéfice *avant* impôts pour le calcul du ratio du levier d'exploitation.)

5. En vous basant sur les données des quatre questions précédentes, formulez une recommandation concernant la décision de l'entreprise au sujet de l'emploi d'agents de vente (à une commission de 20 %) ou de l'emploi de son propre personnel de vente. Justifiez votre réponse.

(Adaptation d'un problème de la Société des comptables en management du Canada)

C2 Un état des résultats détaillé et une analyse de sensibilité CVB

Voici le dernier état des résultats de la société Motleau inc.

MOTLEAU INC.
État des résultats
de la période terminée le 31 décembre

Ventes (45 000 unités à 10 $).............................			450 000 $
Moins : Coûts des ventes :			
Matières premières		90 000 $	
Main-d'œuvre directe		78 300	
Frais indirects de fabrication		98 500	266 800
Marge brute			183 200
Moins : Charges opérationnelles :			
Coûts commerciaux :			
Variables :			
Commissions sur les ventes.................	27 000 $		
Expédition...	5 400	32 400	
Fixes (publicité et salaires).........................		120 000	
Charges administratives :			
Variables (facturation et autres)		1 800	
Fixes (salaires et autres)		48 000	202 200
Perte			(19 000) $

Tous les coûts variables de l'entreprise varient en fonction des unités vendues, sauf les commissions, qui sont basées sur un pourcentage des ventes. Les frais indirects de fabrication variables sont de 0,30 $ par unité. Il n'y a ni stock au début ni stock à la fin. La capacité de production de l'usine est de 75 000 unités par an.

L'entreprise enregistre des pertes depuis quelques années. La direction étudie différentes lignes de conduite possibles qui lui permettraient de rentabiliser la prochaine période.

Travail à faire

1. Refaites l'état des résultats de l'entreprise sur le modèle des états des résultats établis selon la méthode des coûts variables. Incluez-y une colonne intitulée « Total » et une autre intitulée « Par unité ». Laissez assez d'espace à droite de vos chiffres pour pouvoir indiquer la réponse aux deux parties de la question 2) ci-après.

2. Le président de l'entreprise étudie deux suggestions présentées par des membres de son équipe.

   a) Pour la prochaine période, la vice-présidente propose de réduire le prix de vente unitaire de 20 %. Selon elle, l'usine fonctionnerait alors à plein régime.

   b) Pour la prochaine période, le directeur des ventes voudrait augmenter le prix de vente unitaire de 20 %, les commissions sur les ventes à 9 % des ventes, et le budget de la publicité, de 100 000 $. Toujours selon le directeur, des études de marché indiquent que de telles mesures auraient pour effet d'augmenter les ventes des unités d'un tiers.

   Préparez deux états des résultats selon la méthode des coûts variables, indiquant les résultats qui découleraient, l'un de la proposition de la vice-présidente, et l'autre de celle du directeur des ventes. Dans chaque rapport, insérez des colonnes intitulées « Total » et « Par unité ». (N'inscrivez aucune donnée unitaire pour les coûts fixes.)

3. Référez-vous aux données de départ. Le président estime que ce serait une erreur de modifier le prix de vente unitaire. Il préférerait utiliser des matières premières moins coûteuses dans la fabrication des produits pour réduire les coûts de 0,70 $ par unité. Combien d'unités l'entreprise devrait-elle vendre au cours de la prochaine période pour réaliser un bénéfice cible de 30 200 $?

4. Reprenez les données de départ. D'après le conseil d'administration, le problème de l'entreprise est dû à l'inefficacité de la promotion. De quel montant la direction peut-elle augmenter le budget de la publicité tout en s'assurant un bénéfice cible de 4,5 % sur des ventes de 60 000 unités ?

5. Référez-vous aux données de départ. Un distributeur outre-mer a offert à l'entreprise de lui acheter 9 500 unités à un prix de vente spécial. Aucune commission ne serait versée sur ces unités. Toutefois, les coûts d'expédition augmenteraient de 50 %, et les charges administratives variables seraient réduites de 25 %. Par ailleurs, Motleau inc. devrait verser un montant forfaitaire de 5 700 $ en assurance pour la protection des marchandises en transit. Quel prix de vente unitaire l'entreprise devrait-elle proposer pour ces 9 500 unités afin de réaliser un bénéfice de 14 250 $ pour l'ensemble des activités de l'entreprise ? Les activités courantes ne seraient pas perturbées par cette commande spéciale.

C3 Une analyse du seuil de rentabilité et les coûts fixes par paliers

La clinique des Estacades exploite un centre de soins privé offrant des services distincts tels que les soins généraux, les soins ambulatoires et les soins postopératoires. Chaque section se voit attribuer les coûts des services fournis à ses patients, comme les repas et le blanchissage, ainsi que les services administratifs tels que la facturation et le recouvrement. Les coûts de l'espace et des lits restent fixes au cours de la période.

L'an dernier, le revenu moyen du service des soins généraux était de 480 $, par jour-patient. (Le jour-patient est l'unité de mesure des activités, et un jour-patient représente un patient qui occupe un lit pour une journée.) Le service avait une capacité de 70 lits, et il fonctionnait 24 heures sur 24 durant 365 jours.

Les coûts variables moyens par jour-patient étaient de 180 $, et les coûts fixes (excluant les salaires du personnel) étaient de 2 740 000 $.

Le seul personnel employé directement par le service des soins généraux consiste en des aides-infirmiers, des infirmiers et des infirmiers en chef. L'établissement a des exigences minimales quant au personnel qui doit être en place pour le service des soins généraux en fonction du total annuel des jours-patient de ce service. Voici ces exigences, en commençant par le niveau minimal d'exploitation prévu.

Jours-patient par an	Aides-infirmiers	Infirmiers	Infirmiers en chef
10 000 à 12 000	7	15	3
12 001 à 13 750	8	15	3
13 751 à 16 500	9	16	4
16 501 à 18 250	10	16	4
18 251 à 20 750	10	17	5
20 751 à 23 000	11	18	5

Ces niveaux de personnel représentent des équivalents à temps plein. On doit supposer que le service des soins généraux emploie toujours seulement la quantité minimale requise de personnel équivalent à temps plein.

Les salaires annuels pour chaque catégorie d'employés sont les suivants : aides-infirmiers, 36 000 $, infirmiers, 58 000 $ et infirmiers en chef, 76 000 $.

Travail à faire

1. Calculez le total des coûts fixes, y compris les coûts fixes attribués aux coûts du personnel du service des soins généraux pour chaque volume d'activité indiqué précédemment (par exemple, le total des coûts fixes entre 10 000 et 12 000 jours-patient, le total des coûts fixes entre 12 001 et 13 750 jours-patient, etc.).

2. À l'aide des données calculées en 1) et de toute autre donnée nécessaire, calculez le nombre minimal de jours-patient requis pour que le service des soins généraux atteigne son seuil de rentabilité.

3. Déterminez le nombre minimal de jours-patient requis pour que le service des soins généraux réalise un «surplus» annuel de 720 000 $.

(Adaptation d'un problème de l'American Institute of Certified Public Accountants)

C4 Les seuils de rentabilité de produits particuliers dans une entreprise à multiples produits

Carole Magny téléphone à son patron, Yves Chaput, vice-président au marketing chez Piedmont et frères inc. «Monsieur Chaput, je vous avoue que je ne sais pas trop comment répondre aux questions qui ont été soulevées à la réunion d'hier dans le bureau du président.

— De quoi s'agit-il ?

— Le président voudrait connaître le seuil de rentabilité de chacun de nos produits, mais j'ai de la difficulté à lui fournir une réponse.

— Je suis convaincu que vous y parviendrez. Je vous rappelle que je veux votre analyse sur mon bureau demain matin dès 8 h. J'en ai besoin pour notre deuxième réunion de 9 h. »

L'entreprise fabrique trois types d'attaches pour les vêtements dans son usine de Québec. Voici des données concernant ces produits.

	Velcro	Métal	Nylon
Volume des ventes annuel normal	100 000	200 000	400 000
Prix de vente unitaire	1,65 $	1,50 $	0,85 $
Coût variable par unité	1,25 $	0,70 $	0,25 $

Le total des coûts fixes s'élève à 400 000 $ par an.

L'entreprise vend ses trois produits sur des marchés très concurrentiels, de sorte qu'elle ne peut pas augmenter ses prix de vente sans perdre un nombre important de clients. Comme elle s'est dotée d'un système de production optimisée très efficace, elle ne détient aucun stock de produits en cours ou de produits finis au début ou à la fin d'une période.

Travail à faire

1. Quel est le seuil de rentabilité de l'ensemble de l'entreprise en dollars ?

2. Sur le total de 400 000 $ de coûts fixes, l'entreprise pourrait économiser certaines sommes si elle cessait la fabrication de chacun de ses produits : 20 000 $ dans le cas du produit en velcro, 80 000 $ dans celui du produit en métal et 60 000 $ dans celui du produit en nylon. Le reste du montant, soit 240 000 $, consiste en des coûts fixes communs tels que les salaires du personnel administratif et le loyer de l'usine, qui ne pourraient être éliminés que si l'entreprise fermait ses portes.

   a) Quel est le seuil de rentabilité de chaque produit en unités ?

   b) Si l'entreprise vendait exactement la quantité correspondant au seuil de rentabilité de chaque produit, quel serait son bénéfice total ?

Recherche

R1 L'analyse CVB et les sports aux niveaux collégial et universitaire

Le revenu provenant des principales compétitions sportives intercollégiales et interuniversitaires constitue une source importante de financement pour de nombreux établissements d'enseignement. La plupart des coûts liés à la présentation d'un match de hockey ou d'une partie de soccer peuvent être fixes et croître très peu à mesure que la foule des spectateurs augmente. Par conséquent, le revenu de la vente de chaque billet supplémentaire constitue généralement un bénéfice.

Choisissez un sport pratiqué dans votre collège ou université — par exemple le hockey ou le soccer — et qui génère des revenus. Interrogez le directeur financier des programmes sportifs de votre institution avant de répondre aux questions.

Travail à faire

1. Quel nombre maximal de sièges compte le stade ou l'aréna dans lequel ce sport est pratiqué ? Au cours de la dernière année, quelle était la moyenne d'assistance aux parties ? En moyenne, quel pourcentage de l'espace du stade ou de l'aréna réservé au public était occupé ?

2. Le nombre de billets vendus dépend souvent de l'adversaire. L'assistance à un match entre des rivaux de longue date (par exemple, Montréal contre Toronto) est généralement très supérieure à la moyenne. En outre, les matchs opposant des adversaires de la même association peuvent attirer de plus grandes foules que les autres. Par conséquent, le nombre de billets vendus pour un match est assez prévisible. Quelles sont les conséquences de ce facteur sur la nature des coûts engagés pour la présentation du match ? La plupart des coûts sont-ils réellement fixes en ce qui a trait au nombre de billets vendus ?

3. Estimez le coût variable par billet vendu.

4. Évaluez le bénéfice supplémentaire total provenant d'un match de la saison régulière lorsque tous les billets sont vendus au prix ordinaire. Estimez le montant du bénéfice perdu lorsque ces billets ne sont pas vendus.

5. Estimez les revenus auxiliaires (stationnement et concessions) par billet vendu. Évaluez le bénéfice provenant de ces sources de revenus qui est perdu lorsque tous les billets d'un match de la saison régulière ne sont pas vendus.

6. Estimez le bénéfice supplémentaire que votre institution pourrait réaliser si tous les billets étaient vendus pour chaque match de la saison.

LA MÉTHODE DES COÛTS VARIABLES : UN OUTIL DE GESTION

Regard sur une entreprise

La falsification des bénéfices

Tina Xu est une analyste financière de Toronto. Elle vient de recevoir le rapport annuel de la société Andersen, dont plusieurs éléments l'intriguent.

Le stock de produits finis de cette société a augmenté de 40 % par rapport à celui de la période précédente et le bénéfice s'est aussi accru, même si les ventes sont demeurées relativement stables.

Comment l'accumulation de stock peut-elle entraîner une hausse des bénéfices sans qu'il y ait augmentation des ventes ? Comme nous allons le voir dans ce chapitre, la méthode du coût complet — la méthode la plus couramment utilisée pour déterminer le coût des produits — peut servir à accroître artificiellement les bénéfices à la suite d'une augmentation de la quantité d'unités produites.

OBJECTIFS D'APPRENTISSAGE

Après avoir étudié ce chapitre, vous pourrez :

1. expliquer en quoi la méthode des coûts variables diffère de la méthode du coût complet et calculer le coût par unité de produit à l'aide des deux méthodes ;

2. préparer des états des résultats à l'aide de la méthode des coûts variables et de la méthode du coût complet ;

3. rapprocher les bénéfices obtenus à l'aide de la méthode des coûts variables et à l'aide de la méthode du coût complet, et expliquer pourquoi les deux montants diffèrent ;

4. expliquer les avantages et les limites de la méthode des coûts variables et de la méthode du coût complet ;

5. expliquer comment la production optimisée permet de réduire l'écart entre le bénéfice déterminé à l'aide de la méthode des coûts variables et le bénéfice déterminé à l'aide de la méthode du coût complet ;

6. établir un état des résultats sectoriels à l'aide de la méthode des coûts variables, et expliquer la différence entre les coûts fixes spécifiques et les coûts fixes communs.

eux méthodes permettent de déterminer le coût de revient des produits dans le but d'évaluer le coût des stocks et d'établir le coût des ventes. Il s'agit de la *méthode du coût complet*, dont il a été question au chapitre 3, et de la *méthode des coûts variables*. La première sert habituellement à présenter des rapports financiers externes. Quelques gestionnaires lui préfèrent cependant la *méthode des coûts variables* pour le processus décisionnel interne. En général, le bénéfice est différent selon qu'il est calculé à l'aide de la méthode du coût complet ou de la méthode des coûts variables; cette différence peut se révéler très importante. Dans le présent chapitre, nous montrerons en quoi ces deux méthodes diffèrent, et nous pèserons le pour et le contre de chaque méthode de calcul des coûts de revient. Enfin, nous verrons à quel point la méthode de calcul retenue peut influer sur les décisions de gestion.

Dans les chapitres précédents, nous avons fait référence à des situations où la production et les ventes étaient égales. Cependant, ce n'est pas toujours le cas. Si le volume de production diffère des ventes, cela peut avoir un impact important sur les résultats. Les explications qui vont suivre feront voir que le volume de production et le volume des ventes influent sur le bénéfice.

Un aperçu de la méthode du coût complet et de la méthode des coûts variables

OBJECTIF 1

Expliquer en quoi la méthode des coûts variables diffère de la méthode du coût complet et calculer le coût par unité de produit à l'aide des deux méthodes.

L'analyse coût-volume-bénéfice (CVB) constitue un outil de gestion fort utile qui tient compte du comportement des coûts. Pour que cet outil soit efficace, le gestionnaire devra cependant être en mesure de distinguer les frais variables des frais fixes. La méthode du coût complet attribue à la fois des frais variables et fixes aux produits. De son côté, la méthode des coûts variables tiendra compte du *comportement des coûts*. La méthode des coûts variables s'harmonise parfaitement avec la formule de la marge sur coûts variables et les concepts de l'analyse CVB; c'est l'un de ses points forts.

La méthode du coût complet

Méthode du coût complet

Méthode d'établissement du coût de revient d'une unité de produit consistant à y inclure tous les coûts de fabrication variables et fixes (matières premières, main-d'œuvre directe, et frais indirects de fabrication variables et fixes).

Comme nous l'avons expliqué au chapitre 3, la **méthode du coût complet** consiste à inclure *tous* les coûts de production à titre de coûts incorporables au produit, qu'ils soient variables ou fixes. Le coût d'une unité de produit calculé à l'aide de la méthode du coût complet comprend donc le coût des matières premières, le coût de la main-d'œuvre directe, *de même que* les frais indirects de fabrication variables et fixes. La méthode du coût complet attribue à chaque unité de produit une partie des frais indirects de fabrication fixes et les coûts de production variables.

La méthode des coûts variables

Méthode des coûts variables

Méthode selon laquelle on inclut uniquement dans le coût d'une unité de produit les coûts de fabrication variables, soit le coût des matières premières, le coût de la main-d'œuvre directe et les frais indirects de fabrication variables.

Avec la **méthode des coûts variables**, seuls les coûts de production qui varient en fonction du volume de production sont traités comme des coûts incorporables. En général, ces coûts concernent les matières premières, la main-d'œuvre directe et les frais indirects de fabrication variables. Ici, les frais indirects de fabrication fixes ne sont pas considérés comme des coûts incorporables. Ils sont plutôt traités comme des coûts non incorporables au même titre que les coûts commerciaux et les charges administratives, et ils sont attribués intégralement aux résultats de la période. Le coût d'une unité de produit en stock et le coût unitaire des produits vendus calculés à l'aide de la méthode des coûts variables ne contiennent donc aucuns frais indirects de fabrication fixes.

La méthode des coûts variables est parfois désignée sous le nom de *méthode du coût direct*. Notons que l'expression *coût direct* a été utilisée pendant de nombreuses années, mais qu'elle est maintenant presque disparue de l'usage.

Les coûts commerciaux et les charges administratives

Pour terminer cette comparaison très sommaire de la méthode du coût complet et de la méthode des coûts variables, examinons brièvement le traitement des coûts commerciaux et des charges administratives. Ces charges ne sont jamais considérées comme des coûts incorporables, quelle que soit la méthode de calcul des coûts privilégiée. Ces charges sont toujours traitées comme des frais liés à la période, et elles sont déduites en tant que tels des revenus de la période.

Les concepts vus jusqu'ici sont illustrés à la figure 8.1.

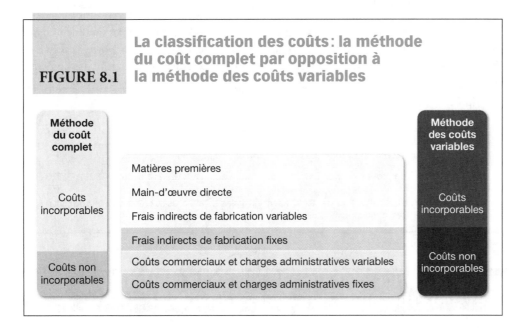

FIGURE 8.1 La classification des coûts : la méthode du coût complet par opposition à la méthode des coûts variables

La détermination du coût unitaire

Le calcul du coût unitaire selon la méthode du coût complet et la méthode des coûts variables sera illustré à l'aide de l'exemple de la société Boley, une petite entreprise qui fabrique un seul produit. Voici la structure de coûts de l'entreprise.

Nombre d'unités produites chaque année	6 000
Coûts variables à l'unité :	
Matières premières	2 $
Main-d'œuvre directe	4
Frais indirects de fabrication	1
Coûts commerciaux et charges administratives	3
Coûts fixes annuels :	
Frais indirects de fabrication	30 000 $
Coûts commerciaux et charges administratives	10 000

Notons qu'avec la méthode du coût complet, on inclut *tous* les coûts de production, variables et fixes, lorsqu'on détermine le coût unitaire du produit. Lorsqu'une unité de produit est vendue alors que l'entreprise utilise la méthode du coût complet, on déduit dans l'état des résultats 12 $ pour ce qui est du coût des ventes, soit des frais variables de 7 $ et des coûts fixes de 5 $. De même, toutes les unités non vendues figurent au compte de stock de l'état de la situation financière, au coût unitaire de 12 $.

Méthode du coût complet

Matières premières..	2 $
Main-d'œuvre directe..	4
Frais indirects de fabrication variables	1
Total des coûts de production variables	7
Frais indirects de fabrication fixes (30 000 $ ÷ 6 000 unités de produit)........................	5
Coût par unité de produit...	12 $

Avec la méthode des coûts variables, seuls les coûts de production variables sont inclus dans le coût du produit. Quand une unité de produit est vendue, on déduit 7 $ à titre de coût des ventes, et les unités non vendues sont portées au compte de stock, au coût unitaire de 7 $.

Méthode des coûts variables

Matières premières	2 $
Main-d'œuvre directe..	4
Frais indirects de fabrication variables	1
Coût par unité de produit...	7 $

Les frais indirects de fabrication fixes de 30 000 $ sont intégralement attribués aux résultats à titre de coûts non incorporables avec les coûts commerciaux et les charges administratives.

Une comparaison du bénéfice calculé à l'aide de la méthode du coût complet et de la méthode des coûts variables

OBJECTIF 2

Préparer des états des résultats à l'aide de la méthode des coûts variables et de la méthode du coût complet.

Les états des résultats de la société Boley, à la figure 8.2, ont été préparés à l'aide de la méthode du coût complet et de la méthode des coûts variables. Voici quelques renseignements supplémentaires concernant l'entreprise.

Unités dans le stock au début	-0-
Unités produites..	6 000
Unités vendues..	5 000
Unités dans le stock à la fin	1 000
Prix de vente à l'unité	20 $
Coûts commerciaux et charges administratives :	
Variables à l'unité	3 $
Fixes pour la période	10 000 $

	Méthode du coût complet	Méthode des coûts variables
Coût par unité de produit :		
Matières premières..	2 $	2 $
Main-d'œuvre directe	4	4
Frais indirects de fabrication variables.............	1	1
Frais indirects de fabrication fixes....................	5	–
Coût par unité de produit	12 $	7 $

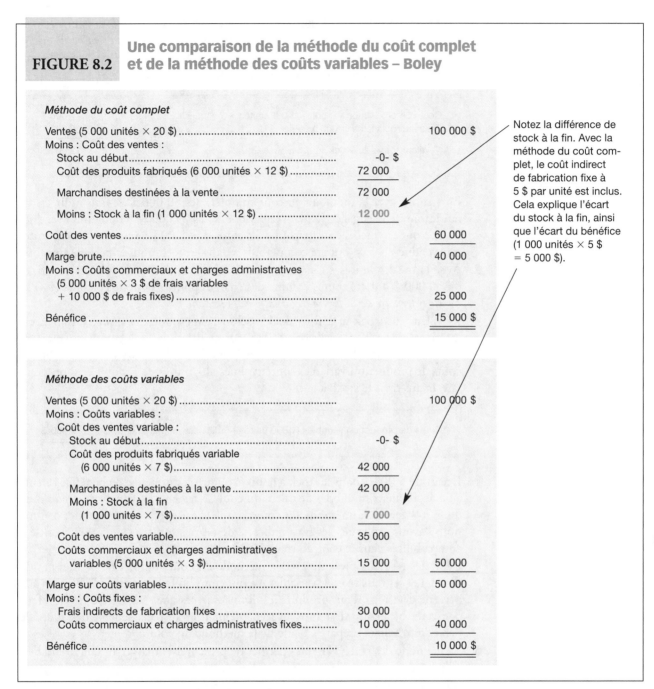

FIGURE 8.2 Une comparaison de la méthode du coût complet et de la méthode des coûts variables – Boley

Nous pouvons tirer plusieurs conclusions des états financiers présentés à la figure 8.2.

1. Avec la méthode du coût complet, quand il y a une augmentation des stocks, certains coûts de production fixes pour la période en cours ne figurent pas dans l'état des résultats. Ces frais sont plutôt inscrits au compte de stock de l'état de la situation financière et sont reportés aux résultats d'une période ultérieure. On désigne ce report de frais sous le nom de **frais indirects de fabrication fixes comptabilisés dans le stock**. Pour mieux comprendre ce concept, reprenons quelques données de l'entreprise Boley. Pendant la période en cours, Boley a produit 6 000 unités, mais n'en a vendu que 5 000. Il reste donc 1 000 unités invendues dans le stock à la fin. Conformément à la méthode du coût complet, on a attribué des frais indirects fixes de 5 $ à chaque unité produite (*voir les calculs du coût unitaire à la page précédente*). Par conséquent, on attribue des frais indirects fixes de 5 $ à chacune des 1 000 unités faisant partie du stock

Frais indirects de fabrication fixes comptabilisés dans le stock

Part des frais indirects de fabrication fixes d'une période attribuée au stock selon la méthode du coût complet.

à la fin de la période, soit 5 000 $. *Ces frais indirects de fabrication fixes pour la période en cours seront comptabilisés dans le stock jusqu'à ce que ces unités soient vendues.* L'analyse du stock à la fin calculé à l'aide de la méthode du coût complet permet de voir clairement le report des frais indirects de fabrication fixes de 5 000 $.

Coûts de production variables (1 000 unités × 7 $)..................................	7 000 $
Frais indirects fixes (1 000 unités × 5 $)...	5 000
Valeur totale du stock	12 000 $

En résumé, avec la méthode du coût complet, des 30 000 $ de frais indirects de fabrication fixes engagés pendant la période, seuls 25 000 $ (5 000 unités vendues × 5 $) ont été inclus dans le coût des ventes. Les 5 000 $ restants (1 000 unités *non* vendues × 5 $) ont été comptabilisés dans le stock pour la période suivante.

2. Avec la méthode des coûts variables, les frais indirects de fabrication fixes de 30 000 $ ont été traités comme des charges pour la période en cours (*voir la partie inférieure de la figure 8.2 à la page précédente*).

3. La valeur du stock à la fin calculée selon la méthode des coûts variables est inférieure de 5 000 $ à celle obtenue avec la méthode du coût complet. Cette différence est attribuable au fait que, avec la méthode des coûts variables, seuls les coûts de production variables sont attribués aux unités de produit et sont, de ce fait, inclus dans le stock à la fin.

Coûts de production variables (1 000 unités × 7 $)	7 000 $

L'écart de 5 000 $ dans le stock à la fin explique la différence de bénéfice calculé à l'aide des deux méthodes de calcul du coût de revient. Le bénéfice est *plus élevé* de 5 000 $ avec la méthode du coût complet, car avec cette méthode, comme nous l'avons expliqué, des frais indirects de fabrication fixes de 5 000 $ ont été comptabilisés dans le coût du stock à la fin.

4. L'état des résultats présenté avec la méthode du coût complet ne permet pas de distinguer les frais fixes et variables, ce qui complique les calculs CVB utiles à la prise de décisions. Pour produire les données nécessaires à l'analyse CVB, il faut consacrer beaucoup de temps au remaniement et au reclassement des coûts de l'état des résultats préparé à l'aide de la méthode du coût complet.

5. La méthode des coûts variables permet de présenter la marge sur coûts variables à l'état des résultats, comme l'illustre la figure 8.2.

La différence fondamentale entre la méthode du coût complet et la méthode des coûts variables concerne la prise en compte des frais fixes à l'état des résultats. Selon les partisans de la méthode des coûts variables, les frais indirects de fabrication fixes devraient être portés immédiatement aux charges, alors que, selon les défenseurs de la méthode du coût complet, ces frais devraient être attribués graduellement aux résultats, à mesure que les unités de produit sont vendues. Dans la méthode du coût complet, les coûts de production fixes des unités non vendues sont *comptabilisés* dans le coût des produits figurant au compte de stock de l'état de la situation financière. Nous discuterons plus loin des arguments de chaque partie dès que nous connaîtrons mieux les deux méthodes. Néanmoins, comme l'illustre le cas de l'entreprise Tricots d'Écosse présenté ci-après, la méthode du coût complet peut parfois avoir des effets étranges sur l'état des résultats.

Une comparaison plus détaillée des données relatives aux résultats

Tricots d'Écosse est une petite entreprise de la Nouvelle-Écosse qui se spécialise dans la confection d'un chandail de laine traditionnel pour les pêcheurs.

Les données de base concernant l'entreprise figurent dans la partie supérieure du tableau 8.1. Les états des résultats des trois dernières années d'exploitation préparés à l'aide de la méthode du coût complet et présentés à la banque se trouvent à la page suivante. M. MacLaren, le comptable de l'entreprise, a utilisé la méthode des coûts variables pour voir quel effet elle aurait sur le bénéfice. Ses états des résultats des trois dernières années, préparés à l'aide de la méthode des coûts variables, se trouvent aussi à la page suivante.

Notons que Tricots d'Écosse a maintenu un niveau de fabrication de 25 000 chandails par an. Les ventes ont cependant varié d'une année à l'autre. Au cours de la première année, le niveau de production et le volume des ventes ont été les mêmes. Pendant la deuxième année, la fabrication a été supérieure aux ventes à cause d'une commande annulée. Au cours de la troisième année, les ventes se sont stabilisées et ont dépassé le volume de production. Par conséquent, il n'y a aucune variation du stock pendant la première année, alors que le stock a augmenté au cours de la deuxième année, pour diminuer ensuite pendant la troisième année. *La variation du stock en cours d'année nous permet de comprendre pourquoi la méthode du coût complet diffère de la méthode des coûts variables.*

OBJECTIF 3

Rapprocher les bénéfices obtenus à l'aide de la méthode des coûts variables et à l'aide de la méthode du coût complet, et expliquer pourquoi les deux montants diffèrent.

TABLEAU 8.1 — **Des états des résultats préparés à l'aide de la méthode du coût complet et de la méthode des coûts variables – Tricots d'Écosse**

Données de base

Prix de vente par unité vendue..	20 $
Coûts de production variables par unité produite....................................	7
Frais indirects de fabrication fixes par année...	150 000
Coûts commerciaux et charges administratives variables par unité vendue	1
Coûts commerciaux et charges administratives fixes par année..........................	90 000

	1re année	2e année	3e année	Ensemble des trois années
Stock au début..	-0-	-0-	5 000	-0-
Unités produites..	25 000	25 000	25 000	75 000
Unités vendues..	25 000	20 000	30 000	75 000
Stock à la fin...	-0-	5 000	-0-	-0-

Coût unitaire du produit

	1re année	2e année	3e année
Avec la méthode des coûts variables :			
Coûts de production variables seulement...........................	7 $	7 $	7 $
Avec la méthode du coût complet :			
Coûts de production variables..	7 $	7 $	7 $
Frais indirects de fabrication fixes (150 000 $ répartis sur le nombre d'unités produites chaque année)............	6	6	6
Coût unitaire obtenu avec la méthode du coût complet	13 $	13 $	13 $

8

TABLEAU 8.1 (*suite*)

Méthode du coût complet

	1re année	2e année	3e année	Ensemble des trois années
Ventes	500 000 $	400 000 $	600 000 $	1 500 000 $
Moins: Coût des ventes:				
Stock au début	-0- $	-0- $	65 000 $	-0- $
Coût des produits fabriqués (25 000 unités × 13 $)	325 000	325 000	325 000	975 000
Marchandises destinées à la vente	325 000	325 000	390 000	975 000
Moins: Stock à la fin (5 000 unités × 13 $)	-0-	65 000	-0-	-0-
Coût des ventes	325 000	260 000	390 000	975 000
Marge brute	175 000	140 000	210 000	525 000
Moins: Coûts commerciaux et charges administratives	115 000*	110 000*	120 000*	345 000
Bénéfice	60 000 $	30 000 $	90 000 $	180 000 $

* Les coûts commerciaux et les charges administratives sont calculés comme suit :
1re année : (25 000 unités × 1 $ de frais variables) + 90 000 $ de frais fixes = 115 000 $
2e année : (20 000 unités × 1 $ de frais variables) + 90 000 $ de frais fixes = 110 000 $
3e année : (30 000 unités × 1 $ de frais variables) + 90 000 $ de frais fixes = 120 000 $

Méthode des coûts variables

	1re année	2e année	3e année	Ensemble des trois années
Ventes	500 000 $	400 000 $	600 000 $	1 500 000 $
Moins: Coûts variables:				
Coût des ventes variable:				
Stock au début	-0- $	-0- $	35 000 $	-0- $
Coût des produits fabriqués variable (25 000 unités × 7 $)	175 000	175 000	175 000	525 000
Marchandises destinées à la vente	175 000	175 000	210 000	525 000
Moins: Stock à la fin (5 000 unités × 7 $)	-0-	35 000	-0-	-0-
Coût des ventes variable	175 000**	140 000**	210 000**	525 000
Coûts commerciaux et charges administratives variables (1 $ par unité vendue)	25 000	20 000	30 000	75 000
Marge sur coûts variables	300 000	240 000	360 000	900 000
Moins: Coûts fixes:				
Frais indirects de fabrication fixes	150 000	150 000	150 000	450 000
Coûts commerciaux et charges administratives fixes	90 000	90 000	90 000	270 000
Bénéfice	60 000 $	-0- $	120 000 $	180 000 $

** Le coût des ventes variable aurait pu être calculé plus simplement, comme suit :
1re année : 25 000 unités vendues × 7 $ = 175 000 $
2e année : 20 000 unités vendues × 7 $ = 140 000 $
3e année : 30 000 unités vendues × 7 $ = 210 000 $

Notons ensuite que lorsque le stock augmente au cours de la deuxième année, le bénéfice calculé à l'aide de la méthode du coût complet est supérieur à celui calculé à l'aide de la méthode des coûts variables. À l'opposé, quand le stock diminue au cours de la troisième année, le bénéfice calculé à l'aide de la méthode des coûts variables est supérieur à celui obtenu au moyen de la méthode du coût complet.

Enfin quand il n'y a aucune variation du stock, à l'exemple de la première année, le bénéfice calculé à l'aide des deux méthodes est le même. Pourquoi ? Nous en expliquons les raisons ci-après et au tableau 8.2.

1. Quand le niveau de production et les ventes s'équivalent, à l'exemple de la première année, le bénéfice est généralement le même, quelle que soit la méthode utilisée. Voici pourquoi : la *seule* différence pouvant exister entre le bénéfice calculé à l'aide de la méthode du coût complet et celui calculé à l'aide de la méthode des coûts variables est le montant des frais indirects de fabrication fixes considérés à titre de charges à l'état des résultats. Quand l'entreprise vend tout ce qu'elle produit pendant l'année, tous les frais indirects de fabrication fixes attribués aux unités de produit à l'aide de la méthode du coût complet font partie du coût annuel des ventes. Avec la méthode des coûts variables, tous les frais indirects de fabrication fixes sont directement inscrits à titre de charges à l'état des résultats. Ainsi, peu importe la méthode retenue, quand la production est égale aux ventes, c'est-à-dire lorsqu'il n'y a aucune variation du stock, tous les frais indirects de fabrication fixes engagés pendant l'année figurent à titre de charges à l'état des résultats. C'est pourquoi le bénéfice calculé à l'aide des deux méthodes est le même.

TABLEAU 8.2 **Les effets de la méthode du coût complet et de la méthode des coûts variables sur les bénéfices**

Relation entre la production et les ventes pour la période	Effet sur le stock	Relation entre les bénéfices calculés à l'aide de la méthode du coût complet et de la méthode des coûts variables
Production = Ventes	Aucune variation du stock	Bénéfice calculé à l'aide de la méthode du coût complet = Bénéfice calculé à l'aide de la méthode des coûts variables
Production > Ventes	Augmentation du stock	Bénéfice calculé à l'aide de la méthode du coût complet > Bénéfice calculé à l'aide de la méthode des coûts variables*
Production < Ventes	Diminution du stock	Bénéfice calculé à l'aide de la méthode du coût complet < Bénéfice calculé à l'aide de la méthode des coûts variables**

* Le bénéfice est plus élevé avec la méthode du coût complet, parce que les frais indirects de fabrication fixes sont *comptabilisés* dans le stock à mesure que celui-ci augmente.

** Le bénéfice est moins élevé avec la méthode du coût complet parce que les frais indirects de fabrication fixes sont passés en *charges* à l'état des résultats à mesure que le stock diminue.

2. Quand le volume de production est supérieur au volume des ventes, le bénéfice déclaré à l'aide de la méthode du coût complet est en général plus élevé que le bénéfice déclaré avec la méthode des coûts variables (*voir les données de la deuxième année dans le tableau 8.1*). Cet écart est attribuable au fait que, avec la méthode du coût complet, une partie des frais indirects de fabrication fixes pour la période en cours est comptabilisée dans le stock. Au cours de la deuxième année donc, des frais indirects de fabrication fixes de 30 000 $ (5 000 unités × 6 $ par unité) ont été attribués au stock à la fin. Ces frais sont exclus du coût des ventes.

Cependant, avec la méthode des coûts variables, *tous* les frais indirects de fabrication fixes de la deuxième année ont été directement attribués aux résultats à titre de frais non incorporables. Par conséquent, le bénéfice pour la deuxième année calculé avec la méthode des coûts variables est *inférieur* de 30 000 $ à celui obtenu avec la méthode du coût complet. Le tableau 8.3 illustre le rapprochement des montants des bénéfices obtenus à l'aide de la méthode des coûts variables et de la méthode du coût complet.

TABLEAU 8.3   **Le rapprochement de la méthode des coûts variables et de la méthode du coût complet**

	1re année	2e année	3e année
Bénéfice obtenu avec la méthode des coûts variables*	60 000 $	-0- $	120 000 $
Plus : Frais indirects de fabrication fixes comptabilisés dans le stock à la fin et reportés à l'état de la situation financière avec la méthode du coût complet (5 000 unités × 6 $ par unité)	-0-	30 000	-0-
Moins : Frais indirects de fabrication fixes comptabilisés dans le stock au début et passés en charges avec la méthode du coût complet (5 000 unités × 6 $ par unité)......	-0-	-0-	30 000
Bénéfice obtenu avec la méthode du coût complet*	60 000 $	30 000 $	90 000 $

* Les données relatives au bénéfice proviennent du tableau 8.1 (*p. 366*).

---

3. Quand la production est inférieure aux ventes, le bénéfice déterminé à l'aide de la méthode du coût complet est généralement inférieur au bénéfice déterminé à l'aide de la méthode des coûts variables (*voir les données de la troisième année dans le tableau 8.1, p. 366*). Pourquoi ? Parce que le stock a diminué et que les frais indirects de fabrication fixes comptabilisés dans le stock à l'aide de la méthode du coût complet sont passés en charges, les unités ayant été vendues. Ainsi, au cours de la troisième année, par exemple, les frais indirects de fabrication fixes de 30 000 $ comptabilisés dans le stock au début à l'aide de la méthode du coût complet sont passés en charges parce que ces unités ont été vendues.

Par conséquent, le coût des ventes au cours de la troisième année comprend les frais indirects de fabrication fixes pour la même année, toute la production de cette période ayant été vendue au cours de la même période, et une partie des frais indirects de fabrication fixes de l'année précédente, soit 30 000 $.

Par contre, avec la méthode des coûts variables, seuls les frais indirects de fabrication fixes de la troisième année ont été attribués au cours de cette année. Le bénéfice obtenu à l'aide de cette méthode est donc *plus élevé* de 30 000 $ qu'il ne l'est quand il est calculé à l'aide de la méthode du coût complet. Le tableau 8.3 illustre le rapprochement des bénéfices obtenus au moyen de la méthode des coûts variables et de la méthode du coût complet.

4. Sur une période *prolongée*, les montants de bénéfices cumulés obtenus à l'aide de la méthode du coût complet et de la méthode des coûts variables tendent à être les mêmes parce qu'à long terme, les ventes ne peuvent être supérieures à la production, pas plus que la production ne peut excéder de beaucoup les ventes. Plus la période est courte, plus les montants de bénéfices tendent à être différents.

L'effet des variations de la production sur le bénéfice

Dans l'exemple de Tricots d'Écosse, la production était constante, mais les ventes ont fluctué au cours de la période de trois années. Les données du tableau 8.1 nous ont permis de constater l'effet des fluctuations des ventes sur le bénéfice obtenu à l'aide de la méthode des coûts variables et de la méthode du coût complet.

Afin d'étudier plus en profondeur les différences entre ces deux méthodes, la direction a ensuite analysé l'exemple hypothétique présenté au tableau 8.4. Ici, les ventes sont constantes, et la production fluctue, contrairement au cas du tableau 8.1.

La méthode des coûts variables

Comme l'illustre le tableau 8.4, avec la *méthode des coûts variables*, les changements de la production n'ont *aucun effet* sur le bénéfice. Ainsi, pour un volume de ventes constant, le bénéfice est demeuré le même au cours des trois années d'exploitation, bien que la production ait été supérieure aux ventes pendant une année et inférieure aux ventes une autre année.

TABLEAU 8.4

L'effet de la méthode des coûts variables et de la méthode du coût complet lorsqu'il y a variation de la production – données hypothétiques

Données de base

Prix de vente par unité vendue	25 $
Coûts de production variables par unité produite...................................	10
Frais indirects de fabrication fixes par année	300 000
Coûts commerciaux et charges administratives variables par unité vendue....................	1
Coûts commerciaux et charges administratives fixes par année................................	200 000

	1re année	2e année	3e année
Stock au début	-0-	-0-	10 000
Unités produites..	40 000	50 000	30 000
Unités vendues	40 000	40 000	40 000
Stock à la fin	-0-	10 000	-0-

Coût unitaire du produit

	1re année	2e année	3e année
Avec la méthode des coûts variables :			
Coûts de production variables seulement............................	10,00 $	10,00 $	10,00 $
Avec la méthode du coût complet :			
Coûts de production variables	10,00 $	10,00 $	10,00 $
Frais indirects de fabrication fixes (300 000 $ répartis sur le nombre d'unités produites chaque année[1])............................	7,50	6,00	10,00
Coût unitaire obtenu avec la méthode du coût complet	17,50 $	16,00 $	20,00 $

---

1. Cette façon de faire suppose un taux d'imputation prédéterminé des frais indirects de fabrication fixes basé sur la production réelle, et non sur l'activité prévue, comme nous l'avons expliqué au chapitre 3.

TABLEAU 8.4 (*suite*)

Méthode du coût complet

	1re année	2e année	3e année
Ventes (40 000 unités)	1 000 000 $	1 000 000 $	1 000 000 $
Moins : Coût des ventes :			
Stock au début	-0- $	-0- $	160 000 $
Coût des produits fabriqués	700 000*	800 000*	600 000*
Marchandises destinées à la vente	700 000	800 000	760 000
Moins : Stock à la fin	-0-	160 000**	-0-
Coût des ventes	700 000	640 000	760 000
Marge brute	300 000	360 000	240 000
Moins : Coûts commerciaux et charges administratives (40 000 unités × 1 $ de frais variables + 200 000 $ de frais fixes)	240 000	240 000	240 000
Bénéfice	60 000 $	120 000 $	-0- $

* Coût des produits fabriqués :
1re année : 40 000 unités × 17,50 $ = 700 000 $
2e année : 50 000 unités × 16,00 $ = 800 000 $
3e année : 30 000 unités × 20,00 $ = 600 000 $
** Stock à la fin de la 2e année : 10 000 unités × 16 $ = 160 000 $

Méthode des coûts variables

	1re année	2e année	3e année
Ventes (40 000 unités)	1 000 000 $	1 000 000 $	1 000 000 $
Moins : Coûts variables :			
Coût des ventes variable :			
Stock au début	-0- $	-0- $	100 000 $
Coût des produits fabriqués variable (10 $ par unité produite)	400 000	500 000	300 000
Marchandises destinées à la vente	400 000	500 000	400 000
Moins : Stock à la fin	-0-	100 000***	-0-
Coût des ventes variable	400 000	400 000	400 000
Coûts commerciaux et charges administratives variables	40 000	40 000	40 000
Marge sur coûts variables	560 000	560 000	560 000
Moins : Coûts fixes :			
Frais indirects de fabrication fixes	300 000	300 000	300 000
Coûts commerciaux et charges administratives fixes	200 000	200 000	200 000
Bénéfice	60 000 $	60 000 $	500 000 | 60 000 $

*** Stock à la fin de la 2e année : 10 000 unités × 10 $ = 100 000 $

La méthode du coût complet

Le tableau 8.4 montre aussi qu'avec la *méthode du coût complet*, les variations de production influent sur le bénéfice. Ainsi, le bénéfice calculé avec la méthode du coût complet a augmenté au cours de la deuxième année, par suite d'une hausse de la production, puis a diminué de nouveau lors de la troisième année, à la suite d'une baisse de production pendant cette période. Notons que le bénéfice s'accroît et diminue entre ces années *bien que le même nombre d'unités aient été vendues chaque année.* Cet écart s'explique par la variation des frais indirects de fabrication fixes entre les années (attribuable à la variation du stock qu'on observe avec la méthode du coût complet).

Pendant la deuxième année, la production a été supérieure aux ventes, ce qui a entraîné une augmentation du stock de 10 000 unités. Des frais indirects de fabrication fixes de 6 $ par unité produite ont été imputés cette année-là (*voir les calculs du coût unitaire dans la première partie du tableau 8.4, p. 369*). Par conséquent, des frais indirects de fabrication fixes de 60 000 $ (10 000 unités × 6 $) n'ont pas été attribués à cette année, mais ajoutés au compte de stock avec les coûts de production variables. Le bénéfice de la deuxième année a augmenté en raison du report de ces frais dans le stock, bien que le même nombre d'unités ait été vendues.

L'effet contraire se produit au cours de la troisième année. Les ventes étant supérieures à la production durant la période, l'entreprise doit alors absorber tous les frais indirects de fabrication fixes de l'année de même que les frais indirects de fabrication fixes de l'année précédente comptabilisés dans le stock et maintenant passés en charges puisque les unités ont été vendues. L'importante baisse du bénéfice de la troisième année provient de la prise en charge des frais indirects de fabrication fixes du stock même si le nombre d'unités vendues est le même que celui des autres années.

Le tableau 8.5 présente le rapprochement des bénéfices calculés à l'aide de la méthode des coûts variables et de la méthode du coût complet. Ce tableau nous permet de comprendre que les différences entre les bénéfices calculés au moyen des deux méthodes sont attribuables à l'effet de la variation du stock sur le bénéfice calculé à l'aide de la méthode du coût complet. Si l'entreprise adopte la méthode du coût complet, les frais indirects de fabrication fixes sont comptabilisés dans le stock quand le stock augmente, et sont passés en charges quand le stock diminue.

TABLEAU 8.5 Le rapprochement de la méthode des coûts variables et de la méthode du coût complet lors d'un changement dans la production

	1re année	2e année	3e année
Bénéfice obtenu avec la méthode des coûts variables*..................................	60 000 $	60 000 $	60 000 $
Plus : Frais indirects de fabrication fixes comptabilisés dans le stock à la fin et reportés à l'état de la situation financière avec la méthode du coût complet (10 000 unités × 6 $ par unité)......................	-0-	60 000	-0-
Moins : Frais indirects de fabrication fixes comptabilisés dans le stock au début et passés en charges avec la méthode du coût complet (10 000 unités × 6 $ par unité)....	-0-	-0-	60 000
Bénéfice obtenu avec la méthode du coût complet*...	60 000 $	120 000 $	-0- $

* Les données relatives au bénéfice proviennent du tableau 8.4.

Le choix d'une méthode de calcul des coûts

L'effet sur le gestionnaire

Les opposants à la méthode du coût complet sont d'avis que le transfert des frais indirects de fabrication fixes entre les périodes peut s'avérer déroutant et mener à des interprétations erronées, voire à de mauvaises décisions. Reportez-vous au tableau 8.4 (*p. 369-370*). Un gestionnaire pourrait se demander pourquoi le bénéfice calculé à l'aide de la méthode du coût complet a augmenté de façon considérable pendant la deuxième année alors que les ventes au cours de la même période ont été identiques à celles de l'année précédente. Est-ce parce que les frais de vente sont plus bas ou parce que les opérations sont plus efficaces ? À moins qu'il s'agisse d'un autre facteur ? Le gestionnaire sera incapable de le déterminer en observant simplement l'état des résultats préparé à l'aide de la méthode du coût complet. Puis, pour la troisième année d'exploitation, le bénéfice chute, bien que le nombre d'unités vendues soit identique à celui des deux années précédentes. Pourquoi le bénéfice augmenterait-il une année et chuterait-il l'année suivante ? Les données semblent erronées et contradictoires. Elles pourraient semer la confusion dans les esprits et nous amener à douter de l'intégrité de l'état des résultats.

En revanche, les états des résultats préparés à l'aide de la méthode des coûts variables présentés au tableau 8.4 sont clairs et faciles à comprendre. Les ventes demeurent constantes pendant la période de trois ans ; c'est pourquoi la marge sur coûts variables et le bénéfice demeurent aussi constants. L'état des résultats doit correspondre logiquement aux attentes du gestionnaire dans un tel contexte. Il suscitera donc davantage de confiance que de confusion.

Le lecteur des états financiers préparés à l'aide de la méthode du coût complet doit être très sensible à la variation du stock. Avec la méthode du coût complet, toute augmentation du stock a pour effet de faire accroître le bénéfice. Les frais indirects de fabrication fixes sont alors comptabilisés en partie dans le stock. Au contraire, lorsque le stock diminue, les frais indirects de fabrication fixes comptabilisés dans le stock au début sont passés en charges, les unités étant vendues. C'est pourquoi les fluctuations du bénéfice peuvent être attribuables à la variation du stock plutôt qu'aux fluctuations des ventes.

8

SUR LE TERRAIN

L'augmentation du stock de produits finis

Si des gestionnaires peuvent gonfler artificiellement le bénéfice à l'aide de la méthode du coût complet en exigeant une production plus importante que la demande réelle de façon à accroître le stock, quelques-uns d'entre eux, peu scrupuleux, se rendent carrément coupables de fraude. En déclarant un stock qui n'existe pas, un gestionnaire dépourvu de sens éthique peut faire apparaître des bénéfices immédiats et maquiller l'état de la situation financière. Comme il faut soustraire la valeur du stock à la fin du coût des marchandises destinées à la vente pour obtenir le coût des ventes, un stock fictif réduit automatiquement ce dernier coût. Il sert aussi à étoffer l'état de la situation financière en augmentant la valeur des actifs.

Les auditeurs tentent de démasquer de telles fraudes en effectuant des vérifications physiques de l'existence du stock présenté dans l'état de la situation financière. Ils procèdent généralement par échantillonnage et comptent des lots choisis au hasard pouvant représenter de 5 % à 10 % des articles enregistrés dans le stock. Toutefois, cette méthode de vérification n'est pas toujours efficace.

Voici ce que disait Jed Connelly, le plus haut dirigeant américain de Nissan North America : « Nous avions une grande quantité de produits excédentaires qu'il fallait liquider immédiatement sur le marché. » La société Nissan préférait faire fonctionner ses usines à pleine capacité, sans égard à la piètre performance des ventes de ses voitures parce que, suivant ses règles de tenue de comptes (probablement la méthode du coût complet), les usines généreraient alors des bénéfices. Il en est résulté que les concessionnaires Nissan ont dû réduire considérablement leurs prix et offrir d'importantes réductions pour vendre leurs véhicules. D'après le magazine *Fortune*, «des années de moins-value et de vente à tout prix ont sérieusement diminué la valeur de la marque Nissan. Alors que le nom Toyota était synonyme de qualité, les clients s'adressaient à Nissan pour profiter d'aubaines. »

En 1999, après l'achat par la société française Renault d'une participation de 44 % dans Nissan, le nouveau chef de la direction nommé par Renault, Carlos Ghosn, a imposé au constructeur d'automobiles un changement radical de direction. Des mises à pied, des fermetures d'usines, l'élimination de certains modèles et de nouvelles conceptions ont permis à Nissan de se hisser au deuxième rang au Japon et de devenir l'entreprise ayant la marge bénéficiaire la plus élevée de tous les constructeurs d'automobiles à fort volume de production.

Malgré son succès depuis 1999, la nouvelle usine de Nissan aux États-Unis a fait état de problèmes de qualité de production qui devront être réglés dans sa section nord-américaine, une tâche à laquelle doit s'attaquer le chef de la direction, Carlos Ghosn.

Source: Alex TAYLOR III, «The Man Who Vows to Change Japan Inc.», *Fortune*, vol. 140, n° 12 (20 décembre 1999), p. 189-198; «The $10 Billion Man: Face Value», *The Economist*, vol. 374, n° 8415 (26 février 2005), p. 76.

L'analyse CVB et la méthode du coût complet

La méthode du coût complet est largement utilisée à la fois pour les rapports internes et pour les rapports externes. De nombreuses entreprises l'adoptent seulement parce qu'elle se concentre sur le coût *complet* des unités produites. La méthode, cependant, s'harmonise plutôt mal avec l'analyse CVB.

Pour illustrer ce point, reportons-nous une fois de plus au tableau 8.1 (*p. 365*) et établissons le seuil de rentabilité de Tricots d'Écosse.

Prix de vente à l'unité..	20 $
Moins: Coûts variables à l'unité	8
Marge sur coûts variables à l'unité	12 $
Frais indirects de fabrication fixes	150 000 $
Coûts commerciaux et charges administratives fixes............................	90 000
Total des frais fixes	240 000 $

$$\frac{\text{Total des frais fixes}}{\text{Marge sur coûts variables à l'unité}} = \frac{240\ 000\ \$}{12\ \$} = 20\ 000\ \text{unités}$$

Le seuil de rentabilité est de 20 000 unités. Notons que, selon le tableau 8.1, Tricots d'Écosse a vendu exactement 20 000 unités au cours de la deuxième année, soit le volume correspondant au seuil de rentabilité. En travaillant avec la méthode des coûts variables et en dégageant la marge sur coûts variables, on notera que l'entreprise atteint son seuil de rentabilité au cours de la deuxième année, affichant un bénéfice égal à zéro. *Pourtant, avec la méthode du coût complet, l'entreprise affiche un bénéfice de 30 000 $ lors de la deuxième année d'exploitation.* Comment expliquer un tel écart? Comment la méthode du coût complet permet-elle d'obtenir un bénéfice positif quand l'entreprise a vendu un nombre d'unités correspondant au seuil de rentabilité?

La réponse se trouve du côté de la méthode du coût complet, où des frais indirects de fabrication fixes de 30 000 $ sont comptabilisés dans le stock de la deuxième année et reportés à l'état de la situation financière. Ces frais ne sont donc pas déduits du bénéfice. En raison du report des frais indirects de fabrication fixes dans le stock, l'état des résultats présente un bénéfice bien que l'entreprise ait vendu un nombre d'unités correspondant au seuil de rentabilité. La méthode du coût complet est à l'origine de difficultés semblables dans d'autres domaines de l'analyse CVB. C'est pourquoi l'entreprise devrait faire ses rapports internes avec la méthode des coûts variables.

La prise de décisions

La méthode du coût complet pose un problème fondamental : elle donne une perception erronée des frais indirects de fabrication fixes, qui semblent variables. Par exemple, au tableau 8.1 (*p. 365*), le coût complet de l'unité de produit est de 13 $, mais la partie variable de ce coût est seulement de 7 $. Comme les coûts incorporables du produit sont établis à l'unité, le gestionnaire pourrait croire à tort que, si une autre unité était fabriquée, son coût s'établirait à 13 $.

La perception erronée selon laquelle le coût complet de l'unité de produit est variable peut causer de nombreux problèmes de gestion, dont des décisions à court terme inappropriées en matière de prix et le choix d'abandonner des produits qui, en réalité, se révèlent rentables. Nous traiterons plus en détail des problèmes de coût des produits liés à la méthode du coût complet dans les derniers chapitres.

Les rapports financiers publiés à des fins externes et l'impôt sur le résultat

La méthode du coût complet est obligatoire au Canada pour les rapports financiers publiés à des fins externes. En effet, les normes comptables applicables à ces états financiers exigent qu'une entreprise attribue aux produits en cours et aux produits finis le coût des matières, plus le coût de la main-d'œuvre directe, et l'affectation systématique des frais indirects de fabrication fixes et variables[2]. Selon la *Loi de l'impôt sur le revenu*, les états financiers doivent aussi être préparés selon la méthode du coût complet.

Bien que l'entreprise applique la méthode du coût complet pour ses états financiers à usage général, le gestionnaire pourrait utiliser des états financiers préparés avec la méthode des coûts variables pour ses rapports internes. Le *double emploi* des méthodes (la méthode des coûts variables pour les rapports internes, et la méthode du coût complet pour les états financiers à usage général) ne présente aucun problème comptable particulier. Comme l'illustrent les tableaux 8.3 et 8.5 (*p. 368 et 371*), l'ajustement du bénéfice obtenu à l'aide de la méthode des coûts variables et du bénéfice obtenu à l'aide de la méthode du coût complet est une opération simple qui peut être réalisée en fin de période.

Notons cependant que l'utilisation de deux formes d'états des résultats pourrait poser des problèmes du côté des dirigeants d'entreprises cotées en Bourse. En général, ces cadres sont évalués à partir des rapports qu'ils présentent aux actionnaires. Ils peuvent penser que, puisqu'ils sont évalués selon des résultats obtenus avec la méthode du coût complet, ils doivent prendre des décisions sur cette base.

Les avantages de la méthode des coûts variables et de l'approche de la marge sur coûts variables

Comme nous l'avons expliqué, bien que les rapports externes soient présentés à l'aide de la méthode du coût complet, la méthode des coûts variables, associée à l'approche de la marge sur coûts variables, demeure une solution de rechange valable pour les rapports internes. On peut résumer les avantages de la méthode des coûts variables comme suit :

1. Les données indispensables à l'analyse CVB peuvent être tirées directement des états des résultats préparés à l'aide de la méthode des coûts variables, contrairement aux états des résultats préparés à l'aide de la méthode du coût complet.

---

2. INSTITUT CANADIEN DES COMPTABLES AGRÉÉS, *Manuel de l'ICCA*, chap. 3031, par. 12.

2. Avec la méthode des coûts variables, la variation du stock n'a aucun effet sur le bénéfice. Ainsi, lorsque les prix de vente, les frais, la composition du chiffre d'affaires, etc., demeurent identiques, les bénéfices évoluent dans la même direction que les ventes.

3. Souvent, les gestionnaires supposent que les coûts unitaires du produit sont des coûts variables. C'est un problème que présente la méthode du coût complet, car les coûts unitaires du produit combinent à la fois des frais fixes et des coûts variables, contrairement à la méthode des coûts variables.

4. La méthode des coûts variables et la marge sur coûts variables accentuent l'effet des frais fixes sur les bénéfices. Le total des frais fixes apparaît clairement à l'état des résultats. Avec la méthode du coût complet, cependant, ces frais s'ajoutent aux coûts variables, et se fondent dans le coût des ventes et le coût du stock à la fin.

5. Il est plus facile d'établir la rentabilité des produits, des clients et des autres secteurs d'activité à partir des données obtenues à l'aide de la méthode des coûts variables. Avec la méthode du coût complet, les ventilations de frais fixes arbitraires pourraient dissimuler la rentabilité de ces éléments. Nous traiterons de ces questions au cours des prochains chapitres.

6. La méthode des coûts variables se prête bien aux méthodes de contrôle des coûts comme celle des coûts de revient standards et le budget flexible, que nous étudierons au cours des prochains chapitres.

7. Le bénéfice obtenu à l'aide de la méthode des coûts variables se rapproche davantage des flux de trésorerie que le bénéfice obtenu à l'aide de la méthode du coût complet. Cela est très important pour les entreprises éprouvant des problèmes de trésorerie.

Compte tenu de tous ces avantages, il y a lieu de se demander pourquoi la méthode du coût complet, en plus d'être utilisée dans les états financiers à usage général, constitue le choix prédominant pour les rapports financiers internes. Cette situation est attribuable en partie à la tradition. La méthode du coût complet trouve aussi preneurs auprès de nombreux comptables et gestionnaires, car ils sont convaincus qu'elle permet de mieux combiner les coûts et les revenus. Ses ardents défenseurs invoquent le fait que *tous* les coûts de production doivent être attribués aux produits de façon à combiner correctement les coûts de production des unités de produit aux revenus de ces unités au moment de leur vente. Les coûts fixes d'amortissement, les taxes, les assurances, le salaire du superviseur, etc., sont aussi indispensables à la fabrication des produits que les coûts variables.

Les défenseurs de la méthode des coûts variables soutiennent que les frais fixes de fabrication ne font pas réellement partie des frais d'une unité de produit en particulier. Le fait d'engager ces frais permet d'avoir la *capacité* de fabriquer des produits pour une période donnée, et ils seront engagés bien qu'aucune unité ne soit fabriquée pendant cette période. De plus, les frais fixes de fabrication seront exactement les mêmes, peu importe que l'unité soit fabriquée ou non. C'est pourquoi les défenseurs de la méthode des coûts variables soutiennent que les coûts de fabrication fixes ne font pas partie des coûts de fabrication d'une unité de produit en particulier, et donc que, selon le principe de rattachement, il serait préférable d'attribuer les coûts de production fixes à la période en cours.

La méthode du coût complet présente aussi un autre inconvénient en ce qu'elle permet au gestionnaire peu soucieux de l'éthique de commettre certaines fraudes en toute connaissance de cause. Les bénéfices déclarés seront directement touchés par toute augmentation ou diminution du stock quand les frais fixes seront inclus dans le stock. Le gestionnaire aux pratiques douteuses dont la prime au rendement repose sur le bénéfice, par exemple, pourrait hausser les résultats en présentant un niveau du stock plus élevé qu'il ne l'est. Gardez à l'esprit qu'il existe un lien direct entre l'augmentation du stock à la fin et le bénéfice. Les responsables de l'évaluation de la performance devraient regarder au-delà du résultat afin de reconnaître de tels abus.

En bref, la méthode du coût complet servira à la préparation des états financiers à usage général et des déclarations de revenus. La plupart des entreprises appliqueront la méthode du coût complet pour leurs états financiers à usage général et leurs rapports internes, sans doute en raison du coût et de la confusion que pourrait engendrer le maintien de deux systèmes de coûts distincts.

Il y a aussi parfois d'importantes raisons stratégiques qui motivent l'emploi de la méthode du coût complet. Par exemple, la haute direction pourrait craindre que la méthode des coûts variables mette exagérément l'accent sur la marge sur coûts variables et n'attire pas suffisamment l'attention sur la gestion des coûts fixes. Certains gestionnaires chargés de prendre des décisions accordent en effet trop d'importance à la rentabilité à court terme au détriment de la rentabilité à long terme. Ainsi, la rentabilité à long terme risque de décroître si, séduits par les attraits de marges sur coûts variables élevées, ils établissent les prix des produits à des niveaux trop bas parce qu'ils ne tiennent pas compte des coûts fixes. Ce risque est particulièrement sérieux dans des secteurs où les structures de coûts sont majoritairement constituées de coûts fixes. Si l'on en juge par l'emploi très répandu de la méthode du coût complet, il semble que la plupart des gestionnaires aient conclu que ces facteurs stratégiques et les coûts supplémentaires inhérents au maintien de systèmes parallèles l'emportent sur les avantages qu'ils peuvent tirer des informations fournies par la méthode des coûts variables.

SUR LE TERRAIN

Une politique comptable «créative»

Albert J. Dunlap, qui aime bien son sobriquet de «Chainsaw Al» (Al la tronçonneuse) a quitté la société Sunbeam après trois ans au poste de chef de la direction. Il avait été engagé pour remettre cette société sur pied en raison de son habileté bien connue à réduire les coûts et à ne pas tenir compte des susceptibilités des employés.

Toutefois, après trois ans, M. Dunlap a été congédié par le conseil d'administration de Sunbeam parce que ses pratiques de comptabilité «créatives» provoquaient des inquiétudes très médiatisées. Outre des procédés comptables douteux, il laissait derrière lui un stock excédentaire. Ses successeurs se sont plaints que l'élimination de ce stock avait obligé l'entreprise à maintenir des volumes de production bien au-dessous de sa capacité. Sunbeam, comme la plupart des autres sociétés, utilise la méthode du coût complet pour préparer ses rapports financiers publiés à des fins externes. Par conséquent, l'élimination de ces excédents de stock diminue ses bénéfices.

Les pratiques comptables «créatives» utilisées par la société Sunbeam ont été qualifiées de désastreuses, au même titre que celles d'Enron et de WorldCom. Parmi les répercussions de cette affaire, citons la faillite et la restructuration financière de la société, ainsi que le bannissement à vie de M. Dunlap comme cadre dirigeant d'une société ouverte, une amende de 500 000 $ réclamée par la SEC (l'autorité financière américaine) et un règlement de 15 millions de dollars dans une poursuite intentée par des actionnaires.

Après sa restructuration, la société Sunbeam est devenue American Household Inc., qui a par la suite été vendue pour la somme de 746 millions de dollars.

Source: Michael SCHROEDER, «Dunlap Settles Fraud Charges with the SEC», *The Wall Street Journal*, 5 septembre 2002, p. C1; Dennis K. BERMAN et Henny SENDER, «Jarden Is Set to Acquire American Household: Consumer-Products Firm Is to Pay $ 746 Millions for Successor to Sunbeam», *The Wall Street Journal*, 20 septembre 2004, p. A6.

L'effet de la production optimisée

Comme nous l'avons vu plus tôt dans ce chapitre, la méthode des coûts variables et la méthode du coût complet produisent des bénéfices différents lorsque le nombre d'unités fabriquées diffère du nombre d'unités vendues — autrement dit, chaque fois qu'il y a une variation du nombre d'unités dans le stock au début et à la fin d'une période. Nous avons également vu que le montant du bénéfice calculé suivant la méthode du coût complet n'est pas toujours prévisible et peut même évoluer dans une direction opposée à celle des ventes.

Ce type de problèmes diminue lorsque les entreprises ont recours aux méthodes de production optimisée. L'évolution irrégulière du bénéfice calculé suivant la méthode du coût complet, et l'écart entre les montants de ce bénéfice calculés à l'aide de la méthode des coûts variables et à l'aide de la méthode du coût complet sont dus aux variations du nombre d'unités dans le stock. Avec la production optimisée, l'entreprise fabrique des marchandises en fonction des commandes de ses clients, et son objectif consiste à éliminer complètement son stock de produits finis et à réduire le plus possible son stock de produits en cours. Lorsqu'il y a très peu de stock, les variations entre le stock au début et à la fin sont minimes, et on obtient essentiellement le même montant de bénéfice, qu'on utilise la méthode des coûts variables ou celle du coût complet. Le cas échéant, le bénéfice obtenu à l'aide de la méthode du coût complet se déplace dans la même direction que les ventes.

Naturellement, le coût d'une unité d'un produit sera toujours différent suivant qu'on le calcule à l'aide de la méthode des coûts variables ou de la méthode du coût complet, comme nous l'avons vu précédemment. Toutefois, lorsqu'on utilise la production optimisée, les différences dans le montant du bénéfice disparaissent en grande partie.

OBJECTIF 5

Expliquer comment la production optimisée permet de réduire l'écart entre le bénéfice déterminé à l'aide de la méthode des coûts variables et le bénéfice déterminé à l'aide de la méthode du coût complet.

La publication d'informations sectorielles

Pour effectuer leur travail efficacement, les gestionnaires et les décideurs doivent avoir accès à beaucoup plus de renseignements que ce que leur fournit un seul état des résultats à l'échelle de l'entreprise. Qu'ils soient préparés suivant la méthode des coûts variables ou celle du coût complet, ces états ne donnent généralement qu'un résumé de l'ensemble des activités. Ils ne renferment pas suffisamment d'éléments pour permettre au gestionnaire ou à un investisseur de déceler des problèmes qui pourraient exister dans l'entreprise. Par exemple, certaines gammes de produits peuvent être rentables alors que d'autres ne le sont pas ; certains secteurs de vente peuvent présenter une mauvaise composition du chiffre d'affaires ou laisser échapper des occasions de vente. Un gestionnaire souhaite parfois analyser les résultats de façon plus détaillée pour voir si certains représentants sont plus efficaces que d'autres, ou si certaines sections de production (ou ateliers de fabrication) utilisent leur capacité ou leurs ressources de façon efficace ou inefficace. Pour découvrir de tels problèmes, il a besoin non pas d'un, mais de plusieurs états des résultats qui concernent les unités d'exploitation de l'entreprise. C'est ce qu'on appelle la *publication d'informations sectorielles*.

Une **unité d'exploitation** désigne n'importe quelle partie ou activité d'une organisation pour laquelle un gestionnaire et son équipe assument la responsabilité des coûts, des revenus, des résultats ou des investissements. Parmi les exemples d'unités d'exploitation, mentionnons les divisions, les territoires de vente d'une entreprise, ses magasins, ses centres de service, ses usines, ses services de mise en marché, ses clients et ses gammes de produits, ou tout autre secteur défini par l'entreprise.

À des fins de comptabilité, une unité d'exploitation est une composante d'une entreprise[3] :

- qui effectue des activités d'affaires pouvant lui rapporter des revenus et lui occasionner des dépenses ;
- dont le directeur examine régulièrement les résultats d'exploitation en vue de prendre des décisions concernant l'attribution de ressources à cette unité et d'évaluer sa performance ;
- sur laquelle des informations financières détaillées sont disponibles.

OBJECTIF 6

Établir un état des résultats sectoriels à l'aide de la méthode des coûts variables, et expliquer la différence entre les coûts fixes spécifiques et les coûts fixes communs.

8

Unité d'exploitation

Toute partie ou activité d'une organisation pour laquelle un gestionnaire et son équipe assument la responsabilité des coûts, des revenus, des résultats ou des investissements.

---

3. INTERNATIONAL ACCOUNTING STANDARDS COMMITTEE FOUNDATION, *Normes internationales d'information financière*, Londres, IFRS 8, par. 5.

Les différents niveaux des états financiers sectoriels

Des états financiers sectoriels peuvent être préparés pour différents niveaux d'activité dans une entreprise et sous différentes formes. Le tableau 8.6 montre trois niveaux d'états financiers sectoriels pour la société Solutions inc. L'état des résultats établi à l'aide de la méthode des coûts variables pour l'ensemble de l'entreprise apparaît au haut du tableau, dans la colonne intitulée « Total de l'entreprise ». À droite de cette colonne, il y a deux autres colonnes réservées à chacune des deux divisions. Nous pouvons constater que la division Produits destinés aux entreprises présente un bénéfice sectoriel de **60 000 $**, et la division Produits destinés aux consommateurs, un bénéfice de **40 000 $**. Ces bénéfices sectoriels indiquent aux gestionnaires de divisions la part des bénéfices de l'entreprise qui provient de leur secteur.

On peut préparer des états des résultats sectoriels pour des activités effectuées à différents niveaux de l'entreprise. Les divisions sont alors décomposées en fonction de leurs principales gammes de produits. Dans le cas de la division Produits destinés aux consommateurs, il s'agit d'animation par ordinateur et de jeux sur ordinateur. On peut aller plus loin et diviser chacune de ces gammes de produits en fonction de son mode de vente — dans des magasins de détail ou en ligne. Remarquez qu'à mesure qu'on progresse d'un état des résultats sectoriel à un autre, on considère des composantes de plus en plus restreintes de l'entreprise. Même s'ils n'apparaissent pas dans le tableau 8.6, on aurait également pu établir des états des résultats sectoriels pour les principales gammes de produits de la division Produits destinés aux entreprises.

Une série d'états financiers comme celle du tableau 8.6 présente des avantages considérables pour les gestionnaires. En examinant attentivement les tendances et les résultats de chaque division, les dirigeants peuvent avoir une meilleure compréhension de l'entreprise dans son ensemble, et même découvrir des possibilités et des plans d'action qui, autrement, ne leur seraient pas apparus aussi clairement. Des systèmes d'information sophistiqués facilitent l'élaboration de tels états financiers et permettent de les maintenir sans cesse à jour.

L'examen attentif du tableau 8.6 soulève toutefois une question. Pourquoi décomposer les résultats d'abord par division, ensuite par gamme de produits, puis par circuit de vente ?

L'ordre dans lequel se fait la ventilation dépend du type de renseignements voulus. Il pourrait sûrement se révéler avantageux de commencer par chaque division de vente, d'examiner ensuite les gammes de produits pour chacune de ces divisions, puis les circuits de vente de chacune de ces gammes. Cette façon de procéder permettrait de comparer les résultats d'une même gamme de produits dans différentes divisions. Ce que les gestionnaires veulent savoir et le type de comparaison qu'ils souhaitent établir sont les facteurs qui servent à déterminer l'ordre de ventilation. Cet ordre ne devrait pas avoir d'effet sur les chiffres, mais il peut modifier le contenu d'un rapport et la facilité avec laquelle on l'examine.

L'attribution de coûts aux unités d'exploitation

Les états des résultats sectoriels préparés à des fins internes sont généralement établis à l'aide de la méthode des coûts variables. On utilise les mêmes façons de faire en matière d'attribution des coûts dans la préparation de ces rapports que dans celle des états des résultats suivant la méthode des coûts variables, à une exception près qui concerne le traitement des coûts fixes. Comme vous pouvez le constater dans le tableau 8.6, les coûts fixes sont divisés en deux catégories dans un état des résultats sectoriel — d'une part, les coûts fixes *spécifiques*, et de l'autre, les coûts fixes *communs*. Seuls les coûts fixes spécifiques sont attribués aux différentes unités d'exploitation. Lorsqu'il est impossible de rattacher directement un coût fixe à une unité d'exploitation, on le considère comme un coût commun et on ne l'associe pas aux unités d'exploitation elles-mêmes. Par conséquent, dans l'approche des résultats établis selon la méthode des coûts variables, on n'attribue jamais arbitrairement un coût à une unité d'exploitation de l'organisation.

TABLEAU 8.6 Des états des résultats sectoriels établis selon la méthode des coûts variables – Solutions inc.

Unités d'exploitation définies comme des divisions de l'entreprise

	Total de l'entreprise	Division Produits destinés aux entreprises	Produits destinés aux consommateurs
Ventes	500 000 $	300 000 $	200 000 $
Moins : Coûts variables :			
Coûts des ventes variables	180 000	120 000	60 000
Autres coûts variables	50 000	30 000	20 000
Total des coûts variables	230 000	150 000	80 000
Marge sur coûts variables	270 000	150 000	120 000
Moins : Coûts fixes spécifiques	170 000	90 000	80 000*
Bénéfice sectoriel de la division	100 000	60 000 $	40 000 $
Moins : Coûts fixes communs impossibles à rattacher aux divisions particulières	85 000		
Bénéfice	15 000 $		

Unités d'exploitation définies en fonction des gammes de produits de la division Produits destinés aux consommateurs

	Produits destinés aux consommateurs	Gamme de produits Animation par ordinateur	Jeux sur ordinateur
Ventes	200 000 $	75 000 $	125 000 $
Moins : Coûts variables :			
Coûts des ventes variables	60 000	20 000	40 000
Autres coûts variables	20 000	5 000	15 000
Total des coûts variables	80 000	25 000	55 000
Marge sur coûts variables	120 000	50 000	70 000
Moins : Coûts fixes spécifiques	70 000	30 000	40 000
Bénéfice sectoriel de la gamme de produits	50 000	20 000 $	30 000 $
Moins : Coûts fixes communs impossibles à rattacher aux gammes particulières de produits	10 000		
Bénéfice sectoriel de la division	40 000 $		

Unités d'exploitation définies en fonction des circuits de vente d'une gamme de produits, les jeux sur ordinateur, de la division Produits destinés aux consommateurs

	Jeux sur ordinateur	Circuit de vente Ventes en ligne	Magasins de détail
Ventes	125 000 $	100 000 $	25 000 $
Moins : Coûts variables :			
Coûts des ventes variables	40 000	32 000	8 000
Autres coûts variables	15 000	5 000	10 000
Total des coûts variables	55 000	37 000	18 000
Marge sur coûts variables	70 000	63 000	7 000
Moins : Coûts fixes spécifiques	25 000	15 000	10 000
Bénéfice sectoriel du circuit de vente	45 000	48 000 $	(3 000)$
Moins : Coûts fixes communs impossibles à rattacher à des circuits de vente particuliers	15 000		
Bénéfice sectoriel de la gamme de produits	30 000 $		

* Remarquez que ce montant de 80 000 $, inscrit à titre de coûts fixes spécifiques, se sépare en deux parties lorsqu'on décompose la division Produits destinés aux consommateurs en gammes de produits — soit 70 000 $ en coûts spécifiques et 10 000 $ en coûts communs. Nous examinerons les raisons de cette distinction plus loin dans la partie du chapitre intitulée « Une transformation possible des coûts spécifiques en coûts communs » (p. 383).

En résumé, deux règles s'appliquent dans l'attribution des coûts aux différentes unités d'exploitation d'une entreprise selon la méthode des coûts variables. Cette attribution se fait :

1. conformément aux modèles de comportement des coûts (c'est-à-dire variables et fixes) ;
2. selon que les coûts peuvent être ou non rattachés directement aux unités d'exploitation en question.

Examinons maintenant plus en détail certains aspects du tableau 8.6 (*page précédente*).

Le chiffre d'affaires et la marge sur coûts variables

Pour préparer des états des résultats sectoriels à des fins de gestion, il est nécessaire de tenir des documents relatifs aux ventes par unité d'exploitation de même que pour l'ensemble de l'entreprise. Après avoir soustrait les coûts variables qui s'y rattachent, on calcule le montant de la marge sur coûts variables de chaque unité d'exploitation, comme le montre le tableau 8.6. Nous avons vu, dans notre étude de la méthode des coûts variables, que la marge sur coûts variables est un élément d'information extrêmement utile pour les gestionnaires — en particulier lorsqu'il s'agit de déterminer l'impact de l'augmentation ou de la diminution du volume des ventes sur le résultat. Pour calculer l'effet des variations du volume des ventes sur le résultat, il suffit de multiplier la marge sur coûts variables unitaire par la différence entre les nombres d'unités vendues, ou encore de multiplier la variation du montant du chiffre d'affaires par le ratio de la marge sur coûts variables. On se base ici sur l'hypothèse implicite que les prix de vente et les coûts variables ne fluctuent pas en fonction des variations du volume. Les états des résultats sectoriels permettent aux gestionnaires d'effectuer des calculs de ce type pour un produit, pour une division ou pour un secteur de vente à la fois, leur fournissant ainsi les renseignements nécessaires à la détermination des domaines où il y a des points faibles ou de ceux où l'on peut tirer parti des réussites.

La marge sur coûts variables est essentiellement un instrument de planification à court terme. Comme telle, elle est particulièrement utile dans la prise de décisions relatives à des utilisations temporaires de la capacité de l'entreprise, aux commandes spéciales ou à la promotion à brève échéance d'une gamme de produits. Les décisions portant sur des activités à court terme touchent en général seulement des coûts et des revenus variables, c'est-à-dire les éléments qui servent au calcul de la marge sur coûts variables. En contrôlant minutieusement la marge sur coûts variables des unités d'exploitation et le ratio de cette marge, les gestionnaires sont en mesure de prendre les décisions à court terme susceptibles de maximiser l'apport de l'unité à la rentabilité de l'ensemble de l'organisation. Nous analyserons ce type de décisions en détail au chapitre 12.

L'importance des coûts fixes

L'importance accordée jusqu'ici à la marge sur coûts variables ne devrait pas laisser croire que les coûts fixes sont des facteurs négligeables. Au contraire, ils sont très importants dans n'importe quelle organisation. En fait, ce que sous-entend la méthode des coûts variables est que *chaque coût sert à une fin différente.* Il arrive que, pour un objectif donné, seule la connaissance des revenus et des coûts variables réponde adéquatement aux besoins des gestionnaires. Pour un autre objectif, la connaissance des coûts fixes pourrait également leur être nécessaire.

La décomposition des coûts en éléments fixes et variables rappelle aux gestionnaires que, comme ces coûts doivent être contrôlés différemment, il leur faut être attentifs à ces différences dans leur planification à court et à long terme. De plus, le regroupement des coûts fixes dans la méthode des coûts variables met en lumière le fait qu'après le remboursement de ces coûts, le résultat s'accroît du montant de la marge sur coûts variables générée par chaque unité supplémentaire vendue. Tous ces concepts sont utiles aux gestionnaires à des fins de planification.

Les coûts fixes spécifiques et les coûts fixes communs

On peut définir les **coûts fixes spécifiques** comme étant des coûts fixes qu'il est possible d'associer à une unité d'exploitation en particulier et qui sont occasionnés par l'existence même de cette unité. Autrement dit, si l'unité d'exploitation n'avait jamais existé, ces coûts fixes n'auraient pas été engagés ; de même, si l'on éliminait l'unité, ces coûts fixes disparaîtraient. Seuls les coûts fixes spécifiques sont attribués à des unités d'exploitation en particulier. Lorsqu'il est impossible de rattacher un coût à une unité d'exploitation, on ne le lui attribue pas. Voici quelques exemples de coûts fixes spécifiques.

- Le salaire du chef des produits Fritos à la société PepsiCo constitue un coût fixe spécifique de la division Fritos de PepsiCo.
- Le coût d'entretien du bâtiment dans lequel a lieu l'assemblage des avions à réaction Challenger est un coût fixe spécifique de l'unité d'exploitation du Challenger chez Bombardier.

Un **coût fixe commun** est un coût fixe engagé pour soutenir les activités de plus d'une unité d'exploitation sans qu'on puisse le rattacher en totalité ou en partie à l'une d'elles en particulier. L'abandon complet d'une unité d'exploitation n'aura aucun effet sur le montant des coûts fixes communs. En voici des exemples.

- Le salaire du président et chef de la direction de la société General Motors du Canada est un coût fixe *commun* aux différentes divisions de l'entreprise.
- Le coût du système de codage à barres de la société Solutions inc. constitue un coût fixe commun aux divisions Produits destinés aux consommateurs et Produits destinés aux entreprises.
- Le coût du salaire de la réceptionniste dans un cabinet de médecins est un coût fixe commun à tous ces médecins. Ce coût se rattache au cabinet et n'est imputable à aucun médecin en particulier.

Plutôt que d'attribuer des coûts fixes communs aux unités d'exploitation, on soustrait simplement leur montant total pour parvenir au bénéfice de l'entreprise dans son ensemble (*voir le tableau 8.6*). Le comptable pourrait prétendre qu'on n'ajoute rien à l'utilité générale d'un état des résultats sectoriels en répartissant les coûts communs entre les unités d'exploitation. Plus précisément, il soutiendrait même que de telles répartitions ont tendance à diminuer l'utilité de ces états financiers. En effet, les attributions arbitraires détournent l'attention des coûts qu'on peut rattacher directement à une unité d'exploitation et qui devraient servir de base à l'évaluation de sa performance.

En outre, certains affirment que toute tentative de répartir des coûts fixes communs entre des unités d'exploitation peut avoir pour résultat des données trompeuses, ou cacher des relations importantes entre les revenus d'une unité et son résultat. Une attribution arbitraire des coûts fixes communs donne souvent l'impression qu'une unité d'exploitation n'est pas rentable alors que non seulement elle couvre ses propres coûts spécifiques, mais elle contribue aussi de façon substantielle à la rentabilité de l'ensemble de l'entreprise. Le cas échéant, les coûts attribués peuvent entraîner l'abandon injustifié d'une unité d'exploitation et une baisse des bénéfices de l'entreprise dans son ensemble parce que, même en cas d'élimination de l'unité visée, les coûts communs ne disparaissent pas.

Une mise en garde s'impose à ce stade. L'attitude de la direction envers les coûts communs peut aider à contrôler leur accroissement. Les gestionnaires se servent parfois de la répartition des coûts communs comme d'un signal concernant le coût des avantages procurés par le siège social et, par conséquent, ils modifient leurs actions en vue du bien de l'entreprise dans son ensemble. Des études sur le terrain montrent que des organisations attribuent souvent des coûts communs à leurs unités d'exploitation pour toutes sortes de raisons. Une analyse rigoureuse du traitement des coûts non contrôlables et des coûts communs répartis permet de croire qu'il peut être avantageux d'attribuer des coûts non contrôlables à des unités d'exploitation sous la responsabilité des gestionnaires ou de répartir des coûts communs entre des unités d'exploitation. Le comportement des gestionnaires est complexe. Nous reviendrons sur certaines de ces questions d'attribution des coûts communs au chapitre 11.

Coût fixe spécifique

Coût fixe qu'on peut associer à une unité d'exploitation en particulier et qui est occasionné par l'existence même de cette unité.

Coût fixe commun

Coût fixe qui soutient les activités de plus d'une unité d'exploitation, mais qui ne peut pas être rattaché, en totalité ou en partie, à l'une de ces unités en particulier.

8

L'établissement des coûts fixes spécifiques

La distinction entre coûts fixes spécifiques et coûts fixes communs est essentielle dans la publication des informations sectorielles, parce que les coûts fixes spécifiques sont attribués aux unités d'exploitation alors que les coûts fixes communs ne le sont pas. Dans une situation concrète, il est parfois difficile de déterminer si un coût se classe dans la catégorie des coûts spécifiques ou des coûts communs.

Un principe directeur consiste à traiter comme des coûts spécifiques *uniquement les coûts qui disparaîtraient avec le temps si l'unité d'exploitation était fermée*. Par exemple, si la société Solutions inc. vendait ou fermait sa division Produits destinés aux consommateurs (*voir le tableau 8.6, p. 379*), elle n'aurait plus à verser un salaire à son directeur. Par conséquent, on devrait classer ce salaire comme un coût fixe spécifique de la division Produits destinés aux consommateurs. Par contre, le directeur de Solutions inc. continuerait sans aucun doute de recevoir un salaire, même si la division Produits destinés aux consommateurs était supprimée. En fait, il pourrait même avoir une augmentation de salaire si l'abandon de cette division se révélait une bonne idée. Le salaire du directeur est donc un coût commun aux deux divisions de l'entreprise et ne devrait pas être attribué à l'une ou à l'autre.

Il existera toujours des coûts qui n'appartiennent vraiment ni à la catégorie des coûts spécifiques ni à celle des coûts communs, et il faut faire preuve de beaucoup de jugement pour les classer de façon appropriée. L'important est de résister à la tentation d'attribuer des coûts (comme l'amortissement des installations de l'entreprise) qui sont clairement communs et qui subsisteraient, que l'une des unités d'exploitation soit ou non éliminée. *Toute attribution des coûts communs à des unités d'exploitation nuit à l'interprétation que l'on pourrait faire de la rentabilité sectorielle à long terme et de la performance de cette unité.*

La décomposition des coûts fixes spécifiques

Lorsqu'ils établissent des états des résultats sectoriels, certains gestionnaires préfèrent séparer les coûts fixes spécifiques en deux catégories — les coûts discrétionnaires et les coûts de structure. Comme nous l'avons vu au chapitre 6, les coûts fixes discrétionnaires sont sous le contrôle immédiat du gestionnaire, contrairement aux coûts de structure. Par conséquent, une décomposition des coûts fixes spécifiques en ces deux catégories permet à l'entreprise de faire une distinction entre la performance du gestionnaire de l'unité d'exploitation et la performance de l'unité, même en tant qu'investissement à long terme.

Dans certaines situations, cette distinction entre les performances peut avoir une importance capitale. Un excellent gestionnaire pourrait ainsi se voir confier une division dont l'usine tombe en désuétude ou dont la structure de coûts est composée en majorité de coûts fixes sur lesquels il n'a aucun contrôle. Dans ces conditions, il serait injuste d'évaluer sa performance simplement d'après la marge bénéficiaire générée par cette unité d'exploitation. Il faudrait plutôt séparer les coûts fixes discrétionnaires des coûts de structure et les regrouper pour les soustraire de la marge sur coûts variables de la division. Le montant qui reste après la soustraction des coûts fixes discrétionnaires, appelé parfois *résultat sectoriel contrôlable*, devrait alors servir de base pour l'évaluation de la performance du gestionnaire. Il s'agirait d'une mesure de performance valable puisque le montant considéré représenterait la marge générée par l'unité d'exploitation après la soustraction de tous les coûts que le gestionnaire peut contrôler.

La comptabilité par activités

Il est relativement facile de classer certains coûts dans la catégorie des coûts spécifiques. Par exemple, les coûts de publicité du dentifrice Crest à la télévision peuvent clairement être rattachés à cette marque. La situation se complique lorsqu'au moins deux unités d'exploitation partagent le même immeuble, la même machine ou toute autre ressource. Supposons qu'une entreprise fabriquant différents produits loue de l'espace dans un immeuble pour y entreposer toutes ses gammes de produits. Le coût du loyer de l'entrepôt constitue-t-il alors un coût spécifique ou un coût commun à tous les produits? Les gestionnaires qui se servent de la comptabilité par activités (CPA) pourraient répondre que le loyer est un coût spécifique et qu'il devrait être attribué aux produits en fonction de l'espace que chacun occupe dans l'entrepôt. De même, ils soutiendraient que les frais de traitement des commandes, de soutien à la vente, ainsi que d'autres coûts commerciaux et administratifs devraient également être attribués aux unités d'exploitation d'après leur consommation respective de ces ressources.

Pour illustrer cette situation, prenons l'exemple de la société Holt, qui fabrique des tuyaux en béton pour usage industriel. L'entreprise fabrique trois produits — des tuyaux de 23, de 30 et de 46 centimètres de diamètre. Elle loue annuellement de l'espace dans un vaste entrepôt selon ses besoins. Le coût de location de cet espace est de 10 $ du mètre carré par an. Les tuyaux de 23 centimètres occupent 400 mètres carrés d'espace ; ceux de 30 centimètres, 1 600, et ceux de 46 centimètres, 2 000. L'entreprise compte aussi un service de traitement des commandes, qui a engagé des coûts de 150 000 $ pour l'exécution de cette tâche au cours de la dernière période. Selon la direction, le montant de ces coûts dépend du nombre de commandes passées par des clients dans une année. Au cours de la dernière période, les clients de l'entreprise ont passé 2 500 commandes dont 1 200 portaient sur les tuyaux de 23 centimètres, 800, sur des tuyaux de 30 centimètres, et 500, sur des tuyaux de 46 centimètres. Compte tenu de ces données, voici comment on a réparti les coûts entre chaque produit suivant la CPA.

Coût de l'espace d'entreposage :	
Tuyaux de 23 cm (10 $ × 400 m²)	4 000 $
Tuyaux de 30 cm (10 $ × 1 600 m²)	16 000
Tuyaux de 46 cm (10 $ × 2 000 m²)	20 000
Total des coûts attribués	40 000 $
Coûts de traitement des commandes	
(150 000 $ ÷ 2 500 commandes = 60 $ par commande) :	
Tuyaux de 23 cm (60 $ × 1 200 commandes)...	72 000 $
Tuyaux de 30 cm (60 $ × 800 commandes)..	48 000
Tuyaux de 46 cm (60 $ × 500 commandes)..	30 000
Total des coûts attribués	150 000 $

Cette méthode d'attribution des coûts combine les avantages de la CPA et l'efficacité de la méthode des coûts variables, de même qu'elle améliore considérablement la capacité des gestionnaires à mesurer la rentabilité et la performance des unités d'exploitation. Toutefois, les gestionnaires doivent quand même se demander si ces coûts disparaîtraient vraiment avec le temps advenant l'élimination de l'unité d'exploitation. Dans le cas de la société Holt, il est clair que l'entreprise économiserait fort probablement un montant de 20 000 $ en coûts d'entreposage si elle cessait de fabriquer des tuyaux de 46 centimètres. Elle louerait simplement moins d'espace d'entreposage l'année suivante, réduisant ainsi son coût de location. Supposons, par contre, que l'entreprise possède l'entrepôt. Il devient alors moins évident que le coût d'entreposage de 20 000 $ disparaîtrait réellement avec l'abandon de la fabrication de tuyaux de 46 centimètres. L'espace occupé par ces produits pourrait rester vacant, mais les coûts de l'entrepôt continueraient d'être engagés.

Une transformation possible des coûts spécifiques en coûts communs

Des coûts fixes qu'on peut rattacher à une unité d'exploitation sont parfois aussi des coûts communs pour une autre unité. En effet, la précision avec laquelle il est possible de fractionner un coût sans recourir à une attribution arbitraire a ses limites. Moins on décompose finement la définition des unités d'exploitation, plus les coûts communs sont nombreux.

On peut observer ce phénomène dans le tableau 8.7 (*page suivante*). Remarquez que lorsque les unités d'exploitation sont définies comme des divisions, celle des Produits destinés aux consommateurs enregistre des coûts fixes spécifiques de **80 000 $**. Toutefois, une partie seulement de ce montant, soit **70 000 $**, demeure sous forme de coûts spécifiques lorsqu'on arrête la décomposition au niveau des gammes de produits. Notez que l'autre partie du montant, soit **10 000 $**, devient alors un coût commun des gammes de produits de la division Produits destinés aux consommateurs.

TABLEAU 8.7 **Un reclassement des coûts fixes spécifiques* – Solutions inc.**

| | Total de l'entreprise | Division | |
		Produits destinés aux entreprises	Produits destinés aux consommateurs
Marge sur coûts variables	270 000 $	150 000 $	120 000 $
Coûts fixes spécifiques	170 000 $	90 000 $	80 000 $

| | Produits destinés aux consommateurs | Gamme de produits | |
		Animation par ordinateur	Jeux sur ordinateur
Marge sur coûts variables	120 000 $	50 000 $	70 000 $
Moins: Coûts fixes spécifiques	70 000	30 000	40 000
Bénéfice sectoriel de la gamme de produits	50 000	20 000 $	30 000 $
Moins: Coûts fixes communs	10 000		
Bénéfice sectoriel de la division	40 000 $		

* Les données proviennent du tableau 8.6 (*p. 379*).

Pourquoi ce montant de 10 000 $, d'abord établi comme un coût fixe spécifique, devient-il un coût commun lorsqu'on décompose la division en ses gammes de produits? Parce qu'il correspond au salaire mensuel du directeur de la division Produits destinés aux consommateurs. Ce montant constitue un coût spécifique de la division dans son ensemble, mais il est aussi un coût commun des gammes de produits de la division. Le salaire du directeur est un coût nécessaire en raison de l'existence des deux gammes de produits; cependant, même si l'entreprise abandonnait une des deux gammes, elle ne le réduirait probablement pas. Par conséquent, on ne peut réellement rattacher aucune partie du salaire de ce cadre à des produits particuliers.

Le montant de 70 000 $ du coût fixe spécifique des gammes de produits correspond aux frais de la publicité propre à chaque produit. L'entreprise a dépensé au total 30 000 $ pour la publicité du logiciel d'animation et 40 000 $ pour celle des jeux sur ordinateur. Ces coûts peuvent clairement être rattachés à chacune des gammes de produits.

Le résultat sectoriel

Bénéfice sectoriel (ou résultat sectoriel)

Marge disponible après qu'une unité d'exploitation a acquitté ses propres coûts, obtenue en soustrayant les coûts fixes spécifiques de la marge sur coûts variables de cette unité.

Dans le tableau 8.7, on a obtenu le **bénéfice sectoriel** ou **résultat sectoriel** en soustrayant les coûts fixes spécifiques d'une unité d'exploitation de la marge sur coûts variables de cette unité. Ce bénéfice représente la marge disponible après que l'unité a acquitté ses propres coûts. Il constitue la meilleure mesure de la rentabilité à long terme d'une unité d'exploitation en raison du fait qu'il ne comprend que les coûts attribuables à l'unité. L'expression *long terme* s'applique ici parce que des coûts fixes pourraient être modifiés par suite de l'élimination de cette unité. Lorsqu'une unité d'exploitation est incapable de couvrir ses propres coûts, l'entreprise devrait probablement l'éliminer (à moins que, par ses activités, elle ne joue un rôle essentiel dans le maintien des ventes des autres unités). On constate par exemple que, dans le tableau 8.6 (*p. 379*), les ventes des magasins de détail présentent un résultat sectoriel négatif. Cette unité d'exploitation ne génère donc pas suffisamment de revenus pour couvrir ses propres coûts. En fait, elle diminue les résultats puisque les autres unités doivent éponger sa perte de 3 000 $. Nous approfondirons cette question du maintien ou de l'élimination de gammes de produits et d'unités d'exploitation au chapitre 12.

Du point de vue des gestionnaires, le résultat sectoriel se révèle un outil très précieux lorsqu'il s'agit de prendre des décisions importantes susceptibles de modifier la capacité de l'entreprise, comme l'abandon d'une unité d'exploitation. Par contre, nous avons mentionné précédemment que la marge sur coûts variables est particulièrement utile pour prendre des décisions concernant des changements à court terme, tels que l'établissement du prix de commandes spéciales qui requièrent l'utilisation temporaire de la capacité de production existante.

La publication d'informations sectorielles dans les rapports financiers publiés à des fins externes

Le fait que la détermination des unités d'exploitation retenue pour la publication des états financiers à usage général repose sur la structure organisationnelle réduit au minimum les divergences entre les rapports sur les bénéfices sectoriels destinés à la gestion interne et ceux qui sont requis pour la publication des états financiers à usage général préparés selon les normes comptables internationales. Généralement, les entreprises ne sont pas tenues de communiquer aux utilisateurs externes les mêmes données qu'elles fournissent à l'interne pour aider à la prise de décisions. La publication d'informations sectorielles présente de sérieux inconvénients. Premièrement, les données sectorielles sont souvent très confidentielles, et les entreprises éprouvent de la réticence à les dévoiler au public, pour la simple et bonne raison que leurs concurrents peuvent alors y avoir accès. Deuxièmement, dans les états financiers sectoriels préparés conformément aux normes comptables internationales, l'entreprise doit expliquer les différences entre les méthodes comptables ou les méthodes d'affectation des coûts retenues aux fins de l'information sectorielle et les méthodes utilisées aux fins des états financiers portant sur l'ensemble de l'entreprise. Pour éviter les complications inhérentes à ces rapprochements, il est probable qu'un certain nombre de gestionnaires choisiront d'élaborer leurs rapports internes conformément aux normes comptables applicables aux résultats de l'entreprise dans son ensemble. Cette façon de procéder accroît la fréquence des problèmes que nous allons examiner dans la prochaine section.

Des obstacles à une répartition appropriée des coûts

Il est essentiel de répartir les coûts entre les unités d'exploitation de façon appropriée. Tous les coûts attribuables à une unité d'exploitation — et seulement ces coûts-là — devraient lui être attribués. Malheureusement, les entreprises commettent souvent des erreurs dans l'attribution des coûts aux unités d'exploitation. Dans ce processus, elles oublient certains coûts, attribuent des coûts fixes spécifiques de façon inappropriée et répartissent des coûts fixes communs de façon arbitraire.

L'omission de certains coûts

Les coûts attribués à une unité d'exploitation devraient comprendre tous les coûts attribuables à cette unité. Toutes les activités — de la recherche et du développement jusqu'au service à la clientèle, en passant par la conception des produits, leur fabrication, leur mise en marché et leur distribution — sont nécessaires pour faire parvenir un produit ou un service au client, et générer ainsi des revenus.

Toutefois, seuls les coûts de fabrication entrent dans les coûts incorporables établis suivant la méthode du coût complet. Or, c'est la méthode requise pour préparer les états financiers à usage général montrant les résultats de l'ensemble de l'entreprise. Pour éviter d'avoir à réconcilier les informations sectorielles et celles portant sur l'ensemble de l'entreprise, de nombreuses organisations utilisent aussi la méthode du coût complet pour leurs informations sectorielles. Il en résulte que ces entreprises n'indiquent pas dans leur analyse de rentabilité une partie, sinon la totalité des coûts de recherche et développement, de conception de produits, de mise en marché, de distribution ainsi que ceux liés au service à la clientèle. Pourtant, ces coûts hors fabrication se révèlent tout aussi importants que les coûts de fabrication dans la détermination de la rentabilité d'un produit. Situés en amont et en aval des coûts de fabrication, ils se retrouvent généralement sous le poste intitulé «Coûts commerciaux, charges administratives et frais généraux» dans l'état des résultats. Ils peuvent représenter la moitié, et même plus, du total des coûts d'une organisation. Lorsqu'on ne tient pas compte des coûts en amont ou des coûts en aval dans l'analyse de rentabilité, on sous-estime le coût du produit, et la direction pourrait, sans s'en apercevoir, concevoir et conserver des produits qui entraîneront des pertes à long terme.

Des méthodes inappropriées de répartition des coûts fixes spécifiques entre les unités d'exploitation

En plus d'omettre des coûts, beaucoup d'entreprises ne traitent pas correctement les coûts fixes spécifiques dans les états des résultats sectoriels. Premièrement, il leur arrive de ne pas rattacher de coûts fixes à des unités d'exploitation, même lorsqu'il est possible de le faire. Deuxièmement, il leur arrive d'utiliser des unités d'œuvre inappropriées pour attribuer des coûts fixes spécifiques aux unités d'exploitation. Enfin, il leur arrive aussi de faire une répartition arbitraire des coûts fixes communs entre les unités d'exploitation.

Le non-rattachement des coûts

Les coûts qu'on peut rattacher directement à une unité d'exploitation donnée ne devraient pas être attribués à d'autres unités. Au contraire, il faudrait les attribuer directement à l'unité qui les a occasionnés. Par exemple, on devrait passer directement en charge le loyer d'une succursale d'une compagnie d'assurance à celle à laquelle il se rapporte plutôt que de l'incorporer dans un centre de regroupement des frais indirects qui se rapporte à toute l'entreprise, avant de le répartir entre toutes les succursales.

Le choix d'unités d'œuvre inappropriées

Certaines entreprises attribuent des coûts à des unités d'exploitation à l'aide d'unités d'œuvre arbitraires comme le chiffre d'affaires ou le coût des ventes. Ainsi, lorsqu'on utilise le chiffre d'affaires, on répartit des coûts entre les différentes unités d'exploitation en fonction du pourcentage du chiffre d'affaires de l'entreprise généré par chaque unité d'exploitation. Par exemple, une division ou une gamme de produits qui enregistre 20 % du chiffre d'affaires total de l'entreprise se voit attribuer 20 % des coûts commerciaux et des charges administratives comme étant sa part équitable de ces coûts. On procède de la même manière lorsqu'on utilise le coût des ventes ou toute autre mesure semblable comme unité d'œuvre.

L'attribution de coûts aux unités d'exploitation à des fins de prise de décisions internes doit se faire à la seule condition que l'unité d'œuvre choisie soit réellement inductrice du coût à répartir (ou qu'elle ait une étroite relation avec le véritable inducteur de ce coût). Par exemple, on ne devrait utiliser le chiffre d'affaires pour attribuer des coûts commerciaux et des charges administratives que si une augmentation de 10 % de ce chiffre entraîne une augmentation de 10 % dans les coûts commerciaux et les charges administratives. Dans la mesure où le volume des ventes n'est pas l'inducteur des coûts commerciaux et des charges administratives, ces coûts ne seraient pas correctement répartis — et on attribuerait un pourcentage démesurément élevé de ces coûts aux unités d'exploitation qui génèrent les chiffres d'affaires les plus importants.

Une répartition arbitraire des coûts fixes communs entre les unités d'exploitation

La troisième pratique qui entraîne une distorsion des coûts sectoriels consiste à répartir des coûts communs entre des unités d'exploitation. Par exemple, certaines entreprises attribuent les coûts de l'immeuble de leur siège social à des produits dans leurs rapports sectoriels. Toutefois, lorsqu'une entreprise fabrique plusieurs produits, on ne peut rattacher aucune partie importante de ce coût à un produit en particulier. Même l'abandon d'un produit n'a généralement aucun effet notable sur les coûts de l'immeuble du siège social de l'entreprise. Autrement dit, il n'y a pas de relation de cause à effet entre le coût de cet immeuble et l'existence de l'un ou l'autre des produits que l'entreprise fabrique. Par conséquent, toute attribution des coûts de cet immeuble aux produits est arbitraire.

Les coûts communs, comme les coûts de l'immeuble d'un siège social, sont évidemment nécessaires au fonctionnement d'une entreprise. On justifie souvent la pratique courante de les répartir de façon arbitraire entre les unités d'exploitation en évoquant le fait que « quelqu'un doit payer pour les coûts communs ». Bien que la nécessité de couvrir les coûts communs soit indéniable, leur attribution arbitraire à des unités d'exploitation ne garantit pas qu'ils seront couverts. En fait, l'ajout d'une partie des coûts communs aux coûts spécifiques d'une unité d'exploitation peut faire paraître celle-ci non rentable alors qu'elle l'est en réalité. Si un gestionnaire élimine cette unité apparemment peu rentable, il en résultera à la fois une économie sur les coûts spécifiques constatés et une perte de revenus. Qu'adviendra-t-il des coûts fixes communs qu'on a attribués à cette unité ? Non seulement ils ne disparaîtront pas, mais ils seront de nouveau attribués aux unités d'exploitation restantes de l'entreprise. Ces unités paraîtront à leur tour moins rentables qu'elles l'étaient auparavant, ce qui pourrait entraîner l'élimination de quelques-unes d'entre elles. L'effet net sera une diminution des bénéfices de l'entreprise dans son ensemble, et il deviendra encore plus difficile de couvrir les coûts communs.

En outre, les coûts fixes communs ne peuvent pas être gérés par le gestionnaire à qui l'on a attribué ces coûts de façon arbitraire ; ils relèvent de cadres supérieurs. La répartition de coûts fixes communs entre des centres de responsabilités va donc à l'encontre du but recherché dans une comptabilité par centres de responsabilité. Lorsqu'on attribue des coûts fixes communs à des gestionnaires, ceux-ci doivent en assumer la responsabilité, même s'ils n'ont aucun contrôle sur ces coûts.

En résumé, la façon dont de nombreuses entreprises s'y prennent pour dresser des rapports sectoriels peut entraîner une distorsion des coûts. Cette distorsion est due à trois pratiques : le non-rattachement des coûts à une unité d'exploitation donnée lorsqu'il est possible de le faire, l'utilisation d'unités d'œuvre inappropriées pour la répartition des coûts et l'attribution arbitraire des coûts communs aux unités d'exploitation. Ces pratiques sont très répandues. En effet, d'après une étude, 60 % des entreprises sondées ne faisaient aucun effort pour attribuer des coûts commerciaux et des charges administratives aux unités d'exploitation en fonction d'un critère de cause à effet[4].

Les exemples des rapports sectoriels des tableaux 8.6 et 8.7 (*p. 379 et 384*) ne font pas état des difficultés éprouvées par les entreprises qui n'utilisent pas la méthode des coûts variables. Cette méthode permet une meilleure répartition des coûts entre les unités d'exploitation parce qu'elle n'entraîne pas de distorsions comme celles qui résultent de l'attribution de frais indirects de fabrication fixes quand on utilise la méthode du coût complet. Nous suggérons donc d'avoir recours à la méthode des coûts variables pour les rapports sectoriels et d'attribuer aux unités d'exploitation les frais indirects de fabrication fixes, considérés comme coûts de période, en fonction de la possibilité de rattachement, c'est-à-dire *les coûts fixes qui disparaîtraient avec le temps si l'unité d'exploitation était abandonnée*. Si la possibilité de rattachement n'est pas là, il faut les considérer comme des coûts communs.

---

4. James R. EMORE et Joseph A. NESS, « The Slow Pace of Meaningful Change in Cost Systems », *Journal of Cost Management*, vol. 4, n° 4 (hiver 1991), p. 39.

Résumé

La méthode des coûts variables et la méthode du coût complet permettent de déterminer les coûts de revient d'un produit. Suivant la méthode des coûts variables, seuls les coûts de production qui varient en fonction du volume de production sont traités comme des coûts incorporables. Ils comprennent les coûts des matières premières, les frais indirects de fabrication variables et, en général, les coûts de la main-d'œuvre directe. Les frais indirects de fabrication fixes, comme les coûts commerciaux et les charges administratives, sont traités comme des coûts non incorporables et attribués aux résultats à mesure qu'ils sont engagés. Par contre, suivant la méthode du coût complet, on traite les frais indirects de fabrication fixes comme des coûts incorporables au même titre que les coûts des matières premières, les coûts de la main-d'œuvre directe et les frais indirects de fabrication variables. Par conséquent, une partie des frais indirects de fabrication fixes est attribuée à chaque unité produite. Quand des unités de produit demeurent invendues à la fin d'une période, on rattache ces frais aux unités du compte de stock et on les reporte à la période suivante. Plus tard, quand ces unités seront vendues, les frais indirects de fabrication fixes seront passés en charges comme une partie du coût des ventes. Ainsi, avec la méthode du coût complet, il est possible de reporter une partie des frais indirects de fabrication fixes d'une période à une autre par l'intermédiaire du compte de stock.

Malheureusement, ces transferts des frais indirects de fabrication fixes d'une période à une autre peuvent faire varier le bénéfice de façon imprévisible, semer la confusion et amener la direction à prendre des décisions imprudentes. Pour éviter des erreurs dans l'interprétation des données d'un état des résultats, les gestionnaires devraient surveiller avec attention les moindres changements qui surviennent dans le niveau des stocks et dans les coûts unitaires des produits au cours de la période considérée.

La méthode des coûts variables s'harmonise bien avec les concepts CVB, souvent indispensables à la planification des bénéfices et à la prise de décisions.

Les états des résultats sectoriels fournissent des renseignements qui permettent d'évaluer la rentabilité et la performance des divisions, des gammes de produits, des territoires de vente, et des autres unités d'exploitation d'une entreprise. Dans les résultats établis selon la méthode des coûts variables, on fait une distinction claire entre les coûts fixes et les coûts variables, et seuls les coûts qu'on peut directement rattacher à une unité d'exploitation lui sont attribués. On considère qu'un coût est spécifique, c'est-à-dire susceptible d'être rattaché à une unité d'exploitation, uniquement lorsqu'il est causé par cette unité et que l'abandon de celle-ci aurait pour effet de le faire disparaître. Les coûts fixes communs ne peuvent être attribués à aucune unité d'exploitation. Le bénéfice sectoriel correspond aux revenus, dont on a soustrait les coûts variables et les coûts fixes spécifiques de l'unité d'exploitation.

Activités d'apprentissage

Problème de révision 1

Une comparaison entre la méthode des coûts variables et la méthode du coût complet

La société Desmeules fabrique et vend un seul produit, un métier à tisser manuel en bois pour la confection de petits articles comme des écharpes. Voici quelques données sur les coûts et les activités d'exploitation associés à ce produit pour deux périodes.

Prix de vente à l'unité	50 $
Coûts de fabrication :	
Coûts variables par unité produite :	
Matières premières	11
Main-d'œuvre directe	6
Frais indirects de fabrication variables	3
Coûts fixes par période	120 000
Coûts commerciaux et charges administratives :	
Frais variables par unité vendue..	5
Frais fixes par période	70 000

	Période 1	Période 2
Stock au début (en unités)..	-0-	2 000
Unités produites au cours de la période......................................	10 000	6 000
Unités vendues au cours de la période	8 000	8 000
Stock à la fin (en unités)..	2 000	-0-

Travail à faire

1. Supposez que l'entreprise utilise la méthode du coût complet.
   a) Calculez le coût de fabrication d'une unité de produit pour chaque période.
   b) Préparez un état des résultats pour chaque période.
2. Supposez que l'entreprise utilise la méthode des coûts variables.
   a) Calculez le coût de fabrication d'une unité pour chaque période.
   b) Préparez un état des résultats pour chaque période.
3. Rapprochez les bénéfices calculés suivant la méthode des coûts variables et suivant la méthode du coût complet.

► **Solution au problème de révision 1**

1. a) Suivant la méthode du coût complet, tous les coûts de fabrication variables et fixes sont inclus dans les coûts d'une unité de produit.

	Période 1	Période 2
Matières premières	11 $	11 $
Main-d'œuvre directe..	6	6
Frais indirects de fabrication variables	3	3
Frais indirects de fabrication fixes		
(120 000 $ ÷ 10 000 unités)	12	
(120 000 $ ÷ 6 000 unités)		20
Coût du produit à l'unité..	32 $	40 $

b) L'état des résultats suivant la méthode du coût complet se présente comme suit :

		Période 1		Période 2
Chiffre d'affaires (8 000 unités × 50 $ l'unité)................................		400 000 $		400 000 $
Moins : Coût des ventes :				
Stock au début	-0- $		64 000 $	
Coût des produits fabriqués				
(10 000 unités × 32 $ l'unité)...................................	320 000			
(6 000 unités × 40 $ l'unité).....................................			240 000	
Coût des marchandises destinées à la vente	320 000		304 000	
Moins : Stock à la fin				
(2 000 unités × 32 $ par unité ; 0 unité)...................	64 000	256 000	-0-	304 000
Marge brute		144 000		96 000
Moins : Coûts commerciaux et charges administratives		110 000*		110 000*
Bénéfice..		34 000 $		(14 000)$

* Coûts commerciaux et charges administratives :	
Coûts variables (8 000 unités × 5 $ l'unité)	40 000 $
Coûts fixes par période......................................	70 000
	110 000 $

2. a) Suivant la méthode des coûts variables, seuls les coûts de fabrication variables sont ajoutés aux coûts d'une unité de produit.

	Période 1	Période 2
Matières premières..	11 $	11 $
Main-d'œuvre directe...	6	6
Frais indirects de fabrication variables...............................	3	3
Coût incorporable unitaire...	20 $	20 $

b) L'état des résultats suivant la méthode des coûts variables apparaît ci-après. Remarquez qu'on calcule le coût des ventes variable d'une façon plus simple et plus directe que dans les exemples précédents. Dans un état des résultats de ce type, on peut utiliser indifféremment l'une ou l'autre des méthodes de calcul du coût des ventes présentées dans ce chapitre.

	Période 1		Période 2	
Chiffre d'affaires (8 000 unités × 50 $ l'unité)......................		400 000 $		400 000 $
Moins : Coûts variables :				
Coût des ventes variable (8 000 unités × 20 $ l'unité)	160 000 $		160 000 $	
Coûts commerciaux et charges administratives				
variables (8 000 unités × 5 $ l'unité)............................	40 000	200 000	40 000	200 000
Marge sur coûts variables...		200 000		200 000
Moins : Coûts fixes :				
Frais indirects de fabrication fixes	120 000		120 000	
Coûts commerciaux et charges administratives fixes...........	70 000	190 000	70 000	190 000
Bénéfice..		10 000 $		10 000 $

3. Le rapprochement des bénéfices calculés suivant la méthode des coûts variables et la méthode du coût complet se présente comme suit :

	Période 1	Période 2
Bénéfice suivant la méthode		
des coûts variables	10 000 $	10 000 $
Plus : Frais indirects de fabrication fixes		
reportés dans le compte de stock		
à la fin suivant la méthode du coût		
complet (2 000 unités × 12 $ l'unité)	24 000	
Moins : Frais indirects de fabrication fixes		
provenant du stock au début suivant		
la méthode du coût complet		
(2 000 unités × 12 $ l'unité)		24 000
Bénéfice (perte) suivant la méthode		
du coût complet	34 000 $	(14 000) $

Problème de révision 2

Les états financiers sectoriels

Le personnel du cabinet d'avocats Bonin et Lupien a préparé le rapport ci-après, qui décompose les résultats globaux du cabinet en fonction de ses deux principales unités d'exploitation : le droit de la famille et le droit commercial.

Toutefois, cet état financier n'est pas tout à fait exact. En effet, il attribue des coûts fixes communs tels que le salaire de l'associé directeur général, les charges administratives et les coûts de publicité du cabinet aux deux unités d'exploitation d'après les revenus provenant des clients.

	Total	Droit de la famille	Droit commercial
Revenus provenant des clients	1 000 000 $	400 000 $	600 000 $
Moins : Coûts variables	220 000	100 000	120 000
Marge sur coûts variables	780 000	300 000	480 000
Moins : Coûts fixes spécifiques	670 000	280 000	390 000
Bénéfice sectoriel...	110 000	20 000	90 000
Moins : Coûts fixes communs	60 000	24 000	36 000
Bénéfice (perte)	50 000 $	(4 000) $	54 000 $

▶

► **Travail à faire**

1. Refaites cet état des résultats sectoriels en éliminant l'attribution des coûts fixes communs. Le cabinet d'avocats serait-il en meilleure situation financière s'il supprimait sa section Droit de la famille ? (Note : De nombreux clients de la section Droit commercial s'adressent également au cabinet pour des questions de droit de la famille, par exemple pour la rédaction d'un testament.)

2. L'agence de publicité du cabinet a proposé de lancer une campagne visant à faire augmenter les revenus de la section Droit de la famille. Le coût de cette campagne s'élèverait à 20 000 $, mais l'agence affirme qu'elle pourrait accroître les revenus de la division de 100 000 $. Selon l'associé directeur général de Bonin et Lupien, cette augmentation du chiffre d'affaires n'occasionnerait aucune hausse des coûts fixes. Quel serait l'effet de cette campagne publicitaire sur le bénéfice de la division Droit de la famille et sur le bénéfice global du cabinet ?

Solution au problème de révision 2

1. Voici la nouvelle version de l'état des résultats sectoriels.

	Total	Droit de la famille	Droit commercial
Revenus provenant des clients..................	1 000 000 $	400 000 $	600 000 $
Moins : Coûts variables..............................	220 000	100 000	120 000
Marge sur coûts variables	780 000	300 000	480 000
Moins : Coûts fixes spécifiques	670 000	280 000	390 000
Bénéfice sectoriel......................................	110 000	20 000 $	90 000 $
Moins : Coûts fixes communs....................	60 000		
Bénéfice.......................................	50 000 $		

Non, la situation financière du cabinet ne serait pas meilleure si ses dirigeants décidaient d'abandonner la pratique du droit de la famille. Cette unité d'exploitation assume ses propres coûts et contribue au paiement des coûts fixes communs du cabinet à concurrence de 20 000 $ par mois. Son bénéfice sectoriel est plus faible que celui de la section du droit commercial, mais elle demeure rentable. En outre, le droit de la famille constitue probablement un service que le cabinet doit fournir à ses clients commerciaux pour rester concurrentiel.

2. La campagne de publicité augmenterait le bénéfice de la section Droit de la famille de 55 000 $, comme le montrent les calculs suivants :

Accroissement des revenus provenant des clients......................................	100 000 $
Ratio de la marge sur coûts variables de la section Droit de la famille (300 000 $ ÷ 400 000 $).............................	× 75 %
Marge sur coûts variables différentielle..	75 000 $
Moins : Coût de la campagne publicitaire	20 000
Accroissement de la marge sur coûts variables...	55 000 $

Comme il n'y aurait aucune hausse des coûts fixes (y compris des coûts fixes communs), l'augmentation du bénéfice global serait également de 55 000 $.

Questions

Q1 Quelle est la différence fondamentale entre la méthode du coût complet et la méthode des coûts variables?

Q2 Les coûts commerciaux et les charges administratives sont-ils traités comme des coûts incorporables ou des coûts non incorporables avec la méthode des coûts variables?

Q3 Décrivez comment les frais indirects de fabrication fixes sont transférés d'une période à une autre avec la méthode du coût complet.

Q4 Quels arguments militent en faveur du traitement des frais indirects de fabrication fixes en tant que frais incorporables?

Q5 Quels arguments militent en faveur du traitement des frais indirects de fabrication fixes en tant que frais non incorporables

Q6 Supposez que le volume de production correspond au volume des ventes. À votre avis, quelle méthode affichera le bénéfice le plus élevé: la méthode des coûts variables ou la méthode du coût complet? Pourquoi?

Q7 Supposez que le volume de production est supérieur au volume des ventes. À votre avis, quelle méthode affichera le bénéfice le plus élevé: la méthode des coûts variables ou la méthode du coût complet? Pourquoi?

Q8 Supposez que les frais indirects de fabrication fixes comptabilisés dans le stock avec la méthode du coût complet sont passés en charges. Que révèle cette information au sujet du volume de production par rapport au volume des ventes?

Q9 Les ventes de la société Parker ont totalisé 5 millions de dollars au cours de la période, mais l'entreprise a déclaré une perte de 300 000 $ dans son rapport aux actionnaires. Une analyse CVB préparée à l'intention de la direction révèle que le seuil de rentabilité de l'entreprise se situe à 5 millions de dollars. Dans ce cas, est-ce que le niveau du stock de l'entreprise a augmenté, a diminué ou est demeuré le même? Justifiez votre réponse.

Q10 À l'aide de la méthode du coût complet, comment est-il possible d'accroître le bénéfice sans pour autant augmenter les ventes?

Q11 En quoi la méthode des coûts variables est-elle limitée?

Q12 À partir des normes comptables, trouvez une raison qui justifierait l'emploi de la méthode du coût complet pour présenter des rapports financiers.

Q13 Comment un système de production optimisée permet-il de réduire ou d'éliminer la différence entre les bénéfices déclarés à l'aide de la méthode du coût complet et de la méthode des coûts variables?

Q14 Expliquez en quoi consiste une unité d'exploitation dans une organisation. Donnez différents exemples d'unités d'exploitation.

Q15 Quels types de coûts attribue-t-on à une unité d'exploitation suivant la méthode des coûts variables?

Q16 Faites la distinction entre un coût fixe spécifique et un coût fixe commun. Donnez des exemples dans chaque cas.

Q17 Expliquez en quoi le bénéfice sectoriel diffère de la marge sur coûts variables.

Q18 Pourquoi ne répartit-on pas les coûts communs entre les unités d'exploitation lorsqu'on utilise la méthode des coûts variables?

Q19 Comment un coût que l'on peut rattacher à une unité d'exploitation peut-il devenir un coût commun lorsque cette unité est subdivisée en d'autres unités d'exploitation?

Exercices

E1 Le coût unitaire d'un produit et l'état des résultats selon la méthode des coûts variables, ainsi que le seuil de rentabilité

La société Alberta Grille inc. vend un seul produit. Il s'agit d'un barbecue fabriqué à la main et vendu au prix de 210 $. Voici quelques renseignements concernant les activités de la dernière période. ▶

▶

Stock au début	-0-
Unités produites	20 000
Unités vendues	19 000
Stock à la fin	1 000

Coûts variables à l'unité :	
Matières premières	50 $
Main-d'œuvre directe	80
Frais indirects de fabrication variables	20
Coûts commerciaux et charges administratives variables	10
Total des coûts variables à l'unité	160 $

Coûts fixes :	
Frais indirects de fabrication fixes	700 000 $
Coûts commerciaux et charges administratives fixes	285 000
Total des coûts fixes	985 000 $

Travail à faire

1. Supposez que l'entreprise opte pour la méthode des coûts variables. Calculez le coût unitaire d'un barbecue.
2. En supposant que l'entreprise opte pour la méthode des coûts variables, préparez un état des résultats pour la période en utilisant l'approche de la marge sur coûts variables.
3. Combien de barbecues l'entreprise doit-elle vendre pour atteindre son seuil de rentabilité ?

E2 La méthode du coût complet

Reprenez les données de l'exercice précédent, en supposant cette fois que l'entreprise fonctionne avec la méthode du coût complet.

Travail à faire

1. Calculez le coût unitaire d'un barbecue.
2. Préparez l'état des résultats de la période.

E3 Les coûts unitaires d'un produit calculés suivant la méthode des coûts variables et la méthode du coût complet

Ida Sidha Karya est une entreprise familiale située dans le village de Gianyar, à Bali, en Indonésie. Elle fabrique à la main un instrument de musique comparable au xylophone, appelé *métallophone*. Les lames en cuivre de l'instrument sont limées à la main et permettent d'obtenir des sons très précis. Les lames sont ensuite montées sur une base en bois sculpté. Le prix de vente à l'unité d'un métallophone est de 950 $. Voici quelques renseignements sur les activités de l'entreprise pour la dernière période.

Stock au début	-0-
Unités produites	250
Unités vendues	225
Stock à la fin	25

Coûts variables à l'unité :	
Matières premières	100 $
Main-d'œuvre directe	320
Frais indirects de fabrication variables	40
Coûts commerciaux et charges administratives variables	20

Coûts fixes :	
Frais indirects de fabrication fixes	60 000 $
Coûts commerciaux et charges administratives fixes	20 000

Travail à faire

1. Supposez que l'entreprise applique la méthode du coût complet. Calculez le coût unitaire d'un métallophone.

2. Supposez que l'entreprise applique la méthode des coûts variables. Calculez le coût unitaire d'un métallophone.

E4 L'application de la méthode du coût complet et de la méthode des coûts variables

Reprenez les données de l'exercice précédent. Voici l'état des résultats préparé à l'aide de la méthode du coût complet.

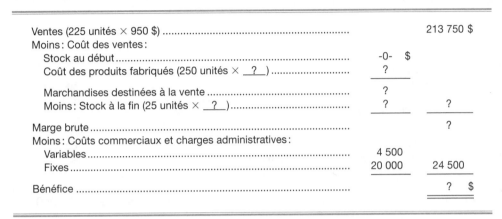

Ventes (225 unités × 950 $)	213 750 $	
Moins : Coût des ventes :		
Stock au début	-0- $	
Coût des produits fabriqués (250 unités × __?__)	?	
Marchandises destinées à la vente	?	
Moins : Stock à la fin (25 unités × __?__)	?	?
Marge brute		?
Moins : Coûts commerciaux et charges administratives :		
Variables	4 500	
Fixes	20 000	24 500
Bénéfice		? $

Travail à faire

1. Déterminez la portion des frais indirects de fabrication fixes comptabilisée dans le stock à la fin.

2. Préparez l'état des résultats de la période à l'aide de la méthode des coûts variables. Expliquez l'écart quant au bénéfice obtenu avec chaque méthode.

E5 Une déduction de la méthode d'établissement du coût de revient du produit

Sierra fabrique et vend un seul produit. Les coûts ci-après se rapportent à la production et aux ventes de l'entreprise.

Coûts variables à l'unité :	
Matières premières	9 $
Main-d'œuvre directe	10
Frais indirects de fabrication	5
Coûts commerciaux et charges administratives....................................	3
Coûts fixes par année :	
Frais indirects de fabrication	150 000 $
Coûts commerciaux et charges administratives...................................	400 000

L'an dernier, l'entreprise a fabriqué 25 000 unités et en a vendu 22 000. À la fin de la période, le compte de stock de produits finis affichait un solde de 72 000 $ pour les 3 000 unités invendues.

Travail à faire

1. L'entreprise utilise-t-elle la méthode du coût complet ou la méthode des coûts variables pour établir le coût de revient des unités du compte de stock de produits finis ? Donnez tous vos calculs pour justifier votre réponse.

8

► 2. Supposez que l'entreprise souhaite préparer ses états financiers pour les présenter à ses actionnaires.

   a) Le montant de 72 000 $ correspondant au stock de produits finis est-il celui à utiliser dans les états financiers externes ? Justifiez votre réponse.

   b) Quelle somme *devrait* être affectée aux 3 000 unités portées au stock dans les états financiers externes ?

E6 Les coûts unitaires du produit et les états des résultats suivant la méthode des coûts variables et la méthode du coût complet

Lynch fabrique et vend un seul produit. Les coûts ci-après ont été engagés pendant la première année d'exploitation de l'entreprise.

Coûts variables à l'unité :	
Production :	
Matières premières	6 $
Main-d'œuvre directe	9
Frais indirects de fabrication	3
Coûts commerciaux et charges administratives.....................................	4
Coûts fixes :	
Frais indirects de fabrication	300 000 $
Coûts commerciaux et charges administratives.......................................	190 000

Au cours de la période, l'entreprise a fabriqué 25 000 unités et en a vendu 20 000. Le prix de vente unitaire est de 50 $.

Travail à faire

1. Supposez que l'entreprise travaille avec la méthode du coût complet.

   a) Calculez le coût unitaire du produit.

   b) Préparez l'état des résultats pour la période.

2. Supposez que l'entreprise travaille avec la méthode des coûts variables.

   a) Calculez le coût unitaire du produit.

   b) Préparez l'état des résultats pour la période.

E7 Un état des résultats établi selon la méthode des coûts variables et un rapprochement avec la méthode du coût complet

La société Mann vient de terminer sa première année d'exploitation. Son état des résultats pour la période a été préparé à l'aide de la méthode du coût complet et il se présente comme suit :

MANN
État des résultats

Ventes (35 000 unités à 25 $)			875 000 $
Moins : Coût des ventes :			
Stock au début..	-0- $		
Coût des produits fabriqués (40 000 unités à 16 $)	640 000		
Marchandises destinées à la vente.......................................	640 000		
Moins : Stock à la fin (5 000 unités à 16 $)............................	80 000	560 000	
Marge brute..		315 000	
Moins : Coûts commerciaux et charges administratives.............		280 000	
Bénéfice		35 000 $	

Les coûts commerciaux et les charges administratives de l'entreprise comprennent des frais fixes annuels de 210 000 $, et les coûts variables par unité vendue sont de 2 $. Voici comment est calculé le coût de fabrication unitaire de 16 $.

Matières premières	5 $
Main-d'œuvre directe	6
Frais indirects de fabrication variables	1
Frais indirects de fabrication fixes (160 000 $ ÷ 40 000 unités)............	4
Coût unitaire du produit...	16 $

Travail à faire

1. Dressez l'état des résultats de l'entreprise, cette fois à l'aide de la méthode des coûts variables.

2. Rapprochez tout écart du montant de bénéfices obtenu à l'aide de la méthode des coûts variables et de la méthode du coût complet.

E8 Le rapprochement entre des bénéfices calculés suivant la méthode du coût complet et la méthode des coûts variables

La société Transformateurs HT fabrique des transformateurs de grande puissance pour des postes de sectionnement (ou installations à haute tension). Elle se sert de la méthode des coûts variables pour ses rapports de gestion interne, et de la méthode du coût complet pour les rapports destinés à ses actionnaires, ses créanciers et le gouvernement. Elle a fourni les données ci-après concernant ses trois premières périodes d'activité de l'année.

L'entreprise a calculé que le montant de ses frais indirects de fabrication fixes par unité est demeuré constant à 450 $ pendant les trois périodes.

	Période 1	Période 2	Période 3
Stock :			
Au début (en unités)...............................	180	150	160
À la fin (en unités)	150	160	200
Bénéfice suivant la méthode des coûts variables.....................	292 400 $	269 200 $	251 800 $

Travail à faire

1. Déterminez le bénéfice de chaque période suivant la méthode du coût complet. Conciliez les bénéfices obtenus selon les deux méthodes.

2. Au cours de la période 4, le bénéfice de l'entreprise s'élevait à 240 200 $, suivant la méthode des coûts variables, et à 267 200 $, suivant la méthode du coût complet. Le stock a-t-il augmenté ou diminué pendant cette période ? Quel montant du total des frais indirects de fabrication fixes l'entreprise a-t-elle reporté ou retiré dans le stock au cours de la période 4 ?

E9 Une évaluation de la méthode du coût complet et de la méthode des coûts variables comme méthodes d'établissement du coût de revient

Les questions ci-après portent sur deux scénarios différents concernant une entreprise de fabrication. Dans chacun d'eux, la structure de coûts de l'entreprise demeure constante d'une période à l'autre. Les prix de vente, les coûts variables unitaires et le total des coûts fixes restent eux aussi les mêmes d'une période à l'autre. Toutefois, les ventes d'unités ou les volumes de production peuvent varier selon les années.

► **Travail à faire**

1. Examinez les données ci-après correspondant au scénario A.

	Période 1	Période 2	Période 3
Bénéfice suivant la méthode des coûts variables.....................................	16 847 $	16 847 $	16 847 $
Bénéfice suivant la méthode du coût complet	16 847 $	29 378 $	6 018 $

a) Les ventes d'unités sont-elles restées constantes d'une période à l'autre ? Expliquez votre réponse.
b) Quelle est la relation entre les ventes d'unités et les volumes de production de chacune des périodes ? Dans chaque cas, indiquez si le stock a augmenté ou diminué.

2. Examinez les données ci-après correspondant au scénario B.

	Période 1	Période 2	Période 3
Bénéfice (perte) suivant la méthode des coûts variables.....................................	16 847 $	(18 153) $	(53 153) $
Bénéfice suivant la méthode du coût complet	16 847 $	17 583 $	18 318 $

a) Les ventes d'unités sont-elles restées constantes d'une période à l'autre ? Expliquez votre réponse.
b) Quelle est la relation entre les ventes d'unités et les volumes de production de chacune des périodes ? Dans chaque cas, indiquez si le stock a augmenté ou diminué.

3. Compte tenu des tendances que vous observez en matière de bénéfices dans les scénarios A et B ci-dessus, quelle méthode d'établissement du coût de revient — la méthode des coûts variables ou la méthode du coût complet — représente le plus fidèlement la rentabilité de l'entreprise à votre avis ? Justifiez votre réponse.

E10 Un état des résultats sectoriels

Caltec inc. produit et vend des ensembles CD et DVD. Voici des informations concernant ses activités.

	Produit	
	CD	DVD
Prix de vente par paquet..	8,00 $	25,00 $
Coûts variables par paquet...	3,20 $	17,50 $
Coûts fixes spécifiques annuels...	138 000 $	45 000 $

Le total des coûts fixes communs de l'entreprise s'élève à 105 000 $ par période. Lors de la dernière période, l'entreprise a fabriqué et vendu 37 500 paquets de CD et 18 000 paquets de DVD.

Travail à faire

Préparez un état des résultats à l'aide de la méthode des coûts variables, pour la période en question, en le subdivisant par gamme de produits.

E11 Un état des résultats sectoriels

Depuis quelque temps, la société Beaupré, un distributeur en gros de DVD, éprouve des pertes, comme le montre son état des résultats mensuels le plus récent, établi selon la méthode des coûts variables.

Chiffre d'affaires	1 500 000 $
Moins : Coûts variables	588 000
Marge sur coûts variables	912 000
Moins : Coûts fixes	945 000
Perte	(33 000)$

Dans un effort pour circonscrire le problème des pertes de l'entreprise, le chef de la direction a demandé un état des résultats par secteur géographique. Le service de la comptabilité a donc préparé le tableau suivant :

	Secteur géographique		
	Sud	Centre	Nord
Chiffre d'affaires	400 000 $	600 000 $	500 000 $
Coûts variables en pourcentage du chiffre d'affaires	52 %	30 %	40 %
Coûts fixes spécifiques	240 000 $	330 000 $	200 000 $

Travail à faire

1. Préparez un état des résultats sectoriels à l'aide de la méthode des coûts variables par secteur géographique, comme le souhaite le chef de la direction de la société.
2. Selon le directeur commercial de l'entreprise, on pourrait augmenter de 15 % les ventes dans le secteur géographique du centre si l'on accroissait de 25 000 $ les charges mensuelles de publicité. Recommanderiez-vous une augmentation de ces charges ? Donnez tous vos calculs pour justifier votre réponse.

E12 L'utilisation d'un état des résultats sectoriels

Mayrand et associés est une firme d'experts-conseils spécialisée dans les systèmes d'information pour les entreprises de construction et d'aménagement paysager. La firme compte deux bureaux, l'un à Toronto et l'autre à Vancouver. Elle classe les coûts directs de ses activités de conseil à titre de coûts variables. Vous trouverez ci-après l'état des bénéfices sectoriels établi selon la méthode des coûts variables de sa période d'activité la plus récente.

	Total de la firme		Bureau			
			Toronto		Vancouver	
Chiffre d'affaires	750 000 $	100,0 %	150 000 $	100 %	600 000 $	100 %
Moins : Coûts variables	405 000	54,0 %	45 000	30 %	360 000	60 %
Marge sur coûts variables	345 000	46,0 %	105 000	70 %	240 000	40 %
Moins : Coûts fixes spécifiques	168 000	22,4 %	78 000	52 %	90 000	15 %
Bénéfices sectoriels par bureau	177 000	23,6 %	27 000 $	18 %	150 000 $	25 %
Moins : Coûts fixes communs impossibles à rattacher aux bureaux	120 000	16,0 %				
Bénéfice	57 000 $	7,6 %				

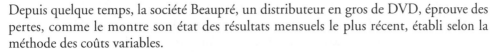

▶ **Travail à faire**

1. De quel montant le bénéfice de la firme augmenterait-il si le bureau de Vancouver accroissait son chiffre d'affaires de 75 000 $ annuellement? Supposez qu'il n'y a aucun changement dans les tendances en matière de comportement des coûts.

2. Reportez-vous aux données de départ et supposez que le chiffre d'affaires du bureau de Toronto s'accroît de 50 000 $ au cours de la période suivante, tandis que celui du bureau de Vancouver demeure inchangé. Supposez aussi que les coûts fixes ne varient pas.

   a) Préparez un nouvel état des résultats sectoriels pour la firme en vous servant du modèle de la page précédente. Indiquez les montants et les pourcentages.

   b) Dans l'état des résultats que vous avez préparé, vous remarquerez que le taux de la marge sur coûts variables du bureau de Toronto est demeuré inchangé à 70 %, mais que le taux des bénéfices sectoriels est différent. Comment expliquez-vous la variation de ce taux?

  ### E13 **L'utilisation d'informations sectorielles**

Reportez-vous aux données de l'exercice E12. Supposez que le chiffre d'affaires du bureau de Vancouver est réparti entre deux principaux groupes de clients, comme suit:

			Type de clientèle			
	Vancouver		Clientèle de la construction		Clientèle de l'aménagement paysager	
Chiffre d'affaires............................	600 000 $	100 %	400 000 $	100 %	200 000 $	100 %
Moins: Coûts variables........................	360 000	60 %	260 000	65 %	100 000	50 %
Marge sur coûts variables.....................	240 000	40 %	140 000	35 %	100 000	50 %
Moins: Coûts fixes spécifiques...............	72 000	12 %	20 000	5 %	52 000	26 %
Bénéfices sectoriels par type de clientèle...........	168 000	28 %	120 000 $	30 %	48 000 $	24 %
Moins: Coûts fixes communs impossibles à rattacher aux clientèles...................	18 000	3 %				
Bénéfice sectoriel du bureau.................	150 000 $	25 %				

L'entreprise voudrait lancer une importante campagne de publicité destinée à un de ces deux types de clientèle au cours du prochain mois. Cette campagne coûterait 8 000 $. D'après des études de marketing, elle augmenterait le chiffre d'affaires du marché de la clientèle de la construction de 70 000 $ ou celui de la clientèle de l'aménagement paysager de 60 000 $.

Travail à faire

1. À votre avis, sur quel marché l'entreprise devrait-elle concentrer ses efforts publicitaires? Donnez les calculs qui justifient votre réponse.

2. Dans l'exercice E12, les coûts fixes spécifiques du bureau de Vancouver s'élevaient à 90 000 $. Qu'advient-il de ce montant dans le présent exercice?

Problèmes

P1 Une comparaison des méthodes de calcul du coût de revient

Plein air inc. fabrique et vend de nombreux produits pour usage récréatif. L'entreprise vient d'ouvrir une nouvelle usine. On y fabriquera un lit de camp pliant qui sera vendu partout au Canada. Les renseignements ci-après portent sur les activités du mois de mai, premier mois d'exploitation de l'usine.

Stock au début...	-0-
Unités produites...	10 000
Unités vendues..	8 000
Prix de vente à l'unité..	75 $
Coûts commerciaux et charges administratives :	
Variables à l'unité...	6 $
Fixes...	200 000
Coûts de production :	
Matières premières à l'unité	20 $
Main-d'œuvre directe à l'unité..	8
Frais indirects de fabrication variables à l'unité	2
Frais indirects fixes..	100 000

La direction a hâte de savoir si le nouveau lit de camp sera vraiment rentable. Elle a demandé que l'on prépare un état des résultats du mois de mai.

Travail à faire

1. Supposez que l'entreprise applique la méthode du coût complet.
   a) Déterminez le coût unitaire du produit.
   b) Préparez l'état des résultats du mois de mai.
2. Supposez que l'entreprise applique la méthode des coûts variables.
   a) Déterminez le coût unitaire du produit.
   b) Préparez l'état des résultats du mois de mai.
3. Expliquez tout écart quant au coût du stock à la fin obtenu à l'aide des deux méthodes, et l'effet de cet écart sur le bénéfice obtenu.

P2 Des états des résultats préparés à l'aide de la méthode des coûts variables

Au cours de ses deux premières années d'exploitation, la société Hervé a déclaré le bénéfice suivant (calculé à l'aide de la méthode du coût complet) :

	1re année	2e année
Ventes	1 000 000 $	1 250 000 $
Moins : Coût des ventes :		
Stock au début..	-0-	90 000
Coût des produits fabriqués	810 000	810 000
Marchandises destinées à la vente.............	810 000	900 000
Moins : Stock à la fin	90 000	-0-
Coût des ventes...............................	720 000	900 000
Marge brute..	280 000	350 000
Moins : Coûts commerciaux et charges administratives*........	210 000	230 000
Bénéfice	70 000 $	120 000 $

* Frais variables par unité de 2 $; frais fixes chaque année de 130 000 $

▶ Le coût unitaire de 18 $ du produit de l'entreprise est calculé comme suit :

Matières premières	4 $
Main-d'œuvre directe..	7
Frais indirects de fabrication variables	1
Frais indirects de fabrication fixes (270 000 $ ÷ 45 000 unités)................	6
Coût unitaire du produit	18 $

Les données relatives aux deux années d'exploitation sont les suivantes :

	1re année	2e année
Unités produites	45 000	45 000
Unités vendues..	40 000	50 000

Travail à faire

1. Préparez un état des résultats pour chaque année à l'aide de la méthode des coûts variables.
2. Pour chaque année, rapprochez les montants de bénéfices obtenus à l'aide de la méthode du coût complet et de la méthode des coûts variables.

P3 La préparation des états financiers à l'aide de la méthode des coûts variables et le rapprochement avec la méthode du coût complet

Demon fabrique et vend un seul produit. Les données relatives au coût du produit se présentent comme suit :

Coûts variables à l'unité :	
Matières premières..	7 $
Main-d'œuvre directe...	10
Frais indirects de fabrication variables...................................	5
Coûts commerciaux et charges administratives variables	3
Total des coûts variables à l'unité	25 $
Coûts fixes par mois :	
Frais indirects de fabrication	315 000 $
Coûts commerciaux et charges administratives	245 000
Total des coûts fixes par mois..	560 000 $

Le produit est vendu 60 $ l'unité. Les données concernant les activités d'exploitation pour les mois de juillet et août, soit les deux premiers mois d'exploitation, se présentent comme suit :

	Unités produites	Unités vendues
Juillet..	17 500	15 000
Août...	17 500	20 000

Le service de la comptabilité de l'entreprise a préparé des états des résultats des mois de juillet et août à l'aide de la méthode du coût complet.

	Juillet	Août
Ventes	900 000 $	1 200 000 $
Moins : Coût des ventes :		
Stock au début	-0-	100 000
Coût des produits fabriqués	700 000	700 000
Marchandises destinées à la vente	700 000	800 000
Moins : Stock à la fin	100 000	-0-
Coût des ventes	600 000	800 000
Marge brute	300 000	400 000
Moins : Coûts commerciaux et charges administratives	290 000	305 000
Bénéfice	10 000 $	95 000 $

Travail à faire

1. a) Déterminez le coût unitaire du produit à l'aide de la méthode du coût complet.
   b) Calculez le coût unitaire du produit selon la méthode des coûts variables.
2. Préparez les états des résultats des mois de juillet et août à l'aide de la méthode des coûts variables.
3. Rapprochez les montants de bénéfices calculés à l'aide de la méthode des coûts variables et de la méthode du coût complet.
4. Le service de la comptabilité a déterminé le seuil de rentabilité mensuel de l'entreprise à 16 000 unités, qu'il a calculé comme suit :

$$\frac{\text{Frais fixes par mois, } 560\,000\ \$}{\text{Marge sur coûts variables à l'unité, } 35\ \$} = 16\,000 \text{ unités}$$

« Je suis perplexe, déclare le président de la société. Au dire de notre personnel comptable, le seuil de rentabilité de l'entreprise s'établit à 16 000 unités par mois. Or, nous n'avons vendu que 15 000 unités en juillet, et l'état des résultats pour ce mois affiche un bénéfice de 10 000 $. De deux choses l'une : ou l'état des résultats est erroné, ou le seuil de rentabilité est inexact. » Préparez une courte note que vous adresserez au président dans laquelle vous expliquerez l'état des résultats du mois de juillet.

P4 Une comparaison des méthodes de calcul du coût de revient

Télécom ltée a mis sur pied une nouvelle division pour la fabrication et la vente de ses agendas électroniques. Les coûts mensuels associés à ces produits et à l'usine dans laquelle ils sont fabriqués se présentent comme suit :

Coûts de production :	
Coûts variables à l'unité :	
Matières premières	48 $
Frais indirects de fabrication variables	2 $
Frais indirects de fabrication fixes	360 000 $
Coûts commerciaux et charges administratives :	
Variables	12 % des ventes
Fixes	470 000 $

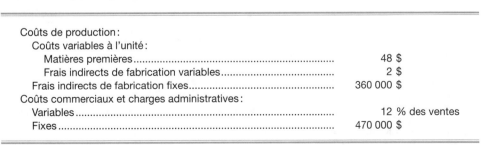

▶ Télécom ltée considère tous ses travailleurs comme des employés à temps plein. L'entreprise a depuis longtemps adopté une politique de non-licenciement. De plus, la production est entièrement automatisée.

Par conséquent, tous les frais de main-d'œuvre sont inclus dans les frais indirects de fabrication fixes de l'entreprise. Les agendas électroniques sont vendus au prix unitaire de 150 $. Durant le mois de septembre, premier mois d'exploitation de la société, on a enregistré l'activité suivante :

Unités produites	12 000
Unités vendues	10 000

Travail à faire

1. a) Calculez le coût unitaire du produit à l'aide de la méthode du coût complet.
   b) Déterminez le coût unitaire d'un agenda électronique selon la méthode des coûts variables.
2. Préparez l'état des résultats du mois de septembre à l'aide de la méthode du coût complet.
3. Dressez l'état des résultats du mois de septembre selon la méthode des coûts variables.
4. Partez de l'hypothèse que l'entreprise doit obtenir un financement supplémentaire pour poursuivre ses activités. En tant que membre de la direction, lequel des états des résultats préparés en 2) et en 3) apporteriez-vous pour rencontrer un groupe d'investisseurs éventuels ?
5. Rapprochez les montants de bénéfices calculés à l'aide de la méthode du coût complet et de la méthode des coûts variables.

P5 La méthode du coût complet et la méthode des coûts variables avec une production constante et un volume des ventes variable

Créations Tami inc. est une petite entreprise de fabrication qui a ouvert ses portes au début de l'année. Pour que l'entreprise puisse survivre à son premier trimestre d'exploitation, la propriétaire, Mme Éthier, a été contrainte d'y placer une forte somme d'argent. Un ami, qui vient de terminer son cours en comptabilité de gestion dans une université locale, a préparé l'état des résultats du premier trimestre, que voici :

CRÉATIONS TAMI INC.
État des résultats
du trimestre terminé le 31 mars

Ventes (28 000 unités)		1 120 000 $
Moins : Coûts variables :		
Coût variable des ventes*	462 000 $	
Coûts commerciaux et charges administratives variables	168 000	630 000
Marge sur coûts variables		490 000
Moins : Coûts fixes :		
Frais indirects de fabrication fixes	300 000	
Coûts commerciaux et charges administratives fixes	200 000	500 000
Perte		(10 000)$

* Comprend les matières premières, la main-d'œuvre directe et les frais indirects de fabrication variables.

Mme Éthier est découragée par la perte présentée dans l'état des résultats du trimestre, notamment parce qu'elle avait prévu se servir de cet état pour une demande d'emprunt bancaire. Un autre ami, qui est comptable de profession, insiste pour que l'entreprise adopte la méthode du coût complet plutôt que la méthode des coûts variables. À ses yeux, la méthode du coût complet aurait sans doute permis à l'entreprise d'afficher un bénéfice, si minime soit-il.

En ce moment, l'entreprise ne fabrique qu'un produit, soit un maillot de bain. Les données relatives aux activités d'exploitation du premier trimestre se présentent comme suit :

Unités produites	30 000
Unités vendues	28 000
Coûts variables à l'unité :	
Matières premières	3,50 $
Main-d'œuvre directe	12,00
Frais indirects de fabrication variables	1,00
Coûts commerciaux et charges administratives variables	6,00

Travail à faire

1. a) Calculez le coût unitaire du produit à l'aide de la méthode du coût complet.
   b) Dressez l'état des résultats de l'entreprise pour le trimestre, cette fois à l'aide de la méthode du coût complet.
   c) Rapprochez les montants de bénéfices (pertes) calculés à l'aide de la méthode du coût complet et de la méthode des coûts variables.
2. L'ami comptable avait-il raison d'affirmer que l'entreprise a affiché en fait un bénéfice pour le trimestre ? Justifiez votre réponse.
3. Au cours du deuxième trimestre, l'entreprise a une fois de plus fabriqué 30 000 unités, mais en a vendu 32 000. (Supposez que le total des coûts fixes demeure inchangé.)
   a) Préparez l'état des résultats du trimestre à l'aide de la méthode des coûts variables.
   b) Présentez l'état des résultats du trimestre à l'aide de la méthode du coût complet.
   c) Rapprochez les montants de bénéfices calculés à l'aide de la méthode du coût complet et de la méthode des coûts variables.

P6 La préparation et l'interprétation des états financiers, les fluctuations du volume des ventes et de la production, et un système de production optimisée

Starfax inc. fabrique une petite pièce entrant dans la composition de nombreux produits électroniques, dont les ordinateurs domestiques. Préparés à l'aide de la méthode du coût complet, les résultats des trois premières années d'activité se présentent comme suit :

	1re année	2e année	3e année
Ventes	800 000 $	640 000 $	800 000 $
Moins : Coût des ventes :			
Stock au début	-0-	-0-	200 000
Coût des produits fabriqués	580 000	600 000	560 000
Marchandises destinées à la vente	580 000	600 000	760 000
Moins : Stock à la fin	-0-	200 000	140 000
Coût des ventes	580 000	400 000	620 000
Marge brute	220 000	240 000	180 000
Moins : Coûts commerciaux et charges administratives	190 000	180 000	190 000
Bénéfice (perte)	30 000 $	60 000 $	(10 000)$

À la fin de la deuxième année, un concurrent a inondé le marché avec un grand nombre d'unités. Par conséquent, les ventes de Starfax inc. ont chuté de 20 % cette année-là, bien que sa production ait augmenté au cours de la même période. La direction de l'entreprise s'attendait à ce que les ventes restent constantes à 50 000 unités. L'augmentation de la production avait pour objet de protéger l'entreprise de toute hausse inattendue de la demande. Au début de la troisième année, la direction a constaté que le stock était

▶ excessif et que les augmentations de la demande étaient purement hypothétiques. Pour résorber le stock trop élevé, Starfax inc. a freiné quelque peu sa production pendant la troisième année.

	1re année	2e année	3e année
Unités produites...	50 000	60 000	40 000
Unités vendues	50 000	40 000	50 000

Voici quelques renseignements supplémentaires au sujet de l'entreprise.

a) L'usine est hautement automatisée. Les coûts de fabrication variables (matières premières, main-d'œuvre directe et frais indirects de fabrication variables) sont seulement de 2 $ par unité ; les frais indirects de fabrication fixes s'élèvent à 480 000 $ par année.

b) Les frais indirects de fabrication fixes sont attribués aux unités de produit sur la base de la production réelle de chaque année. (Ainsi, un nouveau taux d'imputation des frais indirects de fabrication fixes est calculé chaque année.)

c) Les coûts commerciaux et les charges administratives variables étaient de 1 $ par unité vendue chaque année. Le total des coûts commerciaux et des charges administratives fixes était de 140 000 $.

d) L'entreprise utilise la méthode de l'épuisement successif.

La direction de Starfax inc. ne comprend pas pourquoi les bénéfices ont doublé pendant la deuxième année, alors que les ventes ont chuté de 20 %. Elle ne comprend pas non plus pourquoi l'entreprise a subi une perte au cours de la troisième année, alors que le volume des ventes était comparable à celui des années antérieures.

Travail à faire

1. Préparez un nouvel état des résultats de chaque année à l'aide de la méthode des coûts variables.

2. Reportez-vous aux états des résultats précédents préparés à l'aide de la méthode du coût complet.
    a) Calculez pour chaque année le coût unitaire du produit à l'aide de la méthode du coût complet. (Décomposez ce coût pour en illustrer la partie variable et la partie fixe.)
    b) Pour chaque année, rapprochez les montants de bénéfices obtenus à l'aide de la méthode des coûts variables et de la méthode du coût complet.

3. Revenez une fois de plus aux états des résultats préparés à l'aide de la méthode du coût complet. Expliquez pourquoi le bénéfice enregistré au cours de la deuxième année était supérieur à celui de la première année avec la méthode du coût complet, considérant que le nombre d'unités vendues a été inférieur au cours de la deuxième année.

4. Reportez-vous encore une fois aux états des résultats préparés à l'aide de la méthode du coût complet. Expliquez pourquoi l'entreprise a subi une perte au cours de la troisième année, alors qu'elle a affiché un bénéfice lors de la première année, bien que le nombre d'unités vendues ait été le même pour chacune de ces périodes.

5. a) Expliquez en quoi les activités auraient été différentes pendant la deuxième année et la troisième année si l'entreprise avait utilisé un système de production optimisée.
    b) Supposez que l'entreprise a implanté un système de production optimisée dès la deuxième année. Quel aurait alors été le bénéfice (ou la perte) de l'entreprise la deuxième et la troisième année selon la méthode du coût complet ? Expliquez tout écart entre les montants de bénéfices obtenus et ceux présentés aux états financiers précédents.

P7 La préparation des états financiers à l'aide de la méthode des coûts variables, un volume des ventes constant, des fluctuations de la production et un système de production optimisée

«Cela n'a aucun sens, dit Mario Bilodeau, président de la société Essex. Cette année, nous avons vendu le même nombre d'unités que l'an dernier. Pourtant, nos bénéfices ont plus que doublé. Qui est responsable de l'erreur ? L'ordinateur ou les personnes qui s'en servent ?» Les états financiers auxquels M. Bilodeau fait allusion sont présentés ci-après ; ils ont été préparés à l'aide de la méthode du coût complet.

	1re année	2e année
Ventes (20 000 unités chaque année)	700 000 $	700 000 $
Moins : Coût des ventes	460 000	400 000
Marge brute	240 000	300 000
Moins : Coûts commerciaux et charges administratives	200 000	200 000
Bénéfice	40 000 $	100 000 $

Les états financiers précédents présentent les résultats des deux premières années. Au cours de la première année, l'entreprise a produit et vendu 20 000 unités. Pendant la deuxième année, la société a vendu une fois de plus 20 000 unités, mais elle a augmenté la production pour avoir du stock sous la main.

	1re année	2e année
Unités produites	20 000	25 000
Unités vendues	20 000	20 000
Coût de fabrication variable par unité	8 $	8 $
Frais indirects de fabrication fixes	300 000 $	300 000 $

Essex fabrique un seul produit. Ses frais indirects de fabrication fixes sont attribués au produit sur la base de la production réelle de chaque année. (Par conséquent, le taux d'imputation des frais indirects de fabrication fixes est calculé chaque année.) Les coûts commerciaux et les charges administratives variables sont de 1 $ par unité vendue.

Travail à faire

1. Calculez le coût unitaire du produit pour chaque année à l'aide de :
   a) la méthode du coût complet ;
   b) la méthode des coûts variables.
2. Préparez un état des résultats de chaque année à l'aide de la méthode des coûts variables.
3. Pour chaque année, rapprochez les montants de bénéfices calculés à l'aide de la méthode des coûts variables et de la méthode du coût complet.
4. Expliquez au président pourquoi, avec la méthode du coût complet, le bénéfice pour la deuxième année est plus élevé que celui de la première année, bien que le même nombre d'unités aient été vendues chaque année.
5. a) Expliquez en quoi les activités de l'entreprise auraient été différentes au cours de la deuxième année si elle avait fonctionné avec un système de production optimisée.
   b) Si l'entreprise avait implanté un système de production optimisée dès la deuxième année, quel aurait été le bénéfice obtenu à l'aide de la méthode du coût complet ? Expliquez tout écart entre ce montant et le montant présenté aux états financiers précédents.

P8 Le calendrier de production et l'éthique du gestionnaire

Carlos Cavalas, directeur de la division brésilienne de Produits Écho, doit décider du calendrier de production pour le dernier trimestre de la période. La division avait prévu vendre 600 unités au cours de la période. Voici les activités de l'entreprise au 30 septembre.

Stock au 1er janvier	-0-
Unités produites	2 400
Unités vendues	2 000
Stock au 30 septembre	400

La division peut louer un espace d'entreposage qui pourrait stocker jusqu'à 1 000 unités. Le niveau de stock minimal que la division devrait maintenir est de 50 unités. M. Cavalas sait que la production doit être au minimum de 200 unités par trimestre pour qu'il puisse retenir ses employés clés. La production maximale est de 1 500 unités par trimestre.

La demande a été faible, et les prévisions de ventes pour le dernier trimestre sont de seulement 600 unités. En raison de la nature des opérations de la division, les frais indirects de fabrication fixes constituent un élément majeur du coût du produit.

Travail à faire

1. Supposez que la division utilise la méthode des coûts variables. Combien d'unités devraient être fabriquées au cours du dernier trimestre de la période? Montrez tous vos calculs, et justifiez votre réponse. Le nombre d'unités produites influera-t-il sur le bénéfice (ou la perte) de la division pour la période? Justifiez votre point de vue.
2. Supposez que la division utilise la méthode du coût complet et qu'elle offre une prime annuelle basée sur le bénéfice au directeur de la division. Supposez également que M. Cavalas veut maximiser le bénéfice de sa division pour la période. Dans ce cas, combien d'unités devraient être fabriquées au cours du dernier trimestre? Montrez tous vos calculs et justifiez votre réponse.
3. Déterminez les questions éthiques liées à la décision de M. Cavalas.

P9 Une comparaison des méthodes de calcul du coût de revient

Les renseignements ci-après ont trait aux ventes, à la production et à certains coûts de la période terminée le 31 mars 20X2 de la société Saskatoon inc.

Ventes (10 000 unités)	600 000 $
Coûts de fabrication des unités produites :	
Coûts de revient de base	330 000
Frais indirects de fabrication variables	110 000
Frais indirects de fabrication fixes	85 600
Coûts d'exploitation :	
Coûts commerciaux variables	10 000
Coûts commerciaux fixes	35 000
Charges administratives fixes	55 000

Saskatoon inc. a produit 11 000 unités pendant la période, soit 300 unités de plus que sa capacité normale de production. Le stock au début des produits finis comptait 1 000 unités, et le coût de production unitaire variable s'élevait à 38 $; les frais indirects de fabrication fixes sont de 7 $ par unité. Saskatoon inc. a adopté la méthode de l'épuisement successif.

Remarque: Tous les frais indirects de fabrication sous-imputés ou surimputés sont considérés comme des frais non incorporables.

Travail à faire

1. Calculez le nombre d'unités du stock à la fin.
2. Déterminez le coût du stock à la fin à l'aide de la méthode des coûts variables.
3. Évaluez le coût du stock à la fin selon la méthode du coût complet.
4. Établissez le pourcentage de marge brute.
5. Déterminez la marge sur coûts variables de fabrication.
6. Établissez le ratio de la marge sur coûts variables.
7. Calculez l'écart entre les montants de bénéfices obtenus à l'aide de la méthode des coûts variables et de la méthode du coût complet.

P10 Une comparaison des méthodes de calcul du coût de revient

Voici quelques renseignements sur les activités de l'entreprise SIA inc. pour le premier trimestre de 20X0.

	Janvier	Février	Mars
Unités vendues..	12 000	14 000	18 000
Prix de vente à l'unité..	12 $	12 $	12 $
Frais indirects de fabrication variables à l'unité	5 $	5 $	5 $
Coûts commerciaux variables à l'unité............................	2 $	2 $	2 $
Unités produites	15 000	18 000	13 000

Voici quelques renseignements supplémentaires au sujet de l'entreprise.

a) Au 1er janvier, l'entreprise disposait de 2 000 unités.
b) Les frais indirects de fabrication fixes représentent 3 $ par unité et sont imputés aux unités de produit sur la base d'un volume de production mensuel de 14 000 unités. Le coût des produits vendus est ajusté pour tous les frais indirects de fabrication fixes surimputés ou sous-imputés.
c) SIA inc. utilise la méthode de l'épuisement successif. Le stock de produits en cours est négligeable.
d) Les coûts commerciaux et les charges administratives fixes s'élèvent à 20 000 $ par mois.

Travail à faire

1. Préparez l'état des résultats des mois de janvier, février et mars à l'aide de :
   a) la méthode du coût complet ;
   b) la méthode des coûts variables.
2. Expliquez pourquoi, avec la méthode du coût complet, les bénéfices ont évolué de façon irrégulière pendant la période de trois mois et n'ont pas évolué en fonction de la variation du volume des ventes. Votre réponse devrait comprendre le rapprochement des montants de bénéfices obtenus à l'aide de la méthode du coût complet et de la méthode des coûts variables.
3. Déterminez les avantages et les inconvénients de la méthode des coûts variables pour ce qui est des rapports internes.

(Adaptation d'un problème de l'Association des comptables généraux accrédités du Canada)

P11 La détermination du prix de vente

Chaque unité du produit XCO de la société Lico ltée présente les caractéristiques de coût suivantes :

	Coût unitaire
Matières premières	6 $
Main-d'œuvre directe...	12
Frais indirects de fabrication variables	5
Frais indirects de fabrication fixes	7
Coûts commerciaux variables	2
Coûts commerciaux fixes	4

Lico ltée prévoit produire et vendre 5 000 unités de XCO au cours de la prochaine période. Un investissement de 100 000 $ sera nécessaire pour assurer la production du XCO.

Travail à faire

1. Supposez que Lico ltée souhaite un rendement du capital investi de 15 % pour son produit. Déterminez le prix de vente par unité à l'aide de :
   a) la méthode du coût complet ;
   b) la méthode des coûts variables.
2. À un niveau de production de 5 000 unités de XCO, Lico ltée fonctionne à 80 % de sa capacité. Une entreprise japonaise a présenté une proposition à Lico ltée et voudrait acquérir 1 000 unités au prix de 30 $ l'unité. Les frais de vente variables de cette commande seraient seulement de 1 $ l'unité, alors que les autres frais demeureraient inchangés.
   a) Lico ltée devrait-elle exécuter cette commande ? Votre réponse devra se fonder uniquement sur des critères financiers.
   b) Outre les critères financiers, donnez *trois* autres facteurs qui devraient être pris en considération avant qu'une décision définitive soit prise.

(Adaptation d'un problème de l'Association des comptables généraux accrédités du Canada)

P12 Une comparaison des méthodes d'établissement du coût de revient

La société Altamont vient d'ouvrir une nouvelle division spécialisée dans la fabrication et la vente de lecteurs de DVD. L'usine est fortement automatisée de sorte que ses coûts fixes mensuels sont élevés, comme le montre la liste des coûts mensuels budgétés qui apparaît ci-dessous. Pour préparer cette liste, on s'est servi d'un volume de production prévu de 1 500 unités par mois.

Au cours du mois d'août 20X8, on a enregistré les données ci-après sur les activités de la division.

Unités produites	1 500
Unités vendues..	1 200
Prix de vente par unité..	150 $
Coûts de fabrication :	
Coûts variables par unité :	
Matières premières......................................	25 $
Main-d'œuvre directe	30 $
Frais indirects de fabrication variables...........	5 $
Total des frais indirects de fabrication fixes	60 000 $
Coûts commerciaux et charges administratives :	
Variables...	6 % du chiffre d'affaires
Fixes	45 000 $

Travail à faire

1. Préparez un état des résultats du mois terminé le 31 août 20X8 à l'aide de la méthode du coût complet.
2. Dressez un état des résultats pour la même période selon la méthode des coûts variables.
3. Rapprochez les montants des bénéfices du mois d'août calculés à l'aide de la méthode du coût complet et de la méthode des coûts variables.
4. Présentez quelques-uns des arguments qu'on pourrait invoquer en faveur de l'utilisation de la méthode des coûts variables. Donnez quelques-uns des arguments favorables à l'utilisation de la méthode du coût complet.

(Adaptation d'un problème de l'Association des comptables généraux accrédités du Canada)

P13 La restructuration d'un état des résultats sectoriels

La société Brabant N.V. des Pays-Bas, un distributeur en gros de fromages hollandais, fait des affaires dans toute l'Union européenne. Malheureusement, depuis quelque temps, ses bénéfices sont en baisse, ce qui inquiète beaucoup ses dirigeants. Pour mieux comprendre la situation de l'entreprise, le chef de la direction a demandé que l'état des résultats mensuels soit décomposé en secteurs de vente. Le service de la comptabilité a donc préparé l'état financier qui suit pour le mois le plus récent, soit celui de mars.

	Secteur de vente		
	Sud de l'Europe	Europe centrale	Nord de l'Europe
Chiffre d'affaires	300 000 $	800 000 $	700 000 $
Moins : Frais par secteur (spécifiques) :			
Coût des ventes	93 000	240 000	315 000
Salaires.....................................	54 000	56 000	112 000
Assurance	9 000	16 000	14 000
Publicité....................................	105 000	240 000	245 000
Amortissement	21 000	32 000	28 000
Expédition	15 000	32 000	42 000
Total des frais par secteur	297 000	616 000	756 000
Bénéfice (perte) par secteur avant les charges du siège social	3 000	184 000	(56 000)
Moins : Charges du siège social :			
Publicité (général)...................	15 000	40 000	35 000
Charges administratives...........	20 000	20 000	20 000
Total des charges du siège social	35 000	60 000	55 000
Bénéfice (perte)	(32 000) $	124 000 $	(111 000) $

Seuls le coût des ventes et les frais d'expédition sont variables. Tous les autres coûts sont fixes. La société Brabant N.V. achète ses fromages dans des ventes aux enchères ainsi qu'à des coopératives d'agriculteurs, et les distribue dans les trois secteurs indiqués ci-dessus. Chacun de ces secteurs a son propre chef de la direction et son propre personnel de vente. La rentabilité des fromages varie beaucoup d'un produit à l'autre ; quelques-uns ont une marge élevée, d'autres, une marge faible. (Certains types de fromages, qu'on a laissé vieillir durant de longues périodes, sont ceux qui ont le prix de vente et la marge les plus élevés.)

Travail à faire

1. Dressez une liste de tous les inconvénients ou points faibles de l'état financier ci-dessus.
2. Expliquez l'unité d'œuvre apparemment utilisée pour répartir les charges du siège social entre les secteurs de vente. Approuvez-vous ce mode de répartition ? Justifiez votre réponse.

▶

► 3. Préparez un nouvel état des résultats sectoriels à l'aide de la méthode des coûts variables pour le mois de mai. Ajoutez une colonne des totaux ainsi que des données pour chaque secteur. Ajoutez aussi des pourcentages pour chacune des colonnes de votre état et exprimez-les à une décimale près.

4. Analysez l'état des résultats que vous avez préparé en 3). Sur quels éléments susceptibles d'aider à améliorer la performance de l'entreprise attireriez-vous l'attention de la direction ?

P14 L'état des résultats sectoriels et la prise de décisions

L'état des résultats mensuels le plus récent de la société Restigouche, préparé à l'aide de la méthode des coûts variables, apparaît ci-dessous.

RESTIGOUCHE
État des résultats
du mois terminé le 31 mai

Chiffre d'affaires	900 000 $	100,0 %
Moins : Coûts variables	408 000	45,3 %
Marge sur coûts variables	492 000	54,7 %
Moins : Coûts fixes	465 000	51,7 %
Bénéfice	27 000 $	3,0 %

La direction est déçue de la performance de l'entreprise et se demande ce qu'elle pourrait faire pour augmenter les bénéfices. En examinant des documents relatifs aux ventes et aux coûts, vous avez constaté ce qui suit :

a) L'entreprise compte deux secteurs de vente — le secteur central et le secteur de l'Est. Pour le mois de mai, le secteur central a enregistré un chiffre d'affaires de 400 000 $ et des coûts variables de 208 000 $, tandis que le secteur de l'Est enregistrait un chiffre d'affaires de 500 000 $ et des coûts variables de 200 000 $. On peut rattacher des coûts fixes de 160 000 $ et de 130 000 $ aux secteurs central et de l'Est, respectivement. Quant au reste des coûts fixes, il s'agit de coûts communs aux deux secteurs.

b) L'entreprise est le distributeur exclusif de deux produits, Oups et Toups, dont les ventes totalisaient respectivement 100 000 $ et 300 000 $ dans le secteur central, en mai. Les coûts variables représentent 25 % du prix de vente des Oups, et 61 % de celui des Toups. D'après des documents relatifs aux coûts, 60 000 $ des coûts fixes du secteur central peuvent être rattachés aux Oups, et 54 000 $, aux Toups, le reste étant des coûts communs aux deux produits.

Travail à faire

1. Préparez des états des résultats sectoriels à l'aide de la méthode des coûts variables en indiquant d'abord l'ensemble de l'entreprise décomposée en secteurs de vente, puis le secteur central décomposé en ses gammes de produits. Prévoyez une colonne des montants et une colonne des pourcentages pour l'ensemble de l'entreprise et pour chaque secteur. Arrondissez vos calculs de pourcentages à une décimale près.

2. Examinez l'état financier que vous avez préparé par secteur de vente pour l'ensemble de l'entreprise. Quels éléments mis en lumière dans ce document devraient être portés à l'attention de la direction ?

3. Étudiez maintenant l'état financier que vous avez préparé par gamme de produits pour le secteur central. Quels éléments de ce document devraient être mentionnés aux gestionnaires ?

P15 Les informations sectorielles et la méthode de la CPA

La société Les aliments Végé a récemment acheté une petite usine qu'elle compte exploiter comme l'une de ses filiales. Cette usine nouvellement acquise fabrique et vend trois produits — un produit céréalier à base de blé, une préparation pour crêpes et de la farine. Elle vend chaque produit 10 $ le paquet. Les matières, la main-d'œuvre et d'autres coûts de fabrication variables se chiffrent à 3,00 $ par paquet de produit céréalier, à 4,20 $ par paquet de préparation pour crêpes, et à 1,80 $ par sac de farine. Les commissions sont de 10 % sur la vente de n'importe lequel de ces produits. Tous les autres coûts sont fixes.

Voici l'état des résultats de l'usine pour le mois le plus récent.

	Ensemble de l'entreprise	Produit céréalier à base de blé	Préparation pour crêpes	Farine
		Gamme de produits		
Chiffre d'affaires	600 000 $	200 000 $	300 000 $	100 000 $
Coûts :				
Matières, main-d'œuvre et autres	204 000	60 000	126 000	18 000
Commissions	60 000	20 000	30 000	10 000
Publicité	123 000	48 000	60 000	15 000
Salaires	66 000	34 000	21 000	11 000
Amortissement du matériel	30 000	10 000	15 000	5 000
Loyer d'un entrepôt	12 000	4 000	6 000	2 000
Charges administratives	90 000	30 000	30 000	30 000
Total des coûts	585 000	206 000	288 000	91 000
Bénéfice (perte)	15 000 $	(6 000)$	12 000 $	9 000 $

Voici quelques renseignements supplémentaires concernant l'entreprise.

a) Le même matériel sert à confectionner et à empaqueter les trois produits. Dans l'état des résultats ci-dessus, on a réparti l'amortissement du matériel en fonction des chiffres d'affaires. Une analyse de l'utilisation de ce matériel indique qu'il sert 40 % du temps à fabriquer le produit céréalier, 50 % du temps à fabriquer la préparation pour crêpes et 10 % du temps à moudre la farine.

b) Les trois produits sont conservés dans le même entrepôt. Dans l'état des résultats ci-dessus, on a réparti le loyer de l'entrepôt en fonction des chiffres d'affaires. Dans cet entrepôt de 24 000 mètres carrés, l'espace est subdivisé comme suit : le produit céréalier occupe 8 000 mètres carrés, la préparation pour crêpes, 14 000, et la farine, 2 000.

c) Les charges administratives sont liées à l'administration de l'entreprise dans son ensemble. Dans l'état des résultats ci-dessus, on a divisé ces coûts également entre les trois gammes de produits.

d) Tous les autres coûts peuvent être rattachés aux gammes de produits.

La direction de la société Les aliments Végé souhaite améliorer de 2,5 % la marge sur coûts des ventes de sa nouvelle usine.

Travail à faire

1. Préparez un nouvel état des résultats sectoriels à l'aide de la méthode des coûts variables du mois en question. Ajustez les répartitions, s'il y a lieu.

2. Après avoir examiné l'état des résultats présenté dans l'énoncé du problème, la direction a décidé d'éliminer le produit céréalier, parce qu'il ne génère pas de profit, et de concentrer toutes les ressources disponibles à faire la promotion de la préparation pour crêpes.

8

a) D'après l'état des résultats que vous avez préparé en 1), approuvez-vous la décision d'éliminer la production du produit céréalier ? Expliquez votre réponse.

b) D'après l'état des résultats que vous avez préparé en 1), approuvez-vous la décision de la direction de concentrer toutes les ressources disponibles pour faire la promotion de la préparation pour crêpes ? Supposez que le marché est suffisamment grand pour les trois produits.

Indice : Calculez le taux de marge sur coûts variables de chacun de ces produits.

P16 Des états des résultats multisectoriels

La société Severo S.A., de Sao Paulo, au Brésil, comporte deux divisions. L'état des résultats sectoriels du mois le plus récent, préparé à l'aide de la méthode des coûts variables, apparaît ci-dessous.

	Ensemble de l'entreprise	Division	
		Étoffe	Cuir
Chiffre d'affaires	3 500 000 $	2 000 000 $	1 500 000 $
Moins : Coûts variables	1 721 000	960 000	761 000
Marge sur coûts variables	1 779 000	1 040 000	739 000
Moins : Coûts fixes spécifiques :			
Publicité...	612 000	300 000	312 000
Administration	427 000	210 000	217 000
Amortissement	229 000	115 000	114 000
Total des coûts fixes spécifiques .	1 268 000	625 000	643 000
Bénéfice sectoriel de la division	511 000	415 000 $	96 000 $
Moins : Coûts fixes communs..............	390 000		
Bénéfice...	121 000 $		

La haute direction ne comprend pas les raisons pour lesquelles la division Cuir présente un résultat sectoriel si faible alors que ses ventes sont seulement de 25 % inférieures à celles de la division Étoffe. Dans le but de circonscrire le problème, la direction a demandé que la division Cuir soit décomposée en ses différentes gammes de produits. Voici des renseignements qui découlent de cette opération.

	Gamme de produits de la division Cuir		
	Vêtements	Chaussures	Sacs à main
Chiffre d'affaires	500 000 $	700 000 $	300 000 $
Coûts fixes spécifiques :			
Publicité...	80 000	112 000	120 000
Administration	30 000	35 000	42 000
Amortissement	25 000	56 000	33 000
Coûts variables en pourcentage du chiffre d'affaires............................	65 %	40 %	52 %

D'après une analyse, une partie des charges administratives de la division Cuir, soit un montant de 110 000 $, est un coût commun aux trois gammes de produits.

Travail à faire

1. Préparez un état des résultats sectoriels à l'aide de la méthode des coûts variables pour la division Cuir en considérant les gammes de produits comme des sections.

2. La direction est surprise des mauvais résultats de la gamme de produits des sacs à main et souhaiterait que cette gamme soit encore subdivisée par marchés. Elle a obtenu les renseignements ci-après concernant les marchés sur lesquels se vendent les sacs à main.

	Marché des sacs à main	
	Local	Extérieur
Chiffre d'affaires	200 000 $	100 000 $
Coûts fixes spécifiques :		
Publicité..	40 000	80 000
Coûts variables en pourcentages		
du chiffre d'affaires..	43 %	70 %

Toutes les charges administratives de la gamme de produits des sacs à main ainsi que l'amortissement sont des coûts communs aux deux marchés sur lesquels le produit est vendu. Préparez un état des résultats sectoriels à l'aide de la méthode des coûts variables pour la gamme de produits des sacs à main, en considérant les marchés comme des secteurs.

3. Reportez-vous à l'état financier préparé en 1). Le directeur des ventes veut organiser une campagne de promotion spéciale pour une des gammes de produits au cours du mois prochain. D'après une étude de marché, une telle campagne pourrait faire augmenter les ventes de la gamme des vêtements de 200 000 $ ou celles de la gamme des chaussures de 145 000 $, et elle ne coûterait que 30 000 $. Déterminez sur quelle gamme de produits l'entreprise devrait faire porter cette campagne et présentez les calculs qui justifient votre choix.

P17 La publication d'informations sectorielles

Voici l'état des résultats de Vulcain ltée pour le mois dernier.

VULCAIN LTÉE
État des résultats
du mois terminé le 30 juin

Chiffre d'affaires...	750 000 $
Moins : Coûts variables...	336 000
Marge sur coûts variables	414 000
Moins : Coûts fixes...	378 000
Bénéfice...	36 000 $

La direction est déçue de la performance de l'entreprise et se demande ce qu'elle pourrait faire pour augmenter son bénéfice. En examinant les documents relatifs aux ventes et aux coûts, vous avez constaté ce qui suit :

a) L'entreprise compte deux sections de vente : Nord et Sud. La section Nord a enregistré un chiffre d'affaires de 300 000 $ et des coûts variables de 156 000 $ au cours du mois de juin. Le reste est attribuable à la section Sud. Des coûts fixes de 120 000 $ et de 108 000 $ peuvent être rattachés aux sections Nord et Sud, respectivement. Quant au reste des coûts fixes, il s'agit de coûts communs aux deux sections.

8

►

▶ b) L'entreprise vend deux produits : les Pak et les Tib. Dans la section Nord au cours du mois de juin, le chiffre d'affaires total des Pak s'élevait à 50 000 $, et celui des Tib, à 250 000 $. Les coûts variables représentent 22 % du prix de vente des Pak, et 58 % de celui des Tib. D'après les documents relatifs aux coûts, 30 000 $ des coûts fixes de la section Nord peuvent être rattachés aux Pak, et 40 000 $, aux Tib, le reste étant des coûts communs aux deux produits.

Travail à faire

1. Présentez des états des résultats sectoriels montrant d'abord l'ensemble de l'entreprise divisée en sections de vente, puis le secteur Nord divisé par gammes de produits. Prévoyez une colonne des montants et une colonne des pourcentages pour l'ensemble de l'entreprise et pour chaque unité d'exploitation.

2. Examinez le rapport que vous avez préparé par section de vente pour l'ensemble de l'entreprise. Quels éléments mis en lumière dans ce rapport devraient être signalés à la direction ?

3. Étudiez ensuite le rapport que vous avez préparé par gamme de produits pour la section Nord. Quels éléments de ce rapport devraient être mentionnés aux gestionnaires ?

P18 La publication d'informations sectorielles avec la CPA

« Le marché commercial nous fait perdre de l'argent depuis des années. » Stéphanie Vachon, présidente de Produits Labo, est déçue des bénéfices peu reluisants enregistrés par le marché commercial. « Le marché commercial représente trois millions de dollars de plus en chiffre d'affaires que le marché des consommateurs, mais seulement quelques milliers de dollars de bénéfices de plus. C'est un désastre. »

Voici l'état des résultats auquel se réfère Mme Vachon.

	Ensemble de l'entreprise		Marché commercial	Marché des consommateurs	Marché scolaire
Chiffre d'affaires	20 000 000 $	100,0 %	8 000 000 $	5 000 000 $	7 000 000 $
Moins : Charges opérationnelles :					
Coût des ventes	9 500 000	47,5 %	3 900 000	2 400 000	3 200 000
Matériel de promotion des ventes	3 600 000	18,0 %	1 440 000	900 000	1 260 000
Traitement des commandes	1 720 000	8,6 %	688 000	430 000	602 000
Entreposage	940 000	4,7 %	376 000	235 000	329 000
Emballage et expédition	520 000	2,6 %	208 000	130 000	182 000
Publicité	1 690 000	8,4 %	676 000	422 500	591 500
Charges administratives	1 310 000	6,6 %	524 000	327 500	458 500
Total des charges opérationnelles	19 280 000	96,4 %	7 812 000	4 845 000	6 623 000
Bénéfice	720 000 $	3,6 %	188 000 $	155 000 $	377 000 $

Le vice-président de l'entreprise, Pierre Lebeau, est d'accord avec Mme Vachon : « Nous devons concentrer une plus grande partie de nos efforts sur le marché scolaire, car c'est notre meilleure section. Si nous réussissons à augmenter nos bénéfices, les actionnaires seront peut-être satisfaits ! »

Voici quelques renseignements supplémentaires sur l'entreprise.

a) Produits Labo est un producteur grossiste de différentes marchandises. Les montants du tableau précédent indiquent le coût des ventes pouvant être rattaché aux différents marchés.

b) La direction considère le matériel de promotion des ventes, le traitement des commandes, et l'emballage et l'expédition comme des coûts variables. Par contre, l'entreposage, les frais généraux de gestion et la publicité constituent, selon elle, des coûts fixes. Ces coûts ont tous été répartis entre les marchés en fonction du chiffre d'affaires. Il s'agit d'une pratique qui a cours dans l'entreprise depuis des années.

c) Vous avez recueilli les données suivantes :

Centre de regroupement de coûts par activité (et unité d'œuvre)	Total des coûts	Niveau d'activité			
		Total	Marché commercial	Marché des consommateurs	Marché scolaire
Matériel de promotion des ventes (nombre d'appels)	3 600 000 $	24 000	8 000	5 000	11 000
Traitement des commandes (nombre de commandes)	1 720 000 $	8 600	1 750	5 200	1 650
Entreposage (mètres carrés d'espace)	940 000 $	39 000	11 000	22 000	6 000
Emballage et expédition (kilogrammes expédiés)	520 000 $	52 000	12 000	8 000	32 000

d) Vous avez déterminé que les dépenses de l'entreprise en publicité et en charges administratives se décomposent comme suit :

	Total	Marché		
		Commercial	Consom-mateurs	Scolaire
Publicité :				
Coûts spécifiques	1 460 000 $	700 000 $	180 000 $	580 000 $
Coûts communs	230 000	–	–	–
Charges administratives :				
Coûts spécifiques – salaires	410 000	150 000	120 000	140 000
Coûts communs	900 000	–	–	–

La direction cherche des moyens d'augmenter ses bénéfices. Vous lui avez proposé d'établir un état des résultats sectoriels dans lequel les coûts seraient répartis en fonction des activités. Les gestionnaires pourraient ainsi obtenir plus d'informations.

Travail à faire

1. Reportez-vous aux données fournies en c). Déterminez un taux de répartition pour chaque centre de regroupement des coûts, puis, à l'aide de ce taux, calculez les coûts attribuables à chaque marché.
2. À l'aide des résultats obtenus à la question précédente et d'autres données tirées de l'énoncé du problème, préparez un état des résultats sectoriels révisé. Utilisez la méthode des coûts variables. Prévoyez une colonne des montants et une colonne des pourcentages pour l'ensemble de l'entreprise et pour chaque segment de marché. Calculez les pourcentages à une décimale près. (N'oubliez pas d'inclure l'entreposage dans les coûts fixes.)
3. Y a-t-il un ou plusieurs éléments de votre rapport qui devraient être signalés à l'attention de la direction ? Le cas échéant, lesquels ? Justifiez votre réponse.

P19 Les états des résultats sectoriels et l'analyse de gammes de produits

«Enfin, je sens que nous commençons à arriver au bout du tunnel, s'exclame Adam Lessard, président de Produits Jelco. Nos pertes ont diminué, passant de plus de 75 000 $ par mois au début de la période à seulement 26 000 $ en août. Si nous parvenons à isoler les problèmes qui restent concernant les produits A et C, l'entreprise pourrait redevenir rentable dès le début de la prochaine période. »

Voici l'état des résultats de l'entreprise pour le mois d'août établi à l'aide de la méthode du coût complet.

PRODUITS JELCO
État des résultats
du mois d'août

	Ensemble de l'entreprise	Produit		
		A	B	C
Chiffre d'affaires...................................	1 500 000 $	600 000 $	400 000 $	500 000 $
Moins : Coût des ventes.......................	922 000	372 000	220 000	330 000
Marge brute	578 000	228 000	180 000	170 000
Moins : Charges opérationnelles :				
Coûts commerciaux..........................	424 000	162 000	112 000	150 000
Charges administratives	180 000	72 000	48 000	60 000
Total des charges opérationnelles	604 000	234 000	160 000	210 000
Bénéfice (perte)...................................	(26 000)$	(6 000)$	20 000 $	(40 000)$

«Quelles étaient les recommandations de l'expert-conseil ? demande M. Lessard. Nous l'avons payé 100 $ l'heure ; il a bien dû trouver quelque chose qui n'allait pas !

— Selon l'expert, nos problèmes sont dissimulés par la façon dont nous établissons nos rapports financiers. Il nous a laissé des données sur ce qu'il a appelé des coûts "spécifiques" et des coûts "communs" qui, à son avis, devraient être isolés dans nos rapports. » Mme Warren, vice-présidente directrice de l'entreprise, fait référence aux données que voici :

	Ensemble de l'entreprise	Produit		
		A	B	C
Coûts variables* :				
Production (matières premières, main-d'œuvre directe et frais indirects de fabrication variables)	–	18 %	32 %	20 %
Coûts commerciaux	–	10 %	8 %	10 %
Coûts fixes spécifiques :				
Production..	376 000 $	180 000 $	36 000 $	160 000 $
Coûts commerciaux	282 000	102 000	80 000	100 000
Coûts fixes communs :				
Production..	210 000	–	–	–
Administration	180 000	–	–	–

* En pourcentage du chiffre d'affaires

«Je ne vois pas ce qu'il reproche à nos rapports, reprend M. Lessard. Notre chef comptable dit qu'il utilise ce type de présentation depuis plus de 30 ans. Et il prend soin d'attribuer tous les coûts aux produits.

— Je reconnais que M. Bernard n'a jamais l'air dépassé par les événements. Au fait, la section des achats m'a fait savoir que la commande des puces X7 utilisées dans la fabrication des produits A et B est en retard, et que nous n'en recevrons pas avant des semaines. À en juger par l'état des résultats du mois d'août, nous aurions intérêt à consacrer le reste de notre stock de puces X7 à la fabrication du produit B. » (Le produit A et le produit B contiennent chacun deux puces X7.)

Voici quelques renseignements supplémentaires concernant l'entreprise.

a) Les stocks de produits en cours et de produits finis sont si négligeables qu'il est inutile d'en tenir compte.

b) Les produits A et B se vendent chacun 250 $. Le produit C se vend 125 $ par unité. Il existe une forte demande sur le marché pour ces trois produits.

Travail à faire

1. Préparez un nouvel état des résultats du mois d'août par produit à l'aide de la méthode des coûts variables. Prévoyez une colonne des montants et une colonne des pourcentages pour l'ensemble de l'entreprise et pour chaque produit.

2. Supposez que M. Lessard envisage l'idée d'abandonner le produit C en raison des pertes qu'il entraîne. D'après l'état des résultats que vous avez préparé en 1), quels seraient les pour et les contre en ce qui a trait à l'abandon du produit C ?

3. Êtes-vous d'accord avec la décision de l'entreprise de consacrer le reste de son stock de puces X7 à la fabrication du produit B ? Pourquoi ?

4. Le produit C se vend à la fois auprès des commerçants et des consommateurs. Voici quelques données sur le chiffre d'affaires et les coûts de ce produit.

| | Total | Marché | |
		Commerçants	Consommateurs
Chiffre d'affaires............................	500 000 $	50 000 $	450 000 $
Coûts variables* :			
Production................................	–	20 %	20 %
Vente	–	28 %	8 %
Coûts fixes spécifiques :			
Vente	75 000 $	45 000 $	30 000 $

* En pourcentage du chiffre d'affaires

Le reste des frais fixes de vente du produit C et tous ses coûts fixes de production sont des coûts communs aux marchés sur lesquels ce produit est vendu.

a) À l'aide de la méthode des coûts variables, préparez l'état des résultats par marché pour le produit C. Prévoyez une colonne des montants et une colonne des pourcentages pour le produit au total et pour chaque marché.

b) Quels éléments, mis en lumière par ce rapport, signaleriez-vous à la direction ?

P20 L'entreprise de service et la publication d'informations sectorielles

L'Association des professeurs de musique inc. compte 20 000 membres. L'association fonctionne à partir d'un siège social central, mais elle comprend des sections régionales partout au Canada. Ces sections tiennent des assemblées mensuelles pour discuter de nouvelles récentes concernant des sujets qui intéressent les professeurs de musique. La revue de l'association, *Musique*, paraît chaque mois et contient des articles sur les événements récents dans le domaine. L'association publie aussi des ouvrages et des rapports. En outre, elle parraine des cours qui fournissent des crédits en formation professionnelle continue. Voici l'état des résultats de l'association pour la période en cours.

8

ASSOCIATION DES PROFESSEURS DE MUSIQUE INC.
État des résultats
de la période terminée le 30 novembre

Revenus	3 275 000 $
Moins : Charges opérationnelles :	
Salaires..	920 000
Avantages sociaux..	230 000
Charges locatives...	280 000
Remboursement des coûts des membres aux sections régionales	600 000
Autres services aux membres...	500 000
Impression et papier	320 000
Frais de poste et d'expédition	176 000
Rémunération des formateurs...	80 000
Charges administratives..	38 000
Total des charges opérationnelles..	3 144 000
Excédent des revenus sur les charges..	131 000 $

Le conseil d'administration de l'association a demandé un état des résultats sectoriels pour connaître la contribution de chaque centre de profit. Il y a quatre centres de profit : les sections Admission, Abonnement à la revue, Livres et rapports, et Formation continue. On a confié à Michel Doyle la tâche de préparer l'état des résultats sectoriels de l'association. Voici les renseignements qu'il a recueillis.

a) La cotisation des membres à l'association s'élève à 100 $ par an, dont 20 $ servent à payer un abonnement annuel à la revue *Musique.* Elle donne droit, entre autres avantages, au titre de membre de l'association et à une affiliation à une section régionale. La partie de la cotisation consacrée à la souscription à la revue (20 $) devrait être attribuée à la section Abonnement à la revue.

b) L'association a vendu des abonnements d'un an à la revue *Musique* à des non-membres et à des bibliothèques, au prix de 30 $ par abonnement. L'an dernier, elle en avait vendu 2 500 au total. En outre, la revue a généré 100 000 $ en recettes publicitaires. Les coûts par abonnement à la revue sont de 7 $ pour l'impression et le papier, et de 4 $ en frais de poste et d'expédition.

c) La section Livres et rapports a vendu au total 28 000 rapports techniques et manuels professionnels à un prix unitaire moyen de 25 $. Les coûts moyens par publication ont été de 4 $ pour l'impression et le papier, et de 2 $ en frais de poste et d'expédition.

d) L'association offre différents cours en formation continue à ses membres, mais aussi au public en général. Pour les cours d'un jour, elle réclame des droits de scolarité de 75 $ par personne, et 2 400 étudiants y ont assisté. Au total, 1 760 étudiants ont suivi des cours de 2 jours pour lesquels l'association réclame 125 $ par personne. Des professeurs de l'extérieur ont été payés pour donner certains cours.

e) Voici comment sont répartis les coûts des salaires et l'espace occupé par section.

	Salaires	Espace occupé (en mètres carrés)
Admission	210 000 $	2 000
Abonnement à la revue...	150 000	2 000
Livres et rapports	300 000	3 000
Formation continue...	180 000	2 000
Personnel de direction...	80 000	1 000
	920 000 $	10 000

Les avantages sociaux représentent 25 % des salaires des sections et du personnel de direction. Les dépenses locatives de 280 000 $ comprennent un loyer de 50 000 $ pour un immeuble qui sert d'entrepôt à la section Livres et rapports.

f) Les coûts d'impression et de papier autres que ceux provenant des abonnements à la revue et des livres et rapports sont liés à la section Formation continue.

g) Les frais généraux d'administration comprennent les coûts relatifs à l'administration de l'association. Le personnel de direction effectue certaines tâches d'expédition de matériel par la poste aux fins d'administration générale.

Les dépenses pouvant être rattachées au personnel de direction ainsi que toutes les autres dépenses que l'on ne peut rattacher à aucun centre de profit seront traitées comme des coûts communs. Il n'est pas nécessaire de faire une distinction entre les coûts variables et les coûts fixes.

Travail à faire

1. Préparez un état des résultats par section pour l'Association des professeurs de musique inc. Votre état devrait indiquer les bénéfices sectoriels de chaque section et les résultats de l'association.

2. Pesez le pour et le contre de la répartition de *tous* les coûts de l'association entre les quatre sections.

(Adaptation d'un problème de l'American Institute of Certified Public Accountants)

P21 La rentabilité des clients

William Watson est directeur des ventes chez WW ltée. Il s'inquiète de la concentration et de l'orientation des activités de vente de l'entreprise. Voici les données recueillies pour l'aider à analyser la situation.

	10 000 $ et plus	de 1 000 $ à 9 999 $	de 0 $ à 999 $
Éventail du chiffre d'affaires par client			
Nombre de clients	50	350	3 500*
Visites des représentants	250	1 500	9 000**
Commandes par an	700	1 800	5 000
Chiffre d'affaires annuel moyen par client actif	18 000 $	3 500 $	120 $
Chiffre d'affaires total	900 000 $	1 225 000 $	408 000 $
Pourcentage de marge brute	20 %	25 %	30 %
Pourcentage de la marge sur coûts variables	30 %	40 %	45 %

Coûts de la section des ventes :	
Supervision	48 000 $
Salaires et avantages sociaux des vendeurs	280 000
Salaires des employés de bureau	18 000
Déplacements	45 000
Représentation	12 000
Échantillons	7 000
Loyer	6 900
Autres	3 800
Total des coûts de la section des ventes	420 700 $

* Comprend 1 900 clients inactifs.
** Compte 3 800 visites à des clients inactifs.

Une analyse a aussi permis de déterminer le temps que consacre le personnel de vente à chaque client.

Client	50 %
Déplacements	30 %
Heures de bureau	20 %
	100 %

▶ Les huit personnes constituant le personnel de vente consacrent en moyenne les proportions de temps indiquées à la page précédente en visites aux clients.

Le coût des heures de bureau par commande représente en moyenne 2,40 $. Ce coût comprend les frais de bureau attribuables au traitement des commandes obtenues par les vendeurs et des commandes téléphoniques effectuées directement par les clients.

Travail à faire

Analysez la situation des activités de vente de WW ltée, puis formulez des recommandations à M. Watson.

P22 La rentabilité des clients

L'entreprise Richard Poirier ltée fabrique des composants électroniques qu'elle vend à trois catégories de clients : des assembleurs et techniciens réparateurs d'ordinateurs, des gouvernements provinciaux, et des usines de pâte à papier. Les ventes aux gouvernements provinciaux comprennent des achats pour les collèges communautaires et des réparations de l'équipement gouvernemental. Voici des données concernant la dernière période.

	Assembleurs	Gouvernements	Usines de pâte
Chiffre d'affaires	3 000 000 $	1 200 000 $	800 000 $
Moins : Coût standard des ventes	2 400 000	1 000 000	500 000
Marge brute	600 000 $	200 000 $	300 000 $

Le coût standard des ventes est établi selon la méthode du coût complet, dans laquelle les écarts ont été ventilés suivant les méthodes de répartition habituelles. On a déterminé que les coûts de production standards variables correspondaient aux pourcentages ci-après du coût standard des ventes, après répartition des écarts.

Assembleurs	75 %
Gouvernements	70 %
Usines de pâte	80 %

Des analyses de coûts ont permis de déterminer les coûts différentiels ci-après à titre de coûts fixes.

Assembleurs	500 000 $
Gouvernements	100 000
Usines de pâte	200 000
	800 000 $

Les livres comptables portant sur les activités de vente et d'administration contiennent les renseignements suivants :

a) Services informatiques

Coût total : 150 000 $; unité d'œuvre : éléments de facturation.

Nombre d'éléments :	
Assembleurs	6 000
Gouvernements	4 000
Usines de pâte	20 000

b) Entreposage des produits finis

Salaires : 68 000 $; unité d'œuvre : coût standard des ventes établi selon la méthode du coût complet (toutefois, les contrats gouvernementaux prévoient un transfert immédiat dès que la production est terminée.)

c) Recherche et développement

Coûts des salaires et de l'équipement : 100 000 $; unité d'œuvre : ces coûts fixes ne se rattachent ni à la catégorie de clients ni au coût des ventes.

d) Vente

Coûts divers de 250 000 $; unité d'œuvre : le coût d'un représentant à plein temps auprès des gouvernements est de 50 000 $. Le reste est lié au nombre de visites effectuées par les représentants et au temps requis pour chacune d'elles.

Assembleurs	500 visites
Usines de pâte	2 500

On estime que les visites aux assembleurs prennent trois fois plus de temps que celles aux usines de pâte à cause de la centralisation des services d'achat dans ce type d'usines et de leur situation géographique.

e) Charges administratives

Coût : 100 000 $; unité d'œuvre : on n'a encore trouvé aucune unité d'œuvre satisfaisante pour la répartition de ces coûts.

f) Publicité

Coût : 100 000 $; unité d'œuvre : 30 000 $ en général et 70 000 $ spécifiquement aux assembleurs.

g) Espace

Coût : 200 000 $; unité d'œuvre : la surface occupée est de 17 000 mètres carrés au total.

Bureaux des cadres supérieurs	1 200 m^2
Bureau des ventes	600
Services informatiques	600
Recherche et développement	240
Usine	8 160
Entrepôt	1 200

En ce moment, les coûts de l'usine sont inclus dans les coûts indirects standards. Toutefois, le montant de 200 000 $ ne peut pas être économisé par la location d'espace pour d'autres activités.

Travail à faire

1. Préparez un rapport sur la rentabilité des clients pour la période à partir des renseignements précédents.

2. Quelle analyse supplémentaire pourrait-on effectuer pour améliorer la répartition des coûts ?

3. Recommanderiez-vous des changements quant à l'importance accordée aux clients chez Richard Poirier ltée ?

P23 Un état des résultats selon la méthode des coûts variables

Les ventes et le bénéfice avant impôts de la compagnie Tabco inc. pour les deux premiers trimestres de l'année ont été les suivants :

	Premier trimestre	Deuxième trimestre
Ventes	300 000 $	450 000 $
Bénéfice avant impôts	55 000	57 000

► Les administrateurs de la compagnie se préoccupent du fait qu'une augmentation de 50 % des ventes n'a eu pour résultat qu'un faible accroissement du bénéfice. Le contrôleur de gestion explique que des frais indirects de fabrication non imputés ont influé sur les opérations au second trimestre. Son exposé est basé sur les données suivantes :

	Premier trimestre	Deuxième trimestre
Ventes en unités..	20 000	30 000
Production en unités......................................	30 000	24 000
Stock à la fin en unités.................................	10 000	À déterminer
Prix de vente à l'unité..................................	15 $	15 $
Coût de fabrication variable par unité........................	5	5
Frais indirects de fabrication fixes par unité*..............	6	6
Coûts commerciaux et charges administratives..........	25 000	27 000

* Le coût unitaire des frais indirects de fabrication fixes est calculé en fonction de la capacité normale de 30 000 unités.

La compagnie emploie la méthode de l'épuisement successif pour l'évaluation des stocks. Tous les frais indirects de fabrication surimputés ou sous-imputés sont attribués au coût des ventes à la fin de chaque trimestre.

Travail à faire

1. Préparez un état des résultats pour le second trimestre, en utilisant la méthode employée actuellement par Tabco inc., soit la méthode du coût complet. Veuillez établir le coût des ventes en détaillant le coût des stocks au début et à la fin.

2. Dressez un état des résultats pour le second trimestre, en utilisant la méthode des coûts variables.

3. Si la production avait égalé le niveau des ventes au second trimestre, soit 30 000 unités, quel aurait été le bénéfice avant impôts selon chacune des méthodes ?

P24 Un état des résultats selon la méthode des coûts variables avec l'équation de régression

Vous avez accès à l'équation de régression ci-après concernant les frais indirects de fabrication d'une entreprise située en Estrie. La portion variable des frais indirects de fabrication (la variable dépendante) est influencée par le nombre d'unités produites. Cette entreprise est spécialisée dans la fabrication de pièces nécessaires aux unités réfrigérées destinées aux réfrigérateurs et aux congélateurs des épiceries.

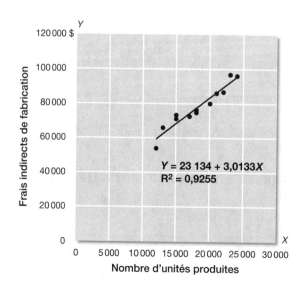

$Y = 23\ 134 + 3,0133X$
$R^2 = 0,9255$

Durant la dernière période, la comptable de l'entreprise a préparé les états financiers selon la méthode habituelle basée sur le coût complet. Elle aimerait maintenant présenter l'état des résultats selon la méthode des coûts variables, sachant qu'il lui est parfois difficile d'expliquer les variations de bénéfices selon la méthode du coût complet. C'est dans ce but qu'elle a effectué l'analyse de régression précédente.

Vous avez accès à certaines informations sommaires basées sur l'état des résultats selon la méthode du coût complet, ce qui vous permettra de l'aider.

	Dernière période
Ventes (25 000 unités)	256 250 $
Moins : Coût des ventes	185 967
Marge brute	70 283
Moins :	
Charges administratives	10 250
Coûts commerciaux	11 340
Bénéfice avant impôts	48 693 $

Les stocks au début et à la fin n'ont connu aucune variation en ce qui a trait aux unités. Les coûts variables relatifs à la matière première sont de 2 $ par unité ; ceux liés à la main-d'œuvre directe s'élèvent à 1,50 $ par unité.

Pour ce qui est des charges administratives, la partie variable peut être estimée en fonction d'un coût unitaire de 0,15 $ par unité. Pour les coûts commerciaux, les commissions de 3 % versées aux vendeurs constituent la majeure partie des dépenses variables ; le reste peut être considéré comme fixe.

Travail à faire

1. Préparez un état des résultats pour la dernière période, en utilisant la méthode des coûts variables comme le souhaite la comptable.
2. Veuillez concilier le bénéfice avant impôts selon la méthode du coût complet par rapport à la méthode des coûts variables.
3. Quelles informations supplémentaires les résultats de la dernière période présentés avec la méthode des coûts variables fournissent-ils maintenant à la comptable ? Quels usages pourra-t-elle en faire ?

Cas

C1 Le gestionnaire et l'éthique, et l'état des résultats préparé à l'aide de la méthode du coût complet

Pierre Lessard a été embauché à titre de directeur général à la fin du mois de novembre par le conseil d'administration de Contact Global. L'entreprise fabrique un système mondial de localisation de pointe (GPS) pouvant localiser avec précision l'emplacement de son utilisateur partout dans le monde. Le conseil d'administration a licencié le directeur général précédent à cause d'une série d'opérations commerciales louches, dont l'expédition de GPS défectueux à des concessionnaires.

M. Lessard estime que sa priorité sera de renforcer la motivation des employés (peu encouragés pendant le règne du directeur général précédent). M. Lessard est particulièrement désireux de créer un sentiment de confiance au sein de l'entreprise. Il veut aussi préparer le budget pour la prochaine période, budget que le conseil d'administration compte scruter à la loupe au cours de la réunion du 15 décembre.

M. Lessard met la dernière main au budget en compagnie de son équipe. De l'avis de M. Lessard, le budget, qui est présenté ci-après, pourra être respecté sans problème.

Données de base du budget

Stock au début	-0-
Unités produites..	400 000
Unités vendues	400 000
Stock à la fin	-0-

Coûts variables à l'unité :

Matières premières	57,20 $
Main-d'œuvre directe	15,00
Frais indirects de fabrication variables	5,00
Coûts commerciaux et charges administratives variables	10,00
Total des coûts variables à l'unité..	87,20 $

Coûts fixes :

Frais indirects de fabrication fixes...	6 888 000 $
Coûts commerciaux et charges administratives fixes	4 560 000
Total des coûts fixes	11 448 000 $

CONTACT GLOBAL
État des résultats budgétés
(méthode du coût complet)

Ventes (400 000 unités × 120 $ l'unité)		48 000 000 $
Moins : Coût des ventes :		
Stock au début	-0- $	
Coût des produits fabriqués		
(400 000 unités × 94,42 $ par unité)	37 768 000	
Marchandises destinées à la vente........................	37 768 000	
Moins : Stock à la fin...	-0-	37 768 000
Marge brute		10 232 000
Moins : Coûts commerciaux et charges administratives :		
Coûts commerciaux et charges administratives		
variables (400 000 unités × 10 $ l'unité).....................	4 000 000	
Coûts commerciaux et charges administratives fixes	4 560 000	8 560 000
Bénéfice...		1 672 000 $

Le conseil d'administration a déclaré que ce budget n'était pas aussi radical qu'il l'aurait espéré. Le membre le plus influent du conseil s'est exprimé : « Les gestionnaires devraient se surpasser pour que l'entreprise puisse atteindre les bénéfices souhaités. » Après avoir débattu la question, le conseil souhaiterait générer un bénéfice de deux millions de dollars pour la prochaine période. Le conseil propose un programme de mesures incitatives alléchant. Il consentirait à verser aux gestionnaires des primes de 10 000 $ à 25 000 $, si le bénéfice réel de deux millions de dollars ou plus était atteint ; autrement, aucune prime ne serait versée.

Travail à faire

1. Supposez que l'entreprise ne constitue aucun stock, c'est-à-dire que le volume de production est égal au volume des ventes, et que le prix de vente et la structure de coûts demeurent les mêmes. Combien de GPS devra-t-elle vendre pour atteindre le bénéfice prévu de deux millions de dollars ?

2. Vérifiez la réponse à la question précédente en préparant un état des résultats budgétés qui présentera un bénéfice de deux millions de dollars. Utilisez la méthode du coût complet.

3. Malheureusement, au mois d'octobre suivant, il est clair que l'entreprise n'atteindra pas son objectif. En fait, l'entreprise terminera sans doute l'année comme on l'avait prévu au départ, soit avec des ventes de 400 000 unités, aucun stock à la fin et un bénéfice de 1 672 000 $.

Plusieurs gestionnaires qui ne désirent en rien perdre leur gratification à la fin de la période disent au président qu'il est encore possible de dégager un bénéfice de deux millions de dollars. Les gestionnaires relèvent que, selon le volume des ventes actuel, l'entreprise dispose d'une capacité suffisante pour fabriquer des dizaines de milliers de GPS supplémentaires qui seraient entreposés. Les frais indirects de fabrication fixes pourraient ainsi être reportés à la prochaine période. Supposez que les ventes pour l'année totalisent 400 000 unités, et que le prix de vente et la structure de coûts restent les mêmes. Combien d'unités l'entreprise devrait-elle fabriquer pour réaliser un bénéfice d'au moins deux millions de dollars à l'aide de la méthode du coût complet ?

4. Validez la réponse à la question précédente en préparant un état des résultats à l'aide de la méthode du coût complet.

5. À votre avis, M. Lessard devrait-il approuver la proposition de constituer un stock à la fin afin que le bénéfice projeté soit atteint ?

6. Que conseilleriez-vous aux membres du conseil d'administration quant à la manière de déterminer les primes à l'avenir ?

C2 Une chute des bénéfices et l'effet d'un système de production optimisée

« Ces états financiers sont erronés, dit Benoît Riendeau, président de Rayco inc. Les ventes du deuxième trimestre étaient en hausse de 25 %, comparativement au premier trimestre, alors que ces états montrent une chute soudaine du bénéfice pour le deuxième trimestre. Les membres du service de la comptabilité se sont certainement fourvoyés dans leurs calculs. » M. Riendeau faisait allusion à l'état des résultats suivant :

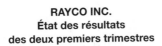

	Trimestre 1		Trimestre 2	
Ventes		480 000 $		600 000 $
Moins : Coût des ventes :				
Stock au début.............................	80 000 $		140 000 $	
Coût des produits fabriqués	300 000		180 000	
Marchandises destinées à la vente......	380 000		320 000	
Moins : Stock à la fin	140 000		20 000	
Coût des ventes.....................................	240 000		300 000	
Frais indirects de fabrication sous-imputés	–	240 000	72 000	372 000
Marge brute...		240 000		228 000
Moins : Coûts commerciaux et charges administratives		200 000		215 000
Bénéfice		40 000 $		13 000 $

M. Riendeau parcourt les états financiers, puis convoque le contrôleur : « Y a-t-il des erreurs en ce qui concerne le deuxième trimestre ? J'aimerais bien le savoir, car je dois communiquer les montants à la presse.

— Je suis désolé, dit le contrôleur, mais ces montants sont exacts. Les ventes ont en effet augmenté au cours du deuxième trimestre. Le problème se situe toutefois du côté de la production. Le budget de l'entreprise avait été prévu en fonction d'une production de 15 000 unités par trimestre. Mais une grève de nos fournisseurs nous a forcés à réduire notre production à 9 000 unités pendant le deuxième trimestre. C'est pourquoi le bénéfice a chuté. »

Perplexe, M. Riendeau réplique : « Cela n'a aucun sens. Je vous ai demandé de m'expliquer pourquoi le bénéfice a chuté alors que les ventes ont augmenté, et vous me ►

► parlez de production! Et même si nous avons dû réduire la production, nous étions encore en mesure d'augmenter les ventes de 25 %. Si les ventes augmentent, le bénéfice devrait augmenter, non? Si vos états financiers ne peuvent démontrer une chose aussi simple, vous devriez vous recycler!»

La production et les ventes budgétisées pour la période, ainsi que la production et les ventes réelles pour les deux premiers trimestres se présentent comme suit:

	Trimestre			
	1	2	3	4
Ventes prévues (en unités)....................	12 000	15 000	15 000	18 000
Ventes réelles (en unités).....................	12 000	15 000	–	–
Production prévue (en unités)...............	15 000	15 000	15 000	15 000
Production réelle (en unités).................	15 000	9 000	–	–

L'usine de l'entreprise est hautement automatisée. Les frais indirects de fabrication fixes s'élèvent à 180 000 $ par trimestre. Les coûts de production variables sont de 8 $ l'unité. Les frais indirects de fabrication fixes sont imputés aux unités au taux de 12 $ par unité (sur la base de la production prévue, présentée ci-dessus). Tous les frais indirects de fabrication sous-imputés ou surimputés sont portés directement au coût des produits vendus pour le trimestre. L'entreprise disposait de 4 000 unités en stock au début du premier trimestre, et elle fonctionne selon la méthode de l'épuisement successif. Les coûts commerciaux et charges administratives variables sont de 5 $ par unité.

Travail à faire

1. Quelle caractéristique de la méthode du coût complet a provoqué la chute du bénéfice pour le deuxième trimestre? Qu'aurait pu dire le contrôleur pour expliquer clairement la situation?

2. Préparez l'état des résultats pour chaque trimestre à l'aide de la méthode des coûts variables.

3. Pour chaque trimestre, rapprochez les montants de bénéfices obtenus à l'aide de la méthode du coût complet et de la méthode des coûts variables.

4. Déterminez les avantages et les inconvénients de la méthode des coûts variables pour ce qui est des rapports internes.

5. Supposez que l'entreprise a adopté un système de production optimisée au début du deuxième trimestre. (Le volume des ventes et le volume de production pour le premier trimestre demeurent inchangés.)

   a) Combien d'unités auraient été produites au cours du deuxième trimestre avec le système de production optimisée?

   b) Au début du troisième trimestre, vous attendriez-vous à un écart entre le bénéfice obtenu à l'aide de la méthode du coût complet et le bénéfice obtenu à l'aide de la méthode des coûts variables? Justifiez votre réponse.

C3 La méthode du coût complet et la méthode des coûts variables, les fluctuations de la production, l'analyse du seuil de rentabilité et l'effet d'un système de production optimisée

«Cela n'a aucun sens, confirme Johanne Fisette, vice-présidente aux finances de la société Wagner. Les ventes des derniers mois ont augmenté régulièrement, mais on ne peut en dire autant des bénéfices. En septembre, les ventes ont franchi le cap des deux millions de dollars, mais le résultat pour la même période n'a cessé de chuter pour se transformer en une perte de 100 000 $. Pourquoi n'existe-t-il pas une corrélation plus étroite entre les bénéfices et le volume des ventes?» Voici les états des résultats auxquels Mme Fisette fait allusion.

WAGNER
État des résultats mensuels

	Juillet	Août	Septembre
Ventes..	1 750 000 $	1 875 000 $	2 000 000 $
Moins : Coût des ventes :			
Stock au début....................................	80 000	320 000	400 000
Coût des produits fabriqués :			
Coûts de fabrication variables.....................................	765 000	720 000	540 000
Frais indirects de fabrication fixes	595 000	560 000	420 000
Coût des produits fabriqués	1 360 000	1 280 000	960 000
Marchandises destinées à la vente...........	1 440 000	1 600 000	1 360 000
Moins : Stock à la fin	320 000	400 000	80 000
Coût des ventes	1 120 000	1 200 000	1 280 000
Frais indirects de fabrication fixes sous-imputés (ou surimputés)...............	(35 000)	–	140 000
Coût redressé des ventes	1 085 000	1 200 000	1 420 000
Marge brute...	665 000	675 000	580 000
Moins : Coûts commerciaux et charges administratives	620 000	650 000	680 000
Bénéfice (perte)	45 000 $	25 000 $	(100 000)$

Pierre Trudel est un jeune diplômé de l'université qui a été engagé récemment. Voici ce qu'il a confié à Mme Fisette : « La méthode des coûts variables est une bien meilleure façon de rendre compte des résultats. » Voici les données relatives aux ventes et à la production pour le dernier trimestre.

	Juillet	Août	Septembre
Unités produites	85 000	80 000	60 000
Unités vendues...	70 000	75 000	80 000

Voici quelques renseignements supplémentaires concernant les activités de l'entreprise.

a) Il y avait 5 000 unités en stock au 1er juillet.

b) Les frais indirects de fabrication fixes s'élèvent à 1 680 000 $ par trimestre et sont engagés de façon uniforme. Ces frais sont imputés aux unités de produit sur la base d'un volume de production prévu de 80 000 unités par mois.

c) Les coûts commerciaux et les charges administratives variables sont de 6 $ par unité vendue. Les autres coûts commerciaux et les charges administratives sont fixes.

d) L'entreprise a implanté la méthode de l'épuisement successif. Le stock de produits en cours est négligeable.

« La production est certes un peu décalée par rapport aux ventes, dit Carole Vanier, contrôleuse de l'entreprise. Mais nous devions constituer un stock au début du trimestre en prévision d'une grève en septembre. Puisque les syndiqués n'ont pas fait la grève, nous avons réduit la production en septembre pour liquider le stock excédentaire. Les états des résultats dont vous disposez sont rigoureusement exacts. »

Travail à faire

1. Préparez l'état des résultats de chaque mois à l'aide de la méthode des coûts variables.
2. Calculez le seuil de rentabilité mensuel.

8

▶ 3. Expliquez à Mme Fisette pourquoi les bénéfices n'ont pas été constants au cours de la période de trois mois. Expliquez-lui aussi pourquoi il n'existe pas une corrélation plus étroite entre les bénéfices et le volume des ventes.

4. Pour chaque mois, rapprochez les montants de bénéfices (pertes) obtenus à l'aide de la méthode des coûts variables et de la méthode du coût complet. Montrez tous vos calculs et indiquez comment vous calculez chaque chiffre utilisé dans votre rapprochement.

5. Supposez que l'entreprise a adopté un système de production optimisée au début de septembre. (Le volume des ventes et le volume de production des mois de juillet et août sont demeurés les mêmes.)

a) Combien d'unités auraient été produites en septembre si l'entreprise avait adopté ce système?

b) Au début du trimestre suivant, vous attendriez-vous à un écart entre le bénéfice obtenu à l'aide de la méthode du coût complet et le bénéfice obtenu à l'aide la méthode des coûts variables? Justifiez votre réponse.

c) Reportez-vous à vos calculs de la question 2). En quoi le système de production optimisée rendrait-il «crédible» l'analyse du seuil de rentabilité si on utilisait la méthode du coût complet?

Recherche

R1 Un changement de structure des coûts et l'établissement du coût d'un produit

À mesure que les entreprises automatisent leurs opérations à l'aide de technologies de fabrication et d'information de pointe, les structures de coûts regroupent un plus grand nombre de frais fixes et des proportions de frais indirects plus élevées.

Travail à faire

1. En quoi cette tendance milite-t-elle en faveur de la méthode du coût complet? en faveur de la méthode des coûts variables?

2. Les entreprises utilisent la méthode du coût complet pour ce qui est des états financiers à usage général. Quel est alors l'effet des accumulations ou des liquidations de stock sur la détermination de bénéfices futurs comparativement à l'effet qu'elles ont eu sur la détermination de bénéfices passés?

3. La plupart des entreprises évaluent et rémunèrent leurs hauts dirigeants en partie sur la base du bénéfice déclaré. À votre avis, les hauts dirigeants choisiraient-ils de préférence la méthode des coûts variables ou la méthode du coût complet? Justifiez votre réponse.

R2 Les informations sectorielles d'un établissement d'enseignement

Procurez-vous un exemplaire du rapport financier le plus récent de votre collège ou de votre université préparé à des fins d'usage interne.

Travail à faire

1. Ce rapport financier décompose-t-il les résultats en fonction des principales sections, telles que les facultés, les départements, les sports intercollégiaux, etc.? Pouvez-vous déterminer l'apport financier (c'est-à-dire les revenus moins les charges) de chaque section en examinant ce rapport?

2. Si le document indique l'apport financier de chacune des principales sections, respecte-t-il les principes décrits dans ce chapitre en matière de publication d'informations sectorielles? Sinon, quels principes ne sont pas respectés et quels problèmes, s'il y en a, le non-respect de ces principes pourrait-il entraîner?

LE PROCESSUS BUDGÉTAIRE

Regard sur une entreprise

L'établissement d'un budget dans les ligues majeures

En 2005, la Ligue nationale de hockey (LNH) et ses joueurs ont signé une nouvelle convention collective de travail dont un des éléments clés était l'établissement d'un budget (un plafond salarial) relatif aux charges de chaque équipe en salaires pour ses joueurs. Par exemple, pour la saison 2007-2008, chaque équipe de la ligue devait dépenser entre 34 et 50,3 millions de dollars en salaires versés aux joueurs. L'objectif de l'attribution d'un budget minimum et maximum pour ces salaires était d'établir une plus grande parité dans la ligue en permettant aux équipes constituées dans des marchés plus petits, comme Ottawa, de faire concurrence à celles qui évoluent dans des marchés plus grands, comme New York.

L'existence d'un budget minimum et maximum oblige les équipes à planifier très sérieusement leurs décisions quant aux joueurs qu'elles embauchent et à la durée de leurs contrats. Déterminer la façon de répartir le budget salarial peut avoir un effet considérable sur la réussite de l'équipe. En outre, contrairement à la plupart des organisations, les équipes de la LNH voient les décisions qu'elles prennent concernant l'utilisation de leur budget salarial scrutées à la loupe par les médias, les autres équipes de hockey et leurs partisans. Par exemple, à l'été 2007, de nombreux experts ont mis en doute le bien-fondé de la décision des Rangers de New York d'engager deux joueurs autonomes à fort salaire. Ces deux transactions ont absorbé, à elles seules, 14 des 50 millions de dollars du budget des salaires. Pour savoir si la décision de consacrer 30 % de leur budget à l'embauche de seulement deux joueurs se révélerait profitable, les Rangers ont dû attendre le début de la saison.

De nombreuses organisations utilisent leur budget comme un moyen de prendre des décisions concernant la répartition des ressources. Même si ces décisions ne jouissent pas de la publicité qui entoure celles des équipes de la LNH, leur objectif est le même, soit répartir des ressources budgétées de façon à améliorer les chances de réussite de l'entreprise.

Source : Wayne SCANLAN, « Players Got What Market Will Bear : NHL Salary Cap Can Hurt or Reward, Depending on Need », *National Post*, 6 juillet 2007, p. B9.

OBJECTIFS D'APPRENTISSAGE

Après avoir étudié ce chapitre, vous pourrez :

1. comprendre les raisons pour lesquelles les organisations préparent des budgets et les méthodes qu'elles utilisent pour les préparer ;

2. préparer les composantes d'un budget directeur et les états financiers prévisionnels ;

3. préparer un budget flexible et expliquer l'utilité d'une telle méthode ;

4. préparer un rapport d'analyse de la performance en y intégrant un budget flexible ;

5. décrire les variations dans le processus d'établissement d'un budget directeur lorsqu'on l'applique à des organismes à but non lucratif (OBNL) et à des situations où l'on a recours à la comptabilité par activités (CPA) ;

6. calculer le niveau optimal des stocks et les quantités à commander (Annexe 9A en ligne).

Les budgets constituent un outil important pour la direction des entreprises, qui les utilise pour communiquer les objectifs financiers de la période (ou des périodes) à venir, attribuer des ressources et coordonner les activités de différentes fonctions au sein de l'organisation. Ils peuvent aussi se révéler utiles pour comparer périodiquement la performance réelle en matière de revenus, de coûts de production et de bénéfices à celle prévue dans les budgets. Lorsque les résultats réels sont sensiblement meilleurs que ceux prévus au budget, la direction cherche à en expliquer les raisons, et tente de déterminer si cette tendance favorable se poursuivra ou non. Si les résultats réels sont nettement pires que ceux qui ont été budgétés, elle tâchera également de comprendre les causes de cette mauvaise performance et de prendre les mesures nécessaires pour corriger la situation au moment opportun. Dans ce chapitre, nous nous intéresserons aux différentes étapes de la préparation des budgets, de même qu'à certains facteurs qui influent sur la façon dont les gestionnaires tirent profit de ces budgets et y réagissent.

Le cadre de travail de la budgétisation

OBJECTIF 1

Comprendre les raisons pour lesquelles les organisations préparent des budgets et les méthodes qu'elles utilisent pour les préparer.

Budget directeur

Budget tenant compte des objectifs de l'organisation en matière de ventes, de production, de distribution et d'activités de financement, et regroupant généralement un budget de trésorerie, un état des résultats prévisionnels et un état de la situation financière prévisionnelle.

La budgétisation

Un budget est un plan détaillé de l'obtention et de l'utilisation des ressources, financières et autres, pour une période donnée. Il est exprimé en termes quantitatifs formels. L'établissement des budgets porte le nom de *budgétisation*. Le *contrôle budgétaire*, comme son nom l'indique, sert à contrôler les activités de l'entreprise à l'aide du budget.

Le **budget directeur**, de son côté, tient compte des objectifs de l'organisation en matière de ventes, de production, de distribution et d'activités de financement. En général, il regroupe un budget de trésorerie, un état des résultats prévisionnels et un état de la situation financière prévisionnelle. En bref, le budget directeur fournit une vue d'ensemble des plans de la direction et indique comment ces plans devront être menés à bien.

La différence entre la planification et le contrôle

Les termes *planification* et *contrôle* sont souvent confondus, et parfois employés d'une façon telle que l'on croit qu'ils signifient la même chose. En fait, la planification et le contrôle sont deux concepts complètement différents. La planification consiste à choisir un plan d'action et à préciser les paramètres de sa mise en œuvre. Des objectifs seront établis et des budgets seront préparés en vue de la réalisation de ces objectifs. Le contrôle, de son côté, est un processus par lequel on établit des procédures, puis obtient une rétroaction pour s'assurer que tous les éléments de l'entreprise fonctionnent de façon efficace et s'orientent vers les objectifs globaux de la société. L'analyse des différences entre les résultats réels et les prévisions budgétaires fait partie du système de contrôle. Pour être vraiment efficace, un système de budgétisation doit permettre *à la fois* la planification et le contrôle. Une bonne planification sans contrôle efficace s'avère inutile. D'un autre côté, à moins que les plans soient préparés, il n'existe pas d'objectifs vers lesquels orienter le contrôle.

Les avantages de la budgétisation

Certains gestionnaires qui ne préparent aucun budget s'empressent de déclarer que la budgétisation constitue une perte de temps. Ils soutiennent parfois que, bien que la budgétisation puisse donner de bons résultats dans *certaines* situations, ce ne sera jamais le cas dans leur entreprise parce que les opérations sont trop complexes ou parce qu'il y a trop d'incertitudes. C'est justement cette complexité et ces incertitudes qui fournissent d'importantes raisons d'établir des budgets, c'est-à-dire d'analyser la situation sur papier avant d'engager réellement les ressources. La plupart des gestionnaires auront des plans informels avant de commencer le processus de budgétisation. Les budgets fournissent un mécanisme pour quantifier financièrement les conséquences de ces plans et objectifs.

Les organisations tirent de nombreux avantages d'un programme de budgétisation. En voici quelques-uns :

1. Les budgets sont un moyen de *communiquer* les plans de la direction à l'ensemble de l'organisation.

2. Les budgets contraignent les gestionnaires à *réfléchir* et à élaborer des plans axés sur l'avenir. Sans la nécessité de préparer un budget, trop nombreux seraient les gestionnaires qui consacreraient tout leur temps à s'occuper des urgences quotidiennes.

3. La budgétisation permet de *répartir les ressources* dans les secteurs de l'organisation où elles peuvent être utilisées le plus efficacement.

4. Les budgets permettent la *coordination* des activités de l'ensemble de l'organisation en *intégrant* les plans des différents secteurs. Ils permettent de s'assurer que tous les employés travaillent à la réalisation des objectifs de l'entreprise.

5. Les budgets fixent des objectifs pouvant servir de *référence* au moment de l'évaluation de la performance.

La comptabilité par centres de responsabilité

Ce chapitre et le chapitre 11 traitent de la *comptabilité par centres de responsabilité*. L'idée de base sous-tendant la **comptabilité par centres de responsabilité** est qu'un gestionnaire devrait être *uniquement* responsable des revenus et des coûts sur lesquels il exerce un contrôle réel. Ainsi, le gestionnaire devrait être responsable de son budget, et des déviations entre les objectifs budgétés et les résultats réels. Ce concept est essentiel à toute planification des résultats financiers et à tout système de contrôle.

Être responsable de certains coûts et de certains revenus ne signifie pas que l'on pénalise le gestionnaire lorsque les résultats réels n'atteignent pas les objectifs budgétés. Le gestionnaire devra cependant veiller à remédier à tout écart défavorable, comprendre l'origine des écarts importants, favorables ou défavorables, et être prêt à expliquer à la haute direction les raisons de ces écarts. L'intérêt d'un système de comptabilité par centres de responsabilité efficace est de s'assurer que l'organisation réagit rapidement et comme il se doit aux dérives par rapport à ses plans, et qu'elle tire des leçons des données obtenues en comparant les objectifs budgétés aux résultats réels.

Comptabilité par centres de responsabilité

Système de comptabilité tenant uniquement compte des éléments de revenus et des coûts relevant de la responsabilité des gestionnaires, c'est-à-dire les éléments sur lesquels ils peuvent exercer un contrôle ; les gestionnaires sont responsables des différences entre les résultats budgétés et les résultats réels.

Le choix d'une période budgétaire

En règle générale, les budgets d'exploitation couvrent une année. Cette année devra correspondre à la période financière de l'entreprise afin que les chiffres du budget puissent être comparés aux résultats réels. Un grand nombre d'organisations répartissent leur année budgétaire sur quatre trimestres. Le premier trimestre est ensuite subdivisé en mois, et des budgets mensuels sont établis. La précision de ces chiffres à court terme se révèle souvent remarquable. Les trois derniers trimestres ne peuvent figurer au budget que sous forme de totaux trimestriels. À mesure que l'année progresse, les chiffres du deuxième trimestre sont détaillés en montants mensuels, puis les chiffres du troisième trimestre sont précisés de la même façon, et ainsi de suite. Cette méthode a l'avantage d'exiger une révision périodique et une réévaluation des données du budget tout au long de l'année.

Un grand nombre d'organisations utilisent des *budgets continus*. Un **budget continu**, ou **budget perpétuel**, est un budget d'une période de 12 mois se prolongeant d'un mois (ou d'un trimestre) quand le mois (ou le trimestre) en cours est achevé. En d'autres termes, on ajoute un mois (ou un trimestre) à la fin du budget à mesure que chaque mois (ou trimestre) arrive à échéance. Cette méthode oblige les gestionnaires à se concentrer sur l'avenir au moins une année à l'avance. Les défenseurs des budgets continus soutiennent qu'avec cette méthode, il y a moins de risques que les gestionnaires se préoccupent trop des résultats à court terme à mesure que l'année progresse.

Dans ce chapitre, nous nous concentrerons sur les budgets d'exploitation annuels. Pourtant, en recourant presque aux mêmes méthodes, il est possible de préparer des budgets d'exploitation pour des périodes couvrant de nombreuses années. Il est parfois

Budget continu (ou budget perpétuel)

Budget d'une période de 12 mois se prolongeant d'un mois (ou d'un trimestre) quand le mois (ou le trimestre) en cours est achevé.

difficile de prévoir avec précision les ventes et les données nécessaires pour une période dépassant un an. Cependant, des estimations peuvent se révéler très utiles pour découvrir des problèmes potentiels et des occasions d'affaires.

Le budget participatif

Le succès d'un programme budgétaire dépendra dans une large mesure de la manière dont le budget sera préparé. Dans les programmes budgétaires qui ont le plus de succès, les gestionnaires préparent leurs propres prévisions, plutôt que d'avoir un budget imposé par la direction. Cette méthode de préparation des données budgétaires s'avère particulièrement importante quand le budget doit servir à contrôler et à évaluer les activités d'un gestionnaire. Un budget imposé hiérarchiquement à un gestionnaire peut susciter du ressentiment et de la démotivation plutôt que de favoriser la coopération et une productivité accrue.

Un **budget participatif** est un budget préparé avec la participation et la coopération de tous les gestionnaires, à tous les échelons. Cette méthode est illustrée à la figure 9.1.

Budget participatif

Méthode de budgétisation à l'aide de laquelle les gestionnaires préparent leurs propres budgets ; le superviseur du gestionnaire révise ensuite ce budget, et tous les problèmes sont résolus d'un commun accord.

FIGURE 9.1 **Le cheminement des données budgétaires dans un système de budgétisation participatif**

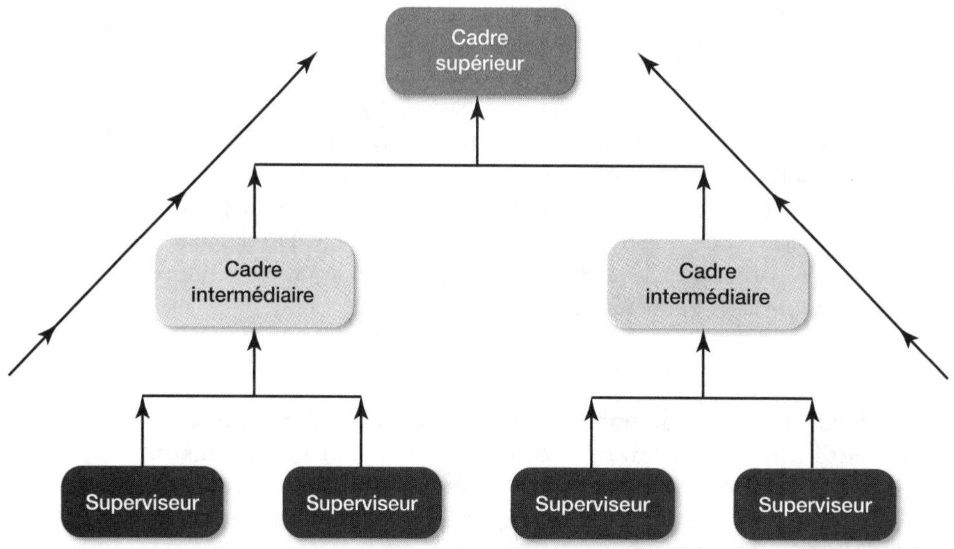

Dans un système participatif, le cheminement des données budgétaires va des niveaux de responsabilité les plus bas aux niveaux de responsabilité les plus élevés. Chaque personne responsable du contrôle des revenus et des coûts prépare ses propres prévisions budgétaires, qu'elle soumet à l'échelon hiérarchique supérieur. Ces prévisions sont révisées et consolidées à mesure qu'elles remontent dans l'organisation.

Un certain nombre d'avantages militent en faveur des budgets participatifs, dont les suivants :

1. Les employés, à tous les échelons, sont considérés comme des membres de l'équipe dont la haute direction apprécie les points de vue et le jugement.
2. L'employé en contact direct avec une activité est le mieux placé pour effectuer des prévisions budgétaires. C'est pourquoi les données qu'il prépare tendent à être plus précises et plus fiables.
3. Les employés sont plus motivés à respecter un budget qu'ils ont élaboré qu'un budget qui leur serait imposé par la direction. Le budget participatif favorise l'engagement du gestionnaire à atteindre les objectifs qu'il s'est fixés.

4. Un budget participatif fait en sorte que si les employés sont incapables d'atteindre les paramètres budgétaires, ils ne peuvent s'en prendre qu'à eux-mêmes. Quand un budget leur est imposé par la direction, ils peuvent toujours alléguer que le budget n'était pas raisonnable ou qu'il était irréaliste, et donc impossible à respecter.

Une fois préparés, les budgets participatifs sont-ils révisés? La réponse est « oui ». Les prévisions budgétaires des cadres inférieurs ne sont pas forcément acceptées telles quelles par les niveaux de direction supérieurs. Lorsqu'il n'y a aucune vérification, les budgets participatifs peuvent se révéler trop vagues et permettre trop de latitude. Ils peuvent aussi s'éloigner des objectifs globaux que s'est fixés l'organisation. Il en résultera inefficacité et gaspillage. C'est pourquoi les supérieurs immédiats révisent les budgets avec soin avant de les accepter. Si des modifications au budget initial semblent souhaitables, les gestionnaires et leurs subalternes discutent des problèmes, et modifient les données par consentement mutuel.

Des représentants de tous les niveaux de l'organisation devraient participer à la préparation du budget. Comme les cadres supérieurs savent en général peu de choses sur les détails des opérations quotidiennes, ils s'en remettront à leurs subordonnés pour obtenir des données budgétaires détaillées. D'un autre côté, les cadres supérieurs considèrent l'organisation comme un tout, ce qui est essentiel pour prendre des décisions stratégiques pendant la préparation du budget. Des employés de chaque niveau de responsabilité de l'organisation devraient contribuer du mieux qu'ils peuvent à un effort *coopératif* visant à préparer un document budgétaire intégré.

Afin d'assurer l'efficience et l'efficacité du processus budgétaire, plusieurs organisations ont un **comité du budget**. Ce comité est habituellement responsable de la politique générale en matière de programme budgétaire et de la coordination des efforts en vue de la préparation du budget. En général, ce comité se compose du président, des vice-présidents responsables de fonctions diverses (ventes, production et achats) et du contrôleur. Le comité du budget résout les difficultés et litiges concernant le budget entre les différentes sections de l'organisation. De plus, il approuve le budget final et reçoit les rapports périodiques sur les progrès de l'organisation en ce qui a trait à l'atteinte des objectifs budgétés.

Pour réussir, une méthode de budgétisation participative exige que tous les gestionnaires comprennent et acceptent la stratégie de l'organisation, à défaut de quoi les budgets proposés par les cadres inférieurs manqueront de cohérence. Les variations dans les données fournies aux cadres supérieurs peuvent signifier que les différents niveaux de gestion ne fonctionnent pas de manière cohérente parce qu'ils travaillent à partir de données différentes. Il y a un risque que les gestionnaires agissent de manière à optimiser leurs propres intérêts, financiers ou autres.

Nous avons décrit un processus budgétaire idéal basé sur une approche participative où les budgets sont préparés par les gestionnaires directement responsables des revenus et des coûts. La plupart des organisations sont loin de cet idéal. En général, les cadres supérieurs tracent d'abord les grandes lignes en matière d'objectifs de bénéfices ou de ventes. Les gestionnaires subalternes reçoivent des directives pour préparer des budgets rejoignant ces objectifs. La difficulté tient en ce que les objectifs fixés par les cadres supérieurs peuvent se révéler irréalistes ou permettre trop de latitude. Quand les objectifs sont trop élevés, les employés les jugent irréalistes, et leur motivation en souffre. Lorsque, au contraire, les objectifs accordent une trop grande marge de manœuvre, il y a du gaspillage. Malheureusement, les cadres supérieurs sont rarement en mesure de savoir si les objectifs qu'ils ont fixés sont convenables. En fait, dans un véritable système de budgétisation participatif, les cadres inférieurs peuvent être tentés de laisser trop de latitude dans leurs budgets, lesquels manqueront ainsi d'orientation, ce qui limitera leur utilité comme outils de planification et de contrôle[1]. Par conséquent, en raison des avantages des budgets participatifs en matière de motivation du personnel, les cadres supérieurs doivent veiller à ne pas fixer des objectifs trop rigides ou à imposer des limites dans le processus budgétaire.

Comité du budget

Groupe de personnes clés de la direction responsables de la politique générale en matière de programme budgétaire et de la coordination de la préparation du budget.

9

---

1. Stan DAVIS, Todd DE ZOORT et Lori KOPP, « The Effect of Obedience Pressure and Perceived Responsibility on Management Accountants' Creation of Budgetary Slack », *Behavioural Research in Accounting*, vol. 18, n° 1 (2006), p. 19-36.

Les relations humaines

Le fait que les cadres inférieurs donnent ou non leur aval à un programme budgétaire révélera dans quelle mesure les cadres supérieurs acceptent que le budget soit un élément vital de l'entreprise, de même que la manière dont ils utilisent les données budgétaires.

Pour connaître le succès, le programme budgétaire doit obtenir l'approbation et le soutien sans réserve des personnes occupant des postes de gestion clés. Quand les cadres inférieurs ou intermédiaires ont l'impression que la haute direction manque d'enthousiasme à l'égard des prévisions budgétaires, ou qu'elle tolère simplement la budgétisation comme un mal nécessaire, ils manquent eux aussi d'enthousiasme. La budgétisation est un travail difficile. Si la haute direction manifeste peu d'intérêt pour le programme budgétaire et y participe peu, il est probable que tout le personnel fera de même.

Quand les cadres supérieurs administrent le programme budgétaire, il est très important qu'ils ne considèrent pas le budget comme un moyen de faire pression sur les employés ou comme un moyen de trouver un coupable quand il y a un problème. Cette attitude ne fera qu'engendrer de l'hostilité, de la tension et de la méfiance plutôt que d'encourager la coopération et la productivité. Malheureusement, les études révèlent que le budget est souvent utilisé comme un moyen de pression et que les décideurs insistent beaucoup sur le « respect du budget », peu importe les circonstances.

Il est facile de concentrer son attention sur les aspects techniques du programme budgétaire sans tenir compte de ses aspects humains. Pourtant, le gestionnaire devrait se rappeler qu'un budget a pour objectifs de motiver les employés et de coordonner leurs efforts. Lorsque la direction se préoccupe uniquement de réduire les coûts ou qu'elle administre le budget de façon rigide, ses efforts se révèlent généralement improductifs et peuvent décourager les employés, qui se sentent sous-estimés. Le fait d'accorder une plus grande importance à la réduction des coûts qu'à la création de valeur amène parfois les gestionnaires à manipuler le budget en planifiant habilement les revenus, les charges et les investissements à court terme, sans égard à la performance de l'entreprise à long terme. La direction doit donc s'assurer que le budget est conçu pour aider à atteindre à la fois les objectifs individuels et ceux de l'entreprise.

Selon certains experts, les cibles budgétaires devraient présenter un défi et obliger les employés à se dépasser pour les atteindre. Même les gestionnaires les plus efficaces peuvent avoir à lutter d'arrache-pied pour respecter des budgets « serrés » sans toujours y parvenir. Dans la pratique, la plupart des organisations fixent leurs cibles budgétaires à des niveaux « réalisables[2] ». Un budget réaliste comporte des défis, mais des gestionnaires compétents arrivent généralement à le respecter en fournissant une quantité raisonnable d'efforts.

Les primes associées au respect ou au dépassement des objectifs des budgets constituent souvent des éléments de la rémunération des gestionnaires. En général, aucune prime n'est versée en cas de non-respect du budget. Par contre, les primes augmentent souvent lorsque les gestionnaires dépassent les objectifs budgétés même si, dans la plupart des cas, elles finissent par plafonner à un certain niveau. Les gestionnaires qui disposent de tels plans de rémunération incitative ou dont on évalue la performance selon qu'ils atteignent ou non les cibles budgétaires préfèrent généralement administrer des budgets réalistes plutôt que des budgets trop optimistes. Les budgets réalisables encouragent une plus grande adhésion à leurs objectifs et entraînent moins de comportements non souhaitables de la part de gestionnaires déterminés à obtenir leurs primes.

---

2. Joseph FISHER, Sean PEFFER et Geoffrey SPRINKLE, « Budget-based Contracts, Budget-levels, and Group Performance », *Journal of Management Accounting Research*, vol. 15, n° 1 (2003), p. 51-74.

L'atteinte des cibles budgétaires à tout prix

La rémunération des gestionnaires est souvent liée au budget. Par exemple, aucune prime ne sera versée à moins d'atteindre 80 % de la cible budgétée. Une fois ce pourcentage dépassé, la prime des gestionnaires augmente jusqu'à ce qu'elle atteigne un plafond, souvent établi à 120 % de la cible budgétaire.

La pratique courante de lier la rémunération des gestionnaires au budget a cependant d'importants effets négatifs. Par exemple, un directeur commercial d'une grande entreprise de boissons gazeuses a délibérément sous-estimé de façon considérable la demande des produits de cette entreprise à l'approche d'un congé important, de façon que la cible budgétaire des revenus soit peu élevée et facile à dépasser. Malheureusement, l'entreprise a réduit sa production en fonction de cette prévision fictive et a manqué de produits en plein cœur de ce congé important.

Voici un autre exemple. À l'approche de la fin de l'année, un groupe de gestionnaires a annoncé une hausse des prix de 10 % à partir du 2 janvier de l'année suivante. Quel était le but de cette décision ? En annonçant une telle hausse de prix, ils espéraient que leurs clients passeraient des commandes avant la fin de l'année, ce qui les aiderait à atteindre leurs objectifs de ventes pour la période en cours. De toute évidence, les ventes de la prochaine année allaient grandement diminuer. À quelle stratégie douteuse ces gestionnaires pourraient-ils alors recourir pour respecter leurs objectifs de ventes l'année suivante, compte tenu de cette baisse de la demande ?

Source: Michael C. JENSEN, «Corporate Budgeting Is Broken – Let's Fix It», *Harvard Business Review*, novembre 2001, p. 94-101 ; Michael C. JENSEN, «Why Pay People to Lie ?», *The Wall Street Journal*, 8 janvier 2001, p. A32.

Le budget base zéro

Selon l'approche traditionnelle de la budgétisation, le gestionnaire part du budget de la période précédente et l'ajuste en fonction des besoins prévus. Il s'agit d'une approche de **budgétisation différentielle**, dans laquelle le budget et les résultats de la période précédente sont considérés comme une base de référence.

Dans un **budget base zéro**, les gestionnaires sont priés de justifier *toutes* les charges budgétées, et non pas uniquement les changements budgétaires par rapport à la période précédente. La base de référence n'existe plus, et tout est repris à zéro.

Un budget base zéro nécessite une documentation considérable. En plus de tous les tableaux du budget directeur habituel, le gestionnaire doit préparer une série d'analyses dans lesquelles toutes les activités du service sont classées en fonction de leur importance relative et le coût de chaque activité est déterminé. La direction peut ensuite examiner les analyses, et comprimer les coûts des secteurs qui semblent moins essentiels ou ne semblent pas justifiés.

Presque tout le monde s'entend pour dire que le budget base zéro est une bonne idée. Le seul problème est la fréquence à laquelle on procède à un examen base zéro. Dans le budget base zéro, l'examen est réalisé chaque année. Les personnes réfractaires ou les opposants au budget base zéro invoquent qu'il exige trop de temps et qu'il est trop onéreux pour justifier son utilisation sur une base annuelle. De plus, les révisions annuelles deviennent rapidement machinales, ce qui fait perdre tout son intérêt au budget base zéro.

Qu'une organisation procède ou non à un examen annuel est affaire de jugement. Dans certaines situations, les examens annuels peuvent se justifier ; dans d'autres cas, non, en raison de la durée et des charges à engager. Néanmoins, la plupart des gestionnaires s'entendent sur le fait que les budgets base zéro peuvent se révéler très utiles. Bien que certains organismes gouvernementaux et organismes à but non lucratif (OBNL) privilégient l'approche du budget base zéro pour évaluer la plupart de leurs coûts, dans les organismes à but lucratif, elle est ordinairement appliquée aux coûts discrétionnaires comme la publicité, la formation du personnel, et la recherche et le développement.

Budgétisation différentielle

Méthode de budgétisation dans laquelle le budget et les résultats de la période précédente sont considérés comme une base de référence.

9

Budget base zéro

Méthode de budgétisation dans laquelle les gestionnaires doivent justifier toutes les charges comme si les programmes concernés étaient proposés pour la première fois.

Un aperçu du budget directeur

OBJECTIF 2

Préparer les composantes d'un budget directeur et les états financiers prévisionnels.

Le budget directeur se compose de plusieurs budgets séparés mais interdépendants. La figure 9.2 donne une vue d'ensemble des parties du budget directeur et indique la façon dont elles sont liées.

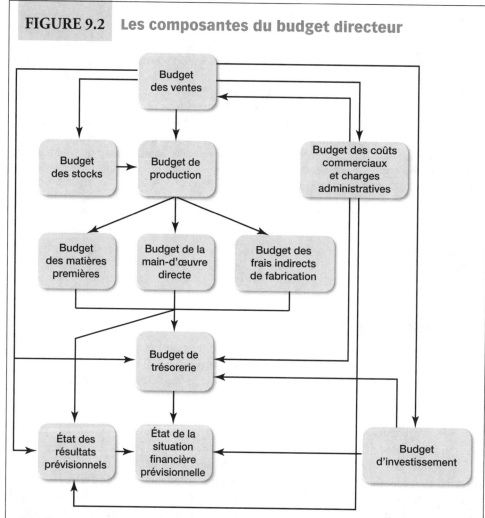

FIGURE 9.2   **Les composantes du budget directeur**

Note : Pour les entreprises commerciales, le budget de production et les budgets des matières premières, de la main-d'œuvre directe et des frais indirects de fabrication sont remplacés par le budget des achats de marchandises.

Source : Adapté de Nicholas C. SIROPOLIS, *Small Business Management: A Guide to Entrepreneurship*, 5ᵉ éd., Florence (Kentucky), South-Western, une division de Cengage Learning Inc., © 1994. Reproduit avec permission (<www.cengage.com/permissions>).

Le budget des ventes

Budget des ventes

Plan détaillé indiquant les ventes prévues pour les périodes à venir ; ces ventes sont habituellement exprimées à la fois en dollars et en unités.

Le **budget des ventes** est un plan détaillé indiquant les ventes prévues pour les périodes à venir ; ces ventes sont habituellement exprimées à la fois en dollars et en unités. Un budget des ventes précis est la clé de l'ensemble du processus budgétaire. Tous les autres éléments du budget directeur dépendent d'une certaine manière du budget des ventes, comme le montre la figure 9.2. Par conséquent, quand le budget des ventes n'est pas préparé avec soin, le reste du processus budgétaire sera en grande partie une perte de temps.

Le budget des ventes permet de déterminer le nombre d'unités qui devront être produites. Le budget de production sera donc préparé après le budget des ventes. Il servira à son tour à déterminer le budget des matières premières, le budget de la main-d'œuvre directe et le budget des frais indirects de fabrication. Ces budgets seront ensuite combinés aux données du budget des ventes et du budget des coûts commerciaux et charges administratives pour déterminer le budget de trésorerie. Le budget des ventes déclenchera une réaction en chaîne qui aboutira à la préparation des autres budgets.

Comme le montre la figure 9.2, le budget des coûts commerciaux et charges administratives dépend du budget des ventes. Cette relation de réciprocité existe parce que les ventes sont en partie déterminées par les fonds engagés pour la publicité et la promotion des ventes.

Le budget de trésorerie

Une fois les budgets d'exploitation (ventes, production, etc.) élaborés, on peut préparer le *budget de trésorerie* et d'autres budgets financiers. Un **budget de trésorerie**, aussi appelé **budget de caisse**, est un plan détaillé indiquant comment les ressources de trésorerie seront acquises et utilisées pendant une période donnée. Notons qu'à la figure 9.2, tous les budgets d'exploitation influent sur le budget de trésorerie. Dans le cas du budget des ventes, ce sont les encaissements prévus provenant des ventes qui influent sur le budget de trésorerie. Dans le cas des autres budgets, les changements sont attribuables aux décaissements prévus dans ces budgets.

> **Budget de trésorerie (ou budget de caisse)**
>
> Plan détaillé indiquant comment les ressources de trésorerie seront acquises et utilisées pour une période donnée.

La prévision des ventes : une étape cruciale

En général, le budget des ventes est basé sur la *prévision des ventes* de l'entreprise. D'ordinaire, on se fonde sur les ventes des périodes précédentes pour préparer la prévision des ventes. De plus, le gestionnaire peut examiner les commandes en souffrance non honorées de l'entreprise, la politique de fixation des prix et les plans de commercialisation de l'entreprise, ainsi que les tendances de l'industrie et les conditions économiques générales. Il peut utiliser des outils statistiques complexes pour l'analyse des données et la préparation de modèles utiles pour prévoir les facteurs clés qui agissent sur les ventes de l'entreprise. Cependant, nous n'expliquerons pas en détail comment les prévisions de ventes sont effectuées.

La préparation du budget directeur

Pour illustrer la conception du budget directeur, nous examinerons le cas de la société Friandises glacées inc., dont Pierre Bélanger est actionnaire majoritaire et directeur général. L'entreprise, qu'il a fondée en 20X3, fabrique des sucettes glacées de qualité supérieure. Elle n'utilise que des ingrédients naturels et offre des saveurs exotiques comme la mandarine piquante et la mangue mentholée. Les activités de l'entreprise sont saisonnières, la plupart de ses ventes étant réalisées au printemps et en été.

Au cours de sa deuxième année d'exploitation, Friandises glacées inc. a fait face à un problème majeur de trésorerie lors du premier et du deuxième trimestre, ce qui a presque entraîné sa faillite. Malgré ce problème, l'année 20X4 s'est révélée globalement une excellente année sur le plan de la trésorerie et du bénéfice. En partie à cause de cette expérience difficile, M. Bélanger a décidé, vers la fin de 20X4, d'engager un directeur financier. Il a eu des entretiens avec plusieurs candidats prometteurs pour cet emploi. Son choix s'est porté sur Michel Lafleur, qui compte une expérience considérable dans le domaine des aliments emballés. Pendant l'entrevue, M. Bélanger a questionné M. Lafleur sur les démarches qu'il entreprendrait pour éviter que le problème de trésorerie survenu en 20X4 se répète.

Pierre : M. Lafleur, comme je l'ai mentionné plus tôt, nous terminerons la présente année avec un bénéfice appréciable. Il se peut que vous ignoriez que nous avons eu d'énormes problèmes financiers il y a quelques mois.

Michel : Laissez-moi deviner. À un moment donné, vous n'avez plus eu de trésorerie pendant le premier ou le deuxième trimestre.

Pierre : Comment le savez-vous ?

Michel : La plupart de vos ventes ont lieu au cours du deuxième et du troisième trimestre, n'est-ce pas ?

Pierre: Certainement; tout le monde veut acheter des sucettes glacées au printemps et en été, mais personne n'en veut quand il fait froid.

Michel: Donc, vos ventes sont faibles pendant le premier trimestre?

Pierre: C'est exact.

Michel: Et pendant le deuxième trimestre, c'est-à-dire au printemps, vous produisez comme un fou pour remplir vos commandes?

Pierre: Assurément.

Michel: Vos clients, les épiceries, vous paient-ils le jour où vous livrez leurs commandes?

Pierre: Vous plaisantez? Bien sûr que non.

Michel: Donc, pendant le premier trimestre, votre niveau des ventes est plutôt faible. Au cours du deuxième trimestre, vous produisez en quantité, ce qui engloutit la trésorerie. Mais vous n'êtes payé par vos clients que bien après que vous avez payé vos employés et vos fournisseurs. Il n'est pas étonnant que vous ayez eu un problème de trésorerie. Je constate cette tendance dans la transformation alimentaire à cause du caractère saisonnier de certains produits.

Pierre: Alors, que pouvons-nous y faire?

Michel: On doit d'abord prévoir l'ampleur du problème avant qu'il se produise. Si nous sommes capables de prévoir l'insuffisance de trésorerie assez tôt dans l'année, nous pourrons aller à la banque et faire le nécessaire pour obtenir une marge de crédit avant d'en avoir réellement besoin. Les banquiers ont tendance à se méfier des gens qui paniquent et mendient des emprunts d'urgence. Ils sont bien plus enclins à accorder un prêt quand ils ont l'impression qu'on sait où on va, qu'on a fait notre travail et qu'on a la situation bien en main.

Pierre: Comment pouvons-nous prévoir une insuffisance de trésorerie?

Michel: Vous pourriez préparer un budget de trésorerie. Pendant que vous y êtes, vous pourriez aussi préparer un budget directeur. Vous constaterez que le jeu en vaut la chandelle.

Pierre: Je n'aime pas les budgets. Ils sont trop contraignants. À la maison, ma femme fait des budgets pour tout, et je ne peux pas dépenser ce que je veux.

Michel: Je peux vous poser une question indiscrète, M. Bélanger? Où avez-vous obtenu l'argent nécessaire pour mettre sur pied votre entreprise?

Pierre: En majeure partie de nos économies. Je vois ce que vous voulez dire. Nous n'aurions pas eu d'argent pour fonder l'entreprise si ma femme ne nous avait pas obligés à économiser tous les mois.

Michel: Exactement. Je vous suggère de faire preuve de la même discipline dans votre entreprise. C'est encore plus important dans ce cas, parce que vous ne pouvez pas attendre de vos employés qu'ils dépensent votre argent aussi prudemment que vous.

Pierre: C'est gagné. Bienvenue à bord.

Avec l'accord de M. Bélanger, M. Lafleur a entrepris de préparer un budget directeur pour l'année 20X5. Au cours de sa planification, M. Lafleur a dressé la liste des documents ci-après, qui feront partie du budget directeur.

1. Un budget des ventes comportant un plan des encaissements prévus.
2. Un budget de production (ou budget des achats de marchandises pour une entreprise commerciale).
3. Un budget des matières premières comportant un plan des décaissements prévus pour les matières premières.
4. Un budget de la main-d'œuvre directe.
5. Un budget des frais indirects de fabrication.
6. Un budget des stocks des produits finis à la fin.
7. Un budget des coûts commerciaux et charges administratives.
8. Un budget de trésorerie.
9. Un état des résultats prévisionnels.
10. Un état de la situation financière prévisionnelle.

M. Lafleur a pensé qu'il était important d'obtenir la coopération de tous dans le processus budgétaire. Il a donc demandé à M. Bélanger d'organiser une réunion de tout le personnel de l'entreprise au cours de laquelle il expliquerait le processus budgétaire. Au début de la réunion, il y a eu des réticences, mais M. Bélanger est parvenu à convaincre presque tout le monde de la nécessité de planifier et de mieux contrôler les charges. Le problème de trésorerie survenu en début d'année était encore présent dans tous les esprits, et cela a aidé pour beaucoup. Même si certaines personnes n'aimaient pas l'idée des budgets, elles tenaient avant tout à leur emploi.

Au cours des mois suivants, M. Lafleur a travaillé en étroite collaboration avec tous les gestionnaires concernés par le budget directeur. Il a réuni les données qu'ils lui ont fournies et s'est assuré qu'ils comprenaient et soutenaient sans réserve les parties du budget directeur qui les concerneraient.

Au cours des prochaines années, M. Lafleur espère confier aux gestionnaires l'intégralité du processus budgétaire et jouer un rôle plus consultatif.

Les documents que M. Lafleur a préparés pour Friandises glacées inc. sont ceux listés à la page précédente. Nous étudierons chacun de ceux-ci dans cette section.

Le budget des ventes

Le budget des ventes constitue le point de départ de la préparation du budget directeur. Comme le montre la figure 9.2 (*p. 438*), tous les autres postes du budget, y compris la production, les stocks et les charges, en dépendent.

Le budget des ventes est préparé en multipliant les ventes budgétées en unités par le prix de vente. Le tableau 9.1 contient le budget des ventes de Friandises glacées inc. pour l'année 20X5, par trimestre. Notons que l'entreprise prévoit vendre **100 000** boîtes de sucettes glacées au cours de la période, le sommet des ventes se situant au troisième trimestre.

TABLEAU 9.1 **Le budget des ventes (document 1)**

FRIANDISES GLACÉES INC.
Budget des ventes
de la période terminée le 31 décembre 20X5

	1	2	3	4	Année
Trimestre					
Ventes prévues au budget, en unités (boîtes de sucettes glacées)	10 000	30 000	40 000	20 000	100 000
Prix de vente à l'unité ⨯	20 $	20 $	20 $	20 $	20 $
Total des ventes	200 000 $	600 000 $	800 000 $	400 000 $	2 000 000 $
Prévisions des encaissements					
Comptes clients, solde au début*	90 000 $				90 000 $
Ventes du premier trimestre (200 000 $ ⨯ 70 %, 30 %)	140 000	60 000 $			200 000
Ventes du deuxième trimestre (600 000 $ ⨯ 70 %, 30 %)**		420 000	180 000 $		600 000
Ventes du troisième trimestre (800 000 $ ⨯ 70 %, 30 %)			560 000	240 000 $	800 000
Ventes du quatrième trimestre (400 000 $ ⨯ 70 %)***				280 000	280 000
Total des encaissements	230 000 $	480 000 $	740 000 $	520 000 $	1 970 000 $

* Encaissement des ventes du quatrième trimestre de la période précédente (*voir l'état de la situation financière du début de la période, p. 453*).

** Les encaissements sont les suivants: 70 % des ventes sont encaissées pendant le trimestre des ventes, et les 30 % restants, pendant le trimestre suivant.

*** Les ventes non encaissées du quatrième trimestre figurent sous forme de comptes clients à l'état de la situation financière de fin de période de l'entreprise (*voir le tableau 9.10, p. 454*).

9

Un tableau des encaissements prévus est préparé après le budget des ventes. On a besoin de ce tableau pour préparer le budget de trésorerie. Les encaissements englobent ceux liés aux ventes des périodes antérieures et ceux liés aux ventes réalisées pendant la période en cours du budget. Chez Friandises glacées inc., l'expérience montre que 70 % des encaissements des ventes ont lieu pendant le trimestre au cours duquel la vente est faite, et les autres 30 %, pendant le trimestre suivant. Ainsi, l'entreprise encaisse 70 % des 200 000 $ de ventes du premier trimestre (soit 140 000 $) pendant le premier trimestre, et 30 % (soit 60 000 $), pendant le deuxième trimestre.

Le budget de production

Budget de production

Plan détaillé indiquant le nombre d'unités devant être produites pendant une période donnée de façon à répondre à la fois aux besoins en ce qui a trait aux ventes et aux besoins des stocks.

Le *budget de production* est préparé après le budget des ventes. Le **budget de production** indique le nombre d'unités devant être produites pendant chaque période budgétaire de façon à répondre aux besoins en ce qui a trait aux ventes et à constituer les stocks souhaités à la fin. Les besoins de la production peuvent être déterminés comme suit :

Ventes prévues en unités	XXXX
Plus : Stock de produits finis souhaité à la fin...............................	XXXX
Total des besoins	XXXX
Moins : Stock de produits finis au début......................................	XXXX
Production requise	XXXX

Le tableau 9.2 présente le budget de production de Friandises glacées inc. Notons que le niveau des stocks à la fin influe sur les exigences de production pour un trimestre donné. Les stocks devraient être planifiés avec soin. Des stocks excessifs immobilisent de la trésorerie et créent des problèmes d'entreposage. Des stocks insuffisants peuvent être à l'origine de pertes de ventes ou perturber les efforts de production pendant la période suivante. La planification et le contrôle des stocks doivent être exécutés avec soin. L'annexe 9A (en ligne au <www.cheneliere.ca/garrison>) examine plus en profondeur les méthodes de contrôle des stocks et les coûts pertinents associés aux quantités à commander ou à produire. La direction de Friandises glacées inc. est convaincue qu'un stock à la fin égal à 20 % des ventes du trimestre suivant représente un juste équilibre.

TABLEAU 9.2 **Le budget de production (document 2)**

FRIANDISES GLACÉES INC.
Budget de production de la période terminée le 31 décembre 20X5
(en boîtes)

	A	B	C	D	E	F
		Trimestre				
		1	**2**	**3**	**4**	**Année**
Ventes prévues (*tableau 9.1*)		10 000	30 000	40 000	20 000	100 000
Plus : Stock de produits finis souhaité à la fin*		6 000	8 000	4 000	3 000**	3 000
Total des besoins		16 000	38 000	44 000	23 000	103 000
Moins : Stock de produits finis au début***		2 000	6 000	8 000	4 000	2 000
Production requise		14 000	32 000	36 000	19 000	101 000

* Vingt pour cent des ventes du trimestre suivant
** Estimation
*** Identique au stock à la fin du trimestre précédent

L'acquisition des stocks et l'entreprise commerciale

Friandises glacées inc. prépare un budget de production, car elle est une entreprise *manufacturière*.

Si Friandises glacées inc. était une entreprise *commerciale*, au lieu d'un budget de production, elle préparerait uniquement un **budget des achats de marchandises** indiquant le volume des marchandises à acheter auprès de ses fournisseurs pendant une période donnée. Le budget des achats de marchandises a le même format que le budget de production, sauf qu'il indique les marchandises à acheter plutôt que les marchandises à produire. Ces besoins sont déterminés comme dans l'encadré ci-après:

Ventes prévues, en unités ou en dollars	XXXX
Plus: Stock de marchandises souhaité à la fin	XXXX
Total des besoins	XXXX
Moins: Stock de marchandises au début	XXXX
Achats requis, en unités ou en dollars	XXXX

Budget des achats de marchandises

Budget d'une entreprise commerciale dans lequel est indiqué le volume des marchandises à acheter auprès des fournisseurs pendant une période donnée.

L'entreprise commerciale prépare un budget des achats de marchandises comme celui ci-dessus pour chaque article figurant à l'inventaire. Certains grands détaillants font fréquemment de tels calculs, en particulier durant les périodes de pointe, afin de s'assurer qu'ils disposent des quantités appropriées pour répondre aux besoins des clients.

Le budget des matières premières

Revenons aux données budgétaires de Friandises glacées inc. Une fois les besoins de la production calculés, on peut préparer un *budget des matières premières*. Le **budget des matières premières** fait état du détail des matières premières à acheter pour répondre au budget de production et au maintien des stocks. Les achats de matières premières requis sont calculés comme suit:

Matières premières nécessaires pour répondre aux besoins de la production	XXXX
Plus: Stock de matières premières souhaité à la fin	XXXX
Total des besoins en matières premières	XXXX
Moins: Stock de matières premières au début	XXXX
Matières premières à acheter	XXXX

Budget des matières premières

Budget détaillé indiquant la quantité de matières premières à acheter pendant une période donnée pour répondre à la fois aux besoins de la production et au maintien des stocks.

La préparation d'un budget de ce type fait partie de la planification des besoins en matières d'une entreprise. Le but de la planification est de s'assurer que les matières sont disponibles, en quantité suffisante et au bon moment, pour soutenir la production. La plupart des ouvrages traitant de la gestion des opérations expliquent en détail la planification des besoins en matières.

Le tableau 9.3 (*page suivante*) présente le budget des matières premières de Friandises glacées inc. La seule matière première figurant dans ce budget est du sucre enrichi de fructose, principal ingrédient (mis à part l'eau) des sucettes glacées. Les autres matières premières sont relativement négligeables et sont incluses dans les frais indirects de fabrication variables. Notons que les besoins en matières sont d'abord déterminés en unités (kilogrammes, litres, etc.) puis convertis en dollars en multipliant le nombre d'unités par le coût unitaire. Notons aussi que la direction de Friandises glacées inc. désire maintenir le stock de sucre à la fin à 10 % des besoins de la production pour le trimestre suivant.

9

TABLEAU 9.3   Le budget des matières premières (document 3)

	A	B	C	D	E	F	G
1	FRIANDISES GLACÉES INC. Budget des matières premières de la période terminée le 31 décembre 20X5						
2		Trimestre					
3		1	2	3	4	Année	
4	Unités devant être produites (*tableau 9.2*)	14 000	32 000	36 000	19 000	101 000	
5	Matières premières nécessaires par unité (kilogrammes) ×	5	5	5	5	5	
6	Besoins de la production (kilogrammes)	70 000	160 000	180 000	95 000	505 000	
7	Plus : Stock de matières premières souhaité à la fin (kilogrammes)#	16 000	18 000	9 500	7 500	7 500	
8	Total des besoins (kilogrammes)	86 000	178 000	189 500	102 500	512 500	
9	Moins : Stock de matières premières au début (kilogrammes)	7 000	16 000	18 000	9 500	7 000	
10	Matières premières à acheter (kilogrammes)	79 000	162 000	171 500	93 000	505 500	
11	Coût des matières premières à acheter à 0,60 $ le kilogramme	47 400 $	97 200 $	102 900 $	55 800 $	303 300 $	
12							
13	Prévisions des décaissements pour les matières premières						
14	Comptes fournisseurs au début*	25 800 $				25 800 $	
15	Achats du premier trimestre (47 400 $ × 50 %, 50 %)**	23 700	23 700 $			47 400	
16	Achats du deuxième trimestre (97 200 $ × 50 %, 50 %)		48 600	48 600 $		97 200	
17	Achats du troisième trimestre (102 900 $ × 50 %, 50 %)			51 450	51 450 $	102 900	
18	Achats du quatrième trimestre (55 800 $ × 50 %)***				27 900	27 900	
19	Total des décaissements	49 500 $	72 300 $	100 050 $	79 350 $	301 200 $	
20							
21							

Dix pour cent des besoins de la production du trimestre suivant. Par exemple, les besoins de la production du deuxième trimestre sont de 160 000 kg. Le stock à la fin souhaité pour le premier trimestre sera donc de 10 % × 160 000 kg = 16 000 kg. Le stock à la fin de 7 500 kg pour le quatrième trimestre est une estimation.

* Paiements des achats de matières premières pour le quatrième trimestre de la période précédente (*voir l'état de la situation financière du début de période*, p. 453).

** Les paiements des achats se font comme suit : 50 % sont payés pendant le trimestre où a lieu l'achat, et les 50 % restants sont payés le trimestre suivant.

*** Les achats non payés du quatrième trimestre figurent sous forme de comptes fournisseurs à l'état de la situation financière de fin de période de l'entreprise (*voir le tableau 9.10, p. 454*).

9

À la première ligne du budget des matières premières, on trouve la production requise pour chaque trimestre, des données provenant directement du budget de production (*voir le tableau 9.2, p. 442*). En examinant le premier trimestre, on constate que, comme le budget de production prévoit la confection de 14 000 boîtes de sucettes glacées et que chaque boîte exige 5 kilogrammes de sucre, il faudra 70 000 kilogrammes de sucre (14 000 boîtes × 5 kg par boîte) pour l'ensemble de la production. En outre, la direction souhaite que son stock à la fin contienne 16 000 kilogrammes de sucre, c'est-à-dire 10 % des besoins du trimestre suivant, qui se chiffrent à 160 000 kilogrammes de sucre. Par conséquent, le total des besoins en sucre s'élève à 86 000 kilogrammes (70 000 kg pour la production du trimestre en cours + 16 000 kg en stock souhaité à la fin). Toutefois, étant donné que l'entreprise dispose déjà de 7 000 kilogrammes dans son stock au début, elle peut se contenter d'acheter 79 000 kilogrammes de sucre (86 000 kg − 7 000 kg). Enfin, on détermine le coût d'achat des matières premières en multipliant le nombre d'unités de ces matières premières à acheter par leur coût unitaire. Dans le cas présent, comme l'entreprise doit faire l'achat de 79 000 kilogrammes de sucre au cours du premier trimestre et que le sucre coûte 0,60 $ le kilogramme, elle devra débourser un total de 47 400 $ (79 000 kg × 0,60 $ le kilogramme).

Comme dans le cas du budget de production, les montants indiqués dans la colonne « Année » ne correspondent pas toujours à la somme des montants trimestriels. Le stock de matières premières souhaité à la fin de l'année est le même que le stock de matières premières souhaité à la fin du quatrième trimestre. De même, le stock de matières premières au début de l'année renferme un nombre d'unités égal à celui du premier trimestre.

En général, un calendrier prévisionnel des décaissements pour les matières premières accompagne le budget des matières premières. Ce calendrier est nécessaire quand on prépare le budget de trésorerie. Les décaissements pour les matières premières consistent en des paiements pour des achats à crédit effectués pendant les périodes précédentes plus les paiements pour les achats effectués pendant la période budgétaire en cours. Le tableau 9.3 contient un calendrier des décaissements.

D'habitude, les entreprises ne paient pas immédiatement leurs fournisseurs. La politique de la société Friandises glacées inc. consiste à payer 50 % des achats au cours du trimestre où ils ont eu lieu et de régler le reste de la facture au trimestre suivant. Par conséquent, si l'entreprise compte acheter pour 47 400 $ de sucre au premier trimestre, elle ne paiera que la moitié de ce montant au premier trimestre, soit 23 700 $, et l'autre moitié au deuxième trimestre. L'entreprise déboursera aussi 25 800 $ au premier trimestre pour le sucre qui a été acheté à crédit au trimestre précédent et qui n'est pas encore payé. Il s'agit du solde au début des comptes fournisseurs. Par conséquent, le total des décaissements pour le sucre au premier trimestre s'élève à 49 500 $ (23 700 $ + 25 800 $).

Le budget de la main-d'œuvre directe

Le **budget de la main-d'œuvre directe** est lui aussi préparé à partir du budget de production. Les besoins en main-d'œuvre directe doivent être calculés de façon que l'entreprise sache si elle dispose d'un temps de main-d'œuvre suffisant pour répondre aux besoins de la production.

En sachant à l'avance, avec précision, le temps de main-d'œuvre nécessaire tout au long de la période budgétaire, l'entreprise peut préparer des plans afin d'ajuster la main-d'œuvre au contexte. Les entreprises négligeant de préparer un budget courent le risque de faire face à une pénurie de main-d'œuvre, ou de devoir embaucher et licencier du personnel au mauvais moment. Des politiques de travail instables engendrent insécurité et inefficacité chez les employés.

Pour calculer les besoins en main-d'œuvre directe, on multiplie le nombre d'unités de produits finis à fabriquer pendant chaque période (mois, trimestre, etc.) par le nombre d'heures de main-d'œuvre directe nécessaires pour produire une seule unité. Par exemple, le tableau 9.4 (*page suivante*) indique qu'il est prévu de produire 14 000 boîtes de sucettes glacées pendant le premier trimestre, chaque boîte exigeant 0,4 heure de main-d'œuvre directe. Ainsi, un total de 5 600 heures de main-d'œuvre directe (14 000 boîtes × 0,4 heure de main-d'œuvre directe par boîte) sera nécessaire au cours du premier trimestre. De nombreux types de main-d'œuvre peuvent être concernés. Dans ce cas, les calculs devront être faits par type de main-d'œuvre nécessaire.

Les besoins en main-d'œuvre directe peuvent ensuite être traduits en coûts prévus de main-d'œuvre directe. Pour ce faire, on tiendra compte de la politique de l'entreprise en matière de main-d'œuvre. Au tableau 9.4, la direction de Friandises glacées inc. est partie de l'hypothèse qu'elle ajustera la main-d'œuvre directe à mesure que les besoins changeront, de trimestre en trimestre. Dans ce cas, on calcule le coût total de la main-d'œuvre directe en multipliant les heures requises de main-d'œuvre directe par le taux horaire de la main-d'œuvre directe. Ainsi, le tableau 9.4 montre que le coût de la main-d'œuvre directe pour le premier trimestre sera de 84 000 $ (5 600 heures de main-d'œuvre directe × 15 $ par heure de main-d'œuvre directe).

Nombre d'entreprises ont des politiques d'emploi ou des contrats qui leur évitent de devoir licencier et réembaucher des travailleurs en fonction des besoins. Si, par exemple,

Budget de la main-d'œuvre directe

Budget détaillé indiquant les besoins en main-d'œuvre directe pour une période donnée.

9

TABLEAU 9.4 Le budget de la main-d'œuvre directe (document 4)

	A	B	C	D	E	F
1	FRIANDISES GLACÉES INC. Budget de la main-d'œuvre directe de la période terminée le 31 décembre 20X5					
2		Trimestre				
3		1	2	3	4	Année
4	Unités (boîtes) à produire (*tableau 9.2*)	14 000	32 000	36 000	19 000	101 000
5	Temps de main-d'œuvre directe à l'unité (heures) ×	0,4	0,4	0,4	0,4	0,4
6	Total des heures de main-d'œuvre directe nécessaire	5 600	12 800	14 400	7 600	40 400
7	Coût de la main-d'œuvre directe à l'heure ×	15 $	15 $	15 $	15 $	15 $
8	Coût total de la main-d'œuvre directe*	84 000 $	192 000 $	216 000 $	114 000 $	606 000 $
9						

* Ce tableau part de l'hypothèse que la main-d'œuvre directe, c'est-à-dire le «total des heures de temps de main-d'œuvre directe nécessaire», sera ajustée en fonction de la charge de travail de chaque trimestre.

Friandises glacées inc. a 25 employés classés dans la catégorie de la main-d'œuvre directe et qu'elle garantit à chaque employé un minimum de 480 heures de salaire par trimestre au taux horaire de 15 $, le coût minimal de main-d'œuvre directe pour un trimestre est le suivant:

$$25 \text{ travailleurs} \times 480 \text{ heures} \times 15 \text{ \$ l'heure} = 180\,000 \text{ \$}$$

Notons qu'au tableau 9.4, les coûts de la main-d'œuvre directe pour les premier et quatrième trimestres devraient être augmentés à 180 000 $ si la politique de Friandises glacées inc. en matière de main-d'œuvre ne lui permettait pas d'adapter la main-d'œuvre à ses besoins.

Le budget des frais indirects de fabrication

9

Budget des frais indirects de fabrication

Budget détaillé indiquant les coûts de fabrication, autres que les matières premières et la main-d'œuvre directe, qui seront engagés pour une période donnée.

Le **budget des frais indirects de fabrication** comprend un tableau de tous les coûts de fabrication autres que les matières premières et la main-d'œuvre directe. Le tableau 9.5 présente le budget de Friandises glacées inc. concernant les frais indirects de fabrication. Notons que ces frais sont divisés en deux catégories: variables et fixes. La partie variable est de 4 $ par heure de main-d'œuvre directe, et la partie fixe, de 60 600 $ par trimestre.

Comme la composante variable des frais indirects dépend des coûts de la main-d'œuvre directe, la première ligne du budget des frais indirects de fabrication est occupée par les heures prévues de main-d'œuvre directe provenant du budget de la main-d'œuvre directe (*voir le tableau 9.4*). Le nombre d'heures de main-d'œuvre directe prévu pour chaque trimestre est multiplié par le taux d'imputation prédéterminé des frais indirects de fabrication variables pour déterminer la composante variable des frais indirects de fabrication. Par exemple, les frais indirects de fabrication variables pour le premier trimestre se chiffrent à 22 400 $ (5 600 heures de main-d'œuvre directe × 4 $ par heure de main-d'œuvre directe). On ajoute ensuite ce montant aux frais indirects de fabrication fixes pour le trimestre de façon à déterminer l'ensemble des frais indirects de fabrication du trimestre. Ainsi, pour le premier trimestre, ces frais s'élèvent à un total de 83 000 $ (22 400 $ + 60 600 $).

Dans la plupart des cas, les coûts fixes sont ceux qui fournissent la capacité d'effectuer des activités, comme fabriquer des produits, traiter des bons de commande, répondre aux appels des clients, etc. La capacité utilisée dépend du niveau d'activité prévu pour la période. Si le niveau d'activité prévu est supérieur à la capacité actuelle de l'entreprise, il

---

TABLEAU 9.5 **Le budget des frais indirects de fabrication (document 5)**

	A	B	C	D	E	F	G
1		**FRIANDISES GLACÉES INC.** **Budget des frais indirects de fabrication** **de la période terminée le 31 décembre 20X5**					
2			**Trimestre**				
3		**1**	**2**	**3**	**4**	**Année**	
4	Heures de main-d'œuvre directe budgétées (*tableau 9.4*)	5 600	12 800	14 400	7 600	40 400	
5	Taux d'imputation prédéterminé des frais indirects de fabrication variables ✕	4 $	4 $	4 $	4 $	4 $	
6	Frais indirects de fabrication variables	22 400 $	51 200 $	57 600 $	30 400 $	161 600 $	
7	Frais indirects de fabrication fixes	60 600	60 600	60 600	60 600	242 400	
8	Total des frais indirects de fabrication	83 000	111 800	118 200	91 000	404 000	
9	Moins : Amortissement	(15 000)	(15 000)	(15 000)	(15 000)	(60 000)	
10	Décaissements pour les frais indirects de fabrication	68 000 $	96 800 $	103 200 $	76 000 $	344 000 $	
11							
12	Total des frais indirects de fabrication					404 000 $	
13	Heures de main-d'œuvre directe budgétées				÷	40 400	
14	Taux d'imputation prédéterminé des frais indirects de fabrication pour la période					10 $	
15							

faudra peut-être augmenter les coûts fixes. Si, au contraire, le niveau d'activité prévu est sensiblement inférieur à la capacité actuelle de l'entreprise, il pourrait se révéler souhaitable de diminuer les coûts fixes, lorsque c'est possible. Cependant, une fois qu'on a déterminé le niveau des coûts fixes dans le budget, ces coûts sont véritablement fixes. Par conséquent, c'est au cours du processus d'établissement du budget qu'il est possible de l'ajuster. Pour déterminer le niveau approprié de coûts fixes durant ce processus, la méthode de la comptabilité par activités (CPA) décrite au chapitre 5 peut s'avérer très utile. Cette méthode permet de répondre à des questions telles que : Combien faut-il engager d'employés de bureau pour traiter le nombre de bons de commande prévu au cours de la prochaine période ?

Les décaissements prévus par la société Friandises glacées inc. pour les frais indirects de fabrication sont indiqués dans le tableau 9.5. Comme certains frais indirects de fabrication ne requièrent pas de décaissements, on doit ajuster le total des frais indirects de fabrication budgétés afin de déterminer les décaissements qu'entraîneront ces frais. Pour Friandises glacées inc., les seuls frais indirects de fabrication sans décaissements importants sont ceux de l'amortissement, qui s'élèvent à 15 000 $ par trimestre. Cette charge d'amortissement est donc déduite du total des frais indirects de fabrication budgétés pour obtenir les décaissements prévus. L'entreprise paie tous les frais indirects de fabrication qui nécessitent des décaissements pendant le trimestre où ils ont été engagés. Notons que le taux d'imputation prédéterminé des frais indirects de fabrication pour la période est de 10 $ par heure de main-d'œuvre directe. Il est déterminé en divisant le montant total des frais indirects de fabrication budgétés pour l'année par le nombre total des heures de main-d'œuvre directe prévues pour cette même année.

Le budget des stocks de produits finis à la fin

Après avoir préparé les documents 1 à 5, M. Lafleur disposait de toutes les données dont il avait besoin pour calculer le coût unitaire des produits finis. Ce calcul était nécessaire pour deux raisons : en premier lieu, pour déterminer le coût des ventes à inscrire à l'état des résultats prévisionnels et, en second lieu, pour connaître le montant à porter au compte de stocks de l'état de la situation financière pour les unités invendues. Le coût des unités invendues est calculé dans le **budget des stocks de produits finis à la fin**.

M. Lafleur avait envisagé d'utiliser la méthode des coûts variables pour préparer les états budgétaires de Friandises glacées inc. Il a cependant opté pour la méthode du coût

Budget des stocks de produits finis à la fin

Budget indiquant le montant prévu en dollars du coût des unités invendues, qui figurera à l'état de la situation financière à la fin de la période.

9

complet, car la banque exigerait probablement que l'entreprise présente ses documents selon cette méthode. M. Lafleur savait aussi qu'il serait facile de convertir par la suite les états financiers dressés à l'aide de la méthode du coût complet selon la méthode des coûts variables. À cette étape, sa principale préoccupation était de déterminer le financement qui serait indispensable pour 20X5 et d'obtenir ce financement de la banque.

Le tableau 9.6 présente les calculs du coût unitaire du produit. Pour Friandises glacées inc., le coût unitaire du produit calculé à l'aide de la méthode du coût complet est de 13 $ par boîte de sucettes glacées (matières premières de 3 $, main-d'œuvre directe de 6 $ et frais indirects de fabrication de 4 $). Pour plus de facilité, les frais indirects de fabrication sont imputés aux unités de produit sur la base des heures de main-d'œuvre directe. Le coût budgété des stocks de produits finis à la fin est de 39 000 $.

TABLEAU 9.6   **Le budget du stock de produits finis à la fin (document 6)**

	A	B	C	D
1	**FRIANDISES GLACÉES INC.** **Budget du stock de produits finis à la fin (méthode du coût complet)** **de la période terminée le 31 décembre 20X5**			
2		Quantité	Coût	Total
3	Coût de production à l'unité (boîte) :			
4	Matières premières	5,0 kilogrammes	0,60 $ par kilogramme	3 $
5	Main-d'œuvre directe	0,4 heure	15 $ par heure	6
6	Frais indirects de fabrication	0,4 heure	10 $ par heure*	4
7	Coût unitaire du produit			13 $
8				
9	Stock de produits finis prévu :			
10	Stock de produits finis à la fin en unités (*tableau 9.2*)			3 000
11	Coût unitaire du produit (*voir ci-dessus*)		×	13 $
12	Stock de produits finis à la fin en dollars			39 000 $
13				

* 404 000 $ ÷ 40 400 heures = 10 $

Le budget des coûts commerciaux et charges administratives

Budget des coûts commerciaux et charges administratives

Budget détaillé des charges prévues qui seront engagées dans des secteurs autres que la fabrication pendant une période budgétaire.

Le **budget des coûts commerciaux et charges administratives** présente une liste des charges prévues qui seront engagées dans des secteurs autres que la fabrication. Dans les grandes organisations, ce budget est une compilation de nombreux autres budgets moins importants, soumis par les chefs de service et d'autres personnes responsables des coûts commerciaux et charges administratives. Par exemple, le gestionnaire du marketing d'une grande organisation présentera un budget où sont détaillées les charges de publicité pour chaque période budgétaire.

Tout comme le budget des frais indirects de fabrication, le budget des coûts commerciaux et charges administratives se divise en deux composantes : les coûts variables et les coûts fixes. Chez Friandises glacées inc., les coûts commerciaux et charges administratives variables sont de 1,80 $ par boîte. Les ventes de boîtes prévues pour chaque trimestre sont donc inscrites au haut du tableau. Ces données proviennent du budget des ventes (*voir le tableau 9.1, p. 441*). Les coûts commerciaux et charges administratives variables prévus sont calculés en multipliant le nombre de boîtes vendues budgété par le montant de ces charges variables par boîte. Par exemple, les coûts commerciaux et charges administratives variables prévus pour le premier trimestre s'élèvent à 18 000 $ (10 000 boîtes × 1,80 $ par boîte). On additionne ensuite les coûts commerciaux et charges administratives fixes (toutes les données présentées dans cette catégorie) aux charges variables correspondantes pour obtenir le total des coûts commerciaux et charges administratives prévus.

Enfin, pour déterminer les décaissements liés aux coûts commerciaux et aux charges administratives, on ajuste le montant total des frais prévus en lui soustrayant tout élément inclus dans le budget qui ne correspond pas à un décaissement et en lui additionnant tous les décaissements qui ne sont pas intégrés dans les montants budgétés. Comme le montre le tableau 9.7, il y a trois éléments à soustraire : l'amortissement de 2 000 $ par trimestre, parce qu'il ne s'agit pas d'un décaissement, l'assurance de 9 912 $ par trimestre, parce que même s'il s'agit d'une charge en comptabilité d'engagement, ce montant ne représente pas un décaissement réel pour chaque trimestre, et l'impôt foncier de 4 538 $, parce qu'encore une fois, cette charge en comptabilité d'engagement ne représente pas un décaissement pour chaque trimestre. Par contre, il y a deux décaissements à additionner : les paiements des primes d'assurance de 1 900 $ et de 37 750 $ effectués respectivement aux deuxième et troisième trimestres, et l'impôt foncier de 18 150 $ versé au quatrième trimestre. Chacun de ces ajouts est nécessaire pour indiquer le moment réel des décaissements requis par l'assurance et l'impôt foncier.

TABLEAU 9.7 **Le budget des coûts commerciaux et charges administratives (document 7)**

FRIANDISES GLACÉES INC.
Budget des coûts commerciaux et charges administratives
de la période terminée le 31 décembre 20X5

		Trimestre				
	A	1	2	3	4	Année
4	Ventes budgétées en unités (boîtes) (*tableau 9.1*)	10 000	30 000	40 000	20 000	100 000
5	Coûts commerciaux et charges administratives variables par unité* ×	1,80 $	1,80 $	1,80 $	1,80 $	1,80 $
6	Total des coûts commerciaux et charges administratives variables budgétés	18 000 $	54 000 $	72 000 $	36 000 $	180 000 $
7	Coûts commerciaux et charges administratives fixes budgétés :					
8	Publicité	40 000	40 000	40 000	40 000	160 000
9	Rémunération du personnel de direction	35 000	35 000	35 000	35 000	140 000
10	Assurance	9 912	9 912	9 912	9 912	39 648
11	Impôt foncier	4 538	4 538	4 538	4 538	18 152
12	Amortissement	2 000	2 000	2 000	2 000	8 000
13	Total des coûts commerciaux et charges administratives fixes budgétés	91 450	91 450	91 450	91 450	365 800
14	Total des coûts commerciaux et charges administratives budgétés	109 450	145 450	163 450	127 450	545 800
15	Moins : Amortissement	(2 000)	(2 000)	(2 000)	(2 000)	(8 000)
16	Moins : Assurance	(9 912)	(9 912)	(9 912)	(9 912)	(39 648)
17	Plus : Prime d'assurance		1 900	37 750		39 650
18	Moins : Impôt foncier	(4 538)	(4 538)	(4 538)	(4 538)	(18 152)
19	Plus : Impôt foncier payé				18 150	18 150
20	Décaissements pour les coûts commerciaux et charges administratives	93 000 $	130 900 $	184 750 $	129 150 $	537 800 $

* Commissions, travail de bureau et expédition

9

Le budget de trésorerie

Comme l'illustre la figure 9.2 (*p. 438*), le budget de trésorerie, ou budget de caisse, réunit une grande partie des données préparées au cours des étapes précédentes. Examinez une fois de plus la figure 9.2 pour garder en mémoire une vue d'ensemble du processus avant de continuer.

Le budget de trésorerie se compose de quatre sections importantes :

1. La section des encaissements ;
2. La section des décaissements ;
3. La section de l'excédent de trésorerie ou du déficit ;
4. La section du financement.

La section des encaissements se compose de tous les encaissements prévus pendant la période budgétaire, à l'exception du financement. En général, les encaissements proviennent principalement des ventes.

La section des décaissements se compose de tous les débours prévus pour la période budgétaire. Ces débours comprennent les achats de matières premières, les coûts de la main-d'œuvre directe, les frais indirects de fabrication, etc., figurant dans leurs budgets respectifs.

L'excédent ou le déficit de trésorerie est calculé comme suit :

Solde de trésorerie au début..	XXXX
Plus : Encaissements...	XXXX
Trésorerie disponible avant le financement..	XXXX
Moins : Décaissements...	XXXX
Excédent (ou déficit) de trésorerie...	XXXX

Lorsque l'entreprise manque de trésorerie pendant une période budgétaire donnée, elle doit emprunter des fonds. Quand elle a un excédent de trésorerie pendant une période budgétaire donnée, elle peut rembourser les fonds empruntés pendant les périodes précédentes, ou placer les fonds inactifs à court terme ou dans d'autres investissements.

La section du financement fournit un relevé détaillé des emprunts et des remboursements prévus pendant la période budgétaire. Elle comprend aussi les détails des paiements d'intérêt qui sera dû sur l'argent emprunté. Les banques insistent de plus en plus pour que les entreprises emprunteuses les informent longtemps à l'avance des montants des fonds nécessaires et des dates approximatives auxquelles elles en auront besoin. Les banques peuvent ainsi faire des plans et s'assurer que les fonds seront disponibles au moment désiré. De plus, une planification des besoins en trésorerie à l'aide du processus budgétaire évite des surprises désagréables aux entreprises. Peu de choses sont plus inquiétantes pour une organisation que de faire face à des problèmes de trésorerie. Un programme de budgétisation bien coordonné élimine les incertitudes quant à la situation de trésorerie qui aura cours dans deux mois, six mois ou un an.

En règle générale, le budget de trésorerie devrait être détaillé en périodes aussi courtes que possible. Les fluctuations marquées dans les mouvements de trésorerie passeraient alors inaperçues sur une période plus longue. Bien que l'on utilise le plus souvent un budget mensuel, de nombreuses entreprises font des budgets de trésorerie sur une base hebdomadaire, même quotidienne. Dans le cas de Friandises glacées inc., M. Lafleur a préparé un budget de trésorerie trimestriel qui pourra être adapté et modifié au besoin. Ce budget est présenté au tableau 9.8. Le budget de trésorerie est établi à l'aide des montants déterminés dans les tableaux 9.1, 9.3, 9.4, 9.5 et 9.7 (*p. 441, 444, 446, 447 et 449*) et des données additionnelles suivantes :

- La trésorerie au début du premier trimestre est de 42 500 $.
- La direction envisage de débourser 30 000 $ au premier trimestre et 20 000 $ au deuxième trimestre pour des achats de matériel.
- Le conseil d'administration a approuvé un versement de dividendes aux actionnaires de 17 500 $ par trimestre.
- Les versements d'impôt seront de 10 500 $ par trimestre.
- Friandises glacées inc. pourra utiliser au besoin une marge de crédit négociée auprès de la banque pour soutenir la position de trésorerie de l'entreprise. Tout prêt consenti à l'aide de cette marge de crédit aura un taux d'intérêt annuel de 10 %. Pour simplifier, M. Lafleur a supposé que tous les emprunts et remboursements sont des multiples de 1 000 $, que tous les emprunts sont effectués au début d'un trimestre et que tous les remboursements sont effectués à la fin d'un trimestre. Cependant, en pratique, les banques et autres créanciers exigent chaque mois le paiement des intérêts calculés sur le solde moyen des emprunts pour cette période.

TABLEAU 9.8 Le budget de trésorerie (document 8)

	A	B	C	D	E	F	G
1			FRIANDISES GLACÉES INC. Budget de trésorerie de la période terminée le 31 décembre 20X5				
2			Trimestre				
3		Tableau	1	2	3	4	Année
4	Trésorerie au début		42 500 $	40 000 $	40 000 $	40 500 $	42 500 $
5	Plus : Encaissements :						
6	Recouvrements auprès des clients	9.1	230 000	480 000	740 000	520 000	1 970 000
7	Total de la trésorerie disponible avant le financement		272 500	520 000	780 000	560 500	2 012 500
8	Moins : Décaissements :						
9	Matières premières	9.3	49 500	72 300	100 050	79 350	301 200
10	Main-d'œuvre directe	9.4	84 000	192 000	216 000	114 000	606 000
11	Frais indirects de fabrication	9.5	68 000	96 800	103 200	76 000	344 000
12	Coûts commerciaux et charges administratives	9.7	93 000	130 900	184 750	129 150	537 800
13	Impôts sur le résultat	9.9	10 500	10 500	10 500	10 500	42 000
14	Achats de matériel		30 000	20 000			50 000
15	Dividendes		17 500	17 500	17 500	17 500	70 000
16	Total des décaissements		352 500	540 000	632 000	426 500	1 951 000
17	Excédent (déficit) de trésorerie		(80 000)	(20 000)	148 000	134 000	61 500
18	Financement :						
19	Emprunts (au début)		120 000	60 000			180 000
20	Remboursements (à la fin)				(100 000)	(80 000)	(180 000)
21	Intérêt (10 % par an)				(7 500)*	(6 500)*	(14 000)
22	Financement total		120 000	60 000	(107 500)	(86 500)	(14 000)
23	Trésorerie à la fin		40 000 $	40 000 $	40 500 $	47 500 $	47 500 $
24							
25							

* Les paiements d'intérêt concernent seulement le remboursement du capital au moment où il est remboursé. Par exemple, l'intérêt indiqué au troisième trimestre concerne l'intérêt dû sur le capital de 100 000 $ remboursé pour l'emprunt du premier trimestre.

$$100\ 000\ \$ \quad \times \quad 10\ \% \quad \times \quad 9/12 \quad = \quad 7\ 500\ \$$$

L'intérêt payé au quatrième trimestre est calculé comme suit :

20 000 $ × 10 % × 1 an	2 000 $
60 000 $ × 10 % × 9/12	4 500
Total des intérêts payés..	6 500 $

9

Le budget de trésorerie (ou budget de caisse) est préparé un trimestre à la fois, en débutant par le premier trimestre. M. Lafleur a commencé le sien en indiquant le solde de trésorerie au début de 42 500 $ pour le premier trimestre. Il y ajoute les encaissements — dans ce cas, il s'agit simplement de 230 000 $ recouvrés des clients — pour obtenir un montant total de trésorerie disponible de 272 500 $. Comme le total des décaissements se chiffre à 352 500 $ et que la trésorerie ne dépasse pas 272 500 $, il y a un déficit de 80 000 $. Toutefois, la direction souhaite avoir un solde de trésorerie d'au moins 40 000 $ à la fin de chaque trimestre, de sorte qu'elle doit emprunter un montant de 120 000 $.

Emprunt nécessaire à la fin du premier trimestre

Solde de trésorerie souhaité à la fin..	40 000 $
Plus : Déficit de la trésorerie...	80 000
Emprunts requis...	120 000 $

Le budget de trésorerie du deuxième trimestre est préparé de la même manière. Remarquez que le solde de trésorerie à la fin du premier trimestre est reporté à titre de solde de trésorerie au début du deuxième trimestre. Notez aussi que la société aura besoin d'un emprunt additionnel au deuxième trimestre en raison du manque de trésorerie qui se maintient.

Emprunt nécessaire à la fin du deuxième trimestre	
Solde de trésorerie souhaité à la fin	40 000 $
Plus : Déficit de la trésorerie..	20 000
Emprunts requis..	60 000 $

Au troisième trimestre, l'entreprise se retrouve avec un excédent de trésorerie de 148 000 $. Il lui est donc possible de rembourser une partie de son emprunt à la banque, qui se chiffre à 180 000 $. Combien peut-elle rembourser ? Voici comment déterminer le montant total du capital et des intérêts dus dont elle peut s'acquitter.

Total maximum possible des paiements sur l'emprunt à la fin du troisième trimestre	
Excédent de la trésorerie	148 000 $
Moins : Solde de trésorerie à la fin souhaité.......................................	40 000
Paiement maximal possible sur le capital et les intérêts......................	108 000 $

L'étape suivante — la détermination du montant exact du remboursement sur l'emprunt — est complexe puisque l'entreprise doit payer de l'intérêt sur le montant du capital qu'elle rembourse. Dans ce cas, le montant du capital remboursé doit être inférieur à 108 000 $ pour que l'organisation soit sûre de s'acquitter d'une partie de l'emprunt effectué au début du premier trimestre et des intérêts qui s'y rattachent. Comme le remboursement a lieu à la fin du troisième trimestre, les intérêts ont couru durant les trois premiers trimestres. L'intérêt dû représenterait donc 9/12 de 10 %, soit 7,5 %. En utilisant un calcul par tâtonnement ou algébrique, M. Lafleur en viendra à la conclusion que le montant maximal de remboursement du capital possible se chiffre à 100 000 $. L'intérêt sur ce montant étant de 7,5 % — ou 7 500 $ —, le paiement total sera de 107 500 $.

Dans le cas de la société Friandises glacées inc., tous les emprunts ont été remboursés à la fin de l'année. Si tous les emprunts ne l'étaient pas, et qu'on préparait un état des résultats prévisionnels ou un état de la situation financière prévisionnelle, il faudrait calculer les intérêts courus sur les montants empruntés et non remboursés. Ces intérêts n'apparaîtraient pas dans le budget de trésorerie (parce qu'ils n'ont pas encore été payés), mais ils se retrouveraient sous forme de charge financière dans l'état des résultats prévisionnels et à titre d'élément du passif dans l'état de la situation financière prévisionnelle.

Comme dans le cas du budget de production et du budget des matières premières, les montants inscrits dans la colonne intitulée « Année » du budget de trésorerie ne correspondent pas toujours à la somme des montants des quatre trimestres. Par exemple, le solde de trésorerie au début pour l'ensemble de l'année est identique à celui du premier trimestre, et le solde de trésorerie à la fin est identique à celui du quatrième trimestre. Notons également que, pour tous les trimestres, le solde de trésorerie au début est le même que le solde de trésorerie à la fin du trimestre précédent.

L'état des résultats prévisionnels

L'état des résultats prévisionnels peut être préparé à partir des données calculées aux tableaux 9.1 à 9.8 (*p. 441 à 451*). *L'état des résultats prévisionnels est un des documents clés du processus budgétaire.* Il montre que l'entreprise a planifié le résultat pour la période budgétaire à venir, et il sert de point de repère pour comparer et analyser le résultat réel de l'entreprise.

Le tableau 9.9 présente l'état des résultats prévisionnels pour Friandises glacées inc.

	TABLEAU 9.9	L'état des résultats prévisionnels (document 9)

	A	B	C
1	FRIANDISES GLACÉES INC. État des résultats prévisionnels de la période terminée le 31 décembre 20X5		
2		Tableau	
3	Ventes (100 000 unités à 20 $)	9.1	2 000 000 $
4	Moins : Coût des ventes (100 000 unités à 13 $)	9.6	1 300 000
5	Marge brute		700 000
6	Moins : Coûts commerciaux et charges administratives	9.7	545 800
7	Bénéfice d'exploitation		154 200
8	Moins : Intérêt débiteur	9.8	14 000
9	Bénéfice avant impôts		140 200
10	Moins : Impôts sur le résultat	9.8	42 000
11	Bénéfice		98 200 $
12			

L'état de la situation financière prévisionnelle

On prépare l'état de la situation financière prévisionnelle en commençant par l'état de la situation financière courant ajusté selon les données contenues dans les autres budgets. L'état de la situation financière prévisionnelle de Friandises glacées inc. est présenté au tableau 9.10 (*page suivante*). Certaines données de l'état de la situation financière prévisionnelle sont extraites de l'état de la situation financière de fin de période de l'entreprise pour 20X4.

FRIANDISES GLACÉES INC.
État de la situation financière
au 31 décembre 20X4

Actif

Actif courant :		
Trésorerie	42 500 $	
Comptes clients	90 000	
Stock de matières premières (7 000 kilogrammes)...............	4 200	
Stock de produits finis (2 000 boîtes)	26 000	
Total de l'actif courant		162 700 $
Actif non courant :		
Usine et matériel :		
Terrain	80 000	
Bâtiments et matériel..	700 000	
Amortissement cumulé	(292 000)	
Usine et matériel (valeur nette)		488 000
Total de l'actif		650 700 $

Passif et capitaux propres

Passif courant :		
Comptes fournisseurs		25 800 $
Capitaux propres :		
Actions ordinaires, sans valeur nominale	175 000 $	
Résultats non distribués	449 900	
Total des capitaux propres		624 900
Total du passif et des capitaux propres........................		650 700 $

9

	TABLEAU 9.10	**L'état de la situation financière prévisionnelle (document 10)**

	A	B	C	D	E
1	**FRIANDISES GLACÉES INC.** **État de la situation financière prévisionnelle de la période** **terminée le 31 décembre 20X5**				
2	**Actif**				
3	Actif courant :				
4	Trésorerie	47 500 $	a)		
5	Comptes clients	120 000	b)		
6	Stock de matières premières	4 500	c)		
7	Stock de produits finis	39 000	d)		
8	Total de l'actif courant			211 000 $	
9					
10	Actif non courant :				
11	Usine et matériel :				
12	Terrain	80 000	e)		
13	Bâtiments et matériel	750 000	f)		
14	Amortissement cumulé	(360 000)	g)		
15	Usine et matériel (valeur nette)			470 000	
16	Total de l'actif			681 000 $	
17					
18	**Passif et capitaux propres**				
19	Passif courant :				
20	Comptes fournisseurs			27 900 $	h)
21	Capitaux propres :				
22	Actions ordinaires, sans valeur nominale	175 000 $	i)		
23	Résultats non distribués	478 100	j)		
24	Total des capitaux propres			653 100	
25	Total du passif et des capitaux propres			681 000 $	
26					

(annotation manuscrite : tableau 9.8)

Explication des chiffres de l'état de la situation financière prévisionnelle au 31 décembre 20X5 :

a) Solde de trésorerie prévu au budget de trésorerie au tableau 9.8 (*p. 451*).

b) Trente pour cent des ventes du quatrième trimestre, d'après le tableau 9.1 (*p. 441*), soit 400 000 $ × 30 % = 120 000 $.

c) D'après le tableau 9.3 (*p. 444*), le stock de matières premières à la fin sera de 7 500 kg. La matière première coûte 0,60 $ le kilogramme. Le stock à la fin exprimé en dollars sera donc de 7 500 kg × 0,60 $ = 4 500 $.

d) D'après le tableau 9.6 (*p. 448*).

e) D'après l'état de la situation financière au 31 décembre 20X4 (*page précédente*) : aucun changement.

f) Au 31 décembre 20X4, l'état de la situation financière indiquait un solde de 700 000 $. En 20X5, l'entreprise achètera pour 50 000 $ de matériel supplémentaire (*voir le tableau 9.8*), portant le solde au 31 décembre 20X5 à 750 000 $.

g) Au 31 décembre 20X4, l'état de la situation financière indiquait un solde de 292 000 $. Pour 20X5, on prévoit une charge d'amortissement de 68 000 $ (60 000 $ au tableau 9.5 [*p. 447*], et 8 000 $ au tableau 9.7 [*p. 449*]), portant le solde au 31 décembre 20X5 à 360 000 $.

h) La moitié des achats de matières premières du quatrième trimestre, d'après le tableau 9.3.

i) D'après l'état de la situation financière au 31 décembre 20X4 : aucun changement.

j)

Solde au début	449 900 $
Plus : Bénéfice, d'après le tableau 9.9 (*p. 453*).................................	98 200
	548 100
Moins : Dividendes payés, d'après le tableau 9.8................................	70 000
Solde à la fin	478 100 $

Michel Lafleur vient de terminer le budget directeur. Après qu'il a soumis les documents à Pierre Bélanger, directeur général de Friandises glacées inc., pour qu'il les examine, la conversation ci-après s'est engagée.

Michel : Voici le budget. Dans l'ensemble, le bénéfice est excellent, et la trésorerie est suffisante pour toute l'année.

Pierre : Oui, mais je constate au budget de trésorerie que nous avons le même problème de flux de trésorerie négatif que l'année dernière aux premier et deuxième trimestres.

Michel : Vous avez raison. Je ne vois pas de solution à ce problème. Néanmoins, je suis certain que si vous présentez ce budget à la banque aujourd'hui, elle nous accordera une marge de crédit qui nous permettra d'emprunter assez d'argent pour passer les deux premiers trimestres sans aucun problème.

Pierre : Vous êtes sûr ? Ils n'avaient pas l'air très contents de me voir l'an dernier quand je me suis présenté pour négocier un emprunt d'urgence.

Michel : Avez-vous remboursé l'emprunt dans les délais ?

Pierre : Bien sûr.

Michel : Dans ce cas, je ne vois aucun problème. Vous ne solliciterez pas un emprunt d'urgence cette fois. La banque aura tout son temps. Et, grâce à ce budget, nous disposons d'un plan solide qui montre quand et comment nous rembourserons l'emprunt. Croyez-moi, ils seront d'accord.

Pierre : Formidable ! Cela nous facilitera grandement la vie cette année !

L'examen de l'état des résultats prévisionnels (*voir le tableau 9.9, p. 453*), de l'état de la situation financière prévisionnelle (*voir le tableau 9.10*) et du budget de trésorerie (*voir le tableau 9.8, p. 451*) nous permet de constater que la présentation des impôts sur le résultat a été simplifiée, bien que ceux-ci représentent parfois un pourcentage important du résultat avant impôts.

De plus, les impôts sur le résultat ne sont pas toujours gérés par le centre de responsabilité pour lequel le budget est préparé. Il s'agit d'un domaine très complexe, et des spécialistes de la haute direction peuvent être amenés à les gérer. L'imposition du résultat est une responsabilité à l'échelle de l'entreprise, et il est parfois difficile de la répartir entre les centres de responsabilité.

Plusieurs aspects de l'impôt sur le résultat doivent être considérés au moment de l'établissement des budgets. Mentionnons la complexité des gains et pertes en capital, les récupérations et les pertes finales. L'intégration de tous les aspects opérationnels des impôts sur le résultat au budget directeur exige que l'on prenne en considération les montants futurs des impôts à payer et à récupérer, les versements échelonnés et les reports de pertes.

SUR LE TERRAIN

Un sondage sur les avantages de la budgétisation

Compte tenu de la complexité croissante des organisations au cours des dernières décennies, bon nombre d'experts ont mis en doute le fait que les avantages découlant de la préparation de budgets d'exploitation détaillés dépassent les coûts d'un tel processus. Un sondage datant de 2007, effectué auprès de 212 gestionnaires, a permis de recueillir des données sur leur perception des avantages et des limites des budgets.

Plus de 70 % des gestionnaires interrogés ont reconnu que les budgets sont indispensables comme outils de gestion. Invités à accorder une note générale au processus d'établissement d'un budget, ils lui ont attribué une moyenne de 70 %. Il est important de noter qu'il avait été demandé à ces gestionnaires de faire cette évaluation en tenant compte du coût de la préparation des budgets (du point de vue du temps et des efforts consacrés) et des problèmes de fonctionnement (par exemple, un budget qui permet trop de latitude) qui pourraient résulter de l'utilisation des budgets comme outils de contrôle.

Parmi les principales critiques du processus d'établissement des budgets formulées par les gestionnaires, notons la rapidité avec laquelle les prévisions budgétaires peuvent devenir périmées lorsque des changements importants surviennent dans l'environnement de l'entreprise. Près de 50 % des personnes sondées ont affirmé que, pour essayer de régler ce problème, elles préparent des budgets continus (ou budgets perpétuels) ou utilisent une forme de budget flexible (que nous allons analyser ci-après) en vue de maintenir les avantages que procure le contrôle budgétaire. De façon générale, ce sondage indique qu'un grand nombre de gestionnaires continuent de croire que les avantages découlant de la budgétisation sont supérieurs aux coûts qui s'y rattachent.

Source : Theresa LIBBY et Murray LINDSAY, « Beyond Budgeting or Better Budgeting ? », *Strategic Finance*, vol. 89, n° 2 (août 2007), p. 47-51.

Les budgets flexibles

Budget fixe

Budget conçu uniquement pour le niveau d'activité prévu.

Budget flexible

Budget qui fournit des estimations des revenus et des coûts à différents niveaux d'activité.

Les budgets présentés dans les tableaux 9.1 à 9.10 (*p. 441 à 454*) sont des budgets fixes ou statiques. Un **budget fixe** est préparé uniquement pour le niveau d'activité prévu ou planifié. Dans notre exemple, ce niveau d'activité correspondait au volume des ventes prévu de 100 000 unités. Cette méthode convient bien à des fins de planification, mais elle n'est pas nécessairement appropriée à des fins de contrôle si, au cours d'une période, le niveau d'activité réel diffère de façon appréciable du niveau prévu. Plus particulièrement, lorsqu'un écart important est observé entre les niveaux d'activité réels et prévus, il devient très difficile d'évaluer la performance du gestionnaire en matière d'accroissement des revenus et de contrôle des coûts. Par exemple, si les niveaux d'activité sont plus élevés que prévu, les revenus réels et les coûts variables seront également plus élevés que les montants apparaissant dans le budget fixe. Doit-on en conclure que le gestionnaire a fait un bon travail en augmentant les revenus, mais qu'il n'a pas aussi bien réussi dans le contrôle des coûts? Il est clair que cette évaluation ne serait pas équitable puisque le dépassement des coûts prévus au budget s'explique par le fait que le niveau d'activité réel a été supérieur à celui indiqué dans le budget fixe. Il faut donc avoir recours à une autre approche pour que les budgets retrouvent leur utilité en tant qu'outils de contrôle.

Les budgets flexibles permettent de tenir compte des variations de revenus et de coûts qui pourraient survenir par suite de changements dans le volume d'activité. Un **budget flexible** fournit des estimations de ce que devraient être les revenus et les coûts à différents niveaux d'activité. Lorsqu'un budget flexible est utilisé dans l'évaluation de la performance, les revenus et les coûts réels sont rapprochés de ce qu'ils auraient dû être au niveau d'activité réellement atteint pendant la période plutôt que d'être comparés aux revenus et aux coûts prévus dans le budget fixe. Il s'agit là d'une distinction très importante — en particulier pour les coûts variables. Si aucun ajustement n'est apporté en fonction du niveau d'activité, il est extrêmement difficile d'interpréter des écarts entre les revenus et les coûts réels et ceux prévus.

Les caractéristiques d'un budget flexible

Le budget flexible est basé sur le principe qu'il faut ajuster un budget pour indiquer ce que les revenus et les coûts *devraient être* à un niveau d'activité donné. Pour illustrer la façon d'utiliser ce type de budget, nous allons préparer, à l'aide des données concernant la société Friandises glacées inc., des états des résultats correspondant à différents niveaux d'activité à l'intérieur d'un segment significatif de ventes annuelles de 90 000 à 110 000 unités. Pour simplifier notre exemple, nous n'avons pas tenu compte des charges financières et des impôts sur le résultat, bien qu'il nous aurait été facile d'inclure ces données en suivant les étapes utilisées dans la préparation d'un budget fixe. Notez que, même si le tableau 9.11 présente un budget flexible pour l'année entière, on peut élaborer des budgets flexibles pour des périodes plus courtes, comme des trimestres ou des mois. Notez aussi que nous avons préparé les états des résultats prévisionnels du tableau 9.11 à l'aide de la méthode des coûts variables. Par conséquent, le bénéfice d'exploitation qui apparaît dans ce tableau pour un volume de ventes de 100 000 unités se chiffre à 151 800 $ tandis que le bénéfice d'exploitation du tableau 9.9 (*p. 453*) s'élevait à 154 200 $. Cet écart de 2 400 $ est dû au fait que le bénéfice d'exploitation du tableau 9.9 a été calculé à l'aide de la méthode du coût complet et que 1 000 unités supplémentaires ont été ajoutées au stock de produits finis en 20X5 (*voir le tableau 9.2, p. 442*). Les frais indirects de fabrication supplémentaires reportés dans le compte « Stock de produits finis » suivant la méthode du coût complet étaient de 2 400 $: 1 000 unités × 2,40 $ l'unité en frais indirects de fabrication fixes (6 $ l'heure × 0,4 heure par unité).

TABLEAU 9.11 Un état des résultats prévisionnels pour plusieurs niveaux d'activité à l'aide du budget flexible

FRIANDISES GLACÉES INC.
État des résultats prévisionnels
de la période terminée le 31 décembre 20X5

	Montant budgété par unité	Budget flexible Ventes en unités		
		90 000	100 000	110 000
Ventes	20,00 $	1 800 000 $	2 000 000 $	2 200 000 $
Moins: Charges variables:				
Matières premières*	3,00	270 000	300 000	330 000
Main-d'œuvre directe*	6,00	540 000	600 000	660 000
Frais indirects de fabrication variables**	1,60	144 000	160 000	176 000
Coûts commerciaux et charges administratives***	1,80	162 000	180 000	198 000
Total des charges variables	12,40	1 116 000	1 240 000	1 364 000
Marge sur coûts variables	7,60 $	684 000	760 000	836 000
Moins: Charges fixes:				
Frais indirects de fabrication#		242 400	242 400	242 400
Coûts commerciaux et charges administratives##		365 800	365 800	365 800
Total des charges fixes		608 200	608 200	608 200
Bénéfice d'exploitation		75 800 $	151 800 $	227 800 $

* Montant par unité selon le tableau 9.6 (*p. 448*)
** Frais indirects de fabrication variables par heure (*voir le tableau 9.5, p. 447*) multipliés par le nombre d'heures par unité (*voir le tableau 9.6*):
   4 $ × 0,4 h = 1,60 $
*** Montant par unité selon le tableau 9.7 (*p. 449*)
\# Total des frais indirects de fabrication fixes budgétés selon le tableau 9.5
\#\# Total des coûts commerciaux et charges administratives fixes budgétés selon le tableau 9.7

Le taux de 6 $ l'heure pour les frais indirects de fabrication fixes est basé sur le taux total de 10 $ l'heure (*voir le tableau 9.6, p. 448*) moins 4 $ l'heure pour les frais indirects de fabrication variables (*voir le tableau 9.5, p. 447*). Nous avons employé la méthode des coûts variables pour souligner les tendances en matière de comportement des revenus et des coûts dans ce segment significatif d'activité. Plus précisément, d'après les prévisions, le prix de vente et les coûts variables par unité demeureront constants alors qu'il n'y a pas de variations prévues dans les coûts fixes totaux pour ce même segment.

Le calcul des revenus et des charges dans le tableau 9.11 est simple. Les montants *par unité* des ventes et des coûts variables y ont été multipliés par le niveau d'activité (le nombre d'unités) pour obtenir les totaux de la période. Par exemple, à un volume d'activité de 90 000 unités, le total des ventes se calcule comme suit: 20 $ × 90 000 unités = 1 800 000 $. Chacun des éléments de coûts variables a été obtenu de la même manière. Puisqu'on ne s'attend pas à ce que les coûts fixes varient pour le segment significatif d'activité choisi, ils restent les mêmes pour chaque niveau d'activité présenté dans le tableau 9.11. Le budget flexible constitue un outil utile quand il s'agit d'estimer le résultat d'exploitation à divers niveaux d'activité. Comme le montre le tableau 9.11, une variation de 10 000 unités dans le volume des ventes, au-dessus ou au-dessous du volume de 100 000 unités prévu, entraîne une variation du bénéfice d'exploitation de 76 000 $ (10 000 unités × 7,60 $ de marge sur coûts variables par unité). Il est important de noter qu'on peut préparer un budget flexible pour n'importe quel niveau d'activité à l'intérieur du segment significatif. Par conséquent, si le volume des ventes réel pour l'année se chiffre à 95 000 unités, il est possible de préparer un budget flexible qui indique ce qu'auraient été les revenus et les charges à ce niveau d'activité.

9

L'utilisation du concept de budget flexible dans l'évaluation de la performance

OBJECTIF 4

Préparer un rapport d'analyse de la performance en y intégrant un budget flexible.

Écart sur prix de vente et sur coûts (ou écart budgétaire et de rendement, ou écart d'efficience)

Différence entre les montants réels et ceux du budget flexible en matière de revenus et de coûts.

Pour illustrer les avantages de l'utilisation de la méthode du budget flexible dans l'évaluation de la performance, poursuivons avec notre exemple de la société Friandises glacées inc. Le rapport d'analyse de la performance qui intègre un budget flexible et qui est présenté dans le tableau 9.12 compte trois composantes principales. Premièrement, il présente les revenus et les charges réels pour l'année selon un volume réel des ventes de 110 000 unités. Deuxièmement, il comprend un budget flexible basé sur ces ventes réelles de 110 000 unités et qui utilise les montants des revenus et des charges apparaissant dans le tableau 9.11 (*page précédente*). Troisièmement, il indique l'**écart sur prix de vente et sur coûts**, aussi appelé **écart budgétaire et de rendement** ou **écart d'efficience**, c'est-à-dire la différence entre les résultats réels et le budget flexible, les écarts favorables et défavorables étant respectivement désignés par les lettres *F* et *D*.

Comme le montre le tableau 9.12, le bénéfice d'exploitation réel de 20X5 était de 161 500 $ tandis que, d'après le budget flexible, à un volume réel de ventes de 110 000 unités, il aurait dû s'élever à 227 800 $. Les écarts par rapport au budget flexible observés pour chacun des éléments permettent de comprendre les raisons pour lesquelles il y a un écart défavorable du bénéfice de 66 300 $. Le principal facteur qui explique cette différence est un écart défavorable dans les ventes de 55 000 $, de sorte que la direction voudra déterminer pourquoi le prix de vente unitaire réel de 19,50 $ (2 145 000 $ ÷ 110 000 unités) différait

TABLEAU 9.12 **Un rapport d'analyse de la performance qui intègre un budget flexible**

FRIANDISES GLACÉES INC.
Rapport d'analyse de la performance qui intègre un budget flexible
de la période terminée le 31 décembre 20X5

	Montant prévu par unité	Montant réel (110 000 unités)	Budget flexible (110 000 unités)	Écart par rapport au budget flexible	
Ventes	20,00 $	2 145 000 $	2 200 000 $	55 000 $	D
Moins : Charges variables :					
Matières premières*	3,00	335 500	330 000	5 500	D
Main-d'œuvre directe*	6,00	671 000	660 000	11 000	D
Frais indirects de fabrication variables**	1,60	165 000	176 000	11 000	F
Coûts commerciaux et charges					
administratives***	1,80	203 500	198 000	5 500	D
Total des charges variables	12,40	1 375 000	1 364 000	11 000	D
Marge sur coûts variables	7,60 $	770 000	836 000	66 000	D
Moins : Charges fixes :					
Frais indirects de fabrication#		241 000	242 400	1 400	F
Coûts commerciaux et charges					
administratives##		367 500	365 800	1 700	D
Total des charges fixes		608 500	608 200	300	D
Bénéfice d'exploitation		161 500 $	227 800 $	66 300 $	D

*   Montant par unité selon le tableau 9.6 (*p. 448*)

** Frais indirects de fabrication variables par heure (*voir le tableau 9.5, p. 447*) multipliés par le nombre d'heures par unité (*voir le tableau 9.6*) :
    4 $ × 0,4 h = 1,60 $

*** Montant par unité selon le tableau 9.7 (*p. 449*)

\#   Total des frais indirects de fabrication fixes prévus selon le tableau 9.5

\#\# Total des coûts commerciaux et charges administratives fixes prévus selon le tableau 9.7

D : écart défavorable ; F : écart favorable

du montant budgété de 20 $ l'unité. Le contrôle des coûts semble également avoir posé des problèmes à la société Friandises glacées inc., dans le cas de nombreux coûts variables car, au total, ils excèdent le budget de 11 000 $. Comme nous le verrons plus en détail au chapitre 10, les écarts des coûts de fabrication (matières premières, main-d'œuvre directe, frais indirects de fabrication variables) par rapport au budget flexible pourraient être dus à une différence entre les coûts d'achat unitaires réels des facteurs de production et les coûts d'achat budgétés, ou encore entre les quantités réelles utilisées dans la fabrication des 110 000 unités et les quantités budgétées. La direction voudra savoir de quelles façons chacun de ces deux facteurs a contribué aux écarts observables dans le tableau 9.12.

Pour mieux comprendre la valeur du rapport d'analyse de la performance qui intègre un budget flexible, examinons le tableau 9.13, qui présente ce type de rapport associé à un budget fixe.

TABLEAU 9.13 **Un rapport d'analyse de la performance qui intègre un budget fixe**

FRIANDISES GLACÉES INC.
Rapport d'analyse de la performance qui intègre un budget fixe
de la période terminée le 31 décembre 20X5

	Montant budgété par unité	Montant réel (110 000 unités)	Budget fixe (100 000 unités)	Écart global	
Ventes	20,00 $	2 145 000 $	2 000 000 $	145 000 $	F
Moins: Charges variables:					
Matières premières*	3,00	335 500	300 000	35 500	D
Main-d'œuvre directe*	6,00	671 000	600 000	71 000	D
Frais indirects de fabrication variables**	1,60	165 000	160 000	5 000	D
Coûts commerciaux et charges administratives***	1,80	203 500	180 000	23 500	D
Total des charges variables	12,40	1 375 000	1 240 000	135 000	D
Marge sur coûts variables	7,60 $	770 000	760 000	10 000	F
Moins: Charges fixes:					
Frais indirects de fabrication#		241 000	242 400	1 400	F
Coûts commerciaux et charges administratives##		367 500	365 800	1 700	D
Total des charges fixes		608 500	608 200	300	D
Bénéfice d'exploitation		161 500 $	151 800 $	9 700 $	F

* Montant par unité selon le tableau 9.6 (*p. 448*)
** Frais indirects de fabrication variables par heure (*voir le tableau 9.5, p. 447*) multipliés par le nombre d'heures par unité (*voir le tableau 9.6*): 4 $ × 0,4 h = 1,60 $
*** Montant par unité selon le tableau 9.7 (*p. 449*)
\# Total des frais indirects de fabrication fixes budgétés selon le tableau 9.5
\#\# Total des coûts commerciaux et charges administratives fixes budgétés selon le tableau 9.7
D: écart défavorable; F: écart favorable

Dans le tableau 9.13, l'**écart global** représente la différence entre les résultats réels (un niveau d'activité de 110 000 unités) et les montants du budget fixe (un niveau d'activité de 100 000 unités). Il y a un écart sur bénéfice favorable de 9 700 $, ce qui laisse croire que, dans l'ensemble, la société Friandises glacées inc. a connu une bonne année. Toutefois, cette impression est trompeuse, car elle est en grande partie attribuable à l'écart réel sur volume des ventes favorable de 145 000 $ qui proviennent de la vente de 10 000 unités de plus que le nombre prévu dans le budget fixe. Même si le fait de vendre plus d'unités que prévu est une bonne chose du point de vue des revenus et de la marge sur coûts variables, les écarts entre les résultats réels et les montants du budget fixe en ce qui concerne les éléments de coûts

Écart global

Différence entre les montants réels et ceux du budget fixe en matière de revenus et de charges. Il correspond à la somme de l'écart sur prix de vente et sur coûts et de l'écart d'activité.

variables ne sont pas utiles pour évaluer à quel point les gestionnaires ont réussi à contrôler les coûts au niveau de l'activité réelle.

Comme le montre le tableau 9.13 (*page précédente*), le total des coûts variables réels dépasse le budget fixe de 135 000 $, mais on peut associer une grande partie de cet écart à la différence de 10 000 unités dans le volume d'activité, qui correspond à 10 000 unités supplémentaires vendues. Par conséquent, le principal avantage du rapport d'analyse de la performance du tableau 9.12 (*p. 458*) consiste à éliminer les effets des différences de volume de ventes entre les résultats réels et le budget fixe. On obtient ainsi une analyse plus pertinente de la capacité des gestionnaires à gérer les prix de vente et à contrôler les coûts.

Enfin, certaines entreprises intègrent les renseignements contenus dans les tableaux 9.12 et 9.13 dans la préparation d'un rapport d'analyse de la performance plus complet qui comprend les résultats réels, ainsi que les montants des budgets flexible et fixe. Le tableau 9.14 constitue un exemple de ce type de rapport. Remarquez que l'écart global favorable de 9 700 $ par rapport au budget fixe est identique à ce qui a été calculé dans le tableau 9.13. Toutefois, le tableau 9.14 montre que cet écart global de 9 700 $ comporte deux composantes:

1. un écart défavorable sur prix de vente et sur coûts de 66 300 $ provenant du tableau 9.12;
2. un écart favorable d'activité, aussi appelé *écart sur volume des ventes* ou *écart d'efficacité* de 76 000 $.

TABLEAU 9.14 **Un rapport d'analyse de la performance complet**

FRIANDISES GLACÉES INC.
Rapport d'analyse de la performance complet[*]
de la période terminée le 31 décembre 20X5

	Montant réel (110 000 unités)	Écart sur prix de vente et sur coûts		Budget flexible (110 000 unités)	Écart d'activité		Budget fixe (100 000 unités)
Ventes	2 145 000 $	55 000 $	D	2 200 000 $	200 000 $	F	2 000 000 $
Moins: Charges variables:							
Matières premières	335 500	5 500	D	330 000	30 000	D	300 000
Main-d'œuvre directe	671 000	11 000	D	660 000	60 000	D	600 000
Frais indirects de fabrication variables	165 000	11 000	F	176 000	16 000	D	160 000
Coûts commerciaux et charges administratives	203 500	5 500	D	198 000	18 000	D	180 000
Total des charges variables	1 375 000	11 000	D	1 364 000	124 000	D	1 240 000
Marge sur coûts variables	770 000	66 000	D	836 000	76 000	F	760 000
Moins: Charges fixes:							
Frais indirects de fabrication	241 000	1 400	F	242 400	-0-	–	242 400
Coûts commerciaux et charges administratives	367 500	1 700	D	365 800	-0-	–	365 800
Total des charges fixes	608 500	300	D	608 200	-0-	–	608 200
Bénéfice d'exploitation	161 500 $	66 300 $	D	227 800 $	76 000 $	F	151 800 $

Écart sur prix de vente et sur coûts | Écart d'activité

9 700 $ F
Écart global

[*] Tous les montants réels et ceux du budget flexible proviennent du tableau 9.12 (*p. 458*); tous les montants du budget fixe proviennent du tableau 9.13 (*page précédente*).
D: écart défavorable; F: écart favorable

L'**écart d'activité** représente la différence entre les montants du budget flexible et ceux du budget fixe en matière de revenus et de coûts. Comme le budget flexible et le budget fixe ont été préparés à l'aide des montants prévus par unité, la seule différence observable entre eux concerne le volume d'activité réel, qui varie par rapport au volume indiqué dans le budget fixe. Par exemple, pour le montant des ventes, l'écart d'activité favorable de 200 000 $ est calculé comme suit : (110 000 unités − 100 000 unités) × 20 $ par unité. Le calcul des écarts d'activité pour les coûts variables s'effectue d'une manière semblable. Comme le total des coûts fixes budgétés est constant à l'intérieur d'un segment significatif d'activité, aucun écart n'est observé entre les budgets flexible et fixe pour ces éléments. Le fait de préparer un rapport complet comme celui du tableau 9.14 a l'avantage d'aider les gestionnaires à isoler la partie de l'écart par rapport au budget fixe attribuable uniquement aux différences de volumes de celles qui sont dues à d'autres facteurs comme l'écart entre les coûts d'achat unitaires réels et ceux du budget. Au chapitre 11, nous examinerons plus en détail ces facteurs susceptibles d'entraîner des écarts d'activité.

Écart d'activité

Différence entre les montants du budget flexible et ceux du budget fixe en matière de revenus et de coûts.

La budgétisation des organismes à but non lucratif

Jusqu'à présent, nous avons discuté de l'établissement du budget dans le contexte d'entreprises recherchant un profit. La prévision des ventes constitue l'élément crucial dont dépend le reste du budget directeur. Des prévisions des ventes inexactes sont à l'origine d'erreurs dans tous les autres budgets. Dans les organismes à but lucratif, il existe habituellement une relation entre les charges et les revenus. En ce qui concerne les organismes à but non lucratif, il n'existe souvent aucune relation entre les revenus attendus et les charges prévues. Font partie des OBNL les unités des gouvernements municipaux, provinciaux et fédéraux, les hôpitaux, les universités, les fondations, les associations professionnelles, etc. Dans ce genre d'organisme, une vocation de prestation de services remplace d'ordinaire le souci de la rentabilité. L'information prévisionnelle est réunie pour aider l'organisme à prendre des décisions concernant le choix des programmes privilégiés et des charges autorisées. Par la suite, l'OBNL évalue les revenus nécessaires au soutien de ces programmes et les prévisions des charges correspondantes. Les sources de revenus peuvent prendre la forme de subventions, de dons, de taxe spéciale ou de cotisations des membres. La survie de certains OBNL dépend de leur capacité à attirer les donateurs.

OBJECTIF 5

Décrire les variations dans le processus d'établissement d'un budget directeur lorsqu'on l'applique à des organismes à but non lucratif (OBNL) et à des situations où l'on a recours à la comptabilité par activités (CPA).

L'obligation de rendre des comptes revêt une importance cruciale pour la plupart des OBNL. Si ceux-ci veulent s'assurer d'un soutien durable des donateurs, il leur est avantageux de disposer d'un processus budgétaire qui les aidera à planifier la manière dont les ressources sont réellement utilisées et si elles le sont efficacement. Le conseil d'administration devrait approuver officiellement les budgets de l'OBNL. L'approbation officielle d'un budget indique aux employés et aux bénévoles que le conseil d'administration s'engage à atteindre et à respecter les prévisions budgétaires.

Un budget peut être préparé sur la base des catégories de charges ou sur la base des programmes. Un budget préparé sur la base des charges présente le total des coûts prévisionnels par catégories comme le loyer, les assurances, les salaires et l'entretien. Il ne précise toutefois pas le montant de ces charges se rapportant à des programmes particuliers. De nombreux OBNL doivent rendre compte de cette information en se basant sur les programmes plutôt que sur les catégories de charges. La préparation du budget basé sur les programmes facilite l'évaluation de la performance et permet de comparer ce qui a été budgété avec les revenus et charges réels de chaque programme. Cette façon de faire devrait faciliter la prise de décisions concernant la répartition des ressources entre les programmes. La budgétisation par programmes facilite aussi la gestion en présentant l'information dans un format qui permet de vérifier si les ressources concernées sont bien utilisées comme prévu.

9

SUR LE TERRAIN

Les administrations publiques et la budgétisation

« Compte tenu de l'importance des budgets gouvernementaux, le Conseil sur la comptabilité dans le secteur public (CCSP) de l'Institut canadien des comptables agréés (ICCA) a commandé un rapport de recherche sur les pratiques budgétaires gouvernementales. Ce rapport porte sur les principes de base de la comptabilité que les gouvernements fédéral, provinciaux et territoriaux du Canada utilisent pour leurs budgets et leurs prévisions de charges (ou crédits budgétaires), et les compare à ceux qu'ils adoptent dans leurs états financiers. La planification, l'établissement de budgets et la publication d'information sont des composantes du cadre conceptuel de gestion de la performance et de reddition de comptes de toute administration publique. Le rapport examine chacune de ces trois composantes. Habituellement, on commence par le choix et la définition des priorités et la planification, puis on passe à l'étape de l'établissement du budget, et, enfin, à la publication de l'information et à l'audit. Les résultats de la recherche montrent une nette tendance aux paliers supérieurs des gouvernements :
1. à se tourner vers une comptabilité basée sur les engagements ;
2. à préparer un budget condensé ;
3. à modifier certaines des principales méthodes comptables pour respecter les recommandations contenues dans le *Manuel de comptabilité de l'ICCA pour le secteur public.* »

Source : J. Paul-Émile ROY, « Accounting Bases Used in Canadian Government Budgeting », *CA Magazine*, vol. 138, n° 1 (janvier-février 2005), p. 18. Reproduit avec l'autorisation de *CA Magazine*, une publication de l'Institut canadien des comptables agréés (ICCA), Toronto, Canada.

L'établissement du budget par activités

Budget par activités

Méthode de budgétisation dans laquelle on met l'accent sur la budgétisation des coûts des activités nécessaires pour produire et commercialiser les produits et les services de l'entreprise.

Au chapitre 5, nous avons vu que la CPA a été mise au point pour fournir au gestionnaire des coûts de produits ou de services plus précis, ce qui devrait se traduire par une meilleure prise de décisions et un contrôle plus étroit des coûts. Les principes de la CPA peuvent aussi s'appliquer à la préparation du budget. Dans l'établissement du **budget par activités**, l'accent est mis sur la budgétisation des coûts des activités nécessaires à la production et à la commercialisation des produits et services de l'entreprise.

La budgétisation par activités comporte plusieurs étapes. Il faut d'abord déterminer le coût budgété pour la réalisation de chaque unité d'activité. Rappelons qu'une activité s'explique par un inducteur de coût de l'activité comme la mise en marche d'une machine, la préparation d'un bon de commande, une inspection de la qualité ou une demande d'entretien. Les objectifs de vente et de production servent ensuite à évaluer la demande pour ces activités. Pour déterminer le coût total de chaque activité, l'inducteur de coût de l'activité est multiplié par la demande escomptée. Le résultat est un budget basé sur les activités qui occasionnent des coûts plutôt qu'un budget traditionnel basé sur les fonctions de gestion et les classifications des charges.

Pour la budgétisation par activités, on classe par activités les coûts qui font partie du centre de responsabilité, et on détermine les inducteurs d'activité autres que les quantités produites ou vendues. Des activités telles que les inspections de la qualité, la manutention, l'assemblage, l'expédition, l'achat, etc., sont établies, mesurées et chiffrées. Ces coûts sont ensuite compilés pour obtenir le coût de revient global du produit ou du service. La CPA, présentée au chapitre 5, illustre la manière dont les budgets par activités sont présentés.

Pour appliquer la CPA à l'établissement d'un budget, il faut appliquer un raisonnement inverse. Au lieu de partir des coûts des ressources pour aller vers les activités, puis vers les coûts des produits, la budgétisation par activités part des produits pour revenir à leurs coûts, puis aux coûts des activités requises, et enfin aux coûts d'acquisition des ressources nécessaires à la fabrication de ces produits.

Les aspects internationaux de la budgétisation

Une organisation multinationale fait face à des problèmes particuliers quand elle prépare un budget. Ces problèmes proviennent des fluctuations des taux de change des monnaies étrangères, des forts taux d'inflation dans certains pays, des conditions économiques locales ainsi que des politiques gouvernementales qui peuvent influer sur les coûts, de la main-d'œuvre jusqu'aux pratiques commerciales.

Les fluctuations des taux de change engendrent des problèmes de budgétisation particuliers. Les exportateurs peuvent prédire avec une certaine précision leurs ventes en monnaie étrangère locale comme le dollar américain ou l'euro. Cependant, les sommes qu'ils recevront dans leur propre monnaie dépendront des taux de change alors en vigueur. Si ceux-ci s'avèrent moins intéressants que prévu, l'entreprise recevra moins dans la devise de son pays que ce à quoi elle s'attendait.

Les entreprises participant activement à des opérations d'exportation se protègent souvent des fluctuations des taux de change en achetant et en vendant des contrats financiers sophistiqués. Ces protections garantissent que si l'entreprise perd de l'argent dans ses opérations d'exportation à cause des fluctuations du taux de change, cette perte sera compensée par des gains sur ses contrats financiers. Les détails de telles opérations de couverture sont traités dans les manuels de finance. Quand une multinationale conclut des opérations de couverture, elle doit budgéter les coûts de ces activités en même temps que les autres charges.

Certaines entreprises multinationales ont des activités dans des pays à très forts taux d'inflation, dépassant parfois 100 % par an. Ces taux d'inflation, appelés *hyperinflation*, peuvent rendre très rapidement un budget périmé. Pour ces entreprises, une technique de budgétisation courante consiste à réduire le délai de préparation du budget et à le réviser fréquemment tout au long de l'année, en tenant compte de l'inflation réelle.

En plus des problèmes liés aux taux de change et à l'inflation, les organisations multinationales doivent être sensibles aux politiques gouvernementales des pays dans lesquels elles exercent leurs activités, lesquelles pourraient influer sur les coûts de main-d'œuvre, les achats de matériel, la gestion de la trésorerie ou d'autres postes du budget.

Résumé

Dans ce chapitre, notre objectif était de présenter une vue d'ensemble du processus budgétaire et de montrer les interactions entre les budgets d'exploitation. Nous avons vu comment le budget des ventes sert de base à la planification des résultats. Une fois le budget des ventes établi, on peut préparer le budget de production. Le budget des coûts commerciaux et charges administratives est aussi en partie lié aux prévisions de ventes. Le budget de production détermine le nombre d'unités devant être produites. Une fois ce dernier établi, les différents budgets des coûts de fabrication peuvent l'être à leur tour. Tous ces budgets servent à préparer le budget de trésorerie, l'état des résultats prévisionnels et l'état de la situation financière prévisionnelle. Il existe de nombreux liens entre ces différentes composantes du budget directeur. Par exemple, le budget des ventes fournit des données à la fois pour le budget de trésorerie et l'état de la situation financière prévisionnelle.

Nous avons aussi présenté le budget flexible, qui est utilisé par certaines entreprises pour remédier aux lacunes des budgets fixes lorsque les niveaux d'activité réels diffèrent des niveaux prévus. Ce budget, révisé pour tenir compte des données réelles, fournit un meilleur outil pour évaluer la performance des gestionnaires.

La matière de ce chapitre est une introduction à la budgétisation et à la planification des résultats. Dans les prochains chapitres, nous verrons que les budgets servent à contrôler les opérations quotidiennes et qu'ils sont utilisés dans l'évaluation de la performance.

Activités d'apprentissage

Problème de révision

Les plans budgétaires

Les données ci-après concernent les activités de la société Soper, un distributeur de biens de consommation.

Actif courant au 31 mars :	
Trésorerie	8 000 $
Comptes clients	20 000
Stock	36 000
Bâtiments et matériel (valeur nette)	120 000
Comptes fournisseurs	21 750
Actions ordinaires	150 000
Résultats non distribués	12 250

a) La marge brute représente 25 % du chiffre d'affaires.

b) Voici des données réelles et prévues concernant les ventes.

Mars (réelles)	50 000 $
Avril	60 000
Mai	72 000
Juin	90 000
Juillet	48 000

c) Les ventes se répartissent comme suit : 60 % sont réglées au comptant, et 40 %, à crédit. Le recouvrement des ventes à crédit se fait au cours du mois qui suit celui de la vente. Les comptes clients au 31 mars sont le résultat des ventes à crédit effectuées pendant ce mois.

d) Le stock à la fin de chaque mois devrait être égal à 80 % du coût des ventes prévu pour le mois suivant.

e) L'entreprise paie la moitié du stock qu'elle achète chaque mois au cours du mois où l'achat a lieu. Elle paie l'autre moitié le mois suivant. Les comptes fournisseurs en date du 31 mars résultent d'achats de stock effectués au cours du mois de mars.

f) Les charges mensuelles sont les suivantes : commissions, 12 % du chiffre d'affaires ; loyer, 2 500 $ par mois ; autres charges (excepté l'amortissement), 6 % du chiffre d'affaires. Supposez que ces charges sont payées chaque mois. L'amortissement s'élève à 900 $ par mois (y compris l'amortissement des nouveaux actifs).

g) En avril, l'entreprise achètera comptant du matériel au coût de 1 500 $.

h) L'entreprise doit maintenir un solde de trésorerie minimal de 4 000 $. Elle dispose d'une marge de crédit à la banque locale. Tous les emprunts se font au début du mois, et tous les remboursements, à la fin du mois. Chaque montant emprunté doit être un multiple de 1 000 $, et le taux d'intérêt annuel est fixé à 12 %. L'entreprise ne paie ses intérêts qu'au moment du remboursement du capital. Calculez les intérêts pour des mois complets (1/12, 2/12, etc.).

Travail à faire

1. À l'aide des données précédentes, remplissez le tableau suivant :

Liste des encaissements ou recouvrements prévus

	Avril	Mai	Juin	Trimestre
Ventes au comptant..................	36 000 $			
Ventes à crédit.........................	20 000			
Total des recouvrements	56 000 $			

2. À l'aide des données précédentes, remplissez les tableaux suivants :

Budget des achats de marchandises

	Avril	Mai	Juin	Trimestre
Coût budgété des ventes	45 000 $*	54 000 $		
Plus : Stock souhaité à la fin.....	43 200**			
Total des besoins......................	88 200			
Moins : Stock au début.............	36 000			
Achats requis............................	52 200 $			

Tableau des décaissements prévus – achats de marchandises

	Avril	Mai	Juin	Trimestre
Achats du mois de mars...........	21 750 $			21 750 $
Achats du mois d'avril	26 100	26 100 $		52 200
Achats du mois de mai.............				
Achats du mois de juin				
Total des décaissements	47 850 $			

* Pour les ventes du mois d'avril : chiffre d'affaires de 60 000 $ × 75 % (ratio du coût des ventes)
  = 45 000 $
** 54 000 $ × 80 % = 43 200 $

3. À l'aide des données précédentes, remplissez le tableau suivant :

Tableau des décaissements prévus – charges opérationnelles

	Avril	Mai	Juin	Trimestre
Commissions............................	7 200 $			
Loyer..	2 500			
Autres charges.........................	3 600			
Total des décaissements	13 300 $			

9

► 4. À l'aide des données précédentes, complétez le budget de trésorerie suivant :

Budget de trésorerie

	Avril	Mai	Juin	Trimestre
Trésorerie au début............................	8 000 $			
Plus : Recouvrements auprès des clients	56 000			
Total de la trésorerie disponible..................................	64 000			
Moins : Décaissements :				
Pour les achats de marchandises....	47 850			
Pour les charges opérationnelles	13 300			
Pour le matériel	1 500			
Total des décaissements............	62 650			
Excédent (déficit) de trésorerie.............	1 350			
Financement :				
etc.				

5. Préparez un état des résultats prévisionnels à l'aide de la méthode du coût complet, semblable à celui qui apparaît dans le tableau 9.9 (*p. 453*), pour le trimestre terminé le 30 juin.

6. Préparez un état de la situation financière prévisionnelle en date du 30 juin.

Solution au problème de révision

1. *Tableau des recouvrements prévus*

	Avril	Mai	Juin	Trimestre
Ventes au comptant.................	36 000 $	43 200 $	54 000 $	133 200 $
Ventes à crédit*	20 000	24 000	28 800	72 800
Total des recouvrements	56 000 $	67 200 $	82 800 $	206 000 $

* 40 % du chiffre d'affaires du mois précédent

2. *Budget des achats de marchandises*

	Avril	Mai	Juin	Trimestre
Coût budgété des ventes*........	45 000 $	54 000 $	67 500 $	166 500 $
Plus : Stock souhaité à la fin**....	43 200	54 000	28 800	28 800
Total des besoins.....................	88 200	108 000	96 300	195 300
Moins : Stock au début.............	36 000	43 200	54 000	36 000
Achats requis.........................	52 200 $	64 800 $	42 300 $	159 300 $

Tableau des décaissements prévus – achats

	Avril	Mai	Juin	Trimestre
Achats du mois de mars..........	21 750 $			21 750 $
Achats du mois d'avril.............	26 100	26 100 $		52 200
Achats du mois de mai............		32 400	32 400 $	64 800
Achats du mois de juin............			21 150	21 150
Total des décaissements	47 850 $	58 500 $	53 550 $	159 900 $

* Pour les ventes du mois d'avril : 60 000 $ de ventes × 75 % (ratio du coût des ventes) = 45 000 $
** Au 30 avril : 54 000 $ × 80 % = 43 200 $; au 30 juin : 48 000 $ de ventes (juillet) × 75 % (ratio du coût des ventes) × 80 % = 28 800 $

3. *Tableau des décaissements prévus – charges opérationnelles*

	Avril	Mai	Juin	Trimestre
Commissions............................	7 200 $	8 640 $	10 800 $	26 640 $
Loyer..	2 500	2 500	2 500	7 500
Autres charges........................	3 600	4 320	5 400	13 320
Total des décaissements.........	13 300 $	15 460 $	18 700 $	47 460 $

4. *Budget de trésorerie*

	Avril	Mai	Juin	Trimestre
Trésorerie au début..................	8 000 $	4 350 $	4 590 $	8 000 $
Plus : Recouvrements auprès des clients	56 000	67 200	82 800	206 000
Total de la trésorerie disponible...........................	64 000	71 550	87 390	214 000
Moins : Décaissements :				
Pour les achats de marchandises	47 850	58 500	53 550	159 900
Pour les charges opérationnelles................	13 300	15 460	18 700	47 460
Pour le matériel	1 500	–	–	1 500
Total des décaissements ..	62 650	73 960	72 250	208 860
Excédent (déficit) de trésorerie...	1 350	(2 410)	15 140	5 140
Financement :				
Emprunts...............................	3 000	7 000	–	10 000
Remboursements	–	–	(10 000)	(10 000)
Intérêts	–	–	(230)*	(230)
Financement total............	3 000	7 000	(10 230)	(230)
Trésorerie à la fin	4 350 $	4 590 $	4 910 $	4 910 $

* 3 000 $ × 12 % × 3/12	90 $
7 000 $ × 12 % × 2/12	140 $
Total des intérêts............................	230 $

5.

SOPER
État des résultats prévisionnels
du trimestre terminé le 30 juin

Ventes (60 000 $ + 72 000 $ + 90 000 $)		222 000 $
Moins : Coût des ventes :		
Stock au début (fourni)..	36 000 $	
Plus : Achats (question 2)...	159 300	
Coût des marchandises destinées à la vente..............	195 300	
Moins : Stock à la fin (question 2)................................	28 800	166 500*
Marge brute		55 500
Moins : Charges opérationnelles :		
Commissions (question 3)...	26 640	
Loyer (question 3)..	7 500	
Amortissement (900 $ × 3 mois)..................................	2 700	
Autres charges (question 3)...	13 320	50 160
Bénéfice d'exploitation		5 340
Moins : Charges financières (question 4)		230
Bénéfice...		5 110 $

* Le calcul suivant serait plus simple : 222 000 $ × 75 % = 166 500 $.

9

►

► 6.

SOPER
État de la situation financière prévisionnelle
au 30 juin

Actif

Actif courant :
Trésorerie (question 4)...................................	4 910 $	
Comptes clients (90 000 $ × 40 %).................	36 000	
Stock (question 2)...	28 800	
Total de l'actif courant		69 710 $

Actif non courant :
Bâtiments et matériel – valeur nette
(120 000 $ + 1 500 $ – 2 700 $)..................................... 118 800

Total de l'actif... 188 510 $

Passif et capitaux propres

Passif courant :
Comptes fournisseurs (question 2 ; 42 300 $ × 50 %) ...... 21 150 $

Capitaux propres :
Actions ordinaires (fourni)	150 000 $	
Résultats non distribués*................................	17 360	167 360

Total du passif et des capitaux propres .... 188 510 $

* Résultats non distribués au début.........................	12 250 $
Plus : Bénéfice..	5 110
Résultats non distribués à la fin	17 360 $

Questions

Q1 Qu'est-ce qu'un budget ? Qu'est-ce que le contrôle budgétaire ?

Q2 Expliquez quelques avantages importants du processus budgétaire.

Q3 Qu'entend-on par « comptabilité par centres de responsabilité » ?

Q4 Qu'est-ce qu'un budget directeur ? Décrivez brièvement son contenu.

Q5 Pourquoi la prévision des ventes constitue-t-elle le point de départ de la budgétisation ?

Q6 « En pratique, la planification et le contrôle signifient exactement la même chose. » Êtes-vous d'accord avec cet énoncé ? Justifiez votre réponse.

Q7 Décrivez le cheminement des données budgétaires dans une organisation. Quelles personnes participent au processus budgétaire ? Comment y participent-elles ?

Q8 Qu'est-ce qu'un budget participatif ? Quels sont les avantages importants des budgets participatifs ? Quelle précaution doit-on prendre quand on y procède ?

Q9 En quoi la budgétisation peut-elle aider une entreprise dans ses politiques d'emploi ?

Q10 « Le but principal du budget de trésorerie est de déterminer combien d'argent l'entreprise aura en banque à la fin de l'année. » Êtes-vous d'accord avec cet énoncé ? Justifiez votre réponse.

Q11 En quoi le budget base zéro diffère-t-il de la budgétisation traditionnelle ?

Q12 « La budgétisation est conçue essentiellement pour les organisations faisant face à des situations complexes et à des incertitudes dans leurs opérations quotidiennes. » Êtes-vous d'accord avec cet énoncé ? Justifiez votre réponse.

Q13 Quelle est la meilleure base d'appréciation des résultats réels : la performance budgétée ou la performance passée ? Pourquoi ?

Q14 Existe-t-il une différence entre une prévision des ventes et un budget des ventes ? Justifiez votre réponse.

Q15 « Le succès d'un programme budgétaire dépend en grande partie de la formation et d'un bon sens de la vente. » Êtes-vous d'accord avec cet énoncé ? Justifiez votre réponse.

Q16 « Dans les organisations à but lucratif, à but non lucratif et gouvernementales, il existe en général une relation directe entre revenus et charges. » Êtes-vous d'accord avec cet énoncé ? Justifiez votre réponse.

Q17 Certaines personnes soutiennent que les organisations faisant face à une vive concurrence devraient supprimer les budgets. Pourquoi ? Peut-on modifier la budgétisation pour faire face aux pressions de la concurrence ?

Q18 Qu'est-ce qu'un budget continu ou perpétuel ?

Q19 Quel type de budget remplace le budget de production dans les entreprises commerciales ?

Q20 Quel est le rôle d'un comité du budget ?

Q21 Décrivez ce qui distingue un budget fixe d'un budget flexible.

Exercices

E1 Un tableau des encaissements

Hamel inc. fabrique un produit très populaire que l'on donne en cadeau à la fête des Mères. Tous les ans, le sommet des ventes de l'entreprise a lieu au mois de mai. Voici le budget des ventes de l'entreprise pour le deuxième trimestre.

	Avril	Mai	Juin	Trimestre
Ventes budgétées..................	300 000 $	500 000 $	200 000 $	1 000 000 $

L'expérience acquise montre que 20 % des ventes d'un mois sont encaissées pendant le mois de la vente, 70 %, pendant le mois qui suit la vente, et les 10 % restants, deux mois après la vente. Les créances irrécouvrables sont négligeables et peuvent être ignorées. Les ventes du mois de février et du mois de mars ont atteint un total de 230 000 $ et de 260 000 $, respectivement.

Travail à faire

1. Préparez un tableau des encaissements prévus provenant des ventes, par mois et au total, pour le deuxième trimestre.
2. Supposez que l'entreprise prépare un état de la situation financière prévisionnelle au 30 juin. Calculez les comptes clients à cette date.

E2 Un budget de production

L'entreprise australienne Down Under Products a budgété les ventes de son populaire boomerang pour les quatre prochains mois comme suit :

	Ventes en unités
Avril	50 000
Mai	75 000
Juin	90 000
Juillet..	80 000

L'entreprise est à préparer son budget de production pour le deuxième trimestre. L'expérience acquise montre que ses niveaux de stock en fin de mois doivent être égaux à 10 % des ventes du mois suivant. Le stock à la fin du mois de mars était de 5 000 unités.

Travail à faire

Préparez un budget de production pour le deuxième trimestre. Indiquez-y le nombre d'unités devant être produites pour chaque mois et pour tout le trimestre.

E3 Un budget des achats de matières premières

Ô de fleur est un parfum très populaire fabriqué par une petite entreprise en Sibérie occidentale. Une bouteille de ce parfum requiert trois grammes d'huile de musc. Le coût de l'huile de musc est de 150 roubles le gramme. (La Sibérie se situe en Russie, où la monnaie ▶

9

▶ est le rouble.) Vous trouverez ci-dessous les données de la production budgétée d'Ô de fleur par trimestre pour la deuxième année et pour le premier trimestre de la troisième année.

	2ᵉ année, Trimestre				3ᵉ année, Trimestre
	1	2	3	4	1
Production budgétée, en bouteilles	60 000	90 000	150 000	100 000	70 000

L'huile de musc est devenue si populaire comme ingrédient de base du parfum qu'il est nécessaire de constituer des stocks importants en prévision des ruptures de stock. C'est pourquoi le stock d'huile de musc à la fin d'un trimestre doit être égal à 20 % des besoins de la production du trimestre suivant. Environ 36 000 grammes d'huile de musc seront disponibles pour commencer le premier trimestre de la deuxième année.

Travail à faire

Préparez un budget des achats de matières premières pour l'huile de musc pour chaque trimestre de la deuxième année et pour toute cette année. Indiquez le montant des achats en roubles (RUB) pour chaque trimestre et pour l'année.

E4 Un budget de trésorerie

On vous a demandé de préparer le budget de trésorerie pour le mois de décembre de l'entreprise Ashton, un distributeur d'appareils d'exercice. Vous disposez des données suivantes :
a) Le solde au 1ᵉʳ décembre sera de 40 000 $.
b) Les ventes réelles pour octobre et novembre, et les ventes prévues pour décembre sont les suivantes :

	Octobre	Novembre	Décembre
Ventes au comptant	65 000 $	70 000 $	83 000 $
Ventes à crédit	400 000 $	525 000 $	600 000 $

Les ventes à crédit sont encaissées sur une période de trois mois d'après le ratio suivant : 20 % pendant le mois de la vente, 60 % pendant le mois qui suit la vente, et 18 % deux mois après la vente. Les 2 % restants sont irrécouvrables.
c) L'acquisition des matières premières totalisera 280 000 $ pour le mois de décembre. Trente pour cent des stocks achetés dans un mois sont payés au cours du mois de l'achat. Les comptes fournisseurs pour l'acquisition des stocks du mois de novembre s'élèvent à 161 000 $, que l'entreprise paiera intégralement au mois de décembre.
d) Les coûts commerciaux et charges administratives sont budgétés à 430 000 $ pour décembre, dont 50 000 $ pour l'amortissement.
e) Le service de marketing achètera au comptant un nouveau serveur pour une somme de 76 000 $ au cours du mois de décembre, et l'entreprise paiera 9 000 $ de dividendes pendant le mois.
f) L'entreprise doit maintenir un solde minimal de trésorerie de 20 000 $. Elle dispose d'une marge de crédit de sa banque pour soutenir sa position de trésorerie en cas de besoin.

Travail à faire

1. Préparez un tableau des encaissements pour le mois de décembre.
2. Préparez un tableau des décaissements pour les matières premières achetées au mois de décembre.
3. Dressez le budget de trésorerie pour le mois de décembre. Indiquez dans la section « Financement » tout emprunt qui sera nécessaire pendant le mois.

E5 **Des données manquantes et le budget de trésorerie**

Vous trouverez ci-après le budget de trésorerie, par trimestre, d'une entreprise de vente au détail. Inscrivez les montants manquants et arrondissez-les au millier près. L'entreprise doit disposer d'un solde de trésorerie minimal de 5 000 $ pour commencer chaque trimestre.

	Trimestre				Année
	1er	2^e	3^e	4^e	
Trésorerie au début..	6 $	? $	? $	? $	? $
Plus : Recouvrement auprès des clients............................	?	?	96	?	323
Total de la trésorerie disponible avant le financement	71	?	?	?	?
Moins : Décaissements :					
Acquisition des stocks..	35	45	?	35	?
Charges d'exploitation..	?	30	30	?	113
Achats de matériel..	8	8	10	?	36
Dividendes..	2	2	2	2	?
Total des décaissements	?	85	?	?	?
Excédent (déficit) de trésorerie..	(2)	?	11	?	?
Financement :					
Emprunts	?	15	–	–	?
Remboursements (y compris les intérêts*).....................	–	–	(?)	(17)	(?)
Financement total	?	?	?	?	?
Trésorerie à la fin	? $	? $	? $	? $	? $

* Les intérêts atteindront un total de 1 000 $ pour l'année.
Tous les montants sont en milliers de dollars.

E6 **Le budget flexible et les données manquantes**

Lavage rapide est une entreprise possédant et exploitant un lave-auto près de Sherbrooke. Son budget, présenté ci-après, est incomplet.

LAVAGE RAPIDE
Budget flexible
du mois terminé le 31 août

Frais indirects	Formule de coûts (par véhicule)	Volume d'activité (nombre de voitures)		
		8 000	9 000	10 000
Frais indirects variables :				
Accessoires de nettoyage.............................	?	?	7 200 $	?
Électricité	?	?	2 700	?
Entretien..	?	?	1 800	?
Total des frais indirects variables...............	?	?	?	?
Frais indirects fixes :				
Salaires des opérateurs		?	9 000	?
Amortissement...		?	6 000	?
Loyer..		?	8 000	?
Total des frais indirects fixes......................		?	?	?
Total des frais indirects		?	?	?

Travail à faire

Remplissez le tableau précédent.

9

E7 **Un rapport d'analyse de la performance**

Reportez-vous aux données de l'exercice E6. Le niveau réel d'activité de Lavage rapide au cours du mois d'août a été de 8 900 véhicules, bien que le propriétaire ait préparé son budget fixe pour le mois en supposant que le niveau d'activité serait de 8 800 voitures. Voici les frais indirects réels engagés au cours du mois d'août.

	Coûts réels engagés pour 8 900 véhicules
Frais indirects variables :	
Accessoires de nettoyage..	7 080 $
Électricité	2 460
Entretien...	1 550
Frais indirects fixes :	
Salaires des opérateurs	9 100
Amortissement..	7 000
Loyer	8 000

Travail à faire

Préparez un rapport d'analyse de la performance à l'aide du budget flexible pour les frais indirects variables et les frais indirects fixes pour le mois d'août.

E8 **Un budget de la main-d'œuvre directe**

Le département de production de l'usine de la société Roy a présenté les prévisions ci-après concernant le nombre d'unités que doit fabriquer l'usine au cours de chacun des trimestres de la période à venir. L'usine fabrique des barbecues haut de gamme pour l'extérieur.

	1er trimestre	2e trimestre	3e trimestre	4e trimestre
Unités devant être produites...........	5 000	4 400	4 500	4 900

La fabrication de chaque unité nécessite 0,4 heure de main-d'œuvre directe, et le coût de cette main-d'œuvre est de 11 $ l'heure.

Travail à faire

1. Préparez le budget de la main-d'œuvre directe de l'entreprise pour la prochaine période en supposant que cette main-d'œuvre sera ajustée chaque trimestre en fonction du nombre d'heures requis pour fabriquer la quantité d'unités prévue.
2. Préparez le budget de la main-d'œuvre directe de la prochaine période en supposant que cette main-d'œuvre ne sera pas ajustée chaque trimestre. Posez plutôt l'hypothèse qu'elle est constituée d'employés permanents auxquels l'entreprise a garanti un salaire équivalent à au moins 1 800 heures de travail chaque trimestre. Autrement dit, même lorsque la fabrication du produit exige moins d'heures de main-d'œuvre directe que ce nombre, les travailleurs sont payés l'équivalent de 1 800 heures de toute façon. Pour chaque heure de travail dépassant 1 800 heures par trimestre, ils reçoivent 1,5 fois le salaire horaire normal de la main-d'œuvre directe.

Problèmes

P1 **Les budgets de production et les budgets des achats**

Une entreprise située en Chine fabrique et distribue des jouets dans toute l'Asie du Sud-Est. La fabrication de chaque unité de Supermix, un des produits de l'entreprise, nécessite 3 centimètres cubes de solvant H300. L'entreprise planifie actuellement ses besoins en matières premières pour le troisième trimestre, période au cours de laquelle

Supermix atteint son niveau des ventes le plus élevé. Pour que la production et les ventes se déroulent sans problème, l'entreprise doit maintenir les stocks suivants :

a) Le stock de produits finis à la fin de chaque mois doit être égal à 3 000 unités de Supermix plus 20 % des ventes du mois suivant. L'entreprise a budgété que le stock de produits finis au 30 juin sera de 10 000 unités.

b) Le stock de matières premières à la fin de chaque mois doit être égal à la moitié des besoins en matières premières requises pour la production du mois suivant. Le stock de matières premières budgété au 30 juin correspond à 54 000 centimètres cubes de solvant H300.

c) Voici le budget des ventes de Supermix pour les six derniers mois de la période.

	Ventes budgétées en unités
Juillet	35 000
Août	40 000
Septembre	50 000
Octobre	30 000
Novembre	20 000
Décembre	10 000

Travail à faire

1. Préparez le budget de production pour Supermix pour les mois de juillet à octobre.

2. Examinez le budget de production que vous avez préparé à la question précédente. Pourquoi l'entreprise produira-t-elle plus d'unités qu'elle n'en vend en juillet et en août, et moins d'unités qu'elle n'en vend en septembre et en octobre ?

3. Préparez un budget indiquant la quantité de solvant H300 à acheter en juillet, août et septembre, ainsi que pour tout le trimestre.

P2 La préparation du budget directeur

Minden inc. est un distributeur en gros de chocolats européens de qualité supérieure. Voici l'état de la situation financière de l'entreprise au 30 avril.

MINDEN INC.
État de la situation financière au 30 avril

Actif

Actif courant :		
Trésorerie	9 000 $	
Comptes clients	54 000	*encaissements*
Stock	30 000	
Total de l'actif courant		93 000 $
Actif non courant :		
Bâtiments et matériel (valeur nette)		207 000
Total de l'actif		300 000 $

Passif et capitaux propres

Passif courant :		
Comptes fournisseurs	63 000 $	*décaissements*
Effet à payer	14 500	
Total du passif courant		77 500 $
Capitaux propres :		
Actions ordinaires, sans valeur nominale	180 000	
Résultats non distribués	42 500	
Total des capitaux propres		222 500 $
Total du passif et des capitaux propres		300 000 $

9

L'entreprise prépare les données budgétaires pour le mois de mai. Elle a déjà préparé les postes budgétaires suivants :

a) Les ventes sont budgétées à 200 000 $ pour le mois de mai ; 60 000 $ de ces ventes seront au comptant ; le reste sera à crédit. La moitié des ventes à crédit d'un mois est encaissée pendant le mois où les ventes sont réalisées, et l'autre moitié, le mois suivant. Tous les comptes clients au 30 avril seront encaissés au mois de mai.

b) L'entreprise prévoit acheter pour 120 000 $ de stock en mai. Ces achats seront tous à crédit. Elle paiera 40 % des achats au cours du mois où les achats sont effectués et le reste le mois suivant. Tous les comptes fournisseurs au 30 avril seront payés au mois de mai.

c) Le stock au 31 mai est budgété à 40 000 $.

d) Les charges d'exploitation pour le mois de mai sont budgétées à 72 000 $, sans l'amortissement. L'entreprise paiera ces charges au comptant. L'amortissement est budgété à 2 000 $ pour le mois.

e) L'entreprise acquittera au mois de mai l'effet à payer figurant à l'état de la situation financière au 30 avril, avec 100 $ d'intérêt. (Les charges financières se rapportent au mois de mai.)

f) Au mois de mai, l'entreprise achètera au comptant du matériel de réfrigération pour la somme de 6 500 $.

g) Au mois de mai, l'entreprise empruntera 20 000 $ à la banque. Cet effet à payer sera remboursable dans un an.

Travail à faire

1. Préparez un budget de trésorerie pour le mois de mai. Préparez des tableaux indiquant les encaissements liés aux ventes budgétées et les décaissements pour l'acquisition des stocks.

2. Utilisez la méthode du coût complet pour préparer l'état des résultats prévisionnels du mois de mai.

3. Préparez l'état de la situation financière prévisionnelle au 31 mai.

P3 Les aspects comportementaux de la budgétisation, l'éthique et le gestionnaire

Grégoire Sanguinet, associé directeur de la société de capital de risque Roy et Sanguinet, est mécontent de la haute direction de SuperLecteur, un fabricant de lecteurs de disques. Sa société a investi 20 millions de dollars dans cette entreprise, mais le rendement du capital investi est insatisfaisant depuis plusieurs années. Au cours d'une réunion du conseil d'administration de SuperLecteur où les tensions sont palpables, M. Sanguinet a fait valoir les droits de sa société en tant que principal détenteur de capitaux propres dans l'entreprise et il a renvoyé le chef de la direction. Puis, il a rapidement manœuvré pour que le conseil d'administration le nomme à ce poste.

M. Sanguinet se vante d'avoir une poigne de fer en matière de gestion. À la première réunion de la direction, il a congédié deux gestionnaires choisis au hasard simplement pour bien montrer à tous qu'il avait pris le contrôle de l'entreprise. À la réunion suivante, qui portait sur la révision du budget, il a déchiré les états prévisionnels des services qu'on lui a présentés et a vilipendé les gestionnaires pour leurs cibles « molles et sans ambition ». Il a ensuite ordonné à tous de lui soumettre de nouveaux budgets prévoyant une augmentation d'au moins 40 % du volume des ventes et a annoncé qu'il n'accepterait aucune excuse pour des résultats inférieurs aux prévisions.

Vers la fin de la période, Karine Lacharité, la comptable de production chez Super-Lecteur, découvre que son patron, le directeur de production, n'a pas éliminé les lecteurs de disques défectueux qui ont été rapportés par des clients. Il les a plutôt réexpédiés à d'autres clients dans de nouveaux emballages pour éviter des pertes comptables. Le contrôle de la qualité s'est détérioré au cours de l'année en raison de l'effort fourni pour augmenter le volume de production, et les retours de lecteurs TRX défectueux constituent jusqu'à 15 % du nombre de nouveaux lecteurs expédiés aux clients. Lorsqu'elle fait part de ses constatations à son patron, celui-ci lui répond de se mêler de ses affaires. Puis, pour justifier son comportement, il ajoute : « Tous les gestionnaires de l'entreprise cherchent des moyens d'atteindre les objectifs fixés par Sanguinet. »

Travail à faire

1. Grégoire Sanguinet utilise-t-il les budgets comme outils de planification et de contrôle ?
2. Quelles sont les conséquences de son utilisation des budgets sur le comportement des gestionnaires de SuperLecteur ?
3. À votre avis, que devrait faire Karine Lacharité ?

P4 La déontologie et le gestionnaire

Nortam inc. fabrique des fournitures et des poussettes pour enfants. Elle en est aux premières phases de préparation de son budget annuel pour l'année prochaine. Pierre Hamel s'est joint récemment au service de comptabilité de Nortam inc. et veut en apprendre le plus possible sur le processus budgétaire de l'entreprise. Au cours d'un dîner avec Marie Brault, directrice commerciale, et Paul Ranger, gestionnaire de la production, Pierre a engagé la conversation suivante :

Pierre : Puisque je suis nouveau ici et que je participerai à la préparation du budget annuel, j'aimerais savoir comment vous estimez les chiffres des ventes et de la production.

Marie : Nous commençons de manière très méthodique. Nous examinons ce qui s'est passé récemment tout en discutant de ce que nous savons sur les comptes courants, les clients potentiels et l'état des charges de consommation. Nous nous fions ensuite à notre intuition pour parvenir aux meilleures prévisions possible.

Paul : D'habitude, je me sers des prévisions des ventes comme base pour mes propres prévisions. Bien sûr, nous devons évaluer les stocks à la fin de l'année, et c'est parfois difficile.

Pierre : En quoi cela est-il un problème ? Il doit y avoir une évaluation des stocks à la fin dans le budget de l'année en cours.

Paul : Ces données ne sont pas toujours fiables, car Marie procède à quelques ajustements des chiffres de ventes avant de me les faire parvenir.

Pierre : Quel type d'ajustements ?

Marie : Nous voulons atteindre les prévisions de ventes. Nous nous donnons donc un peu de marge en diminuant les prévisions de ventes initiales de 5 % à 10 %.

Paul : Vous comprendrez donc pourquoi le budget de cette année ne constitue pas un point de départ très fiable. Nous devons toujours ajuster les taux de production prévus à mesure que l'année avance, et, bien sûr, cela modifie les estimations des stocks à la fin. Nous ajustons les charges de la même manière, soit en ajoutant au moins 10 % aux estimations. Je pense que tout le monde ici fait la même chose.

Travail à faire

1. Mme Brault et M. Ranger ont décrit la pratique que l'on appelle parfois un *relâchement budgétaire*.
   a) Expliquez pourquoi Mme Brault et M. Ranger se comportent de cette façon. Décrivez les avantages qu'ils espèrent retirer de l'utilisation du relâchement budgétaire.
   b) Expliquez comment l'utilisation du relâchement budgétaire peut nuire à Mme Brault et à M. Ranger.
2. En tant que comptable de gestion, M. Hamel pense que l'attitude décrite par Mme Brault et M. Ranger peut être considérée comme contraire aux règles éthiques. En vous référant aux normes de conduite éthique pour les comptables de gestion exposées au chapitre 1, expliquez pourquoi on peut considérer le relâchement budgétaire comme contraire aux règles éthiques.

(Adaptation d'un problème de la Société des comptables en management du Canada)

P5 **Les budgets des matières premières et de la main-d'œuvre directe**

Le département de production de la société Tessier a présenté les prévisions ci-après concernant les unités devant être fabriquées par trimestre au cours de la prochaine période.

	1er trimestre	2e trimestre	3e trimestre	4e trimestre
Unités à produire............................	6 000	7 000	8 000	5 000

En outre, pour le premier trimestre, le département a prévu un stock de matières premières au début de 3 600 kilogrammes et des comptes fournisseurs au début de 11 775 $.

La fabrication de chaque unité requiert trois kilogrammes de matières premières à 2,50 $ le kilogramme. La direction souhaite terminer chaque trimestre avec un stock de matières premières équivalant à 20 % des besoins de production du trimestre suivant. Le stock souhaité à la fin du quatrième trimestre compte 3 700 kilogrammes. La direction prévoit également payer 70 % de ses achats de matières premières au cours du trimestre où ces achats ont lieu, et 30 % pendant le trimestre suivant. La fabrication de chaque unité exige 0,5 heure de main-d'œuvre directe, et chaque employé de cette catégorie reçoit un salaire de 12 $ l'heure.

Travail à faire

1. Préparez le budget des matières premières de l'entreprise et le tableau des décaissements affectés à l'achat de ces matières pour la prochaine période.
2. Présentez le budget de la main-d'œuvre directe de l'entreprise pour la prochaine période en supposant que, chaque trimestre, la société ajuste sa main-d'œuvre directe en fonction du nombre d'heures requises pour fabriquer le nombre d'unités prévu.

P6 **La CPA et la méthode du budget flexible**

Le petit théâtre est un OBNL dont l'activité consiste à mettre en scène des pièces de théâtre pour enfants. La troupe dispose d'un personnel administratif très réduit. Grâce à une entente avec le syndicat des acteurs, les acteurs et les metteurs en scène répètent sans être payés, et ne le sont que pour les représentations devant public.

Les coûts de fonctionnement pour la période 20X0 sont présentés ci-après. Au cours de la période 20X0, Le petit théâtre a mis sur pied six productions différentes, chacune comptant 18 représentations. L'une d'elles, *Pierrot le lapin*, a été présentée six semaines durant, à raison de trois représentations chaque fin de semaine.

LE PETIT THÉÂTRE
Rapport sur les coûts
de la période annuelle terminée le 31 décembre 20X0

Nombre de productions..	6
Nombre de représentations de chaque production................................	× 18
Nombre de représentations...	108
Coûts réels engagés :	
Cachets des acteurs et des metteurs en scène......................................	216 000 $
Cachets des machinistes..	32 400
Salaires des caissiers et des ouvreurs	16 200
Décors, costumes et accessoires..	108 000
Location de la salle de théâtre..	54 000
Impression des programmes..	27 000
Publicité..	12 000
Charges administratives	43 200
	508 800 $

Certains coûts varient en fonction du nombre de productions, d'autres selon le nombre de représentations, et d'autres encore sont relativement fixes et ne dépendent ni du nombre de productions ni du nombre de représentations. Le coût des décors, des costumes et des accessoires varie en fonction du nombre de productions. Il demeure le même, peu importe le nombre de représentations de la pièce. De même, le coût de la publicité d'une pièce comprenant des affiches et des annonces à la radio reste inchangé, qu'il y ait 10, 20 ou 30 représentations. Cependant, les cachets des acteurs, des metteurs en scène et des machinistes, ainsi que les salaires des caissiers et des ouvreurs varient en fonction du nombre de représentations. Plus le nombre de représentations est grand, plus les cachets et les salaires sont élevés. De même, les coûts de location de la salle et d'impression des programmes varient en fonction du nombre de représentations. Les charges administratives s'avèrent plus difficiles à établir. L'estimation la plus précise est qu'environ 75 % des frais sont fixes, 15 % dépendent du nombre de productions mises en scène tandis que les 10 % restants dépendent du nombre de représentations.

À la fin de 20X0, le conseil d'administration a autorisé le théâtre à augmenter sa programmation en 20X1 à 7 productions, et le nombre de représentations à 24 pour chacune. En 20X1, les coûts réels se sont révélés considérablement plus élevés que ceux de l'année précédente. (Les dons et les ventes de billets ont augmenté en proportion.) Les données concernant les activités de la période 20X1 se présentent comme suit :

LE PETIT THÉÂTRE
Rapport sur les coûts
de la période annuelle terminée le 31 décembre 20X1

Nombre de productions	7
Nombre de représentations de chaque production	× 24
Nombre de représentations	168
Coûts réels engagés :	
Cachets des acteurs et des metteurs en scène	341 800 $
Cachets des machinistes	49 700
Salaires des caissiers et des ouvreurs	25 900
Décors, costumes et accessoires	130 600
Location de la salle de théâtre	78 000
Impression des programmes	38 300
Publicité	15 100
Charges administratives	47 500
	726 900 $

Bien qu'un grand nombre des coûts précédents puissent être considérés comme des frais directs plutôt que des frais indirects, on peut appliquer la méthode du budget flexible pour déterminer à quel point ces frais sont contrôlés. Les principes demeurent les mêmes, que les frais soient directs ou indirects.

Travail à faire

1. Estimez les formules de coûts qui serviront à préparer le budget flexible du théâtre à l'aide des résultats réels de 20X0. Gardez à l'esprit que le théâtre utilise deux mesures d'activité : le nombre de productions et le nombre de représentations.

2. Préparez un rapport d'analyse de la performance pour 20X1 à l'aide du budget flexible et des deux mesures d'activité. Supposez que le taux d'inflation a été égal à zéro.

   Remarque : Pour estimer les charges administratives, déterminez d'abord les montants du budget flexible pour les trois éléments liés à ces frais. Comparez ensuite le total des trois éléments aux charges administratives réelles de 47 500 $.

3. Supposez que vous êtes membre du conseil d'administration du théâtre. Seriez-vous satisfait du contrôle des coûts pour la période 20X1 ? Justifiez votre réponse. ▶

► 4. Les formules de coûts fournissent des données sur le coût moyen par production et le coût moyen par représentation. Selon vous, à quel point ces données seraient-elles précises pour estimer le coût d'une nouvelle production ou d'une représentation supplémentaire d'une production donnée ?

P7 Les budgets des ventes, de production et des achats

Milo inc. fabrique des parasols de plage. Elle prépare actuellement des budgets détaillés pour le troisième trimestre et a réuni l'information suivante :

a) Le service du marketing a estimé les ventes ci-après pour le reste de l'année (en unités).

Juillet	30 000	Octobre	20 000
Août	70 000	Novembre	10 000
Septembre	50 000	Décembre	10 000

Le prix de vente des parasols de plage est de 12 $ l'unité.

b) Toutes les ventes sont réalisées à crédit. Selon l'expérience acquise, le produit des ventes est encaissé comme suit : 30 % pendant le mois de la vente, et 65 % le mois suivant la vente ; 5 % des ventes sont irrécouvrables.

Les ventes du mois de juin s'élèvent à 300 000 $.

c) L'entreprise maintient un stock de produits finis correspondant à 15 % des ventes du mois suivant. Cette condition sera remplie à la fin du mois de juin.

d) Chaque parasol de plage exige un mètre de coton imperméable, un tissu qu'il est parfois difficile de se procurer. L'entreprise exige donc que le stock de coton disponible à la fin de chaque mois soit égal à 50 % des besoins de production du mois suivant. Le stock de coton disponible au début et à la fin du trimestre sera le suivant :

- 30 juin : 18 000 mètres ;
- 30 septembre : __?__ mètres.

e) Le coton coûte 3,20 $ le mètre. L'entreprise paie la moitié des achats mensuels de coton au cours du mois où elle effectue l'achat ; elle paie l'autre moitié le mois suivant. Les comptes fournisseurs au 1er juillet pour les achats de coton du mois de juin seront de 76 000 $.

Travail à faire

1. Préparez le budget trimestriel et mensuel des ventes en unités et en dollars pour le troisième trimestre. Présentez aussi le tableau des encaissements du troisième trimestre, par mois et pour le trimestre.

2. Dressez le budget de production mensuel de la période s'échelonnant de juillet à octobre.

3. Présentez le budget mensuel et trimestriel des achats de matières pour le coton. Présentez aussi un tableau des décaissements prévus pour le coton, par mois et par trimestre, pour le troisième trimestre.

P8 Le budget de trésorerie

Beau jardin inc. vend des accessoires de jardin. La direction planifie ses besoins en trésorerie pour le deuxième trimestre. D'ordinaire, l'entreprise doit emprunter pendant ce trimestre pour faire face au sommet des ventes du matériel d'entretien des pelouses, qui a lieu au mois de mai. Les données ci-après ont été réunies pour faciliter la préparation du budget de trésorerie du trimestre.

a) Voici les états des résultats mensuels prévisionnels de la période allant du mois d'avril au mois de juillet.

	Avril	Mai	Juin	Juillet
Ventes	600 000 $	900 000 $	500 000 $	400 000 $
Moins : Coût des ventes....................	420 000	630 000	350 000	280 000
Marge brute	180 000	270 000	150 000	120 000
Moins : Charges opérationnelles :				
Coûts commerciaux......................	79 000	120 000	62 000	51 000
Charges administratives*..............	45 000	52 000	41 000	38 000
Total des charges opérationnelles	124 000	172 000	103 000	89 000
Bénéfice...	56 000 $	98 000 $	47 000 $	31 000 $

* Comprend un amortissement de 20 000 $ chaque mois.

b) Les ventes se répartissent comme suit : 20 % au comptant et 80 % à crédit.

c) L'entreprise encaisse les ventes à crédit sur une période de trois mois selon les ratios suivants : 10 % pendant le mois de la vente, 70 % pendant le mois qui suit la vente, et les 20 % restants, deux mois après la vente. Le total des ventes était de 200 000 $ pour le mois de février et de 300 000 $ pour le mois de mars.

d) L'entreprise paie les stocks acquis dans les 15 jours suivant la date d'achat. Par conséquent, elle paie 50 % des stocks pendant le mois de l'achat et les 50 % restants le mois suivant. Les comptes fournisseurs au 31 mars pour l'acquisition des stocks pendant le mois de mars totalisent 126 000 $.

e) À la fin de chaque mois, le stock disponible doit être égal à 20 % du coût des marchandises qui seront vendues le mois suivant. Le stock de marchandises au 31 mars est de 84 000 $.

f) Des dividendes de 49 000 $ seront déclarés et payés en avril.

g) Au mois de mai, l'entreprise achètera au comptant pour 16 000 $ de matériel.

h) Le solde de trésorerie au 31 mars est de 52 000 $; l'entreprise doit maintenir en tout temps un solde de trésorerie d'au moins 40 000 $.

i) L'entreprise peut emprunter à la banque les sommes dont elle a besoin pour respecter ses engagements. Les emprunts et les remboursements doivent être des multiples de 1 000 $. Tous les emprunts se font au début du mois, et tous les remboursements, à la fin du mois. Le taux d'intérêt annuel est de 12 %. (Calculez l'intérêt pour chaque mois.)

Travail à faire

1. Préparez un tableau des encaissements prévus provenant des ventes pour les mois d'avril, mai et juin, ainsi que pour le trimestre.

2. Présentez, pour le stock de marchandises :
   a) le budget mensuel de l'acquisition des stocks pour les mois d'avril, mai et juin ;
   b) le tableau des décaissements prévus pour les stocks des mois d'avril, mai, et juin, et du trimestre.

3. Préparez le budget de trésorerie pour les mois d'avril, mai et juin, et du trimestre au total. Indiquez les emprunts et les remboursements faits à la banque pour maintenir le solde de trésorerie minimal.

P9 La planification du financement bancaire à l'aide d'un budget de trésorerie

Produits pro est un grossiste de produits de nettoyage industriels. Quand le trésorier de l'entreprise a pris contact avec la banque à la fin de 20X5 pour solliciter un financement à court terme, un conseiller lui a dit que l'argent était très rare, et que tout emprunt pour l'année suivante devrait être appuyé par un état détaillé des encaissements et des décaissements. Il lui a aussi mentionné qu'il serait très utile pour la banque que les emprunteurs indiquent les trimestres au cours desquels ils auraient besoin de trésorerie, ▶

▶ ainsi que les sommes dont ils auraient besoin et les trimestres au cours desquels ils pourraient effectuer les remboursements.

Comme le trésorier est incertain quant aux trimestres où l'entreprise aura besoin du financement de la banque, il a réuni les données ci-après pour l'aider à préparer un budget de trésorerie détaillé.

a) Les ventes et les achats de marchandises budgétés pour l'année 20X6, et les ventes et les achats réels pour le dernier trimestre de 20X5 sont présentés dans le tableau ci-dessous.

	A	B	C
1		Ventes	Marchandises achetées
2	20X5		
3	Quatrième trimestre, réel	200 000 $	126 000 $
4	20X6		
5	Premier trimestre, estimation	300 000	186 000
6	Deuxième trimestre, estimation	400 000	246 000
7	Troisième trimestre, estimation	500 000	305 000
8	Quatrième trimestre, estimation	200 000	126 000
9			

b) D'ordinaire, l'entreprise encaisse 65 % des ventes d'un trimestre avant que ce dernier se termine, et 33 % pendant le trimestre suivant. Le reste est irrécouvrable. Les données réelles pour le quatrième trimestre de l'année 20X5 confirment ce rythme d'encaissement.

c) Quatre-vingts pour cent des achats de marchandises d'un trimestre sont payés pendant le trimestre. Le reste est payé au cours du trimestre suivant.

d) Les charges opérationnelles pour l'année 20X6 sont budgétées chaque trimestre à 50 000 $ plus 15 % des ventes. De ce montant, 20 000 $ servent à l'amortissement.

e) L'entreprise paiera 10 000 $ de dividendes chaque trimestre.

f) L'entreprise achètera pour 75 000 $ de matériel au cours du deuxième trimestre, et des achats totalisant 48 000 $ pour du matériel additionnel auront lieu au troisième trimestre. L'entreprise paiera tous ces achats au comptant.

g) Le solde de trésorerie est de 10 000 $ à la fin de l'année 20X5. Le trésorier estime que c'est le solde minimal à maintenir.

h) Tous les emprunts auront lieu au début du trimestre, et tous les remboursements, à la fin du trimestre, à un taux d'intérêt annuel de 10 %. L'intérêt ne sera payé que lorsque le capital sera remboursé. Tous les emprunts et tous les remboursements du capital doivent être des multiples de 1 000 $. (Calculez l'intérêt pour chaque mois.)

i) Pour le moment, l'entreprise n'a aucun emprunt.

Travail à faire

1. Préparez les éléments ci-après par trimestre et pour l'année 20X6.
   a) Un tableau des encaissements prévus.
   b) Un tableau des décaissements prévus pour les achats de marchandises.
2. Calculez les paiements au comptant prévus pour les charges opérationnelles, par trimestre et pour l'année 20X6.
3. Préparez le budget de trésorerie, par trimestre et pour l'année 20X6.

P10 La préparation du budget directeur

Payette est un magasin spécialisé dans la vente de fournitures de bureau. Ce détaillant est à préparer son budget directeur sur une base trimestrielle. Les données ci-après ont été réunies pour la préparation du budget directeur du premier trimestre.

a) Voici les soldes inscrits au grand livre au 31 décembre, soit à la fin du trimestre précédent.

Trésorerie...	48 000 $
Comptes clients	224 000
Stocks	60 000
Bâtiments et matériel (valeur nette)................................	370 000
Comptes fournisseurs	93 000
Capital social...	500 000
Résultats non distribués	109 000

b) Les ventes réelles de décembre et les ventes budgétées des quatre prochains mois sont les suivantes :

Décembre (ventes réelles)..	280 000 $
Janvier	400 000
Février	600 000
Mars	300 000
Avril	200 000

c) Vingt pour cent des ventes sont réalisées au comptant, et 80 %, à crédit. Toutes les ventes à crédit sont encaissées pendant le mois qui suit la vente. Les comptes clients au 31 décembre sont le résultat des ventes à crédit du mois de décembre.

d) Le ratio de la marge brute de l'entreprise représente 40 % des ventes.

e) Les charges mensuelles sont budgétées comme suit : salaires, 27 000 $ par mois ; publicité, 70 000 $ par mois ; distribution, 5 % des ventes ; amortissement, 14 000 $ par mois ; autres charges, 3 % des ventes.

f) À la fin de chaque mois, le stock doit être égal à 25 % du coût des ventes du mois suivant.

g) La moitié des achats de stocks du mois est payée pendant le mois de l'achat, l'autre moitié, le mois suivant.

h) Au cours du mois de février, l'entreprise achètera au comptant un nouveau photocopieur au prix de 1 700 $. Pendant le mois de mars, l'entreprise achètera au comptant pour 84 500 $ de matériel.

i) En janvier, l'entreprise déclarera et paiera 45 000 $ de dividendes en espèces.

j) L'entreprise doit maintenir un solde de trésorerie minimal de 30 000 $. Elle dispose d'une marge de crédit dans une banque locale pour tout emprunt qui s'avérerait nécessaire pendant le trimestre. Tous les emprunts se font au début du mois, et tous les remboursements, à la fin du mois. Les emprunts et les remboursements de capital doivent être des multiples de 1 000 $. L'intérêt est payé seulement au moment du remboursement du capital. Le taux d'intérêt annuel est de 12 %.

Travail à faire

À l'aide des renseignements précédents, remplissez les états et tableaux suivants pour le premier trimestre :

1. Tableau des encaissements prévus.

	Janvier	Février	Mars	Trimestre
Ventes au comptant	80 000 $			
Ventes à crédit................................	224 000			
Total des encaissements...............	304 000 $			

► 2. a) Budget des achats de marchandises.

	Janvier	Février	Mars	Trimestre
Coût budgété des ventes	240 000 $*	360 000 $		
Plus: Stock souhaité à la fin.......	90 000**			
Total des besoins........................	330 000			
Moins: Stock au début..............	60 000			
Achats requis.............................	270 000 $			

* Pour les ventes du mois de janvier: 400 000 $ de ventes × 60 % (ratio du coût des ventes)
  = 240 000 $
** 360 000 $ × 25 % = 90 000 $

b) Tableau des décaissements pour l'acquisition des marchandises.

	Janvier	Février	Mars	Trimestre
Achats du mois de décembre.....	93 000 $			93 000 $
Achats du mois de janvier	135 000	135 000 $		270 000
Achats du mois de février...........				
Achats du mois de mars.............				
Total des décaissements pour l'acquisition des stocks	228 000 $			

3. Tableau des décaissements pour les charges opérationnelles.

	Janvier	Février	Mars	Trimestre
Salaires...	27 000 $			
Publicité	70 000			
Expédition	20 000			
Autres charges	12 000			
Total des décaissements pour les charges opérationnelles.......	129 000 $			

4. Budget de trésorerie.

	Janvier	Février	Mars	Trimestre
Trésorerie au début	48 000 $			
Plus: Encaissements........................	304 000			
Total de la trésorerie disponible	352 000			
Moins: Décaissements:				
Achats de marchandises..............	228 000			
Charges opérationnelles	129 000			
Achats de matériel	–			
Dividendes en espèces	45 000			
Total des décaissements...........	402 000			
Excédent (déficit) de trésorerie	(50 000)			
Financement:				
Etc.				

5. Préparez un état des résultats prévisionnels du trimestre terminé le 31 mars.

6. Dressez l'état de la situation financière prévisionnelle au 31 mars.

P11 **La préparation du budget directeur**

Vous trouverez ci-dessous des données concernant les opérations de Solo, un distributeur en gros.

Actif courant au 31 mars :	
Trésorerie	8 000 $
Comptes clients	20 000
Stocks	36 000
Immobilisations corporelles (valeur nette)	120 000
Comptes fournisseurs	21 750
Capital social	150 000
Résultats non distribués	12 250

Voici des renseignements supplémentaires au sujet de la société.

a) La marge brute est de 25 % des ventes.

b) Données réelles et budgétées concernant les ventes :

Mars (ventes réelles)	50 000 $
Avril	60 000
Mai	72 000
Juin	90 000
Juillet	48 000

c) Les ventes se répartissent comme suit : 60 % au comptant et 40 % à crédit. Les ventes à crédit sont encaissées pendant le mois qui suit la vente. Les comptes clients au 31 mars sont le résultat des ventes à crédit du mois de mars.

d) À la fin de chaque mois, l'entreprise doit disposer d'un stock égal à 80 % du coût des ventes du mois suivant.

e) La moitié des coûts de stocks d'un mois est payée pendant le mois de l'achat, et l'autre moitié, le mois suivant. Les comptes fournisseurs au 31 mars sont le résultat des achats de stocks du mois de mars.

f) Les charges mensuelles sont les suivantes : salaires et traitements, 12 % des ventes ; loyer, 2 500 $ par mois ; autres charges (sans l'amortissement), 6 % des ventes. Supposez que ces charges sont payées sur une base mensuelle. L'amortissement est de 900 $ par mois, ce qui comprend l'amortissement des nouveaux actifs.

g) L'entreprise achètera au comptant pour 1 500 $ de matériel au mois d'avril.

h) L'entreprise doit maintenir un solde de trésorerie minimal de 4 000 $. Elle dispose d'une marge de crédit à la banque locale. Tous les emprunts se font au début du mois, et tous les remboursements, à la fin de mois. La somme empruntée doit être un multiple de 1 000 $. Le taux d'intérêt annuel est de 12 %. L'intérêt n'est payé qu'au moment du remboursement du capital.

Travail à faire

1. À l'aide des données précédentes, remplissez le tableau suivant :

Tableau des encaissements prévus

	Avril	Mai	Juin	Trimestre
Ventes au comptant	36 000 $			
Ventes à crédit	20 000			
Total des encaissements	56 000 $			

► 2. À l'aide des données précédentes, remplissez le tableau suivant :

Budget des achats de marchandises

	Avril	Mai	Juin	Trimestre
Coût budgété des ventes	45 000 $*	54 000 $		
Plus : Stock souhaité à la fin	43 200**			
Total des besoins................................	88 200			
Moins : Stock au début........................	36 000			
Achats requis..................................	52 200 $			

* Pour les ventes du mois d'avril : 60 000 $ de ventes × 75 % (ratio du coût des ventes) = 45 000 $
** 54 000 $ × 80 % = 43 200 $

Tableau des décaissements prévus – achats

	Avril	Mai	Juin	Trimestre
Achats du mois de mars......................	21 750 $			21 750 $
Achats du mois d'avril........................	26 100	26 100 $		52 200
Achats du mois de mai........................				
Achats du mois de juin........................				
Total des décaissements................	47 850 $			

3. À l'aide des données précédentes, remplissez le tableau suivant :

Tableau des décaissements prévus – charges opérationnelles

	Avril	Mai	Juin	Trimestre
Salaires et traitements........................	7 200 $			
Loyer...	2 500			
Autres charges....................................	3 600			
Total des décaissements................	13 300 $			

4. À l'aide des données précédentes, préparez le budget de trésorerie suivant :

Budget de trésorerie

	Avril	Mai	Juin	Trimestre
Trésorerie au début............................	8 000 $			
Plus : Encaissements..........................	56 000			
Total de la trésorerie disponible.......	64 000			
Moins : Décaissements :				
Pour les achats de marchandises ...	47 850			
Pour les charges opérationnelles	13 300			
Pour le matériel	1 500			
Total des décaissements............	62 650			
Excédent (déficit) de trésorerie...........	1 350			
Financement :				
Etc.				

5. Utilisez la méthode du coût complet pour préparer l'état des résultats prévisionnels du trimestre terminé le 30 juin.

6. Préparez l'état de la situation financière prévisionnelle en date du 30 juin.

P12 **Les budgets d'exploitation**

Vader inc. produit un composant délicat. Récemment, le directeur général de l'entreprise s'est inquiété d'un manque de coordination entre le personnel d'achat et le personnel de production. Il croit qu'un système de budgétisation mensuelle serait préférable au système actuel.

Le directeur général a préparé de l'information prévisionnelle pour le troisième trimestre de l'année en cours à titre d'essai avant de mettre en œuvre le système de budgétisation pour une période financière entière. Le directeur général ayant demandé des données qui pourraient être utilisées pour préparer le nouveau budget, le contrôleur de Vader inc. a réuni les données suivantes :

Ventes

Au 30 juin, les ventes étaient de 24 000 unités au cours des six premiers mois de l'année en cours. Les ventes réelles en unités pour les mois de mai et juin, et les ventes prévues en unités pour les cinq mois suivants se détaillent comme suit :

Mai (ventes réelles)	4 000 $
Juin (ventes réelles)	4 000
Juillet (ventes prévues)	5 000
Août (ventes prévues)	6 000
Septembre (ventes prévues)	7 000
Octobre (ventes prévues)	7 500
Novembre (ventes prévues)	8 000

Vader inc. prévoit vendre 65 000 unités au cours de l'année se terminant le 31 décembre.

Matières premières

Les données concernant les matières utilisées dans le composant sont indiquées dans le tableau ci-après. Le stock de matières premières mensuel à la fin doit répondre à 50 % des besoins de production du mois suivant.

Matières premières	Unités de matières premières par composant fini	Coût à l'unité	Niveau de stock au 30 juin
N° 101	6 g	2,40 $	35 000 g
N° 211	4 kg	5,00 $	30 000 kg

Main-d'œuvre directe

Chaque composant doit passer par trois étapes. Les données concernant la main-d'œuvre directe sont les suivantes :

Étape	Heures de main-d'œuvre directe par composant	Coût par heure de main-d'œuvre directe
Mise en forme	0,80	16 $
Assemblage	2,00	11 $
Finition	0,25	12 $

Frais indirects de fabrication

Vader inc. a produit 27 000 composants pendant le semestre terminé le 30 juin. Les frais indirects de fabrication variables réels engagés pendant ce semestre sont présentés ci-après. Le contrôleur de Vader inc. pense que le taux des frais indirects de fabrication variables sera le même au deuxième semestre.

Fournitures...	59 400 $
Électricité...	27 000
Main-d'œuvre indirecte...	54 000
Autres...	8 100
Total des frais indirects de fabrication variables.............................	148 500 $

Les frais indirects de fabrication fixes engagés pendant le premier semestre se sont élevés à 93 500 $. Les frais indirects de fabrication fixes pour l'année sont budgétés comme suit :

Supervision...	60 000 $
Taxes..	7 200
Amortissement...	86 400
Autres...	32 400
Total des frais indirects de fabrication fixes...........................	186 000 $

Stock de produits finis

Le stock à la fin d'un mois souhaité en matière d'unités de composants finis est de 80 % des ventes prévues du mois suivant. Il y a 4 000 unités finies en stock au 30 juin.

Travail à faire

1. Préparez le budget de production de Vader inc. pour le troisième trimestre, terminé le 30 septembre. Illustrez vos calculs par mois et pour le trimestre.
2. Dressez le budget des achats de matières premières en unités et en dollars pour chaque matière pour le troisième trimestre. Présentez vos calculs par mois et pour le trimestre.
3. Préparez le budget de la main-d'œuvre directe en heures et en dollars pour le troisième trimestre. Cette fois, il n'est *pas* nécessaire d'illustrer les calculs par mois. Montrez seulement les totaux pour le trimestre. Supposez que la main-d'œuvre est ajustée en fonction des besoins de production.
4. Supposez que l'entreprise envisage de produire 65 000 unités au cours de l'année. Préparez un budget des frais indirects de fabrication pour le semestre terminé le 31 décembre. Il n'est *pas* nécessaire de montrer les calculs par mois.

(Adaptation d'un problème de la Société des comptables en management du Canada)

P13 Le budget de trésorerie pour un mois

Productions Wallace ltée planifie ses besoins en trésorerie pour le mois de juillet. Comme l'entreprise achètera du nouveau matériel pendant ce mois, le trésorier est certain qu'il faudra demander un prêt à une institution financière, mais hésite sur la somme. Les données ci-après ont été réunies pour que le trésorier puisse préparer un budget de trésorerie pour le mois.

a) L'entreprise achètera le matériel au comptant au mois de juillet pour un montant de 45 000 $.
b) Les coûts commerciaux et charges administratives se détaillent comme suit :

Publicité...	110 000 $
Salaires des vendeurs..	50 000
Salaires du personnel de l'administration...............	35 000
Expédition..	2 100

c) Les ventes sont budgétées à 800 000 $ pour le mois de juillet. Les clients ont droit à un escompte de caisse de 2,5 % sur les montants payés dans les 10 jours suivant la fin du mois où a eu lieu la vente. Seulement 50 % des encaissements effectués au cours du mois qui suit la vente sont concernés par la période d'escompte. (Toutes les ventes de l'entreprise sont à crédit.)

d) Le 30 juin, l'entreprise aura les comptes clients suivants :

Mois	Ventes	Comptes clients au 30 juin	Pourcentage des ventes non encaissées au 30 juin	Pourcentage des ventes devant être encaissées au mois de juillet
Mars	430 000 $	6 450 $	1,5 %	?
Avril	590 000	35 400	6,0 %	?
Mai	640 000	128 000	20,0 %	?
Juin.................	720 000	720 000	100,0 %	?

Les créances irrécouvrables sont négligeables. Toutes les sommes à recevoir du mois de mars indiquées précédemment auront été récupérées vers la fin du mois de juillet. Le mode d'encaissement implicite du tableau précédent sera le même en juillet que lors des mois précédents.

e) Les coûts de production budgétés pour le mois de juillet sont les suivants :

Coût de revient de base :		
Matières premières devant servir à la production		342 000 $
Main-d'œuvre directe		95 000
Frais indirects de fabrication :		
Main-d'œuvre indirecte	36 000 $	
Services..	1 900	
Avantages sociaux	14 800	
Amortissement	28 000	
Impôts fonciers..	1 100	
Assurance incendie	1 700	
Amortissement des brevets....................................	3 500	
Envoi à la ferraille des marchandises périmées	2 600	89 600
Total des coûts de production............................		526 600 $

f) On prévoit que le stock de matières premières augmentera de 18 000 $ au mois de juillet. Les autres stocks ne changeront pas.

g) La moitié des matières premières achetées chaque mois est payée pendant le mois de l'achat, l'autre moitié, le mois suivant. Les comptes fournisseurs pour les achats de matières premières seront de 172 000 $ au 30 juin.

h) Les salaires du personnel pour le mois de juillet seront réglés au cours de ce mois.

i) Les coûts des services engagés durant un mois sont payés pendant le mois.

j) La charge mensuelle de 14 800 $ pour les avantages sociaux comprend les charges suivantes :

Régime de pension de l'entreprise, y compris 1/12 d'un ajustement spécial de 9 600 $ payé au mois d'avril......................................	7 000 $
Assurance collective (payable semestriellement, le dernier paiement ayant été effectué en janvier)...	900
Assurance-emploi (payable mensuellement).......................................	1 300
Vacances, qui représentent 1/12 du coût annuel (les vacances du mois de juillet représenteront un montant de 14 100 $)	5 600

9

▶ k) Les impôts fonciers sont payés au mois de juin de chaque année.

l) Les primes d'assurance incendie ont été payées à l'avance en janvier.

m) L'entreprise dispose d'une marge de crédit à la Banque Royale. Tous les emprunts auprès de la banque doivent être des multiples de 1 000 $.

n) Le solde de trésorerie au 30 juin sera de 78 000 $; l'entreprise doit maintenir en permanence un solde de trésorerie d'au moins 75 000 $.

Travail à faire

1. Préparez un tableau indiquant les encaissements prévus pour le mois de juillet.
2. Calculez :
   a) les décaissements prévus pour les achats de matières premières du mois de juillet ;
   b) les décaissements prévus pour les frais indirects de fabrication de ce mois.
3. Préparez le budget de trésorerie pour le mois de juillet.
4. Un membre du conseil d'administration de Productions Wallace ltée a déclaré : « Le budget de trésorerie mensuel montre l'excédent ou le déficit de trésorerie de l'entreprise, et nous garantit qu'un découvert de trésorerie imprévu ne se produira pas. » Commentez cette déclaration.

(Adaptation d'un problème de la Société des comptables en management du Canada)

P14 L'application de la méthode du budget flexible à un OBNL

Située dans les Antilles, la Banque de sang de Sainte-Lucie est un OBNL privé subventionné en partie par le gouvernement. L'organisme vient de terminer ses activités pour septembre. Le mois a été particulièrement chargé à cause d'un puissant ouragan qui a sévi dans les îles voisines, laissant derrière lui de nombreux blessés. L'ouragan a épargné en grande partie Sainte-Lucie, et les insulaires ont volontairement donné de leur sang pour venir en aide aux habitants des îles voisines. La Banque de sang de Sainte-Lucie a recueilli et traité un volume de sang dépassant de 20 % les prévisions du mois de septembre.

Le rapport ci-après a été préparé par un fonctionnaire. On y compare les coûts réels et les coûts budgétés de l'OBNL. L'unité monétaire de Sainte-Lucie est le dollar des Caraïbes orientales ($EC). Les subventions du gouvernement reposent sur la capacité de l'organisme à démontrer qu'il contrôle ses coûts.

BANQUE DE SANG DE SAINTE-LUCIE
Rapport sur le contrôle des coûts
du mois terminé le 30 septembre

	Montant réel	Budget	Écart	
Litres de sang recueillis.........................	620	500	120	F
Coûts variables :				
Fournitures médicales........................	9 350 $EC	7 500 $EC	1 850 $EC	D
Essais en laboratoire..........................	6 180	6 000	180	D
Rafraîchissements destinés aux donneurs de sang	1 340	1 000	340	D
Fournitures administratives...............	400	250	150	D
Total des coûts variables	17 270	14 750	2 520	D
Coûts fixes :				
Salaires des employés........................	10 000	10 000	–	
Amortissement du matériel...............	2 800	2 500	300	D
Loyer...	1 000	1 000	–	
Services	570	500	70	D
Total des coûts fixes	14 370	14 000	370	D
Coût total...	31 640 $EC	28 750 $EC	2 890 $EC	D

D : écart défavorable ; F : écart favorable

Fort mécontent du rapport, le directeur général de la Banque de sang de Sainte-Lucie a déclaré que les coûts ont été plus élevés que prévu à cause de la situation d'urgence des îles voisines. Il a aussi fait remarquer que les personnes ayant reçu du sang, très reconnaissantes, ont entièrement assumé les coûts supplémentaires. De son côté, l'auteur du rapport a affirmé que toutes les données avaient été soumises au gouvernement par l'OBNL. Il désirait simplement souligner que les coûts réels se révélaient beaucoup plus élevés que ceux prévus au budget.

Travail à faire

1. Préparez un nouveau rapport d'analyse de la performance du mois de septembre à l'aide du budget flexible.
2. À votre avis, devrait-on examiner certains des écarts figurant au rapport que vous avez préparé? Pourquoi?

P15 Les politiques d'encaissement et de décaissement

Les opérations de l'entreprise Cannebergerie inc. consistent en la mise en conserve de petits fruits que l'on récolte à l'automne. Toutes les activités manufacturières ont lieu d'octobre à décembre, bien que les ventes soient enregistrées durant toute l'année. L'année financière de l'entreprise s'étend du 1er juillet au 30 juin. Ainsi, le premier trimestre couvre les mois de juillet à septembre, le deuxième trimestre, les mois d'octobre à décembre, le troisième trimestre, de janvier à mars, et le dernier trimestre, d'avril à juin.

La contrôleuse de la compagnie Cannebergerie inc. a préparé une partie de son budget de trésorerie divisé en quatre trimestres. Vous avez donc accès aux parties concernant les encaissements des ventes à crédit et les décaissements concernant les achats de fruits, présentées ci-après. Certaines informations sont toutefois manquantes.

	Premier trimestre	Deuxième trimestre	Troisième trimestre	Quatrième trimestre
Encaissements :				
Comptes clients............................	25 000 $			
Sur les ventes courantes	253 500	? $	? $	? $
Sur les ventes du trimestre précédent	-0-	132 600	?	?
Total des encaissements	278 500 $	620 100 $	? $	? $
Décaissements :				
Comptes à payer...........................	-0- $			
Sur les achats courants	90 000	270 000 $	? $	? $
Sur les achats du trimestre précédent	-0-	30 000	90 000	?
Total des décaissements	90 000 $	300 000 $	90 000 $	? $

Les ventes à crédit et les achats de fruits par trimestre se détaillent comme suit :

	Ventes à crédit	Achats de fruits
Premier trimestre	390 000 $	120 000 $
Deuxième trimestre..	750 000	360 000
Troisième trimestre..	390 000	-0-
Quatrième trimestre	390 000	-0-

Au moment de l'encaissement des ventes à crédit, la contrôleuse a estimé qu'un certain pourcentage de ces ventes n'était pas recouvré.

Travail à faire

Déterminez les politiques d'encaissement et de décaissement de la compagnie Cannebergerie inc.

Cas

C1 Le budget directeur

Vous venez d'être embauché à titre de stagiaire en gestion par un distributeur de boucles d'oreilles dont les points de vente au détail sont dans des centres commerciaux situés partout au pays. Par le passé, l'entreprise s'est très peu préoccupée de budgétisation, de sorte qu'à certains moments de l'année, elle a dû faire face à un manque de trésorerie.

Puisque vous êtes très compétent en budgétisation, vous avez décidé de préparer des budgets détaillés pour le deuxième trimestre afin de montrer à la direction les avantages d'un programme de budgétisation intégré. Pour ce faire, vous avez réuni les renseignements présentés ci-après.

L'entreprise vend de nombreux modèles de boucles d'oreilles, et tous sont vendus au prix de 10 $ la paire. Les ventes réelles de boucles d'oreilles pour les trois derniers mois et les ventes budgétées pour les six prochains mois (en paires de boucles d'oreilles) se présentent comme suit :

Janvier (ventes réelles)	20 000	Juin (ventes prévues)	50 000
Février (ventes réelles)	26 000	Juillet (ventes prévues)	30 000
Mars (ventes réelles)	40 000	Août (ventes prévues)	28 000
Avril (ventes prévues)	65 000	Septembre (ventes prévues)	25 000
Mai (ventes prévues)	100 000		

La concentration des ventes avant et pendant le mois de mai est attribuable à la fête des Mères. Un stock suffisant devrait être disponible à la fin de chaque mois pour fournir 40 % des boucles d'oreilles vendues le mois suivant.

Les fournisseurs touchent une somme de 4 $ par paire de boucles d'oreilles. La moitié des achats d'un mois est payée pendant le mois de l'achat, l'autre moitié le mois suivant. Toutes les ventes sont à crédit, sans remise et payables dans les 15 jours. Seulement 20 % des ventes d'un mois sont encaissées pendant le mois de la vente, 70 % le mois suivant, et les 10 % restants, deux mois après la vente. Les créances irrécouvrables sont négligeables.

Les charges opérationnelles mensuelles de l'entreprise se présentent comme suit :

Coûts variables :	
Commissions sur les ventes	4 % des ventes
Coûts fixes :	
Publicité	200 000 $
Loyer	18 000
Salaires	106 000
Services	7 000
Assurance expirée	3 000
Amortissement	14 000

L'assurance est payée sur une base annuelle, au mois de novembre.

L'entreprise envisage d'acheter pour 16 000 $ de matériel en mai, et 40 000 $ de matériel en juin. Elle paiera ces deux achats au comptant. Chaque trimestre, l'entreprise déclare des dividendes de 15 000 $, payables le premier mois du trimestre suivant. Voici la liste des comptes du grand livre au 31 mars.

Trésorerie	74 000 $
Comptes clients (ventes de février, 26 000 $;	
ventes de mars, 320 000 $)	346 000
Stocks..	104 000
Assurance payée d'avance..	21 000
Biens et matériel (valeur nette)	950 000
Comptes fournisseurs	100 000
Dividendes à payer	15 000
Capital social	800 000
Résultats non distribués	580 000

Le programme de budgétisation servira en partie à obtenir une marge de crédit auprès d'une banque locale. L'entreprise doit maintenir un solde de trésorerie minimal de 50 000 $. Tous les emprunts se feront au début du mois, et tous les remboursements, à la fin du mois. Le taux d'intérêt annuel sera de 12 %, calculé mensuellement.

L'intérêt sera calculé et payé à la fin de chaque trimestre pour tous les emprunts en cours pendant le trimestre.

Travail à faire

Préparez un budget directeur pour la période de trois mois terminée le 30 juin. Incluez-y les budgets détaillés suivants :

1. a) Un budget des ventes, par mois et pour le trimestre.
   b) Un tableau des encaissements prévus provenant des ventes, par mois et pour le trimestre.
   c) Un budget des achats de marchandises en unités et en dollars, par mois et pour le trimestre.
   d) Un tableau des décaissements prévus pour les achats de marchandises, par mois et pour le trimestre.
2. Un budget de trésorerie, par mois et pour le trimestre.
3. Un état des résultats prévisionnels du trimestre terminé le 30 juin. Utilisez la méthode des coûts variables.
4. Un état de la situation financière prévisionnelle au 30 juin.

C2 L'évaluation des modalités budgétaires d'une entreprise

La période financière de la société DGJ correspond à l'année civile. La société commence le processus annuel de budgétisation à la fin du mois d'août, quand le président détermine les prévisions de ventes totales en dollars et le bénéfice pour l'année suivante.

Les prévisions des ventes sont remises au service du marketing, où le directeur du service prépare un budget des ventes par gamme de produits en unités et en dollars. De là, des quotas de vente, par gamme de produits en unités et en dollars, sont établis pour chaque district des ventes.

Le directeur du marketing évalue aussi le coût des activités de commercialisation nécessaires pour soutenir l'objectif du volume des ventes, et prépare un budget provisoire des coûts commerciaux.

Le vice-président à la direction utilise les prévisions de ventes et de bénéfice, le budget des ventes par gamme de produits et le budget provisoire des coûts commerciaux pour déterminer les sommes en dollars pouvant être affectées aux coûts de production et aux charges de la direction générale. Le vice-président à la direction prépare aussi le budget des ►

▶ charges du siège social, et remet au service de la production le budget des ventes de la gamme de produits en unités et la somme totale en dollars pouvant influer sur la production.

Le directeur de la production rencontre les chefs d'usine pour mettre au point un plan de production des unités requises, en respectant les contraintes de coûts déterminées par le vice-président à la direction. Le processus budgétaire s'arrête en général à ce stade, car le service de la production considère que les ressources financières allouées sont insuffisantes. Le cas échéant, le vice-président des finances, le vice-président à la direction, le directeur du marketing et le directeur de la production se rencontrent pour déterminer les budgets finaux qui seront alloués à chaque secteur.

En général, il s'ensuit une augmentation modeste du montant total alloué aux coûts de production, et une diminution des budgets des coûts commerciaux et des charges du siège social. Les chiffres que propose le président pour le total des ventes et les revenus nets sont rarement modifiés. Bien que les parties concernées soient rarement satisfaites du compromis, ces budgets sont définitifs. Chaque directeur prépare ensuite un nouveau budget détaillé pour les opérations de son secteur.

Ces dernières années, aucun secteur n'a respecté son budget. Les ventes sont souvent sous les prévisions. Quand les ventes budgétées ne se réalisent pas, chaque secteur est censé réduire ses coûts pour que l'objectif de bénéfice du président puisse malgré tout être atteint. La prévision de bénéfice se concrétise rarement, car les coûts ne sont pas assez réduits. En fait, les coûts se situent souvent au-dessus du budget initial dans tous les services fonctionnels. Le président s'inquiète du fait que DGJ n'est pas parvenue à atteindre les prévisions de ventes et de bénéfice. Il a engagé un expert-conseil possédant une expérience considérable des entreprises du secteur d'activité de DGJ. L'expert-conseil a examiné les budgets des quatre dernières années. Il en a conclu que les budgets des ventes de la gamme de produits étaient raisonnables, et que les budgets des coûts et des charges étaient adaptés aux ventes budgétées et aux niveaux de production.

Travail à faire

1. Expliquez pourquoi le processus budgétaire de DGJ ne permet pas de réaliser les prévisions de ventes et de bénéfice du président.
2. Proposez des modifications à apporter au processus budgétaire de DGJ pour remédier au problème.
3. Les services fonctionnels devraient-ils réduire leurs coûts quand les volumes des ventes tombent sous les prévisions budgétaires? Justifiez votre réponse.

(Adaptation d'un problème de la Société des comptables en management du Canada)

C3 L'évaluation des modalités budgétaires d'une entreprise

Jean Audet et Pierre Bruneault viennent de quitter les bureaux de l'administration de Ferguson ltée et retournent à leur usine en flânant. Jean est superviseur de l'atelier d'usinage de l'entreprise et Pierre est gestionnaire du service d'entretien du matériel.

Les deux hommes viennent d'assister à la réunion mensuelle d'évaluation de la performance des chefs de service. Ces réunions ont lieu le troisième mardi du mois depuis que Robert Ferguson, fils du président, est devenu directeur de l'usine il y a un an.

Tout en marchant, Jean Audet dit: «Je déteste ces réunions! Je ne sais jamais si les rapports comptables de mon service afficheront un bon ou un mauvais résultat. Je m'attends toujours au pire. Quand les comptables disent que j'ai fait économiser un dollar à l'entreprise, on m'appelle "monsieur". Cependant, lorsque je dépense ne serait-ce qu'un tout petit peu trop, là j'ai des ennuis. Je ne sais pas si je pourrai tenir le coup jusqu'à la retraite.»

M. Audet vient de recevoir sa plus mauvaise évaluation depuis qu'il est au service de Ferguson ltée. M. Audet est l'un des machinistes expérimentés les plus respectés dans l'entreprise. Il travaille chez Ferguson depuis de nombreuses années. Il a été promu superviseur de l'atelier d'usinage quand l'entreprise s'est développée et a déménagé à son emplacement actuel. Le président, Robert Ferguson père, a souvent déclaré que le succès de l'entreprise était dû à la grande qualité du travail de machinistes comme M. Audet.

À titre de superviseur, M. Audet insiste sur l'importance du travail bien fait et dit à ses ouvriers qu'il ne veut pas qu'un travail bâclé soit effectué au sein de son service.

Quand Robert Ferguson fils est devenu directeur de l'usine, il a ordonné que l'on procède à des comparaisons mensuelles des résultats pour chaque service entre les coûts réels et les coûts budgétés. L'objectif des budgets par service était d'encourager les superviseurs à réduire l'inefficacité et à rechercher des occasions de réduction de coûts. Le contrôleur de l'entreprise avait pour tâche de demander à son personnel de « resserrer » légèrement le budget chaque fois qu'un service atteignait ses cibles pour un mois donné. Le but était de favoriser l'objectif que s'était donné le directeur afin de réduire les coûts. Le jeune Ferguson insistait souvent sur l'importance de progrès continus pour atteindre le budget ; il faisait savoir qu'il tenait un dossier de ces rapports de performance pour consultation future lorsqu'il succéderait à son père.

La conversation de M. Audet et de M. Bruneault se poursuit ainsi :

Jean : Je ne comprends vraiment pas. Nous avons travaillé si fort pour rattraper le budget ; à la minute où nous y arrivons, ils le resserrent. Nous ne pouvons pas travailler plus vite et maintenir la même qualité. Je pense que mes hommes sont sur le point de ne plus essayer. D'autre part, ces rapports ne révèlent pas tout. Nous avons toujours l'impression d'interrompre les gros travaux au profit de toutes ces petites commandes urgentes. Tous ces temps de mise en route et de réglage de machines finissent par nous tuer. Et, en toute franchise, Pierre, tu n'as été d'aucun secours. Quand notre presse hydraulique est tombée en panne le mois dernier, tes employés étaient introuvables. Nous avons dû la démonter nous-mêmes et nous avons été bloqués en raison de ce temps mort.

Pierre : Je suis désolé, Jean. Tu sais que mon service a aussi eu de la difficulté à respecter le budget. Nous en étions loin au moment de ce problème. Si nous avions passé une journée à réparer cette vieille machine, nous n'y serions jamais arrivés. À la place, nous avons effectué les inspections programmées des chariots élévateurs à fourches parce que nous savions que nous pouvions le faire en moins de temps que ce qui avait été budgété.

Jean : Eh bien, Pierre, au moins tu avais le choix ! Je suis coincé avec ce que le service de la programmation m'attribue, et tu sais qu'ils sont harcelés par le service des ventes pour ces commandes spéciales. À propos, pourquoi ton rapport ne montrait-il pas toutes les fournitures que vous avez gâchées le mois dernier, quand vous travailliez au service de Luc ?

Pierre : On n'est pas encore sortis de l'auberge pour cette affaire. Nous avons facturé le maximum que nous pouvions sur un autre travail, et il y a une partie que nous n'avons pas encore déclarée.

Jean : Eh bien, je suis content que vous ayez un moyen d'éviter la pression ! Les comptables semblent tout savoir ce qui se passe dans mon service, parfois même avant moi. Je croyais que toute cette histoire de budget et de comptabilité était censée aider, mais ça ne m'apporte que des ennuis. Tout cela n'est qu'une grosse punition. J'essaie de produire du travail de qualité ; ils essaient d'économiser quelques sous noirs.

Travail à faire

1. Déterminez les problèmes qui semblent exister dans le système de contrôle budgétaire de l'entreprise Ferguson ltée. Déterminez aussi comment ces problèmes sont de nature à rendre le système moins efficace.

2. Expliquez les modifications que l'on devrait apporter au système de contrôle budgétaire de l'entreprise Ferguson ltée pour qu'elle gagne en efficacité.

(Adaptation d'un problème de la Société des comptables en management du Canada)

C4 Le budget de trésorerie d'une entreprise en croissance

Labelle inc., une société en pleine croissance, distribue des étagères à des boutiques commerciales. En ce moment, l'entreprise prépare des plans pour l'année prochaine. Jeanne Proulx, directrice du marketing, a terminé son budget des ventes. Elle est persuadée que les prévisions de ventes seront atteintes ou dépassées. Les chiffres des ventes budgétés présentés ci-après montrent la croissance escomptée. Ils serviront de base aux autres services de l'entreprise pour leur planification.

▶

	Ventes budgétées		Ventes budgétées
Janvier..................................	1 800 000 $	Juillet	3 000 000 $
Février	2 000 000	Août....................................	3 000 000
Mars.....................................	1 800 000	Septembre.........................	3 200 000
Avril	2 200 000	Octobre	3 200 000
Mai	2 500 000	Novembre..........................	3 000 000
Juin	2 800 000	Décembre..........................	3 400 000

On a confié à Georges Bourque, contrôleur adjoint, la responsabilité de préparer le budget de trésorerie, un élément crucial en période de croissance rapide. Les renseignements ci-après, fournis par les chefs d'exploitation, serviront à la préparation du budget.

a) L'entreprise affiche d'excellents résultats en ce qui concerne le recouvrement des comptes clients. Elle croit que cette tendance se poursuivra. Soixante pour cent des factures sont encaissées dans le mois qui suit les ventes, et 40 %, deux mois après la vente. Les créances irrécouvrables sont négligeables, et elles ne seront pas prises en compte au cours de cette analyse.

b) L'achat des étagères est la plus grosse dépense de Labelle inc. ; le coût de ces articles est égal à 50 % des ventes. Soixante pour cent des étagères sont reçues le mois précédant leur vente, et 40 % sont reçues pendant le mois de leur vente.

c) L'expérience acquise montre que Labelle inc. paie 80 % des comptes fournisseurs un mois après réception des étagères, et les 20 % restants, deux mois après la réception.

d) Les salaires horaires, y compris les avantages sociaux, dépendent du volume des ventes. Ils correspondent à 20 % des ventes du mois courant. Ces salaires sont payés au cours du mois.

e) Les charges générales et administratives sont budgétées à 2 640 000 $ pour l'année. La composition de ces charges est précisée ci-après. Ces charges sont engagées régulièrement tout au long de l'année, mis à part les impôts fonciers, qui sont payés en quatre versements égaux le dernier mois de chaque trimestre.

Salaires	480 000 $
Promotion	660 000
Impôts fonciers	240 000
Assurance	360 000
Services	300 000
Amortissement..	600 000
	2 640 000 $

f) Labelle inc. paie ses impôts sur le résultat le dernier mois de chaque trimestre en se basant sur le résultat du trimestre précédent. Le taux d'imposition de l'entreprise est de 40 %. Pour le premier trimestre, l'entreprise prévoit un bénéfice de 612 000 $.

g) Du matériel et des installations pour l'entreposage sont en cours d'achat pour faire face à l'augmentation rapide des ventes de l'entreprise. Ces achats sont budgétés à 28 000 $ pour avril et à 324 000 $ pour mai.

h) Labelle inc. a pour politique de maintenir un solde de trésorerie en fin de mois de 100 000 $. En fonction de ses besoins, elle emprunte ou investit tous les mois de l'argent pour maintenir ce solde. Les intérêts débiteurs sur les emprunts sont budgétés à 8 000 $ pour le deuxième trimestre, et doivent être intégralement payés au cours du mois de juin.

i) La période financière de Labelle inc. est l'année civile.

Travail à faire

1. Préparez un budget de trésorerie pour le deuxième trimestre, par mois et pour le trimestre. Assurez-vous d'y indiquer les encaissements, les décaissements, et les montants empruntés ou investis pour chaque mois. Ignorez les intérêts touchés sur les montants investis.

2. Expliquez pourquoi le budget de trésorerie est très important pour une entreprise en croissance rapide comme Labelle inc.

(Adaptation d'un problème de la Société des comptables en management du Canada)

C5 Les encaissements des OBNL

Jeanne Conrad est directrice municipale de la Ville de Granby. Elle procède à une analyse préliminaire des revenus de la Ville pour l'année prochaine. L'estimation des revenus constitue un aspect important de la budgétisation, car elle permet de déterminer les revenus disponibles pour les programmes mis en place par le conseil municipal.

Les revenus de la Ville sont fonction des évaluations des impôts fonciers, du taux d'imposition, des nouvelles constructions, ainsi que de diverses amendes et redevances. Les amendes et les redevances dépendent aussi de la croissance de la population. Les subventions publiques du gouvernement provincial sont un sujet particulièrement difficile, car elles sont inconnues jusqu'à ce que la province établisse son budget, en général après que la Ville a fixé son taux d'imposition. Par conséquent, les prévisions concernant les subventions sont estimées habituellement en fonction du taux d'inflation et du montant de l'année précédente. Si les prévisions sont erronées, il est possible d'apporter des corrections en cours d'année à l'aide du programme de rajustement des charges.

Mme Conrad utilise la formule ci-après pour estimer les revenus.

$$R_t = iE_t$$

où

R_t	=	Revenu de l'impôt foncier pour l'année t
i	=	Taux d'imposition par tranche de 1 000 $ d'évaluation
E_t	=	Évaluation en unités de 1 000 $ pour l'année t

La formule de l'évaluation est présentée ci-après et comprend le fait que toute nouvelle construction n'a pas lieu au début de l'année.

$$E_t = 1,05\, E_{t-1} + 0,5\, S$$

où

E_{t-1}	=	Évaluation de l'année dernière
S	=	Nouvelles constructions

La formule pour les amendes et redevances payées par la population est la suivante:

$$Ar_t = [(1 + C)P_{t-1}] \times 5\,\$$$

où

Ar_t	=	Revenu pour les amendes et redevances
C	=	Pourcentage de croissance de la population
P_{t-1}	=	Population de l'année dernière

9

▶

▶ Les subventions publiques de la province sont établies à l'aide de la formule suivante :

$$Sp_t = (1 + f) Sp_{t-1}$$

où

Sp_t	=	Revenu de subventions publiques
f	=	Taux d'inflation pour l'année en cours
Sp_{t-1}	=	Revenu de subventions publiques de l'année dernière

La perception des impôts fonciers, des amendes et des redevances est étalée sur toute l'année. Les revenus mensuels constituent un facteur important pour minimiser les emprunts financiers. Les subventions publiques sont versées à la Ville deux fois par an, en septembre et en janvier. Cela nécessite donc peu d'estimation pour les dates d'encaissement. Toutefois, les impôts fonciers sont d'ordinaire perçus d'après le modèle suivant :

Avril	2 %	Octobre	25 %
Mai	30 %	Novembre	3 %
Juin	18 %	Décembre	3 %
Juillet	2 %	Janvier	2 %
Août	1 %	Février	1 %
Septembre	10 %	Mars	1 %
			98 %

Deux pour cent des recettes sont perdues en raison des créances irrécouvrables.

Les amendes et les redevances sont perçues assez régulièrement tout au long de l'année, d'avril à mars.

Mme Conrad a réuni les données ci-après pour faciliter les calculs.

E_{t-1}	=	80 000 000 $, en tranches de 1 000 $
i	=	6,50 $ par 1 000 $ de valeur imposable
S	=	1 000 000 $, en tranches de 1 000 $
P_{t-1}	=	375 000 personnes
C	=	12 %
f	=	3 %
Sp_{t-1}	=	10 000 000 $

Travail à faire

Estimez les encaissements mensuels de la Ville de Granby.

C6 Les budgets par activités

L'entreprise Bac a recours à l'analyse des activités pour préparer son budget. Une équipe d'analystes a réuni les données ci-après. Elle a utilisé les données historiques et les prévisions des coûts.

L'entreprise a déterminé cinq centres d'activité avec les frais indirects de fabrication prévus et le niveau d'activité prévu dans chaque centre pour l'année à venir.

Centre d'activité	Inducteur de coût	Frais indirects de fabrication prévus	Activité prévue
Usinage.............................	Heures d'ordinateur	250 000 $	10 000 heures d'ordinateur
Gestion des commandes..................	Nombre de commandes	120 000	2 000 commandes
Gestion des pièces........................	Nombre de types de pièces	40 000	500 types de pièces
Essais	Nombre d'essais	125 000	5 000 essais
Finition	Heures-machines	350 000	50 000 heures-machines

Au début de l'année, les stocks de l'entreprise se présentaient comme suit :

Matières premières	25 000 $
Produits en cours...	70 000
Produits finis...	45 000

Les transactions ci-après étaient prévues pendant l'année.

a) Achat de matières premières à crédit : 375 000 $.

b) Utilisation des matières premières en production : 390 000 $ (matières directes, 340 000 $, et matières indirectes, 50 000 $). Il est prévu de retrouver les matières indirectes ci-après dans les centres d'activité.

Usinage	30 000 $
Gestion des commandes	8 000
Essais	12 000
	50 000 $

c) Les analystes prévoient les coûts ci-après pour les employés : main-d'œuvre directe, 110 000 $; main-d'œuvre indirecte, 280 000 $; commissions sur les ventes, 90 000 $; salaires du personnel de l'administration, 240 000 $. Les coûts de main-d'œuvre indirecte des centres d'activité se présentent comme suit :

Gestion des commandes...	80 000 $
Gestion des pièces	25 000
Essais..	65 000
Finition	110 000
	280 000 $

d) Les charges de déplacement pour les ventes sont prévues à 42 000 $.

e) Des coûts de production divers sont prévus pour un montant de 68 000 $. Ces coûts se retrouvent dans les centres d'activité comme suit :

Usinage	19 000 $
Gestion des commandes	11 000
Gestion des pièces	2 000
Essais..	7 000
Finition...	29 000
	68 000 $

f) Les prévisions des charges de publicité s'élèvent à 165 000 $.

9

▶ g) L'amortissement pour l'année sera de 320 000 $, soit 270 000 $ pour les activités de production, et 50 000 $ pour les activités commerciales et administratives. L'amortissement prévu pour les activités de production des centres d'activité se présente comme suit :

Usinage	130 000 $
Gestion des pièces	4 000
Essais	28 000
Finition	108 000
	270 000 $

h) Des frais indirects de fabrication divers sont estimés à 220 000 $. Ces coûts se retrouvent dans les centres d'activité comme suit :

Usinage	70 000 $
Gestion des commandes	21 000
Gestion des pièces	12 000
Essais	15 000
Finition	102 000
	220 000 $

i) Pour chaque centre d'activité, le niveau d'activité utilisé pour imputer les frais indirects de fabrication pendant l'année est le suivant :

Usinage	10 200 heures d'ordinateur
Gestion des commandes	2 050 commandes
Gestion des pièces	475 types de pièces entreposées
Essais	4 880 essais réalisés
Finition	51 000 heures-machines travaillées

j) L'entreprise prévoit fabriquer pour l'année des marchandises dont le coût de fabrication serait de 1 365 000 $.

k) Le total des marchandises devant être vendues à crédit devrait s'élever à 1 975 000 $. Leur coût de fabrication est estimé à 1 360 000 $.

Travail à faire

1. Calculez les taux d'imputation des frais indirects pour les cinq centres d'activité.
2. Établissez le montant prévu des frais indirects de fabrication sous-imputés ou surimputés.
3. Préparez l'état des résultats prévisionnels de la prochaine année.

C7 Un budget flexible des coûts commerciaux

Marc Fleury, chef de la direction d'Éducentre, a hâte de voir les rapports d'analyse de la performance du mois de novembre, car il sait que les ventes de l'entreprise pour ce mois ont considérablement dépassé les prévisions. La société Éducentre est un grossiste de progiciels éducatifs qui a connu une croissance soutenue depuis environ deux ans. À ce stade, le principal défi de M. Fleury consiste à s'assurer que l'entreprise ne perde pas le contrôle de ses charges pendant cette période de croissance. Toutefois, en recevant les rapports du mois de novembre, M. Fleury est consterné par les écarts très défavorables inscrits dans celui qui porte sur les coûts commerciaux mensuels, présenté ci-après.

SOCIÉTÉ ÉDUCENTRE
Rapport d'analyse de la performance sur les coûts commerciaux
du mois de novembre

	Budget annuel	Novembre			
		Montant réel	Budget fixe	Écart global	
Ventes en unités..	2 000 000	310 000	280 000	30 000	F
Ventes en dollars....................................	80 000 000 $	12 400 000 $	11 200 000 $	1 200 000 $	F
Commandes traitées............................	54 000	5 800	6 500	700	D
Nombre de vendeurs par mois..................	90	96	90	6	D
Charges :					
Publicité	19 800 000 $	1 660 000 $	1 650 000 $	10 000 $	D
Salaires du personnel...........................	1 500 000	125 000	125 000	-0-	
Salaires des vendeurs...........................	1 296 000	115 400	108 000	7 400	D
Commissions	3 200 000	496 000	448 000	48 000	D
Charges de déplacements	1 782 000	162 600	148 500	14 100	D
Charges de bureau...............................	4 080 000	358 400	340 000	18 400	D
Charges de livraison.............................	6 750 000	976 500	902 500	74 000	D
Total des charges...................................	38 408 000 $	3 893 900 $	3 722 000 $	171 900 $	D

D : écart défavorable ; F : écart favorable

M. Fleury convoque alors à son bureau la nouvelle contrôleuse de l'entreprise, Suzanne Pothier, en vue de discuter avec elle des conséquences des écarts enregistrés pour le mois de novembre et de planifier une stratégie qui améliorerait le rendement de l'entreprise. Mme Pothier lui laisse entendre que le mode de présentation du rapport d'analyse de la performance adopté par l'entreprise ne donne peut-être pas un portrait fidèle des activités d'Éducentre et elle lui propose plutôt d'intégrer un budget flexible au rapport d'analyse de la performance. Elle offre de refaire le rapport des coûts commerciaux du mois de novembre et d'y intégrer un budget flexible pour permettre à M. Fleury de comparer les deux rapports et de se rendre compte des avantages d'un budget flexible.

Après avoir procédé à quelques analyses, Mme Pothier en a déduit les données ci-après concernant les coûts commerciaux de l'entreprise.

a) Le total de la rémunération versée au personnel de vente comporte deux composantes : un salaire mensuel de base et une commission. La commission varie en fonction des ventes.

b) Les charges du bureau de vente constituent des coûts semi-variables, dont la partie variable est liée au nombre de commandes traitées. La partie fixe de ces charges représente 3 000 000 $ par an et est engagée de façon régulière tout au long de l'année.

c) Après l'adoption du budget annuel pour la période en cours, la direction a décidé d'ouvrir un nouveau territoire de vente. Elle a donc approuvé l'embauche de six nouveaux vendeurs, qui sont entrés en fonction le 1er novembre. Selon Mme Pothier, ces six nouveaux employés devraient être pris en compte dans son rapport révisé.

d) Les charges de déplacement du personnel de vente, même si celles-ci représentent un montant fixe par jour, sont variables en fonction du nombre de vendeurs et du nombre de leurs jours de déplacement. Le budget initial de la société pour toute l'année était basé sur un personnel de vente d'en moyenne 90 personnes et 15 jours de déplacement par vendeur, par mois.

e) Les charges de livraison de l'entreprise constituent également des coûts semi-variables dont la partie variable, de 3 $ par unité, dépend du nombre d'unités vendues. La partie fixe est engagée de façon continue tout au long de la période.

À l'aide des données ci-dessus, Mme Pothier est convaincue de pouvoir refaire le rapport du mois de novembre et le présenter à M. Fleury pour qu'il le révise.

9

▶ **Travail à faire**

1. Décrivez les avantages de l'établissement d'un budget flexible et expliquez pourquoi Mme Pothier a proposé que la société Éducentre utilise ce type de budget dans la situation décrite.

2. Préparez un rapport d'analyse de la performance complet et révisé du mois de novembre qui permettrait à M. Fleury d'évaluer plus clairement le contrôle de la société sur ses coûts commerciaux.

3. Quelle partie du montant de l'écart défavorable global de 171 900 $ est liée à la différence entre les niveaux d'activité réels et ceux du budget flexible ?

(Adaptation d'un problème de la Société des comptables en management du Canada)

Recherche

R1 L'intelligence d'affaires

À l'aide de l'internet, enquêtez sur la nature des activités d'une importante entreprise canadienne comme Bombardier, Rio Tinto Alcan, Pratt & Whitney Canada ou la Banque Royale. Une fois la nature de leurs activités établie, effectuez une recherche sur un aspect clé de l'environnement de l'entreprise de votre choix, qui est essentiel à la prochaine période budgétaire. Il peut s'agir de plans d'expansion importants pour un métro, d'un nouveau type d'avion, d'augmentation des salaires, de changements dans les prix des métaux, ou dans les taux d'intérêt et de mises en chantier.

Travail à faire

Préparez un rapport de cinq pages sur vos conclusions, qui pourra aider le comité du budget à évaluer les prévisions de ventes et les budgets.

R2 L'établissement d'un budget dans les organismes à but non lucratif

En équipe, examinez comment un grand organisme à but non lucratif de votre région établit et utilise son budget de fonctionnement. Prenez rendez-vous avec la personne chargée du processus d'établissement des budgets et discutez avec elle des questions présentées ci-après.

Travail à faire

1. Comment l'organisme établit-il ses budgets chaque année ? Utilise-t-il la méthode du budget base zéro ou établit-il ses budgets d'après les montants des années précédentes en les ajustant en fonction de changements prévus au cours de l'année à venir ?

2. Jusqu'à quel point les cibles budgétaires constituent-elles des défis ?

3. Combien de temps faut-il pour établir le budget et déterminer les personnes qui participent à ce processus ?

4. Le budget est-il axé sur les charges ou sur les programmes ?

5. À quelle fréquence compare-t-on les résultats réels au budget ?

6. L'organisme fait-il un suivi lorsque les montants réels diffèrent de façon significative des montants budgétés ?

7. L'organisme utilise-t-il des budgets flexibles ?

8. Quels sont les principaux points forts et points faibles du processus d'établissement du budget utilisé par cet organisme ?

LES COÛTS DE REVIENT STANDARDS ET L'ANALYSE DES FRAIS INDIRECTS DE FABRICATION

Regard sur une entreprise

La gestion des coûts de distribution

Au cours des dernières années, la hausse des coûts du carburant a forcé de nombreuses organisations à améliorer la gestion de leur distribution. En effet, le coût de la livraison des produits représente une importante partie de la structure de coûts de beaucoup d'entreprises. Pour s'attaquer à ce problème, la société Catalyst Paper, un fabricant de pâtes et papiers de la Colombie-Britannique, a mis au point une méthode globale de gestion de ses coûts de distribution.

Pour améliorer le suivi des coûts de livraison, les analystes de Catalyst Paper ont élaboré un modèle très détaillé, qui nécessite des estimations concernant les modes de transport à utiliser (train, camion ou navire porte-conteneurs), le transporteur qui sera chargé de l'expédition à l'intérieur de chaque mode de transport (par exemple, l'entreprise de camionnage ABC), les tarifs exigés par ce transporteur, et les entrepôts qui seront utilisés pour l'exécution de la commande. En combinant toutes ces estimations, les analystes peuvent calculer le coût standard, ou coût budgété, de chacun des chargements envoyés à un client. À la fin de chaque mois, ils comparent les coûts de distribution réels aux montants standards estimés à l'aide de leur modèle. Les écarts peuvent être dus à différents facteurs. Lorsqu'ils ont déterminé les causes des écarts, les gestionnaires peuvent trouver des mesures de suivi visant à éliminer ou du moins à réduire les écarts défavorables pour les périodes à venir.

Grâce à cette nouvelle méthode, les gestionnaires de Catalyst Paper réussissent à mieux comprendre les inducteurs des coûts de distribution. Ils croient aussi qu'elle leur a permis d'améliorer leur capacité de planifier et de contrôler ces coûts.

Source : Kevin GAFFNEY, Valeri GLADKIKH et Alan WEBB, « A Case Study of a Variance Analysis Framework for Managing Distribution Costs », *Accounting Perspectives*, vol. 6, nº 2 (mai 2007), p. 167-190.

OBJECTIFS D'APPRENTISSAGE

Après avoir étudié ce chapitre, vous pourrez :

1. expliquer comment établir des standards pour les matières premières et la main-d'œuvre directe ;

2. calculer les écarts sur coût d'achat et sur quantité des matières premières, et les expliquer ;

3. calculer les écarts sur taux et sur temps de la main-d'œuvre directe, et les expliquer ;

4. calculer les écarts sur dépense et sur rendement des frais indirects de fabrication variables, et les expliquer ;

5. expliquer l'importance du volume d'activité prévu dans la détermination du coût de revient standard d'une unité de produit ;

6. calculer les écarts sur dépense et sur volume des frais indirects de fabrication fixes, et les expliquer ;

7. préparer un rapport d'analyse de la performance concernant les frais indirects de fabrication et effectuer une analyse de la capacité utilisée ;

8. calculer les écarts sur composition et sur rendement des matières premières, et les expliquer (Annexe 10A en ligne) ;

9. préparer les écritures de journal servant à enregistrer les coûts de revient standards et les écarts sur coûts standards (Annexe 10B en ligne) ;

10. calculer le temps de la main-d'œuvre à l'aide de la courbe d'apprentissage lorsqu'il y a lieu (Annexe 10C en ligne) ;

11. expliquer comment tenir compte des pertes normales dans un système de coûts de revient standards (Annexe 10D en ligne).

Avec ce chapitre, nous poursuivons notre étude des processus de planification, de contrôle et d'évaluation de la performance. Ces expressions ont très souvent des connotations négatives puisque bien des gens considèrent l'évaluation de la performance comme quelque chose à craindre. Il est vrai que le contrôle et l'évaluation de la performance peuvent être utilisés de façon négative pour jeter le blâme ou pour punir. On ne devrait toutefois pas s'en servir de cette manière. Comme le montre le passage ci-après, l'évaluation de la performance a une fonction essentielle dans notre vie personnelle comme dans celle des organisations.

> Vous souhaitez améliorer votre habileté à lancer des paniers au basket-ball. Pour ce faire, vous décidez de vous entraîner. Vous vous rendez donc au gymnase et, là, vous commencez à lancer le ballon en direction du panier. Toutefois, chaque fois que le ballon s'approche du cercle, votre vision s'embrouille durant une seconde et vous êtes incapable de voir où il aboutit par rapport à la cible. (Est-ce trop à gauche, à droite, à l'avant, à l'arrière ou à l'intérieur?) Dans ces conditions, il est assez difficile d'améliorer votre performance! (Et combien de temps vous intéresserez-vous au lancer du ballon si vous ne pouvez pas observer les résultats de vos efforts?)
>
> Imaginez plutôt qu'une personne entreprend un régime amaigrissant. Une des étapes normales dans ce genre de programme consiste à s'acheter un pèse-personne pour pouvoir constater ses progrès. Ce régime donne-t-il des résultats? Y a-t-il une perte de poids? Une réponse affirmative serait encourageante et stimulerait la personne à persévérer dans ses efforts; une réponse négative l'inciterait à réfléchir. A-t-elle choisi le bon régime et le bon programme d'exercices? Fait-elle tout ce qui est recommandé? Supposons que cette personne ne veuille pas d'un système de mesure compliqué et qu'elle décide de se passer d'un pèse-personne. Dans ce cas, elle pourrait encore juger de ses progrès par des méthodes simples comme la façon dont ses vêtements lui font, la capacité de serrer sa ceinture d'un cran ou une simple observation dans le miroir. Essayez ensuite d'imaginer quelqu'un essayant de suivre un programme d'amaigrissement sans la moindre rétroaction pour l'informer de ses progrès!
>
> Dans ces exemples, disposer de mesures quantitatives de performance peut procurer deux types d'avantages. D'abord, la rétroaction sur la performance permet d'améliorer le «processus de production» grâce à une meilleure compréhension de ce qui fonctionne et de ce qui échoue. Par exemple, lancer de telle manière permet de mieux réussir que de telle autre manière. Ensuite, la rétroaction sur la performance accroît la motivation et soutient l'effort parce qu'elle est encourageante ou qu'elle indique qu'il faut déployer plus d'efforts pour atteindre le but fixé[1].

De même, l'évaluation de la performance peut s'avérer utile à une organisation. Elle fournit une rétroaction sur ce qui donne de bons résultats et sur ce qui n'en donne pas. En outre, elle motive les employés à poursuivre leurs efforts.

Dans le présent chapitre, notre étude de l'évaluation de la performance commence par le niveau opérationnel de l'organisation. Nous examinerons comment différentes mesures servent à contrôler les activités et à évaluer la performance. Bien que nous abordions le sujet au niveau opérationnel de l'organisation, gardez à l'esprit que les mesures de performance utilisées devraient découler de sa stratégie globale. Par exemple, une entreprise comme Sony, dont la stratégie se fonde sur le lancement rapide de nouveaux produits destinés aux consommateurs, devrait utiliser des mesures de performance différentes de celles d'une entreprise comme Purolator, pour laquelle les livraisons ponctuelles, la satisfaction du client et des coûts peu élevés constituent des avantages concurrentiels clés. La première voudra surveiller de près le pourcentage des revenus associés aux produits lancés au cours de la dernière période; la seconde préférera contrôler avec soin le pourcentage de colis livrés à temps. Au chapitre 11, nous étudierons plus longuement le rôle de la stratégie dans le choix des mesures de la performance lorsqu'il sera question de *tableau de bord équilibré*. Pour l'instant, examinons comment les gestionnaires se servent des *coûts de revient standards* comme moyens de contrôler les coûts.

---

1. Soumitra DUTTA et Jean-François MANZONI, *Process Reengineering, Organizational Change and Performance Improvement*, Londres, McGraw-Hill, 1999, p. 198-199.

Les entreprises de secteurs très concurrentiels comme IKEA, Purolator, Air Canada, Cascades, Imperial Oil et Toyota doivent être en mesure de fournir des biens et des services de grande qualité à faible coût. Sinon, elles risquent de disparaître. Les gestionnaires doivent obtenir des intrants tels que les matières premières et l'électricité aux coûts les plus bas possible et doivent les utiliser de la façon la plus efficiente possible, tout en maintenant ou en augmentant la qualité de leur production. Lorsque l'entreprise achète ses intrants à des coûts trop élevés ou qu'elle en utilise plus qu'elle en a réellement besoin, les coûts augmentent.

Comment les gestionnaires contrôlent-ils les coûts d'achat pour les intrants et les quantités utilisées? Ils pourraient examiner chaque transaction ou opération à la loupe. Ce ne serait évidemment pas une utilisation efficiente du temps consacré à la gestion. Dans un grand nombre d'entreprises, les coûts de revient standards combinés à la gestion par exceptions constituent une façon de régler, en partie du moins, ce problème de contrôle.

L'établissement de budgets, tel que décrit au chapitre 9, met d'abord l'accent sur la planification, mais on a aussi recours à ce processus à des fins de contrôle lorsque la direction le souhaite. Les standards constituent des normes concernant certains éléments des budgets comme les besoins en matières premières ou en main-d'œuvre. Ils servent à la fois à la planification et au contrôle. Lorsque les gestionnaires instaurent des systèmes financiers, ils doivent prendre, entre autres décisions, celle de mettre en place un système de coûts standards pour établir le coût de revient des produits. Même s'ils choisissent d'employer les coûts réels pour déterminer le coût des produits, ils peuvent néanmoins se servir du système de coûts de revient standards pour l'établissement de leurs budgets et la planification de leurs activités.

Le contrôle des frais indirects de fabrication est également une préoccupation majeure pour les gestionnaires d'entreprise. En effet, les frais indirects de fabrication constituent un coût important, sinon le coût le plus important dans de nombreuses grandes organisations. Leur contrôle pose des problèmes particuliers, en partie parce qu'ils sont plus difficiles à cerner que les coûts des matières premières et de la main-d'œuvre directe. Ces frais se composent de nombreux éléments qui représentent parfois séparément de faibles montants en dollars. En outre, certains d'entre eux sont variables, et d'autres, fixes. Dans le présent chapitre, nous élargirons le concept de budget flexible présenté au chapitre 9 pour l'appliquer au contrôle des frais indirects de fabrication. Nous traiterons également de l'analyse et de la présentation de ce type de frais dans le cadre d'un système de coûts standards.

SUR LE TERRAIN

Le contrôle des coûts de fabrication

La division des produits en laiton de la société Parker Hannifin, connue sous le nom de Parker Brass, est un fabricant de renommée mondiale qui se spécialise dans les tuyaux et les garnitures en cuivre, les valves, les tuyaux flexibles et les protecteurs de tuyaux flexibles. La direction de l'entreprise utilise l'analyse des écarts par rapport à ses coûts standards pour cibler les domaines où il y a des problèmes et y apporter des améliorations. Lorsqu'un écart concernant les coûts de fabrication dépasse 5 % du chiffre d'affaires, elle exige que le contrôleur de la production en trouve la cause et qu'il propose un plan d'action pour redresser la situation. Autrefois, on signalait les écarts à la fin du mois — souvent plusieurs semaines après qu'une commande eut été exécutée. Dorénavant, on rédige un rapport sur les écarts le lendemain de l'exécution d'une commande et on prépare des récapitulatifs à ce sujet chaque semaine. La fréquence accrue de ces rapports aide les gestionnaires à apporter plus de mesures de correction en temps opportun.

Source: David JOHNSEN et Parvez SOPARIWALA, «Standard Costing Is Alive and Well at Parker Brass», *Management Accounting Quarterly*, hiver 2000, p. 12-20.

10

Les coûts de revient standards et la gestion par exceptions

Une *norme*, ou un standard, est un point de repère permettant de mesurer la performance. On en retrouve partout. Les médecins évaluent le poids de leurs patients à l'aide de normes établies en fonction de l'âge, de la taille et du sexe. La préparation des aliments servis dans les restaurants doit respecter des normes précises de propreté. De même, les immeubles dans lesquels nous habitons doivent être conformes aux normes du Code du bâtiment. En comptabilité de gestion, on utilise aussi un grand nombre de normes liées à la *quantité* et au *coût* des intrants employés dans la fabrication de produits ou la prestation de services.

Les gestionnaires, souvent assistés par des ingénieurs et des comptables, établissent des standards de quantité et de coût pour chacun des principaux intrants tels que les matières premières et la main-d'œuvre. Les *standards de quantité* servent à indiquer la quantité d'un intrant à utiliser dans la fabrication d'une unité de produit ou dans la prestation d'une unité de service. Les *standards de coût* indiquent le coût d'achat d'un intrant. On compare les quantités réellement utilisées et les coûts réels des intrants à ces normes. Lorsque la quantité ou le coût des intrants diffère des normes de façon significative, les gestionnaires étudient cette différence dans le but de trouver la cause de l'écart. Ce procédé porte le nom de **gestion par exceptions**.

Gestion par exceptions

Système de gestion dans lequel, après avoir établi des standards ou normes pour diverses activités d'exploitation, on compare les données réelles à ces standards ou normes ; toute différence significative est alors portée à l'attention de la direction.

Dans la vie de tous les jours, nous recourons souvent à la gestion par exceptions. Songez à ce qui se passe lorsque vous vous installez au volant de votre voiture. Vous insérez la clé de contact, vous la tournez, et le moteur se met en marche. Votre attente (norme) relativement au moteur est satisfaite. Vous n'avez pas besoin d'ouvrir le capot pour vérifier la batterie, les câbles de raccordement, la canalisation d'essence, etc. Si, au moment où vous tournez la clé de contact, le moteur ne démarre pas, vous constatez une discordance (un écart par rapport à la norme). Vos attentes ne sont pas comblées, et vous devez essayer de déterminer pourquoi. Bien que le moteur se mette en marche au second essai, il serait plus prudent de procéder à une vérification. Le fait qu'une attente ne soit pas satisfaite devrait être considéré comme une occasion de déceler la cause du problème plutôt qu'être interprété comme un simple désagrément. Si sa cause n'est pas mise en lumière et éliminée, le problème pourrait se répéter et s'aggraver.

Une approche pour analyser les écarts est présentée à la figure 10.1, intitulée *Le cycle d'analyse des écarts*. Ce cycle commence par la préparation, au service de la comptabilité, de rapports d'analyse de la performance portant sur les coûts standards. De tels rapports font ressortir les écarts, c'est-à-dire les différences entre les données réelles et les données auxquelles on s'attendait suivant les standards. Les écarts soulèvent des questions. Par exemple, pourquoi y a-t-il eu un écart ? Pourquoi cet écart est-il plus important qu'il ne l'était l'année dernière ou au trimestre précédent ? Il faut enquêter sur les écarts importants pour déterminer leurs causes profondes. Des mesures correctives sont prises avant le début des activités de l'année ou du trimestre suivant, et sont ensuite exécutées. Puis, le cycle recommence par la préparation d'un nouveau rapport d'analyse de la performance sur les coûts standards pour la période la plus récente. Il s'agit surtout de mettre en lumière les problèmes, d'en découvrir les causes profondes et de prendre des mesures correctives. En effet, l'objectif est d'améliorer les activités, et non de trouver quelqu'un à blâmer.

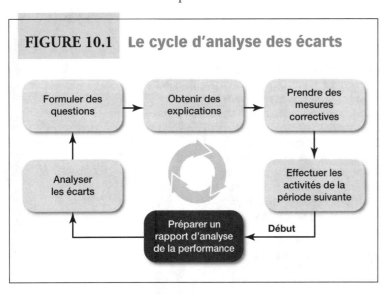

FIGURE 10.1 **Le cycle d'analyse des écarts**

Les utilisateurs de coûts de revient standards

Les entreprises de fabrication et de service et les organismes à but non lucratif (OBNL) utilisent des standards à des degrés divers. Les centres auto comme Canadian Tire, par exemple, établissent souvent des standards précis relatifs au temps de main-d'œuvre requis pour l'exécution de certaines tâches telles que l'installation d'un carburateur ou d'une soupape. Par la suite, ils mesurent la performance réelle de leurs employés d'après ces standards. Les chaînes de restauration rapide comme Harvey's ont des standards précis concernant la quantité et le coût de la viande entrant dans un hamburger. Les hôpitaux ont des coûts standards en matière de repas, de buanderie et d'autres éléments pour chaque lit occupé par jour, ainsi que des normes concernant le temps alloué à certaines activités régulières comme les tests de laboratoire. En d'autres termes, dans quelque domaine que vous vous dirigiez, vous trouverez presque toujours des coûts standards.

SUR LE TERRAIN

L'utilisation des coûts standards dans les PME

Une enquête par questionnaire menée auprès de 247 propriétaires ou dirigeants de petites et moyennes entreprises (PME) indique que 78 % des répondants utilisent les coûts standards pour prévoir les coûts qui sont inclus dans leurs budgets. Par ailleurs, 83,3 % des répondants affirment comparer leurs données réelles relatives à l'exploitation à leurs budgets.

Source: Sylvie BERTHELOT et Janet MORRILL, *Strategy, Control Systems and Performance: An Empirical Study of Small and Medium Sized Enterprises (SME's)* [document de travail], Sherbrooke, Université de Sherbrooke, 2009, 20 p.

Les entreprises de fabrication emploient souvent des méthodes de coûts de revient standards très élaborées dans lesquelles les standards concernant les matières premières, la main-d'œuvre directe et les frais indirects de fabrication sont établis en détail pour chaque produit. Les standards sont consignés sur une fiche. La **fiche de coût standard** fournit au gestionnaire une grande quantité de renseignements concernant les intrants requis pour produire une unité et leurs coûts. Elle contient habituellement de l'information sur les quantités et les coûts des intrants relatifs aux activités de fabrication des produits. Le coût standard obtenu sert à comptabiliser les coûts de production dans les livres comptables, à contrôler les coûts et à évaluer la performance. Les coûts hors fabrication ne font pas partie de la fiche de coût standard. Cependant, une entreprise peut établir des standards pour les coûts hors fabrication si elle souhaite mieux les contrôler et en évaluer la performance. Dans la suite du chapitre, nous traiterons uniquement des coûts de fabrication. Les principes abordés peuvent cependant être appliqués aux coûts hors fabrication. Dans la prochaine section, nous examinerons un exemple détaillé d'établissement de coûts standards et nous verrons comment préparer une fiche de coût standard.

Fiche de coût standard

Liste détaillée des quantités standards de matières premières, de main-d'œuvre directe et de frais indirects de fabrication qui devraient être utilisées pour une unité de produit, multipliées par le coût d'achat ou le taux de rémunération standard établi pour chaque élément de coût.

10

L'établissement des coûts de revient standards

L'établissement de standards de coût d'achat et de quantité requiert l'expertise combinée de toutes les personnes qui ont la responsabilité de contrôler les coûts des intrants et leur utilisation efficace. Dans un contexte de fabrication, il peut s'agir de comptables, de responsables du service des achats, d'ingénieurs, de directeurs de production, de directeurs des services et de travailleurs de production. Les données historiques concernant les coûts d'achat et l'utilisation des intrants peuvent se révéler utiles pour l'établissement de standards. Toutefois, ces standards devraient être conçus en vue d'encourager l'efficience dans les activités *à venir*, et non la répétition d'activités passées non efficientes.

OBJECTIF 1

Expliquer comment établir des standards pour les matières premières et la main-d'œuvre directe.

Les standards théoriques et pratiques

Les standards devraient-ils être réalisables en tout temps, seulement une partie du temps ou être si élevés qu'ils constituent en fait un idéal impossible à réaliser ? Les opinions des gestionnaires sur cette question varient. Toutefois, les standards ont tendance à entrer dans l'une des deux catégories suivantes : ils sont soit *théoriques,* soit *pratiques.*

Standard théorique (ou idéal)

Norme ne tenant compte d'aucun bris des machines ni d'autres interruptions de travail, et requérant une efficience maximale en tout temps.

Un **standard théorique** (ou **idéal**) est une norme atteignable seulement dans les meilleures conditions. Il ne tient pas compte du bris des machines ni d'aucune autre interruption de travail. Il requiert un niveau d'effort dont seuls les employés les plus habiles et les plus efficients sont capables en travaillant au maximum de leur capacité 100 % du temps. Certains gestionnaires considèrent que de tels standards sont une source de motivation. Selon eux, bien que les employés sachent qu'ils satisferont rarement à de telles exigences, elles leur rappellent constamment la nécessité d'augmenter sans cesse l'efficience de leur travail et leurs efforts. Peu d'entreprises ont recours à des standards théoriques.

Toutefois, selon la plupart des gestionnaires, les standards théoriques ont tendance à décourager même les travailleurs les plus consciencieux. En outre, leur utilisation a pour effet d'enlever aux écarts une grande partie de leur pertinence. Effectivement, avec ces standards, il y a la plupart du temps des écarts importants, et il est difficile d'effectuer une gestion par exceptions.

Standard pratique

Norme qui tient compte des pannes de machines et autres interruptions normales du travail, et que les travailleurs moyens peuvent atteindre par des efforts raisonnables tout en étant efficients.

On définit les **standards pratiques** comme des normes établies à un niveau élevé mais accessible. Ces normes tiennent compte des temps d'arrêt normaux et des périodes de repos des employés. Grâce à des efforts raisonnables qui permettent d'être efficients, les travailleurs moyens sont en mesure de respecter ces normes. Les écarts relatifs à ces standards se révèlent très utiles aux gestionnaires parce qu'ils représentent des différences par rapport aux conditions normales d'exploitation et qu'ils leur indiquent les points où leur attention doit se concentrer. Les standards pratiques peuvent aussi s'avérer utiles à d'autres fins. Outre qu'ils signalent des situations qui s'éloignent des conditions normales, ils peuvent être employés pour faire des prévisions financières. Les standards théoriques, par contre, ne peuvent servir à de telles fins. Comme les coûts réels seront nécessairement supérieurs aux coûts standards théoriques, ils génèrent des prévisions irréalistes, car celles-ci s'éloignent considérablement de la réalité.

Dans le reste de ce chapitre, nous supposerons que les gestionnaires utilisent des standards pratiques plutôt que théoriques.

L'établissement de standards concernant les matières premières

Nous allons employer l'entreprise Reproductions antiques inc. pour expliquer le développement et l'utilisation d'un système de coûts de revient standards.

L'entreprise a été mise sur pied il y a un an. Pour le moment, le seul produit qu'elle fabrique est une reproduction d'un appui-livres en étain datant du XVIIIe siècle. On le fabrique en grande partie à la main, à l'aide d'outils de travail traditionnels des métaux. Par conséquent, il s'agit d'une entreprise à prédominance de main-d'œuvre et dont le procédé de fabrication requiert un degré d'habileté élevé.

Récemment, l'entreprise a augmenté son personnel pour profiter d'un accroissement imprévu de la demande d'appuis-livres. Elle avait commencé par un petit groupe d'employés expérimentés dans le travail de l'étain, mais elle a dû embaucher des travailleurs moins chevronnés pour accroître son rythme de production. Valérie Sirois est la directrice des finances de la compagnie. Elle a été embauchée pour mettre en place un système de coûts de revient.

Coût d'achat standard par unité

Somme que l'entreprise devrait payer pour une unité de matières premières en tenant compte de la qualité, de la quantité achetée, du transport, de la réception et d'autres coûts semblables, et dont on soustrait toute forme de remises.

La première tâche de Valérie Sirois consiste à préparer des standards de coût d'achat et de quantité pour la seule matière première importante de l'entreprise, les lingots d'étain. Le **coût d'achat standard par unité** des matières premières devrait refléter le coût final des matières au point de livraison, déduction faite de toute remise.

Après avoir consulté la directrice des achats, Valérie a rassemblé les renseignements ci-après sur le coût d'achat standard d'un kilogramme d'étain sous forme de lingot.

Coût d'achat de lingots d'étain de qualité supérieure (en lingots de 15 kg)	3,60 $ par kilogramme
Transport par camion depuis l'entrepôt du fournisseur	0,44
Réception et manutention	0,05
Moins : Remise sur achats	(0,09)
Coût d'achat standard	4,00 $ par kilogramme

Notons que ce coût d'achat standard s'applique à une qualité précise de matière première (qualité supérieure), achetée en lots de taille déterminée (lingots de 15 kg) et livrée par un type de transporteur particulier (en camion). Il tient aussi compte de la manutention et des remises sur achats. Si tout se déroule conformément à ces prévisions, le coût d'achat standard net d'un kilogramme d'étain devrait être de 4 $.

Pour les matières premières, la **quantité standard par unité** doit indiquer la quantité de matières premières entrant dans la fabrication de chaque unité du produit fini en tenant compte du gaspillage et des pertes, des rejets ainsi que d'autres manques d'efficience normaux. Après avoir consulté le directeur de la production, Valérie a préparé les renseignements ci-après sur la quantité standard d'étain entrant dans la fabrication d'une paire d'appuis-livres.

Quantité standard par unité

Quantité de matières premières qui devrait servir à fabriquer une unité de produit, en tenant compte du gaspillage, des pertes, des rejets et autres manques d'efficience semblables.

Matériel requis selon la liste des matières pour une paire d'appuis-livres	2,7 kg
Gaspillage	0,2
Rejets	0,1
Quantité standard par paire d'appuis-livres	3,0 kg

Une **liste des matières** est une liste indiquant le type et la quantité de chaque élément de matière entrant dans la fabrication d'une unité de produit fini. Il s'agit d'un instrument pratique pour déterminer les matières de base par unité, mais dont les données devraient être ajustées pour tenir compte du gaspillage et d'autres facteurs, comme le montre le tableau précédent. Le terme *gaspillage* fait référence aux matières gaspillées dans le cours normal d'un processus de production. Les *rejets* désignent les unités perdues qui, étant défectueuses, doivent être mises au rebut. Le sujet des pertes normales est traité à l'annexe 10D (en ligne au <www.cheneliere.ca/garrison>).

Liste des matières

Liste des quantités de tous les types de matières requises pour la fabrication d'une unité de produit.

Bien qu'il soit courant que des entreprises incluent le gaspillage, les pertes et les rejets dans leur coût de revient standard, la tendance actuelle remet cette pratique en question. En gestion intégrale de la qualité (GIQ) et dans d'autres domaines similaires, on affirme qu'aucun niveau de gaspillage ou de défectuosité ne devrait être toléré. Lorsqu'une organisation intègre le gaspillage, les pertes et les rejets dans son coût de revient standard, elle devrait se fixer comme objectif de les réduire avec le temps par l'amélioration des procédés, de la formation et du matériel, et réviser leurs niveaux périodiquement.

10

Lorsqu'elle a établi les standards de coût et de quantité des matières premières, la directrice des finances peut calculer le coût standard de la matière première par unité de produit fini comme suit :

3,0 kg par unité × 4,00 $ par kilogramme = 12,00 $ par unité

Le montant de 12 $ apparaîtra sous forme d'un élément de la fiche de coût standard du produit.

L'annexe 10A (en ligne au <www.cheneliere.ca/garrison>) présente une analyse plus poussée de l'écart sur quantité des matières premières lorsque l'entreprise utilise plusieurs sortes de matières premières.

L'établissement de standards concernant la main-d'œuvre directe

Taux horaire standard

Taux horaire de la main-d'œuvre qui devrait être engagé par heure de travail, et qui comprend les avantages sociaux et les autres coûts de la main-d'œuvre.

En général, on exprime les standards en matière de coût de la main-d'œuvre directe et de temps de main-d'œuvre directe sous forme de taux horaire et d'heures de main-d'œuvre. Le **taux horaire standard** de la main-d'œuvre directe comprend les salaires, les avantages sociaux et les autres coûts de la main-d'œuvre. En examinant les données portant sur les salaires du mois précédent et après avoir consulté le directeur de la production, la directrice des finances a pu déterminer le taux horaire standard de Reproductions antiques inc. comme suit :

Taux horaire de base...	10,00 $
Avantages sociaux, 40 %...	4,00
Taux standard par heure de main-d'œuvre directe...	14,00 $

Un grand nombre d'entreprises calculent un seul taux standard pour tous les employés d'un même service ou atelier de production. Ce montant reflète la combinaison des travailleurs prévue bien que les taux horaires réels puissent varier compte tenu des compétences ou de l'ancienneté de chacun. Un seul taux horaire standard simplifie l'utilisation des coûts standards. Il permet au gestionnaire de contrôler l'«utilisation» des employés à l'intérieur des services. Nous y reviendrons un peu plus loin. D'après le calcul précédent, le taux horaire de la main-d'œuvre directe de Reproductions antiques inc. devrait s'élever à 14 $.

Le temps standard de main-d'œuvre directe requis pour fabriquer une unité de produit, appelé généralement **temps standard par unité**, est peut-être la norme unitaire la plus difficile à déterminer. Une des méthodes pour la calculer consiste à diviser chaque opération effectuée sur un produit en des mouvements corporels de base (par exemple, allonger le bras, pousser un objet ou le retourner). On peut même se procurer des tableaux de temps standards pour de tels mouvements. Il est possible d'appliquer ces temps aux mouvements puis d'en faire l'addition pour déterminer le temps standard total requis par opération. Une autre méthode consiste à faire appel à un ingénieur industriel pour qu'il effectue une étude sur le temps et les mouvements au cours de laquelle il chronomètre certaines tâches. Comme nous l'avons vu précédemment, le temps standard doit comprendre du temps supplémentaire pour les pauses-café, les besoins personnels des employés, le nettoyage et les arrêts de machines. Après avoir consulté le directeur de la production, voici ce que la directrice des finances a préparé sur le temps standard par unité.

Temps standard par unité

Nombre d'heures de travail qui devraient être requises pour fabriquer une seule unité de produit, en tenant compte des bris, des arrêts de machines, du nettoyage, des rejets et des autres manques d'efficience normaux.

Temps de travail de base par unité...	1,9 h
Temps alloué aux pauses et aux besoins personnels des employés	0,1
Temps alloué au nettoyage et aux arrêts de machines...	0,3
Temps alloué aux rejets	0,2
Temps standard par unité de produit..	2,5 h

Après l'établissement des standards en matière de taux horaire et de temps, il est possible de calculer le coût standard de la main-d'œuvre directe par unité de produit comme suit :

2,5 h par unité	×	14,00 $ l'heure	=	35,00 $ par unité

Ce montant de 35 $ est, avec le coût des matières premières, l'un des éléments de la fiche de coût standard du produit.

Les heures de travail ont diminué de manière relative dans certaines organisations, en particulier dans les entreprises de fabrication fortement automatisées. Toutefois, les entreprises de service ainsi que nombre d'entreprises de construction et de transformation ont encore beaucoup de main-d'œuvre et veulent connaître le rendement de leurs employés. Le temps standard indique aux employés ce que la direction attend d'eux et aux gestionnaires comment la main-d'œuvre devrait être « utilisée ». Le temps standard aide à formuler, à tester et à réviser les plans de l'organisation. Plus précisément, ces normes et les comparaisons qu'elles permettent avec le temps de travail réel peuvent servir à stimuler les employés et les gestionnaires. Elles peuvent les influencer dans l'établissement de leurs propres objectifs. Lorsque les standards sont perçus comme réalistes et que les écarts par rapport à ces normes sont utilisés de façon équitable et constructive, les employés peuvent être motivés à travailler pour réaliser les objectifs de l'organisation tels qu'ils sont communiqués par ces standards. Les sentiments de réussite ou d'échec exercent une influence sur le rendement; de même, la pression peut stimuler les employés ou les intimider. On peut assister à une diminution progressive des efforts et des niveaux de rendement lorsque les standards sont établis de façon inappropriée et utilisés sans discernement.

Mentionnons également que, à force d'exécuter leurs tâches, les travailleurs acquièrent des compétences qui permettent de diminuer le temps initialement alloué à une activité. Les courbes d'apprentissage peuvent servir à réviser les temps standards[2].

L'établissement de standards pour les frais indirects de fabrication variables

Comme dans le cas de la main-d'œuvre directe, les standards en matière de coût et de quantité relatifs aux frais indirects de fabrication variables sont généralement exprimés sous forme de taux et d'heures. Le taux représente la *partie variable du taux d'imputation prédéterminé des frais indirects de fabrication* dont il a été question au chapitre 3. La détermination du taux requiert une estimation du coût unitaire et de la quantité de chacun des éléments composant les frais indirects de fabrication variables. Les heures correspondent à n'importe quelle base horaire utilisée pour imputer des frais indirects de fabrication aux unités de produit (le plus souvent des heures-machines ou des heures de main-d'œuvre directe, comme nous l'avons vu au chapitre 3). Chez Reproductions antiques inc., la partie variable du taux d'imputation prédéterminé des frais indirects de fabrication est de 3 $ par heure de main-d'œuvre directe. Par conséquent, les frais indirects de fabrication standards par unité se calculent comme suit:

$$2,5 \text{ h par unité} \times 3,00 \text{ \$ l'heure} = 7,50 \text{ \$ par unité}$$

Le taux d'imputation prédéterminé de 3 $ par heure représente le coût standard par heure de main-d'œuvre directe pour les frais indirects de fabrication variables. Toute déviation du coût réel par rapport à cette norme se traduira par un écart sur frais indirects de fabrication variables.

Le montant de 7,50 $ constitue, avec le coût des matières premières et de la main-d'œuvre directe, un des éléments de la fiche de coût standard du tableau 10.1 (*page suivante*). Notons que l'on détermine le **coût de revient standard par unité** en multipliant la quantité standard d'intrants (ou facteurs de production) par le coût standard de l'intrant pour chacun des éléments de coûts. Ces éléments de coûts sont par la suite additionnés.

Les standards et les budgets

Le coût de revient standard des matières premières de Reproductions antiques inc. est de 12 $ par paire d'appuis-livres. Si l'entreprise devait fabriquer 1 000 paires d'appuis-livres

10

Coût de revient standard par unité

Coût de revient tel qu'il est indiqué sur la fiche de coût standard; on le calcule en multipliant la quantité standard de l'intrant (ou facteur de production) par le coût standard de l'intrant pour chaque élément de coût. Ces éléments de coût sont par la suite additionnés.

---

2. L'annexe 10C (en ligne au <www.cheneliere.ca/garrison>) porte sur le calcul du temps de la main-d'œuvre à l'aide des courbes d'apprentissage.

au cours d'une période budgétaire, le coût budgété ou prévu des matières premières serait de 12 000 $. En fait, *si une entreprise dispose de coûts standards, ils seront utilisés pour établir le budget.* Si l'entreprise n'a pas déterminé de coûts standards, elle devra estimer ses coûts unitaires de production pour établir son budget. Dans ce cas, le coût unitaire « estimé » est moins précis que le coût standard.

TABLEAU 10.1	**La fiche de coût standard – coût variable de production**		
Facteurs de production (intrants) par unité	1) Quantité ou temps standard	2) Coût ou taux standard	3) Coût standard 1) × 2)
Matières premières	3,0 kg	4,00 $ le kilogramme	12,00 $
Main-d'œuvre directe	2,5 h	14,00 $ l'heure	35,00
Frais indirects de fabrication variables	2,5 h	3,00 $ l'heure	7,50
Total du coût variable standard par unité			54,50 $

Un modèle général pour l'analyse des écarts

Les standards se divisent en deux catégories : les standards de coût et ceux de quantité. La raison est simple. En fait, ce ne sont généralement pas les mêmes gestionnaires qui sont chargés de l'achat et de l'utilisation des intrants, et ces deux activités ont lieu à des moments différents. Par exemple, dans le cas des matières premières, le directeur des achats a la responsabilité du coût, et il exerce cette responsabilité au moment de l'achat. Par contre, le directeur de la production contrôle la quantité de matières premières utilisées. Il exerce cette tâche lorsque ces matières entrent dans la fabrication de produits, ce qui peut avoir lieu des semaines ou même des mois après la date de leur achat. Il est donc important de distinguer nettement les écarts dus à des variations par rapport aux coûts standards et ceux dus à des différences par rapport aux quantités standards. Les responsabilités de l'achat et de l'utilisation des intrants diffèrent, tout comme les facteurs causant les écarts. Du point de vue de la gestion par exceptions, il est important de connaître l'impact financier des écarts dus aux coûts et des écarts dus aux quantités afin que les gestionnaires concentrent leur analyse sur les catégories d'écarts qui sont significatives. Les différences entre les coûts *standards* et les coûts *réels*, et entre les quantités *standards* et les quantités *réelles* portent le nom d'**écarts**. On appelle *analyse des écarts* l'opération qui consiste à calculer et à interpréter les écarts observés.

Écart

Différence entre les coûts et les quantités standards des intrants, et les coûts et les quantités réels de ces intrants.

Un modèle général de calcul des écarts sur coûts standards pour les coûts variables est illustré à la figure 10.2. Ce modèle sépare les écarts sur coût d'achat des écarts sur quantité et montre comment calculer chaque catégorie. Nous l'emploierons tout au long du chapitre pour calculer les écarts relatifs aux matières premières, à la main-d'œuvre directe et aux frais indirects de fabrication variables. Nous discuterons plus loin dans ce chapitre d'un modèle pour le calcul des écarts sur frais indirects de fabrication fixes.

Quatre points devraient attirer notre attention à la figure 10.2. En premier lieu, notons qu'il est possible de calculer un écart sur coût et un écart sur quantité pour les trois éléments de coûts de fabrication variables — les matières premières, la main-d'œuvre directe et les frais indirects de fabrication — bien que l'écart ne porte pas le même nom dans les trois cas. Par exemple, l'écart sur coût devient un *écart sur coût d'achat des matières premières* dans le cas des matières premières, mais un *écart sur taux horaire de la main-d'œuvre*, dans le cas de la main-d'œuvre directe, et un *écart sur dépense* dans le cas des frais indirects de fabrication variables.

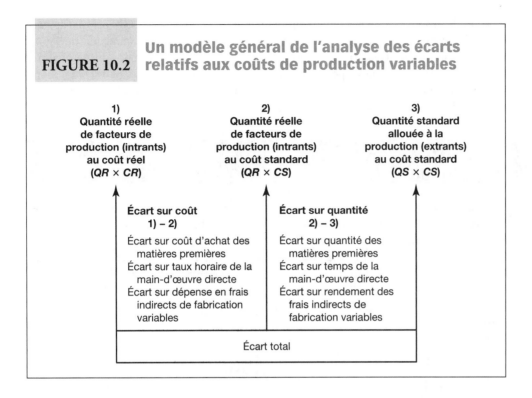

FIGURE 10.2 Un modèle général de l'analyse des écarts relatifs aux coûts de production variables

En deuxième lieu, bien que l'on puisse donner différents noms à un écart sur coût, on le calcule toujours de la même manière, qu'il s'agisse de matières premières, de main-d'œuvre directe ou de frais indirects de fabrication variables. Cela vaut aussi pour les écarts sur quantité.

En troisième lieu, notons que l'analyse des écarts est en réalité une forme d'analyse intrants-extrants. Les intrants comprennent la quantité réelle de matières premières et de main-d'œuvre directe utilisée, et les frais indirects de fabrication variables engagés. Les extrants représentent la production de la période exprimée sous forme de *quantité standard allouée* (ou de *temps standard alloué*) à la *production réelle* (*voir la colonne 3 de la figure 10.2*). Les expressions **quantité standard allouée** et **temps standard alloué** désignent les quantités de matières premières, de main-d'œuvre directe ou de frais indirects de fabrication variables *qui auraient dû être utilisées* ou engagées pour obtenir la production réelle de la période. Il peut s'agir de quantités supérieures ou inférieures aux quantités de matières premières, de main-d'œuvre directe et de frais indirects de fabrication réellement utilisées ou engagées selon le degré d'efficience réelle des activités. Notons que les quantités réelles utilisées proviennent des documents comptables comme les bons de sortie et les feuilles de présence. Toutefois les quantités standards allouées sont calculées en multipliant le nombre d'unités produites par l'intrant standard alloué par unité.

Quatrièmement, remarquez que la quantité inscrite dans la colonne 3 ($QS \times CS$) présente le budget flexible pour la période. Au chapitre 9, nous avons préparé une version simplifiée d'un budget flexible basé sur la multiplication de la quantité *réelle* d'unités produites pendant l'année et du coût *budgété* par unité. Lorsqu'on utilise la méthode des coûts standards, le budget flexible est établi en fonction de la *quantité standard de matières premières* pour la production *réelle* obtenue multipliée par le *coût d'achat standard* par unité. Comme nous le verrons dans les sections ci-après, cette méthode de calcul du budget flexible permet de décomposer l'écart budgétaire d'une période en ses composantes : le coût (taux ou dépenses) et la quantité (efficience).

En ce qui concerne l'analyse des écarts, il est essentiel de noter la différence entre les standards préétablis en termes de coûts unitaires et de coûts totaux. Par exemple, le coût d'achat unitaire standard des matières est de 4 $ par kilogramme d'étain, mais comme on en utilise 3 kilogrammes par paire d'appuis-livres, c'est-à-dire par unité de production, le coût standard par paire est de 12 $. Toutefois, lorsqu'on détermine les écarts, il faut tenir compte de la quantité

10

Quantité standard allouée

Quantité de matières premières qui aurait dû être utilisée pour terminer la production d'une période et calculée en multipliant le nombre réel d'unités produites (ou la production équivalente) par la quantité standard par unité.

Temps standard alloué

Heures de main-d'œuvre qui auraient dû être consacrées pour terminer la production d'une période, qu'on calcule en multipliant le nombre réel d'unités produites (ou la production équivalente) par le temps standard par unité.

standard de matières premières pour la production de la période, soit 2 000 paires d'appuis-livres. Par conséquent, nous devons déterminer soigneusement les standards que nous analysons, soit les unités de matières premières, les unités de production ou la quantité standard de matières premières pour le volume de production réel de la période en question.

En gardant en mémoire ce modèle général, nous allons maintenant examiner plus en détail les écarts sur coût et les écarts sur quantité.

L'utilisation des coûts de revient standards et les écarts relatifs aux matières premières

OBJECTIF 2

Calculer les écarts sur coût d'achat et sur quantité des matières premières, et les expliquer.

Après avoir déterminé les coûts de revient standards des matières premières, de la main-d'œuvre directe et des frais indirects de fabrication variables, la directrice des finances de Reproductions antiques inc. a calculé les écarts du mois de juin, le mois le plus récent. Comme nous l'avons vu dans la section précédente, on détermine les écarts en comparant les coûts standards aux coûts réels. Pour simplifier cette comparaison, Mme Sirois s'est référée aux données sur les coûts de revient standards du tableau 10.1 (*p. 510*). D'après ces données, le coût de revient standard des matières premières par unité de produit correspond à ce qui suit:

$$3,0 \text{ kg par unité} \quad \times \quad 4,00 \text{ \$ par kilogramme} \quad = \quad 12,00 \text{ \$ par unité}$$

Le livre des achats de Reproductions antiques inc. du mois de juin indique que l'entreprise s'est procuré 6 500 kilogrammes d'étain à 3,80 \$ le kilogramme. Ce coût comprend le transport et la manutention, et a été diminué de la remise sur achats en gros. Toute la matière première achetée a été utilisée au cours du mois de juin et a servi à fabriquer 2 000 paires d'appuis-livres en étain. À l'aide de ces données et des coûts de revient standards du tableau 10.1, Mme Sirois a calculé les écarts sur coût d'achat et sur quantité indiqués à la figure 10.3.

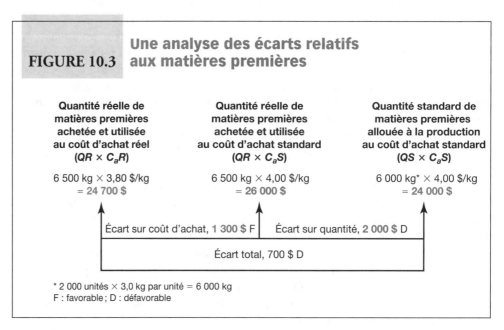

FIGURE 10.3 Une analyse des écarts relatifs aux matières premières

Quantité réelle de matières premières achetée et utilisée au coût d'achat réel $(QR \times C_aR)$	Quantité réelle de matières premières achetée et utilisée au coût d'achat standard $(QR \times C_aS)$	Quantité standard de matières premières allouée à la production au coût d'achat standard $(QS \times C_aS)$
6 500 kg × 3,80 \$/kg = 24 700 \$	6 500 kg × 4,00 \$/kg = 26 000 \$	6 000 kg* × 4,00 \$/kg = 24 000 \$

Écart sur coût d'achat, 1 300 \$ F   Écart sur quantité, 2 000 \$ D

Écart total, 700 \$ D

* 2 000 unités × 3,0 kg par unité = 6 000 kg
F : favorable ; D : défavorable

Les trois flèches de la figure 10.3 pointent en direction de trois coûts totaux différents. Le premier montant, **24 700 \$**, représente le coût total réel de l'étain acheté et utilisé dans la production au cours du mois de juin. Le deuxième, **26 000 \$**, correspond à ce que la même quantité d'étain aurait coûté si cette matière première avait été achetée au coût standard de 4,00 $ le kilogramme plutôt qu'au coût réel de 3,80 $ le kilogramme. La différence de **1 300 $** entre les deux montants (26 000 $ − 24 700 $) constitue l'écart sur coût d'achat. Elle découle du fait que le coût d'achat réel était inférieur de 0,20 $ par kilogramme au coût d'achat standard. Comme l'entreprise a acheté 6 500 kg, le montant total de l'écart s'élève à 1 300 $ (soit 0,20 $ × 6 500 kg). Cet écart est considéré comme favorable (F) puisque le coût d'achat réel est inférieur au coût d'achat standard. Un écart sur coût est considéré comme défavorable (D) lorsque le coût réel est supérieur au coût standard.

La troisième flèche de la figure 10.3 pointe en direction d'un montant de **24 000 $**. Cette somme correspond au coût de production que l'entreprise aurait engagé pour l'étain si celui-ci avait été acheté au coût standard et si l'on avait utilisé, pour produire les 2 000 unités réelles d'appuis-livres, la quantité standard allouée. D'après les standards, il faut 3 kg d'étain par unité. Comme l'entreprise a fabriqué 2 000 unités, la quantité d'étain utilisée aurait dû être de 6 000 kg. C'est ce qu'on appelle la *quantité standard allouée à la production*. Si les 6 000 kg d'étain avaient été achetés au coût d'achat standard de 4 $ le kilogramme, ils auraient coûté 24 000 $. La différence entre ce montant (24 000 $) et le montant vers lequel pointe la flèche du milieu de la figure 10.3, soit 26 000 $, constitue un écart sur quantité de **2 000 $**.

On comprend mieux cet écart sur quantité quand on sait que la quantité réelle d'étain utilisée dans la production des 2 000 appuis-livres était de 6 500 kg. Toutefois, la quantité standard de cette matière première allouée à la production réelle des 2 000 unités est fixée à seulement 6 000 kg. Par conséquent, un total de 500 kg d'étain en excès a été consommé dans la fabrication des 2 000 unités d'appuis-livres. Pour exprimer cette situation en dollars, il suffit de multiplier les 500 kg par le coût d'achat standard de 4 $ par kilogramme afin d'obtenir l'écart sur quantité de **2 000 $**. Pourquoi utiliser le coût d'achat standard de l'étain plutôt que son coût réel dans ce calcul? En général, c'est au directeur de production que revient la responsabilité de l'écart sur quantité. Si l'on employait le coût réel dans le calcul de cet écart, l'efficience ou le manque d'efficience du directeur des achats serait inclus dans le montant de l'écart sur quantité. En plus d'être injuste, une telle situation occasionnerait des discussions stériles entre les deux directeurs chaque fois que le coût réel d'un intrant s'écarterait de son coût standard. Pour éviter ces discussions et établir un montant d'écart sur quantité qui ne tient compte que de l'intrant dont est responsable le directeur de production, soit la quantité, on recourt au coût d'achat standard dans le calcul de l'écart sur quantité.

L'écart sur quantité de la figure 10.3 est considéré comme défavorable. En effet, l'entreprise a utilisé plus d'étain pour fabriquer le nombre de produits réels que l'exige la norme. Un écart sur quantité est considéré comme défavorable lorsque la quantité réelle excède la quantité standard. Inversement, il est considéré comme favorable lorsque la quantité réelle est inférieure à la quantité standard.

Les calculs de la figure 10.3 reflètent le fait que la quantité totale de matière première achetée au cours du mois de juin a été utilisée pendant ce mois. Comment calcule-t-on les écarts lorsque la quantité des matières premières achetées diffère de la quantité utilisée? En voici un exemple. Supposons qu'au cours du mois de juin, l'entreprise a acheté **6 500** kg de matières premières, comme précédemment, mais qu'elle a utilisé seulement **5 000** kg pendant cette période et qu'elle a produit seulement **1 600** unités. Dans ce cas, les écarts sur coût d'achat et sur quantité seraient ceux de la figure 10.4 (*page suivante*).

La plupart des entreprises calculent l'écart sur coût d'achat des matières premières *au moment de l'achat* des matières premières plutôt qu'au moment où elles sont utilisées en production, principalement pour deux raisons. Premièrement, cette démarche permet d'isoler plus tôt l'écart sur coût d'achat puisque les matières premières peuvent rester en entreposage avant d'être utilisées. Deuxièmement, le fait d'isoler l'écart sur coût d'achat au moment de l'achat des matières premières permet aussi aux entreprises de comptabiliser leurs matières premières dans les comptes de stock au coût standard. Un tel procédé simplifie grandement l'attribution des coûts des matières premières aux produits en cours

10

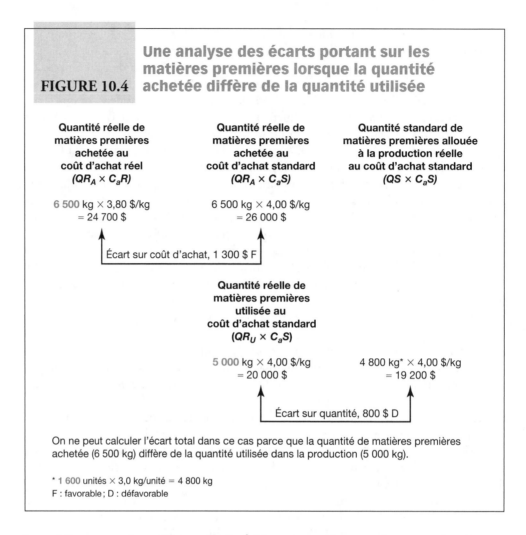

FIGURE 10.4 Une analyse des écarts portant sur les matières premières lorsque la quantité achetée diffère de la quantité utilisée

Quantité réelle de matières premières achetée au coût d'achat réel ($QR_A \times C_aR$)	Quantité réelle de matières premières achetée au coût d'achat standard ($QR_A \times C_aS$)	Quantité standard de matières premières allouée à la production réelle au coût d'achat standard ($QS \times C_aS$)
6 500 kg × 3,80 $/kg = 24 700 $	6 500 kg × 4,00 $/kg = 26 000 $	

Écart sur coût d'achat, 1 300 $ F

Quantité réelle de matières premières utilisée au coût d'achat standard ($QR_U \times C_aS$)

5 000 kg × 4,00 $/kg = 20 000 $ 4 800 kg* × 4,00 $/kg = 19 200 $

Écart sur quantité, 800 $ D

On ne peut calculer l'écart total dans ce cas parce que la quantité de matières premières achetée (6 500 kg) diffère de la quantité utilisée dans la production (5 000 kg).

* 1 600 unités × 3,0 kg/unité = 4 800 kg
F : favorable ; D : défavorable

lorsqu'elles entrent plus tard en production[3]. Notons cependant que, dans un environnement de production qui fonctionne avec un système JAT, l'achat de la matière première et son utilisation dans la production sont presque simultanés, ce qui permet de calculer les écarts sur coût d'achat et sur quantité des matières premières au même moment.

Notons que, dans la figure, l'écart sur coût d'achat se calcule à partir de la quantité totale de matière première achetée (6 500 kg), comme précédemment, tandis que l'écart sur quantité est calculé seulement sur la portion de cette matière première qui est utilisée en production au cours du mois (5 000 kg). L'écart sur quantité relatif aux 1 500 kilogrammes de matières premières achetés au cours du mois, mais *non utilisés* dans la production (6 500 kg achetés − 5 000 kg utilisés), sera calculé dans une période à venir lorsque ces matières premières seront sorties du stock et utilisées en production. La situation illustrée à la figure 10.4 s'observe couramment au sein des entreprises qui achètent leurs matières premières bien avant de les utiliser et qui les entreposent jusqu'au moment de s'en servir en production.

Un examen approfondi de l'écart sur coût d'achat des matières premières

Écart sur coût d'achat des matières premières

Mesure de la différence entre le coût réel unitaire payé pour un article et le coût standard, multipliée par la quantité achetée.

L'**écart sur coût d'achat des matières premières** mesure la différence entre le montant payé pour une quantité donnée de matières premières et le montant qui aurait dû être payé d'après le standard prédéterminé. Voici la formule pour calculer cette différence, comme on peut la déduire de la figure 10.3 (*p. 512*).

3. L'annexe 10B (en ligne au <www.cheneliere.ca/garrison>) présente des exemples d'écritures de journal dans un système de coûts de revient standards.

$$\text{Écart sur coût d'achat des matières premières} = (QR \times C_aR) - (QR \times C_aS)$$

Quantité réelle   Coût d'achat réel   Coût d'achat standard

Pour simplifier cette expression, il suffit de la présenter comme suit :

$$\text{Écart sur coût d'achat des matières premières} = QR(C_aR - C_aS)$$

Certains gestionnaires préfèrent cette formule simplifiée puisqu'elle leur permet de calculer très rapidement l'écart en question. En reportant dans cette formule les données de la figure 10.3, on obtient le montant suivant :

$$6\,500 \text{ kg }(3,80 \text{ \$ par kilogramme} - 4,00 \text{ \$ par kilogramme}) = 1\,300 \text{ \$ F}$$

Notons que cette formule permet d'obtenir la même réponse que celle de la figure 10.3. Voici ce à quoi ressemblerait un rapport d'analyse de la performance dans lequel on inscrirait ces données.

REPRODUCTIONS ANTIQUES INC.
Rapport d'analyse de la performance – Service des achats

Type de matières premières	1) Quantité achetée	2) Coût réel	3) Coût standard	4) Différence de coût 2) − 3)	5) Écart total sur coût d'achat 1) × 4)	Explication
Étain..........................	6 500 kg	3,80 \$/kg	4,00 \$/kg	0,20 \$/kg	1 300 \$ F	La transaction a été conclue à un coût particulièrement favorable.

F : favorable ; D : défavorable

Le moment du calcul des écarts

À quel moment faut-il calculer les écarts et les porter à l'attention des dirigeants ? En fait, le plus tôt est le mieux. Plus les différences par rapport aux standards sont signalées rapidement, plus les problèmes peuvent être évalués et réglés sans tarder. Lorsqu'on laisse s'écouler de longues périodes entre les calculs d'écarts, des coûts qui autrement auraient pu être contrôlés peuvent s'accumuler au point de nuire de façon significative à la performance financière. Par exemple, la plupart des entreprises calculent l'écart sur coût d'achat des matières premières au moment de leur *achat* plutôt qu'à celui de leur utilisation dans les ateliers de production. Cette pratique permet de déterminer plus rapidement l'écart, compte tenu du fait que les matières premières peuvent rester un certain temps dans l'entrepôt avant d'être utilisées. Le fait de calculer l'écart sur coût d'achat au moment de l'achat permet aussi à l'entreprise de comptabiliser ses matières premières dans les comptes de stock au coût de revient standard. Notons toutefois que le fait d'avoir à déterminer l'écart sur coût d'achat à un moment différent de celui correspondant à l'écart sur quantité des matières premières ne se présente pas dans un milieu où on applique rigoureusement le système JAT.

10

Lorsque le rapport d'analyse de la performance est prêt, comment la direction se sert-elle des données relatives aux écarts sur coût? Elle doit considérer les écarts les plus importants comme des signaux avertisseurs visant à attirer l'attention sur la présence d'une exception exigeant des explications, et peut-être même un effort de suivi. En règle générale, le rapport d'analyse de la performance contient des explications des causes de l'écart, comme nous l'avons illustré précédemment. Dans le cas de Reproductions antiques inc., la directrice des achats a précisé que l'écart sur coût d'achat favorable était dû à une négociation pour obtenir un coût d'achat très avantageux.

La responsabilité de l'écart

Qui a la responsabilité de l'écart sur coût d'achat des matières premières? De façon générale, le directeur des achats exerce un contrôle sur le coût d'achat des matières premières, de sorte qu'il doit répondre de tout écart sur coût. Un grand nombre de facteurs influent sur ces coûts, entre autres le nombre d'unités commandées dans un lot, le mode de livraison de la commande, le fait qu'il s'agisse ou non d'une commande urgente, et la qualité des matières premières achetées. Une différence dans n'importe lequel de ces facteurs par rapport à ce que l'on présumait au moment de l'établissement des standards peut entraîner un écart sur coût d'achat. Par exemple, l'achat de matières premières de moindre qualité plutôt que de qualité supérieure occasionne souvent un écart sur coût d'achat favorable puisque les matières premières de qualité inférieure coûtent d'ordinaire moins cher que les autres. Elles peuvent toutefois aussi convenir moins bien à la production.

Il arrive parfois qu'une autre personne que le directeur des achats ait la responsabilité de l'écart sur coût d'achat des matières premières. Par exemple, la production peut être organisée de telle manière que le directeur des achats soit obligé de demander une livraison de matières premières par avion plutôt que par camion. Dans de tels cas, c'est le directeur de la production qui aurait à justifier les écarts sur coût d'achat qui en résulteraient.

Une mise en garde s'impose ici. L'analyse des écarts ne devrait pas être utilisée comme prétexte pour mener des enquêtes sur les gestionnaires et les travailleurs, ou pour leur imposer des sanctions. Il faut insister sur la fonction de suivi et d'apprentissage de l'analyse des écarts, car elle est destinée à *soutenir* les gestionnaires et à les *aider* à atteindre les objectifs qu'ils ont établis pour l'entreprise. En d'autres termes, on doit mettre l'accent sur l'aspect positif de cette analyse, et non sur son côté répressif. S'appesantir indûment sur ce qui s'est passé, en particulier dans le but d'essayer de trouver quelqu'un à blâmer, peut se révéler destructeur pour le fonctionnement de toute organisation.

Un examen approfondi de l'écart sur quantité des matières premières

Écart sur quantité des matières premières

Mesure de la différence entre la quantité réelle de matières premières utilisée dans la production et la quantité standard allouée, multipliée par le coût d'achat standard unitaire des matières premières.

L'**écart sur quantité des matières premières** est une mesure de la différence entre la quantité de matières premières utilisée dans la production et la quantité qui aurait dû être utilisée d'après les standards alloués. Bien que cet écart porte sur l'utilisation physique de matières premières, il est généralement énoncé en dollars, comme le montre la figure 10.3 (*p. 512*). Voici la formule servant à calculer l'écart sur quantité des matières premières.

$$\text{Écart sur quantité des matières premières} = (QR \times C_aS) - (QS \times C_aS)$$

Quantité réelle   Coût d'achat standard   Quantité standard allouée à la production

Encore une fois, cette formule peut être simplifiée :

$$\text{Écart sur quantité des matières premières} = C_aS(QR - QS)$$

Si l'on intègre les données de la figure 10.3 à cette formule, on obtient les chiffres suivants :

4,00 $ par kilogramme (6 500 kg   –   6 000 kg*)   =   2 000 $ D

* 2 000 unités × 3,0 kg par unité = 6 000 kg

Bien entendu, la réponse est la même que celle de la figure 10.3. Ces données se présenteraient comme suit dans un rapport d'analyse de la performance.

REPRODUCTIONS ANTIQUES INC.
Rapport d'analyse de la performance – Service de la production

Type de matières premières	1) Coût standard	2) Quantité réelle	3) Quantité standard allouée	4) Différence de quantité 2) – 3)	5) Écart total sur quantité 1) × 4)	Explication
Étain..............................	4,00 $/kg	6 500 kg	6 000 kg	500 kg	2 000 $ D	La matière première est de moindre qualité et moins efficiente pour la production.

F : favorable ; D : défavorable

L'écart sur quantité des matières premières est calculé lorsque celles-ci se trouvent au stade de la production. Différents facteurs peuvent entraîner une utilisation excessive des matières premières, entre autres des machines défectueuses, des matières premières de qualité inférieure, des travailleurs n'ayant pas reçu une formation suffisante, et une supervision inappropriée. De façon générale, le service de la production doit s'assurer que l'utilisation des matières premières respecte les standards. Toutefois, il peut arriver qu'un écart sur quantité des matières premières soit attribuable au *service des achats* quand, par exemple, ce service se procure des matières premières de qualité inférieure dans le but d'économiser sur le coût. Ces matières premières pourraient alors être moins appropriées pour la production, et il en résulterait un gaspillage excessif. Dans ce cas, le directeur des achats, et non celui de la production, devrait porter la responsabilité de l'écart sur quantité. Le directeur de la production de Reproductions antiques inc. a affirmé que des matières premières de piètre qualité pouvaient expliquer l'écart sur quantité défavorable du mois de juin.

L'utilisation des coûts de revient standards et les écarts relatifs à la main-d'œuvre

10

L'étape suivante de la démarche de Mme Sirois dans la détermination des écarts de Reproductions antiques inc. survenus en juin consiste à calculer les écarts sur coûts de la main-d'œuvre directe pour le mois. D'après le tableau 10.1 (*p. 510*), le coût standard de la main-d'œuvre directe par unité de produit s'élève à 35 $, montant qui a été calculé comme suit :

OBJECTIF 3

Calculer les écarts sur taux et sur temps de la main-d'œuvre directe, et les expliquer.

2,5 h par unité   ×   14,00 $ par heure   =   35,00 $ par unité

Au cours du mois de juin, l'entreprise a versé à sa main-d'œuvre directe 74 250 $ pour 5 400 heures de travail, ce qui comprend les avantages sociaux. Il s'agit d'une moyenne de 13,75 $ l'heure. À l'aide de ces données et des coûts standards du tableau 10.1, Mme Sirois a calculé l'écart sur taux horaire et l'écart sur temps de la main-d'œuvre directe de la figure 10.5 (*page suivante*).

Notons que les titres des colonnes de la figure 10.5 sont similaires à ceux des deux figures précédentes. Les termes *quantité* et *coût* y sont remplacés par *temps* et *taux*.

Un examen approfondi de l'écart sur taux de la main-d'œuvre directe

L'**écart sur taux de la main-d'œuvre directe** (ou **écart sur taux horaire**) sert à mesurer toute différence par rapport aux standards quant au taux horaire moyen versé à la main-d'œuvre directe et s'exprime par la formule suivante :

$$\text{Écart sur taux de la main-d'œuvre directe} = (\underbrace{HR}_{\substack{\text{Heures}\\\text{réelles}}} \times \underbrace{TR}_{\substack{\text{Taux}\\\text{réel}}}) - (HR \times \underbrace{TS}_{\substack{\text{Taux}\\\text{standard}}})$$

On peut simplifier cette formule comme suit :

$$\text{Écart sur taux de la main-d'œuvre directe} = HR\,(TR - TS)$$

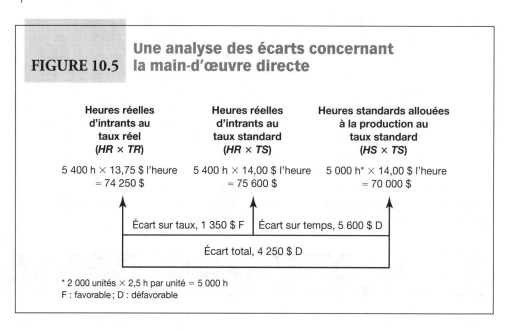

FIGURE 10.5 **Une analyse des écarts concernant la main-d'œuvre directe**

Heures réelles d'intrants au taux réel ($HR \times TR$)	Heures réelles d'intrants au taux standard ($HR \times TS$)	Heures standards allouées à la production au taux standard ($HS \times TS$)
5 400 h × 13,75 $ l'heure = 74 250 $	5 400 h × 14,00 $ l'heure = 75 600 $	5 000 h* × 14,00 $ l'heure = 70 000 $

Écart sur taux, 1 350 $ F | Écart sur temps, 5 600 $ D

Écart total, 4 250 $ D

* 2 000 unités × 2,5 h par unité = 5 000 h
F : favorable ; D : défavorable

Si l'on intègre les données de la figure 10.5 à cette formule, on obtient le montant suivant :

$$5\,400 \text{ h } (13,75 \text{ \$ l'heure} - 14,00 \text{ \$ l'heure}) = 1\,350 \text{ \$ F}$$

Dans la plupart des entreprises, les salaires versés aux travailleurs sont des facteurs prévisibles. Néanmoins, des écarts sur taux horaire peuvent être occasionnés par la façon dont la main-d'œuvre est « utilisée ». Par exemple, des travailleurs qualifiés, qui reçoivent des taux horaires élevés, se voient parfois confier des tâches requérant peu de qualifications et généralement rémunérées à des taux horaires beaucoup moindres. Il en résulte des écarts sur taux horaire défavorables puisque le taux horaire réel excède le taux horaire standard pour l'exécution des tâches en question. À l'inverse, on assigne parfois à des travailleurs non qualifiés ou sans formation appropriée des tâches requérant certaines qualifications ou une formation donnée. En raison du taux horaire moins élevé de cette main-d'œuvre, l'écart sur taux horaire sera favorable, même si les travailleurs se révéleront peut-être d'une efficience moindre. Enfin, on peut observer des écarts sur taux horaire défavorables lorsque des travailleurs effectuent des heures supplémentaires à taux majoré si une partie quelconque de la majoration pour heures supplémentaires est ajoutée au compte de la main-d'œuvre directe.

Qui est chargé du contrôle de l'écart sur taux de la main-d'œuvre ? Comme ce type d'écart résulte d'ordinaire de la façon d'utiliser la main-d'œuvre, les responsables de la production doivent exercer un contrôle relativement aux écarts sur taux de la main-d'œuvre directe.

Un examen approfondi de l'écart sur temps de la main-d'œuvre directe

L'écart sur quantité relatif à la main-d'œuvre directe, appelé couramment **écart sur temps de la main-d'œuvre directe**, mesure la productivité du temps de la main-d'œuvre. Aucun écart n'est surveillé aussi attentivement par la direction. En effet, on croit d'ordinaire qu'une augmentation de la productivité du temps de la main-d'œuvre s'avère essentielle pour réduire les coûts. Voici la formule permettant de calculer cet écart.

Écart sur temps de la main-d'œuvre directe

Mesure de la différence entre le nombre réel d'heures consacrées à compléter une tâche et le nombre d'heures allouées par les standards, multipliée par le taux horaire standard de la main-d'œuvre directe.

$$\text{Écart sur temps de la main-d'œuvre directe} = (HR \times TS) - (HS \times TS)$$

Heures réelles
Taux standard
Heures standards allouées à la production

Cette formule peut être simplifiée comme suit :

$$\text{Écart sur temps de la main-d'œuvre directe} = TS (HR - HS)$$

À l'aide des données de la figure 10.5, on obtient le montant suivant :

$$14,00 \text{ \$ l'heure } (5\ 400 \text{ h} - 5\ 000 \text{ h*}) = 5\ 600 \text{ \$ D}$$

* 2 000 unités × 2,5 h par unité = 5 000 h

Un écart sur temps de la main-d'œuvre défavorable peut s'expliquer par une formation insuffisante ou un manque de motivation des travailleurs, une piètre qualité des matières premières dont le traitement requiert plus de temps de main-d'œuvre, un équipement défectueux qui occasionne des pannes et des arrêts de travail, une supervision inefficace des travailleurs et des normes imprécises. En général, les gestionnaires chargés de la production ont la responsabilité de contrôler l'écart sur temps de la main-d'œuvre. Toutefois, cet écart pourrait être attribuable au service des achats quand l'acquisition de matières premières de piètre qualité a entraîné plus d'heures de main-d'œuvre directe que le temps standard requis pour transformer cette matière première.

Lorsque, à court terme, l'essentiel de la main-d'œuvre est fixe, une demande insuffisante des produits de l'entreprise peut constituer une autre cause importante de l'écart sur temps de la main-d'œuvre défavorable. Dans certaines entreprises, le nombre d'heures réelles de main-d'œuvre directe est fixe, particulièrement à court terme. Selon les dirigeants de ces

10

entreprises, il est difficile et peut-être même inconsidéré d'ajuster constamment le nombre de travailleurs en fonction des variations de la charge de travail. Par conséquent, la seule manière d'éviter un écart sur temps de la main-d'œuvre défavorable dans de telles entreprises consiste à maintenir tous les employés occupés en tout temps. Le choix de réduire le nombre d'employés disponibles n'existe tout simplement pas.

Ainsi, lorsque les commandes des clients sont insuffisantes pour faire travailler les employés, le gestionnaire a deux possibilités : soit il accepte un écart sur temps de la main-d'œuvre défavorable, soit il accumule des stocks[4]. Or, l'étude de la production optimisée a démontré qu'accumuler des stocks sans perspective de les vendre rapidement ne constitue pas une solution viable. Quand les stocks s'accumulent, on risque de se retrouver avec des taux élevés de défectuosité, des marchandises désuètes et des activités généralement non efficientes. Par conséquent, lorsque la main-d'œuvre directe est essentiellement fixe à court terme, les gestionnaires doivent être prudents avant de prendre une décision qui permettrait d'éviter les écarts sur temps de la main-d'œuvre directe. Certains conseillent même de ne pas agir et de laisser ces écarts se produire, du moins lorsqu'il s'agit de motiver les employés et de contrôler leur travail dans l'atelier.

SUR LE TERRAIN

La production de rapports d'analyse de la performance concernant les écarts sur main-d'œuvre directe augmente-t-elle la productivité ?

Les professeurs Banker, Devaraj, Schroeder et Sinha ont étudié les pratiques en matière de publication d'information concernant les écarts sur main-d'œuvre directe dans 18 usines d'une entreprise faisant partie du classement Fortune 500. Sept de ces usines ont cessé de publier ce type d'information, et les 11 autres ont continué. Le premier groupe a connu une baisse de 11 % de la productivité de sa main-d'œuvre, une baisse nettement plus importante que celle enregistrée par le second groupe de 11 usines. Les chercheurs ont estimé que la perte annuelle de 1 996 000 $, causée par la baisse de la productivité de la main-d'œuvre dans les 7 usines, n'était que partiellement compensée par le montant de 200 000 $ économisé grâce à l'élimination du besoin de déceler les écarts sur main-d'œuvre directe.

Si ces constatations laissent supposer que la publication de l'information concernant les écarts sur main-d'œuvre directe constitue un outil utile pour surveiller les travailleurs, les partisans de la production optimisée soutiendraient le contraire. Ils affirmeraient que cette information est une activité sans valeur ajoutée qui encourage une production excessive et démoralise les employés. Ces deux points de vue pourraient donner lieu à un débat intéressant au sujet du rôle de la comptabilité de gestion dans les entreprises.

Source : Rajiv BANKER, Sarv DEVARAJ, Roger SCHROEDER et Kingshuk SINHA, «Performance Impact of the Elimination of Direct Labour Variance Reporting : A Field Study», *Journal of Accounting Research*, vol. 40, n° 4 (septembre 2002), p. 1013-1036.

10

L'utilisation des coûts de revient standards et les écarts sur frais indirects de fabrication variables

OBJECTIF 4

Calculer les écarts sur dépense et sur rendement des frais indirects de fabrication variables, et les expliquer.

L'étape suivante de l'analyse des écarts de Reproductions antiques inc. pour le mois de juin consiste à calculer les écarts sur frais indirects de fabrication variables. On peut analyser la partie variable des frais indirects de fabrication à l'aide des mêmes formules de base qui ont servi à évaluer les matières premières et la main-d'œuvre directe. Nous avons vu au tableau 10.1 (*p. 510*) que les frais indirects de fabrication variables standards s'élèvent à 7,50 $ par unité de produit.

---

4. Pour un examen plus complet de la question, consulter Eliyahu M. GOLDRATT et Jeff COX, *The Goal : A Process of Ongoing Improvement*, 2ᵉ éd. révisée, Croton-on-Hudson, New York, North River Press, 1992, 384 p.

$$2,5 \text{ h par unité} \quad \times \quad 3,00 \text{ \$ l'heure} \quad = \quad 7,50 \text{ \$ par unité}$$

D'après les livres de Reproductions antiques inc., le total des frais indirects de fabrication variables réels pour le mois de juin s'élevait à 15 390 \$. En calculant les écarts sur main-d'œuvre directe, nous avons constaté précédemment que le temps de main-d'œuvre enregistré pour ce mois était de 5 400 heures, et que l'entreprise avait fabriqué 2 000 paires d'appuis-livres. L'analyse que la directrice des finances a faite des données relatives aux frais indirects de fabrication est reproduite à la figure 10.6.

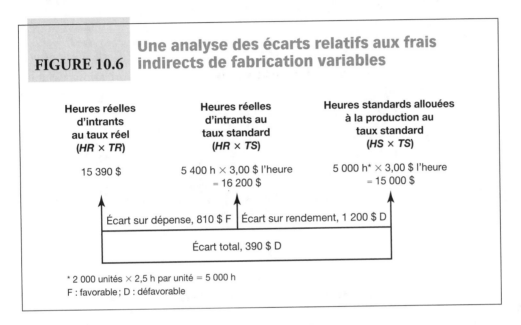

FIGURE 10.6 Une analyse des écarts relatifs aux frais indirects de fabrication variables

Heures réelles d'intrants au taux réel (*HR* × *TR*)	Heures réelles d'intrants au taux standard (*HR* × *TS*)	Heures standards allouées à la production au taux standard (*HS* × *TS*)
15 390 \$	5 400 h × 3,00 \$ l'heure = 16 200 \$	5 000 h* × 3,00 \$ l'heure = 15 000 \$

Écart sur dépense, 810 \$ F | Écart sur rendement, 1 200 \$ D

Écart total, 390 \$ D

* 2 000 unités × 2,5 h par unité = 5 000 h
F : favorable ; D : défavorable

Remarquez les ressemblances entre les figures 10.5 (*p. 518*) et 10.6. Elles sont dues au fait que les frais indirects de fabrication variables sont en relation étroite avec les heures de main-d'œuvre directe et qu'ainsi nous nous sommes servi des heures de main-d'œuvre directe comme unité d'œuvre pour déterminer le coût standard par unité d'œuvre des frais indirects de fabrication variables. Par conséquent, nous retrouvons les mêmes nombres d'heures à la figure 10.6 pour les frais indirects de fabrication variables que ceux de la figure 10.5 pour la main-d'œuvre directe. La principale différence entre les deux figures se situe du côté du taux horaire standard utilisé qui, dans cette entreprise, est plus bas en ce qui a trait aux frais indirects variables.

Un examen approfondi des écarts sur frais indirects de fabrication variables

La formule de l'**écart sur dépense en frais indirects de fabrication variables** s'exprime comme suit :

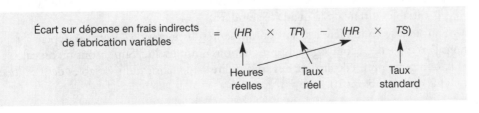

$$\text{Écart sur dépense en frais indirects de fabrication variables} = (HR \times TR) - (HR \times TS)$$

Heures réelles | Taux réel | Taux standard

Écart sur dépense en frais indirects de fabrication variables

Différence entre les frais indirects de fabrication variables réels engagés au cours d'une période et les frais indirects de fabrication variables standards qui auraient dû être engagés d'après l'activité réelle de la période.

10

Cette formule peut être simplifiée comme suit :

> Écart sur dépense en frais indirects de fabrication variables $= HR (TR - TS)$

En l'appliquant aux données de la figure 10.6 (*page précédente*), on obtient le montant suivant :

> $$5\ 400\ h\ (2,85\ \$\ l'heure^* - 3,00\ \$\ l'heure) = 810\ \$\ F$$
> * 15 390 $ ÷ 5 400 h = 2,85 $ l'heure

Écart sur rendement des frais indirects de fabrication variables

Différence entre l'activité réelle (les heures de main-d'œuvre directe, les heures-machines ou toute autre unité d'œuvre) d'une période et l'activité standard allouée, multipliée par la partie variable du taux d'imputation prédéterminé des frais indirects de fabrication variables[5].

La formule de l'**écart sur rendement des frais indirects de fabrication variables** s'exprime comme suit :

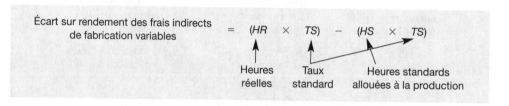

Elle s'abrège ainsi :

> Écart sur rendement des frais indirects de fabrication variables $= TS (HR - HS)$

Encore une fois, en nous servant des données de la figure 10.6, on peut calculer cet écart de la manière suivante :

> $$3,00\ \$\ l'heure\ (5\ 400\ h - 5\ 000\ h^*) = 1\ 200\ \$\ D$$
> * 2 000 unités × 2,5 h par unité = 5 000 h

Une interprétation de l'écart sur dépense

Dans le cas où les frais indirects de fabrication variables réels varient en fonction du nombre réel d'heures travaillées dans une période, l'écart sur dépense en frais indirects de fabrication variables se révèle parfois très informatif. Deux situations peuvent expliquer cet écart :

1. le coût d'achat réel des articles qui occasionnent des frais indirects de fabrication variables diffère du coût standard ;
2. la quantité réelle des articles qui occasionnent des frais indirects de fabrication variables diffère de la quantité standard.

Pour mettre en lumière les deux composantes distinctes de l'écart sur dépense, reprenons l'exemple de la compagnie Reproductions antiques inc. Supposons qu'on calcule le taux d'imputation prédéterminé des frais indirects de fabrication variables de 3 $ l'heure indiqué dans le tableau 10.1 (*p. 510*).

---

5. Le taux d'imputation prédéterminé des frais indirects de fabrication variables correspond au coût standard des frais indirects de fabrication variables par unité d'œuvre.

Taux d'imputation prédéterminé des frais indirects de fabrication variables	=	Total estimé des frais indirects de fabrication variables en juin
		Total estimé des heures de main-d'œuvre directe en juin
3,00 $ l'heure	=	$\dfrac{15\ 000\ \$}{5\ 000\ h^*}$

* 2 000 unités × 2,5 h par unité = 5 000 h

Supposons également que le total des frais indirects de fabrication variables, soit 15 000 $, se compose des trois éléments suivants :

Main-d'œuvre indirecte	7 500 $
Fournitures	5 000
Services publics	2 500
Total des frais indirects de fabrication variables	15 000 $

Le taux de 3 $ par heure tient compte à la fois des estimations du coût unitaire qui sera engagé pour chaque élément inclus dans les frais indirects de fabrication variables (par exemple, les fournitures) et de la quantité de ces éléments qui sera utilisée pour chaque heure de main-d'œuvre directe consacrée au produit[6]. Ainsi, supposons que l'estimation de 5 000 $ en fournitures est basée sur une utilisation prévue de 200 kg à un coût de 25 $ le kilogramme. On en déduit qu'il y aura 0,04 kg de fournitures utilisées (200 kg ÷ 5 000 heures) à chaque heure de travail, par paire d'appuis-livres. Compte tenu de ces caractéristiques du taux prédéterminé d'imputation des frais indirects de fabrication, deux facteurs peuvent expliquer que ce taux budgété de 3 $ l'heure diffère du taux réel de 2,85 $ par heure (15 390 $ ÷ 5 400 heures) sous-entendu dans la figure 10.6. Premièrement, en raison de l'écart sur dépense favorable du mois de juin, le coût réel des fournitures pourrait avoir été inférieur à 25 $ le kilogramme. Deuxièmement, il est possible que la production ait utilisé moins que 0,04 kg de fournitures par heure pour fabriquer 2 000 paires d'appuis-livres en juin. Naturellement, diverses combinaisons de ces facteurs peuvent aussi avoir occasionné un écart sur dépense favorable, En principe, on peut présenter séparément les composantes de l'écart sur dépense, soit le coût d'achat et la quantité de chaque élément qui compose les frais indirects de fabrication variables (main-d'œuvre indirecte, fournitures, etc.). Toutefois, on le fait rarement parce qu'en général, le coût de chaque élément qui compose les frais indirects de fabrication variables représente une faible proportion du total de ces frais. Ainsi, l'écart varie principalement en fonction de l'efficacité avec laquelle les quantités de ressources inductrices de frais indirects de fabrication variables sont utilisées. Même si l'on procède rarement à une analyse de ses composantes «coût» et «quantité», l'écart sur dépense a son utilité pour les gestionnaires. Par exemple, un écart sur dépense défavorable leur indique qu'ils doivent trouver des moyens de se procurer des éléments qui entraînent des frais indirects de fabrication à des coûts moins élevés, en utiliser une quantité moindre ou appliquer une combinaison de ces deux mesures.

Une interprétation de l'écart sur rendement

Comme l'écart sur dépense en frais indirects de fabrication variables, l'écart sur rendement des frais indirects de fabrication variables ne se révèle utile pour Reproductions antiques inc. que si l'inducteur de ces coûts est vraiment le nombre réel d'heures de travail. Le cas échéant, toute augmentation ou diminution de ce nombre d'heures devrait entraîner une hausse ou une baisse des frais indirects de fabrication variables réellement engagés. L'écart sur rendement des frais indirects de fabrication variables constitue une estimation

---

6. Nous avons vu au chapitre 3 que lorsqu'on utilise le taux d'imputation prédéterminé des frais indirects de fabrication, il devient inutile de retracer la quantité réelle d'éléments de frais indirects de fabrication variables utilisés pour établir les coûts des produits ou des services.

de l'effet sur ces frais de l'efficacité ou de l'inefficacité avec laquelle est utilisée l'unité d'œuvre (par exemple, les heures de travail). Dans un sens, l'expression *écart sur rendement des frais indirects de fabrication variables* n'est pas appropriée. Elle semble suggérer une mesure de l'efficience avec laquelle les ressources inductrices de frais indirects de fabrication variables ont été utilisées. Or, ce n'est pas le cas. Il s'agit plutôt d'une estimation de l'effet indirect, sur les frais indirects de fabrication variables, de l'efficacité ou de l'inefficacité avec laquelle on se sert de l'unité d'œuvre.

Pour bien comprendre cette mise au point, reportons-nous encore une fois à la figure 10.6 (*p. 521*). Au mois de juin, l'entreprise a consacré 400 heures de main-d'œuvre de plus que nécessaire pour fabriquer les unités de la période. On suppose que chacune de ces heures a requis l'engagement de 3 $ en frais indirects de fabrication variables, ce qui a entraîné un écart défavorable de 1 200 $ (400 heures × 3 $).

Même si cet écart de 1 200 $ porte le nom d'*écart sur rendement des frais indirects de fabrication*, il serait plus juste de le qualifier d'*écart sur rendement des heures de main-d'œuvre* puisqu'il découle d'un trop grand nombre d'heures de travail. Toutefois, l'expression *écart sur rendement des frais indirects de fabrication* est très solidement ancrée dans les habitudes. Lorsqu'on interprète cet écart, il est donc essentiel de s'assurer de bien comprendre ce qu'il mesure réellement. Il faut aussi noter qu'il est impossible de calculer l'écart sur rendement des frais indirects de fabrication variables s'il n'existe pas de nombre standard d'heures allouées pour la quantité réelle d'unités produites au cours d'une période. En l'absence d'une norme en matière de quantité pour les intrants, on ne peut calculer que l'écart sur dépense, comme nous le verrons plus loin dans ce chapitre.

Qui a la responsabilité de contrôler l'écart sur rendement des frais indirects de fabrication? Comme cet écart reflète en réalité l'efficience de l'utilisation de l'unité d'œuvre employée pour imputer les frais indirects de fabrication variables et que cette unité d'œuvre est reconnue comme l'inducteur de coûts de ces frais, la personne chargée du contrôle de cette unité d'œuvre devrait également être responsable de cet écart. Lorsque la main-d'œuvre directe constitue l'unité d'œuvre, le directeur qui a la responsabilité de l'utilisation du temps de main-d'œuvre alloué à la production aura aussi celle de tout écart sur rendement des frais indirects de fabrication.

Avant d'aller plus loin, revenons sur les données contenues dans les figures 10.2 à 10.6 (*p. 511 à 521*). Ces figures et les explications qui les accompagnent vous donneront une vue d'ensemble de l'établissement des standards et de l'analyse des écarts.

Les taux d'imputation des frais indirects de fabrication et l'analyse des frais indirects de fabrication fixes

OBJECTIF 5

Expliquer l'importance du volume d'activité prévu dans la détermination du coût de revient standard d'une unité de produit.

L'analyse détaillée des frais indirects de fabrication fixes diffère considérablement de l'analyse des frais indirects de fabrication variables décrite dans la section précédente parce que la nature des coûts en question est différente. D'abord, revoyons brièvement pourquoi les taux d'imputation prédéterminés des frais indirects de fabrication sont nécessaires et comment ils sont calculés. Cette révision se révélera fort utile, car le taux d'imputation prédéterminé des frais indirects de fabrication joue un rôle important dans l'analyse des frais indirects de fabrication fixes. Nous montrerons ensuite comment calculer les écarts sur frais indirects de fabrication fixes et nous verrons leur utilité pour les gestionnaires.

Les budgets flexibles et les taux d'imputation prédéterminés des frais indirects de fabrication

Les coûts fixes se présentent sous forme de grandes catégories indivisibles qui, par définition, ne changent pas selon les variations du niveau d'activité à l'intérieur d'un segment significatif. Comme nous l'avons vu au chapitre 3, l'établissement du coût d'un produit pose alors un problème puisque la répartition d'un montant donné de frais indirects de fabrication fixes sur un petit nombre d'unités entraîne un coût unitaire plus élevé que la répartition de ce même coût sur un grand nombre d'unités. Examinons les données du tableau suivant:

Mois	1) Frais indirects de fabrication fixes	2) Nombre d'unités produites	3) Coût unitaire 1) ÷ 2)
Janvier	6 000 $	1 000	6,00 $
Février	6 000	1 500	4,00
Mars	6 000	800	7,50

Notons que le nombre élevé d'unités produites en février entraîne un coût unitaire faible, soit 4,00 $. Par contre, le petit nombre d'unités produites en mars donne lieu à un coût unitaire élevé, soit 7,50 $. Seule la partie fixe des frais indirects de fabrication est à l'origine de cette différence car, par définition, la partie variable de ces frais demeure constante sur une base unitaire, augmentant et diminuant au total en proportion des variations du niveau d'activité. La plupart des gestionnaires croient que l'on devrait stabiliser la partie fixe du coût unitaire de façon à pouvoir utiliser un seul coût unitaire tout au long de l'année.

Comme nous l'avons vu au chapitre 3, il est possible de stabiliser cette partie fixe du coût à l'aide d'un taux d'imputation prédéterminé des frais indirects de fabrication.

Nous allons analyser les frais indirects de fabrication fixes de la société Reproductions antiques inc. en étudiant son budget flexible, présenté dans le tableau 10.2. Notons que le total des frais indirects de fabrication fixes prévus liés au segment d'activité s'élève à **300 000 $**.

TABLEAU 10.2 **Un budget flexible**

REPRODUCTIONS ANTIQUES INC.
Budget flexible à différents volumes d'activité

Frais indirects de fabrication	Coût standard (par heure de main- d'œuvre directe)	Volume d'activité pour la période (en heures de main-d'œuvre directe)		
		40 000	50 000	60 000
Frais indirects de fabrication variables:				
Main-d'œuvre indirecte	1,50 $	60 000 $	75 000 $	90 000 $
Fournitures	1,00	40 000	50 000	60 000
Services publics	0,50	20 000	25 000	30 000
Total des frais indirects de fabrication variables	3,00 $	120 000	150 000	180 000
Frais indirects de fabrication fixes:				
Amortissement		120 000	120 000	120 000
Salaires du personnel de supervision		144 000	144 000	144 000
Assurance		36 000	36 000	36 000
Total des frais indirects de fabrication fixes		300 000	300 000	300 000
Total des frais indirects de fabrication		420 000 $	450 000 $	480 000 $

10

Le volume d'activité servant au calcul du taux d'imputation

Rappelons la formule pour calculer le taux d'imputation prédéterminé des frais indirects de fabrication.

Taux d'imputation prédéterminé des frais indirects de fabrication	$=$	$\dfrac{\text{Total des frais indirects de fabrication prévus}}{\begin{array}{c}\text{Volume d'activité prévu selon l'unité d'œuvre}\\\text{choisie pour répartir les frais (HM, HMOD, etc.)}\end{array}}$

HM : heures-machines ; HMOD : heures de main-d'œuvre directe

Volume d'activité prévu

Volume d'activité servant au calcul du taux d'imputation prédéterminé des frais indirects de fabrication. Il peut s'agir soit du volume d'activité prévu pour la prochaine période, soit de la capacité théorique, pratique ou normale de l'entreprise.

Dans la formule de calcul du taux d'imputation prédéterminé des frais indirects de fabrication, le **volume d'activité prévu** constitue le dénominateur. Le volume d'activité choisi demeurera inchangé tout au long de la période même si l'activité réelle se révèle différente des prévisions. En effet, on ne modifie pas ce volume afin que les frais indirects de fabrication imputés à chaque unité de produit demeurent stables, quel que soit le moment où elle est fabriquée dans l'année.

Le calcul du taux d'imputation prédéterminé des frais indirects de fabrication

Lorsque nous avons étudié les taux d'imputation prédéterminés des frais indirects de fabrication au chapitre 3, nous n'avons donné aucune explication quant au calcul de l'ensemble des frais indirects de fabrication prévus. Ce chiffre peut être déduit du budget flexible. Une fois que le volume d'activité prévu est choisi, le budget flexible peut servir à déterminer le montant total des frais indirects de fabrication qui devraient être engagés à ce niveau d'activité. On peut obtenir le taux d'imputation prédéterminé des frais indirects de fabrication à l'aide de la formule de base du calcul de ce taux.

Taux d'imputation prédéterminé des frais indirects de fabrication	$=$	$\dfrac{\begin{array}{c}\text{Frais indirects de fabrication provenant}\\\text{du budget flexible au volume d'activité prévu}\end{array}}{\text{Volume d'activité prévu}}$

Pour illustrer notre propos, reportons-nous au budget flexible des frais indirects de fabrication de la compagnie Reproductions antiques inc. du tableau 10.2 (*page précédente*). Supposons que le niveau d'activité prévu pour la période est de **50 000** heures de main-d'œuvre directe (HMOD) et qu'il servira de dénominateur dans la formule du taux d'imputation prédéterminé des frais indirects de fabrication.

Le numérateur correspond au total des frais indirects de fabrication prévus, soit 450 000 $, quand le volume d'activité est de 50 000 heures de main-d'œuvre directe. Par conséquent, on calculera le taux d'imputation prédéterminé des frais indirects de fabrication de la compagnie Reproductions antiques inc. comme suit :

$$\frac{450\,000\ \$}{50\,000\ \text{HMOD}} = 9,00\ \$ \text{ par HMOD}$$

L'entreprise peut aussi décomposer son taux d'imputation prédéterminé des frais indirects de fabrication en un taux variable et un taux fixe plutôt que de se baser sur un taux combiné.

$$\text{Taux d'imputation variable} = \frac{150\,000\,\$}{50\,000\ \text{HMOD}} = 3,00\,\$\ \text{par HMOD}$$

$$\text{Taux d'imputation fixe} = \frac{300\,000\,\$}{50\,000\ \text{HMOD}} = 6,00\,\$\ \text{par HMOD}$$

Pour chaque heure de main-d'œuvre directe, on imputera des frais indirects de fabrication de 9 $ aux produits en cours, dont 3 $ en frais indirects de fabrication variables et 6 $ en frais indirects de fabrication fixes. Lorsque la fabrication d'une paire d'appuis-livres exige deux heures et demie de main-d'œuvre directe, son coût comprend des frais indirects de fabrication variables de 7,50 $ et des frais indirects de fabrication fixes de 15,00 $, selon la fiche de coût standard révisée présentée dans le tableau 10.3, laquelle inclut maintenant les frais indirects de fabrication fixes.

En résumé, le budget flexible peut fournir les frais indirects de fabrication prévus nécessaires au calcul du taux d'imputation prédéterminé des frais indirects de fabrication. Ce type de budget peut donc être utile dans la détermination des frais indirects fixes et variables à attribuer aux unités de produit.

TABLEAU 10.3
La fiche de coût standard – méthode du coût complet

Facteurs de production (intrants) par unité	1) Quantité ou temps standard	2) Coût ou taux standard	3) Coût standard 1) × 2)
Matières premières*	3,0 kg	4,00 $ le kilogramme	12,00 $
Main-d'œuvre directe*	2,5 h	14,00 $ l'heure	35,00
Frais indirects de fabrication variables*	2,5 h	3,00 $ l'heure	7,50
Frais indirects de fabrication fixes	2,5 h	6,00 $ l'heure	15,00
Total du coût standard par unité			69,50 $

* Tiré du tableau 10.1 (*p. 510*)

L'imputation des frais indirects de fabrication et les écarts sur frais indirects de fabrication fixes

Pour comprendre les écarts se rapportant aux frais indirects de fabrication fixes, il faut d'abord comprendre comment imputer ceux-ci aux produits en cours dans un système de coûts standards. Nous examinerons donc maintenant ce processus d'imputation en détail.

OBJECTIF 6
Calculer les écarts sur dépense et sur volume des frais indirects de fabrication fixes, et les expliquer.

10

L'imputation des frais indirects de fabrication dans un système de coûts de revient standards

Au chapitre 3, nous avons imputé des frais indirects de fabrication aux produits en cours sur la base des heures d'activité réelles — multipliées par le taux d'imputation prédéterminé des frais indirects de fabrication. Cette façon de faire était correcte dans un système de coûts normalisés (aussi appelés *coûts rationnels*).

Ici, cependant, nous utilisons un système de coûts standards. Dans un tel système, il faut imputer les frais indirects de fabrication sur la base des *heures standards* (ou de n'importe quelle autre unité d'œuvre choisie) *allouées à la production de la période* plutôt que sur la base du nombre réel d'heures de travail. Le tableau 10.4 illustre cette distinction. Dans un système de coûts standards, on attribue à chaque unité de produit qui progresse le long de la chaîne de production le même montant de frais indirects de fabrication, indépendamment des variations de production et d'efficience.

TABLEAU 10.4	Les frais indirects de fabrication imputés : comparaison entre un système de coûts normalisés et un système de coûts standards

SYSTÈME DE COÛTS NORMALISÉS		SYSTÈME DE COÛTS STANDARDS	
Frais indirects de fabrication		Frais indirects de fabrication	
Frais indirects de fabrication réels engagés	Frais indirects de fabrication imputés : Heures réelles × Taux d'imputation prédéterminé des frais indirects de fabrication	Frais indirects de fabrication réels engagés	Frais indirects de fabrication imputés : Heures standards allouées à la production réelle × Taux d'imputation prédéterminé des frais indirects de fabrication
Frais indirects de fabrication sous-imputés ou surimputés		Frais indirects de fabrication sous-imputés ou surimputés	

Les écarts sur frais indirects de fabrication fixes

Reportons-nous encore une fois aux données de la compagnie Reproductions antiques inc. pour illustrer le calcul des écarts sur frais indirects de fabrication fixes.

Volume d'activité prévu en heures de main-d'œuvre directe	50 000
Frais indirects de fabrication fixes prévus pour la période....................................	300 000 $
Partie fixe du taux d'imputation prédéterminé des frais indirects de fabrication (déjà calculé)	6,00 $

Supposons maintenant que les activités d'exploitation réelles du mois de juin ont été les suivantes :

Heures réelles de main-d'œuvre directe	5 400
Heures standards de main-d'œuvre directe allouées à la production réelle*	5 000
Frais indirects de fabrication fixes réels :	
Amortissement...	10 000 $
Salaires du personnel de supervision	14 000
Assurance..	3 500
Coût réel total	27 500 $

* Pour la production réelle du mois de juin, soit 2 000 unités × 2,5 h par unité = 5 000 h

À partir de ces données, il est possible de calculer deux écarts pour les frais indirects de fabrication fixes, soit un *écart sur dépense* et un *écart sur volume*. Ces écarts pour le mois de juin apparaissent dans la figure 10.7.

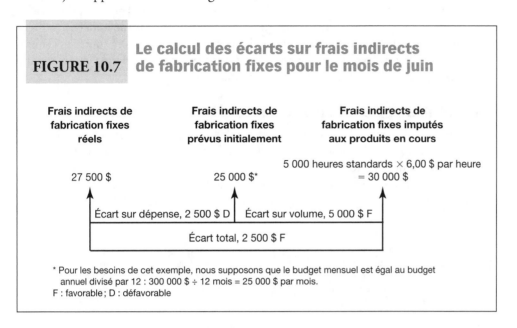

FIGURE 10.7 Le calcul des écarts sur frais indirects de fabrication fixes pour le mois de juin

Frais indirects de fabrication fixes réels	Frais indirects de fabrication fixes prévus initialement	Frais indirects de fabrication fixes imputés aux produits en cours
		5 000 heures standards × 6,00 $ par heure = 30 000 $
27 500 $	25 000 $*	

Écart sur dépense, 2 500 $ D | Écart sur volume, 5 000 $ F

Écart total, 2 500 $ F

* Pour les besoins de cet exemple, nous supposons que le budget mensuel est égal au budget annuel divisé par 12 : 300 000 $ ÷ 12 mois = 25 000 $ par mois.
F : favorable ; D : défavorable

Comme le montre cette figure, on a imputé des frais indirects de fabrication fixes aux produits en cours sur la base des 5 000 heures standards allouées à la production du mois de juin plutôt que sur la base des 5 400 heures de travail réelles, évitant ainsi que les coûts unitaires soient modifiés par des variations du rendement[7].

Un examen approfondi de l'écart sur dépense

L'**écart sur dépense** consiste en la différence entre les frais indirects de fabrication fixes réels engagés pendant la période et les frais indirects de fabrication fixes prévus initialement. Comme le montre la figure 10.7, on peut calculer ce type d'écart à l'aide de la formule suivante :

Écart sur dépense

Mesure de la différence entre les frais indirects de fabrication fixes réels engagés pendant la période et les frais indirects de fabrication fixes prévus initialement.

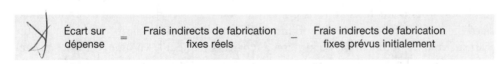

$$\text{Écart sur dépense} = \text{Frais indirects de fabrication fixes réels} - \text{Frais indirects de fabrication fixes prévus initialement}$$

L'application de cette formule à la compagnie Reproductions antiques inc. donnerait l'écart sur dépense suivant :

$$27\,500\,\$ - 25\,000\,\$ = 2\,500\,\$\ \text{D}$$

10

---

7. Le coût standard unitaire pour les frais indirects de fabrication fixes est de 15 $ (2,5 h × 6 $). En utilisant les 5 000 heures standards allouées à la production pour l'imputation, on s'assure d'attribuer à chaque unité le coût standard unitaire de 15 $. Si l'on avait utilisé les heures réelles, soit 5 400 heures pour l'imputation, chaque unité aurait un coût unitaire supérieur à 15 $, et ce coût varierait en fonction de l'activité réelle de chaque mois, ce qui n'est pas approprié dans un système de coûts standards.

Les écarts sur dépense concernant les frais indirects de fabrication fixes peuvent se révéler très utiles puisqu'ils représentent la différence entre le montant qui aurait dû être dépensé d'après le budget et le montant réellement dépensé. Par exemple, pour le mois de juin, les frais indirects de fabrication fixes réels de la compagnie Reproductions antiques inc. sont de 2 500 $ plus élevés que le montant prévu dans le budget. La direction pourrait donc vouloir déterminer quels éléments spécifiques de ces coûts fixes sont à l'origine d'un tel écart. Nous présentons un rapport d'analyse de la performance détaillé concernant les frais indirects de fabrication au tableau 10.5 (*p. 534*).

Un examen approfondi de l'écart sur volume

Écart sur volume

Écart se produisant chaque fois que le volume standard (exprimé en heures ou par une autre unité d'œuvre) alloué à la production d'une période diffère du volume d'activité prévu servant au calcul du taux d'imputation prédéterminé des frais indirects de fabrication fixes.

L'**écart sur volume** permet de mesurer l'utilisation des installations de production. Il se produit chaque fois que le volume standard (exprimé en heures ou par une autre unité d'œuvre) alloué à la production d'une période diffère du volume d'activité prévu servant au calcul du taux d'imputation prédéterminé des frais indirects de fabrication fixes. Il peut être calculé suivant la méthode de la figure 10.7 (*page précédente*) ou à l'aide de la formule suivante :

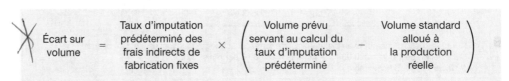

Lorsque cette formule est appliquée à Reproductions antiques inc., l'écart sur volume a la valeur suivante :

$$6,00 \text{ \$ par HMOD } (4\ 167 - 5\ 000 \text{ heures}) = 4\ 998 \text{ \$ F}$$

Comme nous l'avons vu au chapitre 3, on établit souvent les taux prédéterminés d'imputation des frais indirects de fabrication sur une base annuelle pour éviter des disparités dans les coûts incorporables dus aux fluctuations saisonnières de certains éléments des frais indirects (tels les coûts de chauffage). À la compagnie Reproductions antiques inc., le taux de 6 $ par heure pour les frais indirects de fabrication fixes est établi à partir de l'estimation des coûts fixes annuels qui est de 300 000 $ et d'un volume annuel prévu d'activité de 50 000 heures de main-d'œuvre. Toutefois, en vue de simplifier le calcul d'un écart sur volume pour le mois de juin, on a réparti également le volume d'activité annuel prévu de 50 000 heures de main-d'œuvre directe entre tous les mois. Par conséquent, le volume d'activité prévu pour le mois de juin correspond à 4 167 heures (50 000 heures ÷ 12 mois). Exception faite d'une différence de 2 $ pour arrondir, l'écart sur volume de 4 998 $ ci-dessus concorde avec le montant qui apparaît dans la figure 10.7.

Il ne faut pas oublier que, lorsqu'on calcule l'écart sur volume annuel, il faut utiliser le volume d'activité total prévu pour l'année de 50 000 heures et les heures standards allouées à la production réelle pour l'ensemble de l'année.

Comme nous l'avons noté précédemment, l'écart sur volume constitue une mesure de l'utilisation des installations disponibles d'une usine. Un écart favorable, comme ci-dessus, indique que l'entreprise fonctionne à un niveau d'activité supérieur à celui qu'elle a prévu pour la période. Par contre, un écart défavorable signifierait que le niveau d'activité de l'entreprise est inférieur à celui qui a été planifié pour la période en question.

Il est important de noter que l'écart sur volume ne détermine pas si les dépenses sont excessives ou insuffisantes. Une entreprise engage normalement le même montant de frais indirects de fabrication fixes, que le volume d'activité soit supérieur ou inférieur à ce qui a été prévu. Il faut aussi savoir qu'il n'y a pas d'écart de rendement dans le cas des frais indirects de fabrication fixes parce que le montant de frais indirects de fabrication fixes budgétés (ou prévus) pour un volume de 5 400 heures de main-d'œuvre directe ou pour 5 000 heures de main-d'œuvre directe aurait été le même. De plus, par définition, ces frais sont fixes, et ne sont pas touchés par l'efficience ou le rendement de l'unité d'œuvre qui est utilisée pour les imputer.

L'écart sur volume dépend de la différence entre les heures standards de main-d'œuvre directe allouées à la production réelle et le volume d'activité prévu, soit 833 heures de main-d'œuvre directe (5 000 − 4 167 heures). Bref, l'écart sur volume est lié au niveau d'activité. On ne peut l'expliquer et le contrôler que par le niveau d'activité. L'écart sur volume est un écart comptable. Il indique que le niveau d'activité n'a pas été le même que celui qui a été utilisé pour calculer le taux d'imputation prédéterminé des frais indirects de fabrication fixes. Il n'existe que dans les cas où les frais indirects de fabrication fixes sont imputés aux produits, c'est-à-dire lorsque le coût complet est utilisé pour comptabiliser les coûts engagés dans les stocks. Avec la méthode des coûts variables, l'écart sur volume ne peut exister, car les frais indirects de fabrication fixes ne sont pas imputés aux produits en cours.

En résumé :

1. Lorsque le volume d'activité prévu (par exemple, les heures utilisées pour le calcul du taux d'imputation prédéterminé des frais indirects de fabrication fixes) et les heures standards d'activité allouées à la production réelle de la période sont les mêmes, il n'y a pas d'écart sur volume d'activité.

2. Lorsque le volume d'activité prévu (par exemple, les heures utilisées pour le calcul du taux d'imputation prédéterminé des frais indirects de fabrication fixes) est supérieur aux heures standards d'activité allouées à la production réelle de la période, l'écart sur volume d'activité est défavorable ; dans ce cas, les installations sont moins utilisées.

3. Lorsque le volume d'activité prévu est inférieur au nombre d'heures standards allouées à la production réelle de la période, l'écart sur volume d'activité est favorable ; dans ce cas, les installations sont plus utilisées.

Une analyse graphique des écarts sur frais indirects de fabrication fixes

Une analyse graphique permettra de mieux comprendre les écarts sur dépense et sur volume. Ces écarts sont représentés à la figure 10.8 (*page suivante*).

Comme l'illustre ce graphique, les frais indirects de fabrication fixes sont imputés aux produits en cours au taux prédéterminé de 6 $ par heure standard de main-d'œuvre directe (la droite ascendante est celle des frais imputés.)

Puisqu'on a retenu un volume d'activité de 4 167 heures de main-d'œuvre directe pour calculer le taux de 6 $, la droite des frais imputés coupe la droite des frais prévus exactement au point de 4 167 heures de main-d'œuvre directe. Par conséquent, si les heures utilisées pour le calcul du taux d'imputation prédéterminé des frais indirects de fabrication fixes et les heures standards allouées à la production réelle sont les mêmes, il ne peut y avoir d'écart sur volume d'activité puisque la droite des coûts imputés et la droite des frais prévus coïncident exactement sur la figure. Ce n'est que lorsque le nombre standard d'heures allouées à la production réelle est différent du nombre d'heures utilisées pour le calcul du taux d'imputation des frais indirects de fabrication fixes qu'un écart sur volume peut apparaître.

Dans le cas présent, le nombre d'heures standards allouées à la production réelle (5 000 heures) dépasse le nombre d'heures du volume d'activité prévu (4 167 heures) pour le mois de juin. Il en résulte un écart sur volume favorable puisqu'on a imputé à la production un coût supérieur à celui qui avait été budgété initialement. Dans le cas contraire, si le nombre d'heures standards allouées à la production réelle avait été inférieur au nombre d'heures utilisées pour le calcul du taux d'imputation des frais indirects de fabrication fixes, l'écart sur volume indiqué aurait été défavorable.

10

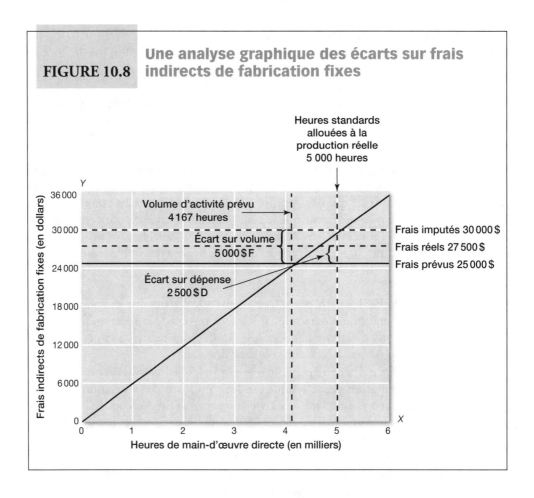

FIGURE 10.8 Une analyse graphique des écarts sur frais indirects de fabrication fixes

Quelques mises en garde concernant l'analyse des frais indirects de fabrication fixes

Nous obtenons un écart sur volume pour les frais indirects de fabrication fixes parce que le total des coûts fixes ne dépend pas de l'activité. Toutefois, lorsque nous imputons les coûts aux produits en cours, nous procédons comme si les coûts fixes étaient variables et dépendaient de l'activité. C'est ce que montre la figure 10.8. Notez que, dans cette figure, les frais indirects de fabrication fixes sont imputés aux produits en cours au taux de 6 $ par heure, comme s'ils étaient variables. On doit traiter ces coûts comme s'ils étaient variables pour la comptabilisation des stocks de produits en cours. Le procédé comporte toutefois certains risques. Le gestionnaire pourrait en effet être induit en erreur et considérer les coûts fixes comme s'ils étaient réellement variables.

Le gestionnaire doit garder en mémoire le fait que les frais indirects de fabrication fixes se présentent sous forme de grands blocs indivisibles. Exprimer les coûts fixes sur une base unitaire ou horaire a quelque chose d'artificiel même s'il est nécessaire de le faire en vue d'établir le coût de revient servant à valoriser les stocks dans les livres comptables. En fait, les augmentations ou les diminutions du niveau d'activité n'ont aucun effet sur le total des coûts fixes à l'intérieur d'un segment significatif donné. Même lorsque les coûts fixes sont exprimés sur une base unitaire ou horaire, ils ne sont pas proportionnels à l'activité. En un sens, l'écart sur volume d'activité résulte du traitement comptable des frais indirects de fabrication fixes et constitue un signal de l'utilisation des installations. L'écart sur volume d'activité peut prêter à confusion. C'est pourquoi certaines entreprises le présentent sous la forme d'unité d'œuvre (les heures) plutôt qu'en dollars. Elles ont l'impression qu'exprimer cet écart en unités permet à la direction de mieux comprendre sa cause.

Les écarts sur frais indirects de fabrication, et les frais indirects sous-imputés ou surimputés

Dans ce chapitre, nous avons calculé quatre écarts relatifs aux frais indirects de fabrication de la compagnie Reproductions antiques inc.

Écart sur dépense en frais indirects de fabrication variables*..................................	810 $ F
Écart sur rendement des frais indirects de fabrication variables*	1 200 D
Écart sur dépense en frais indirects de fabrication fixes**	2 500 D
Écart sur volume des frais indirects de fabrication fixes**	5 000 F
Total des écarts relatifs aux frais indirects de fabrication	2 110 $ F

* Tiré de la figure 10.6 (*p. 521*)
** Tiré de la figure 10.7 (*p. 529*)

Comme nous l'avons vu au chapitre 3, les frais indirects de fabrication sous-imputés ou surimputés correspondent à la différence entre les frais indirects de fabrication imputés aux produits et les frais indirects de fabrication réels engagés pendant une période. En principe, les écarts sur frais indirects de fabrication calculés dans ce chapitre permettent de décomposer les frais indirects sous-imputés ou surimputés sous forme d'écarts que le gestionnaire peut utiliser à des fins de contrôle. Par conséquent, *la somme des écarts sur frais indirects de fabrication est égale aux frais indirects sous-imputés ou surimputés pour une période.*

En outre, dans un système de coûts standards, les écarts défavorables équivalent aux frais indirects de fabrication sous-imputés, et les écarts favorables, aux frais indirects surimputés. Il y a écart défavorable lorsque les frais indirects de fabrication réels dépassent les frais standards alloués à la production réelle. Il y a des frais indirects de fabrication sous-imputés lorsque les frais indirects de fabrication réels excèdent le montant imputé aux produits au cours de la période. Toutefois, dans le système de coûts standards, les frais indirects de fabrication alloués et les frais indirects de fabrication imputés aux produits sont les mêmes. Par conséquent, dans un tel système, les écarts défavorables et les frais indirects de fabrication sous-imputés sont les mêmes, tout comme s'équivalent les écarts favorables et les frais indirects de fabrication surimputés.

Dans le cas de la compagnie Reproductions antiques inc., l'écart total sur frais indirects de fabrication de 2 110 $ est favorable, c'est-à-dire que ses frais pour l'année étaient surimputés de 2 110 $. Pour bien comprendre ce concept, examinez attentivement le problème de révision présenté à la fin de ce chapitre (*p. 544*).

10

Le rapport d'analyse de la performance relatif aux frais indirects de fabrication et l'analyse de la capacité

Pour terminer son analyse des frais indirects de fabrication de Reproductions antiques inc. au mois de juin, Mme Sirois prépare le rapport d'analyse de la performance qui apparaît au tableau 10.5 (*page suivante*). Ce rapport est basé sur l'analyse des frais indirects de fabrication variables et fixes présentés dans les figures 10.6 et 10.7 (*p. 521 et 529*), et fournit des précisions sur les éléments inclus dans chaque catégorie. Ce niveau additionnel de renseignements permet aux gestionnaires de déterminer la contribution de chaque élément des frais indirects de fabrication à l'écart sur dépense, à l'écart sur rendement et à l'écart sur volume.

OBJECTIF 7

Préparer un rapport d'analyse de la performance concernant les frais indirects de fabrication et effectuer une analyse de la capacité utilisée.

TABLEAU 10.5 Un rapport d'analyse de la performance relatif aux frais indirects de fabrication

REPRODUCTIONS ANTIQUES INC.
Rapport d'analyse de la performance relatif aux frais indirects de fabrication
du mois terminé le 30 juin

Production réelle (unités) 2 000
Heures réelles de main-d'œuvre directe 5 400
Heures standards de main-d'œuvre directe allouées à la production réelle 5 000

Les prévisions sont basées sur le nombre d'heures de main-d'œuvre directe (5 000) qui auraient dû être consacrées à la production de 2 000 unités et le nombre d'heures réellement utilisées (5 400).

Cette méthode permet d'obtenir à la fois un écart sur dépense et un écart sur rendement des frais indirects de fabrication variables, ainsi qu'un écart sur dépense et un écart sur volume des frais indirects de fabrication fixes.

Frais indirects de fabrication	Coût standard (par heure de main-d'œuvre directe)	1) Coûts réels engagés pour 5 400 heures de main-d'œuvre directe	2) Budget basé sur 5 400 heures de main-d'œuvre directe	3) Coût standard pour 5 000 heures de main-d'œuvre directe	Écart total 1) – 3)	Écart sur dépense 1) – 2)	Écart sur rendement 2) – 3)
Frais indirects de fabrication variables :							
Main-d'œuvre indirecte	1,50 $	7 830 $	8 100 $	7 500 $	330 $ D	270 $ F	600 $ D
Fournitures	1,00	5 022	5 400	5 000	22 D	378 F	400 D
Services publics	0,50	2 538	2 700	2 500	38 D	162 F	200 D
Total des frais indirects de fabrication variables	3,00 $	15 390 $	16 200 $	15 000 $	390 $ D	810 $ F	1 200 $ D
						Écart sur dépense	Écart sur volume
Frais indirects de fabrication fixes :							
Amortissement		10 000 $	10 000 $	12 000 $	2 000 $ F	-0- $	2 000 $ F
Salaires du personnel de supervision		14 000	12 000	14 400	400 F	2 000 D	2 400 F
Assurance		3 500	3 000	3 600	100 F	500 D	600 F
Total des frais indirects de fabrication fixes		27 500 $	25 000 $	30 000 $	2 500 $ F	2 500 $ D	5 000 $ F

Décomposition de l'écart total de 2 110 $ F

F : favorable ; D : défavorable

Il faut faire deux remarques concernant le tableau 10.5. Premièrement, comme Mme Sirois a élaboré un système de coûts standards et qu'elle veut présenter à la fois l'écart sur dépense, l'écart sur rendement et l'écart sur volume des frais indirects de fabrication, elle a inclus les frais prévus des heures réelles de main-d'œuvre directe (5 400) et des heures standards de main-d'œuvre directe allouées (5 000) pour les 2 000 unités produites au mois de juin. Il en résulte, pour les frais indirects de fabrication variables, que la somme de l'écart sur dépense (810 $ F) et de l'écart sur rendement (1 200 $ D) inscrite dans la figure 10.6 (*p. 521*) correspond aux calculs généraux qui apparaissent dans le tableau 10.5. Deuxièmement, dans le cas des frais indirects de fabrication fixes du tableau 10.5, Mme Sirois a calculé l'écart sur dépense et l'écart sur volume. Cette façon de procéder est conforme à ce qu'on retrouve dans la figure 10.6 puisque, dans le cas des frais indirects de fabrication fixes, il est impossible de calculer un écart sur rendement. Comme nous l'avons vu précédemment, à l'intérieur du segment significatif, les coûts fixes demeurent constants même lorsque le niveau d'activité varie. Par conséquent, le budget pour chaque élément de ces coûts fixes est le même dans la colonne 2 du tableau 10.5 que celui prévu initialement, même si le volume d'activité diffère de 400 heures (5 400 − 5 000 heures). À des fins de contrôle, l'écart sur dépense relatif aux frais indirects de fabrication fixes est une information essentielle. En comparant les montants réellement dépensés pour chaque élément des frais indirects de fabrication fixes aux montants prévus, Mme Sirois peut évaluer la performance du gestionnaire qui a la responsabilité de contrôler le coût de ces éléments.

La préparation d'un rapport d'analyse de la performance qui présente à la fois l'écart sur dépense et l'écart sur rendement n'est possible que dans le cadre d'un système de coûts standards. Toutefois, même lorsqu'une entreprise n'utilise pas de système de coûts standards, il est toujours possible de préparer un rapport d'analyse de la performance relatif aux frais indirects de fabrication variables, mais il ne renfermera que les écarts sur dépense. Le tableau 10.6 donne un exemple de ce type de rapport. Il faut noter que les écarts sur dépense présentés dans ce tableau sont les mêmes que ceux qui apparaissent dans le tableau 10.5.

TABLEAU 10.6	**Un rapport d'analyse de la performance relatif aux frais indirects de fabrication portant seulement sur les écarts sur dépense**

REPRODUCTIONS ANTIQUES INC.
Rapport d'analyse de la performance relatif aux frais indirects de fabrication
du mois terminé le 30 juin

Production réelle (unités) 2 000
Heures réelles de main-d'œuvre directe.............. 5 400

Frais indirects de fabrication	Coût standard (par heure de main-d'œuvre directe)	1) Coûts réels engagés pour 5 400 heures de main-d'œuvre directe	2) Budget basé sur 5 400 heures de main-d'œuvre directe	Écart sur dépense 1) − 2)
Frais indirects de fabrication variables :				
Main-d'œuvre indirecte.......................................	1,50 $	7 830 $	8 100 $	270 $ F
Fournitures...	1,00	5 022	5 400	378 F
Services publics..	0,50	2 538	2 700	162 F
Total des frais indirects de fabrication variables.............................	3,00 $	15 390	16 200	810 F
Frais indirects de fabrication fixes :				
Amortissement..		10 000	10 000	-0-
Salaires du personnel de supervision		14 000	12 000	2 000 D
Assurance		3 500	3 000	500 D
Total des frais indirects de fabrication fixes............................		27 500	25 000	2 500 D
Total des frais indirects de fabrication		42 890 $	41 200 $	1 690 $ D

F : favorable ; D : défavorable

La seule différence qui existe entre ces deux rapports d'analyse de la performance réside dans le fait que celui du tableau 10.5 (*p. 534*) présente également des écarts sur rendement, ayant été préparé dans un contexte où Reproductions antiques inc. a recours à un système de coûts standards. Il est aussi possible de faire un rapport d'analyse de la performance pour les frais indirects de fabrication fixes, mais il ne renfermera que les écarts sur volume.

Après avoir élaboré leur rapport d'analyse de la performance, les gestionnaires doivent encore déterminer si les écarts qu'ils ont calculés nécessitent des mesures correctives. Par exemple, l'écart sur dépense en frais indirects de fabrication fixes défavorable de 2 000 $ lié aux salaires du personnel de supervision est le plus important écart du mois de juin. Faut-il entreprendre une enquête? Faut-il trouver la cause de cet écart? La détermination des écarts qui doivent faire l'objet d'une enquête approfondie est une composante importante du cycle d'analyse des écarts présenté à la figure 10.1 (*p. 504*). Dans la prochaine section, nous verrons comment les gestionnaires prennent ce type de décision.

SUR LE TERRAIN

Les comptes des frais indirects de fabrication : un terrain propice à la fraude

Dans les petites entreprises en particulier, le contrôleur est souvent la seule personne qui comprend les concepts d'écarts sur frais indirects de fabrication, et de frais indirects surimputés ou sous-imputés. En outre, il est parfois en mesure d'autoriser des décaissements et de les comptabiliser lui-même. Enfin, les petites entreprises à actionnariat restreint engagent rarement des auditeurs externes, de sorte que toutes ces circonstances créent un environnement idéal pour les fraudeurs.

Une petite entreprise de fabrication qui employait 100 personnes et dont le chiffre d'affaires s'élevait à 30 millions de dollars par année en a fait la pénible expérience. Le contrôleur a détourné près de un million de dollars de la société en trois ans, en émettant des chèques à son propre nom. Le consultant qui a découvert cette fraude a été mis sur la piste par les écarts étonnamment élevés qu'il observait dans les frais indirects de fabrication. Les écarts constatés résultaient en fait des charges fictives que le contrôleur enregistrait dans les comptes de ces frais pour compenser ses prélèvements frauduleux d'argent. Une fois la fraude exposée au grand jour, l'entreprise a mis en place diverses mesures de contrôle pour diminuer le risque que de semblables problèmes se reproduisent. Parmi ces mesures, mentionnons l'embauche d'un auditeur interne et une révision périodique des écarts sur frais indirects de fabrication pour déterminer et expliquer les différences importantes.

Source : John B. MacARTHUR, Bobby E. WALDRUP et Gary R. FANE, «Caution : Fraud Overhead», *Strategic Finance*, vol. 86, nº 4 (octobre 2004), p. 28-32.

L'analyse de la capacité de production à des fins de gestion

La compagnie Reproductions antiques inc. a prévu un volume de production annuel de 20 000 paires d'appuis-livres. Nous avons utilisé ce niveau d'activité précédemment pour calculer le coût standard par paire d'appuis-livres, soit 69,50 $ pour 20 000 unités ou 50 000 heures de main-d'œuvre directe (*voir le tableau 10.3, p. 527*). Supposons maintenant que l'année est terminée et que l'entreprise a vendu 16 000 paires d'appuis-livres.

Si la compagnie Reproductions antiques inc. utilisait tout le temps de production dont elle dispose et qu'il n'y avait aucun gaspillage, elle pourrait atteindre un volume d'activité qui porte le nom de **capacité maximale** ou **capacité théorique**. À ce niveau de capacité, les opérations de l'entreprise se poursuivraient 24 heures par jour, 365 jours par année, sans temps d'arrêt, comme dans la définition du standard idéal que nous avons déjà présentée dans ce chapitre (*p. 506*). Si le volume d'activité prévu de 20 000 unités ou de 50 000 heures de main-d'œuvre directe représentait 50 % de sa capacité théorique, la compagnie Reproductions antiques inc. pourrait produire 40 000 unités (20 000 unités ÷ 0,50) en 100 000 heures.

Capacité maximale (ou capacité théorique)

Utilisation maximale des installations au cours d'une période en l'absence totale de défaillances techniques ou humaines.

10

La **capacité pratique** désigne ce qui pourrait être produit si l'on soustrayait les temps d'arrêt inévitables de la capacité théorique. L'entretien, les pannes et le temps de réglage des nouvelles opérations sont considérés comme des temps d'arrêt inévitables. Si le volume d'activité prévu correspond à 80 % de la capacité pratique, alors, il est possible de produire 25 000 unités (20 000 unités ÷ 0,80) en 62 500 heures de main-d'œuvre directe.

Dans une analyse de la capacité, on commence par examiner les frais indirects de fabrication (variables et fixes) à chaque niveau de capacité.

Capacité pratique

Utilisation maximale des installations au cours d'une période en l'absence totale de défaillances techniques ou humaines, ou d'arrêts de production qu'il est impossible d'éviter, par exemple à cause des mises en route.

		Total des frais indirects de fabrication
Capacité théorique	(100 000 HMOD × 3,00 $) + 300 000 $	= 600 000 $
Capacité pratique	(62 500 HMOD × 3,00 $) + 300 000 $	= 487 500 $
Volume d'activité prévu	(50 000 HMOD × 3,00 $) + 300 000 $	= 450 000 $
Volume d'activité réel...	(40 000 HMOD × 3,00 $) + 300 000 $	= 420 000 $

Si la compagnie Reproductions antiques inc. peut vendre toute sa production à 80 $ l'unité, il est possible de calculer comme suit les coûts d'opportunité auxquels elle s'expose en ne fonctionnant pas à divers niveaux de capacité.

	Marge sur coûts variables	Total des frais indirects de fabrication	Bénéfice
Capacité théorique............................	40 000 unités × (80,00 $ − 47,00 $)	− 600 000 $	= 720 000 $
Capacité pratique..............................	25 000 unités × (80,00 $ − 47,00 $)	− 487 500 $	= 337 500 $
Volume d'activité prévu.....................	20 000 unités × (80,00 $ − 47,00 $)	− 450 000 $	= 210 000 $
Volume d'activité réel.......................	16 000 unités × (80,00 $ − 47,00 $)	− 420 000 $	= 108 000 $

Le montant de 47 $ se décompose comme suit : le coût standard des matières premières, soit 12 $ par unité, et le coût standard de la main-d'œuvre directe, soit 35 $ par unité, tous deux tirés du tableau 10.3. Le montant restant de 3 $ en coûts de production variables pour les frais indirects de fabrication est inclus dans les frais indirects calculés ci-dessus.

Pour déterminer le coût d'opportunité correspondant à un niveau de capacité de 16 000 unités (un bénéfice de 108 000 $), on commence par considérer le bénéfice supplémentaire qu'il aurait été possible d'enregistrer au niveau de capacité théorique : 720 000 $ − 108 000 $, soit 612 000 $ de manque à gagner. En étudiant des stratégies de marketing qui lui permettraient de vendre 24 000 unités de plus (40 000 − 16 000 unités), la direction pourrait améliorer sensiblement son bénéfice. Il lui faudrait aussi effectuer une analyse pour évaluer l'effet potentiel de la vente d'unités supplémentaires sur les coûts de mise en route, l'entretien, le gaspillage, etc.

Au moment d'établir un budget, l'analyse de la capacité se révèle un outil de planification stratégique très utile. L'engagement de coûts de capacité (ou de structure) et les modifications à la capacité nécessitent du temps, de sorte que l'utilisation de la capacité, les goulots d'étranglement potentiels et les possibilités en matière de marketing constituent des éléments importants à considérer.

Les décisions concernant l'analyse des écarts et la gestion par exceptions

L'analyse des écarts et les rapports d'analyse de la performance sont des éléments clés de la *gestion par exceptions*. Dans ce type de gestion, la direction concentre son attention sur les parties de l'organisation dans lesquelles les objectifs et les prévisions ne sont pas réalisés.

Les budgets et les standards dont il a été question dans ce chapitre et dans le précédent reflètent les plans de la direction. Si tout se déroule conformément à ces plans, il y aura très peu de différences entre les résultats obtenus et ceux prévus d'après les standards et les budgets. Toutefois, lorsque les résultats obtenus ne respectent ni le budget ni les standards, le rapport d'analyse de la performance signale au gestionnaire la présence d'une «exception». Cet avertissement prend la forme d'un écart par rapport au budget et aux standards.

Tous les écarts valent-ils la peine d'être examinés? Non. Il y a presque toujours des différences entre les résultats obtenus et les attentes. Si la direction devait examiner chaque écart, elle perdrait beaucoup de temps à tenter de retracer des différences de quelques sous. Les écarts peuvent être dus à toutes sortes de raisons, dont quelques-unes seulement ont de l'importance et requièrent l'attention de la direction. Par exemple, des températures estivales plus élevées que la normale pourraient occasionner des factures d'électricité plus élevées que prévu pour la climatisation. En raison de facteurs aléatoires imprévisibles, on peut s'attendre à ce qu'il y ait un écart dans presque chaque catégorie de coûts.

Comment les gestionnaires devraient-ils déterminer les écarts qui valent la peine d'être examinés? Le montant de l'écart constitue un indice utile. Un écart de 5 $ n'est sans doute pas assez important pour s'y intéresser. Par contre, un écart de 5 000 $ pourrait valoir la peine que l'on essaie d'en retrouver la source. Un autre indice est l'importance de l'écart par rapport au montant de dépenses engagées. Un écart qui représente seulement 0,1 % des dépenses relatives à un élément se situe sans doute à l'intérieur de limites prévisibles, compte tenu des facteurs aléatoires. Par contre, un écart correspondant à 10 % des dépenses risque davantage d'indiquer un problème.

Une méthode fiable consiste à reporter les données sur les écarts dans un graphique de contrôle statistique semblable à celui de la figure 10.9. D'après le principe de base qui sous-tend ce type de graphique, il est normal que des fluctuations aléatoires dans les écarts apparaissent d'une période à l'autre. Il faut s'y attendre même lorsque l'entreprise contrôle bien ses coûts. On doit s'intéresser à un écart uniquement lorsqu'il est inhabituel par rapport au niveau normal de fluctuations aléatoires. En général, on se sert de l'écart type pour mesurer le niveau normal des fluctuations. De nombreuses entreprises emploient une règle empirique selon laquelle il faut examiner tous les écarts supérieurs à X écart type par rapport à zéro. Dans le diagramme de contrôle statistique de la figure 10.9, X est égal à 1,0. Autrement dit, la règle en vigueur dans cette entreprise prescrit l'examen de tous les écarts supérieurs à l'écart type de 1,0, dans une direction ou dans l'autre (favorable ou défavorable), par rapport à zéro. Ainsi, il faudrait examiner les écarts des semaines 7, 11 et 17, mais aucun des autres n'en vaudrait la peine.

Quelle valeur doit-on donner à X? Plus sa valeur est élevée, plus la bande des écarts acceptables, et sur lesquels il n'est pas nécessaire d'enquêter, s'élargit. Par conséquent, plus cette valeur augmente, moins on consacre de temps à essayer de trouver l'origine des écarts,

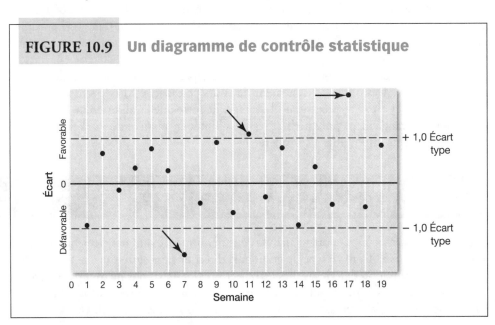

FIGURE 10.9 Un diagramme de contrôle statistique

mais plus il y a de risques de laisser se développer, sans la voir, une situation difficile à redresser par la suite. En général, lorsque la valeur de X est fixée à 1,0, environ 30 % de tous les écarts déclencheront une enquête, même dans le cas où il n'y a pas vraiment de problème. Lorsque X est établi à 1,5, ce pourcentage diminue à environ 13 %. Si X se situait à 2,0, le pourcentage tomberait à environ 5 %.

En plus de surveiller les écarts qui s'éloignent de la norme de façon inhabituelle, on doit aussi prêter attention à la répétition de ces écarts. Par exemple, une série d'écarts qui se répètent de façon constante devrait donner lieu à un examen approfondi, même si aucun des écarts n'est assez grand pour justifier un tel effort.

Les évaluations basées sur les systèmes de coûts de revient standards

Les avantages des systèmes de coûts de revient standards

Les systèmes de coûts de revient standards offrent de nombreux avantages.

1. Comme nous l'avons vu, la méthode des coûts de revient standards constitue un élément fondamental de la gestion par exceptions. Aussi longtemps que les coûts demeurent dans les limites fixées par les standards, les gestionnaires peuvent se préoccuper d'autres problèmes. Lorsque les coûts ne respectent plus les standards, ils sont avertis de la possibilité que des problèmes requièrent leur attention. Cette méthode aide les gestionnaires à se concentrer sur les questions importantes.

2. Tant qu'ils sont considérés comme raisonnables par les employés, les standards peuvent favoriser l'économie et l'efficience. Ils fournissent aussi des repères permettant aux employés d'évaluer leur propre rendement.

3. L'utilisation de coûts de revient standards peut grandement simplifier la tenue des livres comptables. Au lieu d'enregistrer les coûts réels dans les comptes de stocks, on comptabilise les coûts de revient standards des matières premières et de la main-d'œuvre directe ainsi que les frais indirects de fabrication dans les stocks.

4. La méthode des coûts de revient standards s'intègre facilement à une structure par centres de responsabilité. Elle permet d'établir des coûts standards et de déterminer qui en aura la responsabilité, et de vérifier si le contrôle des coûts réels est efficace.

10

Les problèmes potentiels liés aux systèmes de coûts de revient standards

L'utilisation de la méthode des coûts de revient standards peut poser un certain nombre de problèmes. La plupart d'entre eux résultent d'un emploi inapproprié de cette méthode et d'une mauvaise application du principe de gestion par exceptions, ou encore d'un recours à des coûts standards dans des situations qui ne s'y prêtent pas.

1. En général, les rapports traitant des écarts sur coûts standards sont préparés chaque mois et sont souvent communiqués des jours, parfois même des semaines après la fin du mois. Conséquence : les renseignements contenus dans ces rapports diffèrent parfois tellement de la situation actuelle qu'ils se révèlent presque inutiles. Des rapports rapides, fréquents et à peu près corrects valent mieux que des rapports trop espacés et très précis, mais qui sont déjà dépassés au moment de leur communication. Certaines entreprises publient leurs écarts et d'autres données d'exploitation essentielles chaque jour, sinon plus souvent encore.

2. Lorsque les gestionnaires manquent de tact et qu'ils se servent des rapports d'analyse des écarts pour formuler des reproches à leurs employés, le moral du personnel de l'entreprise peut s'en ressentir. Les employés devraient être encouragés lorsqu'ils accomplissent bien leurs tâches. Malheureusement, de par sa nature, la gestion par exceptions a tendance à mettre l'accent sur ce qui ne va pas. Si l'on utilise les écarts comme des instruments de réprimande, les employés résisteront difficilement à la tentation de les dissimuler quand ils sont défavorables ou de prendre des mesures contraires aux intérêts de l'entreprise pour s'assurer qu'ils sont favorables. Par exemple, les travailleurs intensifieront leurs efforts pour augmenter la production à la fin du mois en vue d'éviter un écart sur temps de la main-d'œuvre défavorable, bien que cette pratique puisse avoir des effets déplorables sur la qualité des produits.

3. Les écarts sur main-d'œuvre sont basés sur deux hypothèses importantes. En premier lieu, ils supposent que le processus de production suit le rythme de la main-d'œuvre directe : lorsque la main-d'œuvre accélère son rythme de travail, la production devrait augmenter. Toutefois, de nos jours, la production d'un bon nombre d'entreprises n'est plus déterminée par la rapidité de travail de la main-d'œuvre, mais plutôt par la vitesse de traitement des machines. En second lieu, dans les calculs, la main-d'œuvre directe est considérée comme un coût variable. Toutefois, comme nous l'avons vu dans les chapitres précédents, la main-d'œuvre directe d'un grand nombre d'entreprises peut représenter essentiellement un coût fixe. Le cas échéant, l'importance exagérée accordée aux écarts sur temps de la main-d'œuvre directe exerce une pression sur les travailleurs pour qu'ils accumulent des stocks excessifs de produits en cours et de produits finis.

4. Dans certains cas, un écart favorable peut se révéler aussi mauvais, sinon pire qu'un écart défavorable. Par exemple, chez McDonald's, il y a une norme concernant la quantité de viande hachée devant se trouver dans un Big Mac. Un écart « favorable » signifie que l'on a utilisé moins de viande que la quantité spécifiée. Le résultat est un Big Mac inférieur à la norme, et peut-être même un client insatisfait.

5. Dans les systèmes d'information basés sur des coûts de revient standards, on tend parfois à mettre l'accent sur le respect des standards au détriment d'autres objectifs importants comme le maintien et l'amélioration de la qualité, la livraison dans les délais prescrits et la satisfaction de la clientèle. Il est possible de contrôler cette tendance grâce à des mesures de la performance supplémentaires axées sur ces autres objectifs.

6. Il ne suffit pas toujours de respecter les standards. Il peut être nécessaire de travailler à des améliorations continues pour survivre à la concurrence actuelle du milieu. C'est pourquoi les gestionnaires de certaines entreprises concentrent leur attention

10

sur les tendances qu'ils observent dans les écarts sur coûts standards, c'est-à-dire qu'ils recherchent une amélioration continue plutôt que de se contenter du respect des standards. Dans d'autres entreprises, les normes d'ingénierie sont remplacées par une moyenne de coûts réels réexaminée à intervalles réguliers que l'on s'attend à voir diminuer ou par des coûts cibles qui se révèlent très stimulants.

En résumé, les gestionnaires devraient être très prudents lorsqu'ils mettent en place un système de coûts de revient standards. Il est très important qu'ils s'efforcent de mettre l'accent sur les aspects positifs plutôt qu'uniquement sur les mauvais rendements et qu'ils soient conscients de la possibilité de conséquences inattendues.

Quoi qu'il en soit, la majorité des entreprises de fabrication et nombre d'entreprises de service se servent encore d'un système de coûts de revient standards bien que leur façon de l'utiliser continue d'évoluer. Pour évaluer la performance, les rapports concernant les écarts sur coûts standards pourraient être complétés par un concept très intéressant, connu sous le nom de *tableau de bord équilibré*, dont il sera question dans le chapitre 11.

SUR LE TERRAIN

L'application des coûts standards

Des hausses importantes dans les coûts des soins de santé au cours des dernières décennies au Canada, aux États-Unis et dans d'autres pays du monde ont provoqué la réclamation de nouvelles mesures destinées à améliorer leur contrôle. Dans un article récent, Thibadoux, Scheidt et Luckey ont examiné l'élaboration et l'emploi possibles de la méthode des coûts standards dans le système de santé américain. L'établissement de coûts standards exigerait l'utilisation des meilleures méthodes basées sur des éléments éprouvés, c'est-à-dire des directives cliniques pour les diagnostics et des traitements fondés sur la recherche scientifique. Dans ce système, on recommande aux médecins de respecter une approche standard de traitement de leurs patients requérant l'utilisation de listes de contrôle publiées pour chacun des principaux groupes homogènes de malades (GHM) qui ont le même diagnostic. Prenons comme exemple de ces groupes celui des patients qui ont subi un pontage aorto-coronarien. En déterminant le coût de chaque « étape » de la liste de contrôle des meilleures méthodes basées sur des éléments probants pour un GHM particulier, on peut déterminer un coût standard pour le diagnostic et le traitement de chaque patient concerné. Il serait ensuite possible de comparer les coûts réels à ces coûts standards et d'enquêter sur les écarts.

Des entrevues réalisées avec de nombreux praticiens concernant l'utilisation de coûts standards dans le système de santé suggèrent que les inconvénients de cette méthode dépasseraient largement ses avantages. Même si certains médecins ont indiqué qu'une telle méthode les aiderait à déterminer les causes possibles de l'augmentation des coûts, la plupart ont exprimé de sérieuses inquiétudes quant au concept. Par exemple, nombre d'entre eux ont fait remarquer que la responsabilité de respecter des coûts standards pourrait entraîner des décisions visant davantage à contrôler les coûts qu'à assurer le bien-être des patients. De même, d'autres ont souligné que l'interprétation des écarts par rapport aux coûts standards pourrait se révéler problématique, en ce sens qu'un écart favorable serait susceptible d'indiquer qu'un patient a reçu des soins de mauvaise qualité. Enfin, certains répondants ont expliqué que, contrairement à ce qui se passe dans les entreprises de fabrication pour lesquelles il est possible d'élaborer des normes relativement précises de production, les moyens utilisés pour soigner une maladie grave peuvent varier considérablement d'un patient à un autre. Par conséquent, ils doutaient même de la possibilité d'élaborer des standards pertinents.

L'adoption par les administrateurs des systèmes de santé d'une méthode des coûts standards est loin d'être chose faite. Toutefois, il est intéressant de noter les similitudes entre les problèmes signalés par les praticiens en ce qui a trait aux coûts standards et ceux dont nous avons traité précédemment dans ce chapitre.

Source : Greg M. THIBADOUX, Marsha SCHEIDT et Elizabeth LUCKEY, « Accounting and Medicine : An Exploratory Investigation into Physicians' Attitudes Toward the Use of Standard Cost-Accounting Methods in Medicine », *Journal of Business Ethics*, vol. 75, n° 2 (octobre 2007), p. 137-149.

10

Le coût de revient selon l'approche Kaizen dans un contexte de production optimisée

Dans un environnement de plus en plus concurrentiel, certaines entreprises doivent réduire leurs coûts de production de façon continue pour survivre. Si ces entreprises utilisent des coûts de revient standards, elles doivent s'efforcer de réduire ceux-ci, chaque année, chaque mois, chaque semaine. Plutôt que d'effectuer des changements importants dans leur processus de fabrication, dans la conception de leurs produits ou de faire des investissements massifs dans des immobilisations pour réduire leurs coûts de revient, les gestionnaires peuvent recourir à l'approche Kaizen de réduction des coûts. Cette approche préconise une amélioration continue et graduelle, effectuée par de petits changements dans les processus, les intrants et les produits, plutôt que par des changements radicaux. L'approche Kaizen consiste à se fixer comme objectif la réduction du coût de revient de la période courante avant la prochaine période (semaine, mois, année). Par exemple, si le coût de revient standard[8] unitaire pour la période qui vient de se terminer est de 15,00 $, les gestionnaires pourraient avoir comme objectif de réduire de 2 % ce coût pour le ramener à 14,70 $. La cible à atteindre pour la prochaine période devient donc 14,70 $ par unité. L'atteinte de cet objectif passera par l'implication de tous les employés de l'entreprise, du personnel opérationnel jusqu'à la direction. Tout un chacun a la responsabilité de trouver des moyens d'atteindre cet objectif par des améliorations continues des opérations, chaque jour et en tout temps.

Résumé

Un standard est un point de repère permettant de mesurer la performance. Dans les organisations à but lucratif, on établit des standards concernant le coût d'achat et la quantité des intrants nécessaires à la fabrication de produits ou à la prestation de services. Les standards de quantité servent à indiquer la quantité d'un élément de coût, tel que les heures de main-d'œuvre ou les quantités de matières premières qui devraient être utilisées pour fabriquer une unité de produit ou pour fournir une unité de service. Les standards relatifs au coût d'achat précisent ce que devrait être le taux horaire des heures de main-d'œuvre ou le coût d'achat des matières premières.

En général, les standards sont de nature pratique, c'est-à-dire que l'on doit les atteindre ou les respecter grâce à des efforts raisonnables, mais très efficients. D'ordinaire, l'effet de telles normes est considéré comme favorable parce qu'elles motivent les employés.

Dans la comparaison entre les standards et les résultats réels, la différence porte le nom d'*écart*. Les comptables calculent et communiquent de façon régulière aux gestionnaires les écarts relatifs aux coûts d'achat et aux quantités de matières premières et de main-d'œuvre directe ainsi qu'aux frais indirects de fabrication. Ils calculent les écarts sur coût d'achat des matières premières, les écarts sur taux horaire et les écarts sur dépense en intrants en déterminant la différence entre les coûts d'achat unitaires réels et les coûts d'achat unitaires standards des intrants, et en multipliant le résultat par la quantité d'intrants achetés ou utilisés. Ils obtiennent les écarts sur quantité et les écarts sur temps ou rendement en déterminant la différence entre la quantité réelle de l'intrant utilisée et la quantité de l'intrant qui a été allouée selon les standards pour la production réelle, et en multipliant ensuite le résultat par le coût d'achat unitaire standard de l'intrant.

---

8. Il est aussi possible d'utiliser le coût de revient par période.

Il existe également deux écarts pour les frais indirects de fabrication fixes. L'écart sur dépense consiste en la différence entre les montants réels et les montants budgétés du total des frais indirects de fabrication fixes. L'écart sur volume se définit comme la différence entre le montant des frais indirects de fabrication fixes imputés aux stocks et le montant total des frais indirects de fabrication fixes initialement budgétés pour la période. L'écart sur dépense constitue une mesure du degré de contrôle que l'entreprise a exercé sur ses frais indirects de fabrication. L'écart sur volume résulte du fait que l'entreprise traite ses coûts fixes comme s'il s'agissait de coûts variables. Il est plus difficile que les autres écarts à interpréter. Toutefois, de façon générale, il représente la différence entre l'utilisation planifiée et l'utilisation réelle des installations de production. La somme des quatre écarts relatifs aux frais indirects de fabrication fixes et variables est égale au montant surimputé ou sous-imputé pour la période. Des écarts défavorables équivalent à des frais indirects de fabrication sous-imputés, et des écarts favorables, à des frais indirects de fabrication surimputés.

Les gestionnaires n'ont pas besoin d'analyser tous les écarts. En réalité, ils ne devraient examiner que ceux qui sont inhabituels ou très significatifs — autrement, ils consacreraient beaucoup de temps ou d'attention à enquêter sur des éléments sans importance ou qui sont normaux. En outre, il est nécessaire d'insister sur le fait que l'objectif d'un tel examen n'est pas de trouver quelqu'un sur qui jeter le blâme. Il s'agit plutôt de cerner le problème en vue de pouvoir le régler et d'améliorer le déroulement des activités.

Il est souvent souhaitable de compléter les rapports traditionnels concernant les écarts sur coûts standards par d'autres mesures de la performance. Accorder une importance exagérée aux écarts sur coûts pourrait entraîner des problèmes dans d'autres domaines cruciaux tels que la qualité du produit, les niveaux de stock et la livraison à temps.

10

Activités d'apprentissage

Les coûts de revient standards

La société Deschambault fabrique un jouet appelé *Labyrinthe*. Ses gestionnaires imputent les frais indirects de fabrication aux produits en se basant sur les heures de main-d'œuvre directe. L'entreprise a récemment mis en place un système de coûts standards. Voici d'ailleurs les coûts standards relatifs à une unité de produit.

- Matières premières : 6 microns par jouet à 0,50 $ par micron.
- Main-d'œuvre directe : 1,3 heure par jouet à 12 $ l'heure.
- Frais indirects de fabrication variables : 1,3 heure par jouet à 4 $ l'heure.
- Frais indirects de fabrication fixes : 1,3 heure par jouet à 6 $ l'heure.

Au cours du mois de juillet, l'entreprise a fabriqué 3 000 unités du Labyrinthe. Les frais indirects de fabrication fixes budgétés pour ce mois se chiffraient à 24 180 $, et le volume d'activité prévu était de 4 030 heures de main-d'œuvre directe. Voici des données relatives à la production de ce jouet pour juillet.

- Matières premières : L'entreprise a acheté 25 000 microns à 0,48 $ le micron. Il restait 5 000 de ces microns en stock à la fin du mois.
- Main-d'œuvre directe : La main-d'œuvre directe a effectué 4 000 heures de travail pour un coût total de 52 000 $.
- Frais indirects de fabrication variables : Leur coût réel se chiffrait à 17 000 $ en juillet.
- Frais indirects de fabrication fixes : Leur coût réel s'élevait à 25 000 $ en juillet.

Travail à faire

1. Calculez les écarts sur coût d'achat des matières premières et de la main-d'œuvre directe, ainsi que les écarts sur frais indirects de fabrication variables et fixes.
2. Calculez le total des frais indirects de fabrication surimputés ou sous-imputés pour le mois de juillet.

Solution au problème de révision

1. **Les écarts relatifs aux matières premières**

Quantité réelle de matières premières achetée au coût d'achat réel $(QR_A \times C_aR)$	Quantité réelle de matières premières achetée au coût d'achat standard $(QR_A \times C_aS)$	Quantité standard de matières premières allouée à la production réelle au coût d'achat standard $(QS \times C_aS)$
25 000 microns × 0,48 $ le micron = 12 000 $	25 000 microns × 0,50 $ le micron = 12 500 $	

Écart sur coût d'achat, 500 $ F

Quantité réelle de matières premières utilisée au coût d'achat standard $(QR_U \times C_aS)$

20 000 microns × 0,50 $ le micron = 10 000 $	18 000 microns* × 0,50 $ le micron = 9 000 $

Écart sur quantité, 1 000 $ D

* 3 000 jouets × 6 microns par jouet = 18 000 microns
F : favorable ; D : défavorable

Il est impossible de calculer un écart total dans ce cas parce que la quantité de matières premières achetée (25 000 microns) diffère de la quantité de matières premières utilisée dans la production (20 000 microns).

À l'aide des formules présentées dans ce chapitre, on pourrait calculer les mêmes écarts comme suit :

Écart sur coût d'achat des matières premières $= QR\,(C_aR - C_aS)$

25 000 microns (0,48 $ le micron $-$ 0,50 $ le micron) $=$ 500 $ F

Écart sur quantité de matières premières $= C_aS\,(QR - QS)$

0,50 $ le micron (20 000 microns $-$ 18 000 microns) $=$ 1 000 $ D

Les écarts relatifs aux coûts de la main-d'œuvre directe

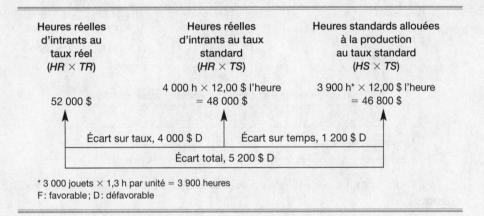

Heures réelles d'intrants au taux réel ($HR \times TR$)	Heures réelles d'intrants au taux standard ($HR \times TS$)	Heures standards allouées à la production au taux standard ($HS \times TS$)
52 000 $	4 000 h $\times$ 12,00 $ l'heure = 48 000 $	3 900 h* $\times$ 12,00 $ l'heure = 46 800 $

Écart sur taux, 4 000 $ D   Écart sur temps, 1 200 $ D

Écart total, 5 200 $ D

* 3 000 jouets $\times$ 1,3 h par unité = 3 900 heures
F : favorable ; D : défavorable

À l'aide des formules présentées dans ce chapitre, on pourrait calculer les mêmes écarts comme suit :

Écart sur taux horaire de la main-d'œuvre directe $= HR\,(TR - TS)$

4 000 h (13,00 $ l'heure* $-$ 12,00 $ l'heure) $=$ 4 000 $ D

Écart sur temps de la main-d'œuvre directe $= TS\,(HR - HS)$

12,00 $ l'heure (4 000 h $-$ 3 900 h) $=$ 1 200 $ D

* 52 000 $ $\div$ 4 000 h = 13,00 $ l'heure

Les écarts relatifs aux frais indirects de fabrication variables

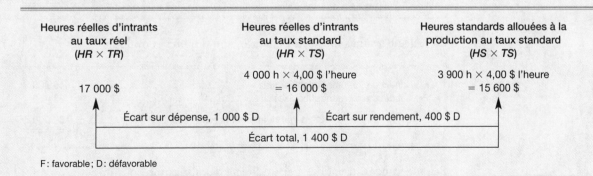

Heures réelles d'intrants au taux réel ($HR \times TR$)	Heures réelles d'intrants au taux standard ($HR \times TS$)	Heures standards allouées à la production au taux standard ($HS \times TS$)
17 000 $	4 000 h $\times$ 4,00 $ l'heure = 16 000 $	3 900 h $\times$ 4,00 $ l'heure = 15 600 $

Écart sur dépense, 1 000 $ D   Écart sur rendement, 400 $ D

Écart total, 1 400 $ D

F : favorable ; D : défavorable

10

► À l'aide des formules présentées dans ce chapitre, on peut calculer les mêmes écarts comme suit :

Écart sur dépense en frais indirects de fabrication variables $= HR\,(TR - TS)$
4 000 h (4,25 $ l'heure* − 4,00 $ l'heure) = 1 000 $ D

Écart sur rendement des frais indirects de fabrication variables $= TS\,(HR - HS)$
4,00 $ l'heure (4 000 h − 3 900 h) = 400 $ D

* 17 000 $ ÷ 4 000 h = 4,25 $ l'heure

Les écarts relatifs aux frais indirects de fabrication fixes

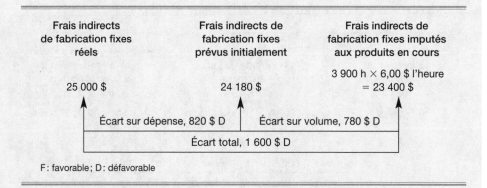

Frais indirects de fabrication fixes réels	Frais indirects de fabrication fixes prévus initialement	Frais indirects de fabrication fixes imputés aux produits en cours
		3 900 h × 6,00 $ l'heure = 23 400 $
25 000 $	24 180 $	

Écart sur dépense, 820 $ D   Écart sur volume, 780 $ D

Écart total, 1 600 $ D

F : favorable ; D : défavorable

À l'aide des formules présentées dans ce chapitre, on peut calculer l'écart sur volume comme suit :

$$\text{Écart sur volume} = \begin{pmatrix}\text{Taux d'imputation}\\\text{prédéterminé des}\\\text{frais indirects de}\\\text{fabrication}\end{pmatrix} \times \begin{pmatrix}\text{Volume prévu}\\\text{servant au calcul du}\\\text{taux d'imputation}\\\text{prédéterminé}\end{pmatrix} - \begin{pmatrix}\text{Volume standard}\\\text{alloué à}\\\text{la production}\\\text{réelle}\end{pmatrix}$$

6,00 $ (4 030 h − 3 900 h) = 780 $ D

2. On calcule les frais indirects de fabrication réels engagés comme suit :

Frais indirects de fabrication variables...	17 000 $
Frais indirects de fabrication fixes...	25 000
Total des frais indirects de fabrication réels..	42 000 $

On calcule les frais indirects de fabrication imputés comme suit :

Frais indirects de fabrication variables	15 600 $
Frais indirects de fabrication fixes...	23 400
Total des frais indirects de fabrication imputés.....................................	39 000 $

Par conséquent, il y a des frais indirects de fabrication sous-imputés de 3 000 $ (42 000 $ − 39 000 $).

Questions

Q1 Qu'est-ce qu'un standard de quantité ? Qu'est-ce qu'un standard de coût ?

Q2 Établissez une distinction entre des standards théoriques et des standards pratiques.

Q3 Si, de façon systématique, les employés ne parviennent pas à respecter un standard, quel effet peut-on s'attendre à observer sur leur productivité ?

Q4 Quelle est la différence entre un élément standard et un élément budgété ?

Q5 Qu'entend-on par l'expression «gestion par exceptions» ?

Q6 En général, pourquoi distingue-t-on les écarts sur coût d'achat et les écarts sur quantité ?

Q7 En général, qui assume la responsabilité des écarts sur coût d'achat des matières premières ? des écarts sur quantité des matières premières ? des écarts sur rendement de la main-d'œuvre directe ?

Q8 Quel effet peut avoir l'achat de matières premières de piètre qualité sur les écarts relatifs à la main-d'œuvre directe ?

Q9 Supposez qu'on impute des frais indirects de fabrication variables à la production en utilisant les heures de main-d'œuvre directe comme unité d'œuvre et que l'écart sur temps de cette main-d'œuvre se révèle défavorable. L'écart sur rendement des frais indirects de fabrication variables sera-t-il favorable ou défavorable ? Expliquez votre réponse.

Q10 Que signifie l'expression «volume prévu d'activité servant au calcul du taux d'imputation prédéterminé des frais indirects de fabrication» ?

Q11 Pourquoi imputons-nous les frais indirects de fabrication aux produits en cours sur la base des heures standards allouées à la production réelle alors que nous les avons imputés sur la base des heures réelles dans le chapitre 3 ? En quoi ces systèmes d'établissement des coûts de revient sont-ils différents ?

Q12 Dans un système de coûts standards, quels sont les deux écarts calculés pour les frais indirects de fabrication fixes ?

Q13 Qu'est-ce que l'écart sur dépense en frais indirects de fabrication fixes permet de mesurer ?

Q14 Dans quel contexte pourrait-on s'attendre à ce que l'écart sur volume soit favorable ? défavorable ? Cet écart permet-il de mesurer les variations dans les dépenses en éléments de frais indirects de fabrication ? Expliquez votre réponse.

Q15 De quelle manière, autre qu'en dollars, est-il possible de mesurer l'écart sur volume ?

Q16 Dans un système de coûts de revient standards, les frais indirects de fabrication surimputés ou sous-imputés peuvent être subdivisés en quatre types d'écarts. Lesquels ?

Q17 Supposez que les frais indirects de fabrication d'une entreprise sont surimputés pour le mois d'août. À votre avis, le total des écarts relatifs aux frais indirects de fabrication sera-t-il favorable ou défavorable ?

Q18 Qu'est-ce qu'un diagramme de contrôle statistique et comment s'en sert-on ?

Q19 Pourquoi une importance excessive accordée aux écarts sur temps de la main-d'œuvre directe peut-elle entraîner un surplus de produits en cours dans les stocks ?

Q20 L'analyse de la capacité va plus loin que l'analyse typique des écarts relatifs aux frais indirects de fabrication. Comment utilise-t-on différentes définitions de la capacité comme point de départ à ce type d'analyse ?

Q21 Quels sont les deux moments dans le temps où calculer l'écart sur coût d'achat des matières premières ? Lequel de ces moments est le plus approprié ? Pourquoi ?

Q22 Un examen des comptes de la société Beaux Meubles inc. révèle que l'écart sur coût d'achat des matières premières est favorable, mais que celui sur quantité de matières premières est défavorable d'un montant important. Qu'est-ce que cette situation peut indiquer ?

Q23 Peut-on utiliser des coûts standards aux fins de la préparation des rapports financiers publiés à des fins externes ? Expliquez votre réponse.

Exercices

E1 La préparation d'une fiche de coût standard

Svenska Pharmacie, une entreprise pharmaceutique suédoise, fabrique un anticoagulant. Le principal ingrédient de ce médicament est une matière première connue sous l'appellation *Alpha SR40*. Voici des données concernant l'achat et l'utilisation de cette matière première.

- Achat d'Alpha SR40 : L'entreprise achète la matière première Alpha SR40 dans des contenants de 2 kilogrammes au coût d'achat de 3 000 $ le kilogramme. Le fournisseur offre un escompte de 2 % lorsque la facture est payée dans les 10 jours ►

▶ suivant l'achat, et l'entreprise se prévaut systématiquement de ces escomptes. Les coûts de livraison, que la société Svenska Pharmacie doit assumer, s'élèvent à 1 000 $ pour un envoi moyen de 10 contenants de 2 kilogrammes.

- Utilisation de l'Alpha SR40 : D'après la nomenclature, il faut 6 grammes d'Alpha SR40 par capsule d'anticoagulant. Toutefois, le laboratoire rejette environ 4 % de la quantité totale d'Alpha SR40 achetée par l'entreprise avant de commencer le processus de fabrication pour des raisons de non-conformité aux normes établies. Enfin, une capsule d'anticoagulant sur 26 est rejetée après inspection, en raison d'un défaut quelconque.

Travail à faire

1. Calculez le coût d'achat standard de un gramme d'Alpha SR40.
2. Déterminez la quantité standard d'Alpha SR40 (en grammes) par capsule qui est approuvée à l'inspection finale. (Calculez jusqu'à deux décimales.)
3. À l'aide de vos réponses aux questions 1) et 2), préparez une fiche de coût standard indiquant le coût standard de l'Alpha SR40 par capsule d'anticoagulant.

E2 Les écarts sur matières premières

La société Hémon fabrique un certain nombre d'articles pour la maison. L'un d'eux, une planche à découper, requiert une essence de bois coûteuse. Au cours du dernier mois, l'entreprise a fabriqué 12 000 planches à découper à l'aide de 11 000 mètres de bois franc. Elle a payé ce bois 56 100 $.

D'après les standards de l'entreprise, il faut 0,8 mètre de bois franc à 5,40 $ le mètre pour fabriquer une planche à découper.

Travail à faire

1. Quel coût l'entreprise aurait-elle dû engager pour le bois nécessaire à la fabrication des 12 000 planches à découper ? De combien ce montant est-il supérieur ou inférieur à celui qu'elle a réellement engagé ?
2. Décomposez la différence calculée en 1) en écart sur coût d'achat des matières premières et en écart sur quantité de matières premières.

E3 Les écarts sur main-d'œuvre directe

La société Agapes aériennes prépare des repas à servir pendant les vols pour quelques grands transporteurs aériens. Un de ses produits consiste en un cannelloni farci nappé d'une sauce aux poivrons grillés, et accompagné de maïs miniatures frais et d'une salade printanière. Au cours de la dernière semaine, la confection de 6 000 unités de ce repas a requis 1 150 heures de main-d'œuvre directe. L'entreprise a versé à ses travailleurs un total de 11 500 $ pour ce travail, selon un taux horaire de 10 $.

D'après sa fiche de coût standard, ce plat requiert 0,20 heure de main-d'œuvre directe à 9,50 $ l'heure.

Travail à faire

1. Quels coûts de main-d'œuvre directe auraient dû être engagés pour la préparation de 6 000 plats ? Quelle est la différence entre ce montant et le coût de la main-d'œuvre réelle ?
2. Décomposez la différence que vous avez calculée en 1) en écart sur taux de la main-d'œuvre directe et en écart sur temps de la main-d'œuvre directe.

E4 Les écarts sur frais indirects de fabrication variables

La société Commandez-et-vous-recevrez fournit des services d'exécution de commandes pour les marchands dans l'internet. Elle possède des entrepôts dans lesquels elle stocke des produits appartenant à ses clients. Lorsqu'un de ses clients reçoit une commande, il la lui expédie pour que l'entreprise retire l'article en question des stocks, l'emballe et le livre à l'acheteur. L'entreprise utilise un taux prédéterminé d'imputation des frais indirects de fabrication variables établi en fonction des heures de main-d'œuvre directe.

Au cours du plus récent mois, elle a expédié 140 000 articles pour ses clients, ce qui a nécessité 5 800 heures de main-d'œuvre directe. Le total des frais indirects de fabrication variables qu'elle a engagés s'est chiffré à 15 950 $.

D'après les standards de l'entreprise, il faut 0,04 heure de main-d'œuvre directe pour remplir une commande concernant un article ; le taux d'imputation des frais indirects de fabrication variables est de 2,80 $ par heure de main-d'œuvre directe.

Travail à faire

1. Quel montant de frais indirects de fabrication variables l'entreprise aurait-elle dû engager pour exécuter les commandes portant sur les 140 000 articles ? Quelle différence y a-t-il entre ce montant et le montant réel des frais indirects de fabrication variables ?

2. Décomposez la différence que vous avez calculée en 1) en écart sur dépense en frais indirects de fabrication variables et en écart sur rendement des frais indirects de fabrication variables.

E5 Les écarts sur frais indirects de fabrication fixes

La société Lucinda applique un système de coûts standards suivant lequel elle impute ses frais indirects de fabrication à ses produits en fonction du nombre standard d'heures de main-d'œuvre directe allouées à la production réelle de la période. Voici des données concernant la période la plus récente.

Frais indirects de fabrication fixes budgétés pour la période..................................	400 000 $
Frais indirects de fabrication fixes réels pour la période	394 000 $
Heures standards de main-d'œuvre directe budgétées (volume d'activité prévu)....	50 000
Heures réelles de main-d'œuvre directe..	51 000
Nombre standard d'heures de main-d'œuvre directe allouées à la production réelle	48 000

Travail à faire

1. Calculez la partie fixe du taux d'imputation prédéterminé des frais indirects de fabrication pour la période.

2. Calculez l'écart sur dépense et l'écart sur volume relatifs aux frais indirects de fabrication fixes.

E6 Un rapport d'analyse de la performance concernant les frais indirects de fabrication variables

La société Jessel établit son rapport d'analyse de la performance concernant les frais indirects de fabrication variables en fonction des heures réelles de main-d'œuvre directe de la période. Les données ci-après portent sur la période la plus récente terminée le 31 décembre.

Heures budgétées de main-d'œuvre directe	42 000
Heures réelles de main-d'œuvre directe..	44 000
Nombre standard d'heures de main-d'œuvre directe allouées à la production réelle...	45 000
Coûts standards (par heure de main-d'œuvre directe) :	
Main-d'œuvre indirecte	0,90 $
Fournitures	0,15
Électricité...	0,05
Coûts réels engagés :	
Main-d'œuvre indirecte	42 000 $
Fournitures	6 900
Électricité...	1 800

10

▶ **Travail à faire**

Préparez un rapport d'analyse de la performance concernant les frais indirects de fabrication variables. Calculez l'écart sur dépense et l'écart sur rendement de ces frais.

E7 L'établissement de standards

À la société Grandbois Chocolatier, établie à Montréal, les employés confectionnent à la main des chocolats de première qualité. Le propriétaire de l'entreprise a implanté un système de coûts standards concernant un de ses produits, la truffe impériale. Ce produit est confectionné avec divers ingrédients de qualité et le chocolat blanc le plus fin. Les données ci-après portent uniquement sur le chocolat blanc utilisé dans la préparation de cette truffe.

Matières requises, kilogrammes de chocolat blanc par douzaine de truffes...	0,80 kg
Provision pour gaspillage, kilogrammes de chocolat blanc par douzaine de truffes...	0,02 kg
Provision pour rejets, kilogrammes de chocolat blanc par douzaine de truffes...	0,03 kg
Coût d'achat, chocolat blanc de première qualité............................	9,00 $ par kilogramme
Escompte obtenu	5 % du prix d'achat
Frais de livraison chargés par le fournisseur de Belgique	0,20 $ par kilogramme
Coût de réception et de manutention...................................	0,05 $ par kilogramme

Travail à faire

1. Déterminez le coût d'achat standard d'un kilogramme de chocolat blanc.
2. Calculez la quantité standard de chocolat blanc nécessaire pour confectionner une douzaine de truffes.
3. Déterminez le coût standard du chocolat blanc pour une douzaine de truffes.

E8 L'écart sur matières premières et l'écart sur main-d'œuvre

La société Jouets Toupin a élaboré un nouveau produit appelé *Méninges en folie*. L'entreprise utilise un système de coûts standards pour contrôler ses coûts et elle a établi les standards ci-après pour la fabrication de ce jouet.

- Matières premières : 8 diodes par jouet à 0,30 $ la diode.
- Main-d'œuvre directe : 1,2 heure par jouet à 7 $ l'heure.

En août, l'entreprise a fabriqué 5 000 Méninges en folie. Voici les données concernant la production de ce jouet pour le mois.

- Matières premières : L'entreprise a acheté 70 000 diodes à 0,28 $ par diode. (Les stocks contenaient encore 20 000 de ces diodes à la fin du mois, et il n'y avait aucun stock au début.)
- Main-d'œuvre directe : Il y a eu 6 400 heures de main-d'œuvre directe pour un coût total de 48 000 $.

Travail à faire

1. Calculez, pour le mois d'août :
   a) l'écart sur coût d'achat des matières premières et l'écart sur quantité de matières premières ;
   b) l'écart sur taux de la main-d'œuvre directe et l'écart sur temps de la main-d'œuvre directe.
2. Donnez une brève explication des causes possibles de chacun de ces écarts.

10

E9 L'écart sur matières premières et l'écart sur main-d'œuvre directe

La société Solène fabrique un parfum appelé *Caprice*. Voici les standards concernant les matières premières et la main-d'œuvre directe pour un flacon de Caprice.

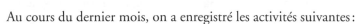

	Quantité ou temps standard	Coût ou taux standard	Coût standard
Matières premières	7,2 g	2,50 $ le gramme	18,00 $
Main-d'œuvre directe.............................	0,4 h	10,00 $ l'heure	4,00 $

Au cours du dernier mois, on a enregistré les activités suivantes :

a) L'entreprise a acheté 20 000 grammes de matières premières à 2,40 $ le gramme.

b) Elle a utilisé toutes les matières premières pour fabriquer 2 500 flacons de Caprice.

c) La main-d'œuvre directe s'est élevée à 900 heures, pour un coût total de 10 800 $.

Travail à faire

1. Calculez l'écart sur coût d'achat et l'écart sur quantité de matières premières pour ce mois.

2. Calculez l'écart sur taux de la main-d'œuvre directe et l'écart sur temps de la main-d'œuvre directe pour ce mois.

E10 Les écarts sur matières premières

Reportez-vous aux données de l'exercice E9. Supposez qu'au cours du mois, l'entreprise n'a produit que 2 000 flacons de Caprice au lieu de 2 500, en utilisant seulement 16 000 grammes de matières. (Le surplus des matières achetées est resté dans le stock de matières premières.)

Travail à faire

Calculez l'écart sur coût d'achat des matières premières et l'écart sur quantité des matières premières pour ce mois.

E11 L'écart sur taux de la main-d'œuvre et l'écart sur dépense en frais indirects de fabrication variables

La société Hollowell Audio fabrique des disques compacts suivant des caractéristiques techniques fournies par l'armée. Elle a recours à des standards pour contrôler ses coûts. Les standards établis en matière de main-d'œuvre pour la production d'un disque sont les suivants :

Temps standard	Taux horaire standard	Coût standard
24 minutes	12,00 $	4,80 $

Au cours du mois de juillet, l'entreprise a enregistré 8 500 heures de main-d'œuvre directe pour la production de 20 000 disques. Le coût de cette main-d'œuvre se chiffrait à 98 600 $ pour ce mois.

Travail à faire

1. Quel montant en coûts de la main-d'œuvre directe l'entreprise aurait-elle dû engager pour fabriquer 20 000 disques ? Quelle différence y a-t-il entre ce montant et le coût réellement engagé ?

10

▶ 2. Décomposez la différence entre les coûts que vous avez obtenue en 1) en écart sur taux de la main-d'œuvre directe et en écart sur temps de la main-d'œuvre directe.

3. Le taux prédéterminé d'imputation des frais indirects de fabrication variables est de 8 $ par heure de main-d'œuvre directe. Au cours du mois de juillet, l'entreprise a engagé 78 200 $ en frais indirects de fabrication variables. Calculez l'écart sur dépense en frais indirects de fabrication et l'écart sur rendement de ces frais.

E12 Des calculs à rebours à partir des écarts sur main-d'œuvre

La société Carte de crédit internationale utilise des standards pour contrôler le temps consacré par ses employés à ouvrir le courrier provenant des détenteurs de cartes. À son arrivée, le courrier est recueilli par lots ; l'entreprise établit des normes concernant le temps requis pour ouvrir et enregistrer chaque lot. Voici des données concernant les standards de la main-d'œuvre pour un lot.

	Temps standard	Taux standard	Coût standard
Par lot..............................	2,5 heures	12,00 $ l'heure	30,00 $

Quelqu'un a égaré la fiche indiquant le temps consacré à l'ouverture des lots de courrier de la semaine dernière. Toutefois, le superviseur des lots se rappelle qu'au cours de la semaine, son service a reçu et ouvert 168 lots. Le contrôleur se souvient des écarts ci-dessous relatifs à ces lots.

Écart sur coût total de la main-d'œuvre...	660 $ D
Écart sur taux de la main-d'œuvre...	300 $ F

Travail à faire

1. Déterminez le nombre réel d'heures de main-d'œuvre consacrées à ouvrir les lots de courrier au cours de la dernière semaine.

2. Calculez le taux horaire réel de la main-d'œuvre chargée d'ouvrir les lots de courrier au cours de la dernière semaine.

E13 Le taux d'imputation prédéterminé des frais indirects de fabrication et les écarts sur frais indirects de fabrication

Voici, sous forme condensée, le budget flexible des frais indirects de fabrication de la société Wallot.

Frais indirects de fabrication	Coût standard (par heure-machine)	Heures-machines		
		8 000	9 000	10 000
Frais variables	1,05 $	8 400 $	9 450 $	10 500 $
Frais fixes		24 800	24 800	24 800
Total des frais indirects de fabrication		33 200 $	34 250 $	35 300 $

Les renseignements ci-après concernent une période récente.

a) La direction de Wallot a choisi un volume d'activité prévu de 8 000 heures-machines pour le calcul du taux d'imputation prédéterminé des frais indirects de fabrication.

b) À un niveau d'activité standard de 8 000 heures-machines, l'entreprise devrait fabriquer 3 200 unités de produit.

c) Les données d'exploitation réelles de l'entreprise sont les suivantes :

Nombre d'unités produites..	3 500
Nombre réel d'heures-machines..	8 500
Frais indirects de fabrication variables réels...............................	9 860 $
Frais indirects de fabrication fixes réels.....................................	25 100 $

Travail à faire

1. Calculez le taux d'imputation prédéterminé des frais indirects de fabrication, et décomposez-le en ses éléments fixes et variables.
2. Quel était le nombre standard d'heures allouées à la production réelle de la période ?
3. Calculez l'écart sur dépense et l'écart sur rendement des frais indirects de fabrication variables. Calculez aussi l'écart sur dépense et l'écart sur volume des frais indirects de fabrication fixes.

E14 L'utilisation des écarts sur frais indirects de fabrication fixes

La fiche de coût standard du seul produit fabriqué par la société Prince apparaît ci-dessous.

Fiche de coût standard – par unité de produit	
Matières premières : 3,5 m à 4,00 $ le mètre...	14,00 $
Main-d'œuvre directe : 0,8 HMOD à 18,00 $ par HMOD.............................	14,40
Frais indirects de fabrication variables : 0,8 HMOD à 2,50 $ par HMOD..............	2,00
Frais indirects de fabrication fixes : 0,8 HMOD à 6,00 $ par HMOD..................	4,80
Total des coûts standards par unité	35,20 $

HMOD : heures de main-d'œuvre directe

L'an dernier, l'entreprise a fabriqué 10 000 unités de son produit et a enregistré 8 200 heures réelles de main-d'œuvre directe. Elle impute ses frais indirects de fabrication à la production en fonction des heures de main-d'œuvre directe. Voici quelques données concernant les frais indirects de fabrication fixes de l'entreprise pour la période.

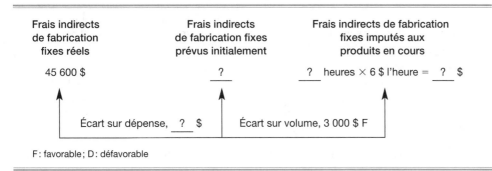

F : favorable ; D : défavorable

Travail à faire

1. Quel était le nombre standard d'heures allouées à la production réelle de la période ?
2. À combien s'élevaient les frais indirects de fabrication fixes budgétés pour la période ?
3. Quel a été l'écart sur dépense en frais indirects de fabrication pour la période ?
4. Pour établir le taux prédéterminé des frais indirects de fabrication, quel volume d'activité prévu l'entreprise a-t-elle utilisé ?

10

E15 Les écarts sur frais indirects de fabrication fixes

Voici quelques renseignements concernant les activités de trois entreprises différentes pour une période récente.

	Entreprise		
	X	Y	Z
Heures de main-d'œuvre directe à pleine capacité	20 000	9 000	10 000
Heures budgétées de main-d'œuvre directe*	19 000	8 500	8 000
Heures réelles de main-d'œuvre directe	19 500	8 000	9 000
Nombre standard d'heures de main-d'œuvre directe allouées à la production réelle	18 500	8 250	9 500

* Volume d'activité prévu servant au calcul du taux d'imputation prédéterminé des frais indirects de fabrication.

Travail à faire

Pour chaque entreprise, déterminez si l'écart sur volume serait favorable ou défavorable ; expliquez également pour chacune pourquoi cet écart serait favorable ou non.

E16 Un rapport d'analyse de la performance concernant les frais indirects de fabrication

Le bureau de compensation de chèques de la Banque de Calgary doit traiter tous les chèques envoyés à la banque pour paiements. Selon les gestionnaires de la banque, les frais indirects de service variables sont essentiellement proportionnels au nombre d'heures de main-d'œuvre travaillées dans le bureau. C'est pourquoi on utilise ces heures comme unités d'œuvre dans la préparation des budgets et des rapports d'analyse de la performance en matière de frais indirects de service variables du bureau. Les données ci-dessous concernent le mois d'activité le plus récent, soit octobre.

Heures budgétées de main-d'œuvre	865
Heures réelles de main-d'œuvre	860
Nombre standard d'heures de main-d'œuvre allouées pour le nombre réel de chèques traités	880

Frais indirects de service variables	Coût standard (par heure de main-d'œuvre)	Coût réel engagé au cours du mois d'octobre
Fournitures de bureau	0,15 $	146 $
Salon du personnel	0,05	124
Main-d'œuvre indirecte	3,25	2 790
Total des frais indirects de service variables	3,45 $	3 060 $

Les frais indirects fixes de la Banque de Calgary consistent entièrement en salaires du personnel de supervision et ils sont imputés au taux de 5 $ par heure de main-d'œuvre directe. Le total des frais indirects fixes réels se chiffrait à 4 200 $ en octobre, alors que le budget flexible prévoyait un montant de 4 000 $ pour ce mois.

Travail à faire

Préparez un rapport d'analyse de la performance concernant les frais indirects du bureau de compensation des chèques pour le mois d'octobre. Incluez-y l'écart sur dépense et l'écart sur rendement des frais indirects variables, ainsi que l'écart sur dépense en frais indirects fixes.

E17 **Une analyse de la capacité**

La société Joinville fabrique des selles en cuir pour les vélos de course. Le coût standard par siège se décompose comme suit :

Matières premières	28 $
Main-d'œuvre directe	12
Frais indirects de fabrication variables : 2 heures-machines à 3 $ l'heure*	6
Frais indirects de fabrication fixes : 2 heures-machines à 12 $ l'heure*	24
Coût standard total par siège	70 $

* Les taux d'imputation prédéterminés des frais indirects de fabrication sont basés sur un volume d'activité prévu de 50 000 heures-machines.

Au cours de l'année 20X8, la société Joinville a fabriqué et vendu 22 000 selles de vélo. Selon la direction, le volume d'activité prévu représente 75 % de la capacité maximale (ou capacité théorique) et 80 % de la capacité pratique.

Travail à faire

Calculez le total des frais indirects de fabrication aux niveaux d'activité suivants : maximal, pratique, prévu et réel pour l'année 20X8.

Problèmes
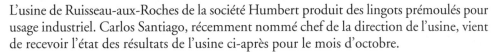

P1 **Une analyse complète des écarts**

L'usine de Ruisseau-aux-Roches de la société Humbert produit des lingots prémoulés pour usage industriel. Carlos Santiago, récemment nommé chef de la direction de l'usine, vient de recevoir l'état des résultats de l'usine ci-après pour le mois d'octobre.

	Montant budgété	Montant réel
Chiffre d'affaires (5 000 lingots)	250 000 $	250 000 $
Moins : Coûts variables :		
Coûts des ventes variables*	83 000	108 270
Coûts commerciaux variables	20 000	20 000
Total des coûts variables	103 000	128 270
Marge sur coûts variables	147 000	121 730
Moins : Coûts fixes :		
Frais indirects de fabrication	60 000	59 000
Coûts commerciaux et charges administratives	75 000	75 000
Total des coûts fixes	135 000	134 000
Bénéfice (perte)	12 000 $	(12 270) $

* Ces coûts comprennent les matières premières, la main-d'œuvre directe et les frais indirects de fabrication variables.

10

M. Santiago est atterré par les pertes indiquées pour ce mois, d'autant plus que les ventes correspondent exactement aux chiffres budgétés. « J'espère que l'usine dispose déjà d'un système de coûts standards parce que sinon, je n'aurai pas la moindre idée de ce que je devrai commencer à examiner pour trouver le problème. »

▶ Fort heureusement pour M. Santiago, l'usine utilise un tel système. Les renseignements concernant les coûts variables standards par lingot sont fournis ci-après.

	Quantité ou temps standard	Coût ou taux standard	Coût standard
Matières premières	4,0 kg	2,50 $ le kilogramme	10,00 $
Main-d'œuvre directe	0,6 h	10,00 $ l'heure	6,00
Frais indirects de fabrication variables..................	0,3 h*	2,00 $ l'heure	0,60
Total des coûts variables standards..................................			16,60 $

* En fonction des heures-machines

M. Santiago a déterminé qu'au cours du mois d'octobre, l'usine a fabriqué 5 000 lingots et qu'elle a engagé les coûts suivants :

a) L'usine a acheté 25 000 kilogrammes de matières premières à 2,95 $ le kilogramme. Il n'y avait aucune matière première en stock au début du mois.

b) L'usine a utilisé 19 800 kilogrammes de matières premières pour sa production. (Les stocks de produits finis et de produits en cours sont négligeables, et il est inutile d'en tenir compte dans les calculs.)

c) On a enregistré 3 600 heures de main-d'œuvre directe au taux de 12 $ l'heure.

d) Le total des frais indirects de fabrication variables engagés se chiffre à 4 320 $ pour le mois d'octobre. On a aussi enregistré un total de 1 800 heures-machines.

L'entreprise a pour politique d'attribuer tous les écarts d'un mois au coût des ventes.

Travail à faire

1. Calculez les écarts ci-dessous pour le mois d'octobre.

    a) L'écart sur coût d'achat et l'écart sur quantité de matières premières.

    b) L'écart sur taux et l'écart sur temps de la main-d'œuvre directe.

    c) L'écart sur dépense en frais indirects de fabrication variables et l'écart sur rendement des frais indirects de fabrication variables.

2. Faites le total des écarts que vous avez calculés en 1) en indiquant l'écart global net favorable ou défavorable pour le mois d'octobre. Quel effet ce montant a-t-il eu sur l'état des résultats de l'entreprise ?

3. Parmi les écarts que vous avez calculés en 1), choisissez les deux plus importants. Expliquez à M. Santiago les causes possibles de ces écarts.

P2 Une analyse complète des écarts dans une clinique médicale privée

« Que se passe-t-il au labo ? demande Denise Valois, la gestionnaire de la clinique Coteaux Boisés, tout en examinant les rapports du mois précédent. Chaque mois, ses résultats oscillent entre un bénéfice et une perte. Va-t-il encore falloir hausser les frais des tests ?

— Impossible ! lui répond Louise Aquin, la contrôleuse. Nous recevons déjà beaucoup de plaintes concernant la dernière hausse, en particulier des compagnies d'assurances et des services de santé gouvernementaux. En ce moment, ils ne paient que 80 % environ de ce que nous facturons. Je commence à penser que le problème se situe du côté des coûts. »

Pour déterminer si les coûts de son laboratoire restent comparables à ceux des autres cliniques, Mme Valois vous demande de les évaluer pour le dernier mois. Voici les renseignements que Mme Aquin vous fournit.

a) Les employés du laboratoire effectuent essentiellement deux types de tests — des frottis et des tests sanguins. Au cours du dernier mois, ils ont effectué 2 700 frottis et 900 tests sanguins.

b) Pour ces deux types de tests, on utilise de petites lames de verre. Au cours du dernier mois, la clinique a acheté 16 000 de ces lames au coût total de 38 400 $. Ce montant tient compte d'un escompte de 4 % sur les achats en gros. Il restait un total de 2 000 lames non utilisées à la fin du mois. Par contre, au début du mois, il n'y avait aucune lame en stock.

c) Au cours du mois, il a fallu 1 800 heures de main-d'œuvre pour effectuer les deux types de tests. Le coût de ces heures de main-d'œuvre s'est élevé à 18 450 $.

d) Les frais indirects variables du laboratoire représentaient un total de 11 700 $ pour le mois.

e) Le total des frais indirects fixes se chiffrait à 10 400 $.

La clinique Coteaux Boisés n'a jamais eu recours à un système de coûts standards. Toutefois, en faisant une recherche dans la documentation concernant le milieu médical, vous avez déterminé les moyennes nationales ci-après concernant les laboratoires de cliniques médicales.

- Lames de verre : Chaque test de laboratoire requiert l'utilisation de trois lames. Ces lames coûtent 2,50 $ l'unité et sont jetées aussitôt l'analyse terminée.
- Main-d'œuvre : Chaque frottis devrait nécessiter 0,3 heure de travail et chaque test sanguin, 0,6 heure. Le taux horaire des employés de laboratoire est en moyenne de 12 $.
- Frais indirects : Les frais indirects sont imputés en fonction des heures de main-d'œuvre directe requises. Le taux moyen d'imputation des frais indirects variables est de 6 $ l'heure ; celui des frais indirects fixes est de 8 $ l'heure. Ces taux sont basés sur un volume d'activité prévu de 1 250 heures par mois.

Travail à faire

1. Déterminez l'écart sur coût d'achat des matières premières pour les lames achetées le mois dernier et l'écart sur quantité de matières premières pour les lames utilisées au cours de ce même mois.

2. Concernant le coût de la main-d'œuvre du laboratoire :
   a) Calculez un écart sur taux et un écart sur temps de la main-d'œuvre directe.
   b) Dans la plupart des cliniques, les trois-quarts des employés de laboratoire sont des techniciens diplômés et les autres sont des assistants. Dans le but de réduire ses coûts, la clinique Coteaux Boisés emploie 50 % de techniciens diplômés et 50 % d'assistants. Recommanderiez-vous le maintien de cette mesure ? Expliquez votre réponse.

3. Calculez l'écart sur dépense en frais indirects variables et l'écart sur rendement des frais indirects variables. Existe-t-il une relation entre l'écart sur rendement des frais indirects variables et l'écart sur temps de la main-d'œuvre ? Expliquez votre réponse.

4. Calculez l'écart sur dépense et l'écart sur volume des frais indirects fixes.

P3 L'ensemble des écarts sur coût standard

« Ça fait du bien de voir un écart aussi faible dans l'état des résultats après toutes les difficultés que nous avons eues récemment à contrôler nos coûts de fabrication, constate Linda Leblanc, vice-présidente de la société Molinard. En fait, l'écart total sur les frais indirects de fabrication de 12 250 $ enregistré pour la plus récente période est bien en deçà de la limite de 3 % que nous avons fixée pour les écarts. Les employés ont fait du bon travail, il faut tous les féliciter pour cette réussite. »

L'entreprise fabrique et vend un seul produit. La fiche de coût standard de ce produit apparaît ci-après. ▶

▶

Fiche de coût standard – par unité de produit

Matières premières : 4 m à 3,50 $ le mètre..	14 $
Main-d'œuvre directe : 1,5 HMOD à 12,00 $ par HMOD	18
Frais indirects de fabrication variables : 1,5 HMOD à 2,00 $ par HMOD.......................	3
Frais indirects de fabrication fixes : 1,5 HMOD à 6,00 $ par HMOD	9
Coût standard par unité...	44 $

HMOD : heures de main-d'œuvre directe

Voici quelques renseignements supplémentaires concernant la période qui vient de se terminer.

a) L'entreprise a fabriqué 20 000 unités de son produit au cours de la période.

b) Elle a fait l'achat d'un total de 78 000 mètres de matériel au cours de la période au coût de 3,75 $ le mètre. Toute cette matière première a servi à la fabrication des 20 000 unités. Il n'y a eu ni stock au début ni stock à la fin de la période.

c) Au cours de la période, l'entreprise a enregistré 32 500 heures de main-d'œuvre directe au coût de 11,80 $ l'heure.

d) Les frais indirects de fabrication sont imputés aux unités de produit en fonction des heures standards de main-d'œuvre directe. Voici des données relatives à ces frais.

Volume d'activité prévu (heures de main-d'œuvre directe)	25 000
Frais indirects de fabrication fixes budgétés..	150 000 $
Frais indirects de fabrication fixes réels	148 000 $
Frais indirects de fabrication variables réels	68 250 $

Travail à faire

1. Calculez l'écart sur coût d'achat et l'écart sur quantité de matières premières pour la période.

2. Calculez l'écart sur taux et l'écart sur temps de la main-d'œuvre directe pour la période.

3. Pour les frais indirects de fabrication, calculez :
   a) l'écart sur dépense et l'écart sur rendement des frais indirects de fabrication variables ;
   b) l'écart sur dépense et l'écart sur volume des frais indirects de fabrication fixes.

4. Effectuez le total des écarts que vous avez déterminés ci-dessus et comparez votre résultat au montant de 12 250 $ mentionné par la vice-présidente de Molinard. Croyez-vous que tous les employés méritent des félicitations pour avoir bien fait leur travail ? Expliquez votre réponse.

P4 L'imputation des frais indirects de fabrication et les écarts sur frais indirects de fabrication

La société Aberdeen, en Écosse, fabrique un seul produit et utilise un système de coûts standards pour contrôler ses coûts. Elle impute ses frais indirects de fabrication à la production en se servant des heures-machines comme unités d'œuvre. D'après son budget flexible, elle devrait engager les frais indirects de fabrication ci-après à un niveau d'activité de 18 000 heures-machines (le volume d'activité prévu pour l'année).

Frais indirects de fabrication variables	31 500 $
Frais indirects de fabrication fixes	72 000
Total des frais indirects de fabrication	103 500 $

10

Au cours de l'année, l'entreprise a enregistré les données d'exploitation suivantes :

Nombre réel d'heures-machines	15 000
Nombre standard d'heures-machines allouées à la production réelle	16 000
Frais indirects de fabrication variables réellement engagés.....................................	26 500 $
Frais indirects de fabrication fixes réellement engagés...	70 000 $

À la fin de la période, le compte « Frais indirects de fabrication » renfermait les données suivantes :

Frais indirects de fabrication

Frais réels	96 500	Frais imputés	92 000
	4 500		

La direction aimerait déterminer la cause des frais indirects sous-imputés qui s'élèvent à un montant de 4 500 $.

Travail à faire

1. Calculez le taux d'imputation prédéterminé des frais indirects de fabrication pour l'année. Décomposez-le en ses éléments de frais fixes et variables.
2. Expliquez comment on a obtenu le montant de 92 000 $ en frais imputés au compte « Frais indirects de fabrication ».
3. Analysez le montant de 4 500 $ de frais indirects sous-imputés en le décomposant en écart sur dépense et en écart sur rendement des frais indirects de fabrication variables ainsi qu'en écart sur dépense et en écart sur volume relatifs aux frais indirects de fabrication fixes.
4. Expliquez la signification de chacun des écarts que vous avez calculés à la question 3).

P5 **Une analyse d'écarts**

La société Babincourt fabrique un produit appelé *Frutox*. Elle utilise une méthode des coûts variables en combinaison avec un système de coûts standards et a établi les standards ci-dessous pour une unité de son produit.

	A	B C	D E	F
1		Quantité ou temps standard	Coût ou taux standard	Coût standard
2	Matières premières	1,5 kg	6,00 $ le kilogramme	9,00 $
3	Main-d'œuvre directe	0,6 h	12,00 $ l'heure	7,20
4	Frais indirects de fabrication variables	0,6 h	2,50 $ l'heure	1,50
5				17,70 $
6				

Au cours du mois de juin, l'entreprise a enregistré les activités ci-après relativement à la production du Frutox.

a) L'entreprise a fabriqué 3 000 unités en juin.
b) Elle a acheté un total de 8 000 kilogrammes de matières premières au coût de 46 000 $.
c) Il n'y avait aucun stock de matières premières au début. Toutefois, il restait 2 000 kilogrammes de matières premières non utilisées dans le stock à la fin.
d) L'entreprise emploie 10 personnes à la fabrication du Frutox. Au cours du mois de juin, chacune d'elles a travaillé en moyenne 160 heures à un taux horaire moyen de 12,50 $.

10

▶ e) Les frais indirects de fabrication variables sont imputés au Frutox en fonction des heures de main-d'œuvre directe. Le total de ces frais s'est élevé à 3 600 $ pour le mois de juin.

La direction de la société Babincourt veut déterminer l'efficience des activités de fabrication du Frutox.

Travail à faire

1. En ce qui concerne les matières premières utilisées dans la fabrication du Frutox :
   a) Calculez l'écart sur coût d'achat et l'écart sur quantité de ces matières.
   b) Les achats de matières premières ont été effectués chez un nouveau fournisseur qui souhaite vivement conclure une entente d'approvisionnement à long terme avec la société Babincourt. Recommanderiez-vous à la direction de cette société la signature d'un tel contrat ? Expliquez votre réponse.

2. En ce qui concerne la main-d'œuvre employée à la fabrication du Frutox :
   a) Calculez l'écart sur taux de la main-d'œuvre directe et l'écart sur temps de cette main-d'œuvre.
   b) Auparavant, parmi les 10 employés chargés de la fabrication du Frutox, il y avait 4 travailleurs expérimentés et 6 assistants. Au cours du mois de juin, l'entreprise a modifié à l'essai cette proportion, confiant la production à 5 travailleurs expérimentés et à 5 assistants. Recommanderiez-vous le maintien de cette nouvelle composition de la main-d'œuvre directe ? Expliquez votre réponse.

3. Calculez l'écart sur dépense et l'écart sur rendement des frais indirects de fabrication variables. Quelle relation observez-vous entre cet écart sur rendement et l'écart sur temps de la main-d'œuvre ?

P6 Le rapport d'analyse de la performance concernant les frais indirects de fabrication

La société Élégie a récemment introduit l'établissement du budget dans son processus global de planification stratégique. Un membre inexpérimenté du personnel du service de comptabilité s'est vu confier la tâche d'élaborer un budget flexible pour les frais indirects de fabrication et il a préparé ce qui suit :

	Capacité	
	80 %	100 %
Heures-machines	40 000	50 000
Services publics	41 000 $	49 000 $
Fournitures	4 000	5 000
Main-d'œuvre indirecte	8 000	10 000
Entretien	37 000	41 000
Supervision	10 000	10 000
Total des frais indirects de fabrication prévus	100 000 $	115 000 $

L'entreprise impute ses frais indirects de fabrication à la production en se servant du nombre standard d'heures-machines comme unité d'œuvre. Les coûts standards utilisés pour préparer les montants budgétés ci-dessus sont pertinents pour un segment significatif se situant entre 80 % et 100 % de la capacité mensuelle. Les gestionnaires qui devront respecter ces budgets exercent un contrôle sur les frais indirects de fabrication fixes et variables.

Travail à faire

1. À l'aide de la méthode des points extrêmes, séparez les coûts fixes et les coûts variables.
2. Élaborez une formule de coûts unique pour tous les frais indirects de fabrication en vous basant sur l'analyse que vous avez effectuée en 1).

3. Au cours du mois de mai, l'entreprise a fonctionné à 86 % de sa capacité en heures-machines. Les frais indirects de fabrication réels engagés au cours de cette période apparaissent ci-dessous.

Services publics	42 540 $
Fournitures	6 450
Main-d'œuvre indirecte	9 890
Entretien	35 190
Supervision...	10 000
Total des frais indirects de fabrication réels..	104 070 $

Il n'y a eu aucun écart sur dépense en frais indirects de fabrication fixes. Préparez un rapport d'analyse de la performance concernant les frais indirects de fabrication du mois de mai. Traitez les frais indirects fixes et variables dans des sections distinctes. Organisez votre rapport de façon qu'il présente uniquement un écart sur dépense en frais indirects de fabrication variables. Au début, l'entreprise avait budgété 40 000 heures-machines pour le mois de mai. Le nombre standard total d'heures allouées à la production réelle mensuelle s'élevait à 41 000 heures-machines.

4. Expliquez les causes possibles de l'écart sur dépense relatif aux fournitures.

P7 L'établissement de standards

L'Essence est une petite société de produits de beauté située au cœur d'une région bien connue pour ses parfums, Grasse, dans le sud de la France. L'entreprise planifie de lancer une nouvelle huile pour le corps, appelée *Énergique*, pour laquelle il lui faut établir un coût de revient standard. Les renseignements ci-après concernent la fabrication de ce produit.

a) La base d'Énergique est faite d'une combinaison de lanoline et d'alcool de la meilleure qualité. Ces deux ingrédients perdent une partie de leur volume lorsqu'ils sont mélangés. Par conséquent, il faut 100 litres de lanoline et 8 litres d'alcool pour produire chaque lot de 100 litres d'Énergique.

b) Une fois la base préparée, on lui ajoute une poudre de lilas fortement concentrée pour lui donner un parfum agréable. Une quantité de 200 grammes de poudre suffit pour un lot de 100 litres. L'ajout de cette poudre ne modifie en rien le volume total du liquide.

c) La lanoline et la poudre de lilas sont susceptibles d'être contaminées par des matières naturelles. Par exemple, la poudre de lilas renferme souvent des traces d'insectes qui n'ont été ni décelées ni éliminées lors du traitement des pétales de fleurs. Certains de ces corps étrangers interagissent parfois de telle façon qu'il en résulte un produit de qualité inacceptable et à l'odeur désagréable. Environ 1 lot sur 20 est rejeté comme impropre à la vente pour cette raison et mis au rebut.

d) Les employés mettent respectivement deux heures à préparer un lot de 100 litres d'Énergique. Ils travaillent huit heures par jour, incluant deux heures pour le repas du midi, les pauses et le nettoyage.

Travail à faire

1. Déterminez la quantité standard de chaque matière première nécessaire pour produire un lot de 100 litres d'Énergique de qualité acceptable.

2. Calculez le nombre standard d'heures allouées à la production d'un lot de 100 litres d'Énergique de qualité acceptable.

3. Voici les coûts d'achat standard des matières premières et le taux standard de la main-d'œuvre directe.

10

▶

Lanoline	16 $ le litre
Alcool	2 $ le litre
Poudre de lilas	1 $ le gramme
Coût de la main-d'œuvre directe	12 $ l'heure

Préparez une fiche de coût standard pour les matières premières et la main-d'œuvre qui sont utilisées dans la production d'un lot de 100 litres d'Énergique de qualité acceptable.

(Adaptation d'un problème de la Société des comptables en management du Canada)

P8 L'imputation des frais indirects de fabrication et les écarts sur frais indirects de fabrication

La société Vimont fabrique un seul produit qui requiert un grand nombre d'heures de main-d'œuvre. Elle impute ses frais indirects de fabrication en fonction du nombre standard d'heures de main-d'œuvre directe. Voici une version condensée de son budget flexible portant sur ce type de frais.

Frais indirects de fabrication	Coût standard (par heure de main-d'œuvre directe)	Heures de main-d'œuvre directe		
		24 000	30 000	36 000
Frais indirects de fabrication variables	2 $	48 000 $	60 000 $	72 000 $
Frais indirects de fabrication fixes		180 000	180 000	180 000
Total des frais indirects de fabrication		228 000 $	240 000 $	252 000 $

Pour fabriquer le produit, il faut 4 mètres de matières premières, dont le coût d'achat standard est de 3 $ le mètre, et 1,5 heure de main-d'œuvre directe, à un taux horaire standard de 12 $.

Pour l'ensemble de l'année, l'entreprise planifiait un volume d'activité de 30 000 heures de main-d'œuvre directe et une production de 20 000 unités. Voici le volume d'activité et les coûts réels pour cette période.

Nombre d'unités produites	22 000
Heures réelles de main-d'œuvre directe	35 000
Frais indirects de fabrication variables réels engagés	63 000 $
Frais indirects de fabrication fixes réels engagés	181 000 $

Travail à faire

1. Calculez le taux d'imputation prédéterminé des frais indirects de fabrication pour la période. Décomposez-le en ses éléments fixes et variables.
2. Préparez une fiche de coût standard pour le produit de l'entreprise et présentez-y des renseignements sur tous les frais indirects de fabrication.
3. a) Calculez le nombre standard d'heures de main-d'œuvre directe allouées à la production réelle de la période.
   b) Remplissez le compte en T ci-après concernant les frais indirects de fabrication de l'année.

Frais indirects de fabrication

?	?
?	?

4. Déterminez la cause des frais indirects de fabrication sous-imputés ou surimputés en 3) en calculant l'écart sur dépense et l'écart sur rendement des frais indirects de fabrication variables, et l'écart sur dépense et l'écart sur volume des frais indirects de fabrication fixes.

5. Supposez que l'entreprise a prévu 36 000 heures de main-d'œuvre directe comme volume d'activité plutôt que 30 000. Indiquez lesquels des écarts calculés en 4) (s'il y en a) seraient modifiés et expliquez en quoi consisteraient les changements. Il n'est pas nécessaire d'effectuer des calculs.

P9 Un budget flexible et un rapport d'analyse de la performance concernant les frais indirects de fabrication

La société Duranceau a beaucoup de difficulté à contrôler ses frais indirects de fabrication. Lors d'un congrès récent, le président et chef de la direction a entendu parler du budget flexible. Il vous a engagé pour mettre au point des budgets de ce type pour son entreprise. Après quelques efforts, vous êtes parvenu à élaborer les formules de coûts ci-après pour l'atelier d'usinage. Les coûts sont basés sur un niveau d'activité normal situé entre 10 000 et 20 000 heures-machines par mois.

Frais indirects de fabrication	Coût standard
Services publics	0,70 $ par heure-machine
Lubrifiants	1,00 $ par heure-machine plus 8 000 $ par mois
Réglage des machines	0,20 $ par heure-machine
Main-d'œuvre indirecte	0,60 $ par heure-machine plus 120 000 $ par mois
Amortissement	32 000 $ par mois

Au cours du mois de mars, le premier mois après la préparation des données ci-dessus, l'atelier d'usinage a enregistré 18 000 heures-machines et a produit 9 000 unités. Les frais indirects de fabrication réels pour ce mois sont les suivants :

Services publics	12 000 $
Lubrifiants	24 500
Réglage des machines	4 800
Main-d'œuvre indirecte	132 500
Amortissement	32 000
Total des frais indirects de fabrication	205 800 $

Il n'y a eu aucun écart sur dépense en frais fixes. Un total de 20 000 heures-machines avait été prévu pour l'atelier d'usinage au mois de mars.

Travail à faire

1. Préparez un rapport d'analyse de la performance concernant les frais indirects de fabrication de l'atelier d'usinage pour le mois de mars. Incluez-y à la fois les frais fixes et les frais variables (dans des sections distinctes). Indiquez uniquement l'écart sur dépense dans ce rapport.

2. De quel renseignement supplémentaire auriez-vous besoin s'il s'agissait de calculer un écart sur rendement des frais indirects pour cet atelier ?

P10 L'évaluation d'un rapport d'analyse de la performance concernant les frais indirects de fabrication

Roland Davoult, le superviseur de l'atelier d'usinage de la société Masson, est très satisfait de son rapport d'analyse de la performance du mois dernier. Voici le contenu de ce rapport.

10

	A	B	C	D	E I
1	SOCIÉTÉ MASSON				
2	Rapport d'analyse de la performance concernant les frais indirects de fabrication				
3	Atelier d'usinage				
4					
5		Frais réels	Frais budgétés	Écart	
6	Heures-machines	30 000	35 000		
7	Frais indirects de fabrication variables :				
8	Main-d'œuvre indirecte	19 700 $	21 000 $	1 300 $	F
9	Services publics	50 800	59 500	8 700	F
10	Fournitures	12 600	14 000	1 400	F
11	Entretien	24 900	28 000	3 100	F
12	Total des frais indirects de fabrication variables	108 000	122 500	14 500	F
13	Frais indirects de fabrication fixes :				
14	Entretien	52 000	52 000	0	
15	Supervision	110 000	110 000	0	
16	Amortissement	80 000	80 000	0	
17	Total des frais indirects de fabrication fixes	242 000	242 000	0	
18	Total des frais indirects de fabrication	350 000 $	364 500 $	14 500 $	F
19					
20					

En recevant un exemplaire de ce rapport, Jean Arnaud, le directeur de la production, a fait le commentaire suivant : « Voilà des mois que je reçois des rapports comme celui-ci, et je ne comprends toujours pas comment ils peuvent m'aider à évaluer la performance et le contrôle des coûts dans cet atelier. Je reconnais qu'il y avait 35 000 heures-machines budgétées pour le mois, mais ça représente 17 500 unités puisque, normalement, deux heures suffisent pour fabriquer une unité. Or, l'atelier a produit seulement 14 000 unités au cours du mois, et il a fallu 30 000 heures-machines pour le faire. Pourquoi les écarts sont-ils tous favorables ? »

Travail à faire

1. Comme le demande M. Arnaud, pourquoi les écarts sont-ils tous favorables ? Commentez ce rapport d'analyse de la performance.

2. Préparez un nouveau rapport d'analyse de la performance concernant les frais indirects de fabrication qui pourrait aider M. Arnaud à évaluer la performance et le contrôle des coûts dans l'atelier d'usinage.

P11 Le choix d'un volume d'activité prévu, une analyse des frais indirects de fabrication et une fiche de coût standard

Un résumé du budget flexible des frais indirects de fabrication de la société Sicotte apparaît ci-dessous.

Frais indirects de fabrication	Coût standard (par heure de main-d'œuvre directe)	Heures de main-d'œuvre directe		
		30 000	40 000	50 000
Frais indirects de fabrication variables	2,50 $	75 000 $	100 000 $	125 000 $
Frais indirects de fabrication fixes		320 000	320 000	320 000
Total des frais indirects de fabrication		395 000 $	420 000 $	445 000 $

L'entreprise fabrique un seul produit qui requiert 2,5 heures de main-d'œuvre directe par unité. Le taux horaire de cette main-d'œuvre est de 20 $. Il faut 3 mètres de matières premières pour fabriquer chaque unité de produit ; ces matières coûtent 5 $ le mètre.

La demande pour ce produit varie considérablement d'une année à l'autre. Cette année, l'entreprise prévoit un niveau d'activité de 50 000 heures de main-d'œuvre directe, même si normalement, ce niveau se situe à 40 000 heures de main-d'œuvre directe par an.

Travail à faire

1. Supposez que l'entreprise choisit un volume d'activité prévu de 40 000 heures de main-d'œuvre directe. Calculez le taux d'imputation prédéterminé des frais indirects de fabrication, en le décomposant en ses éléments fixes et variables.

10

2. Supposez que l'entreprise fixe le volume d'activité prévu à 50 000 heures de main-d'œuvre directe. Refaites les calculs en 1).

3. Remplissez les deux fiches de coût standard ci-dessous.

Volume d'activité prévu : 40 000 heures de main-d'œuvre directe

Matières premières : 3 m à 5 $ le mètre...	15,00 $
Main-d'œuvre directe : __?__	?
Frais indirects de fabrication variables : __?__	?
Frais indirects de fabrication fixes : __?__	?
Coût standard total par unité	? $

Volume d'activité prévu : 50 000 heures de main-d'œuvre directe

Matières premières : 3 m à 5 $ le mètre...	15,00 $
Main-d'œuvre directe : __?__	?
Frais indirects de fabrication variables : __?__	?
Frais indirects de fabrication fixes : __?__	?
Coût standard total par unité	? $

---

4. Supposez que l'entreprise a enregistré 48 000 heures réelles de main-d'œuvre directe au cours de l'année et qu'elle a produit 18 500 unités. Voici les frais indirects de fabrication réels pour cette période.

Frais indirects de fabrication variables...	124 800 $
Frais indirects de fabrication fixes	321 700
Total des frais indirects de fabrication	446 500 $

---

a) Déterminez le nombre standard d'heures allouées à la production réelle de la période.

b) Calculez et inscrivez les éléments manquants dans le compte « Frais indirects de fabrication » ci-dessous. Supposez que le nombre d'heures de main-d'œuvre directe qui correspond au niveau d'activité normal de l'entreprise est toujours de 40 000 et qu'il sert de volume d'activité prévu dans le calcul des taux d'imputation prédéterminés des frais indirects de fabrication, comme en 1).

Frais indirects de fabrication

Frais réels	446 500	?
	?	?

---

c) Analysez le solde des frais indirects de fabrication sous-imputés ou surimputés que vous avez obtenu en le décomposant en écart sur dépense et en écart sur rendement des frais indirects de fabrication variables, ainsi qu'en écart sur dépense et en écart sur volume des frais indirects de fabrication fixes.

5. Lorsque vous considérez les écarts que vous avez calculés, quel semble être le principal inconvénient du recours au niveau d'activité normal plutôt qu'au niveau d'activité prévu dans le calcul du taux d'imputation prédéterminé des frais indirects de fabrication ? Quels avantages, à votre avis, peuvent compenser cet inconvénient ?

10

P12 L'établissement de coûts standards

La société Le Forestier est une petite entreprise qui transforme des champignons sauvages cueillis dans les forêts du centre de la France. Pendant de nombreuses années, ses produits se sont bien vendus dans l'Hexagone. Toutefois, des entreprises d'autres pays de l'Union européenne, comme l'Italie et l'Espagne, ont commencé à mettre en marché des produits similaires en France, et la guerre des prix est devenue de plus en plus forte. Jean Lévêque, le contrôleur de la société, veut y implanter un système de coûts standards et, dans ce but, il a recueilli auprès du directeur du service des achats et du contrôleur de gestion de grandes quantités de données qui concernent la fabrication et les besoins en fournitures pour les produits de l'entreprise. Selon lui, l'utilisation d'un système de coûts standards devrait permettre à Le Forestier d'améliorer son contrôle des coûts et donc de concurrencer plus efficacement les nouveaux arrivants sur le marché français.

Le produit le plus populaire de la société Le Forestier est la chanterelle séchée, qui se vend en petits pots de 15 grammes emballés sous vide. L'entreprise achète les champignons frais en vrac, à 60 € le kilogramme, de personnes qui les cueillent dans les forêts locales. (Le symbole € représente l'euro.) En raison d'imperfections et de pertes normales, on rejette le quart des champignons achetés. Il faut 15 minutes à la main-d'œuvre directe pour inspecter et trier un kilogramme de chanterelles fraîches. Une fois ces deux opérations terminées, celles qui sont considérées comme acceptables sont séchées à la vapeur, ce qui nécessite 10 minutes de main-d'œuvre directe par kilogramme de chanterelles déjà triées et inspectées. Cette méthode de séchage retire la plus grande partie de l'humidité des champignons et, par conséquent, réduit considérablement leur poids. En fait, elle le réduit de 80 %. Par conséquent, un kilogramme de champignons frais acceptables donne seulement environ 200 grammes de produit séché. Après le séchage, les champignons sont emballés sous vide dans de petits pots sur lesquels est apposée une étiquette.

Le salaire de la main-d'œuvre directe est de 12 € l'heure. Les pots de verre, les couvercles et les étiquettes coûtent 10 € par 100 pots. Il faut 10 minutes de main-d'œuvre pour emballer 100 pots.

Travail à faire

1. Établissez, pour la main-d'œuvre directe et les matières premières, le coût standard d'un seul pot de chanterelles séchées en y incluant les coûts des champignons, de l'inspection, du tri, du séchage et de l'emballage.

2. M. Lévêque se demande qui devrait assumer la responsabilité — le directeur du service des achats ou le contrôleur de gestion — des écarts sur matières premières pour les chanterelles.

   a) Qui devrait être tenu responsable des écarts sur coût d'achat des matières premières en ce qui concerne les chanterelles? Expliquez votre réponse.

   b) Qui devrait assumer la responsabilité des écarts sur quantité de matières premières dans le cas des chanterelles? Expliquez votre réponse.

P13 L'écart sur matières premières et l'écart sur main-d'œuvre – des calculs à partir de données incomplètes

La société Topaze fabrique un seul produit. Elle a établi les standards ci-dessous concernant les matières et la main-d'œuvre.

	Matières premières	Main-d'œuvre directe
Quantité standard ou nombre standard d'heures par unité..	? kilogrammes	2,5 heures
Coût d'achat ou taux horaire standards	? par kilogramme	9 $ l'heure
Coût standard par unité..	?	22,50 $

Au cours du dernier mois, l'entreprise a acheté 6 000 kilogrammes de matières premières à un coût de 16 500 $. Toutes ces matières ont servi à la production de 1 400 unités de son produit. Le coût total de la main-d'œuvre directe pour le mois se chiffrait à 28 500 $. Voici les écarts calculés pour cette période.

Écart sur quantité de matières premières	1 200 $ D
Écart total sur matières premières	300 $ F
Écart sur temps de la main-d'œuvre...	4 500 $ F

Travail à faire

1. En ce qui concerne les matières premières, calculez :
   a) le coût d'achat standard par kilogramme de matières ;
   b) la quantité standard de matières premières allouées à la production réelle du mois ;
   c) la quantité standard de matières premières allouées par unité de produit.
2. En ce qui concerne la main-d'œuvre directe, calculez :
   a) le taux horaire réel de la main-d'œuvre directe pour ce mois ;
   b) l'écart sur taux de la main-d'œuvre directe.

P14 Une analyse globale des écarts

La société Hélix fabrique plusieurs produits dans son usine, y compris un kimono de karaté. Elle utilise un système de coûts standards en vue de contrôler ses coûts. D'après les standards établis pour le kimono, le volume d'activité prévu de l'usine est de 780 heures de main-d'œuvre directe par mois, ce qui devrait permettre la production de 1 950 kimonos. Voici les coûts standards associés à ce volume de production.

	Total	Par unité de produit
Matières premières	35 490 $	18,20 $
Main-d'œuvre directe..	7 020	3,60
Frais indirects de fabrication variables*..................................	2 340	1,20
Frais indirects de fabrication fixes*...	4 680	2,40
		25,40 $

* Calculés en fonction des heures de main-d'œuvre directe

Au cours du mois d'avril, les travailleurs de l'usine n'ont effectué que 760 heures de main-d'œuvre directe, mais ils ont produit 2 000 kimonos de karaté. Les coûts réels enregistrés au cours de ce mois sont les suivants :

	Total	Par unité de produit
Matières premières (6 000 m de tissu).....................................	36 000 $	18,00 $
Main-d'œuvre directe..	7 600	3,80
Frais indirects de fabrication variables	3 800	1,90
Frais indirects de fabrication fixes	4 600	2,30
		26,00 $

10

► D'après les standards, il faudrait 2,8 mètres de tissu pour chaque kimono. Toutes les matières achetées au cours du mois ont servi à la fabrication de ce produit.

Travail à faire

Calculez les écarts ci-dessous pour le mois d'avril.

1. L'écart sur coût d'achat et l'écart sur quantité de matières premières.
2. L'écart sur taux horaire et l'écart sur temps de la main-d'œuvre directe.
3. L'écart sur dépense et l'écart sur rendement des frais indirects de fabrication variables.
4. L'écart sur dépense et l'écart sur volume des frais indirects de fabrication fixes.

P15 Un rapport d'analyse de la performance concernant les frais indirects de fabrication

La société Ronson a établi les formules de coûts ci-après pour les frais indirects de fabrication variables de l'un de ses ateliers d'usinage.

Frais indirects de fabrication variables	Coût standard (par heure-machine)
Fournitures	0,70 $
Énergie	1,20
Lubrifiants	0,50
Outillage	3,10
	5,50 $

Les montants inscrits dans le budget flexible à titre de frais indirects de fabrication fixes pour le mois de juillet sont les suivants :

Frais indirects de fabrication fixes	Budget flexible
Amortissement	10 000 $
Salaires du personnel de supervision	14 000
Entretien	3 000
	27 000 $

L'entreprise avait prévu qu'au cours du mois de juillet, l'atelier d'usinage allait consacrer 3 200 heures-machines à la fabrication de 16 000 unités d'un produit. Le nombre standard d'heures-machines par unité de produit est de 0,2 heure. Toutefois, une violente tempête a obligé l'entreprise à fermer ses portes plusieurs jours pendant cette période, ce qui a réduit le volume de production du mois. Les résultats réels pour le mois de juillet apparaissent ci-dessous.

Heures-machines réellement effectuées	2 700
Nombre d'unités réellement produites	14 000

Voici les coûts réels enregistrés pour le mois de juillet.

Frais indirects de fabrication	Coût réel total	Par heure-machine
Frais indirects de fabrication variables:		
Fournitures..	1 836 $	0,68 $
Énergie...	3 348	1,24
Lubrifiants...	1 485	0,55
Outillage..	8 154	3,02
Total des frais indirects de fabrication variables....	14 823	5,49 $
Frais indirects de fabrication fixes:		
Amortissement..	10 000	
Salaires du personnel de supervision	14 600	
Entretien...	2 500	
Total des frais indirects de fabrication fixes..........	27 100	
Total des frais indirects de fabrication	41 923 $	

Travail à faire

Préparez un rapport d'analyse de la performance concernant les frais indirects de fabrication qui inclut les frais indirects fixes et variables de l'atelier d'usinage pour le mois de juillet. Dans votre rapport, utilisez les titres de colonnes suivants:

Élément de frais indirects de fabrication	Coût standard (par heure-machine)	Coûts réels engagés pour 2 700 heures-machines	Budget flexible basé sur 2 700 heures-machines	Budget flexible basé sur 2 800 heures-machines	Écart total	Décomposition de l'écart total	
						Écart sur dépense	Écart sur rendement

P16 Une analyse de la capacité

La société Yamaska fabrique, entre autres produits, des tailleuses électriques pour mauvaises herbes. Voici les coûts standards par unité associés à ce produit.

	Quantité et coût par intrant	Coût par unité
Matières premières..	4 pièces à 5,00 $	20,00 $
Main-d'œuvre directe..	2 heures à 12,00 $	24,00
Frais indirects de fabrication variables...................	2 heures à 3,00 $	6,00
Frais indirects de fabrication fixes	2 heures à 5,00 $	10,00
		60,00 $

L'entreprise utilise comme volume d'activité prévu le niveau d'activité normal, qui est de 60 000 heures. Il y a d'autres niveaux de capacité possibles, que voici:

Capacité annuelle prévue..	55 000 heures
Capacité annuelle pratique	75 000
Capacité annuelle maximale (ou théorique)....................................	100 000

10

▶ Une analyse de la différence entre la capacité pratique et la capacité maximale ou théorique de la dernière année a donné les résultats suivants : 10 000 heures de travail possibles sont restées inutilisées parce que la direction a décidé de ne pas employer deux équipes de travailleurs. On a dû allouer 5 000 heures supplémentaires de capacité au réglage lorsque les machines ont passé de la fabrication d'un produit à celle d'un autre. Un autre bloc de 5 000 heures n'a pas servi, car il a été affecté à l'entretien nécessaire et déjà prévu du matériel de production. Enfin, les dernières 5 000 heures de capacité théorique n'ont pas été utilisées parce que les marchés existants ne pouvaient absorber l'ensemble de cette capacité maximale sans une réduction substantielle du prix de vente. La direction s'est adressée au service de marketing pour déterminer la politique de prix de vente qui lui permettrait de passer du volume d'activité prévu (30 000 unités) à la capacité pratique (37 500 unités). Selon ce service, une baisse de 10 % du prix de vente par rapport au prix de vente actuel de 80 $ accroîtrait la demande de 30 000 à 37 500 unités.

Le service de marketing a aussi fait remarquer que, pour passer de la capacité pratique (37 500 unités) à la capacité théorique (50 000 unités), il faudrait embaucher deux équipes de travailleurs, éliminer les réglages et reporter l'entretien à plus tard. Une réduction supplémentaire de 10 % sous le prix actuel de 80 $ serait également nécessaire pour accroître la demande de 12 500 unités additionnelles.

Travail à faire

Analysez les conséquences en matière de bénéfice des différentes capacités de production que peut choisir la direction de la société Yamaska.

P17 Une analyse détaillée de l'écart

XYZ inc. utilise la méthode de la moyenne pondérée et des coûts réels pour préparer ses rapports financiers publiés à des fins externes Pour assurer un meilleur contrôle de la gestion, XYZ inc. utilise un système de coûts standards. Voici comment se présentent les standards établis par XYZ inc. pour le seul produit qu'elle fabrique.

Matières premières par unité..	10 kg	à 15 $ le kilogramme
Main-d'œuvre directe par unité..	10 HMOD	à 30 $ par HMOD
Frais indirects de fabrication par unité.................................	10 HMOD	à 10 $ par HMOD
HMOD : heures de main-d'œuvre directe		

Toutes les matières premières sont ajoutées au début du processus. La main-d'œuvre directe et les frais indirects de fabrication sont engagés régulièrement pendant le processus.

Au cours du mois dernier, les frais indirects de fabrication budgétés se sont élevés à 145 000 $. Voici quelques renseignements au sujet de cette période.

	Nombre d'unités
Produits en cours au début (terminés à 25 %)	500
Unités mises en fabrication pendant le mois..	1 240
Produits en cours à la fin (terminés à 75 %)...	240

	Coûts réels
Produits en cours au début :	
Matières premières	80 000 $
Main-d'œuvre directe	39 000
Frais indirects de fabrication	13 000
Unités mises en fabrication pendant le mois :	
Matières premières, 12 500 kg	200 000 $
Main-d'œuvre directe, 17 000 heures..	476 000
Frais indirects de fabrication	150 000

Travail à faire

Partie A

1. Calculez les unités équivalentes de production pour les matières premières.
2. Calculez les unités équivalentes de production pour les coûts de transformation.
3. Déterminez les coûts des matières premières servant au calcul du coût par unité équivalente pour les matières premières.
4. Déterminez les coûts de la main-d'œuvre directe servant au calcul du coût par unité équivalente pour la main-d'œuvre directe.
5. Déterminez le montant des frais indirects de fabrication servant au calcul du coût par unité équivalente des frais indirects de fabrication.
6. Calculez le coût réel des produits en cours à la fin.

Partie B

7. À l'aide des renseignements de la partie précédente, déterminez les écarts suivants :
   a) L'écart sur coût d'achat des matières premières.
   b) L'écart sur quantité des matières premières.
   c) L'écart sur taux de la main-d'œuvre directe.
   d) L'écart sur temps de la main-d'œuvre directe.
   e) L'écart sur dépense en frais indirects de fabrication.
   f) L'écart sur volume des frais indirects de fabrication.
   g) L'écart total sur frais indirects de fabrication.
8. Expliquez brièvement pourquoi les écarts ci-après pourraient survenir.
   a) Un écart sur quantité des matières premières défavorable.
   b) Un écart sur taux de la main-d'œuvre défavorable.
   c) Un écart sur rendement de la main-d'œuvre directe favorable.
   d) Un écart sur dépense en frais indirects de fabrication variables favorable.

(Adaptation d'un problème de l'Association des comptables généraux accrédités du Canada)

P18 Le budget flexible, le changement de palier, les coûts mixtes et les écarts

L'état des résultats prévisionnels et l'état des résultats de la compagnie Swing inc. sont illustrés respectivement dans les tableaux ci-après.

SWING INC.
État des résultats prévisionnels
de la période se terminant le 31 décembre 20X9

Ventes (30 000 unités × 50,00 $ l'unité)		1 500 000 $
Moins : Coût des ventes :		
Matières premières (2,5 kg l'unité × 3,00 $ le kilogramme) ..	225 000 $	
Main-d'œuvre directe (1,5 h l'unité × 12,00 $ l'heure)	540 000	
Frais indirects de fabrication (variables et fixes)	290 000	1 055 000
Marge brute		445 000
Moins : Coûts commerciaux et charges administratives (variables et fixes)	320 000	320 000
Bénéfice prévisionnel avant impôts		125 000 $

D'autre part, on remarque qu'à un volume budgété de 25 000 unités, les frais indirects de fabrication variables et fixes sont de 275 000 $. De plus, à ce même volume, les coûts commerciaux et charges administratives variables et fixes se situent à 300 000 $. Par ailleurs, pour un volume de ventes (et de production) supérieur à 30 000 unités, les frais indirects de fabrication fixes changent de palier. Ainsi, à partir de 35 000 unités, ils se situent à 210 000 $ en raison des changements relatifs aux machines de production. On note également un changement de palier pour les coûts commerciaux et charges administratives

10

▶ fixes, qui se situent à 250 000 $ à partir de 35 000 unités vendues. Les frais indirects de fabrication sont imputés sur la base des heures de main-d'œuvre directe, tandis que les coûts commerciaux et charges administratives le sont sur la base du nombre d'unités.

SWING INC.
État des résultats
de la période se terminant le 31 décembre 20X9

Ventes (35 000 unités × 49,00 $ l'unité)		1 715 000 $
Moins: Coût des ventes:		
Matières premières (84 000 kg × 3,10 $ le kilogramme)	260 400 $	
Main-d'œuvre directe (49 000 h × 11,80 $ l'heure)	578 200	
Frais indirects de fabrication:		
Variables (49 000 h × 2,10 $ l'heure)	102 900	
Fixes	209 000	1 150 500
Marge brute		564 500
Moins: Coûts commerciaux et charges administratives:		
Variables (5,00 $ l'unité)	175 000	
Fixes	240 000	415 000
Bénéfice avant impôts.		149 500 $

À noter qu'il n'y a aucun stock au début et à la fin pour les matières premières, les produits en cours et les produits finis.

Travail à faire

1. Établissez le budget flexible de la période annuelle terminée le 31 décembre 20X9.
2. Déterminez les écarts expliquant la différence de bénéfice avant impôts prévu initialement et le bénéfice avant impôts réalisé pour la période annuelle terminée le 31 décembre 20X9.

P19 L'écart sur volume et le taux d'imputation

Une entreprise intègre le coût de revient standard dans ses livres comptables et impute ses frais indirects de fabrication en fonction de l'activité standard. La formule de budget flexible relative aux frais indirects de fabrication concernant son atelier de production est fonction des kilogrammes de matières premières.

Sur une période, la production équivalente de cet atelier a été de 90 000 unités et la capacité normale a été estimée à 87 500 unités.

Vous avez accès à certains détails sur le coût de revient standard. Les frais indirects de fabrication variables sont imputés au taux de 8 $ par unité. Chaque unité requiert une quantité standard de matières premières de 5 kilogrammes. L'écart sur volume des frais indirects de fabrication pour cette période est favorable de 10 000 $.

Travail à faire

1. Déterminez le montant des frais indirects de fabrication fixes budgété initialement.
2. Établissez la formule de budget flexible relative aux frais indirects de fabrication.
3. Calculez l'écart sur rendement des frais indirects de fabrication variables en sachant que 446 250 kilogrammes de matières premières ont été utilisés.
4. Quelle est la quantité réelle de kilogrammes de matières premières par unité fabriquée?

P20 Les écarts sur coût standard

Une compagnie manufacturière utilise le budget flexible et les coûts standards en vue de faciliter la planification et le contrôle. Au niveau de capacité normale de 60 000 heures de main-d'œuvre directe, les frais indirects de fabrication variables budgétés s'élèvent à 300 000 $, et le budget du coût de la main-d'œuvre directe est de 840 000 $.

10

Les données ci-après ont trait aux opérations du mois d'octobre.

Écart sur dépense en frais indirects de fabrication variables	1 000 $ D
Écart sur dépense en frais indirects de fabrication fixes	2 000 $ D
Écart sur rendement des frais indirects de fabrication variables.	2 500 $ D
Écart sur coût d'achat des matières premières	14 000 $ F
Écart sur quantité des matières premières	7 500 $ D
Coût réel de la main-d'œuvre directe	843 480 $
Frais indirects de fabrication fixes réels..	500 000 $

F : favorable ; D : défavorable

Le nombre d'unités terminées qui ont été transférées au stock de produits finis pendant le mois d'octobre s'est élevé à 90 000. Il n'y avait pas de stock de produits en cours au début, ni à la fin du mois.

Des difficultés avec la main-d'œuvre directe sont survenues en septembre et ont entraîné un fléchissement de la production. Ces difficultés ont persisté en octobre. Certains travailleurs ont démissionné et ont dû être remplacés par d'autres qui gagnent des salaires supérieurs. Durant le mois d'octobre, le taux horaire moyen réel a excédé de 0,20 $ l'heure le taux horaire standard moyen.

Travail à faire

Calculez, en fonction des données précédentes :
1. le nombre des heures réelles de main-d'œuvre directe ;
2. le nombre total des heures standards relatives à la production obtenue en octobre ;
3. le taux d'imputation prédéterminé des frais indirects de fabrication par heure de main-d'œuvre directe ;
4. l'écart sur volume relatif aux frais indirects de fabrication.

P21 **Les écarts sur coût standard**

Le Fabricant de chaises inc. produit un modèle de chaise en plastique très populaire. Durant le mois d'avril 20X8, l'entreprise a fabriqué 42 000 chaises. Il s'agit d'un bon mois de production, car on a dépassé la capacité normale mensuelle évaluée à 40 000 chaises. L'entreprise utilise un système de coûts de revient standards, car elle produit son modèle de chaise selon le principe de la fabrication uniforme et continue.

La fiche de coût standard de cette chaise se détaille comme suit :

Matières premières.	4 m	à	1,00 $ le mètre	4,00 $
Main-d'œuvre directe..	3 h	à	11,20 $ l'heure	33,60
Frais indirects de fabrication...........................	3 h	à	2,40 $ l'heure	7,20
				44,80 $

Vous avez accès à une série d'informations concernant le mois d'avril.

Écart sur coût d'achat des matières premières	6 000 $ D
Écart sur quantité de matières premières..	2 000 $ D
Quantité de matières premières achetées	150 000 mètres
Écart sur taux de la main-d'œuvre directe	12 571 $ F
Écart sur temps de la main-d'œuvre directe	3 248 $ F
Budget des frais indirects de fabrication fixes	138 000 $
Frais indirects de fabrication réels..	293 600 $

F : favorable ; D : défavorable

10

► **Travail à faire**

Calculez, pour le mois d'avril, en fonction des données précédentes :

1. le coût réel total des matières premières achetées et le coût par mètre ;
2. la quantité réelle de matières premières utilisées ;
3. le nombre réel d'heures travaillées ;
4. le nombre standard d'heures relatives à la production obtenue ;
5. le taux horaire réel de la main-d'œuvre directe ;
6. le taux d'imputation des frais indirects de fabrication variables et fixes ;
7. tous les écarts concernant les frais indirects de fabrication.

Cas

C1 L'éthique et le gestionnaire : la manipulation des standards

Récemment engagée par la société Mercier comme contrôleuse, Stéphanie Comtois a été déconcertée par ce qu'elle a découvert concernant les coûts standards de la division Sécurité résidentielle de l'entreprise. En examinant les communiqués sur les résultats trimestriels des dernières années, elle a remarqué une chose étonnante. Dans tous les cas, les bénéfices du premier trimestre étaient décevants, ceux du deuxième trimestre s'amélioraient, et ceux du troisième trimestre remontaient encore un peu, alors que le quatrième trimestre se terminait toujours par des rendements spectaculaires qui permettaient à la filiale d'atteindre ou même de dépasser son bénéfice cible de l'année. Des lettres des auditeurs externes de l'entreprise prévenant la haute direction de l'utilisation pour le moins inhabituelle des coûts standards à la division Sécurité résidentielle n'ont rien fait pour calmer les inquiétudes de la contrôleuse.

Lorsque Mme Comtois a trouvé ces lettres, elle a demandé au contrôleur adjoint, Grégoire Fabre, s'il était au courant de ce qui se passait dans cette division. M. Fabre lui a répondu que, dans l'entreprise, tout le monde connaissait les pratiques du vice-président de la division, Preston Loiseau, lequel a manipulé les standards de sa division pour obtenir le même modèle de bénéfices trimestriels année après année. Suivant la politique de l'entreprise, on comptabilise les écarts dans l'état des résultats à titre d'ajustement du coût des ventes.

Les écarts favorables ont pour effet d'augmenter le bénéfice opérationnel, et les écarts défavorables, de le diminuer. M. Loiseau a manipulé les standards de manière à toujours obtenir d'importants écarts favorables. La politique de l'entreprise n'est pas très précise au sujet du moment où ces écarts doivent être présentés dans les états des résultats des divisions. Même si l'intention est clairement de les comptabiliser dans l'état des résultats de la période où ils sont observés, aucune politique de la société Mercier ne le requiert explicitement. Par conséquent, pendant de nombreuses années, M. Loiseau a « mis de côté » les écarts favorables et les a utilisés de façon à présenter un schéma de croissance régulière des bénéfices au cours des trois premiers trimestres de chaque période et de couronner le tout par un magnifique « cadeau de Noël », sous forme d'un excellent rendement au quatrième trimestre. (D'après les normes de publication de l'information financière, cette façon de faire est inappropriée.) Ces découvertes inquiètent Mme Comtois, qui a tenté d'en discuter avec le président et chef de la direction de la société Mercier. Celui-ci lui a alors répondu : « Tout le monde sait ce que M. Loiseau fait, mais tant qu'il présente de bons résultats, il n'y a aucune raison de l'embêter. » Lorsque la jeune femme lui a demandé si les membres du conseil d'administration étaient au courant de la situation, il a manifesté un certain agacement, mais a affirmé : « Évidemment qu'ils le sont ! »

Travail à faire

1. De quelle manière M. Loiseau a-t-il probablement « manipulé » les coûts standards ? Ces standards sont-ils trop élevés ou trop bas ? Expliquez votre réponse.
2. Devrait-on permettre à M. Loiseau de continuer ses pratiques en matière de « gestion » de la présentation des bénéfices ?
3. Que devrait faire Stéphanie Comtois dans les circonstances ?

C2 **L'effet des coûts standards et des écarts sur le comportement**

Thierry Trahan est directeur du service de production à la société Aurora, qui fabrique différents produits en plastique. Certains de ces produits sont des articles de modèles courants qui apparaissent dans le catalogue de l'entreprise; d'autres sont fabriqués suivant les spécifications des clients. Chaque mois, M. Trahan reçoit un rapport d'analyse de la performance qui présente le budget mensuel, le volume d'activité réel, et l'écart entre les prévisions et la réalité. Une partie de l'évaluation annuelle de sa performance est basée sur le rendement de son service par rapport au budget établi. La directrice du service des achats, Suzanne Christian, reçoit également des rapports d'analyse de la performance mensuels; elle est aussi partiellement évaluée d'après ces rapports.

La distribution des rapports mensuels du mois de juin vient d'avoir lieu lorsque M. Trahan rencontre Mme Christian dans le corridor qui mène à leurs bureaux respectifs. Mécontent, M. Trahan aborde sa collègue comme suit: «Je vois que vous aussi avez reçu votre rapport d'analyse de la performance du bureau des budgets. Le jeune employé pas très sympathique qui nous l'apporte semble prendre un malin plaisir à m'annoncer qu'encore une fois ma performance n'est pas satisfaisante.»

Suzanne: J'ai eu droit au même traitement. Les seules rétroactions que je reçois concernent mes erreurs. Maintenant, je vais devoir consacrer un temps fou à examiner ce rapport et à préparer des explications. Le pire, c'est que nous sommes le 21 juillet et que ces renseignements datent d'il y a presque un mois. Par conséquent, je perds tout ce temps à m'occuper de choses auxquelles je ne peux plus rien!

Thierry: Mon principal sujet de mécontentement, c'est que, même si notre volume d'activité varie beaucoup d'un mois à l'autre, on nous donne un budget annuel coulé dans le béton! Le mois dernier, nous avons dû interrompre la production durant trois jours parce qu'une grève a retardé la livraison de la matière de base dans la fabrication de notre plastique et que nous n'en avions plus en stock. Vous êtes au courant de ce problème parce que je vous avais demandé de téléphoner dans toutes les régions du pays pour nous trouver une autre source d'approvisionnement. Lorsque nous avons enfin reçu ce dont nous avions besoin, par commande urgente, il a fallu payer plus cher que d'habitude.

Suzanne: Je m'attends à ce que des problèmes de ce genre surviennent de temps à autre — ça fait partie de mon travail de les régler! —, mais nous allons maintenant devoir examiner attentivement nos rapports pour déterminer où les charges de cette commande urgente sont comptabilisées. Chaque mois, je consacre plus de temps à m'assurer que tout ce qu'on attribue à mon service tombe sous ma responsabilité plutôt qu'à élaborer des plans pour le travail quotidien de ma section. Je trouve vraiment frustrant de me voir attribuer des coûts pour des éléments sur lesquels je n'ai aucun contrôle!

Thierry: La façon dont on nous informe n'aide pas non plus. Par exemple, je ne reçois aucun exemplaire des rapports qui vous sont adressés. Pourtant, une grande partie du travail de mon service subit les effets de décisions prises dans le vôtre et dans la plupart de nos autres sections. Pourquoi les employés du budget et de la comptabilité s'obstinent-ils à me renseigner uniquement sur les activités de mon service alors que le président et chef de la direction profite de toutes les occasions pour nous rappeler l'importance de tous travailler en équipe?

Suzanne: Quant à moi, j'ai l'impression de recevoir plus de rapports qu'il ne m'en faut. Pourtant, on ne me demande jamais de les commenter, sauf lorsque la haute direction me convoque à propos de ce qui cloche dans mon service. Avez-vous droit à des commentaires élogieux lorsque votre service affiche un bon rendement?

Thierry: Il faut croire que la haute direction n'a pas le temps de s'intéresser aux bonnes nouvelles! Le fait que les rapports sont tous formulés en dollars et en cents constitue aussi un problème. Je travaille avec des personnes, des machines et des matières. J'ai besoin de renseignements pour m'aider à résoudre les problèmes du mois en cours — pas d'un autre rapport sur des dollars dépensés le mois dernier ou le mois précédent. ▶

10

► **Travail à faire**

1. En vous basant sur la conversation entre Thierry Trahan et Suzanne Christian, décrivez les effets possibles de l'utilisation que fait la société Aurora du système de coûts standards, et de la présentation des écarts sur la motivation et le comportement de ces deux gestionnaires.

2. Un système de coûts standards et la présentation d'écarts mis en œuvre de façon appropriée devrait se révéler avantageux à la fois pour les employés et pour l'entreprise.

   a) Décrivez les avantages que peut procurer un système de coûts standards.

   b) En tenant compte de la situation décrite à la page précédente, suggérez des moyens pour la société Aurora d'améliorer son système de coûts standards et la présentation des écarts de façon à accroître la motivation de ses employés.

(Adaptation d'un problème de la Société des comptables en management du Canada)

C3 **L'éthique et le gestionnaire**

Laurent Pratte est contrôleur des immobilisations de production de la société Tech Systems, à Red Deer, en Alberta. Il doit préparer de nombreux rapports pour le siège social de l'entreprise, dont le rapport annuel d'analyse de la performance concernant les frais indirects de fabrication. Ce document couvre l'ensemble de la période qui se termine le 31 décembre et il est attendu au siège social peu après le début de l'année. M. Pratte, qui n'aime pas faire son travail à la dernière minute, a élaboré juste avant Noël une ébauche préliminaire de ce rapport. Plus tard, il compte effectuer certains ajustements nécessaires pour tenir compte des quelques transactions qui auront lieu entre Noël et le Premier de l'an. Ce projet de rapport, que M. Pratte a terminé le 21 décembre, apparaît ci-après.

IMMOBILISATIONS DE PRODUCTION DE RED DEER
Rapport d'analyse de la performance concernant les frais indirects de fabrication
Version préliminaire datée du 21 décembre

Heures-machines budgétées 100 000
Heures-machines réelles 90 000

Frais indirects de fabrication	Coût standard (par heure-machine)	Coûts réels engagés pour 90 000 heures-machines	Budget flexible basé sur 90 000 heures-machines	Écart sur dépense	
Frais indirects de fabrication variables :					
Électricité	0,03 $	2 840 $	2 700 $	140 $	D
Fournitures	0,86	79 060	77 400	1 660	D
Abrasifs	0,34	32 580	30 600	1 980	D
Total des frais indirects de fabrication variables	1,23 $	114 480	110 700	3 780	D
Frais indirects de fabrication fixes :					
Amortissement		228 300	226 500	1 800	D
Salaires du personnel de supervision		187 300	189 000	1 700	F
Assurance		23 000	23 000	-0-	
Génie industriel		154 000	160 000	6 000	F
Loyer du bâtiment de l'usine		46 000	46 000	-0-	
Total des frais indirects de fabrication fixes		638 600	644 500	5 900	F
Total des frais indirects de fabrication		753 080 $	755 200 $	2 120 $	F

F : favorable ; D : défavorable

Tab Kapp, le directeur général de l'usine de Red Deer, a demandé à examiner un exemplaire de ce document le 23 décembre à 16 h 45. M. Pratte lui en apporte un à son bureau, où a lieu la conversation suivante :

Tab : Oh là là ! Presque tous les écarts de ce rapport sont défavorables. Il n'y a rien de vraiment bon là-dedans, sauf les écarts favorables qui concernent les salaires du personnel de supervision et le génie industriel. Comment expliquez-vous cet écart défavorable pour l'amortissement ?

Laurent : Vous rappelez-vous cette machine à fraiser qui est tombée en panne parce que l'opérateur utilisait le mauvais type de lubrifiant ?

Tab : Vaguement…

Laurent : Finalement, nous n'avons pas pu la réparer. Il a fallu la mettre au rebut et en acheter une nouvelle.

Tab : Ce rapport ne me paraît pas très encourageant. Déjà l'an dernier, j'ai subi les foudres de la haute direction alors que nous n'avions que quelques écarts défavorables.

Laurent : J'ai bien peur que le rapport final soit encore pire que celui-ci !

Tab : Ah ?

Laurent : Voyez le poste «Génie industriel» dans le rapport. Il s'agit du travail que les ingénieurs de la société Klein ont effectué pour nous. Le contrat initial s'élevait à 160 000 $, mais nous leur avons demandé de faire certains travaux supplémentaires non prévus dans l'entente. Suivant les clauses du contrat, nous devrons payer les coûts de ces travaux à la société Klein. Le montant de 154 000 $ en coûts réels qui apparaît ici ne tient compte que des factures reçues avant le 21 décembre. La dernière facture date du 28 novembre, mais les ingénieurs ont terminé le projet la semaine dernière. Hier, j'ai reçu un coup de fil de Mme Martinet de chez Klein. Elle m'a assuré que nous allions recevoir la facture finale avant la fin de l'année. Le montant total, en incluant les travaux supplémentaires, devrait s'élever à…

Tab : Je ne suis pas sûr de vouloir entendre ça !

Laurent : 176 000 $.

Tab : Ouille !

Laurent : Les travaux supplémentaires que nous avons commandés ont accru le coût du projet de 16 000 $.

Tab : Il n'est pas question que je présente un rapport d'analyse de la performance dont l'écart global est défavorable ! Sinon, ils vont m'étriper au siège social ! Téléphonez chez Klein et demandez à Mme Martinet de ne pas envoyer sa facture avant le 1er janvier. Il nous faut cet écart favorable de 6 000 $ pour le génie industriel dans le rapport d'analyse de la performance.

Travail à faire

Que devrait faire Laurent Pratte ? Expliquez votre réponse.

C4 Le travail à rebours à partir de données sur les écarts

Vous venez d'obtenir votre diplôme universitaire et vous avez accepté un poste à la société Vibiz, le fabricant d'un produit de consommation très en demande. Au cours de la première semaine, la vice-présidente a vivement apprécié votre travail. En fait, vous l'avez si favorablement impressionnée qu'elle vous a convoqué hier à son bureau pour vous demander d'assister ce matin à une réunion du comité de direction et de mener la discussion sur les écarts enregistrés au cours de la dernière période. Comme vous tenez à faire bonne figure devant le comité, vous avez consulté le rapport sur les écarts et les données justificatives qui s'y rapportent chez vous, hier soir.

Malheureusement, lorsque vous avez essayé d'ouvrir le fichier ce matin, quelques-uns des rapports s'étaient altérés. Vous n'avez réussi à récupérer que ce qui apparaît ci-après. ▶

10

▶

Fiche de coût standard – par unité de produit

Matières premières : 6 kg à 6 $ le kilogramme	36,00 $
Main-d'œuvre directe : 0,8 HMOD à 30 $ par HMOD..	24,00
Frais indirects de fabrication variables : 0,8 HMOD à 6 $ par HMOD........................	4,80
Frais indirects de fabrication fixes : 0,8 HMOD à 14 $ par HMOD	11,20
Coût standard par unité..	76,00 $

		Écart enregistré			
	Coût standard total*	sur coût d'achat ou sur taux horaire	sur dépense en frais indirects de fabrication	sur quantité ou sur temps	sur volume
Matières premières.........	810 000 $	13 800 $ F		18 000 $ D	
Main-d'œuvre directe.....	540 000 $	29 100 $ D		42 000 $ D	
Frais indirects de fabrication variables...	108 000 $		2 600 $ F	? $ D**	
Frais indirects de fabrication fixes..........	252 000 $		1 000 $ F		28 000 $ D

* Attribués aux produits en cours pendant la période
** Donnée altérée
HMOD : heures de main-d'œuvre directe

Vous vous rappelez que les frais indirects de fabrication sont imputés à la production en fonction des heures de main-d'œuvre directe et que toutes les matières achetées au cours de la période ont servi à la production. Étant donné que l'entreprise utilise la méthode juste-à-temps pour contrôler le flux des travaux, les stocks de produits en cours sont négligeables, et il est inutile d'en tenir compte.

Il est 8 h 30, et la réunion du comité de direction commence dans une heure. Vous vous apercevez que, pour ne pas paraître d'une totale incompétence, vous devez produire les données nécessaires pour justifier les écarts avant le début de la réunion. Sans ces données, il vous sera impossible d'animer la discussion ou de répondre aux questions qui vous seront posées.

Travail à faire

1. Combien d'unités l'entreprise a-t-elle fabriquées au cours de la dernière période ?
2. Combien de kilogrammes de matières premières a-t-elle achetés et utilisés pour sa production ?
3. Quel était le coût réel de ces matières par kilogramme ?
4. Combien d'heures réelles de main-d'œuvre directe ont été effectuées au cours de cette période ?
5. Quel était le taux horaire réel de cette main-d'œuvre directe ?
6. Quel est le montant réel des frais indirects de fabrication variables engagés pendant cette période ?
7. Quel est le montant total des frais indirects de fabrication fixes inscrit dans le budget de l'entreprise ?
8. Quel était le volume d'activité prévu en heures de main-d'œuvre directe servant au calcul du taux d'imputation prédéterminé pour la dernière période ?

C5 Une analyse complète d'écarts et la méthode des coûts variables

La société Abbotsford Tech fabrique et distribue des circuits intégrés pour des entreprises d'électronique. En décembre 20X7, elle a cherché à obtenir un emprunt bancaire. Le gérant de l'institution financière a exigé de Christine Dasilva, la présidente d'Abbotsford Tech, qu'elle prépare un budget pour 20X8. En janvier 20X9, l'entreprise a eu besoin d'un autre emprunt, et Mme Dasilva a demandé à son comptable d'établir un budget pour 20X9, qu'elle compte présenter au gérant. Toutefois, Mme Dasilva est préoccupée par le fait que les bénéfices de 20X8 sont très inférieurs aux montants du budget de cette période qui avait été remis à la banque, étant donné que le gérant voudra sûrement en connaître la raison. Comme première étape dans son analyse des écarts, Mme Dasilva a recopié les montants réels de 20X8 dans un formulaire de budget bancaire de l'année, qui apparaît ci-après.

ABBOTSFORD TECH
Suivi du budget de 20X8 préparé en vue d'un emprunt bancaire

	En milliers de dollars		
	Budget initial	Résultats réels	Écart
Chiffre d'affaires – unités	110 000	105 000	5 000 D
Chiffre d'affaires – dollars	5 500 $	5 040 $	460 $ D
Moins : Coût des ventes :			
Matières premières	880	842	38 F
Main-d'œuvre	1 760	1 690	70 F
Frais indirects de fabrication variables	440	410	30 F
Frais indirects de fabrication fixes	600	606	6 D
	3 680	3 548	132 F
Marge brute	1 820	1 492	328 D
Moins :			
Coûts commerciaux :			
Variables	440	418	22 F
Fixes	200	204	4 D
Charges administratives fixes	400	394	6 F
	1 040	1 016	24 F
Bénéfice avant impôt	780	476	304 D
Moins : Impôt	312	190	122 F
Bénéfice	468 $	286 $	182 $ D

Coûts standards sur lesquels est basé le budget

		Standard par unité
Prix de vente		50 $
Matières premières		8 $
Main-d'œuvre : 0,5 HMOD à 32 $ par HMOD		16
Frais indirects de fabrication : 0,5 HMOD à 8 $ par HMOD		4
Frais indirects de fabrication fixes :		
Amortissement	400 000 $	
Autres	200 000	
	600 000 $	
Capacité normale : 100 000 unités à 0,5 HMOD par unité = 50 000 HMOD ; 600 000 $ ÷ 50 000 HMOD × 0,5 HMOD par unité		6
Coûts commerciaux :		
Variables		4
Fixes : 200 000 $ ÷ 100 000 unités		2
Charges administratives fixes : 400 000 $ ÷ 100 000 unités		4
		44 $

Les coûts standards ont été utilisés pour préparer les soumissions alors qu'on a enregistré les coûts réels aux livres comptables.
HMOD : heures de main-d'œuvre directe

10

► **Travail à faire**

1. Refaites le budget pour 20X8 en y indiquant le budget initial, le budget flexible, les montants réels et les écarts par rapport au budget flexible, ainsi que les marges sur coûts variables.

2. Effectuez une analyse quantitative qui présente à la direction les principales causes des écarts par rapport au budget flexible, et qui lui servira de base pour adopter des mesures correctives, mais aussi pour expliquer au gérant de la banque l'écart par rapport au budget initial.

3. Si les résultats d'exploitation prévus pour 20X9 ressemblent à ceux de 20X8, expliquez au gérant de la banque quelle portion du prêt l'entreprise serait en mesure de rembourser grâce aux bénéfices de 20X9. (Supposez qu'il n'y a aucun changement dans les comptes clients et dans les comptes fournisseurs.)

4. Si la concurrence s'accroît fortement en 20X9 et que la société Abbotsford Tech fonctionne bien au-dessous de sa capacité, à 85 000 unités, expliquez, avec calculs à l'appui, la soumission la plus basse que vous présenteriez pour une commande de 10 000 unités.

5. Quelles modifications proposeriez-vous de faire à la comptabilité de gestion et au système d'information comptable de la société Abbotsford Tech ?

(Adaptation d'un problème de l'Association des comptables généraux accrédités du Canada)

C6 Des données incomplètes

Tous les cas ci-après sont indépendants. Supposez que chaque entreprise recourt à un système de coûts standards et que le budget flexible pour les frais indirects de fabrication de chacune est basé sur les heures-machines standards.

	Société A		Société B	
1. Volume d'activité prévu en heures	?		40 000	
2. Heures standards allouées aux unités produites	32 000		?	
3. Heures réelles de travail...	30 000		?	
4. Budget des frais indirects de fabrication variables par heure-machine..	?	$	2,80	$
5. Budget des frais indirects de fabrication fixes (total)..........	?		?	
6. Frais indirects de fabrication variables réels engagés	54 000		117 000	
7. Frais indirects de fabrication fixes réels engagés	209 400		302 100	
8. Frais indirects de fabrication variables imputés à la production*......................................	?		117 600	
9. Frais indirects de fabrication fixes imputés à la production*......................................	192 000		?	
10. Écart sur dépense en frais indirects de fabrication variables..	?		?	
11. Écart sur rendement des frais indirects de fabrication variables..	3 500	F	8 400	D
12. Écart sur dépense en frais indirects de fabrication fixes...	?		2 100	D
13. Écart sur volume des frais indirects de fabrication fixes......	18 000	D	?	
14. Partie variable du taux d'imputation prédéterminé des frais indirects de fabrication...........................	?		?	
15. Partie fixe du taux d'imputation prédéterminé des frais indirects de fabrication...........................	?		?	
16. Frais indirects de fabrication sous-imputés ou surimputés ...	?		?	

* Sur la base des heures standards allouées aux unités produites
F : favorable ; D : défavorable

Travail à faire

Calculez les données manquantes.

Recherche

R1 Les standards d'un atelier de réparation

Prenez rendez-vous pour rencontrer le gérant d'un atelier de réparation d'automobiles où l'on applique des standards. Dans la plupart des cas, il s'agira sans doute d'un atelier lié à une chaîne nationale telle que Canadian Tire ou encore du service de l'entretien d'un concessionnaire de voitures neuves.

Travail à faire

Au cours de l'entretien, tâchez d'obtenir des réponses aux questions suivantes :

1. Comment les standards sont-ils établis ?
2. Ces standards sont-ils pratiques ou théoriques ?
3. Comment se sert-on de ces standards ?
4. Compare-t-on le temps réel mis à exécuter complètement une tâche au temps standard ?
5. Quelles sont les conséquences des écarts défavorables ? des écarts favorables ?
6. L'utilisation de standards et d'écarts pourrait-elle susciter des problèmes ?

10

LA DÉCENTRALISATION ET LA PUBLICATION D'INFORMATIONS À DES FINS DE CONTRÔLE

Regard sur une entreprise

Mesurer la performance

Un sondage récent auprès de 2 100 professionnels du domaine de la finance employés dans des entreprises canadiennes portait sur la capacité de celles-ci à gérer leur performance financière et non financière. Compte tenu de l'attention que la presse d'affaires a accordée, depuis 10 ans, à l'élaboration de systèmes de mesure de la performance de plus en plus perfectionnés, certaines constatations sont surprenantes. Près d'un tiers des répondants considèrent que la performance globale de leur entreprise se situe en deçà de l'objectif cible. Là où l'on s'efforce d'utiliser des systèmes d'évaluation de la performance plus complets, la moitié des répondants estiment que ces systèmes ne les aident pas à améliorer leur performance financière. Il est peut-être encore plus étonnant de constater qu'une grande majorité des gestionnaires interrogés en sont restés aux étapes préliminaires de l'établissement de meilleurs systèmes de mesure de la performance. Parmi eux, beaucoup affirment qu'ils continuent à utiliser des systèmes d'information plutôt traditionnels axés principalement sur des mesures financières de la performance.

Ainsi, malgré la popularité croissante de nouvelles méthodes de mesure de la performance, comme le tableau de bord équilibré, un grand nombre d'entreprises en sont encore à essayer de les mettre au point. Les réponses obtenues dans ce sondage fournissent quelques indices sur la nature des obstacles à surmonter. Premièrement, beaucoup d'entreprises ne parviennent pas à établir un lien entre leurs mesures de la performance et leurs objectifs stratégiques. Deuxièmement, les coûts et les difficultés que représente l'obtention de données (par exemple, la satisfaction des clients) peuvent se révéler excessifs. Enfin, beaucoup d'entreprises échouent dans leurs tentatives d'établir des cibles précises. S'il est important de fixer des objectifs de croissance ou de rendement, il est essentiel que ces objectifs se transmettent jusqu'au bas de l'échelle de façon que tous les employés comprennent ce qu'on attend d'eux en matière de performance.

Source : Robert ANGEL et Daryl-Lynn CARLSON, « Just Do It », *CA Magazine*, vol. 140, nᵒ 6 (août 2007), p. 28-33.

OBJECTIFS D'APPRENTISSAGE

Après avoir étudié ce chapitre, vous pourrez :

1. faire la différence entre des centres de responsabilité tels que les centres de coûts, les centres de profit ainsi que les centres d'investissement, et décrire des moyens de mesurer la performance de chacun d'eux ;

2. déterminer, s'il y a lieu, la fourchette à l'intérieur de laquelle un prix de cession interne devrait se situer, et expliquer les méthodes d'établissement du prix de cession interne ;

3. calculer et analyser le rendement du capital investi (RCI) ;

4. calculer le résultat net résiduel (RNR), et comprendre les forces et les faiblesses de cette méthode de mesure de la performance ;

5. expliquer l'utilisation du tableau de bord équilibré pour évaluer la performance ;

6. déterminer les quatre types de coûts d'obtention de la qualité, expliquer leur interaction et préparer un rapport sur ces coûts de la qualité ;

7. analyser les écarts par rapport aux budgets des ventes (Annexe 11A en ligne) ;

8. analyser les coûts de marketing à l'aide de divers inducteurs de coûts (Annexe 11B en ligne).

Les gestionnaires déterminent la direction qu'ils souhaitent voir prendre par leur organisation. On emploie l'expression *planification stratégique* pour désigner cet ensemble de décisions. L'établissement du budget est l'expression financière des plans établis dans ce contexte. Nous avons présenté, au chapitre 9, les concepts liés à l'établissement d'un budget. Toutefois, la planification constitue seulement une étape du processus de gestion. Pour s'assurer que leur entreprise progresse dans la direction voulue, les gestionnaires recourent à une combinaison de rétroactions sur les résultats réels, de comparaisons avec les budgets ou les résultats des périodes antérieures, et même de comparaisons avec d'autres organisations.

Les gestionnaires utilisent différentes méthodes pour exercer un contrôle sur l'organisation. Les rapports présentant les résultats financiers figurent parmi les méthodes les plus courantes dont ils disposent pour contrôler l'exploitation parce qu'ils leur permettent d'établir des parallèles entre les budgets, les résultats antérieurs et les résultats des autres organisations, en plus de les renseigner sur les résultats actuels. Ces comparaisons financières servent aussi de base aux systèmes de récompense visant à encourager les gestionnaires à atteindre les objectifs de l'organisation.

Il existe différentes manières d'établir ces rapports sur la performance financière pour mieux servir les fonctions de contrôle assurées par la direction. Comme nous le verrons dans le présent chapitre, la publication d'informations sectorielles, l'analyse de rentabilité et l'information sur le rendement des investissements sont trois formes de présentation de l'information financière couramment utilisées qui fournissent des types de renseignements quelque peu différents. Chacune d'elles présente l'information de façon à donner une perspective particulière de l'organisation et un aspect différent du contrôle de l'organisation. Il est important de bien comprendre à quel point ces aspects sont différents et de saisir pourquoi les gestionnaires souhaitent étudier ces différentes perspectives. Vous pourrez ainsi intégrer ces concepts de contrôle aux rapports concernant les écarts sur coûts standards, le coût de production et les analyses réalisées à l'aide de budgets flexibles dont il a été question dans les chapitres précédents. Vous pourrez aussi intégrer ces concepts de contrôle aux rapports relatifs aux écarts sur ventes et à l'analyse des coûts de marketing, qui sont présentés aux annexes 11A et 11B (en ligne au <www.cheneliere.ca/garrison>).

L'environnement de fabrication moderne a mis en lumière la nécessité d'une certaine flexibilité de gestion pour répondre à la souplesse de la production. Toutefois, cette flexibilité exige des prises de décisions appropriées et en temps utile de tous les membres de l'organisation, de la direction générale jusqu'au travailleur. Pour prendre de telles décisions, il leur faut des données de contrôle précises, fournies en temps opportun, et qui conviennent au vaste éventail d'employés formant l'organisation. La nécessité de rendre ces données accessibles aux travailleurs de différents secteurs de production de façon qu'ils puissent contrôler leurs activités a posé un problème stimulant pour les comptables. En effet, les rapports traditionnels étaient trop synthétisés pour les travailleurs. De plus, les rapports mensuels ne fournissaient pas un aperçu des activités quotidiennes qui varient continuellement.

Pour tenter de remédier à certaines de ces lacunes, les entreprises ont de plus en plus recours à des indicateurs de performance non financiers comme le taux de rejets de la production, les taux de réusinage, la part de marché, la satisfaction des employés, la quantité de substances polluantes déversées ou la satisfaction des clients. Des systèmes informatiques facilitent la collecte et la présentation de ces données en temps réel. Configurés de façon appropriée, des systèmes de gestion intégrés (ou systèmes ERP) permettent de conserver en permanence les données non financières et financières grâce à l'utilisation d'une base de données interactive commune. Un système informatique suffisamment puissant, doté de fonctions opérationnelles clairement définies, peut fournir à tout moment les données nécessaires à la réalisation des tâches dans l'entreprise. Le *tableau de bord équilibré* est une méthode considérée par les fournisseurs de systèmes de gestion intégrés comme une des meilleures pratiques pour organiser et présenter cet ensemble de données.

Dans le présent chapitre, nous expliquerons les indicateurs de performance financière couramment utilisés. Nous présenterons également le tableau de bord équilibré, un cadre d'évaluation de la performance qui comprend des indicateurs financiers et non financiers. Plus que jamais, les entreprises ont recours à une combinaison de mesures financières et non financières dans leurs systèmes d'information et de contrôle. En appliquant ce que vous avez appris sur la performance dans les chapitres précédents aux analyses présentées dans ce chapitre et le suivant, vous pourrez mieux comprendre les progrès accomplis en matière d'établissement de rapports de gestion de la performance.

La gestion décentralisée dans les organisations

Lorsqu'une organisation compte de nombreuses personnes et plusieurs activités, il devient difficile pour la direction générale de prendre des décisions sur toutes les questions. Par exemple, on ne peut pas s'attendre à ce que le directeur général de la chaîne d'hôtels Delta décide si tel client de l'établissement de Montréal peut quitter sa chambre un peu plus tard que l'heure de départ normale. Jusqu'à un certain point, les directeurs doivent déléguer le pouvoir de décision à leurs subalternes. Toutefois, l'ampleur de cette délégation varie selon l'organisation.

Une **organisation décentralisée** est une organisation dans laquelle les décisions sont prises non pas uniquement par quelques cadres supérieurs, mais aussi par des gestionnaires de différents niveaux qui prennent des décisions d'exploitation cruciales liées à leur sphère de responsabilité. La décentralisation consiste ainsi à déléguer le pouvoir de décision partout au sein de l'organisation. Elle est question de degrés puisque toutes les organisations sont nécessairement décentralisées dans une certaine mesure. À l'une des extrémités du spectre se trouvent les organisations fortement décentralisées. Ici, il y a peu, sinon pas de contraintes au moment de prendre des décisions, et ce, même pour les gestionnaires et les employés situés au plus bas de l'échelle. À l'autre extrémité de ce spectre se trouvent les organisations fortement centralisées, où les gestionnaires des niveaux inférieurs ont très peu de liberté en matière de prise de décisions. La plupart des organisations se situent quelque part entre ces deux extrêmes.

Organisation décentralisée

Organisation dans laquelle la prise de décisions n'est pas réservée à quelques cadres supérieurs, mais se fait à tous les niveaux de l'organisation.

La décentralisation et la publication d'information sectorielle

Pour qu'une décentralisation soit efficace, l'entreprise doit recourir à l'*information sectorielle*, qui permet d'analyser et d'évaluer les décisions prises par les directeurs de section (ou unité d'exploitation). Outre l'état des résultats de l'ensemble de l'entreprise, les gestionnaires ont besoin de rapports provenant de chacune des unités d'exploitation. Au chapitre 8, nous avons défini l'unité d'exploitation comme étant toute partie ou activité d'une organisation pour laquelle un gestionnaire et son équipe assument la responsabilité des coûts, des revenus, des résultats ou des investissements. Nous y avons également vu que les activités d'une entreprise peuvent être divisées de différentes manières.

Par exemple, une chaîne de magasins d'alimentation comme Loblaw ou Sobeys peut diviser ses activités par régions géographiques, par magasins, d'après la nature des marchandises (par exemple, les aliments frais, les aliments en conserve et les produits du papier), par marques de commerce, etc. Dans ce chapitre, nous réexaminerons le sujet de l'information sectorielle dans le cadre de notre analyse des centres de responsabilité, que nous définissons dans la prochaine section. Comme nous allons le voir, il est possible de classer les unités d'exploitation en fonction de la capacité de leurs gestionnaires à contrôler les coûts, les revenus, les résultats et les investissements. Il est important de noter que l'évaluation de la performance des gestionnaires d'unités d'exploitation dépend directement de ce sur quoi ils exercent un contrôle. À ce stade, il pourrait se révéler avantageux pour vous de revenir sur les différents éléments de la préparation de l'information sectorielle présentés au chapitre 8, y compris sur la distinction entre les coûts spécifiques et les coûts communs.

11

Les avantages et les inconvénients de la décentralisation

La décentralisation présente de nombreux avantages, entre autres les suivants :

1. La direction générale n'a plus à résoudre un grand nombre de problèmes courants. Elle peut concentrer son énergie sur la stratégie d'ensemble de l'organisation, la prise de décisions à un niveau plus élevé et la coordination des activités.

2. La décentralisation fournit aux gestionnaires subalternes une expérience indispensable en matière de prise de décisions. Sans cette expérience, ils seraient mal préparés à prendre des décisions lorsqu'ils accèdent à des postes supérieurs.

3. Une responsabilité accrue et l'autorité liée à la prise de décisions entraînent souvent un accroissement de la satisfaction professionnelle. Différents postes deviennent alors plus intéressants, ce qui stimule les personnes qui les occupent à fournir un maximum d'efforts.

4. D'ordinaire, les gestionnaires subalternes disposent de renseignements plus détaillés et plus à jour sur la situation dans leur propre champ de responsabilité que les cadres supérieurs. En d'autres termes, les décisions prises par des gestionnaires subalternes sont souvent basées sur des informations plus pertinentes pour eux que celles, plus globales, dont disposent leurs supérieurs.

5. Il est difficile d'évaluer la performance de gestionnaires si l'on ne leur donne pas assez de latitude pour qu'ils puissent faire leurs preuves.

La décentralisation présente quatre inconvénients de taille :

1. Certains gestionnaires subalternes, en raison d'une mauvaise compréhension de la stratégie, peuvent prendre des décisions sans bien comprendre leurs répercussions sur l'ensemble de l'organisation. Il est possible de remédier à cette situation jusqu'à un certain point grâce aux systèmes de gestion intégrés, qui permettent en principe aux gestionnaires de tous les niveaux d'avoir accès aux mêmes renseignements que le président et d'autres cadres supérieurs.

2. Dans une organisation vraiment décentralisée, il peut y avoir un manque de coordination entre les gestionnaires autonomes. Il est possible de minimiser ce problème en définissant clairement la stratégie de l'entreprise et en la communiquant de façon efficace à tous les échelons de l'organisation.

3. Les gestionnaires subalternes peuvent avoir des objectifs différents de ceux de l'organisation dans son ensemble. Par exemple, certains gestionnaires souhaitent davantage accroître la taille de leur unité qu'augmenter les résultats de l'ensemble de l'organisation. Il est possible de régler ce problème en élaborant des systèmes d'évaluation de la performance susceptibles de motiver les gestionnaires à prendre des décisions favorables aux intérêts de l'organisation.

4. Dans une organisation fortement décentralisée, il est parfois plus difficile d'implanter des idées neuves avec succès. Quelqu'un dans une unité d'exploitation a parfois une idée brillante qui profiterait à d'autres unités, mais sans une direction centrale forte, les autres unités peuvent ne jamais pouvoir partager et adopter cette idée.

---

11 | Les centres de coûts, de profit et d'investissement

OBJECTIF 1

Faire la différence entre des centres de responsabilité tels que les centres de coûts, les centres de profit ainsi que les centres d'investissement, et décrire des moyens de mesurer la performance de chacun d'eux.

En général, les organisations décentralisées subdivisent leurs unités d'exploitation en centres de coûts, en centres de profit et en centres d'investissement, en fonction des responsabilités des gestionnaires de ces unités[1].

---

1. Certaines entreprises classent les unités d'exploitation dont la fonction première est de générer des revenus, par exemple un bureau de vente d'assurances, dans la catégorie des centres de revenus. D'autres les considèrent comme un autre type de centres de profit puisque certaines catégories de coûts (salaires, loyer ou services publics) sont généralement soustraites des revenus à l'état des résultats de ces unités.

Le **centre de responsabilité** se définit de façon générale comme une partie d'une organisation dont le gestionnaire exerce un contrôle sur les coûts, les revenus, les résultats ou les investissements. Les centres de coûts, les centres de profit et les centres d'investissement sont *tous* considérés comme des centres de responsabilité.

Le centre de coûts

Le **centre de coûts** est une unité d'exploitation dont le gestionnaire contrôle les coûts, mais non les revenus ni les investissements. Des services auxiliaires tels que la comptabilité, les services financiers, l'administration générale, le service juridique, le service du personnel, etc. sont d'ordinaire considérés comme des centres de coûts. L'usine (la fabrication) est aussi souvent considérée comme un centre de coûts. Les gestionnaires de ces centres doivent minimiser les coûts tout en fournissant le niveau de service ou la quantité de produits demandés par les autres sections de l'organisation. Par exemple, le gestionnaire d'une installation industrielle est évalué, en partie du moins, au moyen d'une comparaison entre les coûts réels et ceux qui auraient dû être engagés en fonction du nombre réel d'unités fabriquées au cours de la période considérée. Les écarts budgétaires qui ont été étudiés au chapitre 9 et ceux sur les coûts standards qui ont été traités au chapitre 10 sont des informations souvent utilisées pour évaluer la performance d'un centre de coûts. Comme nous l'avons mentionné au chapitre 8, les gestionnaires ne doivent pas être tenus responsables des coûts communs qu'ils ne contrôlent pas et qui sont généralement attribués arbitrairement à leur unité d'exploitation.

Le centre de profit

Le **centre de profit** est une unité d'exploitation dont le gestionnaire contrôle à la fois les coûts, les revenus et, par conséquent, les résultats, mais non les investissements. Par exemple, le directeur de l'une des stations touristiques d'Intrawest peut avoir la responsabilité de la gestion des revenus et des coûts, et, cela étant, des résultats. Toutefois, il se peut qu'il n'exerce aucun contrôle sur les investissements importants effectués dans cette station. On évalue souvent les gestionnaires de centres de profit en comparant le résultat réel de ces unités à leur résultat cible ou budgété.

Le centre d'investissement

Le **centre d'investissement** est une unité d'exploitation d'une organisation dans laquelle le gestionnaire exerce un contrôle sur les coûts, les revenus et, par conséquent, les résultats, ainsi que sur les investissements dans les actifs d'exploitation. Ainsi, le président de General Motors du Canada prend la plupart des décisions concernant les investissements de sa division. À titre de président, il a la responsabilité de soumettre des propositions d'investissements, comme la poursuite de la recherche visant la mise au point de moteurs à meilleur rendement énergétique pour les véhicules utilitaires sport (VUS). Lorsqu'une proposition est approuvée par les cadres supérieurs et par le conseil d'administration de General Motors du Canada, le président a pour tâche de s'assurer que l'investissement est rentable. En règle générale, on évalue les gestionnaires de centres d'investissement en fonction de mesures comme le rendement du capital investi (RCI) ou le résultat net résiduel (RNR), dont il sera question plus loin dans ce chapitre.

La figure 11.1 (*page suivante*) contient un organigramme partiel de la société Aliments universels, une entreprise spécialisée dans les aliments pour casse-croûte et les boissons gazeuses. Cet organigramme montre comment les unités d'exploitation sont classées en fonction de leur responsabilité. Notons que les centres de coûts correspondent aux sections et aux postes de travail ne générant aucun revenu significatif. Il s'agit de services fonctionnels tels que le service des finances, le service juridique et le service du personnel, et des sections comme l'usine d'embouteillage, l'entrepôt et le centre de distribution des boissons gazeuses. Les centres de profit sont les unités d'exploitation générant des revenus, entre autres celles

Centre de responsabilité

Toute unité d'exploitation dont le gestionnaire exerce un contrôle sur les coûts, les revenus, les résultats ou les investissements.

Centre de coûts

Unité d'exploitation dont le gestionnaire contrôle les coûts, mais non les revenus ni les investissements.

Centre de profit

Unité d'exploitation dont le gestionnaire contrôle les coûts et les revenus, et donc les résultats, mais non les investissements.

Centre d'investissement

Unité d'exploitation dont le gestionnaire contrôle les résultats et les investissements.

11

FIGURE 11.1 Les unités d'exploitation classées en centres de coûts, de profit et d'investissement

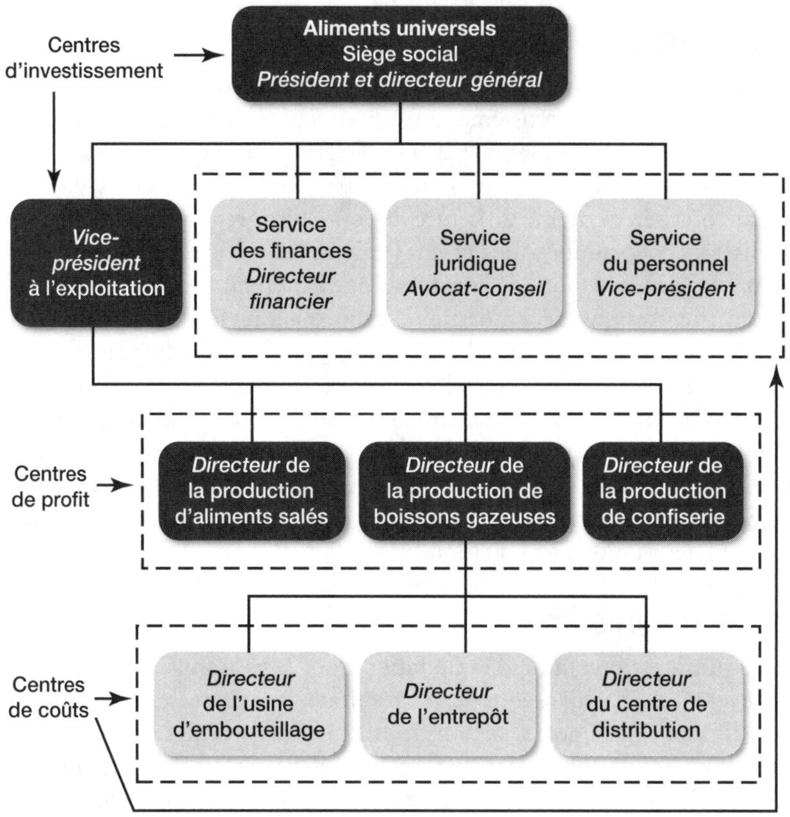

des boissons gazeuses, des aliments salés et de la confiserie. Le vice-président à l'exploitation supervise l'attribution des investissements aux sections de production. Il a aussi la responsabilité des revenus et des coûts, de sorte que son unité est considérée comme un centre d'investissement. Enfin, le siège social de l'entreprise est un centre d'investissement puisqu'il est responsable de tous les revenus, coûts et investissements.

La fixation des prix de cession interne

OBJECTIF 2

Déterminer, s'il y a lieu, la fourchette à l'intérieur de laquelle un prix de cession interne devrait se situer, et expliquer les méthodes d'établissement du prix de cession interne.

Prix de cession interne

Prix demandé par une unité d'exploitation lorsqu'elle fournit des produits ou des services à une autre unité d'exploitation de la même organisation.

Dans la section précédente, nous avons examiné différentes questions liées à la présentation de l'information et aux analyses de la performance des centres de responsabilité. Nous allons maintenant traiter d'une autre question essentielle qui se pose lorsqu'il y a échange de biens et de services entre des unités d'exploitation d'une même entreprise (qu'on appelle souvent *divisions* ou *sections*). Cette question concerne l'établissement du *prix de cession interne* de ces biens et services. Un **prix de cession interne** est le prix qu'une unité d'exploitation demande à une autre de la même entreprise pour les biens ou les services qu'elle lui fournit. Comme le montant en dollars de telles cessions est parfois très élevé, le prix de cession interne peut avoir un effet considérable sur les résultats de chacune des deux unités d'exploitation, celle qui achète et celle qui vend. Par conséquent, les gestionnaires ont tout avantage à se préoccuper de la façon dont ces prix sont établis.

Par exemple, la plupart des entreprises du secteur pétrolier, telles que Imperial Oil, Shell et Petro-Canada, ont des divisions de raffinage et de vente au détail dont la performance est évaluée d'après le RCI ou le RNR. La section de raffinage transforme le pétrole brut en essence, en kérosène, en lubrifiants et en d'autres produits finis. La section de vente au détail prend l'essence et les autres produits provenant de la section de raffinage, et les vend par l'intermédiaire de la chaîne de stations-service de l'entreprise. Chaque produit a un prix de cession à l'intérieur de l'entreprise. Supposons que le prix de cession interne de l'essence est de 0,60 $ le litre. Le cas échéant, la section de raffinage enregistre un revenu de 0,60 $ par litre dans son rapport sectoriel. La section de vente au détail, de son côté, doit déduire 0,60 $ par litre à titre de charge dans son propre rapport sectoriel pour l'achat de l'essence auprès de la section de raffinage. À vrai dire, la section de raffinage souhaiterait que le prix de cession interne soit le plus élevé possible ; la section de vente au détail préférerait qu'il soit le moins élevé possible. Toutefois, ce type de transaction n'a aucun effet direct sur les résultats enregistrés par l'ensemble de l'entreprise puisque, en fait, les revenus de l'une sont annulés par les charges de l'autre.

Les gestionnaires portent un grand intérêt à la façon dont les prix de cession interne sont établis parce que cela peut avoir un effet considérable sur la rentabilité apparente de leur division. Il existe quatre méthodes couramment employées pour déterminer ces prix.

1. Permettre aux gestionnaires participant à une cession de négocier leur propre prix à l'interne.
2. Établir les prix de cession en se basant sur l'un de ces coûts :
   a) le coût de revient variable ;
   b) le coût de revient complet.
3. Établir les prix de cession au prix du marché.
4. Imposer un prix de cession.

Nous examinerons séparément chaque méthode de fixation du prix de cession interne en commençant par les prix de cession interne négociés. Tout au long de cet exposé, il faut garder à l'esprit que *l'objectif fondamental dans l'établissement des prix de cession interne est de motiver les gestionnaires à agir dans l'intérêt de l'ensemble de l'entreprise.* Il y a **sous-optimisation** lorsque ces dirigeants perdent de vue les intérêts globaux de l'entreprise ou même ceux de leur propre unité d'exploitation.

Sous-optimisation

Niveau général de rentabilité qui est inférieur à ce qu'une unité d'exploitation ou une entreprise est en mesure d'atteindre.

La méthode du prix de cession interne négocié

Un **prix de cession interne négocié** est un prix de cession interne sur lequel la section qui vend et celle qui achète se sont entendues. Cette méthode comporte plusieurs avantages importants. En premier lieu, elle permet aux sections de préserver leur autonomie et respecte le principe de la décentralisation. En second lieu, les dirigeants des sections acheteuses et fournisseuses sont sans doute beaucoup mieux informés sur les coûts et les résultats potentiels de ces cessions que qui que ce soit d'autre dans l'organisation.

Prix de cession interne négocié

Prix de cession interne convenu entre l'unité d'exploitation qui achète et celle qui vend.

Lorsqu'une entreprise recourt à la méthode des prix négociés, les gestionnaires concernés par la transaction proposée à l'intérieur de l'organisation se rencontrent pour en discuter les conditions générales. Ils peuvent décider de ne pas procéder à la cession mais, dans le cas contraire, ils doivent s'entendre sur un prix de cession interne. En général, il est impossible de prévoir ce prix avec exactitude. Toutefois, les négociations impliquent généralement deux choses :

1. la section qui vend accepte la cession uniquement lorsqu'elle croit que ses résultats augmenteront à la suite de cette transaction ;
2. la section qui achète accepte la cession uniquement si ses résultats sont aussi susceptibles d'augmenter à la suite de cette transaction.

Ces remarques peuvent paraître évidentes, mais elles ont leur importance.

En clair, quand le prix de cession se révèle inférieur au coût de production d'une unité, la transaction entraînera une perte pour la section qui vend. Cette dernière refusera alors de conclure l'affaire. De même, lorsque le prix de cession se montre trop élevé, la section qui achète ne pourra réaliser aucun bénéfice sur l'article cédé. Pour toute cession proposée, le prix de cession présente à la fois une limite inférieure, déterminée par la situation de la section qui vend, et une limite supérieure, déterminée par la situation de la section qui achète. Le prix de cession interne réel dont conviennent les gestionnaires des deux sections

11

**Fourchette de prix
de cession interne
acceptables**

Fourchette de prix de cession interne à l'intérieur de
laquelle les résultats de la
section qui vend et ceux de
la section qui achète augmentent en raison de cette
cession.

doit se situer entre ces deux limites. Ces limites définissent la **fourchette de prix de cession interne acceptables**, une plage de prix à l'intérieur de laquelle les résultats des deux sections participant à la cession peuvent augmenter.

Pour mieux comprendre le concept des prix de cession interne négociés, prenons l'exemple de Henri et Laurent inc. Cette entreprise possède des établissements de restauration rapide et des usines de transformation alimentaire. L'une de ses chaînes de restaurants, Pizza Maven, vend différentes boissons avec ses pizzas, entre autres de la bière blonde servie à la pression. Le siège social de Henri et Laurent inc. vient d'acquérir une nouvelle division, Brasserie impériale, qui produit une telle variété de bière. L'administrateur délégué de Brasserie impériale a rencontré son homologue de Pizza Maven pour lui proposer d'offrir aux clients de ses restaurants la bière blonde de Brasserie impériale plutôt que la marque vendue jusqu'ici. Les gestionnaires de Pizza Maven reconnaissent que la qualité de la boisson fabriquée par Brasserie impériale est comparable à celle de la bière qu'elle achète à son fournisseur actuel. Le problème se pose au chapitre du prix. Voici les données de base concernant cette situation.

Brasserie impériale :	
Capacité de production de la bière blonde par mois............................	10 000 barils
Coûts variables	8 $ par baril
Coûts fixes par mois	70 000 $
Prix de vente de la bière blonde sur le marché externe........................	20 $ par baril
Pizza Maven :	
Coût d'achat de la marque habituelle de bière blonde	18 $ par baril
Consommation mensuelle de bière blonde..	2 000 barils

Le prix de cession interne minimal acceptable par la section qui vend

La section qui vend, c'est-à-dire Brasserie impériale, est intéressée à la cession suggérée uniquement si ses résultats peuvent augmenter. De toute évidence, le prix de cession interne ne doit pas être inférieur aux coûts variables par baril de 8 $. En outre, si sa capacité de production ne suffisait pas à répondre à la demande de Pizza Maven, Brasserie impériale devrait renoncer à une partie de ses ventes habituelles. Elle s'attendrait alors à recevoir une certaine compensation pour la marge sur coûts variables correspondant à ces ventes perdues. Bref, si la cession n'a aucun effet sur les coûts fixes, alors du point de vue de la section qui vend, le prix de cession interne doit couvrir à la fois les coûts variables de production des unités cédées et tout coût de renonciation attribuable à des ventes perdues.

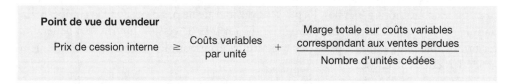

Point de vue du vendeur

$$\text{Prix de cession interne} \geq \text{Coûts variables par unité} + \frac{\text{Marge totale sur coûts variables correspondant aux ventes perdues}}{\text{Nombre d'unités cédées}}$$

Le prix de cession interne maximal acceptable par la section qui achète

La section qui achète, Pizza Maven, sera intéressée par la proposition seulement si ses résultats sont susceptibles d'augmenter. Dans une situation comme celle-ci, où une section a déjà un fournisseur extérieur, la décision de son gestionnaire est simple. Il s'agit d'acheter du fournisseur à l'interne quand son prix est inférieur au prix offert par le fournisseur extérieur.

Point de vue de l'acheteur

$$\text{Prix de cession interne} \leq \text{Coût de l'achat à un fournisseur extérieur}$$

Nous examinerons différentes situations hypothétiques et déterminerons la fourchette de prix de cession interne acceptables dans chaque cas.

La section vendeuse a une capacité de production non utilisée

Supposons que Brasserie impériale a assez de capacité inexploitée pour lui permettre de satisfaire la demande de bière blonde de Pizza Maven sans diminuer ses ventes de bière à ses clients habituels. Plus précisément, supposons que l'organisation vend seulement 7 000 barils de bière blonde par mois à l'extérieur de l'entreprise. Elle a donc une capacité de production non utilisée de 3 000 barils par mois, soit plus qu'il n'en faut pour répondre aux exigences de Pizza Maven, qui se chiffrent à 2 000 barils mensuellement. Quelle fourchette de prix, le cas échéant, profiterait aux deux sections en cas de cession interne de 2 000 barils par mois ?

1. La section qui vend, Brasserie impériale, sera intéressée par cette proposition à la condition que :

$$\text{Prix de cession interne} \geq \begin{array}{c}\text{Coûts variables} \\ \text{par unité}\end{array} + \frac{\text{Marge totale sur coûts variables correspondant aux ventes perdues}}{\text{Nombre d'unités cédées}}$$

Comme Brasserie impériale a une capacité de production non utilisée, il n'y aurait aucune perte du côté des ventes extérieures. En outre, étant donné que les coûts variables par unité sont de 8 $, le prix le plus bas de cession interne acceptable pour la section se situe aussi à 8 $.

$$\text{Prix de cession interne} \geq 8\ \$ + \frac{0\ \$}{2\ 000\ \text{barils}} = 8\ \$$$

2. La section qui achète, Pizza Maven, peut se procurer une bière blonde similaire auprès d'un fournisseur extérieur pour 18 $. Par conséquent, elle n'est pas prête à payer plus de 18 $ par baril pour la bière de Brasserie impériale.

$$\text{Prix de cession interne} \leq \text{Coût de l'achat à un fournisseur extérieur} = 18\ \$$$

3. En combinant les exigences de la section vendeuse et de la section acheteuse, on obtient la fourchette de prix de cession interne acceptables suivante :

$$8\ \$ \leq \text{Prix de cession interne} \leq 18\ \$$$

Supposons que les gestionnaires connaissent bien les intérêts de leur organisation et qu'ils se montrent coopératifs. Ils devraient alors pouvoir s'entendre sur un prix de cession interne à l'intérieur de cette fourchette.

La section vendeuse n'a aucune capacité non utilisée

Supposons maintenant que Brasserie impériale ne dispose d'*aucune* capacité inexploitée. Elle vend chaque mois 10 000 barils de bière blonde à des clients de l'extérieur à 20 $ le baril. Pour exécuter la commande de Pizza Maven, l'entreprise devrait détourner 2 000 barils qui iraient normalement à ses clients habituels. Quelle fourchette de prix de cession interne, le cas échéant, rendrait la cession de ces 2 000 barils à Pizza Maven rentable pour les deux sections ?

11

1. La section qui vend, Brasserie impériale, serait intéressée à cette proposition à la condition suivante :

$$\text{Prix de cession interne} \geq \text{Coûts variables par unité} + \frac{\text{Marge totale sur coûts variables correspondant aux ventes perdues}}{\text{Nombre d'unités cédées}}$$

Comme l'entreprise n'a aucune capacité de production inutilisée, il y a des ventes *perdues* à l'extérieur. La marge sur coûts variables par baril relative à ces ventes à l'extérieur s'élève à 12 $ (20 $ − 8 $).

$$\text{Prix de cession interne} \geq 8\ \$ + \frac{(20\ \$ - 8\ \$) \times 2\ 000\ \text{barils}}{2\ 000\ \text{barils}}$$
$$\geq 8\ \$ + (20\ \$ - 8\ \$) = 20\ \$$$

Ainsi, en ce qui concerne la section qui vend, le prix de cession interne doit au moins couvrir la perte de revenus due aux ventes perdues, qui se chiffre à 20 $ le baril. C'est logique puisque le coût de la fabrication de 2 000 barils est identique, qu'on les vende à l'interne ou à d'autres entreprises. La seule différence est que la section qui vend perd des revenus de 20 $ le baril si elle les cède à Pizza Maven.

2. Comme nous l'avons vu précédemment, la section qui achète, Pizza Maven, ne veut pas payer plus que les 18 $ par baril qu'elle verse déjà à son fournisseur habituel pour une bière de même qualité.

$$\text{Prix de cession interne} \leq \text{Coût de l'achat à un fournisseur extérieur} = 18\ \$$$

3. Par conséquent, la section qui vend insisterait pour que le prix de cession interne soit d'au moins 20 $. La section qui achète refuserait cependant tout prix de cession interne supérieur à 18 $. Il est impossible de satisfaire à la fois les directeurs des deux sections. Il ne peut donc y avoir aucune entente sur un prix de cession interne, et la transaction n'aura pas lieu. Est-ce souhaitable ? Oui, car pour l'ensemble de l'entreprise, la cession ne serait pas logique. Pourquoi renoncer à des ventes de 20 $ pour économiser 18 $?

En principe, le prix de cession interne est un mécanisme permettant de diviser entre les deux sections tout bénéfice que l'entreprise réalise par suite d'une telle transaction. Lorsque l'entreprise perd de l'argent dans cette opération, il n'y aura aucun bénéfice à séparer. Il sera alors impossible pour les deux sections d'en venir à une entente. Par contre, quand l'entreprise génère des bénéfices grâce à la cession, il y aura un bénéfice potentiel à partager. Les deux sections pourront toujours établir un prix de cession interne convenant à l'une et à l'autre, et qui aura pour effet d'augmenter les résultats de chacune. Lorsque la tarte s'agrandit, il est toujours possible de la diviser de telle manière que chacun obtienne une pointe plus large.

La section vendeuse dispose d'un certain niveau de capacité inutilisée

Supposons encore que Brasserie impériale vend chaque mois 9 000 barils de bière blonde à l'extérieur de l'organisation. Pizza Maven ne veut offrir qu'une seule bière de ce type à la pression. En d'autres termes, elle ne peut pas acheter 1 000 barils de Brasserie impériale et 1 000 autres de son fournisseur habituel. Toute sa bière blonde doit provenir de la même source.

Pour exécuter la commande de 2 000 barils par mois de Pizza Maven, Brasserie impériale devrait détourner 1 000 des barils qu'elle vend en ce moment 20 $ le baril à ses clients habituels. Elle pourrait fournir les 1 000 autres barils nécessaires à l'aide de sa capacité inexploitée. Quelle serait la fourchette de prix de cession interne, le cas échéant, à l'intérieur de laquelle les deux sections gagneraient à ce transfert de 2 000 barils à l'intérieur de l'organisation?

1. Encore une fois, la section qui vend, c'est-à-dire Brasserie impériale, exigera un prix de cession interne qui couvrira au moins ses coûts variables et son coût de renonciation.

$$\text{Prix de cession interne} \geq \text{Coûts variables par unité} + \frac{\text{Marge totale sur coûts variables correspondant aux ventes perdues}}{\text{Nombre d'unités cédées}}$$

Comme la capacité inutilisée de Brasserie impériale est insuffisante pour exécuter la totalité de la commande de 2 000 barils, les ventes perdues à l'extérieur de l'entreprise *représenteraient* un manque à gagner. La marge sur coûts variables par baril pour les 1 000 barils dont la vente est perdue sur le marché extérieur correspond à 12 $ (20 $ − 8 $).

$$\text{Prix de cession interne} \geq 8\ \$ + \frac{(20\ \$ - 8\ \$) \times 1\ 000\ \text{barils}}{2\ 000\ \text{barils}}$$
$$\geq 8\ \$ + 6\ \$ = 14\ \$$$

Par conséquent, en ce qui concerne la section qui vend, le prix de cession interne doit couvrir les coûts variables de 8 $ additionnés au coût moyen de renonciation de 6 $ pour les ventes perdues.

2. Bien sûr, la section qui achète, c'est-à-dire Pizza Maven, refuserait de payer un prix plus élevé que 18 $ par baril, soit le montant qu'elle verse à son fournisseur habituel.

$$\text{Prix de cession interne} \leq \text{Coût de l'achat à un fournisseur extérieur} = 18\ \$$$

3. En combinant les exigences de la section qui vend et de celle qui achète, on obtient la fourchette de prix de cession interne acceptables suivante:

$$14\ \$ \leq \text{Prix de cession interne} \leq 18\ \$$$

Encore une fois, si les directeurs de section ont le sens des affaires et qu'ils se montrent coopératifs, ils devraient pouvoir s'entendre sur un prix de cession interne à l'intérieur de cette fourchette.

La section acheteuse n'a pas de fournisseur extérieur

Supposons que Pizza Maven ne dispose d'aucun fournisseur extérieur pour la bière blonde. Le prix le plus élevé que la section qui achète sera prête à payer dépend du bénéfice qu'elle espère réaliser sur les bières à la pression revendues dans son restaurant sans tenir compte du prix de cession interne. Par exemple, si Pizza Maven s'attend à gagner 30 $ par baril de bière blonde après avoir réglé ses propres dépenses, elle serait prête à verser

11

jusqu'à 30 $ le baril à Brasserie impériale. Toutefois, on doit garder à l'esprit que cette conclusion se fonde sur l'hypothèse d'après laquelle Pizza Maven ne peut acheter de bière blonde d'aucune autre source.

L'évaluation des prix de cession interne négociés

Comme nous l'avons vu, lorsqu'une cession interne permettrait à l'organisation de réaliser des résultats globaux plus élevés, il existe toujours une fourchette de prix à l'intérieur de laquelle les sections qui vendent et qui achètent pourraient aussi augmenter leurs propres résultats à condition de s'entendre sur une telle transaction. Par conséquent, lorsque les gestionnaires connaissent bien les intérêts de leur section et qu'ils se montrent coopératifs, ils devraient pouvoir s'entendre sur un prix de cession interne quand une telle entente favorise les intérêts de l'organisation.

Ce ne sont pas tous les gestionnaires qui connaissent parfaitement leur section et qui se montrent coopératifs. Il en résulte souvent que des négociations échouent, alors qu'il serait dans l'intérêt des gestionnaires d'en arriver à une entente. Parfois, la manière même dont ces dirigeants sont évalués est fautive. Quand ils sont sans cesse opposés les uns aux autres plutôt que d'être jugés par rapport à leur performance passée ou à des points de comparaison raisonnables, il y aura presque toujours absence de coopération. Cependant, force est de constater que, malgré les meilleurs systèmes d'évaluation de la performance, certaines personnes sont par nature peu enclines à se montrer conciliantes.

Sans doute à cause des querelles improductives et interminables qui accompagnent souvent les discussions concernant les prix de cession interne, la plupart des organisations emploient d'autres moyens de fixation des prix de cession interne. Malheureusement, nous verrons que toutes les solutions de rechange à la méthode des prix de cession interne négociés présentent de sérieux inconvénients.

Les prix de cession interne basés sur les coûts de la section vendeuse

Un grand nombre d'organisations établissent leurs prix de cession interne en fonction du coût de revient variable ou du coût de revient complet engagé par la section qui vend. Bien que cette méthode basée sur les coûts soit relativement simple à appliquer, elle comporte des failles importantes.

En premier lieu, l'utilisation d'un coût, et en particulier du coût de revient complet, comme prix de cession interne peut entraîner de mauvaises décisions et, par conséquent, une sous-optimisation. Revenons à l'exemple de la bière blonde. Le coût de revient complet de cette boisson ne peut jamais être inférieur à 15 $ par baril (8 $ par baril de coûts variables et 7 $ par baril de coûts fixes à la capacité de production actuelle). Que se passe-t-il lorsque le coût d'achat de la bière auprès d'un fournisseur extérieur est inférieur à 15 $, par exemple 14 $ par baril ? Supposons que le prix de cession interne correspond au coût de revient complet. Le gestionnaire de Pizza Maven ne sera pas intéressé alors à acheter la bière de Brasserie impériale, car il pourrait s'en procurer chez son fournisseur extérieur à un coût moindre. Toutefois, du point de vue de l'ensemble de l'entreprise, la bière blonde devrait être cédée par Brasserie impériale à Pizza Maven chaque fois que Brasserie impériale dispose d'une capacité inutilisée de plus de 1 000 unités. Pourquoi ? Parce que lorsque Brasserie impériale a une capacité inexploitée de plus de 1 000 unités, son prix de cession interne (incluant le coût de renonciation) sera moins élevé que le prix de 14 $ payé au fournisseur extérieur par Pizza Maven. Rappelons que dans l'exemple précédent où Brasserie impériale disposait de 1 000 unités de capacité inutilisée, son prix de cession interne était de 14 $ {8 $ + [(20 $ − 8 $) × 1 000 barils ÷ 2 000 barils]}. Ainsi, si la capacité inutilisée est plus grande que 1 000 unités, le prix de cession interne sera toujours inférieur au prix de 14 $ du fournisseur extérieur, et la cession devrait avoir lieu. Par exemple, si la capacité inexploitée est de 1 200 unités, le prix de cession interne sera 12,80 $, calculé ainsi: {8 $ + [(20 $ − 8 $) × 800 barils ÷ 2 000 barils]}.

En deuxième lieu, lorsqu'on utilise le coût comme prix de cession interne, la section qui vend n'obtient jamais de bénéfices pour ce type de transaction à moins de majorer le coût. En fait, la seule section qui réalise habituellement des bénéfices est celle qui effectue la vente finale à un acheteur de l'extérieur.

En troisième lieu, l'utilisation de prix de cession interne basés sur des coûts n'incite pas à un contrôle de ces coûts. Lorsque les coûts d'une section sont simplement transférés à la section suivante, aucun employé de la première section n'est vraiment motivé à déployer des efforts pour les minimiser. Il est possible de surmonter en partie ce problème en basant les prix de cession interne sur des coûts standards plutôt que sur les coûts réels.

Malgré ces inconvénients, les prix de cession interne basés sur les coûts de la section vendeuse sont couramment employés dans les entreprises. Les partisans de cette méthode soutiennent que c'est parce qu'ils sont faciles à comprendre et à utiliser.

Les prix de cession interne basés sur le marché

On considère souvent l'adoption d'un **prix du marché** compétitif, c'est-à-dire le prix réclamé pour un article sur le marché libre, comme la meilleure manière de régler le problème de la fixation des prix de cession interne, en particulier lorsque les négociations qui les concernent ont tendance à s'éterniser.

La méthode du prix du marché s'applique dans les situations où il existe un *marché intermédiaire* pour le produit ou le service cédé. Le **marché intermédiaire** est un marché sur lequel le produit ou le service est vendu sous sa forme actuelle à des clients extérieurs. Lorsque la section qui vend ne dispose d'aucune capacité inutilisée, le prix qui a cours sur le marché intermédiaire est le choix idéal pour le prix de cession interne. En voici la raison. Lorsque la section vendeuse peut céder un article sur le marché extérieur plutôt qu'à l'interne, le coût réel de la cession, du point de vue de l'organisation, est le coût de renonciation au revenu perdu sur la vente extérieure. Que l'article fasse l'objet d'une cession interne ou qu'il soit vendu sur un marché intermédiaire extérieur, les coûts de production sont les mêmes. Lorsque l'entreprise considère le prix du marché comme prix de cession interne, le directeur de la section qui vend ne perd rien à la transaction. Le directeur de la section qui achète reçoit une indication juste concernant le coût réel de cette cession pour l'organisation.

Bien que le prix du marché convienne parfaitement aux situations dans lesquelles il n'y a aucune capacité inexploitée, les difficultés commencent lorsque la section qui vend n'utilise pas toute sa capacité de production. Revenons encore une fois à l'exemple de la bière blonde. Le prix du marché de la bière blonde que fabrique Brasserie impériale est de 20 $ par baril. Toutefois, Pizza Maven peut acheter la bière blonde dont elle a besoin auprès de fournisseurs extérieurs à 18 $ le baril. Pourquoi cette chaîne de restaurants achèterait-elle le produit de Brasserie impériale si elle est forcée de le prendre à sa valeur de marché? Dans certaines stratégies de fixation des prix de cession interne basés sur le prix du marché, le prix de cession serait réduit à 18 $, la valeur de marché du fournisseur extérieur, et Pizza Maven recevrait la directive d'acheter la bière de Brasserie impériale aussi longtemps que cette dernière consentirait à la lui vendre. Cette stratégie peut se révéler relativement efficace. Toutefois, elle présente un inconvénient: les gestionnaires de Pizza Maven considéreront le coût de la bière blonde comme étant 18 $ plutôt que 8 $, lequel correspond au coût réel engagé par l'organisation lorsque la section qui vend dispose de suffisamment de capacité de production inutilisée pour satisfaire la demande de la division acheteuse. Par conséquent, ces gestionnaires établiront leurs prix et prendront différentes décisions en se basant sur un coût incorrect.

Malheureusement, aucune des solutions possibles au problème de fixation des prix de cession interne n'est parfaite, pas même celle basée sur le prix du marché.

Prix du marché

Prix demandé pour un article ou un service sur le marché libre (intermédiaire).

Marché intermédiaire

Marché sur lequel un produit ou un service cédé est vendu sous sa forme actuelle à des clients de l'extérieur.

11

SUR LE TERRAIN

L'équité en matière de prix de cession interne

Si, en théorie, l'utilisation de la valeur de marché (ou prix du marché) comme base d'établissement des prix de cession interne semble aller de soi, en pratique, on constate que les gestionnaires des sections vendeuses peuvent tenir compte d'autres facteurs. Dans une étude sur la façon dont des gestionnaires expérimentés fixent ce type de prix lorsqu'il existe un marché externe pour leur produit, des chercheurs ont découvert que des préoccupations d'équité entrent en ligne de compte. Plus précisément, les gestionnaires des sections vendeuses ont moins tendance à utiliser le prix du marché comme prix de cession interne si cette pratique doit entraîner des bénéfices démesurément élevés pour leur unité d'exploitation par rapport à ceux de l'unité acheteuse. Ils semblent en effet croire qu'accepter un prix de cession interne inférieur au prix qu'ils auraient pu obtenir sur le marché est plus juste puisque ce compromis permet aux gestionnaires des sections vendeuse et acheteuse de partager de façon plus équitable les bénéfices résultant de la transaction. En outre, les gestionnaires des sections vendeuses ont affirmé qu'ils jugent important d'être considérés comme des négociateurs équitables lorsqu'ils s'attendent à des interactions futures avec le gestionnaire de la section acheteuse.

Source: Joan L. LUFT et Robert LIBBY, « Profit Comparisons, Market Prices and Managers' Judgments About Negotiated Transfer Prices », *The Accounting Review*, vol. 72, n° 2 (avril 1997), p. 217-229.

L'autonomie des sections et l'imposition d'un prix de cession interne

Suivant les principes de la décentralisation, les entreprises devraient accorder aux gestionnaires l'autonomie en matière d'établissement des prix de cession interne, et de décision quant à la vente à l'intérieur ou à l'extérieur de l'organisation. La haute direction trouve parfois très difficile d'accepter un tel principe lorsque des gestionnaires subalternes s'apprêtent à prendre des décisions qui ont pour résultat une sous-optimisation. Toutefois, chaque intervention de sa part fait échouer les objectifs de la décentralisation. En outre, pour pouvoir imposer un prix de cession interne approprié, les cadres dirigeants devraient se renseigner sur les conditions du marché externe des sections acheteuse et vendeuse, sur les coûts variables et sur l'utilisation de la capacité de production. Or, la décentralisation repose sur le principe d'après lequel les gestionnaires locaux ont accès à des renseignements plus détaillés pour prendre des décisions opérationnelles que ceux dont disposent les cadres supérieurs au siège social.

Naturellement, si un directeur de section prend systématiquement des décisions sous-optimales, la performance de sa section en souffrira. La rémunération de ce gestionnaire en subira les contrecoups, et il est peu probable qu'il bénéficie d'une promotion. Toutefois, si la haute direction souhaite instaurer un climat d'autonomie et de responsabilité distincte en matière de résultats, elle doit permettre à ses gestionnaires subalternes d'exercer un contrôle réel sur leur propre destin — et même leur accorder le droit de commettre des erreurs.

Les aspects internationaux de la fixation des prix de cession interne

Partout dans le monde, on se sert de la fixation des prix de cession interne pour contrôler la circulation des produits et des services entre les unités d'exploitation de la même organisation. Cependant, les objectifs de cette fixation de prix de cession interne changent lorsqu'il s'agit d'une société multinationale, et que les marchandises et les services cédés doivent traverser des frontières internationales. Une brève comparaison entre les objectifs de la fixation des prix à l'échelle nationale et à l'échelle internationale est établie au tableau 11.1.

TABLEAU 11.1 **Les objectifs de la fixation des prix de cession interne à l'échelle nationale et internationale**

À l'échelle nationale	À l'échelle internationale
Plus grande autonomie des sections	Moins d'impôts et de droits
Plus grande motivation des directeurs	Moins de risques dans les opérations de change
Meilleure évaluation de la performance	Meilleure situation concurrentielle
Meilleure convergence des efforts	Meilleures relations avec les gouvernements

Source: Adaptation d'une étude de Wagdy M. ABDALLAH, «Guidelines for CEOs in Transfer Pricing Policies», *Management Accounting*, vol. 70, n° 3 (septembre 1988), p. 61.

Comme le montre le tableau 11.1, la fixation des prix de cession interne à l'échelle internationale a pour principaux objectifs de minimiser les impôts, les droits et les risques liés aux opérations de change tout en renforçant la position concurrentielle de l'entreprise et en améliorant ses relations avec les gouvernements étrangers. Bien que des objectifs nationaux tels que la motivation des gestionnaires et l'autonomie des sections aient toujours leur place dans une organisation, ils sont d'ordinaire relégués au second plan lorsque les cessions internes se font à l'échelle internationale. Les entreprises cherchent plutôt à établir un prix de cession interne qui réduira les impôts et droits à payer, ou qui consolidera la position d'une filiale à l'étranger.

Par exemple, un prix de cession interne peu élevé pour des pièces vendues à une filiale d'un autre pays permet de réduire les paiements de droits de douane sur ces pièces aux frontières ou d'aider la filiale à être concurrentielle sur les marchés étrangers en maintenant ses coûts d'achat à un niveau peu élevé. Par contre, en fixant un prix de cession interne élevé, la société multinationale peut rapatrier des bénéfices en provenance d'un pays où le contrôle sur les envois de fonds à l'étranger est rigoureux.

Compte tenu du fait que la fixation de ces prix se fait par des parties qui ne sont pas indépendantes les unes des autres (dans ce cas, elles n'utilisent pas nécessairement un prix de pleine concurrence, ou prix normal du marché), il existe une possibilité de réduire les impôts en déplaçant des bénéfices vers des pays où les taux d'imposition sont moins élevés ou en réduisant au minimum les droits payés. L'Agence du revenu du Canada (ARC) cherche à obtenir une juste part des impôts sur le revenu en adoptant des politiques et des pratiques basées sur le principe de pleine concurrence en matière d'établissement des prix. Dans les cas simples, il suffit à la direction de montrer à l'ARC que le prix de cession interne est comparable à un prix similaire dans des conditions de pleine concurrence. Dans d'autres cas, l'entreprise doit fournir des documents sur des processus complexes d'allocation des coûts et des résultats, et justifier son choix d'avoir recours à de tels processus pour déterminer un prix de cession interne. L'article 247 de la *Loi de l'impôt sur le revenu* prévoit des sanctions sévères pour tout cas d'infraction au règlement du prix du marché dans des conditions de pleine concurrence pour des transactions conclues avec des filiales de l'entreprise à l'étranger ayant des liens de dépendance[2].

En résumé, les gestionnaires doivent être bien informés des règlements qui s'appliquent en matière d'établissement de prix de cession interne. En particulier, l'application stricte des lois par l'ARC en matière d'établissement de prix de cession interne avec l'étranger illustre bien les problèmes potentiels que peuvent poser les taxes de vente provinciales, les ententes commerciales régies par l'Accord de libre-échange nord-américain (ALENA) et l'Organisation mondiale du commerce (OMC), ainsi que les dispositions de la *Loi de l'impôt sur le revenu* concernant les opérations fictives servant à réduire les charges d'impôts.

11

---

2. Stephanie DE BREYNE, «Transfer Pricing: Get it in Writing!», *CMA Magazine*, vol. 72, n° 1 (février 1998), p. 36; Hendrick SWANEVELD et Martin PRZYSUSKI, «Transfer Pricing Now a Canadian Priority», *CMA Management*, vol. 76, n° 2 (avril 2002), p. 42-44.

SUR LE TERRAIN

Revenu Canada : une défaite de 47 millions contre GE Capital

L'article 247 de la *Loi de l'impôt sur le revenu* permet à des entreprises de justifier leur prix de cession interne auprès de l'ARC. Dans une cause opposant l'ARC et GE Capital Canada, le juge a tranché en faveur de GE Capital Canada. L'ARC s'est vu privée de 47,7 millions de dollars dans une décision qui fera jurisprudence pour une quinzaine de dossiers semblables sur la question des prix de cession interne.

« La décision de la Cour canadienne de l'impôt permettra aux filiales canadiennes de continuer à déduire les frais versés à leurs sociétés mères étrangères lorsque celles-ci garantissent leurs prêts. Dans le cas de GE Capital Canada, l'entreprise canadienne faisait garantir ses prêts par sa société mère aux États-Unis, GE Capital, qui exigeait des frais équivalant à 1 % du montant des prêts. GE Capital Canada avait ainsi déduit 136,3 millions de dollars entre 1996 et 2000.

« Selon un expert, le taux d'imposition d'une société comme GE Capital Canada est d'environ 30 %. La déduction de 136 millions aurait ainsi permis à l'entreprise d'épargner environ 40,9 millions de dollars en impôts. GE Capital Canada contestait aussi une cotisation fiscale additionnelle de 6,8 millions de dollars.

« Au total, la décision du juge Robert Hogan permet à GE Capital Canada d'épargner environ 47,7 millions de dollars en impôts entre 1996 et 2000, une somme non confirmée par GE Capital Canada.

« Le juge Hogan a conclu que les frais versés à GE Capital étaient raisonnables et équivalents à ce qu'aurait versé GE Capital Canada à une tierce partie pour garantir les prêts permettant de financer ses activités.

« L'article 247 de la *Loi de l'impôt sur le revenu* permet de déduire les frais versés à sa société mère, à condition que le montant soit raisonnable. "Selon la loi, vous ne pouvez pas déduire davantage qu'un montant qui aurait été payé par une entité indépendante de l'emprunteur. Nous prétendions que des frais de 1 % étaient raisonnables, et le juge nous a donné raison après avoir entendu les témoins des deux parties", a dit Al Meghji, avocat de GE Capital Canada. »

Source : Vincent BROUSSEAU-POULIOT, « Revenu Canada : défaite de 47 millions contre GE Capital », 24 décembre 2009, dans CYBERPRESSE, *La Presse Affaires*, [En ligne], <http://lapresseaffaires.cyberpresse.ca/economie/canada/200912/24/01-933813-revenu-canada-defaite-de-47-millions-contre-ge-capital.php> (Page consultée le 20 mai 2010).

L'utilisation de plusieurs prix de cession interne

En théorie, les prix de cession interne doivent favoriser la meilleure prise de décisions possible. Dans une organisation décentralisée, on entend par « meilleure prise de décisions possible » celle qui saura satisfaire aux objectifs des actionnaires. En plus de favoriser une prise de décisions conforme aux intérêts de toute l'organisation, le prix de cession interne permet de fournir une information pertinente pour la prise de décisions dans le centre de responsabilité, tout en facilitant la mesure de la performance de ces centres.

Parfois, pour résoudre certains dilemmes concernant la fixation du prix de cession interne, la direction permettra l'utilisation de deux prix différents pour la même transaction, soit un prix pour le centre qui vend, et un autre, plus faible, pour celui qui achète. Cette méthode, connue sous le nom de *méthode du double prix*, vise à faciliter les transferts d'un centre de responsabilité à un autre sans qu'aucun des deux centres soit désavantagé. Elle présente cependant plusieurs inconvénients, dont la difficulté de conciliation, la confusion et la difficulté à motiver les responsables à procéder à la gestion des coûts. C'est pourquoi elle est rarement utilisée.

Rappelons également qu'un prix de cession interne valable dépend des conditions économiques, fiscales et légales, ainsi que de la décision à prendre. On pourrait donc utiliser un prix pour la motivation, un pour l'évaluation de la performance et un autre pour les déclarations fiscales.

L'évaluation de la performance d'un centre d'investissement – le taux de RCI

Dans l'entreprise vraiment décentralisée, les gestionnaires d'unités d'exploitation disposent de beaucoup d'autonomie. Cette autonomie est si grande que l'on perçoit souvent les différents centres de profit et d'investissement comme des entreprises presque indépendantes dont les gestionnaires ont à peu près le même degré de contrôle sur le plan décisionnel que s'ils dirigeaient leur propre entreprise.

Précédemment dans ce chapitre, nous avons vu comment attribuer les coûts aux centres de responsabilité et comment établir des prix de cession interne pour les produits et services échangés entre les unités d'exploitation. Ce sont des questions importantes pour évaluer la performance des centres de coûts et de profit. Cependant, l'évaluation de la performance d'un centre d'investissement exige davantage. Le centre d'investissement sera responsable de générer un retour sur investissement approprié. Dans cette section et la suivante, nous allons présenter deux méthodes pour évaluer cet aspect de la performance du centre d'investissement. La première méthode concerne le taux de rendement que les gestionnaires de centres d'investissement réussissent à obtenir de leurs actifs. Ce taux porte le nom de *rendement du capital investi (RCI)*. La seconde méthode porte le nom de *résultat net résiduel (RNR)*.

Le **rendement du capital investi**, ou **RCI**, se définit comme le résultat d'exploitation net divisé par la moyenne des actifs d'exploitation.

$$RCI = \frac{\text{Résultat d'exploitation net}}{\text{Moyenne des actifs d'exploitation}}$$

Plus le RCI dans une unité d'exploitation est élevé, plus le résultat généré par dollar investi dans les actifs d'exploitation de cette unité se révèle important.

Une définition du résultat d'exploitation net et des actifs d'exploitation

Il faut noter que la formule du RCI utilise le *résultat d'exploitation net* plutôt que le résultat net. Le **résultat d'exploitation net** est le montant du résultat avant qu'on en déduise le paiement des intérêts et des impôts. L'utilisation du résultat d'exploitation net dans la formule du RCI est justifiée par le fait que ce montant doit concorder avec la base à laquelle on l'applique. Remarquez que, dans cette formule, les *actifs d'exploitation* servent de base (c'est-à-dire de dénominateur). Par souci de cohérence, il faut donc employer le résultat d'exploitation net au numérateur parce que le dénominateur ne contient aucune dette et que la charge d'intérêts est payée à même les résultats provenant des actifs d'exploitation. Elle est donc interprétée comme une répartition de ces résultats plutôt qu'une charge.

Les **actifs d'exploitation** comprennent l'encaisse, les comptes clients, les stocks, les immobilisations corporelles et tous les autres actifs détenus par l'organisation en vue de ses activités de production. Parmi les actifs n'entrant pas dans cette catégorie, c'est-à-dire les éléments d'actif hors exploitation, citons en exemples un terrain détenu aux fins d'utilisation future, un investissement dans une autre entreprise ou une usine louée à une autre partie. En général, le dénominateur « actifs d'exploitation » employé dans la formule est calculé sous forme de moyenne des actifs d'exploitation entre le début et la fin d'une période.

OBJECTIF 3

Calculer et analyser le rendement du capital investi (RCI).

Rendement du capital investi (RCI)

Ratio qui indique la rentabilité du capital investi et dont le calcul correspond au résultat d'exploitation net divisé par la moyenne des actifs d'exploitation ; ce rendement est aussi égal au taux du résultat net multiplié par le taux de rotation du capital.

Résultat d'exploitation net

Résultat avant déduction des intérêts et des impôts sur le résultat.

Actifs d'exploitation

Encaisse, comptes clients, stocks, immobilisations et tous les actifs détenus aux fins de production dans une organisation.

11

Les immobilisations corporelles: le coût amorti ou le coût d'acquisition

Une des questions importantes concernant les calculs du RCI porte sur le montant des immobilisations de production qui devrait entrer dans la base constituée par les actifs d'exploitation. Pour illustrer ce point, supposons qu'une entreprise a enregistré les montants ci-après à titre d'immobilisations corporelles dans son état de la situation financière.

Immobilisations de production	3 000 000 $
Moins: Amortissement cumulé...	900 000
Coût amorti	2 100 000 $

Quel montant en immobilisations corporelles l'entreprise devrait-elle inclure dans son calcul du RCI? L'une des méthodes couramment employées consiste à utiliser le *coût amorti* de ces immobilisations, soit leur coût historique moins l'amortissement cumulé (2 100 000 $ dans l'exemple précédent). Une autre méthode consiste à ne pas tenir compte de l'amortissement et à inclure le *coût d'acquisition* total des immobilisations corporelles dans les actifs d'exploitation (3 000 000 $ dans notre exemple). Les deux méthodes sont employées couramment, bien que de toute évidence elles aient pour résultats des RCI très différents.

Voici divers arguments en faveur de l'utilisation du coût amorti et du coût d'acquisition pour mesurer les actifs d'exploitation dans le calcul du RCI.

Des arguments en faveur de l'utilisation du coût amorti pour mesurer les actifs d'exploitation dans le calcul du RCI:

1. La méthode du coût amorti concorde avec la façon dont les immobilisations de production peuvent être enregistrées dans l'état de la situation financière, soit le coût moins l'amortissement cumulé jusqu'à la date de l'état de la situation financière.

2. La méthode du coût amorti concorde avec le calcul du résultat d'exploitation net, qui comprend l'amortissement à titre de charge d'exploitation.

Des arguments en faveur de l'utilisation du coût d'acquisition pour mesurer les actifs d'exploitation dans le calcul du RCI:

1. La méthode du coût d'acquisition élimine à la fois l'âge de l'actif et la méthode de l'amortissement comme facteurs dans le calcul du RCI. (Dans la première méthode, le RCI tend à augmenter dans le temps à mesure que le coût amorti diminue en raison de l'amortissement.)

2. La méthode du coût d'acquisition ne dissuade pas le propriétaire de remplacer son matériel vieilli et usé. (Dans la première méthode, le remplacement du matériel entièrement amorti par du nouveau matériel peut avoir un effet défavorable spectaculaire sur le RCI.)

La juste valeur des actifs d'exploitation pourrait aussi être utilisée pour calculer le RCI. Elle offre les mêmes avantages que le coût d'acquisition en plus de rendre comparables des unités d'exploitation d'âges différents. Cependant, cette valeur est difficile à obtenir de manière objective. Par conséquent, la plupart des entreprises recourent à la méthode du coût amorti pour leurs calculs du RCI. Selon les normes comptables internationales, les sociétés ouvertes peuvent choisir le modèle de la réévaluation des immobilisations. En effectuant ce choix, ces entreprises présenteront leurs immobilisations corporelles et incorporelles à la juste valeur dans leur état de la situation financière. Comme elles disposent de cette information, il leur sera facile de se servir de cette juste valeur pour établir leurs RCI. Dans ce manuel, nous utiliserons la méthode du coût amorti, sauf indication contraire dans un exercice ou un problème.

11

La compréhension du taux de RCI et son contrôle

Dans notre première définition du RCI, nous avons énoncé la formule suivante :

$$RCI = \frac{\text{Résultat d'exploitation net}}{\text{Moyenne des actifs d'exploitation}}$$

Il est possible de modifier légèrement cette formule par l'introduction du chiffre d'affaires, comme suit :

$$RCI = \frac{\text{Résultat d'exploitation net}}{\text{Chiffre d'affaires}} \times \frac{\text{Chiffre d'affaires}}{\text{Moyenne des actifs d'exploitation}}$$

Le premier ratio de l'équation porte le nom de *taux de résultat d'exploitation net* et est calculé comme suit :

$$\text{Taux de résultat d'exploitation net} = \frac{\text{Résultat d'exploitation net}}{\text{Chiffre d'affaires}}$$

Le **taux de résultat d'exploitation net** est une mesure de la capacité de la direction à contrôler les charges par rapport au chiffre d'affaires. Plus les charges d'exploitation par dollar du chiffre d'affaires sont faibles, plus le taux de résultat d'exploitation net obtenu est élevé.

Le second ratio de l'équation du RCI porte le nom de *taux de rotation du capital* et est calculé comme suit :

$$\text{Taux de rotation du capital} = \frac{\text{Chiffre d'affaires}}{\text{Moyenne des actifs d'exploitation}}$$

Le **taux de rotation du capital** est une mesure du chiffre d'affaires produit pour chaque dollar investi dans les actifs d'exploitation.

Il existe donc une autre formule du RCI, celle que nous utiliserons le plus souvent, qui combine le résultat d'exploitation net et le taux de rotation du capital.

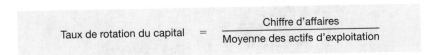

$$RCI = \text{Taux de résultat d'exploitation net} \times \text{Taux de rotation du capital}$$

Remarquez que les facteurs « chiffre d'affaires » des formules du taux de résultat d'exploitation net et du taux de rotation du capital s'annulent lorsqu'ils sont multipliés l'un par l'autre. On obtient alors la formule initiale du RCI énoncée sous forme de résultat d'exploitation net divisé par la moyenne des actifs d'exploitation. Par conséquent, l'une et l'autre formules du RCI donneront toujours la même réponse. Toutefois, la formule qui comprend le taux de résultat d'exploitation net et le taux de rotation du capital permet de mieux comprendre certains aspects du RCI.

Parfois, les gestionnaires ont tendance à accorder trop d'importance au taux de résultat d'exploitation net et à ne tenir aucun compte du taux de rotation du capital. Le résultat d'exploitation net peut se révéler, jusqu'à un certain point, un indicateur précieux

Taux de résultat d'exploitation net

Mesure de la capacité de la direction à contrôler les charges et dont le calcul correspond au résultat d'exploitation net divisé par le chiffre d'affaires.

Taux de rotation du capital

Montant du chiffre d'affaires généré dans un centre d'investissement pour chaque dollar investi dans les actifs d'exploitation ; on le calcule en divisant le chiffre d'affaires par la moyenne des actifs d'exploitation.

11

de la performance d'un gestionnaire. Toutefois, lorsqu'on le considère isolément, on néglige un aspect très important de la tâche du gestionnaire : l'investissement dans les actifs d'exploitation. Une quantité excessive de fonds bloqués dans les actifs d'exploitation a pour effet de réduire le taux de rotation du capital et peut faire obstacle à la rentabilité tout autant que les charges d'exploitation excessives, qui abaissent le taux de résultat d'exploitation net. Comme mesure de la performance, le RCI comporte certains avantages, entre autres celui d'obliger le gestionnaire à contrôler l'investissement dans les actifs d'exploitation aussi bien que les charges et le taux de résultat d'exploitation net.

La société DuPont a été la première à se servir du concept de RCI et à reconnaître l'importance d'observer à la fois le taux de résultat d'exploitation net et le taux de rotation du capital dans l'évaluation de la performance d'un gestionnaire. La formule du RCI est désormais largement répandue comme mesure clé de la performance d'un centre d'investissement. Elle combine de nombreux aspects des tâches d'un gestionnaire dans un seul chiffre que l'on peut ensuite comparer aux performances de centres d'investissement concurrents ou à ceux d'autres entreprises du même secteur, ainsi qu'aux performances passées du centre d'investissement lui-même.

DuPont a aussi élaboré le modèle de la figure 11.2. Ce modèle aide les gestionnaires à comprendre comment il leur est possible de contrôler le RCI. En gros, le gestionnaire d'un centre d'investissement peut accroître le RCI de trois manières différentes, soit :

1. en augmentant le chiffre d'affaires ;
2. en diminuant les charges ;
3. en diminuant les actifs d'exploitation.

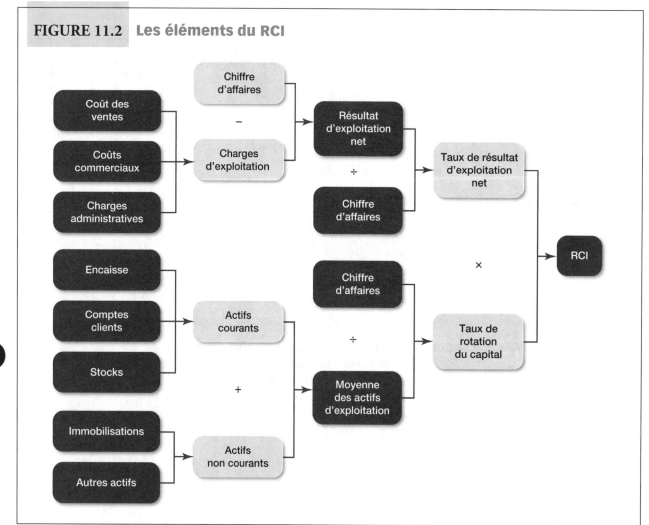

FIGURE 11.2 Les éléments du RCI

Pour illustrer comment chaque mesure peut servir à améliorer le taux de RCI, examinons de quelle manière est évalué le gestionnaire de Bistro Tapas, une petite chaîne de restaurants haut de gamme décontractés dont les franchises se sont rapidement multipliées. La franchise de Montréal appartient à un groupe de médecins locaux qui n'ont pas beaucoup de temps à consacrer à la gestion et qui ont fort peu d'expérience dans le domaine des affaires. Ils ont donc délégué la prise des décisions d'exploitation, y compris celles concernant l'investissement dans des actifs d'exploitation tels que les stocks, à un gestionnaire professionnel qu'ils ont engagé. Ce gestionnaire est évalué en grande partie en fonction du RCI que génère la franchise.

Les données ci-dessous correspondent aux résultats des activités du mois le plus récent.

Chiffre d'affaires	100 000 $
Charges d'exploitation	90 000
Résultat d'exploitation net	10 000
Moyenne des actifs d'exploitation	50 000

Le taux de RCI de Bistro Tapas est calculé comme suit :

$$RCI = \text{Taux de résultat d'exploitation net} \times \text{Taux de rotation du capital}$$

$$= \frac{\text{Résultat d'exploitation net}}{\text{Chiffre d'affaires}} \times \frac{\text{Chiffre d'affaires}}{\text{Moyenne des actifs d'exploitation}}$$

$$= \frac{10\ 000\ \$}{100\ 000\ \$} \times \frac{100\ 000\ \$}{50\ 000\ \$}$$

$$= 10\ \% \times 2 = 20\ \%$$

Comme nous l'avons déjà indiqué, un gestionnaire peut améliorer le RCI par :
1. une augmentation du chiffre d'affaires ;
2. une diminution des charges ;
3. une réduction des actifs d'exploitation.

Exemple 1 : Une augmentation du chiffre d'affaires sans accroissement des actifs d'exploitation

Supposons que le gestionnaire du restaurant Bistro Tapas est en mesure d'accroître son chiffre d'affaires de 10 % sans aucune augmentation de ses actifs d'exploitation. Toutefois, cet accroissement nécessitera une augmentation des charges d'exploitation. Or, comme certaines de ces charges sont fixes, elles ne seront probablement pas influencées par l'accroissement du chiffre d'affaires de 10 %. Par conséquent, l'augmentation des charges d'exploitation devrait être inférieure à 10 %. Supposons qu'elle est de 7,8 %. Suivant ces hypothèses, le nouveau résultat d'exploitation net s'élèverait à 12 980 $, une augmentation de 29,8 %, que l'on calcule comme suit :

Chiffre d'affaires (1,10 × 100 000 $)	110 000 $
Moins : Charges d'exploitation (1,078 × 90 000 $)	97 020
Résultat d'exploitation net	12 980 $

11

Dans ce cas, le nouveau RCI correspond à :

$$RCI = \frac{\text{Résultat d'exploitation net}}{\text{Chiffre d'affaires}} \times \frac{\text{Chiffre d'affaires}}{\text{Moyenne des actifs d'exploitation}}$$

$$= \frac{12\,980\ \$}{110\,000\ \$} \times \frac{110\,000\ \$}{50\,000\ \$}$$

$$= 11,8\ \% \quad \times \quad 2,2 \quad = \quad 25,96\ \% \text{ (par rapport à 20 \% au départ)}$$

Lorsque le chiffre d'affaires augmente *sans* qu'il y ait accroissement des actifs d'exploitation, on observe généralement des répercussions sur la marge bénéficiaire et sur le taux de rotation du capital. Dans l'exemple ci-dessus, comme le chiffre d'affaires a augmenté de 10 % tandis que les charges d'exploitation s'accroissaient de seulement 7,8 %, la marge bénéficiaire est passée de 10 % à 11,8 %. Cet accroissement de la marge bénéficiaire qui s'accompagne d'une augmentation du taux de rotation du capital (de 2 à 2,2) a entraîné une hausse du RCI. De toute évidence, lorsque le pourcentage d'augmentation du chiffre d'affaires est supérieur au pourcentage d'accroissement des charges d'exploitation, le RCI s'améliore, à condition que la variation des ventes à la hausse ne nécessite pas une augmentation des actifs d'exploitation. Toutefois, il faut noter que, compte tenu de l'accroissement du taux de rotation du capital, on aurait pu maintenir le RCI initial à 20 % tant que la nouvelle marge bénéficiaire ne devenait pas inférieure à 9,09 % (20 % ÷ 2,2). Lorsque la nouvelle marge dépasse 9,09 %, comme dans l'exemple ci-dessus, le RCI augmente. Ce type d'analyse permet aux gestionnaires d'évaluer jusqu'à quel point il est possible d'augmenter les charges d'exploitation sans que le RCI commence à diminuer.

Exemple 2: Une diminution des charges d'exploitation sans variation du chiffre d'affaires ou des actifs d'exploitation

Supposons maintenant que le gestionnaire de Bistro Tapas est en mesure de diminuer les charges de 1 000 $ sans influer sur le chiffre d'affaires ou les actifs d'exploitation, de sorte que le résultat d'exploitation net passe de 10 000 $ à 11 000 $.

$$RCI = \frac{\text{Résultat d'exploitation net}}{\text{Chiffre d'affaires}} \times \frac{\text{Chiffre d'affaires}}{\text{Moyenne des actifs d'exploitation}}$$

$$= \frac{11\,000\ \$}{100\,000\ \$} \times \frac{100\,000\ \$}{50\,000\ \$}$$

$$= 11\ \% \quad \times \quad 2 \quad = \quad 22\ \% \text{ (par rapport à 20 \% au départ)}$$

Lorsque les marges bénéficiaires ou les résultats d'exploitation diminuent, la première mesure que prennent les gestionnaires consiste souvent à réduire les coûts. Pour ce faire, ils s'attaquent de préférence aux coûts fixes discrétionnaires. Toutefois, ils doivent prendre garde d'appliquer des réductions excessives ou aux mauvais endroits. Une compression inappropriée des coûts peut entraîner une baisse du chiffre d'affaires et une hausse des coûts dans d'autres secteurs, tout en ayant un effet démoralisant sur les employés.

Exemple 3: Une réduction des actifs d'exploitation sans variation du chiffre d'affaires ou des charges d'exploitation

Supposons maintenant que le gestionnaire du restaurant Bistro Tapas a recours à la production optimisée pour réduire ses stocks de 10 000 $. Cette mesure pourrait avoir un effet bénéfique sur le chiffre d'affaires (en raison des ingrédients plus frais) et sur les charges d'exploitation (en raison d'une diminution du gaspillage dans les stocks), mais, pour les besoins de cet exemple, supposons que la diminution des stocks n'influe en aucune façon sur le chiffre d'affaires et sur les charges d'exploitation. Cette diminution des stocks entraîne une réduction de la moyenne des actifs d'exploitation de 10 000 $, de sorte que sa valeur passe de 50 000 $ à 40 000 $. On obtient alors le RCI suivant:

$$RCI = \frac{\text{Résultat d'exploitation net}}{\text{Chiffre d'affaires}} \times \frac{\text{Chiffre d'affaires}}{\text{Moyenne des actifs d'exploitation}}$$

$$= \frac{10\,000\,\$}{100\,000\,\$} \times \frac{100\,000\,\$}{40\,000\,\$}$$

$$= 10\,\% \times 2{,}5 = 25\,\% \text{ (par rapport à 20 \% au départ)}$$

Dans cet exemple, le gestionnaire s'est servi de la production optimisée pour réduire les actifs d'exploitation. Une autre stratégie couramment employée pour réduire ce type d'actifs consiste à accélérer le recouvrement des comptes clients. Par exemple, un grand nombre d'entreprises encouragent leurs clients à payer des factures par internet plutôt que par la poste.

Exemple 4: Un investissement dans les actifs d'exploitation et un accroissement du chiffre d'affaires

Supposons que le gestionnaire de Bistro Tapas investit 2 000 $ dans l'achat d'une machine à glace molle ultramoderne pouvant offrir une variété de parfums. Cette nouvelle machine permettrait d'accroître le chiffre d'affaires de 4 000 $, mais entraînerait une hausse des charges d'exploitation de 1 000 $. Le résultat d'exploitation net augmenterait quant à lui de 3 000 $ pour atteindre 13 000 $. Ce nouveau RCI se traduirait de la façon suivante:

$$RCI = \frac{\text{Résultat d'exploitation net}}{\text{Chiffre d'affaires}} \times \frac{\text{Chiffre d'affaires}}{\text{Moyenne des actifs d'exploitation}}$$

$$= \frac{13\,000\,\$}{104\,000\,\$} \times \frac{104\,000\,\$}{52\,000\,\$}$$

$$= 12{,}5\,\% \times 2 = 25\,\% \text{ (par rapport à 20 \% au départ)}$$

Dans cet exemple, l'investissement n'a pas influé sur le taux de rotation du capital, qui demeure à 2, si bien que le taux de résultat d'exploitation net devait augmenter pour qu'il y ait une amélioration du RCI.

SUR LE TERRAIN

La méthode JAT et l'amélioration du RCI

Une étude comparative d'entreprises qui ont adopté la méthode juste-à-temps (JAT) et d'un groupe témoin qui ne se servait pas de cette méthode a montré que les premières avaient mieux réussi que le second à améliorer leur RCI. Le succès des entreprises qui appliquent la méthode JAT était dû à un accroissement de leurs marges bénéficiaires et de leur taux de rotation du capital. Dans le JAT, non seulement l'élimination des stocks permet de réduire le total des actifs mais, ce qui est plus important encore, elle entraîne aussi des améliorations des processus à mesure que les problèmes de production sont signalés. Une fois ces problèmes et les activités sans valeur ajoutée éliminés, les coûts diminuent.

Source: Michael R. KINNEY et William F. WEMPE, «Further Evidence on the Extent and Origins of JIT's Profitability Effects», *The Accounting Review*, vol. 77, n° 1 (janvier 2002), p. 203-225.

11

Quelques critiques concernant le RCI

Bien que le RCI soit largement utilisé pour évaluer la performance, il constitue un outil imparfait. Son application a fait l'objet de certaines critiques.

1. Normalement, il ne suffit pas de dire aux gestionnaires d'accroître le RCI. Certains d'entre eux ignorent tout simplement comment procéder ; d'autres peuvent choisir des moyens d'y parvenir ne concordant pas avec la stratégie de l'entreprise, ou prendre des mesures qui donneront le résultat escompté à court terme, mais qui, à long terme, nuiront à l'entreprise (par exemple, une réduction des fonds destinés à la recherche et au développement).

2. En général, le gestionnaire prenant la direction d'une unité d'exploitation hérite de nombreux coûts déjà engagés sur lesquels il n'a aucun contrôle. Ces coûts peuvent être pertinents pour l'évaluation de la performance de l'unité en tant que centre d'investissement. Ils compliquent toutefois l'évaluation de la performance du gestionnaire par rapport à celle de ses collègues.

3. Comme nous le verrons dans la prochaine section, le gestionnaire évalué en fonction du RCI peut refuser des occasions d'investissements rentables.

L'évaluation de la performance d'un centre d'investissement – le RNR

OBJECTIF 4

Calculer le résultat net résiduel (RNR), et comprendre les forces et les faiblesses de cette méthode de mesure de la performance.

Résultat net résiduel (RNR)

Excédent du résultat d'exploitation net réalisé par un centre d'investissement par rapport au rendement requis sur les actifs d'exploitation.

Valeur économique ajoutée (VEA)

Concept similaire au RNR, mais qui se distingue par les ajustements apportés au résultat d'exploitation net et au taux de rendement sur les actifs utilisés dans le calcul.

Une autre méthode pour mesurer la rentabilité d'un centre d'investissement repose sur le concept de *résultat net résiduel*. Le **résultat net résiduel (RNR)** se définit comme l'excédent du résultat d'exploitation net réalisé par un centre d'investissement par rapport au rendement minimum requis sur ses actifs d'exploitation. Par conséquent, on utilise le résultat d'exploitation net, mais en lui soustrayant une charge théorique calculée en pourcentage de la moyenne des actifs d'exploitation. Sous forme d'équation, le RNR se calcule comme suit :

$$\begin{array}{c}\text{Résultat} \\ \text{net résiduel}\end{array} = \begin{array}{c}\text{Résultat} \\ \text{d'exploitation net}\end{array} - \left(\begin{array}{c}\text{Moyenne des} \\ \text{actifs d'exploitation}\end{array} \times \begin{array}{c}\text{Taux de rendement} \\ \text{minimum requis}\end{array}\right)$$

La **valeur économique ajoutée (VEA)** est un concept qui se rapproche du RNR, mais en diffère par certains aspects[3]. Par exemple, d'après ce concept, les fonds consacrés à la recherche et au développement sont considérés comme des investissements plutôt que comme des charges[4]. Toutefois, dans le cadre de ce manuel, nous ne ferons pas de distinction entre le RNR et la VEA. Nous utiliserons le RNR parce que les nombreux ajustements au résultat d'exploitation net requis pour le calcul de la VEA sont complexes et pourraient créer une confusion inutile à la compréhension des concepts présentés dans ce chapitre.

L'utilisation du RNR ou de la VEA pour mesurer la performance a pour but de maximiser le montant total de l'un ou de l'autre, et non celui du RCI global. Des entreprises aussi différentes que Loblaw et Domtar ont adopté leur version du concept de RNR au cours des dernières années.

---

3. Le principe sous-tendant les concepts de RNR et de VEA existe depuis plus de 100 ans. Au cours des dernières années, l'idée de VEA a fait son chemin grâce à la société d'experts-conseils Stern, Stewart & Co.

4. La VEA permet d'effectuer plus de 100 ajustements différents pour les impôts différés, les dettes estimatives, les regroupements d'entreprises, les profits et pertes attribuables à des changements dans les méthodes comptables, les contrats de location-financement et autres comptes. La plupart des entreprises n'en font toutefois que quelques-uns.

Pour illustrer ce concept, examinons les données ci-après concernant un centre d'investissement, soit la division Ketchican de la Société marine de l'Alaska.

Moyenne des actifs d'exploitation...	100 000 $
Résultat d'exploitation net...	20 000 $
Taux de rendement minimal requis..	15 %

L'entreprise évalue depuis longtemps ses gestionnaires de centres d'investissement en fonction du RCI. Elle considère toutefois la possibilité de remplacer cette mesure par le RNR. Le comptable de l'entreprise, qui préconise un tel changement, a préparé le tableau que voici pour montrer comment la performance de la division Ketchican serait évaluée conformément à chacune des deux méthodes.

SOCIÉTÉ MARINE DE L'ALASKA
Division Ketchican

	Mesure de la performance	
	RCI	RNR
Moyenne des actifs d'exploitation	100 000 $ a)	100 000 $
Résultat d'exploitation net	20 000 $ b)	20 000 $
RCI, b) ÷ a)	20 %	
Moins: Taux de rendement minimal requis (100 000 $ × 15 %).....		15 000
RNR..		5 000 $

Le raisonnement sur lequel s'appuie le calcul du RNR est fort simple. L'entreprise peut obtenir un taux de rendement d'au moins 15 % sur ses investissements. Comme elle a investi 100 000 $ dans la division Ketchican sous forme d'actifs d'exploitation, elle devrait réaliser au moins 15 000 $ (100 000 $ × 15 %) avec cet investissement. Or, le résultat d'exploitation net de la division Ketchican s'élève à 20 000 $, de sorte que le RNR en excès du rendement minimal requis est de 5 000 $. Si l'entreprise adoptait le RNR comme mesure de la performance en remplacement du RCI, elle évaluerait la gestionnaire de la division Ketchican en fonction de la croissance annuelle de ce résultat (RNR).

La motivation et le RNR

Le comptable de la Société marine de l'Alaska souhaiterait remplacer le RCI par le RNR. Selon lui, la façon dont les gestionnaires considèrent les nouveaux investissements à l'aide de ces deux méthodes de mesure de la performance est différente. La méthode du RNR encourage les gestionnaires à effectuer des investissements rentables pour l'ensemble de l'entreprise, alors que ces investissements pourraient être rejetés par des gestionnaires évalués d'après la formule du RCI.

Pour illustrer cette situation, supposons que le gestionnaire de la division Ketchican songe à acquérir un appareil de diagnostic informatisé pour faciliter l'entretien des moteurs diesels marins. L'appareil coûte 25 000 $, et il devrait générer un résultat d'exploitation net supplémentaire de 4 500 $ par an. Du point de vue de l'entreprise, il s'agit d'un bon investissement puisqu'il permet d'espérer un taux de rendement de 18 % (4 500 $ ÷ 25 000 $), ce qui dépasse le taux de rendement minimal requis, soit 15 %.

11

Si le gestionnaire de la division Ketchican était évalué d'après le RNR, il devrait se prononcer en faveur d'un tel investissement, comme le montrent les données ci-après.

SOCIÉTÉ MARINE DE L'ALASKA
Division Ketchican
Évaluation de la performance à l'aide du RNR

	Situation actuelle	Nouveau projet	Ensemble
Moyenne des actifs d'exploitation............................	100 000 $	25 000 $	125 000 $
Résultat d'exploitation net...	20 000 $	4 500 $	24 500 $
Moins : Taux de rendement minimal requis................	15 000	3 750*	18 750
RNR...	5 000 $	750 $	5 750 $

* 25 000 $ × 15 % = 3 750 $

Comme le projet augmenterait le RNR de la division, le gestionnaire voudra investir dans le nouvel appareil.

Supposons maintenant que le gestionnaire de la division Ketchican est évalué d'après le RCI. Voici le calcul de l'effet qu'aurait l'achat de l'appareil de diagnostic sur le RCI de sa section.

SOCIÉTÉ MARINE DE L'ALASKA
Division Ketchican
Évaluation de la performance à l'aide du RCI

	Situation actuelle	Nouveau projet	Ensemble
Moyenne des actifs d'exploitation, a)......................	100 000 $	25 000 $	125 000 $
Résultat d'exploitation net, b)....................................	20 000 $	4 500 $	24 500 $
RCI, b) ÷ a)...	20 %	18 %	19,6 %

Le nouveau projet réduit le RCI de la division de 20 % à 19,6 %. Cette réduction s'explique par le fait que le taux de rendement de 18 % du nouvel appareil de diagnostic, tout en étant supérieur au taux de rendement minimal de 15 % requis par l'entreprise, se révèle néanmoins inférieur au RCI actuel de la section, soit 20 %. L'achat du nouvel appareil ferait donc baisser le RCI, bien que, du point de vue de l'entreprise, il s'agisse d'un bon investissement. Si le gestionnaire de la division était évalué d'après le RCI, il pourrait se montrer réticent à l'idée même de suggérer un tel investissement.

En fait, le gestionnaire évalué en fonction du RCI pourrait rejeter tout projet dont le taux de rendement est inférieur au RCI actuel de sa division bien que le taux de rendement du projet soit supérieur au taux de rendement minimal requis pour l'ensemble de l'entreprise. Par contre, tout projet dont le taux de rendement est supérieur au taux minimal requis par l'entreprise entraînera un accroissement du RNR. Comme l'acceptation de tout projet ayant un taux de rendement de ce type serait profitable à l'ensemble de l'entreprise, le gestionnaire évalué d'après le RNR aura tendance à prendre de meilleures décisions concernant les projets d'investissements que le gestionnaire évalué d'après le RCI.

11

La VEA chez Loblaw

Concilier les mesures incitatives destinées aux gestionnaires et les objectifs des actionnaires constitue un défi énorme pour de nombreuses entreprises. Certaines ont recours à des concepts comme le RNR ou la VEA pour motiver leurs gestionnaires à prendre les mesures qui servent le mieux les intérêts de l'entreprise dans son ensemble. Une méthode couramment employée consiste à fixer des objectifs pour une mesure comme la VEA, et à verser aux gestionnaires une prime s'ils les atteignent ou les dépassent. Toutefois, s'ils n'y arrivent pas, ils ne reçoivent parfois aucune prime, ou celle-ci est alors considérablement moins élevée que s'ils avaient atteint l'objectif fixé. Par exemple, la société Loblaw a annoncé que ses deux principaux dirigeants, le président du conseil d'administration et le chef de la direction, n'avaient pas reçu de prime en 2005 parce que l'entreprise n'était pas parvenue à réaliser les objectifs qu'elle s'était fixés en matière de VEA.

Source : Bloomberg News, « Loblaw Executives Forgo 2005 Bonuses », *The Globe and Mail*, 18 mars 2006, p. B3.

La comparaison des unités d'exploitation et le RNR

La méthode du RNR présente toutefois un inconvénient majeur. Elle ne peut être utilisée pour comparer le rendement d'unités d'exploitation de tailles différentes, mais semblables quant à leur type d'exploitation. On s'attendrait à ce que les sections plus importantes aient des RNR supérieurs à ceux des sections plus petites, pas nécessairement parce qu'elles sont mieux gérées que les autres, mais simplement parce que les résultats y sont sans doute plus élevés.

Prenons comme exemple les calculs de RNR ci-dessous pour les divisions X et Y.

	Division	
	X	Y
Moyenne des actifs d'exploitation, a)	1 000 000 $	250 000 $
Résultat d'exploitation net	120 000 $	40 000 $
Moins : Rendement minimal requis, a) × 10 %)	100 000	25 000
RNR	20 000 $	15 000 $

Notons que le RNR de la division X s'avère légèrement plus élevé que celui de la division Y, alors que la première a des actifs d'exploitation de 1 000 000 $, et la seconde, de seulement 250 000 $. Par conséquent, le RNR plus élevé de la division X est sans doute attribuable à la taille de cette division plutôt qu'à la qualité de sa gestion. En fait, il semble que la division la plus petite soit la mieux gérée des deux, car elle a réussi à générer presque autant de RNR à partir de seulement un quart des actifs d'exploitation de la plus grande. On peut minimiser ce problème jusqu'à un certain point en mettant l'accent sur le pourcentage de variation du RNR d'une période à l'autre plutôt que sur le montant absolu de ce facteur.

Quelques critiques concernant le RNR

Comme nous venons de le voir, l'utilisation du RNR, en comparaison de celle du RCI, peut amener les gestionnaires à prendre des décisions qui concordent davantage avec les objectifs des actionnaires. En outre, selon certains analystes, cette mesure est plus étroitement liée aux sommes versées aux actionnaires que d'autres comme la croissance du chiffre d'affaires, le résultat net ou le RCI.

11

Voici quelques critiques dont il faut tenir compte au sujet du RNR.

1. Le RNR est souvent basé sur les coûts apparaissant dans les livres comptables. Ainsi, les valeurs comptables utilisées pour le calcul des immobilisations y figurent au coût d'origine ou au coût amorti, sauf dans le cas des sociétés ouvertes, qui peuvent choisir le modèle de la réévaluation des immobilisations. On risque alors de se retrouver avec des montants de RNR gonflés lorsque les immobilisations sont âgées et complètement amorties. En fait, les mêmes limites que celles soulevées pour le RCI s'appliquent dans le cas des actifs utilisés dans le calcul du RNR.

2. La méthode du RNR n'indique pas si les résultats atteints sont les meilleurs possible, de sorte que l'on doit trouver un moyen de les comparer pour les évaluer. Cela pourrait nécessiter l'utilisation de références extérieures basées sur l'analyse des résultats des principaux concurrents ou l'évaluation des tendances du RNR dans le temps (par exemple, étudier les variations de son pourcentage sur plusieurs périodes).

3. Le RNR est une mesure financière qui ne tient pas compte des principaux indicateurs non financiers de réussite tels que la motivation des employés et la satisfaction des clients. Cette dernière critique s'applique également au RCI.

Le tableau de bord équilibré

OBJECTIF 5

Expliquer l'utilisation du tableau de bord équilibré pour évaluer la performance.

Tableau de bord équilibré

Ensemble intégré de mesures de la performance qui découle de la stratégie de l'organisation et qui la soutient.

Un **tableau de bord équilibré** consiste en un ensemble de mesures de la performance qui découle de la stratégie de l'entreprise et qui favorise son application dans toute l'organisation[5]. Une stratégie est d'abord et avant tout une théorie sur les façons de réaliser les objectifs de l'organisation. Elle vise à répondre à des questions telles que «Comment attirer la clientèle?», «Quels sont les produits ou les services à offrir?», «Quels marchés conquérir?» et «Comment faire concurrence à d'autres entreprises du même secteur?» Selon certains spécialistes, il existe trois approches stratégiques générales qui permettent à une entreprise de l'emporter sur ses concurrents[6].

1. La stratégie de *domination par les coûts*: Une entreprise qui maintient ses coûts à un faible niveau, grâce à une plus grande efficience que ses concurrents, est en mesure d'augmenter ses résultats tout en vendant aux prix courants du secteur. Sinon, l'entreprise peut exercer un leadership en matière de prix parce que d'autres entreprises sont incapables d'en proposer qui sont inférieurs aux siens. Des coûts peu élevés peuvent aussi servir de barrière à l'entrée sur le marché de nouveaux joueurs potentiels et protéger ainsi la rentabilité de l'entreprise à long terme. Toutefois, des changements technologiques ou l'imitation par des concurrents de techniques peu coûteuses risquent de mettre en péril la réussite de cette stratégie.

2. La stratégie de *différenciation du produit*: Les clients sont parfois prêts à payer le prix fort pour des produits ou des services qu'ils considèrent comme uniques, ce qui donne à l'entreprise des marges bénéficiaires plus élevées. La fidélité à une marque peut cependant disparaître si la différence entre les prix que demande l'entreprise et ceux que demande le leader du secteur devient trop élevée.

---

5. Le concept de tableau de bord équilibré a été élaboré par Robert S. KAPLAN et David P. NORTON. Plusieurs publications de ces auteurs, dont l'ouvrage *The Balanced Scoreboard: Translating Strategy into Action*, Boston, Harvard Business School Press, 1996, 332 p., traitent du sujet. Dans les années 1960, les Français avaient élaboré un concept similaire appelé *tableau de bord*. Pour plus de renseignements, consulter Michel LEBAS, «Managerial Accounting in France: Overview of Past Tradition and Current Practice», *The European Accounting Review*, vol. 3, n° 3 (1994), p. 471-487; Marc J. EPSTEIN et Jean-François MANZONI, «The Balanced Scorecard and Tableau de Bord: Translating Strategy into Action», *Management Accounting*, vol. 79, n° 2 (août 1997), p. 28-36.

6. Michael E. PORTER, *Competitive Advantage: Creating and Sustaining Superior Performance*, New York, Free Press, 1985, 557 p.

3. La stratégie de *concentration ou de créneau*: En servant un marché cible restreint de façon plus efficace que ses concurrents qui visent une clientèle plus large, une entreprise peut atteindre une plus grande rentabilité. Toutefois, le risque qu'elle soit supplantée par des organisations qui ciblent des marchés plus vastes, mais qui réalisent des économies d'échelle reste une menace constante au succès de cette stratégie.

L'usage du tableau de bord équilibré requiert que la haute direction énonce sa stratégie sous forme de mesures de la performance que les employés peuvent comprendre et pour lesquelles ils peuvent agir. Par exemple, le temps d'attente en file des passagers avant que leurs bagages soient enregistrés pourrait constituer une mesure de la performance pour le superviseur chargé du comptoir d'enregistrement d'Air Canada à l'aéroport Montréal-Trudeau. L'employé comprend rapidement une telle mesure et peut même améliorer sa performance en prenant des dispositions à cet effet.

Les caractéristiques courantes des tableaux de bord équilibrés

En général, les mesures de la performance utilisées dans le tableau de bord équilibré entrent dans l'une des quatre catégories présentées à la figure 11.3: finances, clientèle, processus internes, ainsi qu'apprentissage et innovation. Les processus internes sont les activités exécutées par l'entreprise pour satisfaire la clientèle. Par exemple, dans une entreprise de fabrication, l'assemblage d'un produit est un processus interne. Pour une compagnie aérienne, la manutention des bagages entre aussi dans cette catégorie. Le concept de base est le suivant: l'innovation s'avère nécessaire pour améliorer les processus internes, l'amélioration des processus internes est essentielle pour accroître la satisfaction de la clientèle, et l'accroissement de la satisfaction de la clientèle est indispensable pour accroître les résultats financiers.

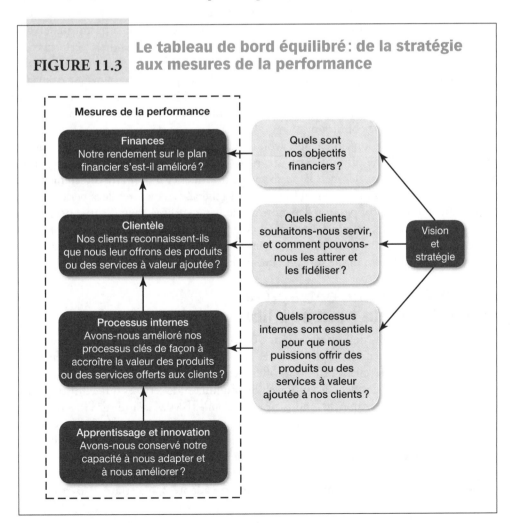

FIGURE 11.3 Le tableau de bord équilibré: de la stratégie aux mesures de la performance

11

À la figure 11.3 (*page précédente*), l'accent est mis sur l'*amélioration*, et non pas simplement sur la réalisation d'un objectif précis comme des résultats de 10 millions de dollars. Le tableau de bord équilibré encourage l'amélioration continue. Dans de nombreux secteurs, il s'agit d'une question de survie. Lorsqu'une organisation ne s'améliore pas sans arrêt, elle finit par être supplantée par des concurrents.

Les mesures de la performance financière apparaissent dans la partie supérieure de la figure 11.3. Le but ultime de la plupart des entreprises est de fournir des rendements financiers à leurs propriétaires. Toutefois, il y a des exceptions. Certaines organisations, par exemple The Body Shop, accordent la priorité à des objectifs différents comme offrir à leurs clients des produits écologiques. Reste que même les organismes à but non lucratif (OBNL) doivent générer assez de ressources financières pour subsister.

Toutefois, pour différentes raisons, les mesures de la performance financière (même le RCI ou la VEA) ne suffisent pas en elles-mêmes — il faut les intégrer à des mesures non financières dans un tableau de bord équilibré soigneusement conçu. Premièrement, les mesures financières sont des indicateurs témoins qui informent les gestionnaires sur les résultats d'activités passées. Par contre, les mesures non financières pour les principaux facteurs de réussite comme la satisfaction des clients constituent des indicateurs guides de la performance financière à venir. Deuxièmement, la haute direction, et non les gestionnaires subalternes, a généralement la responsabilité des mesures de la performance financière. Le directeur qui est chargé de superviser les activités au comptoir d'enregistrement d'Air Canada peut être tenu responsable du temps d'attente en file des passagers. Toutefois, on ne peut raisonnablement le tenir responsable de l'ensemble des résultats de l'entreprise. Cette responsabilité incombe à la haute direction de la compagnie aérienne.

Le tableau 11.2 contient des exemples de mesures de la performance que l'on peut retrouver dans les tableaux de bord des entreprises. Peu d'entreprises, si elles disposaient d'un tel outil, appliqueraient toutes ces mesures, et presque toutes en ajouteraient de nouvelles. Les gestionnaires devraient choisir avec soin les mesures de la performance du tableau de bord de leur entreprise. D'abord et avant tout, les mesures de la performance devraient concorder avec la stratégie de l'entreprise et en résulter. Lorsque les mesures de la performance ne concordent pas avec la stratégie de l'entreprise, les employés se trouvent à agir en contradiction avec les intérêts de l'organisation. En outre, le tableau de bord ne devrait pas compter un trop grand nombre de mesures, et ce, pour éviter un manque de cohésion et une certaine confusion.

Alors que l'organisation entière doit avoir un tableau de bord équilibré général, chaque personne chargée d'une responsabilité devra aussi avoir le sien. Ce tableau doit comprendre des éléments sur lesquels la personne peut influer et il doit être directement lié aux mesures de la performance du tableau de bord général. Les mesures de la performance qu'il contient ne devraient pas trop dépendre des activités effectuées par d'autres personnes de l'entreprise ni être dictées par des événements sur lesquels la personne n'a aucun contrôle.

En gardant en mémoire ces principes généraux, examinons maintenant comment la stratégie d'une entreprise influe sur son tableau de bord équilibré.

La stratégie d'une entreprise et le tableau de bord équilibré

Revenons aux mesures de la performance de la figure 11.3. Chaque entreprise doit décider du type de clientèle qu'elle cible, et des processus internes les plus susceptibles d'attirer et de retenir des clients. Comme différentes entreprises ont diverses stratégies, elles visent différents types de clientèle au moyen de produits et de services qui les distinguent des autres. Prenons l'exemple de l'industrie automobile. BMW insiste sur l'ingénierie et sur la maniabilité; Volvo met l'accent sur la sécurité, Jaguar sur le luxe du détail, Corvette sur le style «voiture de course», et Toyota sur la fiabilité. Comme chaque entreprise met de l'avant des caractéristiques différentes, un modèle universel de mesure de la performance ne saurait convenir pour toutes, même à l'intérieur d'un seul secteur. En d'autres termes, les mesures de la performance doivent être adaptées à la stratégie particulière de l'entreprise.

TABLEAU 11.2 **Des exemples de mesures de la performance pour les tableaux de bord équilibrés**

Volet de la clientèle	
Mesure de la performance	**Changement souhaité**
Satisfaction des clients telle qu'elle a été mesurée par des résultats de sondages	+
Nombre de réclamations des clients	−
Part de marché	+
Retours de marchandises en pourcentage du chiffre d'affaires	−
Pourcentage de clients conservés d'une période à l'autre	+
Nombre de nouveaux clients	+
Volet des processus internes	
Mesure de la performance	**Changement souhaité**
Pourcentage du chiffre d'affaires provenant des nouveaux produits	+
Délai écoulé avant la mise en marché de nouveaux produits	−
Pourcentage des appels de clients acheminés en moins de 20 secondes	+
Livraisons à temps en pourcentage de l'ensemble des livraisons	+
Stock de produits en cours en pourcentage du chiffre d'affaires	−
Écarts sur coûts de revient standards défavorables	−
Unités sans défaut en pourcentage des unités terminées	+
Temps de cycle de livraison*	−
Délai effectif de fabrication*	−
Efficience du temps de cycle de fabrication*	+
Coût de la qualité*	−
Délai entre l'appel d'un client et la réparation d'un produit	−
Pourcentage de réclamations des clients réglées dès la première conversation	+
Temps requis pour régler la réclamation d'un client	−
Temps de mise en route	−
Volet de l'apprentissage et de l'innovation	
Mesure de la performance	**Changement souhaité**
Nombre de nouveaux produits développés par année	+
Suggestions par employé	+
Taux de rotation des employés	−
Heures de formation par employé	+

11

* Ces concepts sont expliqués plus loin dans ce chapitre.

Supposons, par exemple, que la stratégie de Jaguar consiste à offrir des voitures de luxe distinctives à des clients riches appréciant le travail fait à la main et les produits personnalisés. Une partie de cette stratégie pourrait consister à créer un nombre important d'options comme des sièges en cuir, des combinaisons de couleurs intérieures et extérieures, et des tableaux de bord en bois, de sorte que chaque voiture devienne presque unique. Ainsi, au lieu d'offrir des sièges marron clair ou bleus en cuir de vache standard, l'entreprise pourrait proposer une palette quasi infinie de couleurs dans n'importe quel type de cuir exotique. Pour qu'un tel système soit efficace, Jaguar devrait être en mesure de livrer une voiture entièrement personnalisée dans un délai raisonnable et sans engager plus de coûts que le client est prêt à en payer pour cette personnalisation. La figure 11.4 montre comment le tableau de bord équilibré de l'entreprise pourrait refléter cette stratégie.

Lorsqu'un tableau de bord équilibré est bien construit, les mesures de la performance se rattachent les unes aux autres par une logique de cause à effet. Chaque lien peut alors se lire sous la forme d'une hypothèse selon laquelle « si nous améliorons cette mesure du rendement, alors telle autre mesure devrait aussi s'améliorer ». En observant la figure 11.4 de bas en haut, on peut interpréter les liens entre les mesures de la performance comme suit : si les employés

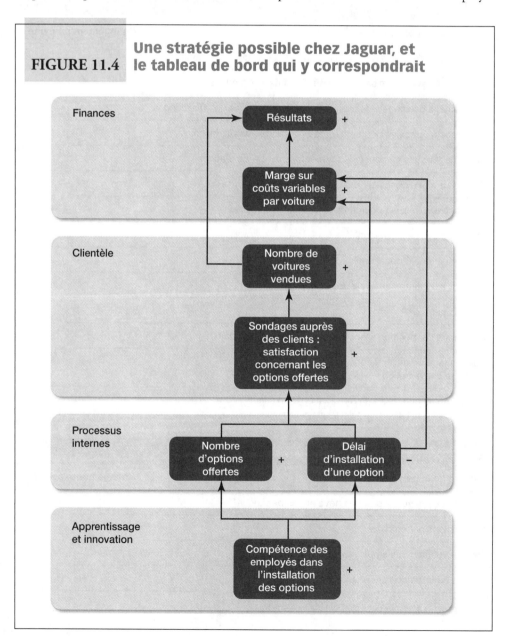

FIGURE 11.4 Une stratégie possible chez Jaguar, et le tableau de bord qui y correspondrait

acquièrent les habiletés nécessaires pour installer les nouvelles caractéristiques de façon plus efficace, l'entreprise devrait pouvoir offrir à ses clients un plus grand nombre d'options susceptibles d'être installées dans un délai plus court. Si un plus grand nombre d'options sont offertes et qu'elles sont installées dans un délai plus court, les sondages auprès de la clientèle devraient refléter une plus grande satisfaction concernant l'éventail d'options offertes. Si la satisfaction des clients s'accroît, le nombre de voitures vendues devrait aussi augmenter.

En outre, si la satisfaction des clients augmente, l'entreprise devrait pouvoir maintenir ou même augmenter ses prix de vente et, si le délai d'installation des options diminue, les coûts de cette activité devraient aussi diminuer. La combinaison de ces deux effets entraînerait nécessairement un accroissement de la marge sur coûts variables par voiture. Et si cette marge augmente et que le nombre de voitures vendues augmente aussi, il devrait en résulter un accroissement des résultats.

Essentiellement, le tableau de bord équilibré exprime avec clarté la façon dont, en théorie, l'entreprise peut atteindre les résultats souhaités (financiers dans ce cas) en faisant des gestes concrets. Bien que la stratégie exposée à la figure 11.4 paraisse plausible, on doit la considérer comme une théorie à abandonner si elle se révèle inappropriée. Supposons, par exemple, que l'entreprise parvient à augmenter le nombre d'options offertes et à diminuer le temps d'installation de ces options, mais sans qu'il en résulte un accroissement de la satisfaction des clients, du nombre de voitures vendues, de la marge sur coûts variables par voiture ou des résultats. Dans ce cas, Jaguar devrait réexaminer cette stratégie. Entre autres avantages, le tableau de bord équilibré permet de mettre sans cesse à l'épreuve les théories sous-tendant la stratégie de la direction. Quand une stratégie s'avère inefficace, la direction devrait s'en rendre compte lorsque certains des effets prévus (par exemple, l'augmentation du nombre de voitures vendues) ne se concrétisent pas. Sans cette rétroaction, elle pourrait dériver indéfiniment en se cramponnant à une stratégie inefficace basée sur des hypothèses erronées.

Le rattachement de la rémunération au tableau de bord équilibré

La rémunération incitative des employés, par exemple les primes, peut et devrait probablement être liée aux mesures de la performance du tableau de bord équilibré. Toutefois, il faut d'abord parvenir à gérer l'entreprise avec succès et pendant un certain temps — par exemple, un an ou plus — à l'aide du tableau de bord avant de lier les mesures de la performance à la rémunération. Les gestionnaires doivent être convaincus que les mesures de la performance sont fiables, raisonnables, bien comprises par ceux qu'elles servent à évaluer et difficiles à manipuler. Comme le font remarquer Robert S. Kaplan et David P. Norton au sujet du tableau de bord équilibré, « la rémunération constitue un levier si puissant qu'il faut une quasi-certitude d'avoir recours aux mesures appropriées et de disposer des données pertinentes concernant ces mesures avant d'y lier la rémunération[7] ».

Les avantages de la rétroaction rapide

Quelles que soient les mesures de la performance utilisées, elles doivent faire l'objet de fréquents rapports présentés rapidement. Par exemple, des données concernant les défauts devraient être communiquées aux gestionnaires touchés au moins une fois par jour pour que ces derniers puissent prendre rapidement des mesures lorsqu'un nombre inhabituel de défauts se produisent. Dans les entreprises les mieux organisées, tout défaut est signalé *sur-le-champ*, et on en détermine la cause avant qu'il se reproduise. Les mesures de la performance du tableau de bord équilibré ont une autre caractéristique commune : les gestionnaires concentrent leur attention sur les *tendances* dans le temps. Ils mettent l'accent sur le progrès et sur l'*amélioration* continue plutôt que sur la réalisation de standards précis.

---

7. Lori CALABRO, « On Balance : A CFO Interview », *CFO*, février 2001, p. 73-78.

Une image vaut mille chiffres

On intègre régulièrement des diagrammes au tableau de bord, avec des images d'indicateurs de niveaux, et des graphiques à barres ou en forme de tarte. La Chambre de commerce du Montréal métropolitain a créé un tableau de bord offert en ligne qui vise à fournir une information accessible et complète sur la situation économique métropolitaine. Des graphiques interactifs présentent une série d'indicateurs pertinents pour comprendre l'économie de Montréal. Il est possible de suivre la progression de Montréal depuis 1998, et de faire des comparaisons avec la performance du Québec et du Canada.

Les graphiques sont souvent accompagnés de symboles en vert, en jaune ou en rouge selon que les indicateurs sont satisfaisants, à la limite du satisfaisant ou en deçà de cette limite.

Source: CHAMBRE DE COMMERCE DU MONTRÉAL MÉTROPOLITAIN, *Tableau de bord Montréal*, [En ligne], <www.tableaudebordmontreal.com> (Page consultée le 30 mai 2010).

Quelques mesures de la performance des processus internes

Les mesures de la performance des processus internes qui entrent dans un tableau de bord équilibré fournissent une rétroaction nécessaire à l'amélioration de ces processus. Cette information joue un rôle essentiel lorsqu'il s'agit de diminuer les coûts et d'améliorer la qualité en vue d'accroître la rentabilité de l'entreprise et la satisfaction des clients.

La plupart des mesures de la performance du tableau 11.2 (*p. 613*) ne nécessitent pas d'explication. Toutefois, quatre d'entre elles — le *temps de cycle de livraison*, le *délai effectif de fabrication*, l'*efficience du temps de cycle de fabrication* et le *coût de la qualité* — méritent d'être examinées, ce à quoi nous attardons ici et dans les pages qui suivent.

Le temps de cycle de livraison

Temps de cycle de livraison

Intervalle de temps écoulé entre l'acceptation d'une commande d'un client et l'expédition des produits finis.

Le temps qui s'écoule entre le moment où l'entreprise reçoit la commande d'un client et celui où elle expédie la commande exécutée porte le nom de **temps de cycle de livraison**. Il s'agit d'un sujet de préoccupation majeur pour un grand nombre de clients qui souhaiteraient que cet intervalle soit le plus court possible. La réduction de ce délai peut donner à une entreprise un avantage concurrentiel important, sinon essentiel à sa survie, de sorte qu'un grand nombre d'entre elles incluent cette mesure de la performance dans leur tableau de bord équilibré.

Le délai effectif de fabrication

Délai effectif de fabrication

Temps requis pour transformer les matières premières en produits finis.

Le temps requis pour transformer des matières premières en des produits finis porte le nom de **délai effectif de fabrication**. La relation entre le temps de cycle de livraison et le délai effectif de fabrication est illustrée à la figure 11.5.

On y voit que le délai effectif de fabrication, ou durée du cycle de fabrication, est constitué du temps de traitement (ou d'exécution), du temps d'inspection, du temps de déplacement (ou de manutention) et du temps d'attente. Le *temps de traitement* est l'intervalle de temps pendant lequel du travail est réellement effectué sur le produit. Le *temps d'inspection* est la quantité de temps requis pour s'assurer que le produit n'a aucun défaut. Le *temps de déplacement* correspond au temps requis pour déplacer les matières ou les produits partiellement finis d'un poste de travail à un autre. Le *temps d'attente* est l'intervalle de temps pendant lequel le produit «attend» avant qu'on y travaille, qu'on le déplace, qu'on l'inspecte ou pendant lequel il est entreposé avant son expédition.

Comme le montre la partie inférieure de la figure 11.5, seul le temps de traitement ajoute de la valeur au produit parmi ces quatre activités. Les trois autres activités — les temps d'inspection, de déplacement et d'attente — n'ajoutent aucune valeur au produit, et elles devraient être réduites autant que possible.

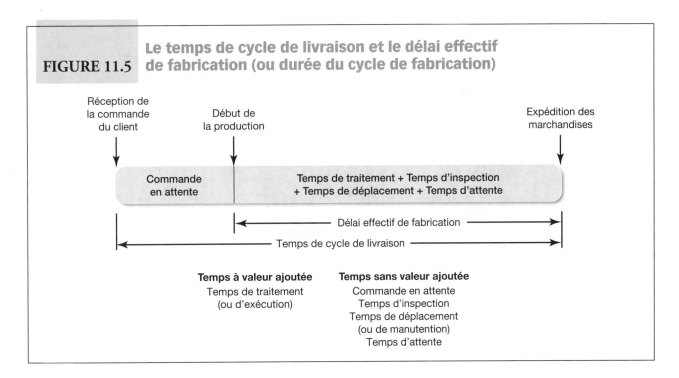

FIGURE 11.5 Le temps de cycle de livraison et le délai effectif de fabrication (ou durée du cycle de fabrication)

L'efficience du temps de cycle de fabrication

Grâce à des efforts concertés pour éliminer les activités *sans valeur ajoutée* d'inspection, de déplacement et d'attente, certaines entreprises ont réduit leur délai effectif de fabrication à seulement une fraction de ses niveaux antérieurs. Elles sont ainsi parvenues à diminuer leur temps de cycle de livraison de quelques mois à quelques semaines ou même à quelques heures. Il est possible d'avoir une meilleure compréhension du délai effectif de fabrication, qui est considéré comme une mesure clé de la performance des délais de livraison, en calculant l'**efficience du temps de cycle de fabrication** (ETC). Pour ce faire, on établit un rapport entre le temps à valeur ajoutée et le délai effectif de fabrication. En voici la formule.

Efficience du temps de cycle de fabrication (ETC)

Temps de traitement (ou temps d'exécution), à valeur ajoutée, sous forme de pourcentage du délai effectif de fabrication.

$$ETC = \frac{\text{Temps à valeur ajoutée}}{\text{Délai effectif de fabrication}}$$

Lorsque ce coefficient est inférieur à 1, il y a du temps sans valeur ajoutée dans le processus de production. Par exemple, une ETC de 0,5 indique que la moitié de la durée totale de production est consacrée à l'inspection, au déplacement et à d'autres activités similaires sans valeur ajoutée. Dans un grand nombre d'entreprises de fabrication, l'ETC est inférieure à 0,1 (10 %). C'est dire que 90 % du temps de traitement d'une unité est consacré à des activités n'ajoutant aucune valeur au produit[8]. En contrôlant l'ETC, les entreprises peuvent réduire les activités sans valeur ajoutée. Elles peuvent ainsi livrer les produits aux clients plus rapidement et à un coût moins élevé qu'auparavant.

Voici un exemple quantifié de ces mesures. Supposons que les données ci-après ont été recueillies au sujet de la société Novex.

Novex tient un compte exact des délais relatifs à ses commandes et à leur exécution. Au cours du dernier trimestre, elle a enregistré les durées moyennes suivantes pour chaque unité ou commande.

---

8. Callie BERLINER et James A. BRIMSON, dir., *Cost Management for Today's Advanced Manufacturing: The CAM-I Conceptual Design*, Boston, Harvard Business School Press, 1988, p. 4.

	Jours
Commande en attente	17,0
Temps de traitement	2,0
Temps d'inspection	0,4
Temps de déplacement	0,6
Temps d'attente	5,0

Les marchandises sont expédiées aussitôt que la production est terminée. En se référant à ces données, on peut calculer :

1. le délai effectif de fabrication, ou durée du cycle de fabrication ;
2. l'ETC ;
3. le pourcentage du délai effectif de fabrication consacré à des activités sans valeur ajoutée ;
4. le temps de cycle de livraison.

Les calculs sont les suivants :

1.

$$\text{Délai effectif de fabrication} = \text{Temps de traitement} + \text{Temps d'inspection} + \text{Temps de déplacement} + \text{Temps d'attente}$$

$$= 2,0 \text{ jours} + 0,4 \text{ jour} + 0,6 \text{ jour} + 5,0 \text{ jours}$$

$$= 8,0 \text{ jours}$$

2. Seul le temps de traitement représente du temps à valeur ajoutée. Le calcul de l'ETC se fait donc comme suit :

$$\text{ETC} = \frac{\text{Temps à valeur ajoutée, 2,0 jours}}{\text{Délai effectif de fabrication, 8,0 jours}}$$

$$= 0,25$$

Par conséquent, le travail effectué sur une unité typique après sa mise en production ne constitue réellement que 25 % de son cycle de production.

3. Comme l'ETC est de 25 %, le reste, soit 75 % du temps total de production, est consacré à des activités sans valeur ajoutée.

4.

$$\text{Temps de cycle de livraison} = \text{Commande en attente} + \text{Délai effectif de fabrication}$$

$$= 17,0 \text{ jours} + 8,0 \text{ jours}$$

$$= 25,0 \text{ jours}$$

Quelques observations supplémentaires concernant le tableau de bord équilibré

En terminant, nous voudrions souligner quelques points concernant le tableau de bord équilibré. Premièrement, il doit correspondre à la stratégie de l'organisation. Autrement dit, le tableau de bord de chaque entreprise devrait être propre à cette entreprise. Les modèles présentés dans ce chapitre ne sont rien de plus que des exemples. On ne devrait pas les voir comme des modèles généraux convenant à chaque organisation. Deuxièmement, le tableau de bord équilibré reflète une théorie ou une stratégie en particulier sur la façon dont une entreprise peut favoriser la réalisation de ses objectifs en prenant certaines mesures bien définies. Cette théorie devrait être considérée comme provisoire et sujette à changements si les mesures proposées n'aident pas réellement l'entreprise à atteindre ses objectifs financiers ou autres. Lorsqu'on change de théorie (ou de stratégie), on doit modifier en conséquence les mesures de la performance du tableau de bord équilibré. Il faut considérer ce tableau comme un système dynamique qui évolue au même rythme que la stratégie de l'entreprise. Troisièmement, même si le tableau de bord équilibré est une composante importante du système d'information et du système de contrôle d'une organisation, il n'est pas le seul outil de ce type. Les gestionnaires doivent aussi préparer et utiliser régulièrement de nombreux rapports complémentaires, ainsi que recueillir des renseignements additionnels pour superviser et contrôler au jour le jour les activités dont ils ont la responsabilité. Les deux prochaines sections présentent des exemples de la nécessité de communiquer de l'information supplémentaire en allant au-delà des renseignements condensés qui se trouvent dans un tableau de bord équilibré. Autrement dit, un tableau de bord ne suffit pas à combler tous les besoins d'information des gestionnaires. Ces derniers utiliseront régulièrement divers rapports détaillés sur les activités d'exploitation clés de l'entreprise.

La structure des rapports d'analyse de la performance

Au chapitre 10, nous avons vu que, dans les systèmes de coûts de revient standards, on se sert des rapports d'analyse de la performance pour communiquer à la direction des données sur les écarts. Les exemples de mesures de la performance pour le tableau de bord équilibré présentés au tableau 11.2 (*p. 613*) contiennent un élément appelé *écarts sur coûts de revient standards défavorables*. Le tableau 11.3 (*page suivante*) donne un exemple de rapport complémentaire qui fournit des renseignements additionnels utiles au contrôle des coûts.

En examinant ce tableau, vous remarquerez que les rapports d'analyse de la performance *commencent par le bas et se développent vers le haut*. À chaque niveau, les gestionnaires obtiennent de l'information sur leur propre rendement et sur celui des gestionnaires se trouvant à l'échelon inférieur dans la chaîne de responsabilité. Les renseignements sur les écarts passent d'un niveau à l'autre, de bas en haut, comme dans la construction d'une pyramide. Au sommet de la chaîne, le président reçoit un résumé de toutes les activités de l'organisation. Quand un gestionnaire d'un niveau donné, par exemple le directeur de la production, veut comprendre les causes d'un écart, il peut demander des rapports d'analyse de la performance détaillés préparés à différents niveaux d'activité ou au sein de divers services.

11

TABLEAU 11.3 **Le flux ascendant des rapports d'analyse de la performance**

Le rapport du président

Le rapport d'analyse de la performance remis au président résume toutes les données sur l'entreprise. Le président peut ainsi, au besoin, relever les écarts jusqu'à la base pour déterminer à quel niveau les cadres supérieurs doivent concentrer leur attention.

Centre de responsabilité :	Budget	Résultats réels	Écart
Directeur commercial	X	X	X
Directeur de la production........	26 000 $	29 000 $	3 000 $ D
Directeur de l'ingénierie............	X	X	X
Directeur du personnel	X	X	X
Contrôleur de gestion..............	X	X	X
	54 000 $	61 000 $	7 000 $ D

Le directeur de la production

Le rendement de chaque directeur de service (ou responsable d'atelier) est résumé à l'intention du directeur de la production. Les totaux figurant dans ce rapport sont ensuite acheminés au niveau supérieur immédiat de responsabilité.

Centre de responsabilité :	Budget	Résultats réels	Écart
Atelier de coupe	X	X	X
Atelier d'usinage.....................	X	X	X
Atelier de finition....................	11 000 $	12 500 $	1 500 $ D
Atelier d'emballage.................	X	X	X
	26 000 $	29 000 $	3 000 $ D

Le directeur de l'atelier de finition

Le rapport d'analyse de la performance de chaque contremaître est résumé dans le rapport d'évaluation du directeur de service (ou de l'atelier de production). Les totaux des ateliers sont ensuite acheminés au niveau supérieur immédiat, soit au directeur de la production.

Centre de responsabilité :	Budget	Résultats réels	Écart
Sablage	X	X	X
Câblage	5 000 $	5 800 $	800 $ D
Montage	X	X	X
	11 000 $	12 500 $	1 500 $ D

Le contremaître des activités de câblage

Le contremaître de chaque activité reçoit un rapport d'analyse de la performance. Les totaux y figurant sont ensuite transmis au niveau supérieur immédiat de responsabilité.

Coûts variables :	Budget	Résultats réels	Écart
Matières premières..................	X	X	X
Main-d'œuvre directe	X	X	X
Frais indirects de fabrication	X	X	X
	5 000 $	5 800 $	800 $ D

F : favorable ; D : défavorable

Le coût de la qualité

OBJECTIF 6

Déterminer les quatre types de coûts d'obtention de la qualité, expliquer leur interaction et préparer un rapport sur ces coûts de la qualité.

Une des mesures de la performance des processus internes présentées dans le tableau 11.2 (*p. 613*) que de nombreuses entreprises inscrivent dans leur tableau de bord équilibré est le coût de la qualité. Il s'agit généralement d'un résumé de mesures comprenant différents types ou catégories de coûts de la qualité. De plus en plus, les gestionnaires des entreprises manufacturières, mais aussi de service, mettent l'accent sur l'importance de comprendre les différents types de coûts de la qualité et la façon de les gérer. Dans cette section, nous traiterons des catégories de coûts de la qualité et de leur interaction. Nous verrons également de quelle manière certaines entreprises communiquent de l'information sur ces coûts qui va au-delà du résumé de mesures figurant dans le tableau de bord équilibré.

L'entreprise dont la réputation est de fabriquer des produits de piètre qualité voit d'ordinaire sa part de marché et ses résultats diminuer. En quoi est-il utile pour le client d'acheter un produit fabriqué avec du matériel de qualité supérieure s'il tombe en morceaux à la première utilisation ? L'absence de défauts constitue l'un des aspects très importants de la qualité. Les produits défectueux font monter abusivement les coûts de garantie mais, et c'est plus important encore, ils provoquent aussi le mécontentement des clients. Or, il est peu probable que des gens insatisfaits d'un produit l'achètent de nouveau. En outre, on

La qualité chez Toyota

En 2010, Toyota a dû rappeler 2,3 millions de voitures en Amérique du Nord afin de corriger un problème avec la pédale d'accélération de huit de ses modèles. Les ventes de ces modèles ont aussi été suspendues pendant quelques jours, ce qui a entraîné d'importantes pertes financières. Les concessionnaires Toyota ont été débordés d'appels de clients inquiets. Il est difficile d'évaluer l'impact de ce rappel sur les ventes de Toyota dans les prochaines années, mais, chose certaine, ce problème aura des conséquences sur la réputation de qualité du constructeur automobile connue jusqu'alors pour être à toute épreuve.

Source : Pierre COUTURE, « La qualité Toyota mise à rude épreuve », 28 janvier 2010, dans CYBERPRESSE, *Le Soleil*, [En ligne], <www.cyberpresse.ca/le-soleil/affaires/automobile/201001/27/01-943719-la-qualite-toyota-mise-a-rude-epreuve.php> (Page consultée le 30 mai 2010).

peut s'attendre à ce qu'ils fassent part de leur mauvaise expérience à d'autres personnes. C'est, sans contredit, la pire publicité dont l'entreprise puisse être l'objet. Pour l'éviter, les entreprises déploient beaucoup d'efforts pour diminuer les défauts de leurs produits. Leur objectif est d'atteindre une *qualité de conformité* élevée.

Le degré de conformité

Le produit respectant ou dépassant les spécifications requises, et exempt de tout défaut susceptible d'altérer son apparence ou de diminuer sa performance a un **degré de conformité** élevé. Notons qu'une voiture économique ne présentant aucun défaut peut avoir un degré de conformité aussi élevé qu'une voiture de luxe aussi sans défauts. L'acheteur de voiture économique ne s'attend pas à ce que son véhicule soit doté d'accessoires aussi somptueux que ceux des voitures de luxe. Il tient toutefois à ce qu'il soit exempt de défauts.

La prévention, la détection et l'élimination des défauts entraînent des *coûts liés à la qualité*, ou *coûts d'obtention de la qualité*. L'expression *coût de la qualité* peut semer la confusion dans l'esprit de certaines personnes. Il ne s'agit pas, par exemple, du coût relatif à l'utilisation d'un cuir de qualité supérieure entrant dans la fabrication d'un portefeuille ou, en joaillerie, d'un or de 14 carats au lieu d'un simple placage. Le **coût de la qualité** englobe tous les coûts engagés pour éviter des défauts ou pour remédier aux défauts.

On peut décomposer les coûts de la qualité en quatre grandes catégories. Deux de ces catégories, les *coûts de prévention* et les *coûts d'évaluation de la qualité*, englobent des coûts engagés dans un effort pour éviter que des produits défectueux parviennent aux consommateurs. Les deux autres catégories, les *coûts de défaillance interne* et les *coûts de défaillance externe*, comprennent les coûts engagés à cause de la présence de défauts dans les produits, malgré les efforts déployés pour les prévenir. Le tableau 11.4 (*page suivante*) contient des exemples précis de coûts de chaque catégorie.

Notons plusieurs choses au sujet des coûts de la qualité présentés dans ce tableau. En premier lieu, les coûts d'obtention de la qualité ne se rattachent pas uniquement à la fabrication. En fait, ils sont liés à toutes les activités de l'entreprise, de la recherche et du développement jusqu'au service à la clientèle. En second lieu, la variété de coûts associés à la qualité est très importante. Par conséquent, le coût total de la qualité peut se révéler très élevé quand la direction n'accorde aucune attention particulière à cet aspect de l'organisation. Enfin, il existe de grandes différences entre les coûts de ces quatre catégories. Nous examinerons maintenant chacune de celles-ci en détail.

Les coûts de prévention

La façon la plus efficace de minimiser les coûts de la qualité tout en maintenant une production de qualité supérieure consiste à éviter dès le départ que des problèmes de qualité se dessinent. Cet objectif justifie les **coûts de prévention** engagés pour soutenir toutes les activités destinées à réduire le nombre de défauts dans les produits ou les services. Les

---

Degré de conformité

Degré auquel un produit ou un service respecte ou dépasse les spécifications requises, et est exempt de tout défaut ou problème qui pourrait altérer son apparence ou diminuer sa performance.

Coût de la qualité

Ensemble de coûts engagés pour éviter que des produits défectueux soient vendus aux consommateurs ou pour remédier aux défauts.

11

Coût de prévention

Coût engagé pour éviter l'apparition de défauts dans la production.

TABLEAU 11.4 **Les quatre catégories de coûts de la qualité**

Coûts de prévention	Coûts de défaillance interne
• Élaboration de systèmes • Ingénierie de la qualité • Formation à l'obtention de la qualité • Cercles de qualité • Activités de contrôle statistique du processus • Supervision des activités de prévention • Collecte, analyse et communication de données sur la qualité • Projets d'amélioration de la qualité • Soutien technique apporté aux fournisseurs • Vérifications de l'efficacité du système d'obtention de la qualité	• Coût de la mise au rebut • Coût des rejets de production • Coûts de la main-d'œuvre et frais indirects du réusinage • Nouvel essai des produits réusinés • Nouvelle inspection des produits réusinés • Temps d'arrêt dû à des problèmes de qualité • Élimination des produits défectueux • Analyse de la cause des défauts dans la production • Réintroduction de données dans le système découlant d'erreurs de frappe • Débogage des erreurs logicielles
Coûts d'évaluation de la qualité	**Coûts de défaillance externe**
• Essai et inspection des matières provenant des fournisseurs • Essai et inspection des produits en cours • Essai et inspection des produits finis • Fournitures servant aux essais et à l'inspection • Supervision des activités d'essai et d'inspection • Amortissement de l'équipement servant aux essais et à l'inspection • Entretien de l'équipement servant aux essais et à l'inspection • Impôts fonciers et assurances de la section de l'usine liée à l'inspection	• Coût du service sur place et du traitement des réclamations • Réparations et remplacements pendant la période de garantie • Réparations et remplacements après la période de garantie • Rappel de produits à risque • Responsabilité due à une poursuite contre l'entreprise • Retours dus à des problèmes de qualité • Perte de ventes due à une réputation de mauvaise qualité

entreprises ont compris qu'il s'avère beaucoup moins coûteux de prévenir l'apparition d'un problème que d'avoir à le déceler et à le corriger plus tard.

Notons que les coûts de prévention présentés au tableau 11.4 incluent des activités liées aux cercles de qualité et au contrôle statistique du processus. Les **cercles de qualité** sont de petits groupes d'employés se réunissant de façon régulière pour étudier des moyens d'améliorer la qualité de la production. Des représentants de la direction et des travailleurs se côtoient dans ces groupes. Les cercles de qualité se trouvent dans les entreprises de fabrication, les services publics, les organismes de soins de santé, les banques et beaucoup d'autres organisations.

Le **contrôle statistique du processus** est une activité servant à déterminer si un processus est bien contrôlé ou non. Un processus mal contrôlé aboutit à la fabrication d'unités défectueuses; il peut être dû à une machine mal calibrée ou à quelque autre facteur. Au cours du contrôle statistique du processus, les employés se servent de graphiques pour vérifier la qualité des unités passant par leur poste de travail. Ces graphiques leur permettent de déceler rapidement les processus hors de contrôle qui génèrent des défauts. Il leur est alors possible de corriger immédiatement les problèmes et de prévenir l'apparition d'autres défauts du même type, sans attendre qu'un inspecteur les décèle plus tard.

Comme l'illustre un des exemples du tableau 11.4, certaines entreprises apportent un soutien technique à leurs fournisseurs dans le but de prévenir les défauts de leurs intrants. Ce soutien s'avère crucial, en particulier dans un système JAT. Dans ce système, en effet, les fournisseurs livrent les pièces juste à temps et uniquement en quantité nécessaire pour exécuter les commandes des clients. Il n'y a donc aucun stock de matières premières. Lorsque l'entreprise reçoit une pièce défectueuse, elle ne peut pas s'en servir, et la commande du client sera livrée en retard. C'est pourquoi chaque pièce provenant des fournisseurs devra être exempte de défauts. Les entreprises ayant recours à un système JAT exigent souvent de leurs fournisseurs l'application de programmes rigoureux de contrôle de la qualité tels que le contrôle statistique du processus, et la certification que les matières premières livrées sont sans défauts.

Cercle de qualité

Petit groupe d'employés se réunissant de façon régulière pour discuter des moyens d'améliorer la qualité des produits ou des services.

Contrôle statistique du processus

Technique basée sur des graphiques servant à contrôler la qualité du travail effectué dans un poste de travail en vue de corriger immédiatement les problèmes, à mesure qu'ils apparaissent.

11

Les coûts d'évaluation de la qualité

Toute pièce ou tout produit défectueux doit être retiré de la chaîne de production aussitôt que possible. Les **coûts d'évaluation de la qualité**, parfois appelés *coûts d'inspection*, sont engagés dans le but de repérer les produits défectueux *avant* que ceux-ci soient expédiés aux clients. Malheureusement, les activités d'évaluation ne peuvent empêcher les défauts de se reproduire. La plupart des gestionnaires se rendent maintenant compte que la présence d'un bataillon d'inspecteurs est un moyen coûteux (et inefficace) d'exercer un contrôle sur la qualité.

John K. Shank, professeur au Dartmouth College, a clairement résumé la situation comme suit: «Autrefois, les gestionnaires se disaient: "Notre production est de qualité supérieure. Nous avons 40 inspecteurs qui contrôlent la qualité dans notre usine." Un jour, quelqu'un s'est aperçu que, s'il fallait 40 inspecteurs dans une usine, la production ne devait pas valoir grand-chose. Maintenant, il s'agit d'exploiter son usine sans engager le moindre inspecteur de ce type. Chaque employé est son propre contrôleur de la qualité[9].»

On demande de plus en plus aux employés affectés à la fabrication de produits ou à la prestation de services de prendre en main le contrôle de la qualité de leurs activités. Cette méthode, ainsi que la conception de produits dont la fabrication est facile à effectuer correctement, permet d'intégrer l'obtention de la qualité au niveau même de la production plutôt que de compter sur des inspections pour éliminer les défauts.

Coût d'évaluation de la qualité

Coût engagé en vue de déceler les produits défectueux avant qu'ils soient expédiés aux clients.

Les coûts de défaillance interne

Des coûts de défaillance sont engagés lorsque le produit n'est pas conforme aux spécifications requises. Il peut s'agir de défaillance interne ou externe. Les **coûts de défaillance interne** résultent de la découverte de défauts au cours du processus d'évaluation. Ces coûts sont dus à la mise au rebut, aux rejets, au réusinage des unités défectueuses et aux temps d'arrêt causés par des problèmes de qualité. Les défauts doivent être découverts avant que le produit soit expédié au client. Naturellement, plus les activités d'évaluation de l'entreprise s'avèrent efficaces, meilleures sont les chances de trouver les défauts avant la livraison, et plus le niveau des coûts de défaillance interne est élevé par rapport à celui des coûts de défaillance externe. Malheureusement, les activités d'évaluation se concentrent sur les symptômes plutôt que sur les causes, et elles ne servent aucunement à réduire le nombre d'unités défectueuses. Toutefois, elles attirent l'attention de la direction sur les défauts, ce qui peut mener à des efforts pour augmenter les activités de prévention, et éviter la production d'articles défectueux ou la prestation inadéquate de services.

Coût de défaillance interne

Coût engagé par suite d'une constatation de produits défectueux avant leur livraison aux clients.

Les coûts de défaillance externe

Les **coûts de défaillance externe** résultent de la livraison de produits défectueux à des clients. Comme le montre le tableau 11.4, ces coûts comprennent les réparations et les remplacements sur garantie, les rappels de produits, la responsabilité découlant d'une poursuite contre l'entreprise et les ventes perdues à cause d'une réputation de mauvaise qualité. De tels coûts peuvent avoir un effet dévastateur sur les résultats.

Autrefois, certains gestionnaires adoptaient l'attitude suivante: «Continuons sur notre lancée et expédions tout aux clients; nous réglerons les problèmes qui se posent avec la garantie.» En règle générale, cette attitude entraîne des coûts de défaillance externe élevés, du mécontentement chez les clients, ainsi qu'une diminution de la part de marché et des résultats.

Coût de défaillance externe

Coût incombant à l'entreprise lorsqu'un produit défectueux a été livré ou qu'un service insatisfaisant a été rendu à un client.

11

La ventilation des coûts de la qualité

Le coût total de la qualité peut se révéler très élevé lorsque la direction de l'entreprise n'accorde aucune attention particulière à cet aspect de sa production. Des études ont démontré que les coûts de la qualité des entreprises américaines représentent entre 10 % et 20 % de leurs ventes totales. Selon les experts, ces coûts devraient plutôt se situer aux environs de 2 % à 4 % de ce montant. Comment une entreprise peut-elle réduire son coût total

9. Robert W. CASEY, «The Changing World of the CEO», *PPM World*, vol. 24, n° 2 (1990), p. 31.

d'obtention de la qualité? La réponse se trouve dans la façon de ventiler les différents types de coûts. Examinez la figure 11.6, qui illustre le coût total de la qualité en fonction du degré de conformité.

Cette figure indique que, lorsque le degré de conformité est faible, le coût total de la qualité est élevé; ce coût consiste en grande partie en coûts de défaillance interne et externe. Un faible degré de conformité indique un fort pourcentage d'unités défectueuses et des coûts de défaillance élevés pour l'entreprise. Toutefois, à mesure que l'entreprise augmente ses coûts de prévention et d'évaluation, le pourcentage des unités défectueuses diminue, c'est-à-dire que le pourcentage d'unités exemptes de défauts augmente. Il en résulte une baisse des coûts de défaillance interne et externe. En règle générale, le coût total de la qualité décroît rapidement à mesure que le degré de conformité s'accroît. Ainsi, l'entreprise peut diminuer son coût total de la qualité en concentrant ses efforts sur la prévention et l'évaluation. Les économies de coûts dues à la diminution des défauts dépassent en général largement les coûts des efforts supplémentaires de prévention et d'évaluation.

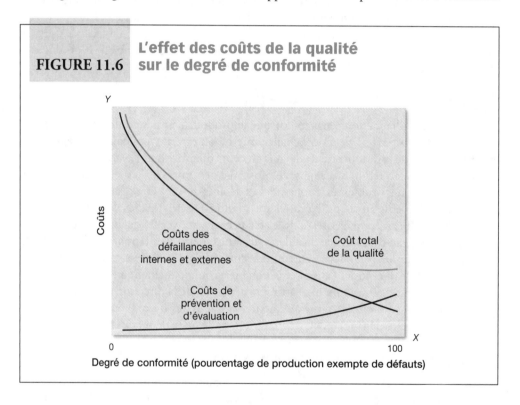

FIGURE 11.6 — L'effet des coûts de la qualité sur le degré de conformité

Le graphique de la figure 11.6 a été tracé de façon que le total du coût de la qualité soit minimal lorsque le degré de conformité se rapproche de 100 %. Le coût total de la qualité tend à remonter lorsque le degré de conformité atteint 100 %. Toutefois, certains experts et certains gestionnaires soutiennent que le coût total de la qualité n'est minimisé que lorsque le degré de conformité atteint 100 % et qu'il n'y a aucun défaut. De nombreuses entreprises ont en effet constaté que le coût total de la qualité semble continuer à diminuer même lorsque le degré de conformité se rapproche de 100 % et que le taux de pertes chute à une unité sur un million. D'autres prétendent que, à un certain moment, le coût total de la qualité recommence à augmenter à mesure que le degré de conformité s'accroît. Dans la plupart des entreprises, on observe rarement ce phénomène sauf lorsque le degré de conformité est très rapproché de 100 % et que les taux de pertes sont presque nuls.

En général, quand le programme de qualité de l'entreprise se perfectionne et que les coûts de défaillance commencent à diminuer, les activités de prévention se révèlent plus efficaces que les activités d'évaluation. L'évaluation sert seulement à déceler les défauts; la prévention permet de les éliminer. La meilleure façon de prévenir tout défaut consiste à élaborer des processus qui réduiront la probabilité de produire des unités défectueuses et à contrôler les processus de façon continue à l'aide de méthodes de contrôle statistique du processus.

Le rapport sur le coût de la qualité

La première étape des programmes d'amélioration de la qualité consiste souvent pour les entreprises à préparer un *rapport sur le coût de la qualité* qui leur donne une estimation des répercussions financières de leur niveau actuel de défectuosités. Un **rapport sur le coût de la qualité** analyse en détail les coûts de prévention, les coûts d'évaluation, et les coûts des défaillances internes et externes qui découlent du niveau actuel de produits et de services défectueux de l'entreprise. Le tableau 11.5 présente un rapport typique du coût de la qualité. Dans le cas d'une entreprise qui utilise un tableau de bord équilibré, ce type de rapport servirait de complément à l'information condensée qui se trouve dans ce tableau de bord, que l'entreprise y présente uniquement le coût total de la qualité ou le total de chacune des quatre catégories de coûts de la qualité.

Les données de ce tableau permettent de dégager plusieurs constatations intéressantes. En premier lieu, les coûts de la qualité chez Ventura inc. sont mal ventilés sur les deux périodes, sans compter que la plupart peuvent être rattachés à des défaillances internes ou externes. Les coûts de défaillance externe de la première période s'avèrent très élevés par rapport aux autres coûts.

En deuxième lieu, on constate que les coûts de prévention et d'évaluation ont augmenté au cours de la seconde période. Par conséquent, les coûts de défaillance interne ont

Rapport sur le coût de la qualité

Rapport permettant d'analyser en détail les coûts de prévention, d'évaluation, de défaillance interne et externe.

TABLEAU 11.5 **Un rapport sur le coût de la qualité**

VENTURA INC.
Rapport sur le coût de la qualité
des périodes 1 et 2

	Période 1		Période 2	
	Montant	Pourcentage*	Montant	Pourcentage*
Coûts de prévention :				
Élaboration de systèmes	270 000 $	0,54 %	400 000 $	0,80 %
Formation sur la qualité	130 000	0,26 %	210 000	0,42 %
Supervision des activités de prévention	40 000	0,08 %	70 000	0,14 %
Projets d'amélioration de la qualité	210 000	0,42 %	320 000	0,64 %
Total des coûts de prévention	650 000	1,30 %	1 000 000	2,00 %
Coûts d'évaluation de la qualité :				
Inspection	560 000	1,12 %	600 000	1,20 %
Essai de la fiabilité	420 000	0,84 %	580 000	1,16 %
Supervision des essais et des inspections	80 000	0,16 %	120 000	0,24 %
Amortissement de l'équipement servant aux essais et aux inspections	140 000	0,28 %	200 000	0,40 %
Total des coûts d'évaluation de la qualité	1 200 000	2,40 %	1 500 000	3,00 %
Coûts de défaillance interne :				
Mise au rebut	750 000	1,50 %	900 000	1,80 %
Main-d'œuvre et frais indirects de réusinage	810 000	1,62 %	1 430 000	2,86 %
Temps d'arrêt dû à des problèmes de qualité	100 000	0,20 %	170 000	0,34 %
Élimination des produits défectueux	340 000	0,68 %	500 000	1,00 %
Total des coûts de défaillance interne	2 000 000	4,00 %	3 000 000	6,00 %
Coûts de défaillance externe :				
Réparations sous garantie	900 000	1,80 %	400 000	0,80 %
Remplacements sous garantie	2 300 000	4,60 %	870 000	1,74 %
Retours	630 000	1,26 %	130 000	0,26 %
Réparations sur place	1 320 000	2,64 %	600 000	1,20 %
Total des coûts de défaillance externe	5 150 000	10,30 %	2 000 000	4,00 %
Coût total de la qualité	9 000 000 $	18,00 %	7 500 000 $	15,00 %

* Pourcentage des ventes totales. On suppose que, pour chaque période, les ventes s'élèvent à 50 millions de dollars.

11

aussi pris de l'ampleur. Ils sont ainsi passés de 2 millions de dollars, lors de la première période, à 3 millions de dollars, pour la seconde période. De leur côté, les coûts de défaillance externe ont chuté de façon spectaculaire, passant de 5,15 millions de dollars au cours la première période à seulement 2 millions de dollars lors de la seconde période. Les activités d'évaluation au cours de la seconde période étant plus nombreuses, un plus grand nombre de produits défectueux ont été découverts à l'interne, avant même qu'ils soient expédiés aux clients. Les coûts de mise au rebut, de réusinage, etc. ont augmenté, mais on constate des économies importantes du côté des frais de réparation, des frais de remplacement sous garantie et d'autres coûts de défaillance externe.

En troisième lieu, l'importance accrue accordée à la prévention et à l'évaluation a eu pour effet de faire diminuer le coût *total* de la qualité au cours de la seconde période. Si l'entreprise continue à se concentrer sur ces deux types d'activités pendant les années à venir, le coût total de la qualité devrait continuer à diminuer. En d'autres termes, les augmentations de coûts allouées à l'avenir à la prévention et à l'évaluation devraient être plus que compensées par les diminutions des coûts de défaillance interne et externe. En outre, les coûts d'évaluation devraient aussi diminuer à mesure que les efforts se concentrent sur la prévention.

Le rapport sur le coût de la qualité sous forme graphique

Outre le rapport sur le coût de la qualité présenté au tableau 11.5 (*page précédente*), les entreprises représentent souvent l'information portant sur les coûts de la qualité sous forme de graphique à secteurs, de diagramme en bâtons, de graphique de tendance, etc. Les données du tableau 11.5 sont illustrées sous forme de diagramme en bâtons à la figure 11.7.

Le premier diagramme en bâtons de la figure 11.7 est gradué en millions de dollars de coût de la qualité, et le second, en pourcentage des ventes. Dans les deux cas, les données sont «empilées» vers le haut, c'est-à-dire que les coûts d'évaluation sont présentés au-dessus

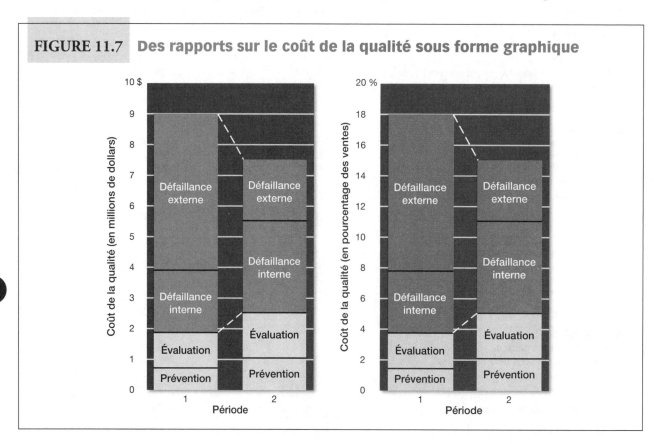

FIGURE 11.7 Des rapports sur le coût de la qualité sous forme graphique

des coûts de prévention, les coûts de défaillance interne, au-dessus de la somme des coûts de prévention et d'évaluation, et ainsi de suite. Les pourcentages du second diagramme indiquent que le coût total de la qualité correspond à 18 % des ventes de la première année et à 15 % de celles de la deuxième année, comme le montrait déjà le tableau 11.5.

Les données présentées sous forme graphique aident le gestionnaire à voir clairement les tendances et à constater l'ampleur des coûts les uns par rapport aux autres. Ces graphiques se préparent facilement à l'aide de logiciels de traitement de textes, de tableurs ou de logiciels de présentation multimédia.

L'utilisation des renseignements concernant le coût de la qualité

Le gestionnaire se servira différemment des renseignements contenus dans les rapports sur le coût de la qualité. En premier lieu, il sera en mesure de constater l'importance financière des défauts. Souvent, il ne se rendra pas compte de l'ampleur des coûts de la qualité dans l'entreprise parce qu'ils dépassent les limites des départements, et ne sont généralement pas retracés ni compilés par le système comptable ou le système de coûts de revient. Par conséquent, le gestionnaire sera souvent surpris par les coûts attribuables à la piètre qualité de la production la première fois qu'il recevra un rapport sur le coût de la qualité.

En deuxième lieu, les renseignements concernant le coût de la qualité permettent au gestionnaire de déterminer l'importance relative des problèmes de qualité auxquels l'entreprise doit s'attaquer. Par exemple, le rapport pourra indiquer si les problèmes de qualité se situent principalement du côté de la mise au rebut ou des réparations sous garantie. Le gestionnaire comprendra mieux ainsi où concentrer ses efforts.

En troisième lieu, ces renseignements permettent au gestionnaire de savoir si les coûts de la qualité sont mal ventilés. En général, ces coûts devraient se situer davantage du côté des activités de prévention et d'évaluation que du côté des défaillances interne et externe.

On doit reconnaître que les renseignements sur les coûts de la qualité ont trois limites susceptibles de contrebalancer les avantages que procure leur utilisation. D'abord, le simple fait de mesurer et de communiquer les coûts de la qualité ne permet pas de résoudre les problèmes dont ils découlent. Pour régler ces problèmes, il faut agir. Ensuite, les résultats sont d'ordinaire décalés par rapport aux programmes d'amélioration de la qualité. Au départ, le coût total de la qualité peut même augmenter en raison de l'élaboration et de l'installation de systèmes de contrôle de la qualité. Parfois, on commence à enregistrer des diminutions de coût seulement un an et même davantage après l'implantation des programmes. Enfin, le coût de la qualité le plus important, soit la perte de ventes due au mécontentement des clients, ne figure à peu près jamais dans les rapports sur le coût de la qualité parce qu'il est difficile à évaluer.

Il est fréquent que, pendant les premières années d'un programme d'amélioration de la qualité, les avantages de la préparation d'un rapport sur le coût de la qualité l'emportent sur ses coûts et ses limites. À mesure que le gestionnaire acquiert de l'expérience en ce qui a trait à l'équilibre à maintenir entre les activités de prévention et d'évaluation, la nécessité de tels rapports s'amenuise.

Les aspects internationaux de l'obtention de la qualité

Un grand nombre d'outils utilisés de nos jours en gestion de la qualité ont été élaborés au Japon après la Seconde Guerre mondiale. En matière de contrôle statistique du processus, les entreprises japonaises se sont fortement inspirées des travaux de William Edwards Deming. Cependant, elles ont joué un rôle déterminant dans la création des cercles de qualité, la mise au point de la méthode JAT, le principe selon lequel chacun doit répondre de la qualité de son travail et l'idée que l'on doit concentrer ses efforts sur la prévention.

Dans les années 1980, la qualité est redevenue un facteur clé sur le marché. De nombreuses entreprises constatent maintenant qu'il leur est impossible de concurrencer efficacement des compétiteurs sans avoir mis en œuvre un programme de qualité très exigeant. C'est particulièrement vrai pour les sociétés qui souhaitent se tailler une place sur le marché européen.

L'Organisation internationale de normalisation, connue sous le sigle ISO et dont le siège social se trouve à Genève, en Suisse, a établi un ensemble de normes et de lignes directrices relatives aux systèmes de gestion de la qualité connues sous le nom de *famille ISO 9000*. La **norme ISO 9000 : 2008** fournit les exigences relatives à un système de gestion de la qualité. Cette norme est la seule qui peut faire l'objet d'une certification. Un grand nombre d'entreprises et d'organisations européennes s'approvisionnent uniquement auprès de fournisseurs ayant obtenu la certification ISO 9000. Ces normes sont également adoptées par beaucoup d'entreprises canadiennes et nord-américaines.

La norme ISO 9000 : 2008 établit les exigences auxquelles le système de gestion de la qualité de l'entreprise doit répondre, mais ne précise pas comment procéder. L'entreprise devra décrire les processus mis en place pour satisfaire aux exigences des clients en matière de qualité ainsi qu'aux exigences réglementaires, accroître la satisfaction des clients et améliorer constamment sa performance dans la réalisation de ces objectifs de qualité.

Pour obtenir la certification ISO 9000, l'entreprise doit démontrer qu'elle gère efficacement ses processus. Pour conserver des clients satisfaits, l'entreprise a besoin de répondre à leurs exigences. Les normes ISO 9000 fournissent entre autres un cadre pour adopter une approche systématique de la gestion des processus de l'entreprise de façon que celle-ci fabrique régulièrement des produits qui répondent aux attentes des clients.

Les normes ISO 9000 sont devenues une mesure internationale de la qualité. Ces normes, élaborées pour contrôler la qualité des marchandises vendues dans les pays européens, sont acceptées un peu partout dans le monde. Des entreprises nord-américaines qui exportent leurs produits en Europe exigent souvent de leurs fournisseurs qu'ils se conforment aux normes ISO 9000, car elles doivent fournir des informations précises sur la qualité des matières dont se composent leurs produits dans le cadre de leur propre certification ISO 9000.

En 1996, l'Organisation internationale de normalisation a proposé l'ISO 14000, un ensemble de normes qui décrivent de façon détaillée les exigences d'un système de gestion environnementale (SGE). Les normes ISO 14000 fournissent aux entreprises un outil pour déterminer et contrôler les effets de leurs activités, de leurs produits ou de leurs services sur l'environnement, pour améliorer de façon continue leur performance sur le plan de la protection environnementale et pour élaborer une méthode leur permettant d'établir des objectifs en matière d'environnement[10]. Même si ces normes ne déterminent pas de niveau précis de performance environnementale (concernant, par exemple, les émissions de gaz à effet de serre), elles établissent un cadre commun que les entreprises et leurs parties prenantes peuvent utiliser lorsqu'elles communiquent des renseignements sur des questions d'environnement.

Norme ISO 9000 : 2008

Ensemble d'exigences relatives à un système de gestion de la qualité émanant de l'Organisation internationale de normalisation (ISO).

Résumé

Un centre de responsabilité se définit comme n'importe quelle unité d'exploitation ou section d'une organisation dont le gestionnaire exerce un contrôle sur les coûts, les résultats ou les investissements et en assume la responsabilité. Le gestionnaire d'un tel centre est évalué en fonction de ce qu'il peut contrôler. Un centre de coûts est une unité d'exploitation de l'entreprise dont le gestionnaire contrôle seulement les coûts. De même, un centre de profit est une unité dont le gestionnaire contrôle les revenus et les coûts, mais non les investissements en actifs d'exploitation. Le gestionnaire d'un centre d'investissement contrôle à la fois les résultats et les investissements en actifs d'exploitation. Les rapports

---

10. Le site internet de l'Organisation internationale de normalisation (<www.iso.org>) présente quantité d'information sur les normes ISO 9000 et ISO 14000.

sur la performance et l'évaluation de chaque centre de responsabilité sont des composantes importantes de la décentralisation d'une organisation parce qu'elles permettent une évaluation de l'efficacité des décisions prises par les gestionnaires.

Lorsqu'une unité d'exploitation vend des produits ou des services à une autre, il faut que ces deux parties déterminent un prix de cession interne. La fixation de ce prix de cession interne n'a aucun effet sur les résultats de l'ensemble de l'entreprise puisque les revenus enregistrés par l'unité d'exploitation vendeuse correspondent aux coûts d'achat de l'unité acheteuse. Lorsqu'on regroupe les résultats des unités, les revenus de l'une sont compensés par les coûts de l'autre. Toutefois, comme les résultats de chaque unité d'exploitation prise séparément sont influencés par le prix de cession interne, les gestionnaires se préoccupent beaucoup du prix qui est établi. L'objectif principal de l'établissement du prix de cession interne est de motiver les gestionnaires à prendre des mesures dans l'intérêt de l'ensemble de l'entreprise. Il existe quatre méthodes d'établissement d'un prix de cession interne :

1. les gestionnaires négocient entre eux leur propre prix ;
2. le prix est basé sur le coût (suivant la méthode du coût de revient variable ou celle du coût de revient complet) des produits ou des services qui font l'objet d'une cession ;
3. le prix du marché est utilisé pour les produits ou les services vendus à l'interne ;
4. le prix de cession est imposé.

Lorsque les parties négocient un prix de cession interne, le montant minimal acceptable pour la section vendeuse devrait correspondre aux coûts variables auxquels on ajoute tout coût d'opportunité engagé en raison de la transaction. La section acheteuse ne devrait pas accepter de payer à la section vendeuse un montant plus important que le prix couramment exigé par un fournisseur de l'extérieur.

À des fins d'évaluation de la performance des gestionnaires, on peut déterminer au moins trois types d'unités d'exploitation — les centres de coûts, les centres de profit et les centres d'investissement. Dans de nombreuses entreprises, on se sert du rendement du capital investi (RCI) pour évaluer la performance des centres d'investissement. Toutefois, la tendance est à recourir au résultat net résiduel (RNR) ou à la valeur économique ajoutée (VEA) pour remplacer le RCI. L'utilisation du RNR et de la VEA encourage les gestionnaires à effectuer des investissements rentables dans de nombreuses situations où l'emploi du RCI ne favoriserait pas l'investissement.

Le tableau de bord équilibré est une façon prometteuse de gérer les entreprises. Il s'agit d'un système intégré de mesures de la performance qui découle de la stratégie de l'entreprise et la soutient. Différentes entreprises auront des tableaux de bord équilibrés différents parce que chacune a une stratégie qui lui est propre. Un tableau de bord équilibré bien construit peut servir de guide pour diriger une entreprise et peut aussi fournir une rétroaction concernant l'efficacité de sa stratégie.

Les mesures des processus internes font partie intégrante d'un tableau de bord équilibré. Parmi les exemples de mesures de ce type utilisées par de nombreuses entreprises, mentionnons le temps de cycle de livraison, le délai effectif de fabrication, l'efficience du temps de cycle de fabrication (ETC) et les coûts de la qualité. Les entreprises engagent des coûts d'obtention de la qualité pour éviter les défauts de fabrication, mais aussi lorsqu'elles découvrent des défectuosités dans leurs produits. On peut classer ces coûts en quatre grandes catégories : les coûts de prévention, les coûts d'évaluation, les coûts de défaillance interne et les coûts de défaillance externe.

11

Activités d'apprentissage

La fixation des prix de cession interne

Exemple A

Produits Collyer inc. a une section Robinet, qui fabrique et vend un modèle de robinet standard. Voici quelques données à ce sujet.

a) Capacité de production en unités : 100 000.

b) Prix de vente aux clients extérieurs sur le marché intermédiaire : 30 $.

c) Coûts variables par unité : 16 $.

d) Coûts fixes par unité (d'après la capacité de production) : 9 $.

L'entreprise a aussi une section Pompe qui pourrait, utiliser ce robinet dans la fabrication de l'un de ses produits. Cette section achète actuellement 10 000 robinets par an d'un fournisseur étranger au coût de 29 $ le robinet.

Travail à faire

1. Supposez que la section Robinet a une capacité de production inutilisée suffisante pour répondre à tous les besoins de la section Pompe. Quelle fourchette de prix de cession interne, le cas échéant, serait acceptable pour les deux sections ?

2. Admettez que la section Robinet vend tout ce qu'elle peut fabriquer à des clients extérieurs sur le marché intermédiaire. Quelle fourchette de prix de cession interne, le cas échéant, serait acceptable pour les deux sections ?

3. Supposez encore une fois que la section Robinet vend tout ce qu'elle peut fabriquer à des clients extérieurs sur le marché intermédiaire. Admettez aussi qu'il serait possible d'éliminer les coûts variables de 3 $ dans les cessions à l'intérieur de l'entreprise, grâce à une réduction des coûts commerciaux. Quelle fourchette de prix de cession interne, le cas échéant, serait acceptable pour les deux sections ?

Solution au problème de révision 1 – Exemple A

1. Comme la section Robinet compte sur une certaine capacité de production inutilisée, elle n'a pas à renoncer à ses ventes extérieures pour répondre à la demande de la section Pompe. Si l'on applique la formule du plus bas prix de cession interne acceptable du point de vue de la section qui vend, on obtient ce qui suit :

11

$$\text{Prix de cession interne} \geq \frac{\text{Coûts variables}}{\text{par unité}} + \frac{\text{Marge totale sur coûts variables correspondant aux ventes perdues}}{\text{Nombre d'unités cédées}}$$

$$\text{Prix de cession interne} \geq 16\ \$ + \frac{0\ \$}{10\ 000} = 16\ \$$$

La section Pompe refuserait de payer plus de 29 $, montant qu'elle verse déjà à un fournisseur extérieur pour chaque robinet. Par conséquent, le prix de cession interne doit se situer entre ces deux résultats.

$$16\ \$ \quad \leq \quad \text{Prix de cession interne} \quad \leq \quad 29\ \$$$

2. Comme la section Robinet vend tout ce qu'elle peut fabriquer sur le marché intermédiaire, elle devrait renoncer à une partie de ces ventes extérieures pour exécuter les commandes de la section Pompe. Dans ce contexte, son coût de renonciation correspondrait à la marge totale sur coûts variables relative aux ventes perdues.

$$\text{Prix de cession interne} \geq \text{Coûts variables par unité} + \frac{\text{Marge totale sur coûts variables correspondant aux ventes perdues}}{\text{Nombre d'unités cédées}}$$

$$\geq 16\ \$ + \frac{(30\ \$ - 16\ \$) \times 10\ 000}{10\ 000} = 16\ \$ + 14\ \$ = 30\ \$$$

Comme la section Pompe peut acheter les robinets d'un fournisseur extérieur à seulement 29 $ l'unité, il n'y aura aucun produit cédé entre les deux sections.

3. Lorsqu'on applique la formule du prix de cession le plus bas qui soit acceptable du point de vue de la section vendeuse, on obtient ce qui suit :

$$\text{Prix de cession interne} \geq \text{Coûts variables par unité} + \frac{\text{Marge totale sur coûts variables correspondant aux ventes perdues}}{\text{Nombre d'unités cédées}}$$

$$\geq (16\ \$ - 3\ \$) + \frac{(30\ \$ - 16\ \$) \times 10\ 000}{10\ 000} = 13\ \$ + 14\ \$ = 27\ \$$$

Dans ce cas, le prix de cession interne doit se situer dans la fourchette suivante :

$$27\ \$ \leq \text{Prix de cession interne} \leq 29\ \$$$

Exemple B

Reportez-vous aux données de base de l'exemple A. Supposez que la section Pompe a besoin de 20 000 régulateurs de pression de condensation par an. Les coûts variables de la section Robinet engagés pour fabriquer et expédier ces articles spéciaux sont de 20 $ par unité. Si la section Pompe décide de les fabriquer, la section Robinet devra réduire sa production et ses ventes de robinets ordinaires de 100 000 unités à 70 000 unités par an.

Travail à faire

En ce qui concerne la section Robinet, quel prix de cession interne le plus bas serait acceptable ?

Solution au problème de révision 1 – Exemple B

Pour fabriquer 20 000 régulateurs de pression de condensation, la section Robinet devra renoncer à la vente de 30 000 robinets ordinaires à des clients extérieurs. Voici la formule pour calculer le prix de cession interne le plus bas qui soit acceptable du point de vue de la section vendeuse et le résultat de ce calcul.

$$\text{Prix de cession interne} \geq \text{Coûts variables par unité} + \frac{\text{Marge totale sur coûts variables correspondant aux ventes perdues}}{\text{Nombre d'unités cédées}}$$

$$\geq 20\ \$ + \frac{(30\ \$ - 16\ \$) \times 30\ 000}{20\ 000} = 20\ \$ + 21\ \$ = 41\ \$$$

Problème de révision 2

Le RCI et le RNR

Voici quelques données concernant deux divisions de la société Brasserie Outback ltée.

	Division	
	Québec	Nouveau-Brunswick
Chiffre d'affaires..	4 000 000 $	7 000 000 $
Moyenne de l'ensemble des actifs d'exploitation	2 000 000	2 000 000
Résultat d'exploitation net...	360 000	420 000
Immobilisations corporelles (coût amorti)..................	950 000	800 000

Travail à faire

1. Calculez le taux de RCI de chaque division en détaillant ce taux en fonction du taux de résultat d'exploitation net et du taux de rotation du capital.
2. Calculez le RNR de chaque division en supposant que le taux de rendement requis est de 15 %.

Solution au problème de révision 2

1. Voici comment calculer le RCI.

$$\text{RCI} = \text{Taux de résultat d'exploitation net} \times \text{Taux de rotation du capital}$$

$$= \frac{\text{Résultat d'exploitation net}}{\text{Chiffre d'affaires}} \times \frac{\text{Chiffre d'affaires}}{\text{Moyenne des actifs d'exploitation}}$$

Division du Québec

$$\text{RCI} = \frac{360\,000\ \$}{4\,000\,000\ \$} \times \frac{4\,000\,000\ \$}{2\,000\,000\ \$}$$

$$= 9\ \% \times 2 = 18\ \%$$

Division du Nouveau-Brunswick

$$\text{RCI} = \frac{420\,000\ \$}{7\,000\,000\ \$} \times \frac{7\,000\,000\ \$}{2\,000\,000\ \$}$$

$$= 6\ \% \times 3,5 = 21\ \%$$

2. On calcule le RNR de chaque unité d'exploitation comme suit :

$$\text{RNR} = \text{Résultat d'exploitation net} - \left(\text{Moyenne des actifs d'exploitation} \times \text{Taux de rendement minimum requis} \right)$$

Division du Québec

$$\text{RNR} = 360\,000\ \$ - (2\,000\,000\ \$ \times 15\ \%)$$
$$= 60\,000\ \$$$

Division du Nouveau-Brunswick

$$\text{RNR} = 420\,000\ \$ - (2\,000\,000\ \$ \times 15\ \%)$$
$$= 120\,000\ \$$$

Questions

Q1 Que signifie le terme «décentralisation»?

Q2 Quels sont les avantages de la décentralisation?

Q3 Faites la distinction entre un centre de coûts, un centre de profit et un centre d'investissement.

Q4 Expliquez en quoi consiste une unité d'exploitation dans une organisation. Donnez différents exemples d'unités d'exploitation.

Q5 Qu'entend-on par «taux de résultat d'exploitation net» et par «taux de rotation du capital»?

Q6 Quelles sont les trois méthodes de base pour améliorer le RCI?

Q7 Que signifie le sigle RNR?

Q8 Comment l'utilisation du RCI comme mesure de la performance des centres d'investissement peut-elle conduire à de mauvaises décisions? Comment la méthode du RNR permet-elle de surmonter ce problème?

Q9 Que signifie l'expression «prix de cession interne»? En quoi ce prix est-il utile?

Q10 Du point de vue d'une section vendeuse disposant d'une capacité de production inutilisée, quel serait le prix de cession interne minimal acceptable pour un produit?

Q11 Du point de vue d'une section vendeuse ne disposant d'*aucune* capacité de production inutilisée, quel serait le prix de cession interne minimal acceptable pour un produit?

Q12 Quels sont les avantages et les inconvénients du prix de cession interne établi en fonction des coûts?

Q13 Quand on peut déterminer le prix du marché d'un produit, pourquoi ne s'agit-il pas toujours du meilleur prix de cession interne?

Q14 Quelles sont les quatre catégories de mesures de la performance généralement incluses dans un tableau de bord équilibré?

Q15 Pourquoi les mesures utilisées dans un tableau de bord équilibré varient-elles d'une entreprise à l'autre?

Q16 Pourquoi le tableau de bord équilibré comporte-t-il des mesures de la performance financière de même que des mesures de l'efficacité des processus internes?

Q17 Les coûts associés à la qualité peuvent être classés dans quatre grandes catégories. Quelles sont ces catégories? En quoi se distinguent-elles les unes des autres?

Q18 En vue de diminuer le coût total de la qualité, les entreprises devraient-elles en général mettre l'accent sur la diminution des coûts de prévention et d'évaluation?

Q19 Quel serait le moyen le plus efficace de diminuer le total des coûts de la qualité pour l'entreprise?

Q20 Quelles sont les principales façons d'utiliser des rapports sur le coût de la qualité?

Exercices

E1 Le classement des coûts de la qualité

Voici une liste de coûts qu'une entreprise a recensés en vue d'appliquer un système de contrôle de la qualité.

a) L'essai des produits.

b) Le rappel de produits.

c) La main-d'œuvre et les frais indirects de réusinage.

d) Les cercles de qualité.

e) Les arrêts-machine dus à des défauts.

f) Le service de réparation chez le client.

g) L'inspection des marchandises.

h) L'ingénierie de la qualité.

i) Les réparations sous garantie.

j) Le contrôle statistique du processus.

k) Le coût de la mise au rebut.

l) L'amortissement de l'équipement servant aux essais.

m) Les retours dus à des problèmes de qualité.

n) L'élimination des produits défectueux.

o) Le soutien technique aux fournisseurs.

p) L'élaboration de systèmes.

11

▶ q) Les remplacements sous garantie.

r) L'essai chez le client.

s) La conception du produit.

Travail à faire

1. Classez chacun des coûts précédents dans l'une des quatre catégories suivantes : coûts de prévention, coûts d'évaluation, coûts de défaillance interne ou coûts de défaillance externe.

2. Quels coûts sont engagés pour prévenir un manque de qualité ? Lesquels sont engagés parce que la qualité n'a pas été respectée ?

E2 Le calcul et l'interprétation du RCI

Voici quelques données d'exploitation concernant deux sections de l'entreprise Brassetout du Canada.

	Section	
	Reine du Nord	Reine du Sud
Chiffre d'affaires	8 000 000 $	14 000 000 $
Moyenne des actifs d'exploitation	4 000 000	4 000 000
Résultat d'exploitation net	720 000	840 000
Immobilisations corporelles (coût amorti)	1 900 000	1 600 000

Travail à faire

1. Calculez le taux de RCI de chaque section d'après la formule exprimée sous forme de taux de résultat d'exploitation net et de taux de rotation du capital.

2. D'après les données dont vous disposez, quel directeur de section semble accomplir le meilleur travail ? Pourquoi ?

E3 Le RCI et le RNR comparés

Miko inc. compte deux sections régionales dont les sièges sociaux respectifs se trouvent à Montréal et à Québec. Voici quelques données concernant ces deux sections.

	Section	
	Montréal	Québec
Chiffre d'affaires	3 000 000 $	9 000 000 $
Résultat d'exploitation net	210 000	720 000
Moyenne des actifs d'exploitation	1 000 000	4 000 000

Travail à faire

1. Pour chaque section, calculez le RCI d'après la formule exprimée sous forme de taux de résultat d'exploitation net et de taux de rotation du capital. Effectuez vos calculs jusqu'à deux décimales près.

2. Supposez que l'entreprise évalue la performance à l'aide du RNR et que le taux de rendement minimal requis de chaque section est de 15 %. Calculez le RNR de chacune.

3. Le montant du RNR de la section de Québec est le plus élevé des deux. Cela signifie-t-il que cette section est mieux gérée que l'autre ? Justifiez votre réponse.

E4 Le RCI, le RNR et un projet d'investissement

Voici quelques données sur le chiffre d'affaires et sur les activités d'exploitation des trois divisions d'une société de construction multinationale.

	Division		
	Asie	Europe	Amérique du Nord
Chiffre d'affaires	12 000 000 $	14 000 000 $	25 000 000 $
Moyenne des actifs d'exploitation	3 000 000 $	7 000 000 $	5 000 000 $
Résultat d'exploitation net...........................	600 000 $	560 000 $	800 000 $
Taux de rendement minimal requis..............	14 %	10 %	16 %

Travail à faire

1. Calculez le RCI de chaque division à l'aide de la formule exprimée sous forme de taux de résultat d'exploitation net et de taux de rotation du capital.
2. Calculez le RNR de chaque section.
3. Supposez que l'on présente à chaque section une possibilité d'investissement dont le taux de rendement serait de 15 %.
   a) Si la performance des divisions est mesurée à l'aide du RCI, laquelle ou lesquelles d'entre elles accepteront sans doute cette offre? Laquelle ou lesquelles la rejetteront? Pourquoi?
   b) Si la performance des divisions est mesurée à l'aide du RNR, laquelle ou lesquelles d'entre elles accepteront sans doute cette offre? Laquelle ou lesquelles la rejetteront? Pourquoi?

E5 Des données manquantes

Un ami de la famille vous demande de l'aider à analyser les activités de trois organisations anonymes.

Travail à faire

Inscrivez les données manquantes dans le tableau suivant:

	Entreprise		
	A	B	C
Chiffre d'affaires	9 000 000 $	7 000 000 $	4 500 000 $
Résultat d'exploitation net	? $	280 000 $	? $
Moyenne des actifs d'exploitation	3 000 000 $	? $	1 800 000 $
RCI	18 %	14 %	? %
Taux de rendement minimal requis:			
Pourcentage..	16 %	? %	15 %
Montant en dollars	? $	320 000 $	? $
RNR..	? $	? $	90 000 $

E6 Le prix de cession interne

La section Audio de Sako inc. fabrique un haut-parleur utilisé par de nombreux fabricants de produits audio. Voici des données sur les ventes et les coûts de ce haut-parleur.

Prix de vente par unité sur le marché intermédiaire..	60 $
Coûts variables par unité	42 $
Coûts fixes par unité (d'après la capacité de production)	8 $
Capacité de production en unités...	25 000

L'entreprise vient d'établir une section Haute-fidélité, qui pourrait utiliser ce haut-parleur dans l'un de ses produits. La section en question a besoin de 5 000 haut-parleurs par année. Un autre fabricant lui propose un prix de 57 $ par haut-parleur. Sako inc. évalue ses directeurs d'après les résultats d'exploitation de leur section.

11

▶ **Travail à faire**

1. Supposez que la section Audio vend en ce moment seulement 20 000 haut-parleurs par an à des clients extérieurs sur le marché intermédiaire.

   a) Du point de vue de la section Audio, quel serait le plus bas prix de cession interne acceptable pour des haut-parleurs vendus à la section Haute-fidélité?

   b) Du point de vue de la section Haute-fidélité, quel serait le prix de cession interne le plus élevé qui soit acceptable pour l'acquisition des haut-parleurs de la section Audio?

   c) Si les deux directeurs de section pouvaient négocier librement (sans intervention extérieure), croyez-vous qu'ils accepteraient la cession de 5 000 haut-parleurs de la section Audio à la section Haute-fidélité? Pourquoi?

   d) Du point de vue de l'ensemble de l'entreprise, la cession devrait-elle avoir lieu? Pourquoi?

2. Supposez que la section Audio vend tous les haut-parleurs qu'elle peut fabriquer à des clients extérieurs sur le marché intermédiaire.

   a) Du point de vue de la section Audio, quel serait le plus bas prix de cession interne acceptable pour la vente de ces haut-parleurs à la section Haute-fidélité?

   b) Du point de vue de la section Haute-fidélité, quel serait le prix de cession interne le plus élevé qui soit acceptable pour l'achat de haut-parleurs à la section Audio?

   c) Si les deux directeurs de section pouvaient négocier librement, croyez-vous qu'ils accepteraient la cession de 5 000 haut-parleurs de la section Audio à la section Haute-fidélité? Pourquoi?

   d) Du point de vue de l'ensemble de l'entreprise, la cession devrait-elle avoir lieu? Pourquoi?

E7 Diverses situations de prix de cession interne

Pour chacune des situations présentées ci-après, supposez que la section X fabrique un produit qu'elle peut vendre soit à des clients extérieurs sur un marché intermédiaire, soit à la section Y de l'entreprise, qui s'en servirait dans son processus de production. Les directeurs sont évalués en fonction des résultats d'exploitation de leur section.

	Situation	
	A	B
Section X:		
Capacité de production en unités...	200 000	200 000
Nombre d'unités vendues sur le marché intermédiaire	200 000	160 000
Prix de vente par unité sur le marché intermédiaire	90 $	75 $
Coûts variables par unité...	70 $	60 $
Coûts fixes par unité (d'après la capacité de production)	13 $	8 $
Section Y:		
Nombre d'unités requises pour la production	40 000	40 000
Prix d'achat par unité payé au fournisseur extérieur actuel	86 $	74 $

Travail à faire

1. Reportez-vous aux données de la situation A. Supposez que, dans le cas présent, on peut éliminer un montant de 3 $ par unité en coûts variables sur les ventes à l'intérieur de l'entreprise. Si les directeurs de section peuvent négocier librement et prendre leurs propres décisions, accepteront-ils la cession? Le cas échéant, quelle serait la fourchette à l'intérieur de laquelle se situerait le prix de cession interne? Justifiez votre réponse.

2. Reportez-vous aux données de la situation B. Dans le cas présent, il n'y a aucune économie de coûts variables possible pour les ventes à l'intérieur de l'entreprise. Si les deux directeurs de section peuvent négocier librement et prendre leurs propres décisions, accepteront-ils la cession? Le cas échéant, quelle serait la fourchette à l'intérieur de laquelle se situerait le prix de cession interne? Justifiez votre réponse.

E8 Le prix de cession interne du point de vue global de l'entreprise

La section A fabrique des cartes de circuits imprimés. Ces cartes peuvent être vendues à la section B de la même entreprise ou à des clients extérieurs. Au cours de la dernière période, la section A a enregistré les données ci-dessous.

Prix de vente par carte de circuits imprimés	125 $
Coût de production par carte..	90 $
Nombre de cartes :	
Fabriquées pendant la période	20 000
Vendues à des clients extérieurs	16 000
Vendues à la section B..	4 000

Le prix de vente à la section B était identique à celui payé par les clients extérieurs. Les cartes de circuits imprimés achetées par la section B servent à la fabrication d'un appareil électronique produit par la section, à raison d'une carte par appareil. La section B a engagé un coût supplémentaire de 100 $ par appareil, puis les a vendus 300 $ l'unité.

Travail à faire

1. Préparez des états des résultats pour la section A, la section B et l'ensemble de l'entreprise.

2. Supposez que la capacité de production de la section A est de 20 000 cartes de circuits imprimés. Au cours de la prochaine période, la section B veut acheter 5 000 cartes de circuits imprimés de la section A plutôt que 4 000, comme au cours de la dernière période. (Ces cartes ne peuvent être achetées de fournisseurs extérieurs.) Du point de vue de l'ensemble de l'entreprise, la section A devrait-elle céder les 1 000 cartes supplémentaires à la section B ou devrait-elle continuer à les vendre à des clients extérieurs ? Justifiez votre réponse.

E9 L'élaboration d'un tableau de bord équilibré

La société Papiers Masson (PM) fabrique du papier de catégorie « bon marché » pour les imprimantes et les photocopieurs. L'entreprise a enregistré des pertes d'exploitation pour les deux dernières années à cause de la forte concurrence en matière de prix de vente que lui font les compétiteurs beaucoup plus gros qu'elle. Son équipe de direction — qui comprend Christine Tanguay, chef de la direction, Michel Martinez, vice-président de la fabrication, Thomas Landry, vice-président du marketing, et Wendy Chen, directeur financier — songe à modifier la stratégie de l'entreprise pour la sauver de la faillite. Voici des extraits d'une conversation récente qui a eu lieu entre eux lors d'une réunion de l'équipe de direction.

Christine : Comme vous le savez, le secteur de la fabrication du papier bon marché dépend essentiellement des économies d'échelle. Les plus gros concurrents, ceux qui réussissent à atteindre les coûts les plus bas par unité, l'emportent sur les autres. La capacité limitée de notre vieux matériel nous empêche de leur faire concurrence. Par ailleurs, il est hors de question d'accroître notre capacité en achetant une nouvelle machine à papier, étant donné le prix prohibitif de ce matériel. Par conséquent, je propose que nous renoncions à la réduction des coûts comme objectif stratégique et que nous concentrions plutôt nos efforts sur une fabrication flexible pour assurer notre réussite future.

Wendy : La « fabrication flexible » ? Qu'est-ce que ça veut dire ?

Michel : Tout simplement que nous devons abandonner l'idée de produire le plus de tonnes de papier possible et plutôt rechercher des occasions d'affaires à faibles volumes, par exemple dans les papiers non standards et spéciaux. Toutefois, pour réussir dans ce domaine, nous devons augmenter notre flexibilité de trois façons.

11

►

▶ Premièrement, il nous faut améliorer notre capacité à passer d'une catégorie de papier à une autre. En ce moment, ce type de réglage nous prend en moyenne quatre heures. Le passage rapide d'une tâche à une autre nous permettrait de respecter plus facilement les délais de livraison aux clients.

Deuxièmement, nous devons élargir l'éventail des catégories de papier que nous pouvons fabriquer. Pour l'instant, nous ne pouvons produire que trois types de papier. Nos clients doivent considérer notre entreprise comme un « tout-en-une-fois » qui peut satisfaire tous leurs besoins en diverses sortes de papier.

Troisièmement, nous devons améliorer notre rendement (c'est-à-dire les tonnes de produits acceptables par rapport à la quantité totale de tonnes traitées) en types de papier non standards. Notre pourcentage de gaspillage dans ce domaine restera tout à fait inacceptable tant que nous ne ferons rien pour améliorer nos processus. Et nos coûts variables vont exploser si nous ne réussissons pas à augmenter notre rendement!

Wendy: Un instant! Ces changements vont rendre inutiles nos taux d'utilisation du matériel!

Thomas: Très juste, Wendy. Toutefois, le niveau d'utilisation du matériel n'est pas vraiment une priorité lorsqu'il s'agit de dépasser nos concurrents sur le plan de la flexibilité. Nos clients se moquent bien de l'utilisation que nous faisons de notre matériel. En fait, comme Michel vient de le suggérer, ils veulent une livraison juste-à-temps de petites quantités de produits choisis parmi un éventail complet de catégories de papier. Si nous parvenons à réduire le délai entre la passation d'une commande et sa livraison tout en élargissant l'éventail des produits que nous offrons, nous vendrons davantage à nos clients actuels et nous recruterons de nouveaux clients. En outre, nous serons en mesure de leur demander un prix majoré, car nos gros compétiteurs, obsédés par leurs coûts, nous feront peu de concurrence dans ce créneau de marché. Notre marge sur coûts variables par tonne devrait augmenter de façon spectaculaire!

Michel: Naturellement, ce changement de stratégie ne sera pas facile à appliquer. Il faudra investir de gros montants dans la formation parce que, tout compte fait, ce sont nos employés qui rendent possible la production flexible de l'entreprise!

Wendy: Si nous adoptons cette nouvelle stratégie, il y aura certainement des modifications à apporter à notre façon de mesurer la performance. Il faudra élaborer des mesures qui motivent nos employés à prendre des décisions propres à soutenir nos objectifs de flexibilité.

Christine: Tout à fait juste! D'ici notre prochaine réunion, pourriez-vous dresser une liste de quelques mesures pertinentes susceptibles de favoriser l'implantation de notre nouvelle stratégie?

Travail à faire

1. Comparez la stratégie actuelle de PM en matière de production avec celle qu'elle s'apprête à adopter.

2. De façon générale, pourquoi une entreprise qui change ses objectifs stratégiques devrait-elle également modifier son système de mesure de la performance? Donnez quelques exemples de mesures qui auraient convenu à PM avant son changement de stratégie. Pourquoi ces mesures ne lui permettraient-elles pas de soutenir sa nouvelle stratégie?

3. En vous servant de la figure 11.3 (*p. 611*) comme modèle, construisez un tableau de bord équilibré qui soutiendrait la nouvelle stratégie de production de PM. Utilisez des flèches pour indiquer les relations causales entre les mesures de la performance, et indiquez si ces mesures devraient croître ou décroître avec le temps. N'hésitez pas à proposer des mesures qui n'ont pas été précisément mentionnées dans ce chapitre, mais qui vous paraissent logiques compte tenu des objectifs stratégiques de l'entreprise.

4. Quelles hypothèses le tableau de bord équilibré de PM sous-tend-il? Lesquelles vous paraissent les plus discutables? Pourquoi?

E10 Des mesures de la performance des processus internes

La société Lipex, de Birmingham en Angleterre, souhaiterait réduire l'intervalle entre le moment où un client passe sa commande et celui où l'exécution de cette commande est terminée. Voici des données concernant le premier trimestre de l'année.

	Jours
Temps d'inspection	0,5
Temps de traitement	2,8
Commande en attente	16,0
Temps d'attente	4,0
Temps de déplacement	0,7

Travail à faire

1. Calculez le délai effectif de fabrication.
2. Calculez l'ETC pour le trimestre.
3. Quel pourcentage du délai effectif de fabrication est consacré à des activités sans valeur ajoutée?
4. Calculez le temps de cycle de livraison.
5. Si l'on pouvait éliminer tout le temps d'attente dans le processus de fabrication en ayant recours à la production optimisée, quelle valeur aurait la nouvelle ETC?

E11 Les rapports qui caractérisent le RCI

La société Faitout veut reconstituer certaines données manquantes pour trois de ses unités d'exploitation.

Travail à faire

Trouvez les données manquantes dans le tableau ci-dessous.

	Unité d'exploitation		
	Fabrication	Consultation	Technologies de l'information
Chiffre d'affaires	800 000 $	? $	? $
Résultat d'exploitation net	72 000 $	? $	40 000 $
Moyenne des actifs d'exploitation	? $	130 000 $	? $
Taux de résultat d'exploitation net	? %	4 %	8 %
Taux de rotation du capital	?	5	?
RCI	18 %	? %	20 %

E12 Le rapport sur le coût de la qualité

En réaction à une concurrence étrangère acharnée, la direction de Florex inc. a tenté d'améliorer la qualité de ses produits au cours de la dernière année. Elle a établi un système de contrôle statistique du processus et a pris différentes mesures pour diminuer les coûts de garantie, et d'autres services rendus chez le client, qui avaient tendance à augmenter au cours des dernières périodes. Voici des données sur les coûts de la qualité pour les deux dernières périodes.

11

▶

	Période en cours	Période précédente
Inspection	900 000 $	750 000 $
Ingénierie de la qualité	570 000	420 000
Amortissement de l'équipement servant aux essais	240 000	210 000
Main-d'œuvre de réusinage	1 500 000	1 050 000
Contrôle statistique du processus	180 000	–
Service chez le client	900 000	1 200 000
Fournitures servant aux essais	60 000	30 000
Élaboration de systèmes	750 000	480 000
Réparations sous garantie	1 050 000	3 600 000
Mise au rebut	1 125 000	630 000
Essai des produits	1 200 000	810 000
Rappel de produits	750 000	2 100 000
Élimination des produits défectueux	975 000	720 000

Au cours des dernières années, le chiffre d'affaires annuel de l'entreprise est demeuré stable à 75 millions de dollars. L'entreprise a dépensé beaucoup d'argent pour améliorer la qualité de ses produits. La direction veut savoir si ses efforts ont porté des fruits.

Travail à faire

1. Préparez un rapport sur le coût de la qualité contenant des données pour les deux périodes. Calculez les pourcentages à deux décimales près.
2. Préparez un diagramme en bâtons illustrant la ventilation des coûts de la qualité par catégories.
3. Rédigez une évaluation qui accompagnera les rapports que vous avez préparés en 1) et en 2). Votre évaluation devrait analyser la ventilation des coûts de la qualité dans l'entreprise, les changements dans cette ventilation qui ont eu lieu au cours de la dernière période, les raisons expliquant ces changements dans les coûts à l'intérieur des catégories et tout autre renseignement que vous jugerez utile à la direction.

E13 Les mesures de la performance des processus internes

La direction de la société Mittel voudrait réduire l'intervalle entre le moment où le client passe une commande et celui où cette commande exécutée lui est expédiée. Voici les données enregistrées pour le premier trimestre d'activité de la période en cours.

	Jours
Temps d'inspection	0,3
Commande en attente	14,0
Temps de traitement	2,7
Temps de déplacement..	1,0
Temps d'attente	5,0

Travail à faire

1. Calculez le délai effectif de fabrication ou la vitesse de production.
2. Calculez l'ETC pour ce trimestre.
3. Quel pourcentage du délai effectif de fabrication est consacré à des activités sans valeur ajoutée?
4. Calculez le temps de cycle de livraison.
5. Si l'on implantait le système JAT pour éliminer tout le temps d'attente pendant la production, quelle serait l'ETC?

E14 Des mesures de la performance des processus internes et le JAT

La direction de la société DataSpan inc. a automatisé son usine au début de la présente période et y a établi un système de production flexible. En ce moment, elle évalue ses fournisseurs et se prépare à adopter un système JAT. Toutefois, elle a dû faire face à plusieurs problèmes d'adaptation, en particulier en ce qui a trait aux mesures de la performance. Après un bon nombre d'études, elle a décidé d'utiliser des mesures de la performance, qu'elle a intégrées dans un tableau de bord équilibré. Elle a donc recueilli les données ci-dessous concernant ces mesures pour les quatre premiers mois de la période.

	Mois			
	1	2	3	4
Délai effectif de fabrication (en jours)	?	?	?	?
Temps de cycle de livraison (en jours)....................	?	?	?	?
ETC..	?	?	?	?
Pourcentage de livraisons à temps	91 %	86 %	83 %	79 %
Durée totale du flux de production (en unités)	3 210	3 072	2 915	2 806

La direction vous a demandé de l'aider à calculer le délai effectif de fabrication, le temps de cycle de livraison et l'ETC. Les moyennes de temps ci-dessous ont été enregistrées au cours de ces quatre premiers mois.

	Moyenne par mois (en jours)			
	1	2	3	4
Temps de déplacement par unité...	0,4	0,3	0,4	0,4
Temps de traitement par unité	2,1	2,0	1,9	1,8
Commande en attente	16,0	17,5	19,0	20,5
Temps d'attente par unité	4,3	5,0	5,8	6,7
Temps d'inspection par unité..	0,6	0,7	0,7	0,6

Travail à faire

1. Pour chaque mois, calculez les mesures de la performance de l'exploitation suivantes:
   a) le délai effectif de fabrication, ou vitesse de production;
   b) l'ETC;
   c) le temps de cycle de livraison.
2. Évaluez la performance de l'entreprise au cours des quatre premiers mois de la période.
3. Reportez-vous aux données sur le temps de déplacement, le temps de traitement, etc. indiquées ci-dessus pour le quatrième mois.
   a) Supposez que, au cinquième mois, les mesures des temps de déplacement, de traitement, etc. sont les mêmes qu'au quatrième mois, mais que, grâce au JAT, l'entreprise a réussi à éliminer complètement le temps d'attente pendant la production. Calculez le nouveau délai effectif de fabrication et la nouvelle ETC.
   b) Supposez qu'au sixième mois, les mesures des temps de déplacement, de traitement, etc. sont encore une fois les mêmes qu'au quatrième mois, mais que l'entreprise a réussi à éliminer complètement le temps d'attente pendant la production et le temps d'inspection. Calculez le nouveau délai effectif de fabrication et la nouvelle ETC.

11

Problèmes

P1 Le RCI et le RNR

Voici quelques données financières concernant Joël de Paris inc. pour la dernière période.

JOËL DE PARIS INC.
État de la situation financière

	Solde final	Solde initial
Actifs		
Encaisse	120 000 $	140 000 $
Comptes clients..	530 000	450 000
Stock	380 000	320 000
Immobilisations (coût amorti)	620 000	680 000
Investissement dans Buisson S.A.	280 000	250 000
Terrain non aménagé	170 000	180 000
Total des actifs..	2 100 000 $	2 020 000 $
Passif et capitaux propres		
Comptes fournisseurs	310 000 $	360 000 $
Passif à long terme..	1 500 000	1 500 000
Capitaux propres	290 000	160 000
Total du passif et des capitaux propres............	2 100 000 $	2 020 000 $

JOËL DE PARIS INC.
État des résultats

Chiffre d'affaires		4 050 000 $
Moins : Charges d'exploitation		3 645 000
Résultat d'exploitation net.................................		405 000
Moins : Intérêts et impôts :		
Charges financières...................................	150 000 $	
Impôts	110 000	260 000
Résultat net		145 000 $

L'entreprise a versé 15 000 $ en dividendes au cours de la dernière période. Le poste « Investissement dans Buisson S.A. » de l'état de la situation financière représente un investissement dans les actions d'une autre entreprise.

Travail à faire

1. Calculez le taux de résultat d'exploitation net, le taux de rotation du capital et le RCI de l'entreprise pour la dernière période.
2. Le conseil d'administration de Joël de Paris inc. a établi le rendement minimal requis de l'entreprise à 15 %. Quel était son RNR à la dernière période ?

P2 Le RCI et le RNR

Michel Côté est directeur de la section des fournitures de bureau de la société Buro inc. Il est fort mécontent de la situation : « Les grands patrons insistent pour que nous ajoutions cette nouvelle gamme de produits à celles que nous fabriquons déjà. Je tiens toutefois à voir toutes les données avant de faire quoi que ce soit. Notre section affiche la meilleure performance de l'entreprise depuis trois ans, et je ne veux pas qu'elle perde de terrain. »

Buro inc. est une organisation décentralisée comptant cinq sections autonomes. Les sections sont évaluées en fonction du rendement qu'elles génèrent sur les actifs investis. Les directeurs de section dont les RCI sont les plus élevés reçoivent des primes de fin d'année. Voici les résultats d'exploitation de la section Fournitures de bureau de la dernière période.

Chiffre d'affaires..	10 000 000 $
Moins : Coûts variables	6 000 000
Marge sur coûts variables	4 000 000
Moins : Coûts fixes	3 200 000
Résultat d'exploitation net	800 000 $
Actifs d'exploitation sectoriels	4 000 000 $

L'entreprise a eu un RCI global de 15 % pour la dernière période, si l'on tient compte de toutes les sections. La section Fournitures de bureau a l'occasion de lancer une nouvelle gamme de produits. Elle devra cependant d'abord investir une somme supplémentaire de 1 000 000 $ sous forme d'actifs d'exploitation. Voici quelques données annuelles sur les coûts et les revenus d'exploitation prévus de cette nouvelle gamme de produits.

Chiffre d'affaires	2 000 000 $
Coûts variables..	60 % du chiffre d'affaires
Coûts fixes	640 000 $

Travail à faire

1. Calculez le RCI de la section Fournitures de bureau pour la dernière période. Calculez aussi la valeur du RCI en supposant que cette section entreprendra la fabrication de la nouvelle gamme de produits.
2. Si vous occupiez le poste de Michel Côté, auriez-vous tendance à accepter ou à refuser de fabriquer la nouvelle gamme de produits ? Justifiez votre réponse.
3. À votre avis, pourquoi le siège social souhaite-t-il que la section Fournitures de bureau ajoute cette nouvelle gamme à l'ensemble de ses produits ?
4. Supposez que l'entreprise considère un rendement de 12 % sur les actifs investis comme un minimum pour chaque section et que la performance est évaluée en fonction du RNR.
   a) Calculez le RNR de la section Fournitures de bureau pour la dernière période. Évaluez aussi le RNR qu'elle enregistrerait en supposant qu'elle ajoute la nouvelle gamme à ses produits existants.
   b) Dans le contexte, si vous occupiez le poste de Michel Côté, accepteriez-vous ou refuseriez-vous de fabriquer la nouvelle gamme de produits ? Justifiez votre réponse.

P3 Le prix de cession interne et un marché intermédiaire bien défini

Produits en papier inc. exploite une section Pâte, qui fabrique de la pâte à papier destinée à la production de différents articles de papier. Des données sur les revenus d'exploitation et les coûts associés à une tonne de pâte sont présentées ci-après.

Prix de vente..		70 $
Moins : Charges d'exploitation :		
Coûts variables..	42 $	
Coûts fixes (en fonction d'une capacité de production de 50 000 tonnes par an)	18	60
Résultat net		10 $

Produits en papier inc. vient d'acquérir une petite entreprise de fabrication de boîtes en carton qui sera dorénavant considérée comme l'une de ses sections et qui aura l'entière

11

▶ responsabilité de ses propres résultats. La nouvelle section Cartons achète actuellement 5 000 tonnes de pâte par an d'un fournisseur extérieur à 70 $ la tonne, dont il faut soustraire une remise sur quantité de 10 %. Le président de Produits en papier inc. voudrait qu'elle commence à acheter sa pâte à papier de la section Pâte, à condition que les deux directeurs puissent s'entendre sur un prix de cession interne acceptable.

Travail à faire

Pour les questions 1) et 2), supposez que la section Pâte peut vendre toute sa pâte à papier à des clients extérieurs au prix courant de 70 $.

1. Est-il probable que les directeurs des sections Cartons et Pâte s'entendent sur un prix de cession interne pour 5 000 tonnes de pâte à papier au cours de la prochaine période ? Pourquoi ?

2. Si la section Pâte accepte le prix que la section Cartons paie actuellement à son fournisseur et qu'elle lui vend 5 000 tonnes de pâte à papier chaque année, quel sera l'effet de cette transaction sur les résultats de la section Pâte, de la section Cartons et de l'ensemble de l'entreprise ?

Pour les questions 3) à 6), supposez que la section Pâte vend en ce moment seulement 30 000 tonnes de pâte à papier chaque année à des clients extérieurs au prix indiqué de 70 $.

3. Est-il probable que les directeurs des sections Cartons et Pâte s'entendent sur un prix de cession interne pour 5 000 tonnes de pâte à papier au cours de la prochaine période ? Pourquoi ?

4. Supposez que le fournisseur extérieur de la section Cartons réduit son prix, après déduction de la remise sur quantité, à seulement 59 $ par tonne. La section Pâte devrait-elle proposer le même prix ? Justifiez votre réponse. Si elle refusait d'abaisser son prix à ce niveau, quel serait l'effet de cette décision sur les résultats de l'ensemble de l'entreprise ?

5. Reportez-vous à la question 4). Si la section Pâte refusait d'abaisser son prix à 59 $, devrait-on exiger de la section Cartons qu'elle achète néanmoins son produit à un prix supérieur dans l'intérêt de l'ensemble de l'entreprise ?

6. Reportez-vous encore une fois à la question 4). Supposez que, en raison de certaines politiques de gestion inflexibles, la section Cartons doit acheter chaque année 5 000 tonnes de pâte à papier de la section Pâte à 70 $ par tonne. Quel serait l'effet de cette décision sur les résultats de l'entreprise dans son ensemble ?

P4 Le prix de cession interne

Alpha et Bêta sont deux sections de la même entreprise. L'évaluation de leurs directeurs respectifs repose sur le RCI de chaque section. Voici quelques renseignements relatifs à ces sections.

	Cas			
	1	2	3	4
Section Alpha :				
Capacité de production en unités..	80 000	400 000	150 000	300 000
Nombre d'unités actuellement vendues à des clients extérieurs sur le marché intermédiaire.........................	80 000	400 000	100 000	300 000
Prix de vente par unité sur le marché intermédiaire............................	30 $	90 $	75 $	50 $
Coûts variables par unité	18 $	65 $	40 $	26 $
Coûts fixes par unité (en fonction de la capacité de production)	6 $	15 $	20 $	9 $
Section Bêta :				
Nombre d'unités requises annuellement................................	5 000	30 000	20 000	120 000
Prix d'achat payé actuellement à un fournisseur extérieur....................	27 $	89 $	75 $*	–

* Avant toute remise sur quantité

Les directeurs ont toute la latitude voulue pour décider s'ils participeront à des cessions internes. Chaque prix de cession interne est négocié.

Travail à faire

1. Reportez-vous au premier cas du tableau précédent. La section Alpha peut économiser une somme de 2 $ par unité en commissions pour chaque vente à la section Bêta. Les directeurs des deux sections s'entendront-ils sur un prix de cession interne ? Le cas échéant, quelle serait la fourchette à l'intérieur de laquelle se situerait le prix de cession interne ? Justifiez votre réponse.

2. Analysez le deuxième cas du tableau précédent. D'après une étude, la section Alpha peut économiser une somme de 5 $ par unité en coûts d'expédition pour chaque vente à la section Bêta.

   a) Croyez-vous qu'il puisse exister des sujets de mésentente entre les directeurs des deux sections concernant le montant du prix de cession interne ? Justifiez votre réponse.

   b) Supposez que la section Alpha propose à la section Bêta de lui vendre 30 000 unités à 88 $ l'unité et que la section Bêta refuse ce prix. Quelle sera la perte en résultats potentiels pour l'ensemble de l'entreprise ?

3. Reportez-vous au troisième cas du tableau précédent. Supposez que la section Bêta reçoit maintenant une remise sur quantité de 8 % de son fournisseur extérieur.

   a) Les directeurs de section s'entendront-ils sur une cession interne ? Le cas échéant, quelle serait la fourchette à l'intérieur de laquelle se situerait le prix de cession interne ?

   b) Supposez que la section Bêta propose à la section Alpha de lui acheter 20 000 unités à 60 $ l'unité. Si la section Alpha accepte ce prix, devrait-elle s'attendre à ce que son RCI augmente, diminue ou demeure inchangé ? Pourquoi ?

4. Examinez le quatrième cas du tableau précédent. Supposez que la section Bêta demande à la section Alpha de lui fournir 120 000 unités d'un produit *différent* de celui qu'elle fabrique actuellement. Les coûts variables de ce nouveau produit s'élèveraient à 21 $ par unité. La section Alpha devrait alors réduire sa production actuelle de 45 000 unités par an. Dans ce contexte, quel serait le plus bas prix de cession interne acceptable du point de vue de la section Alpha ?

P5 Des mesures de la performance des processus internes

Les Industries Tombro est en train de réaliser l'automatisation de l'une de ses usines et le développement d'un système de production flexible. L'entreprise se rend compte de la nécessité d'apporter différents changements à ses méthodes d'exploitation. Les progrès sont lents, en particulier en ce qui a trait à l'établissement de nouvelles mesures de la performance pour l'usine.

Le président de l'entreprise a lu dans des revues spécialisées que le délai effectif de fabrication, l'ETC et le temps de cycle de livraison constituent des mesures importantes de la performance. Personne, toutefois, ne sait exactement comment les calculer.

Dans son processus de modernisation, l'entreprise a aussi adopté un système JAT pour ses stocks. Au cours de la prochaine période, elle espère pouvoir gérer la plus grande partie de ses matières premières et de ses pièces conformément aux principes du système JAT.

Dans un effort pour évaluer la performance et pour déterminer les améliorations qui pourraient être apportées, la direction a recueilli les données ci-après concernant les activités de l'entreprise au cours des quatre derniers mois.

11

	Mois			
	1	2	3	4
Mesures du contrôle de la qualité :				
Nombre de défauts	185	163	124	91
Nombre de réclamations liées à une garantie.......................	46	39	30	27
Nombre de plaintes de clients	102	96	79	58
Mesures de contrôle des matières premières :				
Délai d'exécution du bon de commande (en jours)................	8	7	5	4
Rebuts (en pourcentage du coût total)................................	1 %	1 %	2 %	3 %
Mesures du rendement des machines :				
Temps d'arrêt des machines (en pourcentage du temps machine total)	3 %	4 %	4 %	6 %
Temps d'utilisation (en pourcentage de la disponibilité)	95 %	92 %	89 %	85 %
Temps de réglage (en heures)	8	10	11	12
Mesures de la performance de la livraison :				
Délai effectif de fabrication, ou vitesse de production...........	?	?	?	?
ETC	?	?	?	?
Temps de cycle de livraison	?	?	?	?
Pourcentage de livraisons à temps....................................	96 %	95 %	92 %	89 %

Après avoir été invité à venir en aide à cette entreprise, vous avez recueilli les données ci-après concernant ces mesures.

	Moyenne par mois (en jours)			
	1	2	3	4
Commande en attente..	9,0	11,5	12,0	14,0
Temps d'inspection par unité	0,8	0,7	0,7	0,7
Temps de traitement par unité	2,1	2,0	1,9	1,8
Temps d'attente par unité	2,8	4,4	6,0	7,0
Temps de déplacement par unité	0,3	0,4	0,4	0,5

Travail à faire

1. Pour chaque mois, déterminez les mesures de la performance suivantes :
   a) le délai effectif de fabrication, ou vitesse de production ;
   b) l'ETC ;
   c) le temps de cycle de livraison.
2. À l'aide des mesures de la performance fournies dans l'énoncé du problème et de celles que vous avez calculées en 1), effectuez les tâches suivantes :
   a) Déterminez les domaines où la situation de l'entreprise semble s'améliorer.
   b) Déterminez les domaines où la situation de l'entreprise semble se détériorer.
3. Référez-vous aux mesures de temps d'inspection, de traitement, etc. fournies précédemment pour le quatrième mois.
   a) Supposez qu'au cours du cinquième mois, le temps d'inspection, le temps de traitement, etc. sont identiques à ceux du quatrième mois. Toutefois, l'entreprise a réussi à éliminer complètement le temps d'attente pendant la production. Calculez le nouveau délai effectif de fabrication et la nouvelle ETC.
   b) Supposez qu'au cours du sixième mois, le temps d'inspection, le temps de traitement, etc. sont identiques à ceux du quatrième mois. Toutefois, l'entreprise a réussi à éliminer complètement le temps d'attente pendant la production et le temps d'inspection. Calculez le nouveau délai effectif de fabrication et la nouvelle ETC.

P6 Une analyse à l'aide du RCI

Voici l'état des résultats de la dernière période de la société Huerra.

	Total	Par unité
Chiffre d'affaires..	4 000 000 $	80,00 $
Moins: Coûts variables..	2 800 000	56,00
Marge sur coûts variables...	1 200 000	24,00
Moins: Coûts fixes...	840 000	16,80
Résultat d'exploitation net...	360 000	7,20
Moins: Impôts (30 %)...	108 000	2,16
Résultat net..	252 000 $	5,04 $

La moyenne des actifs d'exploitation au cours de la période a été de deux millions de dollars.

Travail à faire

1. Calculez le RCI de la période à l'aide de la formule basée sur le taux de résultat d'exploitation net et le taux de rotation du capital.

   Pour chacune des questions suivantes, indiquez si, à la suite des événements décrits ci-après, le taux de résultat d'exploitation net et le taux de rotation du capital augmenteront, diminueront ou demeureront inchangés, puis calculez le nouveau RCI. Considérez chaque question séparément en vous servant, dans chaque cas, des données utilisées pour calculer le RCI en 1).

2. Grâce au système JAT, l'entreprise a pu diminuer le niveau moyen de ses stocks de 400 000 $. Les sommes ainsi débloquées servent à rembourser des dettes échéant à court terme.

3. L'entreprise réalise une économie d'échelle de 32 000 $ par période grâce à des matières moins coûteuses.

4. L'entreprise émet des obligations, et en utilise les sommes obtenues pour acheter de l'équipement et de l'outillage au coût de 500 000 $. L'intérêt sur ces obligations s'élève à 60 000 $ par an. Le chiffre d'affaires demeure inchangé. Le nouvel équipement, plus efficient que l'ancien, diminue les coûts de fabrication de 20 000 $ par période.

5. Grâce à un effort intense du personnel de vente, le chiffre d'affaires a augmenté de 20 %. Les actifs d'exploitation demeurent inchangés.

6. On met au rebut des articles désuets du stock qui sont enregistrés dans les livres au coût de 40 000 $ et on les traite à titre de perte dans l'état des résultats parce qu'ils sont invendables.

7. L'encaisse, qui provient des comptes clients, s'établit à 200 000 $. L'entreprise la consacre au rachat et au remboursement de quelques-unes de ses actions ordinaires.

P7 Le RCI et le RNR

Raddington fabrique de l'outillage conçu pour certains fabricants. L'entreprise a effectué une expansion à la verticale en achetant, il y a quelques années, Aciéries Régis, l'un de ses fournisseurs de plaques en acier allié. Raddington a décidé de laisser à Aciéries Régis son caractère distinct. Elle a donc fait de la section Régis l'un de ses centres d'investissement.

Raddington évalue ses sections en fonction du RCI. Les primes des gestionnaires sont aussi calculées en fonction du RCI. Tous les investissements dans les actifs d'exploitation doivent avoir un taux de rendement minimal de 11 %.

11

▶ Le RCI de la section Régis varie entre 14 % et 17 % depuis l'acquisition de cette entreprise par Raddington. Au cours de la dernière période, la direction de la section Régis a eu la possibilité d'effectuer un investissement dont le taux de rendement était estimé à 13 %. Toutefois, elle l'a rejeté, convaincue que cet investissement diminuerait le RCI total de la section.

Voici l'état des résultats de la dernière période de la section Régis. Les actifs d'exploitation utilisés par la section étaient de 12 960 000 $ à la fin de la période, ce qui représente un accroissement de 8 % par rapport au solde de la période précédente.

RÉGIS
État des résultats sectoriels
de la période terminée le 31 décembre

Chiffre d'affaires		31 200 000 $
Moins : Coût des ventes		16 500 000
Marge brute		14 700 000
Moins : Charges d'exploitation :		
Coûts commerciaux	5 620 000 $	
Charges administratives	7 208 000	12 828 000
Résultat d'exploitation net		1 872 000 $

Travail à faire

1. a) Calculez le RCI pour la section Régis. N'oubliez pas que le RCI est établi d'après la moyenne des actifs d'exploitation, calculés à partir des soldes initial et final de la période. Utilisez la formule exprimée sous forme de taux de résultat d'exploitation net et de taux de rotation du capital.

   b) Calculez le RNR de la section Régis.

2. Aurait-il été plus probable que la direction de la section Régis accepte l'offre d'investissement qui lui a été faite l'an dernier si elle avait utilisé le RNR plutôt que le RCI comme mesure de la performance ? Justifiez votre réponse.

3. La section Régis est un centre d'investissement distinct. Déterminez les éléments sur lesquels elle doit exercer librement un contrôle pour que son évaluation, qui repose sur des mesures de la performance telles que le RCI ou le RNR, soit équitable.

(Adaptation d'un problème de l'American Institute of Certified Public Accountants)

P8 Une analyse des interactions CVB, le RCI et le prix de cession interne

La section Soupapes de la société Bendix inc. fabrique une petite soupape qui fait partie intégrante des produits de différentes entreprises. La société dirige ses sections comme s'il s'agissait d'unités d'exploitation autonomes. Les directeurs des sections ont beaucoup de latitude en matière d'établissement de prix et en ce qui a trait à d'autres décisions. Chaque section doit avoir un taux de rendement d'au moins 14 % sur ses actifs d'exploitation. La section Soupapes a des actifs d'exploitation se chiffrant en moyenne à 700 000 $. Ses soupapes se vendent 5 $ l'unité ; leurs coûts variables sont de 3 $ par unité. Les coûts fixes de la section s'élèvent à 462 000 $ par période, et sa capacité de production est de 300 000 soupapes annuellement.

Travail à faire

1. Combien la section doit-elle vendre de soupapes par année pour atteindre le taux de rendement requis sur ses actifs ?

   a) Quel est le taux de résultat d'exploitation net à ce niveau de ventes ?

   b) Quel est le taux de rotation du capital à ce niveau de ventes ?

2. Supposez que le RCI actuel de la section est égal au minimum de 14 % requis par la haute direction. Pour accroître le RCI de sa section, le directeur souhaite augmenter le prix de vente unitaire des soupapes de 4 %. D'après des études de marché, cette augmentation entraînerait une diminution des ventes de 20 000 unités par an. Toutefois, la section pourrait en profiter pour réduire ses actifs d'exploitation de 50 000 $, compte tenu de besoins moindres en matière de stocks. Calculez le taux de résultat d'exploitation net, le taux de rotation du capital et le RCI en présumant que ces changements se réaliseront.

3. Reportez-vous aux données de départ. Supposez encore une fois que le RCI actuel de la section est égal au minimum de 14 % requis par la haute direction. Plutôt que d'augmenter le prix de vente, le directeur songe à le réduire de 4 % par unité. D'après des études de marché, cette mesure amènerait l'entreprise à produire à plein régime. Toutefois, pour soutenir ce niveau accru de ventes, l'entreprise devrait augmenter ses actifs d'exploitation de 50 000 $. Calculez le taux de résultat d'exploitation net, le taux de rotation du capital et le RCI en présumant que ces changements seront appliqués.

4. Revenez aux données de départ. Supposez que le volume normal de ventes est de 280 000 soupapes par an au prix de 5 $ l'unité. Une autre section de l'entreprise achète déjà 20 000 soupapes par an à un fournisseur étranger à 4,25 $ l'unité. Le directeur de la section Soupapes a catégoriquement refusé de vendre son produit à ce prix sous prétexte qu'il en résulterait des pertes pour sa section.

Prix de vente par soupape		4,25 $
Moins : Coûts par soupape :		
Variables	3,00 $	
Fixes (462 000 $ ÷ 300 000 soupapes)	1,54	4,54
Perte par soupape		(0,29) $

Le directeur de la section Soupapes fait aussi remarquer que le prix de vente normal de 5 $ permet à peine à sa section d'atteindre le taux de rendement requis de 14 %. « Si nous acceptons un contrat à 4,25 $ l'unité, notre RCI va certainement en souffrir ! Or, mon avenir dépend du maintien de ce RCI. En outre, la fabrication de ces unités supplémentaires nous obligerait à accroître nos actifs d'exploitation d'au moins 50 000 $ à cause de l'augmentation inévitable de nos stocks et de nos comptes clients. » Recommanderiez-vous à la section Soupapes de vendre son produit 4,25 $ à l'autre section ? Donnez tous vos calculs du RCI pour justifier votre réponse.

P9 Le prix de cession interne basé sur la valeur du marché

La section Meubles de Mobilier Stratos fabrique un meuble standard pour les téléviseurs. Les coûts de production de ce meuble sont les suivants :

Coûts variables par meuble	70 $
Coûts fixes par meuble*	30
Coût total par unité	100 $

* Calculés en fonction d'une capacité de production de 10 000 unités par an.

Une partie de la production de la section est vendue à des fabricants de téléviseurs de l'extérieur et une autre partie à la section Audio de Mobilier Stratos, qui fabrique des téléviseurs portant son propre nom. La section Meubles exige de tous ses clients 140 $ par unité. ▶

11

▶ Voici les coûts, les revenus d'exploitation et le résultat net de la section Audio.

Prix de vente par téléviseur		480 $
Moins : Coûts variables par téléviseur :		
Coûts du meuble	140 $	
Coûts variables des pièces électroniques	210	
Total des coûts variables		350
Marge sur coûts variables		130
Moins : Coûts fixes par téléviseur*		80
Résultat net par téléviseur		50 $

* Calculés en fonction d'une capacité de production de 3 000 téléviseurs par an.

La section Audio a reçu une commande de 1 000 téléviseurs d'un client étranger. Ce client souhaite payer seulement 340 $ par téléviseur.

Travail à faire

1. Supposez que la section Audio a une capacité de production inutilisée suffisante pour exécuter la commande de 1 000 téléviseurs. Est-il probable qu'elle accepte le prix de 340 $ proposé ou qu'elle le refuse ? Justifiez votre réponse.

2. Admettez que la section Meubles et la section Audio ont une capacité de production inexploitée. Dans ce contexte, serait-il avantageux ou désavantageux pour l'ensemble de l'entreprise que la section Audio rejette le prix de 340 $? Justifiez votre réponse et montrez tous vos calculs.

3. Supposez que la section Audio a une certaine capacité de production inutilisée, mais que la section Meubles fonctionne à plein rendement et qu'elle peut vendre tous ses produits à des fabricants de l'extérieur. Déterminez en dollars l'avantage ou le désavantage financier que représente l'acceptation de la commande de 1 000 téléviseurs au prix unitaire de 340 $ par la section Audio.

4. Que concluez-vous à propos de l'utilisation de la valeur marchande comme prix de cession interne ?

P10 Le prix de cession interne négocié

Nomades inc. compte plusieurs sections indépendantes. La section Matrice fabrique une matrice à cristaux liquide pour les écrans de téléviseurs. Voici l'état des résultats de cette section pour la dernière période, au cours de laquelle 8 000 matrices ont été vendues.

	Total	Par unité
Chiffre d'affaires	1 360 000 $	170,00 $
Moins : Coût des ventes	840 000	105,00
Marge brute	520 000	65,00
Moins : Coûts commerciaux et charges administratives	390 000	48,75
Résultat sectoriel	130 000 $	16,25 $

Comme on peut le voir, le coût de fabrication d'une matrice dans cette section s'établit à 105 $. Voici comment se décompose ce montant.

Matières premières	38 $
Main-d'œuvre directe	27
Frais indirects de fabrication (75 % de coûts fixes)	40
Coût total par matrice	105 $

11

La section Matrice a des coûts commerciaux et charges administratives totalisant 350 000 $ par période.

Nomades inc. vient de se doter d'une nouvelle section Télévision, qui fabriquera un téléviseur à écran plat équipé d'une matrice à cristaux liquide à haute définition. On a demandé à la section Matrice de fabriquer 2 500 de ces matrices par an et de les vendre à la section Télévision. Dans le processus d'établissement du prix qui devrait être exigé de la section Télévision, la section Matrice a estimé les coûts ci-dessous pour chaque nouvelle matrice à haute définition.

Matières premières..	60 $
Main-d'œuvre directe...	49
Frais indirects de fabrication (2/3 de coûts fixes)	54
Coût total par matrice..	163 $

Pour fabriquer ces nouvelles matrices, la section devrait réduire sa production de matrices ordinaires de 3 000 unités par an. Toutefois, il n'y aurait aucuns coûts commerciaux et charges administratives variables pour les transactions internes de l'entreprise, et le total des frais indirects de fabrication fixes ne varierait pas. Supposez que la main-d'œuvre directe représente un coût variable.

Travail à faire

1. Déterminez le plus bas prix de cession interne acceptable du point de vue de la section Matrice pour chaque nouvelle matrice à haute définition.
2. Supposez que la section Télévision a trouvé un fournisseur de l'extérieur qui lui vendrait ces nouvelles matrices pour seulement 200 $ l'unité. Si la section Matrice égalait ce prix, quel serait l'effet de cette transaction sur les résultats de l'entreprise?

P11 L'établissement d'un prix de cession interne avec ou sans capacité de production inutilisée

La section Électronique de Far Telecom fabrique un autocommutateur électrique vendu à des clients de l'extérieur et qu'elle pourrait vendre à la section Fibres optiques de l'entreprise. Voici quelques données concernant l'exploitation des deux sections.

Section Électronique:	
Prix de vente à l'unité aux clients de l'extérieur	80 $
Coûts de fabrication variables par unité...	52
Coûts commerciaux et charges administratives par unité....................	9
Coûts fixes de fabrication*...	300 000
Section Fibres optiques:	
Prix d'achat à l'extérieur par unité (avant toute remise sur quantité).................	80

* Calculés en fonction d'une capacité de production de 25 000 unités par an

La section Fibres optiques achète l'autocommutateur d'un fournisseur de l'extérieur au prix courant de 80 $ dont on soustrait une remise sur quantité de 5 %. Comme la section Électronique fabrique un autocommutateur de même qualité et du même type que celui utilisé par la section Fibres optiques, la direction étudie la possibilité d'un achat négocié à l'intérieur de l'entreprise plutôt qu'à l'extérieur. Selon les propres mots du président, « [...] la simple logique veut que l'on achète et que l'on vende au sein de la grande famille qu'est l'entreprise ».

D'après une étude, les coûts commerciaux et charges administratives variables de la section Électronique se trouveraient réduits d'un tiers pour chaque vente à la section Fibres optiques. La direction générale désire toutefois traiter chaque section comme une unité d'exploitation indépendante ayant ses propres responsabilités en matière de résultats.

11

► **Travail à faire**

1. Supposez qu'en ce moment, la section Électronique vend seulement 20 000 unités par an à des clients extérieurs et que la section Fibres optiques a besoin de 5 000 unités par an.

   a) Quel serait le plus bas prix de cession interne acceptable du point de vue de la section Électronique ? Justifiez votre réponse.

   b) Quel serait le prix de cession interne le plus élevé qui soit acceptable du point de vue de la section Fibres optiques ? Justifiez votre réponse.

   c) Supposez que la section Fibres optiques trouve un fournisseur extérieur qui lui vendrait l'autocommutateur à seulement 65 $ l'unité. Devrait-on demander à la section Électronique d'égaler ce prix ? Justifiez votre réponse.

   d) Reportez-vous aux données de départ. Supposez que la section Électronique décide d'augmenter son prix à 85 $ l'unité et que la section Fibres optiques, étant obligée de lui acheter ce produit dont elle a besoin, accepte de payer ce nouveau prix. Cette transaction entraînera-t-elle une augmentation ou une diminution du total des résultats de l'entreprise ? de quel montant par unité ?

   e) Dans le contexte décrit en d), la section Fibres optiques devrait-elle être obligée d'acheter ses autocommutateurs à la section Électronique ? Justifiez votre réponse.

2. Supposez que la section Électronique peut vendre tout ce qu'elle produit à des clients de l'extérieur. Répondez à nouveau aux questions a) à e).

P12 Une comparaison des performances à l'aide du RCI

Voici des données concernant trois entreprises appartenant au même secteur de service.

	Société		
	A	B	C
Chiffre d'affaires	4 000 000 $	1 500 000 $	? $
Résultat d'exploitation net	560 000 $	210 000 $	? $
Moyenne des actifs d'exploitation	2 000 000 $	? $	3 000 000 $
Taux de résultat d'exploitation net	? %	? %	3,5 %
Taux de rotation du capital.............................	?	?	2
RCI	? %	7 %	? %

Travail à faire

1. Quels avantages résultent de la décomposition des calculs du RCI en deux éléments distincts, soit le taux de résultat d'exploitation net et le taux de rotation du capital ?

2. Trouvez les renseignements manquants dans le tableau qui précède et comparez les performances de ces trois entreprises, en les commentant de façon aussi détaillée que vous le permettent les données dont vous disposez. Faites des recommandations précises concernant les façons d'améliorer le RCI.

(Adaptation d'un problème de la National Association of Accountants, *Research Report nº 35*, p. 34)

P13 L'élaboration de tableaux de bord équilibrés propres à soutenir différentes stratégies

Le Groupe de consultation sur la performance (GCP) aide les entreprises à élaborer leur tableau de bord équilibré. Parmi diverses initiatives sur le plan du marketing, il organise annuellement un atelier sur le sujet pour des clients potentiels. Le Groupe vient de vous engager, et sa directrice vous demande de participer à l'atelier de cette année. Votre tâche consistera à expliquer aux personnes présentes comment la stratégie d'une entreprise permet de déterminer les mesures qui conviennent à son tableau de bord équilibré. La directrice vous a fourni les deux passages ci-après tirés des rapports annuels de deux des clients de GCP et vous demande de vous en servir dans votre présentation.

Voici un extrait du rapport annuel de la société Pharmacologie appliquée.

Dans notre secteur, les éléments essentiels sont la présentation de façon régulière et en temps opportun de nouveaux produits et la fiabilité des processus de fabrication. Le volet de présentation des nouveaux produits dépend du rendement du service de recherche et de développement (c'est-à-dire du nombre de composés pharmaceutiques susceptibles d'être mis sur le marché par rapport au nombre total de composés potentiels étudiés). Nous voulons optimiser le rendement de notre service de recherche et de développement, et notre capacité à être les premiers à offrir un produit sur le marché en investissant dans la technologie de pointe, en engageant le nombre le plus élevé possible d'ingénieurs hautement qualifiés et en leur fournissant une formation de niveau international. Dans le volet de la fiabilité des processus de fabrication, nos objectifs sont d'établir des spécifications de niveau international en matière de qualité, et de poursuivre sans relâche des activités de prévention et d'évaluation de façon à réduire les taux de défectuosité. Nos clients doivent connaître et respecter notre image de marque, celle d'une entreprise dont les produits arrivent les premiers sur le marché et sont supérieurs aux autres en qualité. Si nous parvenons à tenir cet engagement envers nos clients, notre objectif financier d'accroître le rendement de nos capitaux propres devrait se réaliser.

Voici un extrait du rapport annuel de la société Tourisme international.

Le succès ou l'échec de notre entreprise dépend de la qualité du service que nos employés sur le terrain fournissent aux clients. Par conséquent, il est absolument nécessaire que nous nous efforcions d'entretenir chez eux un bon moral et de réduire au minimum la rotation du personnel. En outre, il est essentiel de former notre main-d'œuvre à l'utilisation de la technologie de façon à pouvoir recréer la même expérience partout dans le monde pour les clients fidèles. Lorsqu'un employé enregistre les préférences d'un client (par exemple, deux oreillers supplémentaires dans le lit, du café fraîchement moulu servi à la chambre à 8 h chaque matin, etc.) dans notre base de données, notre main-d'œuvre partout dans le monde doit faire l'impossible pour s'assurer que, où qu'il aille, ce client n'ait jamais à reformuler ces demandes dans aucune de nos destinations touristiques. Si nous formons adéquatement des employés motivés et que nous les conservons, nous devrions observer une amélioration constante dans le pourcentage d'enregistrement d'anciens clients sans erreurs, dans le délai entre une plainte et la résolution du problème qui l'a causée, et dans la propreté des chambres, laquelle est évaluée par une firme indépendante. Tous ces efforts devraient nous permettre de fidéliser plus de clients, ce qui se révèle indispensable pour réaliser nos objectifs de croissance en matière de revenus.

Travail à faire

1. En vous servant des passages de rapports annuels cités ci-dessus, comparez les stratégies de la société Pharmacologie appliquée et de la société Tourisme international, et indiquez les différences entre elles.
2. Choisissez des mesures pour le tableau de bord équilibré de chacune de ces entreprises et établissez des liens entre elles en utilisant la structure présentée dans la figure 11.3 (*p. 611*). Indiquez les relations causales entre les mesures de la performance par des flèches, et précisez si chacune de ces mesures devrait augmenter ou diminuer avec le temps. N'hésitez pas à inventer des mesures qui ne sont pas précisément mentionnées dans le chapitre, mais qui vous paraissent logiques compte tenu des objectifs stratégiques de chaque entreprise.
3. Quelles hypothèses chaque tableau de bord équilibré sous-tend-il? Pourquoi ces hypothèses diffèrent-elles d'une entreprise à l'autre?

P14 L'élaboration d'un tableau de bord équilibré

La station de ski Valmont a longtemps été une petite entreprise familiale qui offrait des services à la journée aux skieurs des villes avoisinantes. Tout récemment, Mountain Associates, une importante société qui exploite plusieurs stations de ski dans l'Ouest canadien, en a fait l'acquisition. Les nouveaux propriétaires planifient d'aménager la station en vue de pouvoir y accueillir des vacanciers à la semaine ou plus. Ils souhaitent entre autres apporter des améliorations majeures au pavillon Linus, l'établissement de restauration

▶ rapide situé près des pentes. Le menu de ce restaurant est très limité — des hamburgers, des hot-dogs, du chili, des sandwiches au thon, des pommes de terre frites et des goûters emballés. Les précédents propriétaires n'ont pas cru nécessaire d'offrir un service d'alimentation de meilleure qualité au pavillon puisqu'il y a très peu de concurrence. En effet, quand les skieurs veulent se restaurer sur la montagne, ils n'ont que deux possibilités, un repas au Linus ou leur propre lunch.

Dans le contrat d'acquisition de Valmont, la société Mountain Associates a accepté de conserver tous les employés actuels de la station. Quoique travaillant et dynamique, le gérant du pavillon a peu d'expérience dans le domaine de la restauration. Pourtant, son rôle consiste à établir les menus, à embaucher et à former les employés, ainsi qu'à superviser les activités au jour le jour. Le personnel de la cuisine prépare les repas et nettoie la vaisselle. Les employés de la salle à manger sont chargés de prendre les commandes, de s'occuper de la caisse et de nettoyer la salle.

Peu après l'acquisition de Valmont, la direction de la société Mountain Associates a organisé une journée de rencontre avec tous les employés du Linus pour discuter de l'avenir de la station de ski et des plans de la direction au sujet du pavillon. À la fin de cette journée, la haute direction et les employés ont élaboré un tableau de bord équilibré qui devait servir à orienter les activités du pavillon pour la prochaine saison de ski. La quasi-totalité des personnes qui ont participé à cet exercice affichaient un grand enthousiasme concernant le tableau de bord et les plans de la direction.

Voici des mesures de la performance qui apparaissent dans le tableau de bord équilibré du pavillon Linus.

a) La satisfaction des clients en ce qui a trait au service, mesurée par des sondages auprès de la clientèle.

b) Le résultat total du pavillon Linus.

c) La propreté de la salle à manger, évaluée par un représentant de la direction de Mountain Associates.

d) La durée moyenne d'exécution d'une commande.

e) La satisfaction des clients concernant le choix des plats au menu, mesurée par des sondages.

f) La durée moyenne pour prendre une commande.

g) Le pourcentage des employés de cuisine qui termineront un cours de cuisine au collège local.

h) Le chiffre d'affaires.

i) Le pourcentage des employés de la salle à manger qui termineront un cours en hôtellerie au collège local.

j) Le nombre d'éléments au menu.

La société Mountain Associates s'engage à payer le coût des cours suivis par le personnel au collège local.

Travail à faire

1. En vous servant des mesures de la performance énoncées ci-dessus, construisez un tableau de bord équilibré pour le pavillon Linus. Représentez les relations de causalité à l'aide de flèches, et indiquez par un « + » ou un « − » si ces mesures devraient augmenter ou diminuer.

2. Quelles hypothèses le tableau de bord équilibré du Linus sous-tend-il? Lesquelles vous paraissent les plus discutables et pourquoi?

3. Comment la direction saura-t-elle si l'une des hypothèses sur lesquelles repose le tableau de bord équilibré est erronée?

P15 **Le coût de la qualité**

La gestionnaire d'une entreprise qui fabrique des produits en aluminium se questionne sur les coûts de la qualité dans son usine de fabrication. Elle se demande s'il est avantageux d'investir davantage pour réduire les défauts de fabrication.

Elle estime que, pour son principal produit, la quantité de rejets représente 5 % de sa production annuelle de 100 000 unités. Elle sait également que les concurrents peuvent atteindre un pourcentage inférieur, à près de 3 %. Pour éviter que le produit se rende chez le client avec des défauts, elle investit actuellement près de 350 000 $ en coûts d'inspection de la qualité et ses employés de production inspectent 1 unité sur 10. Elle sait également que pour atteindre l'objectif de 3 %, elle devra augmenter le taux d'inspection à 1 unité sur 5. La gestionnaire pense qu'elle pourra conserver le même coût unitaire d'inspection pour atteindre les 3 % de rejet.

Travail à faire

1. Quel montant la gestionnaire devra-t-elle dépenser en coûts d'inspection pour atteindre le rendement de ses concurrents?
2. Quel est l'effet de cet investissement en coûts d'inspection sur le coût unitaire de son produit, actuellement évalué à 110 $ l'unité?

Cas

C1 **Le prix de cession interne et la performance**

Weller est une entreprise décentralisée comprenant six sections. La section Électricité fabrique différents articles électriques, y compris l'accessoire électrique X52. Elle fonctionne à plein régime et vend le X52 à ses clients habituels au prix de 7,50 $ l'unité. Le coût de fabrication variable de cet accessoire est de 4,25 $.

Le directeur de la section Freins a demandé à son collègue de la section Électricité de lui fournir une grande quantité d'accessoires électriques X52 à seulement 5 $ l'unité. La section Freins, qui fonctionne à 50 % de sa capacité de production, veut intégrer le X52 à un bloc freins qu'elle compte fabriquer et vendre à un gros constructeur d'avions de ligne. Voici le coût d'un bloc freins fabriqué par cette section.

Pièces achetées (de fournisseurs extérieurs)	22,50 $
Accessoire électrique X52	5,00
Autres coûts variables	14,00
Coûts indirects fixes et charges administratives	8,00
Coût total par bloc freins	49,50 $

Bien que l'achat du X52 pour 5 $ représente une réduction substantielle par rapport au prix courant de 7,50 $, le directeur de la section Freins croit que cette concession est nécessaire pour que sa section obtienne le contrat des blocs freins du constructeur aéronautique. Il a entendu dire que le constructeur rejetterait toute offre supérieure à 50 $ par bloc freins. Par conséquent, si la section doit payer le prix courant de 7,50 $ pour le X52, elle perdra le contrat ou elle devra essuyer des pertes financières importantes à un moment où elle fonctionne déjà à seulement 50 % de sa capacité. D'après le directeur de la section Freins, cette concession de prix est essentielle à la bonne marche de sa section et de l'ensemble de l'entreprise.

Weller utilise le RCI et le résultat net pour mesurer la performance de ses sections. ▶

11

► **Travail à faire**

1. Supposez que vous êtes le directeur de la section Électricité.

   a) Recommanderiez-vous que votre section fournisse l'accessoire électrique X52 à la section Freins pour 5 $ l'unité comme celle-ci le demande ? Pourquoi ? Donnez tous vos calculs.

   b) Serait-il financièrement avantageux pour l'entreprise que votre section fournisse les accessoires X52 à la section Freins si celle-ci peut vendre les blocs freins 50 $ au constructeur aéronautique ? Donnez tous vos calculs et justifiez votre réponse.

2. En principe, serait-il possible pour les deux directeurs de s'entendre sur un prix de cession interne ? Le cas échéant, dans quelle fourchette de prix se situerait le prix de cession interne ?

3. Analysez les problèmes de comportement inhérents à cette situation, le cas échéant, du point de vue de l'entreprise et de la direction des sections. Que conseilleriez-vous au président de l'entreprise de faire dans un tel cas ?

(Adaptation d'un problème de l'American Institute of Certified Public Accountants)

C2 La structure d'organisation, l'évaluation de la performance et la fixation des prix de cession interne à l'échelle internationale

Patrick St-Hilaire a récemment été engagé comme comptable de la société Attrape-rêves. L'entreprise fabrique des gammes complètes de tissus, de lits, de draps et taies d'oreiller, et de tentures. Le siège social se trouve dans une grande ville canadienne près de laquelle sont situées trois unités d'exploitation locales : l'une pour les tissus, l'autre pour les structures et la troisième pour les meubles. Une quatrième section a été implantée en Yamalie.

Les sections et leur directeur sont évalués en fonction de la maximisation des résultats sectoriels. À l'exception de celle des structures, toutes les sections de l'entreprise ont la latitude nécessaire pour se procurer ou vendre tout matériel ou produit sur le marché extérieur, et pour établir leurs propres prix de cession interne. Vous trouverez une illustration des cheminements de produits entre les sections à la figure 11.8.

La section yamalienne fabrique des tissus spéciaux. Elle cède une partie de sa production aux sections de tissus et de meubles du Canada, et vend le reste sur le marché yamalien.

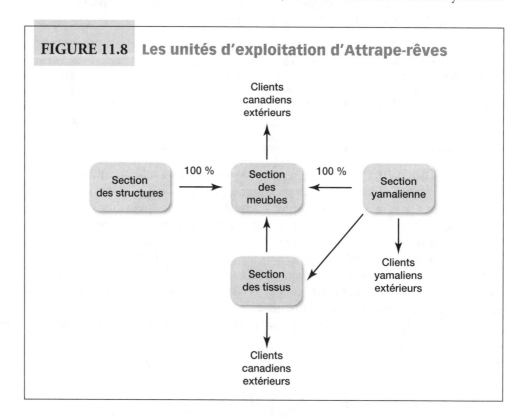

FIGURE 11.8 **Les unités d'exploitation d'Attrape-rêves**

Les articles cédés sont soumis aux droits de douane du Canada, en plus d'entraîner des coûts d'expédition importants.

La section des tissus vend sa production à la section des meubles de l'entreprise, à de vastes circuits de détail et à des producteurs grossistes. Elle coud aussi une partie de ses tissus (et de ceux qui lui sont cédés par la section yamalienne) pour qu'ils entrent dans la fabrication d'autres produits assemblés par la section des meubles.

La section des structures fabrique des cadres de lit en acier ou en bois, et des revêtements de sommiers. Tous les produits de cette section sont cédés à la section des meubles.

La section des meubles est le principal centre de fabrication et d'assemblage des activités d'exploitation de l'entreprise. Non seulement on y fabrique et on y assemble des matelas et des lits, mais on y coud également des draps, des taies d'oreiller et des tentures. Toute la production de cette section est vendue sur le marché canadien.

Récemment, la section des meubles a négocié un contrat concernant la fabrication de matelas spéciaux pour différents grands centres hospitaliers au prix de 900 $ le matelas. Les coûts d'exécution de cette commande sont de 600 $ par matelas (coûts variables de 400 $ et coûts fixes de 200 $) auxquels on doit ajouter le coût de fabrication de la housse qui le recouvre. La section a trois possibilités d'approvisionnement en ce qui concerne le tissu spécial requis pour les housses, et deux possibilités en matière de couture et de finition des housses.

Voici les possibilités concernant la couture.

a) S'approvisionner en tissus spéciaux auprès de la section des tissus à un prix de cession interne de 92 $ l'unité (*voir le tableau 11.6, page suivante*).

b) S'approvisionner en tissus spéciaux auprès de la section yamalienne à un coût de 81 $ l'unité (*voir le tableau 11.6*).

c) Acheter les tissus spéciaux d'un fournisseur extérieur de bonne réputation à un prix de 75 $ l'unité.

Remarque: 1 unité = quantité de tissu requise pour fabriquer une housse de matelas.

Voici des renseignements au sujet de la couture et de la finition de chaque housse de matelas.

a) La section des meubles peut tailler, coudre et terminer chaque housse à un coût comprenant le tissu et les éléments ci-dessous autres que le tissu.

Main-d'œuvre de taille et de couture	19,00 $
Frais indirects variables	5,00
Frais indirects fixes	18,00
Total des coûts de transformation (des éléments autres que le tissu)	42,00 $

b) La section des tissus a proposé de tailler, de coudre et de fournir les housses de matelas terminées à la section des meubles à un prix de cession interne total de 146,05 $ l'unité (*voir le tableau 11.6*).

Toutes les sections disposent d'une capacité de production suffisante pour satisfaire aux exigences du contrat sans nuire à aucune autre de leurs activités.

Le directeur de la section des meubles sait que la section des tissus et la section yamalienne ont ajouté des marges sur leur coût d'achat standard pour atteindre leurs prix de cession interne (*voir le tableau 11.6*). Il préférerait négocier avec une section interne s'il pouvait convaincre l'un ou l'autre directeur de lui offrir le même prix que celui du fournisseur extérieur, soit 75 $. Dans ce but, il a demandé au président de l'entreprise de l'aider dans ses négociations avec les autres sections.

En réponse à cette requête, le président a demandé au nouveau comptable d'analyser la question des matelas d'hôpitaux et de proposer un plan de production qui permettrait de maximiser la rentabilité de l'entreprise. Il lui a aussi demandé de revoir la structure de la société, et de recommander un système d'évaluation de la performance et d'établissement des prix de cession interne convenant à l'entreprise.

11

TABLEAU 11.6 L'établissement du prix de cession interne

ATTRAPE-RÊVES
Calcul des prix de cession interne
pour les housses de matelas et les tissus spéciaux

Section des tissus

Le prix de cession interne proposé par la section des tissus pour le tissu spécial entrant dans la fabrication d'une housse de matelas a été calculé comme suit.

Matières premières	15,00 $
Main-d'œuvre de tissage	30,00
Frais indirects variables	5,00
Frais indirects fixes	30,00
Coût total de fabrication	80,00
Majoration pour bénéfice (15 %)	12,00
Prix de cession interne du tissu	92,00 $

Le prix de cession interne suggéré par la section des tissus pour une housse terminée est calculé comme suit.

Prix de cession interne du tissu	92,00 $
Main-d'œuvre de taille et de couture	15,00
Frais indirects variables	5,00
Frais indirects fixes	15,00
Coût total de fabrication	127,00
Majoration pour bénéfice (15 %)	19,05
Prix de cession interne des housses terminées	146,05 $

Section yamalienne

On calcule comme suit le prix de cession interne de la section yamalienne pour le tissu spécial entrant dans la fabrication d'une housse de matelas. (Tous les coûts ont été convertis en dollars canadiens.)

Matières premières	10,00 $
Main-d'œuvre de tissage	8,00
Frais indirects variables	6,00
Frais indirects fixes	24,00
Coût total de fabrication	48,00
Majoration pour bénéfice (25 %)	12,00
Prix de cession interne du tissu	60,00
Autres coûts engagés par Attrape-rêves :	
Droits de douane au Canada (basés sur 25 % d'une valeur marchande équitable de 62 $)	15,50
Coûts d'expédition	5,50
Coût total du tissu	81,00 $

Travail à faire

Analysez la situation comme si vous étiez le nouveau comptable. Proposez le meilleur plan de production possible relativement aux housses de matelas d'hôpitaux. De plus, comme le demande le président, révisez la structure de l'organisation, et formulez des recommandations concernant un système approprié d'évaluation de la performance et d'établissement des prix de cession interne.

(Adaptation d'un problème de l'American Institute of Certified Public Accountants)

C3 **La décentralisation et les coûts pertinents**

La société Huberdeau compte trois divisions décentralisées — la division de l'Est, la division de l'Ouest et la division Centrale. Son directeur général a conféré aux gestionnaires de ces trois sections le pouvoir de décider s'ils vendront leurs produits à des clients extérieurs sur le marché des produits semi-finis ou aux autres divisions de l'entreprise. Chaque division est autonome en ce sens que son directeur a le pouvoir d'établir ses prix de vente quant aux clients extérieurs et ses prix de cession interne lorsqu'il fait affaires avec les autres divisions. Les dirigeants de ces divisions sont évalués et rémunérés en fonction des bénéfices de leur section.

Le dirigeant de la division de l'Ouest examine deux commandes entre lesquelles il doit choisir. Voici quelques données concernant ces commandes.

a) La division Centrale a besoin de 2 000 moteurs que pourrait lui fournir la division de l'Ouest à un prix de cession interne de 1 600 $ par unité. Pour construire ces moteurs, la division de l'Ouest achèterait des pièces à la division de l'Est à un prix de cession interne de 400 $ par unité. (Chaque moteur requiert une seule de ces composantes.) Pour la fabrication de ces pièces, la division de l'Est engagerait des coûts variables de 200 $ par unité. En outre, chaque pièce requerrait 2,5 heures-machines à un taux d'imputation prédéterminé des frais indirects de fabrication fixes de 38 $ l'heure propre à cette division. La division de l'Ouest transformerait ensuite ces pièces, engageant ainsi des coûts variables de 450 $ par moteur. La construction de ces moteurs nécessiterait 5 heures-machines par unité dans ses usines à un taux d'imputation prédéterminé des frais indirects de fabrication fixes de 23 $ l'heure.

Si la division de l'Ouest ne lui vend pas ces moteurs, la division Centrale les achètera à la société Beaufort, qui a proposé de lui fournir les mêmes moteurs à 1 500 $ l'unité. Pour pouvoir exécuter cette commande, la société Beaufort devrait elle aussi acheter une pièce à la division de l'Est. Il s'agirait par contre d'une composante différente de celle dont la division de l'Ouest aurait besoin. La division de l'Est débourserait 175 $ en coûts variables pour la fabriquer, mais la vendrait 350 $ l'unité à la société Beaufort pour une commande de 2 000 unités. En raison de sa conception complexe, cette pièce requiert également 2,5 heures-machines.

b) La société Despins voudrait passer à la division de l'Ouest une commande de 2 500 unités d'un moteur similaire à celui dont a besoin la division Centrale. Elle a offert de payer 1 200 $ par moteur.

Pour construire ces moteurs, la division de l'Ouest devrait encore acheter une pièce à la division de l'Est. La fabrication de cette pièce coûterait 100 $ l'unité en coûts variables et exigerait 2 heures-machines à l'usine de la division de l'Est. Cette division la vendrait à celle de l'Ouest à un prix de cession interne de 200 $ par unité. La division de l'Ouest la transformerait davantage, ce qui entraînerait des coûts variables de 500 $ par moteur. Un tel travail nécessiterait 4 heures-machines.

Comme la capacité de production de son usine est limitée, la division de l'Ouest ne peut accepter qu'une seule commande, celle de la division Centrale ou celle de la société Despins. Le directeur général de la société Huberdeau et le directeur de la division de l'Ouest reconnaissent tous deux qu'il ne serait pas judicieux d'augmenter la capacité de la division à ce moment-ci. Quelle que soit la décision prise à la division de l'Ouest, le total de ses frais indirects de fabrication fixes demeurera le même.

11

Travail à faire

1. Si le dirigeant de la division de l'Ouest veut maximiser les bénéfices de sa section, laquelle des deux commandes devrait-il accepter — celle de la division Centrale ou celle de la société Despins ? Justifiez votre réponse par les calculs appropriés.

2. Supposez maintenant que la division de l'Ouest décide d'accepter la commande de la société Despins. Déterminez si cette décision favorise les intérêts de la société Huberdeau dans son ensemble. Expliquez votre réponse et justifiez-la par les calculs appropriés.

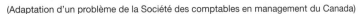

(Adaptation d'un problème de la Société des comptables en management du Canada)

Recherche

R1 Les mesures de la performance dans une entreprise de service

En quoi les systèmes de mesure de la performance et de la rémunération des entreprises de service et ceux des entreprises de fabrication se ressemblent-ils? En quoi sont-ils différents? Pour étudier une entreprise de service florissante, demandez au gérant du McDonald's de votre région s'il accepterait de vous expliquer les mesures de la performance utilisées par cette société pour évaluer ses gérants et la façon dont ces mesures sont liées à leur rémunération.

Travail à faire

Organisez votre étude autour des thèmes suivants:

1. Quels sont les objectifs généraux, ou plans à long terme, de McDonald's? Il pourrait s'agir, par exemple, d'une augmentation de la part de marché de la multinationale.

2. Quels sont les facteurs déterminants de réussite, ou domaines clés, où tout doit bien se passer pour que l'entreprise réussisse? Il pourrait s'agir, par exemple, de faibles prix de vente basés sur des coûts de production peu élevés.

3. Quelles mesures de la performance contribuent à la motivation des gérants et au contrôle des progrès vers la réalisation de chaque facteur déterminant de réussite? Il pourrait s'agir, par exemple, d'une diminution constante du coût de la qualité.

4. Les mesures de la performance concordent-elles avec le plan de rémunération du gérant?

R2 L'analyse du RCI

Le RCI est le produit du taux de résultat d'exploitation net et du taux de rotation du capital investi d'une entreprise. Votre tâche consistera à calculer le taux de résultat d'exploitation net, le taux de rotation du capital investi et le RCI à l'aide des données provenant de rapports annuels de différentes entreprises. Avant de commencer, dites-vous bien que, dans certains cas, il sera difficile de déterminer avec certitude les éléments qui devront être considérés comme des actifs d'exploitation. Ne vous en faites pas. Faites de votre mieux et tâchez simplement de procéder de la même manière d'une période à l'autre à l'intérieur d'une même entreprise.

Travail à faire

Sur le site internet Sedar (<www.sedar.com>), utilisez la fonction «Recherche» dans la base de données des sociétés ouvertes pour récupérer les deux derniers rapports annuels des entreprises ci-dessous. Calculez le taux de résultat d'exploitation net, le taux de rotation du capital et le RCI de chaque entreprise pour ces deux périodes. À l'aide des ratios obtenus, analysez brièvement la performance de chaque entreprise.

1. Banque Royale du Canada.
2. Loblaw.
3. Genivar.
4. Rogers Communications.

LES ÉLÉMENTS PERTINENTS POUR LA PRISE DE DÉCISIONS

Regard sur une entreprise

L'accroissement des activités de WestJet

WestJet, une compagnie aérienne canadienne, doit constamment décider des destinations qu'elle desservira. Pour ce faire, l'un des facteurs qu'elle considère est le taux d'occupation, c'est-à-dire le pourcentage de sièges vendus sur chaque vol. En raison du montant élevé de coûts fixes par vol (préparation de l'appareil, assurances, salaire des agents de bord, etc.), le suivi du taux d'occupation est très important, puisque l'entreprise doit vendre un minimum de sièges pour que chaque vol atteigne le seuil de rentabilité. En outre, pour qu'un vol contribue à l'accroissement de la rentabilité de l'entreprise, il faut que la marge totale sur coûts variables (capacité de vol × taux d'occupation × marge sur coûts variables par passager) dépasse le total des coûts fixes pertinents de ce vol. Les actionnaires de WestJet ont dû être heureux d'apprendre que la moyenne des taux d'occupation est passée de 78,7 % à 80,4 % entre septembre 2009 et 2010.

Il est important de souligner que l'analyse qui sous-tend le choix d'ajouter ou d'abandonner des vols ne devrait pas tenir compte des coûts qui ne sont pas touchés par une telle décision. Ainsi, si WestJet n'a pas besoin d'augmenter son personnel administratif lorsqu'elle ajoute des vols à destination d'Hawaï, les salaires versés à ces employés ne sont pas pertinents relativement à sa décision. L'entreprise supportera ces coûts, qu'elle offre ou non de nouveaux vols. Par contre, tous les coûts supplémentaires qu'il faudra engager en raison de l'ajout de ces vols, tels que la publicité additionnelle, les assurances et les frais aéroportuaires, sont pertinents dans une telle décision.

Il est essentiel pour les compagnies aériennes d'analyser correctement les effets probables de l'augmentation ou de la réduction de leur capacité par l'ajout ou l'abandon de vols. Un accroissement de la capacité n'est justifié que s'il entraîne une hausse des résultats.

Source: WESTJET, «WestJet Reports September Load Factor of 75.5 Per Cent», [Communiqué de presse], 5 octobre 2010, [En ligne], <http://westjet2.mediaroom.com/index.php?s=43&item=485> (Page consultée le 5 octobre 2010).

OBJECTIFS D'APPRENTISSAGE

Après avoir étudié ce chapitre, vous pourrez:

1. faire la distinction entre les revenus et les coûts pertinents, et entre les revenus et les coûts non pertinents dans la prise de décisions;

2. préparer des analyses pour différentes situations dans lesquelles il faut prendre des décisions;

3. déterminer l'utilisation la plus rentable d'une ressource limitée;

4. déterminer des prix de vente en se basant sur les coûts (Annexe 12A en ligne);

5. déterminer le coût cible pour un nouveau produit ou service (Annexe 12A en ligne).

Prendre des décisions constitue l'une des principales fonctions du gestionnaire. C'est à lui qu'incombe la tâche de choisir les produits que l'entreprise doit vendre, les méthodes de production à adopter, les composantes à fabriquer ou à acheter, les prix que l'entreprise doit exiger, les circuits de distribution à emprunter, les commandes spéciales à accepter ou à refuser à des prix de vente donnés, et ainsi de suite. La prise de décisions se révèle souvent une tâche difficile. Elle est complexe parce qu'il existe de multiples possibilités et des quantités massives de données dont seulement un certain nombre pourraient être pertinentes.

Chaque décision nécessite un choix entre au moins deux possibilités. Lorsqu'on prend une décision, on doit comparer les coûts et les revenus, ainsi que les avantages et les inconvénients de chacune des possibilités. Les coûts ou les revenus qui diffèrent d'une possibilité à l'autre portent le nom de **coûts** ou **revenus pertinents**. Il est essentiel de savoir distinguer les éléments pertinents de ceux qui ne le sont pas pour deux raisons. D'abord, il n'est pas nécessaire d'analyser les données non pertinentes. Les décideurs épargnent ainsi beaucoup de temps et d'efforts. Ensuite, on peut facilement prendre de mauvaises décisions si l'on commet l'erreur d'inclure des données non pertinentes dans l'analyse des possibilités. Pour prendre des décisions éclairées, le gestionnaire doit être en mesure de faire la différence entre les données pertinentes et non pertinentes, et savoir utiliser correctement les données pertinentes dans son analyse des possibilités. De plus, le gestionnaire doit bien comprendre la relation entre les coûts et l'établissement du prix de vente des produits et des services[1]. L'objectif du présent chapitre est de favoriser le développement de ces habiletés en démontrant leur utilité dans un vaste éventail de situations où le gestionnaire doit prendre des décisions. Ainsi, nous examinerons des situations dans lesquelles la prise de décisions a des impacts à court terme. L'analyse de données pour la prise de décisions ayant des impacts à long terme est enseignée dans les cours de finance.

Il faut souligner deux aspects importants des situations présentées dans ce chapitre, où une prise de décisions s'impose. Premièrement, aucune de ces situations n'exige de dépenses en immobilisations (c'est-à-dire, par exemple, le remplacement du matériel de production). Le cas échéant, la valeur temporelle de l'argent pourrait constituer l'un des principaux facteurs à analyser. Deuxièmement, le critère de base employé dans les différentes situations étudiées est la maximisation du bénéfice d'exploitation. Toutefois, en pratique, les gestionnaires peuvent aussi considérer des éléments qualitatifs. Par exemple, lorsqu'ils ont à déterminer s'ils conserveront ou s'ils abandonneront un produit ou une section, ils examineront les effets d'une telle mesure sur le moral des employés et sur la réputation de l'entreprise auprès de ses clients, même si des répercussions aussi importantes se révèlent parfois très difficiles voire très coûteuses à quantifier. L'influence de ces éléments qualitatifs sur une décision peut varier d'une situation à l'autre, mais elle est rarement négligeable[2].

Coût (ou revenu) pertinent

Coût ou revenu qui diffère selon les possibilités entre lesquelles l'entreprise doit choisir dans une prise de décision donnée.

Les concepts de coût utilisés dans la prise de décisions

OBJECTIF 1

Faire la distinction entre les revenus et les coûts pertinents, et entre les revenus et les coûts non pertinents dans la prise de décisions.

Quatre concepts de coût étudiés au chapitre 2 s'appliquent particulièrement ici. Il s'agit du *coût différentiel*, du *coût marginal*, du *coût de renonciation* et du *coût irrécupérable*.

La détermination des éléments pertinents

Pour analyser correctement les diverses situations décisionnelles décrites dans ce chapitre, il est essentiel de commencer par déterminer la nature des coûts et des revenus pertinents. Lorsqu'il est question de prendre une décision, seuls les coûts et les revenus qui diffèrent d'une possibilité à l'autre sont pertinents. Si un coût ou un revenu demeure inchangé

1. L'annexe 12A (en ligne au <www.cheneliere.ca/garrison>) explique comment déterminer les prix de vente et les taux de facturation, et comment calculer un coût cible.

2. Les éléments à comparer entre deux ou plusieurs options sont composés des éléments financiers (coûts et revenus) et des éléments non financiers (avantages et inconvénients). L'expression *éléments pertinents* peut être utilisée pour désigner ces composantes. Dans ce chapitre, l'attention sera accordée principalement aux éléments financiers pertinents pour la prise de décisions.

quelle que soit la possibilité choisie, alors la décision n'a aucun effet sur ce coût ou ce revenu, et le gestionnaire n'a pas à en tenir compte. Par exemple, lorsque vous hésitez entre aller au cinéma ou louer un DVD, le coût de votre billet d'autobus sera exactement le même, peu importe le choix que vous ferez, de sorte qu'il ne constitue pas un élément pertinent dans votre décision. Par contre, le coût du billet de cinéma et celui de la location du DVD sont pertinents dans cette décision puisqu'il s'agit de *coûts évitables*.

Un **coût évitable** est un coût qui diffère, en totalité ou en partie, en fonction de la solution choisie. Si vous optez pour le cinéma, le coût du billet sera différent du coût de location du DVD, et vice-versa. Par conséquent, le coût de l'entrée au cinéma et celui de la location du DVD constituent tous les deux des coûts évitables. Par contre, le coût de votre billet d'autobus est inévitable, quelle que soit la solution que vous choisirez, puisque vous devrez prendre l'autobus dans les deux cas. Les coûts évitables sont des coûts pertinents; les coûts inévitables sont des coûts non pertinents.

Deux grandes catégories de coûts ne sont jamais pertinentes dans une prise de décisions:
1. Les coûts irrécupérables (par exemple, le coût du lecteur DVD).
2. Les coûts futurs qui ne changeront pas d'une solution à l'autre (par exemple, le coût du billet d'autobus).

Comme nous l'avons vu au chapitre 2, un coût irrécupérable est un coût déjà engagé, qui ne peut pas être modifié maintenant et dans le futur par une nouvelle décision. Les coûts irrécupérables demeurent inchangés, peu importe les solutions de rechange considérées, de sorte qu'on ne doit pas en tenir compte. Ces coûts ont été engagés dans le passé (coûts historiques) et ne diffèrent pas selon les possibilités considérées. Par contre, les coûts futurs qui varient selon les possibilités envisagées *sont* pertinents. Ainsi, dans l'exemple concernant la décision d'aller au cinéma ou de louer un DVD, le coût de l'achat du billet et celui de la location du DVD n'ont pas encore été engagés. Il s'agit de coûts futurs qui diffèrent selon les possibilités au moment de la prise de décision; ils sont par conséquent pertinents.

Au chapitre 2, nous avons présenté, en même temps que les coûts irrécupérables, le concept de coût différentiel. En comptabilité de gestion, les termes *évitable*, *différentiel*, *marginal* et *pertinent* sont souvent utilisés de façon interchangeable. Pour déterminer les revenus et coûts pertinents, dans une situation où une décision particulière s'impose, voici les étapes à suivre.
1. Éliminer les revenus et coûts qui ne varient pas selon les possibilités envisagées. Les coûts qui entrent dans cette catégorie se composent de coûts irrécupérables, qui sont des coûts historiques, et de coûts futurs qui ne varient pas d'une possibilité à l'autre. Ces coûts ne sont donc pas pertinents.
2. Utiliser les revenus et les coûts qui restent, c'est-à-dire ceux qui varient selon les possibilités considérées dans la prise de décisions. Ces coûts sont donc les coûts différentiels et évitables.

Des coûts pertinents pour différentes décisions

Pour analyser correctement une situation, on doit d'emblée reconnaître que les coûts pertinents dans le contexte d'une décision ne le sont pas nécessairement dans celui d'une autre décision. C'est le contexte qui rend un coût pertinent. Pour simplifier, cela signifie que *le gestionnaire a besoin de tenir compte de différents coûts pour différentes décisions*. Dans l'analyse d'une décision à prendre, un groupe de coûts en particulier peut se révéler pertinent, tandis que, pour une autre décision, on devra recourir à un groupe de coûts entièrement différent. Ainsi, au moment de prendre *chaque* décision, le gestionnaire doit examiner les données dont il dispose et isoler les coûts pertinents. Sinon, il peut être induit en erreur par des données non pertinentes.

Le concept de coûts pertinents pour des décisions différentes s'avère essentiel en comptabilité de gestion. Nous en verrons de nombreuses applications dans les pages qui suivent.

Coût évitable

Coût qui diffère en totalité ou en partie en fonction de la solution choisie. En comptabilité de gestion, cette expression est synonyme de *coût pertinent* et de *coût différentiel*.

12

Un exemple de détermination des coûts pertinents

Camille est inscrite à un programme de maîtrise en administration des affaires à l'Université d'Halifax. Elle souhaite rendre visite à une amie à Moncton ce week-end, et se demande si elle devrait prendre sa voiture ou le train. Comme son budget est très serré, elle veut examiner minutieusement les coûts de ces deux possibilités. Si l'une d'elles est beaucoup moins onéreuse que l'autre, ce pourrait être un argument concluant dans son choix. En voiture, la distance entre son appartement et celui de son amie est de 265 kilomètres. Camille a dressé une liste d'éléments à considérer.

Coûts de l'automobile

Élément	Coût annuel des éléments fixes	Coût par kilomètre (basé sur 16 000 km par an)
a) Amortissement linéaire annuel de la voiture [(coût initial de 24 000 \$ − valeur de revente estimée à 10 000 \$ dans 5 ans) ÷ 5 ans]	2 800 \$	0,175 \$
b) Essence (1,30 \$ le litre ÷ 10 km/L)		0,130
c) Coût annuel du permis de conduire et de l'assurance de l'automobile	2 000	0,125
d) Entretien et réparations		0,041
e) Frais de stationnement à l'université (45 \$ par mois × 8 mois)	360	0,023
f) Pneus (900 \$ pour remplacer les 4 pneus tous les 50 000 km)		0,018
g) Coût moyen total par kilomètre		0,512 \$

Données supplémentaires

Élément	
h) Coût du billet aller-retour Halifax-Moncton en train	125 \$
i) Avantage de pouvoir se détendre et étudier pendant le trajet plutôt que d'avoir à conduire	?
j) Coût de la pension pour son chat durant l'absence de Camille	40 \$
k) Avantage de disposer d'une voiture à Moncton	?
l) Inconvénient du stationnement à Moncton	?
m) Coût du stationnement à Moncton	25 \$ par jour

Quels sont les coûts pertinents dans cette décision? Rappelez-vous que seuls les revenus et les coûts qui varient d'une possibilité à l'autre constituent des éléments pertinents. Tous les autres sont non pertinents et ne devraient pas être considérés.

Au début de la liste, l'élément a), soit l'amortissement de la voiture, n'est pas pertinent. En effet, le coût initial de la voiture est un coût irrécupérable. Il s'agit d'un coût déjà engagé, de sorte qu'il ne peut être évité, quelle que soit la décision de Camille.

L'élément b) de la liste, soit le coût de l'essence consommée pour se rendre d'Halifax à Moncton, est clairement un coût pertinent dans cette décision. Si Camille prenait le train, elle n'aurait pas à payer ce montant. Comme ce coût varie d'une possibilité à l'autre, il est pertinent.

L'élément c), soit le coût annuel du permis de conduire et de l'assurance de l'automobile, n'est pas pertinent. Que Camille prenne le train ou sa voiture pour aller rendre visite à son amie, sa prime d'assurance et les redevances sur son permis de conduire demeureront les mêmes[3].

Par contre, l'élément d), qui concerne les coûts de l'entretien et des réparations, est pertinent. Même si ces coûts ont une importante composante aléatoire, ils devraient, à long terme, se révéler plus ou moins proportionnels au nombre de kilomètres parcourus en voiture. Par conséquent, le coût moyen de 0,041 $ par kilomètre est une estimation acceptable à prendre en compte.

L'élément e), soit les frais mensuels que Camille paie pour stationner sa voiture à l'université pendant l'année scolaire, ne serait pas pertinent dans sa décision concernant le moyen de transport à utiliser pour se rendre à Moncton. En effet, quelle que soit la possibilité choisie par l'étudiante — sa voiture ou le train —, elle devra toujours payer ses frais de stationnement à l'université.

L'élément f), soit le coût du remplacement des quatre pneus (900 $) tous les 50 000 kilomètres, est pertinent. Plus Camille utilise sa voiture, plus rapidement elle devra en remplacer les pneus. Par conséquent, le montant de 0,018 $ par kilomètre pour les pneus constitue un coût pertinent dans la décision de faire le voyage en voiture ou en train.

L'élément g) représente le coût total moyen de 0,512 $ par kilomètre. Comme nous l'avons vu précédemment, certains éléments de ce montant sont pertinents, mais d'autres ne le sont pas. Étant donné que le coût de l'aller-retour Halifax-Moncton en voiture contient des éléments non pertinents, ce serait une erreur de l'estimer en multipliant 0,512 $ par les 530 kilomètres à parcourir (265 kilomètres dans chaque direction). Avec ce raisonnement erroné, le coût du voyage en voiture serait estimé à 271,36 $. Malheureusement, les gens commettent souvent de telles erreurs, tant dans la vie courante qu'en affaires. Le fait que le coût total soit établi par kilomètre porte souvent à confusion. En effet, on a alors tendance à croire que si le coût est de 0,512 $ par kilomètre, celui d'un trajet en voiture de 100 kilomètres s'élèvera à 51,20 $. Pourtant, ce n'est pas le cas. De nombreux coûts inclus dans le total de 0,512 $ par kilomètre sont des coûts irrécupérables ou fixes qui n'augmenteront pas si la voiture roule 100 kilomètres de plus. Autrement dit, 0,512 $ par kilomètre est un coût moyen, et non un coût marginal. Il faut examiner ces coûts exprimés à l'unité (c'est-à-dire les coûts présentés sous forme de montant en dollars par unité, par kilomètre, par heure de main-d'œuvre directe, par heure-machine, etc.) avec prudence — ils sont souvent trompeurs.

L'élément h), soit le coût de 125 $ pour un billet aller-retour en train est clairement pertinent dans la décision. Si Camille prenait sa voiture, elle n'aurait pas à acheter ce billet.

L'élément i) est également pertinent dans cette décision, même s'il est difficile d'établir la valeur en dollars de la possibilité de se détendre et d'étudier dans le train. Il est pertinent parce qu'il représente un avantage offert par un mode de transport, mais non par l'autre.

L'élément j), soit le coût de la pension du chat en l'absence de Camille, n'est évidemment pas pertinent puisque, qu'elle choisisse de prendre sa voiture ou le train, la jeune femme sera obligée de mettre son chat en pension.

Les éléments k) et l) sont aussi pertinents dans la décision, même s'il est difficile d'établir leur valeur en dollars.

L'élément m) concernant le coût du stationnement à Moncton est également pertinent dans la décision.

12

---

3. Dans le cas où Camille aurait un accident de voiture pendant son voyage à Moncton, sa prime d'assurance serait probablement modifiée au moment du renouvellement de son contrat. Si l'on pouvait estimer le montant de cette augmentation de la prime, il deviendrait un coût pertinent du voyage, mais le montant de la prime d'assurance lui-même n'est pas un coût pertinent.

Voici comment, en rassemblant toutes les données pertinentes, Camille devrait estimer les coûts relatifs du transport en voiture ou par train.

Coûts pertinents d'un voyage aller-retour Halifax-Moncton en voiture

Essence (530 kilomètres à 0,130 $ le kilomètre)	68,90 $
Entretien et réparations (530 kilomètres à 0,041 $ le kilomètre)............................	21,73
Pneus (530 kilomètres à 0,018 $ le kilomètre)	9,54
Coût du stationnement à Moncton (2 jours à 25 $ par jour)...................................	50,00
	150,17 $

Coûts pertinents d'un voyage Halifax-Moncton par train

Coût du billet aller-retour Halifax-Moncton	125,00 $

Que devrait faire Camille ? Sur le plan purement pécuniaire, elle économiserait 25,17 $ (150,17 $ − 125,00 $) en prenant le train. Elle doit toutefois déterminer si les avantages d'avoir une voiture à sa disposition à Moncton justifient le coût plus élevé de l'utilisation de ce mode de transport.

Dans cet exemple, nous avons insisté sur la façon de déterminer les coûts pertinents sans tenir compte du reste. Dans le prochain exemple, nous commencerons notre analyse en considérant tous les revenus et les coûts, qu'ils soient pertinents ou non. Nous verrons qu'en étant très attentifs, nous pouvons obtenir la bonne réponse parce que les coûts et les revenus non pertinents s'élimineront les uns les autres lorsque nous comparerons les possibilités offertes.

L'approche globale et l'approche différentielle

Pour effectuer un choix parmi diverses possibilités, un bon moyen de s'assurer que tous les coûts et revenus pertinents sont considérés est de préparer une analyse semblable à celle présentée dans le tableau 12.1. Ce tableau comporte une colonne pour chacune des options analysées. Il présente tous les coûts et revenus relatifs à chacune des options, qu'ils soient pertinents ou non. La troisième colonne fait ressortir les différences, ligne par ligne, entre les deux premières colonnes. C'est ce qu'on appelle l'*analyse globale des options*. La préparation d'un tableau de ce type peut prendre un certain temps, mais elle permet de s'assurer qu'aucun élément pertinent n'est oublié et d'éviter que des éléments non pertinents soient pris en considération. Les différentes options peuvent aussi être examinées à l'aide de l'analyse différentielle. Celle-ci implique la préparation d'une seule colonne dans laquelle on ne présente que les coûts et les revenus pertinents. Cette façon de faire est plus rapide que l'analyse globale, mais les risques d'oublier des éléments pertinents ou de considérer des éléments non pertinents sont plus grands. Voici un exemple illustrant comment préparer une analyse selon ces deux approches.

La compagnie Lapalme inc. songe à louer, au coût de 3 000 $ par année, une nouvelle machine qui permettra d'économiser de la main-d'œuvre directe. Voici des données annuelles concernant le chiffre d'affaires et les coûts de l'entreprise, avec et sans la location de la nouvelle machine.

	Situation actuelle	Situation avec la nouvelle machine
Unités produites et vendues...	5 000	5 000
Prix de vente par unité...	40 $	40 $
Coût des matières premières par unité	14	14
Coût de la main-d'œuvre directe par unité......................	8	5
Frais indirects de fabrication variables par unité.............	2	2
Coûts fixes, autres..	62 000	62 000
Location de la nouvelle machine	–	3 000

| TABLEAU 12.1 | Une analyse globale des coûts pertinents |

	5 000 unités produites et vendues		
	Situation actuelle	Situation avec la nouvelle machine	Revenus et coûts différentiels
Ventes (5 000 unités à 40 $ l'unité)	200 000 $	200 000 $	-0- $
Moins: Coûts variables:			
Coût des matières premières (5 000 unités à 14 $ l'unité)	70 000	70 000	-0-
Coût de la main-d'œuvre directe (5 000 unités à 8 $ et à 5 $ l'unité)	40 000	25 000	15 000
Frais indirects de fabrication (5 000 unités à 2 $ l'unité)	10 000	10 000	-0-
Total des coûts variables	120 000	105 000	
Marge sur coûts variables..............................	80 000	95 000	
Moins: Coûts fixes:			
Autres...	62 000	62 000	-0-
Location de la nouvelle machine	-0-	3 000	(3 000)
Total des coûts fixes	62 000	65 000	
Bénéfice..	18 000 $	30 000 $	12 000 $

Il est possible de faire l'analyse en examinant *toutes* les données sur les coûts pertinents et non pertinents en fonction des deux options envisagées. On voit au tableau 12.1 comment procéder à une analyse globale. D'après ce tableau, l'avantage net que l'entreprise peut tirer de la location de la nouvelle machine est de **12 000 $**, soit le montant exact obtenu en ne considérant que les coûts pertinents par une analyse différentielle.

L'utilisation de la nouvelle machine permettrait une économie de 3 $ par unité en coûts de main-d'œuvre directe (8 $ − 5 $). Elle ferait toutefois augmenter les coûts fixes de **3 000 $** annuellement. Tous les autres coûts, y compris le nombre total d'unités produites et vendues, demeureraient les mêmes. On arrive au même résultat, soit une rentabilité supérieure de **12 000 $** en ne tenant pas compte des revenus et des coûts non pertinents:

- Le prix de vente par unité et le nombre d'unités vendues ne varient pas, quelle que soit l'option choisie. Par conséquent, les ventes ne diffèrent pas, comme on le voit au tableau 12.1; elles peuvent donc être ignorées dans l'analyse.
- Le coût des matières premières par unité, les frais indirects de fabrication variables par unité et le nombre d'unités produites ne varient pas, quelle que soit l'option choisie. Par conséquent, les coûts des matières premières et les frais indirects variables ne seront pas différents non plus et peuvent être ignorés.
- Les autres coûts fixes ne diffèrent pas d'une possibilité à une autre et peuvent aussi être ignorés.

Les coûts qui restent, soit les coûts de la main-d'œuvre directe et les coûts fixes relatifs à la nouvelle machine, constituent les seuls coûts pertinents.

Le tableau ci-dessous présente l'analyse différentielle.

12

Économies sur les coûts de la main-d'œuvre directe (5 000 unités avec une économie de 3 $ par unité)..	15 000 $
Moins: Augmentation des coûts fixes	3 000
Économie nette annuelle prévue avec la location de la nouvelle machine..............	12 000 $

Pourquoi isoler les coûts pertinents ?

Dans l'exemple précédent, nous avons utilisé deux méthodes différentes pour analyser le choix entre deux possibilités. Nous avons examiné tous les coûts, ceux qui étaient pertinents et ceux qui ne l'étaient pas, puis nous avons considéré uniquement les coûts pertinents. Nous avons obtenu le même résultat dans les deux cas. Il serait alors logique de se demander pourquoi prendre la peine d'isoler les coûts pertinents puisque l'utilisation de l'ensemble des coûts se révèle une méthode aussi efficace. L'isolement des coûts pertinents est souhaitable pour au moins deux raisons.

Premièrement, il est rare qu'on dispose de suffisamment de renseignements pour préparer un état des résultats détaillé concernant les deux possibilités comme dans les exemples précédents. Supposons qu'on vous demande de prendre une décision portant sur une seule activité d'une entreprise qui compte plusieurs sections et fabrique plusieurs produits. Dans ces circonstances, il serait pratiquement impossible d'établir un état des résultats de quelque type que ce soit. Vous devriez vous fier à votre habileté pour distinguer les coûts pertinents des coûts non pertinents en vue de recueillir les données nécessaires à une telle décision.

Deuxièmement, le fait de réunir des coûts non pertinents et des coûts qui le sont peut détourner l'attention d'éléments vraiment essentiels. En outre, il y a toujours un risque qu'un renseignement non pertinent soit utilisé de façon incorrecte, ce qui entraînerait une décision erronée. Des études montrent que les gestionnaires essaient souvent d'utiliser tous les renseignements disponibles, pertinents et non pertinents, lorsqu'ils prennent une décision[4], même si la meilleure méthode consiste à éliminer les données non pertinentes et à fonder entièrement la décision sur les données pertinentes.

L'analyse des coûts pertinents, combinée à un état des résultats établi selon la méthode de la marge sur coûts variables, fournit un outil efficace pour la prise de décisions. Nous examinerons différents usages de cet outil dans le reste du chapitre.

L'analyse de différentes situations où il faut prendre des décisions

OBJECTIF 2

Préparer des analyses pour différentes situations dans lesquelles il faut prendre des décisions.

Périodiquement, les gestionnaires doivent prendre des décisions qui sortent du cours normal de leurs activités. Leur entreprise devrait-elle conserver ou abandonner une gamme de produits ou une division ? Devrait-elle fabriquer la composante d'un produit à l'interne ou l'acheter d'un fournisseur de l'extérieur (externaliser sa production) ? Devrait-elle accepter ou refuser des commandes spéciales ? Devrait-elle vendre un produit tel qu'il est ou le transformer davantage ? Même si, en apparence, ces situations décisionnelles paraissent très différentes, la démarche est similaire dans chaque cas. Dans chacune de ces situations, il faut comparer les revenus et les coûts pertinents, et choisir la solution qui aura l'effet le plus favorable sur le résultat. Comme nous le verrons dans les exemples ci-après portant chacun sur une situation qui exige une décision, le défi pour les gestionnaires est de reconnaître et de quantifier ces coûts et ces revenus pertinents.

L'ajout et l'abandon de gammes de produits et de secteurs d'exploitation

Les décisions relatives à l'abandon ou à l'ajout de gammes de produits ou de secteurs d'exploitation dans une entreprise sont parmi les plus difficiles que les gestionnaires peuvent avoir à prendre. Ces décisions les amènent à considérer de nombreux facteurs qualitatifs et quantitatifs. Toutefois, toute décision à ce sujet dépendra d'abord de l'effet qu'elle aura sur le résultat. Pour évaluer cet effet, il est nécessaire de procéder à une analyse minutieuse des revenus et coûts impliqués.

---

4. Karen SIEGEL-JACOBS et J. Frank YATES, « Effects of Procedural and Outcome Accountability on Judgment Quality », *Organizational Behavior and Human Decision Processes*, vol. 65, n° 1 (janvier 1996), p. 1-17.

Considérons les trois principales gammes de produits de la société AFM Électronique — des téléviseurs, des appareils stéréophoniques et des appareils photo. Les renseignements concernant les ventes et les coûts du mois le plus récent pour chaque gamme de produits et pour l'entreprise dans son ensemble apparaissent au tableau 12.2.

TABLEAU 12.2	Les gammes de produits de AFM Électronique			
		Gamme de produits		
	Total	Téléviseurs	Appareils stéréophoniques	Appareils photo
Ventes	340 000 $	187 500 $	112 500 $	40 000 $
Moins : Coûts variables	136 500	75 000	37 500 $	24 000
Marge sur coûts variables	203 500	112 500	75 000	16 000
Moins : Coûts fixes :				
Salaires	69 400	44 250	18 750	6 400
Publicité	17 950	1 500	11 250	5 200
Services publics	2 300	750	750	800
Amortissement – présentoirs	6 100	1 500	3 000	1 600
Loyer	27 200	15 000	9 000	3 200
Assurance	4 150	3 000	750	400
Charges administratives	40 800	22 500	13 500	4 800
Total des coûts fixes	167 900	88 500	57 000	22 400
Bénéfice (perte)	35 600 $	24 000 $	18 000 $	(6 400)$

Que peut-on faire pour améliorer la performance globale d'AFM Électronique ? Une gamme de produits, celle des appareils photo, présente une perte pour le mois. Son abandon entraînerait peut-être une amélioration des résultats de l'entreprise. Avant de décider de supprimer cette gamme de produits, la direction devrait faire le raisonnement qui suit.

L'abandon de la gamme des appareils photo occasionnerait une perte de la marge sur coûts variables équivalant à 16 000 $ par mois. Toutefois, l'entreprise pourrait ainsi économiser certains coûts fixes. Par exemple, il lui serait possible de mettre à pied certains employés ou de diminuer ses coûts de publicité. Si l'abandon de cette gamme de produits permettait à l'entreprise d'économiser un total de coûts fixes supérieur à ce qu'elle perd en marge sur coûts variables, elle gagnerait à le faire puisque le total de ses résultats augmenterait. Par contre, si la somme économisée en coûts fixes ne dépasse pas la marge sur coûts variables qu'elle perd, elle devrait conserver la gamme des appareils photo. En d'autres termes, le gestionnaire doit tenter de déterminer les coûts que l'entreprise peut éviter en abandonnant cette gamme de produits.

Comme nous l'avons souligné précédemment, les coûts ne sont pas tous évitables. Par exemple, certains coûts relatifs à une gamme de produits constituent des coûts irrécupérables. D'autres, répartis à titre de coûts communs, ne varieront pas au total, que la gamme de produits soit abandonnée ou conservée. Comme nous l'avons vu au chapitre 5, une analyse basée sur la comptabilité par activités (CPA) pourrait aider à la dictinction des coûts pertinents.

Pour déterminer la façon dont le gestionnaire devrait procéder à l'analyse des gammes de produits, supposons que la direction de la société AFM Électronique a analysé les coûts attribués à ses trois gammes de produits et qu'elle a établi les faits suivants :

1. Les charges relatives à la rémunération représentent les salaires versés aux employés qui travaillent directement à la production de chaque gamme de produits. Tous les employés travaillant à la gamme des appareils photo seraient mis à pied si l'entreprise cessait de produire cette gamme.

12

2. Les charges liées à la publicité représentent la publicité directe concernant chaque gamme de produits et pourraient être évitées en cas d'abandon de la gamme.

3. Les charges liées aux services publics sont des coûts applicables à l'ensemble de l'entreprise. Le montant attribué à chaque gamme de produits est réparti en fonction de l'espace occupé et il resterait le même si la gamme des appareils photo était éliminée.

4. Les charges relatives à l'amortissement concernent les présentoirs servant à l'exposition des diverses gammes de produits. Bien que ces équipements soient presque neufs, ils n'auraient qu'une faible valeur de revente si la direction supprimait la gamme des appareils photo, parce qu'ils ont été construits sur mesure.

5. Le loyer s'applique à l'ensemble de l'immeuble abritant l'entreprise. Ce coût est réparti entre les gammes de produits en fonction du chiffre d'affaires de chacune. Le loyer mensuel de 27 200 $ est établi conformément à un bail à long terme.

6. Les charges liées à l'assurance concernent les assurances sur les stocks de chacune des trois gammes de produits.

7. Les charges administratives représentent les coûts des services de la comptabilité et des achats, et de la direction générale qui sont attribués aux gammes de produits en fonction de leurs ventes respectives. Le total de ces charges ne variera pas si la gamme des appareils photo est abandonnée.

À l'aide de ces renseignements, la direction est en mesure de déterminer les coûts qui peuvent ou ne peuvent pas être économisés en cas d'abandon de la gamme de produits.

	Coût total	Coûts non évitables*	Coûts évitables
Salaires	6 400 $		6 400 $
Publicité	5 200		5 200
Services publics...................................	800	800 $	
Amortissement – présentoirs	1 600	1 600	
Loyer..	3 200	3 200	
Assurance	400		400
Charges administratives.......................	4 800	4 800	
Total des coûts fixes	22 400 $	10 400 $	12 000 $

* Ces coûts constituent soit des coûts irrécupérables, soit des coûts futurs qui ne varieront pas, que la gamme des appareils photo soit conservée ou abandonnée.

Pour déterminer l'effet de l'élimination de cette gamme de produits sur les bénéfices globaux de l'entreprise, on peut comparer la perte de la marge sur coûts variables aux coûts évités en cas d'abandon de la gamme.

Marge sur coûts variables perdue en cas d'abandon de la gamme des appareils photo (*voir le tableau 12.2, page précédente*)..............................	16 000 $
Moins : Coûts fixes évités si la gamme des appareils photo est abandonnée (*voir les données ci-dessus*)..	12 000
Diminution des bénéfices de l'ensemble de l'entreprise..	4 000 $

Dans ce cas, le montant des coûts fixes évités à la suite de l'abandon de la gamme de produits est inférieur au montant de la marge sur coûts variables qui sera perdu. Par conséquent, d'après les données financières disponibles, l'entreprise ne devrait pas éliminer la gamme des appareils photo à moins de trouver un usage plus rentable pour la superficie que celle-ci occupe actuellement.

Une analyse comparative

En vue de prendre une décision, certains gestionnaires préfèrent établir des états des résultats comparatifs qui indiquent les effets de la conservation ou de l'abandon d'une gamme de produits sur l'ensemble de l'entreprise. Le tableau 12.3 présente une analyse globale de ce type pour la société AFM Électronique.

TABLEAU 12.3	Une analyse globale de l'abandon d'une gamme de produits		
	Conserver les appareils photo	Abandonner les appareils photo	Différence : Augmentation (diminution) du bénéfice
Ventes	40 000 $	-0- $	(40 000)$
Moins : Coûts variables	24 000	-0-	24 000
Marge sur coûts variables...............	16 000	-0-	(16 000)
Moins : Coûts fixes :			
Salaires	6 400	-0-	6 400
Publicité	5 200	-0-	5 200
Services publics.........................	800	800	-0-
Amortissement – présentoirs	1 600	1 600	-0-
Loyer	3 200	3 200	-0-
Assurance	400	-0-	400
Charges administratives	4 800	4 800	-0-
Total des coûts fixes	22 400	10 400	12 000
Bénéfice (perte).........................	(6 400)$	(10 400)$	(4 000)$

Comme on peut le constater en examinant la troisième colonne du tableau, l'abandon de la gamme des appareils photo entraînera une diminution du bénéfice de l'entreprise de 4 000 $ par période. Il s'agit bien entendu de la même réponse que celle que nous avons obtenue par l'analyse différentielle.

Les difficultés liées aux coûts communs répartis

Notre conclusion selon laquelle la gamme des appareils photo ne devrait pas être abandonnée semble aller à l'encontre des données fournies au tableau 12.2 (*p. 669*). Rappelez-vous que, d'après ce tableau, la gamme en question enregistrait une perte plutôt qu'un bénéfice. Pourquoi alors la conserver ? L'explication de cette apparente incohérence se situe en partie sur le plan des coûts fixes communs répartis entre les gammes de produits. Comme nous l'avons déjà vu au chapitre 8, la répartition des coûts fixes communs pose de sérieux problèmes, en particulier parce qu'elle a souvent pour effet de faire *paraître* une gamme de produits, ou tout autre secteur d'exploitation, moins rentable qu'il l'est en réalité. En répartissant les coûts fixes communs à toutes les gammes de produits, on a donné l'*impression* que celle des appareils photo n'était pas rentable alors qu'en fait, l'abandon de cette gamme entraînerait une diminution du bénéfice de l'entreprise dans son ensemble. On peut clairement le constater en réorganisant les données du tableau 12.2 et en éliminant l'allocation des coûts fixes communs. Ce remaniement des données est présenté au tableau 12.4 (*page suivante*).

Le tableau 12.4 donne une perspective très différente de celle du tableau 12.2 concernant la gamme des appareils photo. En effet, il permet de constater que cette gamme de produits couvre l'ensemble de ses propres coûts fixes spécifiques et génère un bénéfice de 2 400 $ pour couvrir les coûts fixes communs de l'entreprise. À moins que l'entreprise trouve une autre gamme de produits générant des bénéfices supérieurs à ce montant,

12

		Gamme de produits		
TABLEAU 12.4 Les gammes de produits de AFM Électronique – un remaniement de la présentation	Total	Téléviseurs	Appareils stéréophoniques	Appareils photo
Ventes..	340 000 $	187 500 $	112 500 $	40 000 $
Moins: Coûts variables..................	136 500	75 000	37 500	24 000
Marge sur coûts variables..............	203 500	112 500	75 000	16 000
Moins: Coûts fixes spécifiques:				
Salaires..................................	69 400	44 250	18 750	6 400
Publicité................................	17 950	1 500	11 250	5 200
Amortissement – présentoirs......	6 100	1 500	3 000	1 600
Assurance.................................	4 150	3 000	750	400
Total des coûts fixes spécifiques	97 600	50 250	33 750	13 600
Bénéfice spécifique des gammes de produits..................	105 900	62 250 $	41 250 $	2 400 $*
Moins: Coûts fixes communs:				
Services publics.........................	2 300			
Loyer..	27 200			
Charges administratives	40 800			
Total des coûts fixes communs..	70 300			
Bénéfice...	35 600 $			

* Si l'entreprise abandonnait la gamme des appareils photo, elle perdrait ce bénéfice spécifique de 2 400 $. En outre, nous avons vu que l'amortissement de 1 600 $ sur les présentoirs constitue un coût irrécupérable (passé et non différentiel). La somme de ces deux montants (2 400 $ + 1 600 $ = 4 000 $) correspond à la diminution qui serait enregistrée dans les bénéfices globaux de l'entreprise si jamais cette gamme de produits était abandonnée.

elle aurait intérêt à conserver celle des appareils photo. En maintenant cette gamme de produits, elle obtient des bénéfices globaux plus élevés que si elle l'abandonnait.

En outre, notons que, pour des raisons non financières, les gestionnaires peuvent décider de conserver une gamme de produits non rentable, car celle-ci peut être nécessaire à la vente d'autres produits ou pour attirer les clients. Par exemple, le pain n'est pas une gamme de produits très rentable pour les magasins d'alimentation. Cependant, les clients s'attendent à en trouver dans ces commerces, et un grand nombre d'entre eux iraient faire leurs emplettes ailleurs si leur épicerie cessait d'en offrir.

La décision de fabriquer ou d'acheter

Dans bien des cas, un produit passe par un grand nombre d'étapes avant d'aboutir sous sa forme définitive entre les mains du consommateur. Certaines entreprises doivent d'abord se procurer des matières premières par l'exploitation minière, le forage, l'agriculture, l'élevage d'animaux, etc. Il leur faut ensuite traiter ces matières premières pour les débarrasser de leurs impuretés, et en extraire les matières voulues et utilisables. En troisième lieu, ces matières subissent un processus préliminaire pour les rendre utilisables dans la fabrication des produits finis. Par exemple, le coton doit être transformé en fil et en tissu avant de pouvoir servir à la confection de vêtements. Quatrièmement, le vrai processus de fabrication du produit fini a lieu. Enfin, l'entreprise doit assurer la distribution de ce produit au consommateur. L'ensemble de ces étapes porte le nom de *chaîne de valeur*, concept qui a été présenté au chapitre 1.

Conserver ou abandonner un produit ou une section d'exploitation

Coûts et revenus pertinents

- Marge sur coûts variables perdue en cas d'abandon
- Coûts fixes évités en cas d'abandon
- Marge sur coûts variables perdue ou gagnée grâce à d'autres produits ou sections

Coûts non pertinents

- Coûts communs répartis
- Coûts irrécupérables

Règle de décision

Conserver si : Marge sur coûts variables perdue (tous les produits ou sections) > Coûts fixes évités + Marge sur coûts variables gagnée (autres produits ou sections)

Abandonner si : Marge sur coûts variables perdue (tous les produits ou sections) < Coûts fixes évités + Marge sur coûts variables gagnée (autres produits ou sections)

Plusieurs entreprises peuvent exécuter respectivement l'une ou l'autre des étapes de la chaîne de valeur ; une seule entreprise peut aussi exécuter plusieurs de ces étapes. Lorsqu'une organisation exécute plus d'une étape de l'ensemble de la chaîne de valeur, elle applique une politique d'**intégration verticale**. L'intégration verticale est un processus très courant. Certaines entreprises contrôlent *toutes* les activités de la chaîne de valeur, de la production de matières premières de base jusqu'à la distribution des produits finis. D'autres se contentent d'une intégration à plus petite échelle en achetant un grand nombre des pièces et des matières qui entrent dans la fabrication de leurs produits finis.

Toute décision relative à l'intégration verticale est une décision de fabriquer ou d'acheter puisque l'entreprise doit déterminer si elle répondra à ses propres besoins en fabriquant elle-même ce dont elle a besoin ou si elle achètera à l'extérieur ce qui lui manque.

Intégration verticale

Engagement d'une entreprise dans plus d'une des étapes allant de la production de matières premières de base à la fabrication et à la distribution d'un produit fini.

Les aspects stratégiques de la décision de fabriquer ou d'acheter

L'intégration verticale procure certains avantages. L'entreprise verticalement intégrée peut être moins dépendante de ses fournisseurs. Elle est ainsi assurée d'une circulation plus régulière des pièces et des matières pour la production que l'entreprise non verticalement intégrée. Par exemple, une grève chez un fournisseur de pièces importantes est susceptible d'interrompre durant des mois les activités d'une entreprise non intégrée, alors qu'une organisation qui fabrique ses propres pièces pourra sans doute poursuivre ses activités sans problème. En outre, un grand nombre d'entreprises considèrent qu'elles exercent un meilleur contrôle de la qualité en fabriquant leurs propres pièces et matières plutôt que de s'appuyer sur les standards de contrôle de la qualité de fournisseurs externes. Enfin, l'intégration verticale permet aux entreprises de réaliser des bénéfices sur les pièces et les matières qu'elles fabriquent au lieu de les acheter, en plus des profits qu'elles retirent de leurs activités ordinaires.

Les avantages de l'intégration verticale sont contrebalancés par ceux que procure le recours à des fournisseurs externes. En mettant en commun la demande d'un certain nombre d'entreprises, un fournisseur peut réaliser des économies d'échelle en matière de recherche et développement et de fabrication. Ces économies d'échelle peuvent se traduire par une plus grande qualité et par des coûts moins élevés que ceux que chaque entreprise devrait assumer si elle fabriquait ses propres pièces. Toutefois, l'entreprise doit s'assurer de conserver le contrôle des activités essentielles au maintien de sa position concurrentielle. Par exemple, Hewlett-Packard contrôle le logiciel utilisé pour l'imprimante laser qu'elle fabrique en coopération avec Canon pour empêcher Canon de lui faire concurrence avec le même type de produit. La tendance actuelle semble favoriser une diminution de

12

l'intégration verticale, en particulier dans le cas d'entreprises comme Nokia, qui concentre ses efforts sur la conception de téléphones et qui compte sur Microsoft pour les logiciels de courriels à insérer dans ses appareils[5]. Ces observations donnent à penser que la décision de fabriquer ou d'acheter doit être longuement réfléchie.

Un exemple de décision de fabriquer ou d'acheter

Pour illustrer le problème de la décision de fabriquer ou d'acheter, considérons le cas de Super Vélos inc., une entreprise qui fabrique les leviers de vitesse renforcés qu'elle utilise dans sa gamme la plus populaire de vélos de montagne. Son service de la comptabilité a enregistré les coûts ci-après pour la fabrication interne de ce levier.

	Par unité	8 000 unités
Matières premières	6 $	48 000 $
Main-d'œuvre directe	4	32 000
Frais indirects de fabrication variables	1	8 000
Salaire du contremaître	3	24 000
Amortissement du matériel spécialisé	2	16 000
Frais indirects de fabrication fixes répartis	5	40 000
Total des coûts de fabrication	21 $	168 000 $

Un fournisseur externe a offert de vendre à Super Vélos inc. 8 000 leviers par an à un prix de seulement 19 $ l'unité. L'entreprise devrait-elle cesser de fabriquer cette pièce elle-même et commencer à l'acheter auprès d'un fournisseur extérieur ? Pour examiner cette décision sur le plan financier, le directeur devrait concentrer son attention sur les coûts pertinents. Comme nous l'avons vu, on peut déterminer les coûts pertinents en examinant les coûts futurs qui diffèrent selon les possibilités offertes. Les coûts qui ne sont pas pertinents sont :

1. les coûts irrécupérables ;
2. les coûts futurs qui demeureront les mêmes, que les leviers soient fabriqués par l'entreprise ou achetés à un fournisseur externe.

Si les coûts que l'entreprise peut économiser en cessant la fabrication des leviers sont inférieurs au prix d'achat offert à l'extérieur, l'entreprise devrait continuer à fabriquer ses propres leviers et rejeter l'offre du fournisseur. En d'autres termes, elle devrait acheter à l'extérieur uniquement si le prix d'achat est inférieur aux coûts qu'elle pourrait éviter à l'interne en cessant la production des leviers.

Notons que les données indiquent d'abord que l'amortissement de l'équipement spécialisé est inscrit parmi les coûts de fabrication interne des leviers. Comme l'équipement a déjà été acheté, il s'agit d'un coût irrécupérable et, par conséquent, non pertinent, puisqu'il devra être assumé, que l'entreprise fabrique ou achète les leviers. Ce coût est passé et est non différentiel. Si cet équipement pouvait être vendu ou servir à la fabrication d'autres produits, sa valeur de récupération ou la valeur des avantages tirés de son utilisation à d'autres fins constitueraient des données pertinentes. Toutefois, nous supposons dans ce cas que l'équipement n'a aucune valeur de récupération et qu'il n'a d'autre utilité que la fabrication des leviers de vitesse renforcés.

Notons aussi que l'entreprise attribue une partie de ses frais indirects de fabrication fixes aux leviers. Toute partie de ces coûts réellement éliminée si l'entreprise achetait les leviers au lieu de les fabriquer serait pertinente dans cette analyse. Toutefois, il est probable que les frais indirects de fabrication fixes attribués à ces leviers constituent des coûts communs à tous les produits fabriqués dans cette usine, et qu'ils demeureraient identiques même si les leviers étaient achetés à un fournisseur externe. Ces coûts communs répartis ne constituent pas des coûts différentiels puisqu'ils ne varient pas, quelle que soit la

12

5. David PRINGLE, « Nokia, Microsoft Bury Hatchet », *The Globe and Mail*, 15 février 2005, p. B14.

solution retenue. Ils ne répondent qu'à une seule des conditions pour qu'un coût soit pertinent: ce sont des coûts futurs. Cependant, comme ils ne sont pas différentiels (deuxième condition), ils ne peuvent être pertinents pour l'alternative examinée.

Les coûts variables liés à la fabrication des leviers (matières premières, main-d'œuvre directe et frais indirects de fabrication) sont des coûts différentiels puisqu'ils peuvent être évités par l'achat de leviers à un fournisseur extérieur. Si le contremaître peut être mis à pied, son salaire sera économisé si l'entreprise a recours à un fournisseur externe, et il s'agira donc d'un coût différentiel pertinent en ce qui concerne cette décision. En supposant que l'entreprise peut éviter les coûts variables et le salaire du contremaître par l'achat de leviers chez un fournisseur externe, l'analyse prendra la forme représentée au tableau 12.5.

TABLEAU 12.5	**L'analyse de la décision de fabriquer ou d'acheter – Super Vélos inc.**				
	Coût de fabrication par unité	Coût différentiel par unité		Total des coûts différentiels – 8 000 unités	
		Fabrication	Achat	Fabrication	Achat
Matières premières	6 $	6 $		48 000 $	
Main-d'œuvre directe	4	4		32 000	
Frais indirects de fabrication variables	1	1		8 000	
Salaire du contremaître	3	3		24 000	
Amortissement de l'équipement spécialisé	2	–		–	
Frais indirects de fabrication fixes répartis	5	–		–	
Prix d'achat à l'extérieur			19 $		152 000 $
Total des coûts	21 $	14 $	19 $	112 000 $	152 000 $
Différence en faveur de poursuivre la fabrication		5 $		40 000 $	

Comme la fabrication des leviers à l'interne coûte 112 000 $, soit 5 $ de moins par unité que leur achat à l'externe, Super Vélos inc. devrait refuser l'offre du fournisseur si l'entreprise se base uniquement sur le critère financier pour prendre sa décision. Des avantages qualitatifs pourraient faire pencher la balance en faveur de l'achat extérieur. Par ailleurs, il existe encore un facteur pouvant être considéré avant la décision finale. Il s'agit du coût de renonciation lié à l'espace actuellement utilisé pour la fabrication des leviers.

Le coût de renonciation

Si, dans le cas où Super Vélos inc. cesse la fabrication des leviers, l'espace utilisé en ce moment pour les produire *reste inexploité*, l'entreprise aurait tout intérêt à continuer de produire ses propres leviers. Elle devrait alors refuser l'offre du fournisseur extérieur, comme nous l'avons vu précédemment. L'espace inutilisé auquel on ne trouve aucun autre usage a un coût de renonciation nul.

Supposons maintenant que l'espace utilisé en ce moment pour fabriquer des leviers peut être consacré à un autre usage. Dans ce cas, l'espace en question aurait un coût de renonciation qu'il faudrait considérer dans l'évaluation de l'offre du fournisseur. Quel serait ce coût de renonciation? Il correspondrait aux bénéfices spécifiques qui découleraient de la meilleure solution de rechange quant à l'utilisation de cet espace.

Pour bien comprendre ce concept, supposons que l'espace utilisé actuellement pour fabriquer des leviers peut servir à la production d'un nouveau vélo tout-terrain qui générerait un bénéfice spécifique[6] de 60 000 $ par an. Dans ce contexte, l'entreprise

12

---
6. Rappelons que le bénéfice spécifique correspond à la marge sur coûts variables générée par un objet de coût (produit, gamme de produits, secteur, etc.) moins les coûts fixes propres à cet objet de coût.

aurait intérêt à accepter l'offre du fournisseur et à utiliser l'espace disponible pour fabriquer la nouvelle gamme de produits.

	Fabrication	Achat
Coût différentiel par unité	14 $	19 $
Nombre d'unités requises annuellement	× 8 000	× 8 000
Coût total annuel	112 000 $	152 000 $
Coût de renonciation – bénéfices spécifiques sacrifiés sur une nouvelle gamme de produits potentielle....................	60 000	
Coût total..	172 000 $	152 000 $
Différence en faveur de l'achat à un fournisseur externe		20 000 $[7]

Les coûts de renonciation ne sont pas comptabilisés dans les livres comptables de l'organisation parce qu'ils ne représentent aucune charge (ou débours) réelle en dollars, mais plutôt des bénéfices auxquels l'entreprise *renonce* en choisissant une ligne d'action plutôt qu'une autre. Si Super Vélos inc. choisit de fabriquer les leviers, cela lui coûtera 112 000 $ en plus de la perte d'un bénéfice de 60 000 $ parce qu'elle ne pourra pas utiliser l'espace de fabrication pour produire les nouveaux vélos. Au total, le coût réel de la fabrication des leviers est donc de 172 000 $. L'entreprise ne débourse pas les 60 000 $, mais renonce à un encaissement futur de 60 000 $.

Le coût de renonciation est présent dans la plupart des décisions et il doit pratiquement toujours être considéré dans l'analyse des diverses options[8]. Les ressources financières et matérielles utilisées par une entreprise peuvent presque toujours servir à d'autres fins. Par exemple, l'argent investi dans les stocks pourrait être placé à la banque et générer des intérêts. Avant de prendre sa décision, le gestionnaire doit considérer le coût de renonciation qui correspond aux intérêts perdus sur le dépôt bancaire parce que l'argent sera investi dans les stocks.

AIDE À LA DÉCISION

Fabriquer ou acheter

Coûts pertinents

- Coûts différentiels de fabrication du produit (variables et fixes)
- Coûts de renonciation liés à l'utilisation de l'espace pour fabriquer le produit
- Prix d'achat à l'extérieur

Total des coûts pertinents pour la fabrication = Coûts différentiels + Coûts de renonciation

Coûts non pertinents

- Coûts communs répartis
- Coûts irrécupérables

Règle de décision

Fabriquer si : Total des coûts pertinents pour la fabrication < Prix d'achat à l'extérieur

Acheter si : Total des coûts pertinents pour la fabrication > Prix d'achat à l'extérieur

12

---

7. On peut aussi analyser la question en ajoutant le coût unitaire différentiel que représente le maintien de la fabrication des leviers de 14 $ (*voir le tableau 12.5, page précédente*) au coût de renonciation par unité de 7,50 $ (coût de renonciation de 60 000 $ ÷ 8 000 unités), ce qui fait un total de 21,50 $ l'unité. Puisque ce montant est supérieur au prix d'achat de 19 $ l'unité, Super Vélos inc. devrait acheter les leviers.

8. Sandra C. VERA-MUNOZ, « The Effects of Accounting Knowledge and Context on the Omission of Opportunity Costs in Resource Allocation Decisions », *The Accounting Review*, vol. 73, n° 1 (janvier 1998), p. 47-72.

L'externalisation

Les entreprises révisent régulièrement les ententes d'externalisation qu'elles ont conclues afin de pourvoir à leurs besoins en matière de production à court et à long termes. Pour des raisons financières ou stratégiques, elles reprennent parfois une production jusque-là externalisée, ce qui signifie qu'elles cessent de recourir à un fournisseur externe et qu'elles effectuent dorénavant cette production à l'interne. Par exemple, si le coût de l'externalisation devient trop élevé ou si une augmentation de la capacité de production paraît économiquement souhaitable, elles pourraient décider d'accroître leur intégration verticale. Par conséquent, les décisions de fabriquer ou d'acheter ne sont pas considérées comme irréversibles, mais peuvent être révisées régulièrement.

La société BMW constitue un bon exemple de gestion des ententes d'externalisation. Elle a récemment annoncé qu'elle allait cesser de recourir aux services de Magna International pour fabriquer le X3, un de ses véhicules utilitaires sport. Cette entreprise établie au Canada en a construit 113 000 unités en 2006 dans son usine autrichienne. Invoquant le coût élevé de l'externalisation, la société BMW a fait savoir qu'elle allait reprendre la production de ce modèle dans ses propres usines de la Caroline du Sud. Ses porte-parole ont ajouté que le déplacement de la production vers les États-Unis, le principal marché du X3, permettrait à BMW de se protéger contre la possibilité de nouvelles baisses de la valeur du dollar américain.

Source: Greg KEENAN, «BMW Decision Costly for Magna's Austrian Operation», *The Globe and Mail*, 16 mai 2007, p. B4.

Les commandes spéciales

Le gestionnaire doit souvent évaluer si une *commande spéciale* devrait être acceptée et, le cas échéant, le prix de vente à réclamer. Une **commande spéciale** est unique et ponctuelle, et n'est pas considérée comme faisant partie des activités ordinaires de l'entreprise. En voici un exemple. Le Service de police de Québec a demandé à Super Vélos inc. de lui fabriquer 100 vélos de montagne spécialement modifiés au prix de vente de 279 $ l'unité. Ces vélos serviraient à patrouiller sur certaines pistes cyclables plus achalandées de la ville. L'entreprise peut facilement modifier son modèle de vélo de ville pour qu'il réponde aux spécifications du Service de police de Québec. Le prix de vente régulier de ce modèle est de 349 $ l'unité. Son coût de production unitaire est de 282 $, comme l'indique le tableau suivant :

Commande spéciale

Commande unique et ponctuelle qui n'est pas considérée par l'entreprise comme faisant partie de ses activités ordinaires.

Matières premières	186 $
Main-d'œuvre directe	45
Frais indirects de fabrication	51
Coût de production unitaire	282 $

La partie variable des frais indirects de fabrication indiqués ci-dessus est de 6 $ l'unité. La commande n'aurait aucun effet sur le total des frais indirects de fabrication fixes de l'entreprise.

Les modifications à apporter aux vélos consistent en des supports soudés pour tenir les radios, les matraques et autres accessoires. Elles entraîneraient des coûts variables supplémentaires de 17 $. En outre, l'entreprise devrait verser 1 200 $ à un studio d'arts graphiques pour la conception et la découpe de pochoirs qui serviraient à peindre par pulvérisation le logo du Service de police de Québec et d'autres signes d'identification sur les vélos.

Cette commande spéciale ne devrait avoir aucun effet sur les ventes régulières de l'entreprise. Selon la directrice de la production, il est possible de l'exécuter sans interrompre le moindrement les activités de production déjà prévues.

Quelle incidence l'acceptation de cette commande pourrait-elle avoir sur le bénéfice de l'entreprise ?

Seuls les coûts supplémentaires et le prix de vente sont pertinents. Comme les frais indirects de fabrication fixes existants ne varieraient pas par suite de l'exécution de cette

12

commande, il ne s'agit pas de coûts différentiels et, par conséquent, ils ne sont pas pertinents. Le bénéfice supplémentaire peut être calculé comme suit :

	Par unité	100 vélos
Revenu supplémentaire	279 $	27 900 $
Moins : Coûts supplémentaires :		
Coûts variables :		
Matières premières	186	18 600
Main-d'œuvre directe	45	4 500
Frais indirects de fabrication variables	6	600
Modifications spéciales	17	1 700
Total des coûts variables	254 $	25 400
Coûts fixes spécifiques :		
Achat de pochoirs		1 200
Total des coûts supplémentaires		26 600
Bénéfice supplémentaire		1 300 $

Ainsi, sur le plan financier, bien que le prix que le client offre de payer (279 $) est inférieur au coût complet unitaire du produit (282 $) et que l'entreprise doit engager des coûts supplémentaires, la commande spéciale entraînera une augmentation du bénéfice. En général, ce type de commande s'avère rentable économiquement à condition que le revenu supplémentaire qu'elle génère soit supérieur aux coûts supplémentaires qui lui sont attribuables. Des éléments qualitatifs doivent aussi être considérés dans la prise de décisions.

Au moment de faire l'analyse cependant, il faut vraiment s'assurer qu'il y a une capacité de production non utilisée et que la commande spéciale ne fera pas diminuer les ventes régulières. Que se passera-t-il, par exemple, si Super Vélos inc. fonctionne déjà à pleine capacité et qu'elle vend habituellement ses vélos à 349 $ pièce ? Quel sera le coût de renonciation de la commande spéciale ? L'entreprise devrait-elle alors accepter le prix de 279 $? Sinon, quel est le prix en deçà duquel elle ne devrait pas descendre ? Il faut, pour répondre à ces questions, procéder à l'analyse suivante :

	Par unité
Coût de renonciation :	
Prix de vente normal	349 $
Moins : Coûts variables :	
Matières premières	186
Main-d'œuvre directe	45
Frais indirects de fabrication variables	6
Total des coûts variables	237
Marge sur coûts variables perdue	112 $*
Coûts pertinents :	
Coûts différentiels :	
Variables (237 $ + 17 $)	254 $
Fixes (1 200 $ ÷ 100 vélos)	12
Total des coûts différentiels	266
Coût de renonciation	112
Total des coûts pertinents	378 $

* Si Super Vélos inc. fonctionne à pleine capacité, elle doit renoncer, pour chaque vélo vendu au Service de police de Québec, à une marge sur coûts variables de 112 $, une somme qu'elle aurait obtenue pour la vente d'un vélo ordinaire. C'est le coût de renonciation unitaire que représente cette commande spéciale.

Puisque le total des coûts pertinents (378 $) dépasse le prix offert (279 $), Super Vélos inc. devrait refuser la commande spéciale. En effet, pour que celle-ci n'entraîne pas un manque à gagner sur le plan financier, le prix minimum demandé devrait être de 378 $ par vélo. À ce prix, la direction peut indifféremment accepter la commande spéciale ou continuer de vendre un maximum de vélos à sa clientèle régulière.

AIDE À LA DÉCISION

Accepter ou refuser une commande spéciale

Coûts et revenus pertinents

- Coûts différentiels de l'exécution de la commande (variables et fixes)
- Coûts de renonciation associés à l'exécution de la commande
- Revenus différentiels de la commande

Total des coûts pertinents = Coûts différentiels + Coûts de renonciation

Coûts non pertinents

- Coûts communs répartis
- Coûts irrécupérables

Règle de décision

Accepter si: Revenus différentiels > Total des coûts pertinents

Refuser si: Revenus différentiels < Total des coûts pertinents

---

Les coûts des produits conjoints, et la décision de vendre ou de transformer davantage

Dans certains secteurs, plusieurs produits finis sont fabriqués à partir d'une seule matière première. Par exemple, dans le secteur pétrolier, le raffinage du pétrole brut permet d'obtenir un grand nombre de produits, entres autres l'essence, le carburéacteur, le fuel domestique, des lubrifiants, l'asphalte (ou bitume) et différents autres dérivés organiques. La Coopérative de laine Saint-Thomas nous fournit un autre exemple. L'entreprise achète de la laine brute à des éleveurs de moutons des environs et la sépare en trois catégories — grossière, mérinos et superfine. Puis, elle la teint suivant des méthodes traditionnelles basées sur des pigments extraits des matières minérales et végétales locales. La figure 12.1 (*page suivante*) présente un diagramme de ce processus de production.

> **Produits conjoints**
>
> Deux ou plusieurs produits fabriqués à partir des mêmes matières premières et qui passent par les mêmes étapes de production jusqu'à un point de séparation donné.

Deux ou plusieurs produits fabriqués à partir des mêmes matières premières portent le nom de **produits conjoints**. L'expression **coûts communs de fabrication** (ou **coûts conjoints de fabrication**) sert à désigner les coûts engagés dans la fabrication de produits conjoints jusqu'au *point de séparation*. Le **point de séparation** est l'étape du processus de fabrication où l'on peut considérer les produits conjoints comme des produits distincts les uns des autres.

Ce n'est pas le cas à la Coopérative de laine Saint-Thomas tant qu'on n'a pas procédé à la séparation de la laine brute. Les coûts communs se décomposent comme suit: coûts de l'achat de la laine, 200 000 $ et coût de sa séparation, 40 000 $. La laine non teinte constitue un *produit intermédiaire* parce qu'il ne s'agit pas d'un produit fini à ce stade. Il existe tout de même un marché pour cette catégorie de laine — bien que le prix offert soit considérablement inférieur à celui du produit fini, la laine teinte.

> **Coûts communs de fabrication (ou coûts conjoints de fabrication)**
>
> Coûts engagés pour la fabrication de produits conjoints jusqu'au point de séparation.

Les pièges de la répartition

Les coûts communs de fabrication consistent en des coûts communs engagés pour la fabrication simultanée de toutes sortes de produits finaux. Les ouvrages portant sur les méthodes traditionnelles de détermination du coût de revient décrivent diverses façons de répartir ces coûts communs entre les produits au point de séparation. Certaines de ces méthodes sont présentées au chapitre 13.

> **Point de séparation**
>
> Étape du processus de fabrication où des produits conjoints peuvent être considérés comme des produits distincts les uns des autres.

12

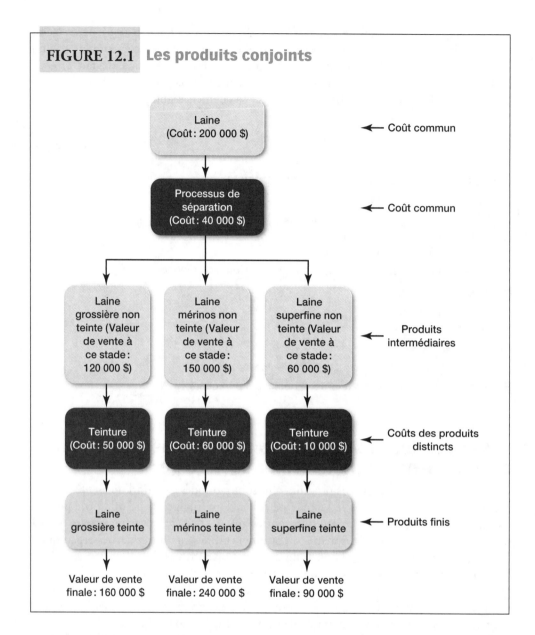

FIGURE 12.1 Les produits conjoints

Bien que la répartition des coûts communs de fabrication soit nécessaire à certaines fins, par exemple à l'évaluation des stocks de l'état de la situation financière, ce type d'exercice devrait être considéré avec une grande prudence lorsqu'il s'agit de prendre des décisions à l'*interne*. Si le gestionnaire ne procède pas avec discernement, il risque toujours d'être entraîné à prendre des décisions erronées lorsqu'il se fie à des coûts communs répartis.

La décision de vendre ou de transformer davantage

Décision de vendre ou de transformer davantage

Décision portant sur la possibilité de vendre des produits conjoints au point de séparation ou de leur faire subir un autre traitement pour les vendre plus tard sous une forme différente.

Pour désigner le fait de décider ce qu'on va faire d'un produit à partir du point de séparation, on parle de **décision de vendre ou de transformer davantage**. Les coûts communs de fabrication ne s'avèrent pas pertinents pour ces décisions. En effet, lorsque les produits conjoints parviennent au point de séparation, ces coûts ont déjà été engagés et constituent donc des coûts irrécupérables.

Il est toujours rentable de continuer à transformer des produits conjoints à partir du point de séparation *pourvu que le revenu marginal de cette transformation soit supérieur au coût marginal de transformation engagé après le point de séparation*. Les coûts communs de fabrication, qui ont déjà été engagés jusqu'au point de séparation, constituent des coûts irrécupérables et ils ne sont jamais pertinents dans les décisions concernant ce qu'il faut faire des produits à partir de ce point.

Pour illustrer de façon détaillée une décision de vendre ou de transformer davantage, revenons aux données de la figure 12.1 relatives à la Coopérative de laine Saint-Thomas. Ces données nous permettent de répondre à plusieurs questions importantes. Premièrement, est-il rentable pour l'entreprise d'effectuer tout le processus du début à la fin ? En supposant qu'il n'y a pas d'autres coûts que ceux qui apparaissent dans le processus de la figure 12.1, nous pouvons constater que le processus est en effet rentable.

Analyse de la rentabilité de l'ensemble des activités

Valeur des ventes finales combinées		
(160 000 $ + 240 000 $ + 90 000 $)		490 000 $
Moins : Coûts de production des produits finis :		
Coût de la laine...	200 000 $	
Coût de séparation de la laine	40 000	
Coûts de teinture combinés		
(50 000 $ + 60 000 $ + 10 000 $)	120 000	360 000
Bénéfice...		130 000 $

Remarquez que les coûts communs de l'achat de la laine et de sa séparation sont pertinents lorsqu'on considère la rentabilité de l'ensemble des activités. En effet, il serait possible d'éviter ces coûts communs si l'entreprise tout entière était fermée. Toutefois, ils ne sont pas pertinents lorsqu'on s'interroge sur la rentabilité d'un produit en particulier.

Même si l'entreprise est rentable dans son ensemble, elle pourrait perdre de l'argent sur un ou plusieurs de ses produits. Lorsqu'elle achète de la laine et effectue le processus de séparation, elle obtient automatiquement les trois produits intermédiaires. Rien ne peut empêcher ce résultat. Aussi, elle peut vendre chacun de ces produits intermédiaires dans l'état où il se trouve sans le transformer davantage. Il est possible qu'il soit plus rentable de vendre un ou deux de ces produits avant de les teindre pour éviter les coûts de cette opération. Pour effectuer correctement ce choix, il faut comparer les revenus marginaux aux coûts marginaux liés à une transformation ultérieure, comme le montre le tableau 12.6.

Selon cette analyse, l'entreprise aurait avantage à vendre la laine grossière non teinte dans l'état où elle est plutôt que de la traiter davantage. Toutefois, elle devrait transformer et teindre les deux autres produits avant de les vendre.

Notons que les coûts communs de la laine (200 000 $) et du processus de séparation de cette laine (40 000 $) ne sont pas considérés dans la décision de vendre ou de transformer

TABLEAU 12.6 La décision de vendre ou de transformer davantage

	Laine grossière	Laine mérinos	Laine superfine
Valeur des ventes finales après le traitement supplémentaire..........................	160 000 $	240 000 $	90 000 $
Moins : Valeur des ventes au point de séparation	120 000	150 000	60 000
Revenu marginal provenant du traitement supplémentaire...........................	40 000	90 000	30 000
Moins : Coût du traitement supplémentaire (teinture)........................	50 000	60 000	10 000
Bénéfice (perte) attribuable au traitement supplémentaire........................	(10 000) $	30 000 $	20 000 $

12

davantage les produits intermédiaires. Ces coûts sont pertinents quand il s'agit de décider si l'on doit acheter de la laine et procéder à sa séparation, mais non pertinents dans les décisions concernant ce qu'il adviendra des produits intermédiaires, une fois qu'ils ont été séparés.

AIDE À LA DÉCISION

Vendre ou transformer davantage

Coûts et revenus pertinents

- Coûts marginaux de la transformation supplémentaire
- Revenus marginaux découlant de la transformation supplémentaire

Coûts non pertinents

- Coûts des produits conjoints

Règle de décision

Transformer davantage si : Revenus marginaux > Coûts marginaux de la transformation supplémentaire

Vendre au point de séparation si : Revenus marginaux < Coûts marginaux de la transformation supplémentaire

---

La théorie des contraintes

L'utilisation d'une ressource limitée

Le gestionnaire doit régulièrement déterminer comment utiliser des ressources limitées. Par exemple, un grand magasin dispose d'un espace restreint et ne peut donc pas entreposer tous les articles qu'il voudrait offrir aux clients. De même, l'entreprise de fabrication dispose d'un nombre limité d'heures-machines et d'heures de main-d'œuvre directe. Lorsqu'un certain type de ressources restreint la capacité de l'entreprise à satisfaire la demande, on dit que cette entreprise est soumise à une **contrainte**. À cause de cette ressource limitée, l'entreprise ne peut pas entièrement satisfaire la demande pour un produit ou un service, de sorte que le gestionnaire doit déterminer comment on devrait utiliser cette ressource. L'application de la **théorie des contraintes** permet de gérer cette contrainte en favorisant la maximisation de la rentabilité. En général, les coûts fixes ne sont pas touchés par de tels choix. Par conséquent, le gestionnaire devrait choisir la ligne d'action qui permettra de maximiser la marge *totale* sur coûts variables de l'entreprise.

Contrainte

Restriction quant au fonctionnement d'une entreprise imposée par des ressources limitées, par exemple, le temps-machine ou les matières premières disponibles qui restreignent la capacité de l'entreprise à satisfaire la demande.

Théorie des contraintes

Approche managériale qui favorise la prise en compte des contraintes.

La marge sur coûts variables relativement à une ressource limitée

Pour maximiser la marge totale sur coûts variables, l'entreprise ne devrait pas nécessairement se concentrer sur la fabrication des produits présentant les marges sur coûts variables par unité les plus élevées. En fait, il lui faudrait plutôt favoriser les produits ou les commandes permettant de réaliser la marge sur coûts variables unitaire la plus élevée *par rapport à la ressource limitée*. Pour illustrer notre propos, supposons que Super Vélos inc. fabrique une gamme de sacoches de selle.

Il existe deux modèles de sacoches : un modèle de tourisme et un autre de montagne. Les données concernant les coûts et les revenus relatifs à ces deux types de sacoches sont présentées ci-après.

	Modèle	
	Sacoche de montagne	Sacoche de tourisme
Prix de vente à l'unité	40 $	50 $
Moins: Coûts variables par unité.................................	30	42
Marge sur coûts variables par unité	10 $	8 $
Ratio de la marge sur coûts variables	25 %	16 %

La sacoche de montagne paraît plus rentable que celle conçue pour le tourisme. Sa marge sur coûts variables par unité est de 10 $ contre seulement 8 $ par unité pour le modèle de tourisme, et son ratio est de 25 % contre seulement 16 %.

Ajoutons toutefois un renseignement: l'usine qui fabrique ces sacoches utilise déjà sa capacité de production pour répondre à la demande. Autrement dit, elle produit à pleine capacité. En général, cela ne signifie pas que chaque machine et que chaque employé de l'usine fournissent leur rendement maximal. Comme les machines ont différentes capacités de production, certaines fonctionnent à moins de 100 % de leur capacité. Toutefois, quand l'usine dans son ensemble ne peut pas produire d'unités supplémentaires, c'est qu'une machine ou qu'un processus quelconque a atteint sa pleine capacité. La machine ou le processus limitant la production totale de l'entreprise porte le nom de **goulot d'étranglement**. Il s'agit d'une contrainte de capacité.

Chez Super Vélos inc., le goulot d'étranglement se situe à une machine à coudre en particulier. La sacoche de montagne requiert une couture qui prend quatre minutes à effectuer; chaque sacoche de tourisme requiert un temps de couture de deux minutes. Comme la quantité de travail à exécuter avec cette machine à coudre excède déjà la pleine capacité de celle-ci, il faut s'assurer de l'utilisation efficace et efficiente de cette ressource limitée. Pour y arriver, la capacité de production de cette machine à coudre doit d'abord être utilisée pour fabriquer le produit le plus rentable. Mais dans cette situation, quel est le produit le plus rentable? Pour répondre à cette question, le gestionnaire doit examiner la marge sur coûts variables par unité de la ressource limitée, appelée *marge sur coûts variables par facteur de contrainte*, qui est calculée en divisant la marge sur coûts variables unitaire par la quantité de la ressource limitée qu'une unité de produit requiert. Voici le résultat de ces calculs pour la sacoche de montagne et la sacoche de tourisme.

Goulot d'étranglement

Machine ou processus limitant la production totale parce que sa pleine capacité de production est atteinte.

	Modèle	
	Sacoche de montagne	Sacoche de tourisme
Marge sur coûts variables par unité, a).....................................	10,00 $	8,00 $
Temps requis par la machine à coudre pour produire une unité, b).................	÷ 4 min	÷ 2 min
Marge sur coûts variables par facteur de contrainte, a) ÷ b)...........................	2,50 $/min	4,00 $/min

En utilisant la marge sur coûts variables par facteur de contrainte, il est possible de déterminer le produit le moins rentable.

Chaque minute de traitement sur la machine à coudre consacrée à la sacoche de tourisme entraîne une augmentation de 4,00 $ de la marge sur coûts variables et des bénéfices. Dans le cas de la sacoche de montagne, il s'agit de seulement 2,50 $ par minute. Par conséquent, l'entreprise devrait concentrer ses efforts sur la sacoche de tourisme. Bien que le modèle de montagne présente la marge sur coûts variables par unité et le ratio de la marge sur coûts variables les plus élevés, le modèle de tourisme assure la marge sur coûts variables la plus haute par rapport à la ressource limitée.

12

Pour vérifier si le modèle de tourisme est réellement le plus rentable des deux produits, supposons que l'on dispose d'une heure de plus pour la couture et que l'entreprise a des commandes en attente pour les deux produits. L'heure supplémentaire de travail à la machine à coudre peut servir à fabriquer 15 sacoches de montagne (60 min ÷ 4 min) ou 30 sacoches de tourisme (60 min ÷ 2 min) avec les résultats suivants:

	Modèle	
	Sacoche de montagne	Sacoche de tourisme
Marge sur coûts variables par unité............................	10 $	8 $
Unités supplémentaires pouvant être traitées en une heure........	× 15	× 30
Marge sur coûts variables supplémentaire	150 $	240 $

Cet exemple démontre clairement que l'examen des seules marges sur coûts variables par unité est insuffisant. On doit considérer la marge sur coûts variables par facteur de contrainte de chaque produit quand une ressource est limitée.

SUR LE TERRAIN

La théorie des contraintes

Indalex Aluminum Solutions Group est le principal fabricant en Amérique du Nord de pièces en alliages légers extrudés. L'entreprise s'est dotée d'un système de veille stratégique d'une nouvelle génération conçu par pVelocity, de Toronto. Le logiciel «fournit aux preneurs de décisions dans tous les ateliers de fabrication de l'entreprise des mesures financières en temps réel basées sur des concepts de la théorie des contraintes pour déterminer les goulots d'étranglement». En outre, «dans les entreprises du secteur de la fabrication, il permet aux gestionnaires de laisser de côté les mesures fournies par la comptabilité de gestion traditionnelle pour concentrer leur attention sur la mesure de la génération de dollars par unité de temps». Par exemple, plutôt que de mettre l'accent sur les produits ayant les marges brutes ou les marges sur coûts variables les plus élevées, les utilisateurs de ce logiciel peuvent déterminer les produits qui maximisent la marge sur coûts variables par facteur de contrainte et leur accorder plus d'importance.

Source: Mike ALGER, «Managing a Business as a Portfolio of Customers to Drive Profits», *Strategic Finance*, vol. 84, nº 12 (juin 2003), p. 54-57.

La gestion des contraintes

L'entreprise peut accroître ses bénéfices grâce à une gestion efficace de ses contraintes de capacité. Un des aspects de ce type de gestion consiste à savoir comment agir au mieux malgré les contraintes. Comme nous l'avons vu, lorsqu'une contrainte constitue un goulot d'étranglement dans le processus de production, le gestionnaire doit se préoccuper de la combinaison de produits qui permettra de maximiser la marge totale sur coûts variables. Si le critère financier est celui qui prévaut dans la prise de décisions, le gestionnaire choisira de fabriquer en premier le produit ayant la marge sur coûts variables par facteur de contrainte la plus élevée. Quand l'entreprise aura répondu à toute la demande de ce produit, la capacité de production restante, s'il y a lieu, servira à fabriquer le produit qui a la deuxième marge sur coûts variables par facteur de contrainte la plus élevée, et ainsi de suite. Le décideur doit participer activement à la gestion de la contrainte elle-même. Il faut que la direction concentre ses efforts sur l'accroissement de l'efficience des activités au goulot d'étranglement et sur l'augmentation de la capacité de production. De tels efforts ont pour effet direct d'augmenter la fabrication de produits finis et sont fréquemment récompensés par un accroissement presque immédiat des bénéfices si les produits sont en demande.

En effet, le gestionnaire peut souvent réussir à augmenter la capacité de production d'un goulot d'étranglement. Par exemple, il peut demander à l'opérateur de la machine à coudre d'effectuer du travail supplémentaire. Il en résulte plus de temps de couture disponible et, par conséquent, un plus grand nombre de produits finis peuvent être vendus à des clients ayant passé des commandes. Les bénéfices découlant de ce type d'assouplissement d'une contrainte sont souvent considérables et peuvent être faciles à quantifier. Le gestionnaire doit d'abord se demander ce qu'il ferait s'il disposait d'une capacité de production supplémentaire au goulot d'étranglement. Dans notre exemple, lorsqu'il reste des commandes de sacoches de montagne et de sacoches de tourisme en attente, la capacité de production supplémentaire devrait d'abord servir à fabriquer un plus grand nombre de sacoches de tourisme puisqu'il s'agirait alors d'une meilleure utilisation de la capacité ajoutée. Si la machine n'a pas atteint sa pleine capacité après que Super Vélos inc. a rempli toutes les commandes de sacoches de tourisme, elle pourra servir à fabriquer des sacoches de montagne. Dans le cas où la totalité de la capacité supplémentaire est utilisée pour fabriquer des sacoches de tourisme, celle-ci aurait une valeur de 4 $ par minute ou de 240 $ par heure. En effet, l'ajout d'une heure de capacité de production génèrerait une somme supplémentaire de 240 $ en marge sur coûts variables si ce temps était utilisé uniquement pour la fabrication d'un plus grand nombre de sacoches de tourisme. Comme il est plus que probable que la rémunération des heures supplémentaires de l'opérateur soit très inférieure à 240 $ l'heure, l'ajout d'une heure de fonctionnement de la machine à coudre constituerait alors une excellente manière d'augmenter les bénéfices de l'entreprise tout en satisfaisant la demande des clients.

Pour mieux comprendre ce concept, supposons que la fabrication des sacoches de tourisme est déjà considérée comme prioritaire, de sorte que seules des commandes de sacoches de montagne sont restées en attente. Que vaudrait pour l'entreprise l'ajout d'heures de travail supplémentaires à la machine à coudre dans ce cas? Comme la capacité supplémentaire servirait à fabriquer des sacoches de montagne, la valeur de cette capacité diminuerait à 2,50 $ par minute ou 150 $ l'heure. Le fait d'assouplir la contrainte aurait néanmoins une valeur encore relativement élevée.

Comme le montrent ces calculs, le gestionnaire devrait accorder beaucoup d'attention aux activités entourant le goulot d'étranglement. Quand une machine d'un goulot d'étranglement tombe en panne ou est utilisée de façon inefficace, les pertes pour l'entreprise peuvent se révéler assez importantes. Dans notre exemple, pour chaque minute où la machine à coudre ne fonctionne pas à cause d'une panne ou d'un réglage, l'entreprise perd 2,50 $ ou 4,00 $. Sur une base horaire, ces pertes sont de 150 $ ou de 240 $. Par contre, il n'y a aucune perte de marge sur coûts variables comparable lorsque du temps est perdu à cause d'une machine qui ne constitue pas un goulot d'étranglement — de telles machines ont une capacité de production excédentaire de toute façon.

Les conséquences sont claires. Le gestionnaire devrait consacrer une grande partie de ses efforts à la gestion des goulots d'étranglement. Comme nous l'avons vu, il lui faut mettre l'accent sur les produits utilisant la ressource limitée de la façon la plus rentable possible. Il lui faut aussi s'assurer que le traitement des produits se fait sans anicroche dans les goulots d'étranglement, avec un minimum de perte de temps due aux pannes ou aux réglages. Enfin, le gestionnaire devrait tâcher de trouver des moyens d'augmenter la capacité de production aux goulots d'étranglement.

Il est possible d'augmenter efficacement la capacité de production à un goulot d'étranglement de différentes manières, entre autres:

- par du travail supplémentaire au goulot d'étranglement;
- par la sous-traitance d'une partie du traitement qui devrait être exécuté au goulot d'étranglement;
- par l'investissement dans des machines supplémentaires au goulot d'étranglement;
- par l'affectation à un processus qui constitue un goulot d'étranglement de travailleurs ordinairement occupés à d'autres processus qui ne restreignent pas la capacité de production;

12

- par la concentration des efforts d'amélioration des processus de l'entreprise, tels que la gestion intégrale de la qualité (GIQ) et la production optimisée, au goulot d'étranglement;
- par la réduction du nombre d'unités défectueuses. Chaque unité défectueuse transformée dans le goulot d'étranglement et jetée ensuite aux rebuts prend la place d'une unité valable qui aurait pu être vendue.

Les trois dernières méthodes décrites précédemment s'avèrent très intéressantes parce qu'elles ne coûtent presque rien et qu'elles peuvent même générer des économies supplémentaires.

Le problème des contraintes multiples

Que peut faire l'entreprise lorsqu'elle a plus d'une contrainte de capacité potentielle? Par exemple, l'entreprise dispose parfois d'une quantité limitée de matières premières, d'heures de main-d'œuvre directe, d'espace utilisable, ou d'argent à dépenser en publicité pour la promotion de ses produits. Comment pourrait-elle alors procéder pour déterminer la bonne combinaison de produits à fabriquer? Il est possible de l'établir à l'aide d'une méthode quantitative appelée *programmation linéaire*, qui est étudiée dans des cours portant sur les méthodes quantitatives et la gestion des opérations.

La CPA et les coûts pertinents

Comme nous l'avons vu au chapitre 5, la CPA favorise le rattachement des coûts en mettant en lumière les activités requises pour un produit ou pour tout autre objet de coût. Toutefois, les gestionnaires devraient faire preuve de prudence avant de supposer que, si un coût peut être directement rattaché à un objet de coût, il s'agit nécessairement d'un coût évitable. Les coûts fournis par un système de CPA bien conçu ne sont pertinents que s'ils sont réellement évitables. On ne devrait pas tenir compte des coûts impossibles à éviter.

Pour illustrer notre propos, revenons aux données du tableau 12.4 (*p. 672*) concernant la gamme d'appareils photo. Le montant de 1 600 $ inscrit pour l'amortissement des présentoirs constitue un coût direct de la gamme des appareils photo parce qu'il se rapporte à des activités de cette section. Toutefois, nous avons vu que ce montant n'est pas évitable même en cas d'abandon de la gamme des appareils photo. L'élément à retenir ici est qu'un coût irrécupérable comme l'amortissement du matériel en place est toujours un coût irrécupérable, qu'on puisse le rattacher directement à une section donnée en fonction des activités qui le génèrent, le répartir entre toutes les sections en fonction des heures de main-d'œuvre ou le traiter de toute autre façon dans le processus d'établissement du coût de revient. Peu importe la méthode de répartition des coûts choisie, les gestionnaires doivent appliquer les principes que nous avons examinés dans ce chapitre pour déterminer les coûts évitables dans chaque situation[9].

12

---

9. Pour une analyse plus approfondie du rattachement des coûts, consulter les articles suivants. Douglas SHARP et Linda P. CHRISTENSEN, «A New View of Activity-Based Costing», *Management Accounting*, vol. 73, n° 7 (septembre 1991), p. 32-34; Maurice L. HIRSCH, Jr et Michael C. NIBBELIN, «Incremental, Separable, Sunk, and Common Costs in Activity-Based Costing», *Journal of Cost Management*, vol. 6, n° 1 (printemps 1992), p. 39-47.

Résumé

L'analyse des différentes situations décisionnelles que nous avons étudiées dans le présent chapitre illustre un concept fondamental ; lorsqu'ils prennent des décisions, les gestionnaires doivent considérer uniquement les revenus et coûts qui seront engagés, les avantages qui se matérialiseront dans l'avenir, ainsi que ceux qui diffèrent selon les possibilités. En appliquant ce principe, ils s'assurent de ne considérer que les éléments pertinents, y compris les coûts de renonciation, et de laisser de côté les éléments non pertinents tels les coûts irrécupérables ou les coûts communs. Comme les progrès technologiques ont permis d'accroître le nombre de données disponibles pour prendre des décisions, il est plus important que jamais que les gestionnaires soient en mesure de distinguer les renseignements pertinents de ceux qui ne le sont pas. Les exemples présentés dans ce chapitre montrent que la pertinence de certains revenus, coûts et avantages dépend du type de situations où des décisions s'imposent. Dans chaque cas, nous avons donc fourni des aides à la décision qui résument la méthode appropriée pour procéder à l'analyse.

Nous avons également examiné une méthode simple de gestion d'une ressource limitée lorsque la demande dépasse la capacité de production à court terme. L'utilisation de la marge sur coûts variables par facteur de contrainte permet de déterminer le produit le plus rentable par unité de la ressource limitée et oriente le processus de gestion de cette ressource.

Activités d'apprentissage

Les coûts pertinents

La société Les Vélos Saint-Albert fabrique trois types de bicyclettes — un vélo tout-terrain, un vélo de montagne, et un vélo de compétition. Voici des données concernant le chiffre d'affaires et les charges du dernier trimestre.

	Total	Vélos tout-terrain	Vélos de montagne	Vélos de compétition
Ventes	300 000 $	90 000 $	150 000 $	60 000 $
Moins : Coûts de fabrication variables et coûts commerciaux	120 000	27 000	60 000	33 000
Marge sur coûts variables	180 000	63 000	90 000	27 000
Moins : Coûts fixes :				
Publicité	30 000	10 000	14 000	6 000
Amortissement du matériel spécialisé	23 000	6 000	9 000	8 000
Salaires des contremaîtres de chaque modèle	35 000	12 000	13 000	10 000
Coûts fixes communs répartis*	60 000	18 000	30 000	12 000
Total des coûts fixes	148 000	46 000	66 000	36 000
Bénéfice (perte)	32 000 $	17 000 $	24 000 $	(9 000)$

* Il s'agit de coûts communs répartis en fonction des ventes.

La direction s'inquiète des pertes continuelles que présente la gamme des vélos de compétition, et veut savoir si elle doit la conserver ou l'abandonner. Le matériel spécial servant à la fabrication de ces vélos n'a aucune valeur de revente.

Travail à faire

1. L'entreprise devrait-elle abandonner la fabrication et la vente des vélos de compétition ? Justifiez votre réponse à l'aide de vos calculs.
2. Présentez les données précédentes de façon que la direction puisse s'en servir plus facilement pour évaluer la rentabilité à long terme des différentes gammes de produits.

Solution au problème de révision

1. L'entreprise ne devrait pas abandonner la fabrication et la vente du vélo de compétition. L'abandon de ce modèle aurait pour effet de diminuer le bénéfice de l'entreprise de 11 000 $ par trimestre.

		27 000 $
Marge sur coûts variables perdue		27 000 $
Moins : Coûts fixes évitables :		
Publicité	6 000 $	
Salaire du contremaître du modèle..........................	10 000	16 000
Diminution du bénéfice pour l'entreprise		11 000 $

L'amortissement du matériel spécialisé constitue un coût irrécupérable et, par conséquent, il n'est pas pertinent dans cette décision. Les coûts communs sont des coûts répartis qui resteront les mêmes au total, que les vélos de compétition soient abandonnés ou non. Il ne s'agit donc pas non plus de coûts pertinents dans cette décision.

Autre solution

	Total actuel	Total en cas d'abandon du vélo de compétition	Différence : Augmentation (ou diminution) du bénéfice
Ventes	300 000 $	240 000 $	(60 000)$
Moins : Coûts variables	120 000	87 000	33 000
Marge sur coûts variables......................	180 000	153 000	(27 000)
Moins : Coûts fixes :			
Publicité	30 000	24 000	6 000
Amortissement du matériel spécialisé...	23 000	23 000	-0-
Salaires des contremaîtres de chaque modèle.........................	35 000	25 000	10 000
Coûts fixes communs répartis	60 000	60 000	-0-
Total des coûts fixes	148 000	132 000	16 000
Bénéfice (perte)...........................	32 000 $	21 000 $	(11 000)$

2. On peut améliorer la présentation des informations sectorielles par l'élimination de la répartition des coûts fixes communs. Le modèle d'un état des résultats sectoriels décrit au chapitre 8 permet d'obtenir une présentation plus claire des données.

	Total	Vélos tout-terrain	Vélos de montagne	Vélos de compétition
Ventes...........................	300 000 $	90 000 $	150 000 $	60 000 $
Moins : Coûts de fabrication variables et coûts commerciaux....	120 000	27 000	60 000	33 000
Marge sur coûts variables	180 000	63 000	90 000	27 000
Moins : Coûts fixes :				
Publicité............................	30 000	10 000	14 000	6 000
Amortissement du matériel spécialisé	23 000	6 000	9 000	8 000
Salaires des contremaîtres de chaque modèle.................	35 000	12 000	13 000	10 000
Total des coûts fixes.............	88 000	28 000	36 000	24 000
Bénéfice spécifique des gammes de produits	92 000	35 000 $	54 000 $	3 000 $
Moins : Coûts fixes communs........	60 000			
Bénéfice..............................	32 000 $			

12

Questions

Q1 Qu'est-ce qu'un «coût pertinent»?

Q2 Définissez les expressions suivantes: «coût différentiel», «coût de renonciation» et «coût irrécupérable».

Q3 Les coûts variables sont-ils toujours des coûts pertinents? Justifiez votre réponse.

Q4 Comme l'indique l'état de la situation financière, la valeur comptable d'une machine constitue un actif pour l'entreprise. Cette valeur n'est cependant pas un élément pertinent dans une prise de décisions. Pourquoi?

Q5 «Les coûts irrécupérables sont faciles à reconnaître: il s'agit simplement des coûts fixes associés à une décision.» Êtes-vous d'accord avec cet énoncé? Justifiez votre réponse.

Q6 «Les expressions "coûts variables" et "coûts différentiels" désignent la même chose.» Êtes-vous d'accord avec cet énoncé? Justifiez votre réponse.

Q7 «Tous les coûts futurs sont pertinents dans une prise de décisions.» Êtes-vous d'accord avec cette affirmation? Pourquoi?

Q8 Beaulieu ltée considère la possibilité d'abandonner une de ses gammes de produits. Quels coûts relatifs à cette gamme seraient pertinents au moment de la décision? Lesquels ne seraient pas pertinents?

Q9 «Une gamme de produits entraînant une perte est un bon indice qu'il faudrait l'abandonner.» Êtes-vous d'accord avec cet énoncé? Justifiez votre réponse.

Q10 Quel danger y a-t-il à répartir les coûts communs entre les gammes de produits ou les secteurs d'exploitation d'une organisation?

Q11 Comment utilise-t-on le coût de renonciation dans une décision de fabriquer ou d'acheter?

Q12 Donnez quatre exemples de contraintes de capacité possibles, en expliquant comment y remédier.

Q13 Comment l'établissement d'un rapport entre les marges sur coûts variables des produits et la ressource limitée requise pour leur fabrication peut-il aider une entreprise à maximiser ses bénéfices?

Q14 Définissez les expressions ou les termes suivants: «produits conjoints», «coûts communs de fabrication» et «point de séparation».

Q15 Du côté des prises de décisions, quels sont les pièges de la répartition des coûts communs de fabrication entre les produits conjoints?

Q16 Quelle ligne de conduite permettrait de déterminer si des produits conjoints devraient être vendus au point de séparation ou transformés davantage?

Q17 Les compagnies aériennes offrent parfois des tarifs réduits certains jours de la semaine aux membres de la famille des gens d'affaires lorsqu'ils accompagnent ceux-ci dans leurs déplacements. Quel rôle le concept de coûts pertinents joue-t-il dans la décision d'offrir des tarifs réduits de ce type?

Q18 Le propriétaire d'une petite entreprise prospère a déclaré ce qui suit: «Nous avons la technologie la plus avancée, les meilleurs produits et les employés les plus qualifiés au monde. Nous n'avons aucune contrainte de capacité.» Êtes-vous d'accord avec cette affirmation?

Exercices

E1 La prise en compte d'éléments pertinents

Voici quelques éléments qui pourraient être pertinents dans les décisions que doit prendre la direction de Savane inc., un fabricant de voiliers.

Élément	1re situation		2e situation	
	Pertinent	Non pertinent	Pertinent	Non pertinent
a) Chiffre d'affaires				
b) Matières premières				
c) Main-d'œuvre directe				
d) Frais de fabrication indirects variables				
e) Amortissement de la machine B100				
f) Valeur comptable de la machine B100...................................				
g) Valeur de revente de la machine B100				
h) Valeur de marché de la machine B300 (coût d'achat).............				
i) Amortissement de la machine B300				
j) Frais indirects de fabrication fixes				
k) Coûts commerciaux variables...				
l) Coûts commerciaux fixes..				
m) Charges administratives...				

Travail à faire

Reproduisez le tableau précédent. Inscrivez un « X » dans la colonne appropriée pour indiquer si chaque élément est pertinent ou non dans chacune des situations ci-après. La question 1) du travail à faire se rapporte à la première situation, et la question 2), à la seconde situation.

1. La direction songe à acheter une machine B300 et à l'utiliser conjointement avec la machine B100 qu'elle possède. Cette acquisition accroîtrait la production et le chiffre d'affaires de l'entreprise. L'augmentation de volume serait assez importante pour nécessiter une hausse des coûts commerciaux fixes et des charges administratives, mais non des frais indirects de fabrication fixes.

2. La direction songe plutôt à remplacer la machine B100 qu'elle possède par la machine B300. L'ancien équipement serait alors vendu. Ce changement n'aurait aucun effet sur la production ni sur le chiffre d'affaires. Il permettrait cependant d'enregistrer quelques économies concernant le coût des matières premières grâce à une diminution du gaspillage.

E2 La détermination des coûts pertinents

À son retour d'un voyage de chasse, Guillaume a rapporté huit canards. Son ami Jean, qui désapprouve la chasse aux canards, veut l'inciter à abandonner ce sport et, pour ce faire, il lui présente cette estimation des coûts par canard.

Caravane et équipement: Coût, 12 000 $; utilisables pendant 8 saisons à raison de 10 voyages de chasse par saison	150 $
Transport (camionnette): 100 km à 0,12 $ du kilomètre (essence, huile et pneus: 0,07 $ le kilomètre; amortissement et assurance: 0,05 $ le kilomètre).............	12
Cartouches à plombs (deux boîtes).............	20
Bateau: Coût, 2 320 $; utilisable pendant 8 saisons à raison de 10 voyages de chasse par saison	29
Permis de chasse: Coût, 30 $ pour une saison; 10 voyages de chasse par saison	3
Argent perdu au poker (Guillaume joue au poker chaque week-end): Perte, 18 $.............	18
Un cinquième d'une bouteille de Jack Daniel's (pour se réchauffer): Coût, 40 $ la bouteille.............	8
Coût total.............	240 $
Coût par canard (240 $ ÷ 8 canards).............	30 $

Travail à faire

1. Supposez que le voyage de chasse aux canards dont Guillaume revient est typique. Quels coûts sont pertinents en ce qui concerne sa décision de retourner ou non à la chasse cette saison?

2. Supposez que Guillaume sera chanceux au cours de sa prochaine expédition et qu'il tuera 10 canards dans le même intervalle de temps qu'il avait mis la fois précédente à en abattre 8. Quel est le coût associé aux deux derniers canards qu'il aura tués?

3. Quels coûts sont pertinents en ce qui concerne la décision de Guillaume de renoncer définitivement ou non à la chasse aux canards? Justifiez votre réponse.

12

E3 **La décision d'abandonner une gamme de produits**

Entreprises maritimes Thalassa fabrique du matériel naval. Depuis plusieurs années, cette société essuie des pertes avec sa gamme de pompes de cale. Voici son état des résultats trimestriel le plus récent concernant la gamme des pompes de cale.

ENTREPRISES MARITIMES THALASSA
État des résultats – pompes de cale
du trimestre terminé le 31 mars

Ventes...		850 000 $
Moins : Coûts variables :		
Coûts de fabrication variables..	330 000 $	
Commissions sur les ventes..	42 000	
Livraison	18 000	
Total des coûts variables...		390 000
Marge sur coûts variables		460 000
Moins : Coûts fixes :		
Publicité..	270 000	
Amortissement de l'équipement (aucune valeur de revente) ..	80 000	
Frais indirects de fabrication*..	105 000	
Salaire du directeur de la gamme de produits	32 000	
Assurance sur les stocks...	8 000	
Charges du service des achats**.......................................	45 000	
Total des coûts fixes...		540 000
Perte		(80 000) $

* Coûts communs répartis en fonction des heures-machines
** Coûts communs répartis en fonction des ventes

L'abandon de la gamme des pompes de cale n'influerait pas sur les ventes des autres gammes de produits. En outre, il n'aurait aucun effet perceptible sur le total des frais indirects de fabrication ni sur le total des charges du service des achats.

Travail à faire

Recommanderiez-vous l'abandon de la gamme des pompes de cale ? Étayez votre réponse par les calculs appropriés.

E4 **La prise en compte d'une contrainte de ressource**

Beaudry inc. fabrique trois produits, A, B et C. Voici des données sur le prix de vente, les coûts variables et la marge sur coûts variables d'une unité de chaque produit.

	Produit		
	A	B	C
Prix de vente	180 $	270 $	240 $
Moins : Coûts variables :			
Matières premières..	24	72	32
Autres coûts variables...	102	90	148
Total des coûts variables	126	162	180
Marge sur coûts variables.....................................	54 $	108 $	60 $
Ratio de la marge sur coûts variables....................	30 %	40 %	25 %

L'entreprise utilise la même matière première pour les trois produits. Elle dispose de seulement 5 000 kilogrammes de cette matière et elle ne pourra en obtenir davantage avant plusieurs semaines à cause d'une grève à l'usine de son fournisseur. La direction tente de décider sur quels produits elle devrait concentrer les efforts de la prochaine semaine pour maximiser ses bénéfices en exécutant des commandes en retard. Le prix d'achat de la matière première est de 8 $ par kilogramme.

Travail à faire

1. Calculez la marge sur coûts variables obtenue par kilogramme de matières premières utilisées dans chaque produit.
2. En supposant que la demande de chaque produit excède largement la capacité de production, quelles commandes suggérez-vous à l'entreprise d'exécuter au cours de la prochaine semaine : les commandes du produit A, du produit B ou du produit C ? Présentez tous vos calculs.
3. Un fournisseur étranger pourrait procurer à l'entreprise des quantités supplémentaires de matières premières, mais pour une somme nettement supérieure au prix d'achat courant. Si l'entreprise a des commandes en attente pour les trois produits, quel prix le plus élevé devrait-elle consentir à payer par kilogramme de matières premières supplémentaire ?

E5 La décision de fabriquer ou d'acheter

Troy ltée vend différents types de moteurs conçus pour la machinerie lourde. L'entreprise a toujours fabriqué toutes les pièces nécessaires à ses moteurs, y compris les carburateurs. Un sous-traitant pourrait lui fournir un type de carburateur au coût de 35 $ l'unité. Pour évaluer cette offre, Troy ltée a recueilli les renseignements ci-après concernant ses propres coûts de fabrication de ce carburateur à l'interne.

	Par unité	15 000 unités par an
Matières premières	14 $	210 000 $
Main-d'œuvre directe	10	150 000
Frais indirects de fabrication variables	3	45 000
Frais de fabrication fixes spécifiques*	6	90 000
Frais indirects de fabrication fixes répartis	9	135 000
Coût total de fabrication	42 $	630 000 $

* Un tiers de ce montant correspond aux salaires des employés de surveillance, et les deux autres tiers, à l'amortissement de l'équipement spécialisé (aucune valeur de revente).

Travail à faire

1. Tenez pour acquis que l'entreprise ne peut faire aucun autre usage des installations servant en ce moment à la fabrication des carburateurs. Devrait-elle accepter l'offre du fournisseur extérieur ? Donnez tous vos calculs.
2. Supposez que, en achetant ses carburateurs, l'entreprise peut utiliser la capacité de production ainsi libérée pour lancer un nouveau produit. Les bénéfices spécifiques associés à ce produit seraient de 150 000 $ par an. Troy ltée devrait-elle accepter l'offre d'acheter des carburateurs à 35 $ l'unité ? Donnez tous vos calculs.

E6 La décision d'abandonner une gamme de produits

Vélos Régal inc. fabrique trois types de bicyclettes : un vélo tout-terrain, un vélo de montagne et un vélo de course. Voici des données sur les chiffres d'affaires et les charges du dernier trimestre.

12

►

	Total	Vélos tout-terrain	Vélos de montagne	Vélos de course
Ventes..................................	300 000 $	90 000 $	150 000 $	60 000 $
Moins : Coûts variables de fabrication et de vente	120 000	27 000	60 000	33 000
Marge sur coûts variables	180 000	63 000	90 000	27 000
Moins : Coûts fixes :				
Publicité	30 000	10 000	14 000	6 000
Amortissement de l'équipement spécialisé	23 000	6 000	9 000	8 000
Salaires des directeurs de chaque modèle	35 000	12 000	13 000	10 000
Coûts communs répartis*....................	60 000	18 000	30 000	12 000
Total des coûts fixes	148 000	46 000	66 000	36 000
Bénéfice (perte)	32 000 $	17 000 $	24 000 $	(9 000) $

* Répartis en fonction des ventes

La direction s'inquiète des pertes continues enregistrées par la gamme des vélos de course. C'est pourquoi elle veut un avis concernant l'opportunité de maintenir ou non ce modèle. L'équipement spécialisé servant à la fabrication de ce type de vélo n'a aucune valeur de revente et ne s'use pas.

Travail à faire

1. L'entreprise devrait-elle abandonner la fabrication et la vente des vélos de course? Donnez tous vos calculs pour étayer votre réponse.
2. Présentez les données précédentes de façon que la direction puisse s'en servir plus facilement pour évaluer la rentabilité à long terme de chaque gamme de produits.

E7 La décision de fabriquer ou d'acheter

Chaque année, la société Han fabrique 30 000 unités de la pièce S-6, qu'elle utilise dans sa chaîne de montage. À ce niveau d'activité, le coût par unité de la pièce S-6 se calcule comme suit :

Matières premières	3,60 $
Main-d'œuvre directe..	10,00
Frais indirects de fabrication variables	2,40
Frais indirects de fabrication fixes	9,00
Coût total de fabrication par pièce	25,00 $

Un fournisseur extérieur a offert à l'entreprise de lui vendre annuellement 30 000 unités de la pièce S-6 à 21 $ l'unité. En acceptant cette offre, la société Han pourrait louer les installations servant en ce moment à la fabrication de la pièce à une autre entreprise, moyennant un loyer de 80 000 $ par an.

Toutefois, le service de la comptabilité a déterminé que les deux tiers des frais indirects de fabrication fixes imputés à la pièce S-6 seraient maintenus même si la société Han achetait cette pièce d'un fournisseur extérieur.

Travail à faire

Faites les calculs nécessaires pour démontrer l'avantage ou le désavantage net (en dollars) de l'acceptation de l'offre du fournisseur extérieur.

E8 **La décision de vendre ou de transformer davantage**

Durivage inc. fabrique trois produits à partir de la même matière première grâce à la même opération de production. Les coûts communs de transformation des produits conjoints jusqu'au point de séparation s'élèvent à 350 000 $ par trimestre. L'entreprise répartit ces coûts entre les produits conjoints en fonction de leur valeur de vente totale au point de séparation. Voici des données sur les prix de vente par unité et la production totale au point de séparation.

Produit	Prix de vente	Production trimestrielle
A	16 $ par kilogramme	15 000 kg
B	8 $ par kilogramme	20 000 kg
C	25 $ par litre	4 000 L

Après ce point, chaque produit peut être transformé davantage. Le traitement supplémentaire ne requiert aucune installation particulière. Le tableau ci-après indique le coût d'un tel traitement par trimestre et les prix de vente des unités après cette opération.

Produit	Coûts du traitement supplémentaire	Prix de vente après le traitement
A	63 000 $	20 $ par kilogramme
B	80 000 $	13 $ par kilogramme
C	36 000 $	32 $ par litre

Travail à faire

En supposant que la transformation commune a été effectuée, quel produit devrait-on vendre au point de séparation et lequel devrait-on transformer davantage? Il peut y en avoir plus d'un. Donnez tous vos calculs.

E9 **L'abandon ou le maintien d'un service**

La société Services aux aînés de Cotnoir est un organisme à but non lucratif qui fournit des services essentiels aux personnes âgées habitant chez elles dans la région de Cotnoir. L'organisme offre trois services — des soins à domicile, une «popote roulante» et un service d'entretien ménager. Dans le cadre du programme de soins à domicile, des infirmiers ou des infirmières rendent régulièrement visite aux personnes âgées pour vérifier leur état général et pour effectuer les tests prescrits par les médecins. La «popote roulante» livre un repas chaud une fois par jour à chaque personne âgée inscrite à ce service. Le service d'entretien ménager exécute chaque semaine des tâches de nettoyage et d'entretien. Voici des données sur les revenus et les charges de la dernière année.

	Total	Soins à domicile	Popote roulante	Entretien ménager
Revenus	900 000 $	260 000 $	400 000 $	240 000 $
Moins : Coûts variables	490 000	120 000	210 000	160 000
Marge sur coûts variables	410 000	140 000	190 000	80 000
Moins : Coûts fixes :				
Amortissement	68 000	8 000	40 000	20 000
Assurance responsabilité civile	42 000	20 000	7 000	15 000
Salaires des administrateurs des programmes	115 000	40 000	38 000	37 000
Charges administratives*	180 000	52 000	80 000	48 000
Total des coûts fixes	405 000	120 000 $	165 000	120 000
Bénéfice (perte)	5 000 $	20 000 $	25 000 $	(40 000)$

* Réparties en fonction des revenus des programmes

➤ La directrice des Services aux aînés de Cotnoir, Mme Judith Miyama, est préoccupée par les finances de l'organisme. Elle considère que le bénéfice de 5 000 $ de l'année dernière ne laisse aucune marge de manœuvre. (Les résultats qui apparaissent ici sont très similaires à ceux des années précédentes et représentent bien ce qui est à prévoir pour les années à venir.) À son avis, l'organisme devrait se constituer plus rapidement des réserves financières en prévision de la prochaine et inévitable récession. Après avoir examiné le rapport de la page précédente, Mme Miyama a demandé plus de renseignements sur la pertinence financière de la décision éventuelle d'abandonner le service d'entretien ménager.

Les charges d'amortissement de ce programme sont liées à une petite fourgonnette qui sert à transporter l'équipe d'entretien ménager et son matériel d'un endroit à l'autre. En cas d'abandon du programme, il faudrait faire don de cette fourgonnette à un organisme de charité, car les charges d'amortissement laissent supposer une valeur de revente nulle. De plus, il serait impossible d'éviter les charges administratives. Par contre, l'assurance responsabilité civile et le salaire de l'administrateur du programme constitueraient alors des coûts évitables.

Travail à faire

1. L'organisme devrait-il abandonner le service d'entretien ménager? Présentez vos calculs pour justifier votre réponse.
2. Réorganisez les données du tableau de façon à permettre à la direction de mieux évaluer à long terme la viabilité financière des différents services.

E10 L'évaluation d'une commande spéciale

La Joaillerie Myamoto étudie une commande spéciale portant sur 10 bracelets en or faits à la main. Ces bijoux doivent être offerts en cadeaux à des invités à l'occasion d'un mariage. Un bracelet en or se vend normalement 389,95 $ et coûte 264,00 $ à fabriquer, comme l'indiquent les données suivantes :

Matières premières	143,00 $
Main-d'œuvre directe	86,00
Frais indirects de fabrication	35,00
Coût de production unitaire	264,00 $

La plupart des frais indirects de fabrication sont fixes et restent les mêmes, quelles que soient les variations dans la quantité de bijoux fabriqués pendant une période donnée. Toutefois, il y a 7 $ de frais indirects de fabrication qui varient en fonction du nombre de bracelets produits. Le client qui souhaite passer la commande spéciale voudrait que le joaillier applique un filigrane particulier sur chaque bracelet. Ce travail exigerait du matériel supplémentaire au coût de 6 $ par bracelet, mais aussi l'achat, au prix de 465 $, d'un instrument spécial, lequel ne serait plus d'aucune utilité une fois la commande exécutée. Cette commande ne devrait pas avoir d'effet sur les ventes régulières de la joaillerie, et pourrait être exécutée sans dépasser la capacité actuelle de l'entreprise ni nuire aux autres commandes.

Travail à faire

Quel effet aurait l'acceptation de cette commande sur le bénéfice de l'entreprise si le client offre de lui payer un prix spécial de 349,95 $ par bracelet? Le joaillier devrait-il accepter la commande à ce prix?

E11 L'utilisation d'une ressource limitée

La société Vannier fabrique trois produits, A, B et C. Des données sur le prix de vente, les coûts variables et la marge sur coûts variables d'une unité de chaque produit apparaissent ci-après.

	Produit		
	A	B	C
Prix de vente..	60 $	90 $	80 $
Moins: Coûts variables:			
Matières premières...	27	14	40
Main-d'œuvre directe...	12	32	16
Frais indirects de fabrication variables	3	8	4
Total des coûts variables	42	54	60
Marge sur coûts variables..	18 $	36 $	20 $
Ratio de la marge sur coûts variables............................	30 %	40 %	25 %

En raison d'une grève à l'usine d'un de ses concurrents, l'entreprise constate que la demande pour ses produits dépasse considérablement sa capacité de production. La direction tente de déterminer sur lequel (ou lesquels) de ses produits elle devrait concentrer ses efforts pendant la semaine prochaine pour maximiser sa rentabilité. La main-d'œuvre est rémunérée à un taux horaire de 16 $ et ne peut effectuer que 1 500 heures de travail par semaine.

Travail à faire

1. Calculez le montant de la marge sur coûts variables que l'entreprise obtiendra par heure de travail consacrée à chaque produit.
2. À votre avis, sur quelles commandes l'entreprise devrait-elle concentrer ses efforts au cours de la prochaine semaine: les commandes du produit A, du produit B ou du produit C? Présentez tous vos calculs.
3. En rémunérant les employés pour des heures supplémentaires, l'entreprise pourrait obtenir plus que 1 500 heures de main-d'œuvre directe la semaine prochaine. Quel montant maximal par heure de travail supplémentaire devrait-elle accepter de verser aussi longtemps qu'il y aura une demande pour les trois produits? Expliquez votre réponse.

E12 **La décision de vendre ou de transformer davantage**

La société Solex fabrique trois produits à partir d'une même matière première grâce à une seule opération de transformation. Les coûts communs de transformation des produits conjoints jusqu'au point de séparation s'élèvent à 100 000 $ par année. L'entreprise répartit ces coûts entre les produits conjoints en fonction de leur valeur de vente totale au point de séparation. Ces valeurs de vente sont les suivantes: 50 000 $ pour le produit X, 90 000 $ pour le produit Y et 60 000 $ pour le produit Z.

La société Solex peut vendre chaque produit au point de séparation ou le transformer davantage. Une transformation supplémentaire ne requiert aucune installation particulière. Le tableau ci-dessous présente les coûts de transformation et la valeur de vente (annuelle) de chacun des produits après leur opération de transformation respective.

Produit	Coûts de la transformation supplémentaire	Valeur de vente
X..	35 000 $	80 000 $
Y..	40 000	150 000
Z..	12 000	75 000

12

Travail à faire

Lesquels de ces produits devraient être vendus au point de séparation, et lesquels d'entre eux devraient être transformés davantage? Donnez vos calculs.

E13 **La détermination des coûts pertinents**

La société Hart vend du mobilier de bureau au Québec et en assure la livraison. Voici les coûts associés à l'acquisition et au fonctionnement (sur une base annuelle) d'un camion de livraison.

Assurance	1 750 $
Permis	250
Immatriculation (véhicule)	150
Loyer du garage pour le stationnement (par camion)	1 350
Amortissement (30 000 $ ÷ 5 ans)	6 000*
Essence, huile de moteur, pneus et réparations	0,16 $ du kilomètre

* En fonction de la durée de vie du véhicule

Travail à faire

1. Supposez que la société Hart a acheté un camion et que celui-ci a parcouru 50 000 kilomètres au cours de la première année. Calculez le coût moyen par kilomètre lié à la possession et à l'exploitation de ce camion.

2. Au début de la deuxième année, l'entreprise se demande si elle devrait continuer à utiliser le camion, ou le laisser dans le garage et confier toutes ses livraisons à des entreprises spécialisées. (Le gouvernement exige le paiement de frais d'immatriculation pour les véhicules, même lorsqu'ils ne servent pas.) Quels coûts de la liste précédente sont pertinents dans cette décision ? Expliquez votre réponse.

3. Supposez que l'entreprise décide de se servir du camion au cours de la deuxième année. Vers la fin de l'année, elle reçoit une commande d'un client qui habite à plus de 1 000 kilomètres de distance. Quels coûts de la liste précédente sont pertinents dans la décision d'utiliser le camion pour effectuer la livraison ou de confier cette tâche à une entreprise spécialisée ? Expliquez votre réponse.

4. Il arrive que l'entreprise a besoin de deux camions en même temps. La direction considère donc la possibilité d'en acheter un second. Le nombre total de kilomètres parcourus serait le même que pour un seul de ces véhicules. Quels coûts de la liste sont pertinents dans la décision d'acheter ou non ce second camion ? Expliquez votre réponse.

E14 **L'abandon ou le maintien d'une division**

Le magasin d'articles pour la maison Beaugrand, une entreprise de vente au détail, compte deux divisions, Salle de bain et Cuisine. Voici son état des résultats du mois le plus récent, établi selon la méthode des coûts variables.

		Division	
	Total	Salle de bain	Cuisine
Ventes	5 000 000 $	1 000 000 $	4 000 000 $
Moins : Coûts variables	1 900 000	300 000	1 600 000
Marge sur coûts variables	3 100 000	700 000	2 400 000
Moins : Coûts fixes	2 700 000	900 000	1 800 000
Bénéfice (perte)	400 000 $	(200 000) $	600 000 $

D'après une étude, 370 000 $ des coûts fixes attribués à la division Salle de bain constituent des coûts irrécupérables ou des coûts répartis qui continueront d'être engagés même en cas d'abandon de cette unité d'exploitation. En outre, l'élimination de cette unité entraînerait une diminution de 10 % du chiffre d'affaires de la division Cuisine.

Travail à faire

Quel serait l'effet de l'abandon de la division Salle de bain sur le bénéfice de l'ensemble de l'entreprise ?

E15 La décision de fabriquer ou d'acheter une composante

Pendant de nombreuses années, la société Durand a fabriqué une petite pièce électrique qu'elle utilise dans la fabrication de son modèle standard de tracteur diesel. À un volume d'activité de 60 000 unités par an, le coût unitaire de production de cette pièce se calcule comme suit :

	Par pièce	Total
Matières premières	4,00 $	
Main-d'œuvre directe..	2,75	
Frais indirects de fabrication variables	0,50	
Frais indirects de fabrication fixes spécifiques........................	3,00	180 000 $
Frais indirects de fabrication fixes communs (répartis en fonction des heures de main-d'œuvre)	2,25	135 000
Coût unitaire du produit..	12,50 $	

Un fournisseur extérieur a offert à la société Durand de lui vendre cette composante électrique à seulement 10 $ l'unité. Un tiers des frais indirects de fabrication fixes spécifiques se compose des salaires des contremaîtres et d'autres coûts qui peuvent être éliminés en cas d'achat de la pièce. Les deux autres tiers des frais indirects de fabrication fixes spécifiques consistent en l'amortissement du matériel utilisé, lequel n'a aucune valeur de revente. La décision d'acheter la pièce en question d'un fournisseur extérieur n'aurait aucun effet sur les frais indirects de fabrication fixes communs de l'entreprise, et l'espace qui sert actuellement à cette production resterait inutilisé dans ce cas.

Travail à faire

Effectuez des calculs pour déterminer de quel montant augmenteraient ou diminueraient les résultats de l'entreprise si elle décidait d'acheter la composante à un fournisseur extérieur plutôt que de la fabriquer elle-même.

E16 L'acceptation d'une commande spéciale

La société Gladu fabrique un seul produit. Les coûts de la fabrication et de la vente d'une unité de ce produit au niveau d'activité actuel de 8 000 unités par mois sont les suivants :

Matières premières...	2,50 $
Main-d'œuvre directe	3,00
Frais indirects de fabrication variables..	0,50
Frais indirects de fabrication fixes..	4,25
Coûts commerciaux et charges administratives variables	1,50
Coûts commerciaux et charges administratives fixes	2,00

Normalement, le prix de vente de ce produit est de 15 $ l'unité. L'entreprise a une capacité de production de 10 000 unités par mois. Elle vient de recevoir une commande d'un client potentiel d'outre-mer pour 2 000 unités de son produit à 12 $ l'unité. Cette commande n'aurait aucun effet sur les ventes ordinaires.

► **Travail à faire**

1. Si l'entreprise acceptait la commande, de quel montant ses résultats mensuels augmenteraient-ils ou diminueraient-ils ? (La commande n'entraînerait aucune variation du total des coûts fixes de l'entreprise.)

2. Supposez que l'entreprise dispose de 500 unités de ce produit qui restent de l'année dernière, mais qui sont de moins bonne qualité que le modèle de cette année. Elle devrait écouler ces unités par les circuits de distribution habituels à un prix réduit. Quel coût unitaire est pertinent dans l'établissement du prix de vente minimal de ces unités ? Expliquez votre réponse.

E17 L'utilisation d'une ressource limitée

La société Salaberry fabrique trois produits : X, Y et Z. Voici différentes données concernant ces produits par unité.

	Produit X	Produit Y	Produit Z
Prix de vente..	80 $	56 $	70 $
Moins : Coûts variables :			
Matières premières..	24	15	9
Main-d'œuvre et frais indirects de fabrication........	24	27	40
Total des coûts variables.....................	48	42	49
Marge sur coûts variables...................................	32 $	14 $	21 $
Ratio de la marge sur coûts variables........................	40 %	25 %	30 %

La demande pour ces produits est très forte, et l'entreprise reçoit chaque mois plus de commandes qu'elle ne peut en exécuter, compte tenu des matières premières disponibles. La même matière sert à la fabrication de chaque produit. Elle coûte 3 $ le kilogramme, et l'entreprise dispose d'une quantité maximale de 5 000 kilogrammes chaque mois.

Travail à faire

Quelles commandes conseilleriez-vous à l'entreprise d'exécuter en premier lieu, celles du produit X, celles du produit Y ou celles du produit Z ? Quelles commandes devrait-elle exécuter en deuxième lieu ? en troisième lieu ?

E18 La décision de vendre ou de transformer davantage

La société Morille fabrique différents produits grâce à un processus de transformation du krypton, un gaz rare. Le total des coûts de la matière et du processus s'élève à 30 000 $ par tonne de ce gaz. Un tiers de ce montant est attribué à un produit appelé *merifulon*. Le merifulon fabriqué à partir d'une tonne de krypton peut être soit vendu tel quel au point de séparation, soit transformé davantage au coût de 13 000 $, puis mis en vente à 60 000 $. La valeur de vente de ce sous-produit au point de séparation est de 40 000 $.

Travail à faire

L'entreprise devrait-elle transformer davantage le merifulon ou le vendre au point de séparation ?

E19 **La décision optimale en matière de production**

La société Voitures d'art fabrique des modèles miniatures de voitures de sport classiques. Dans son processus de production, le goulot d'étranglement se situe à l'étape de l'application de plusieurs couches de peinture sur chaque modèle. Ce processus requiert l'attention des artisans les plus expérimentés de l'atelier. L'entreprise dispose d'un total de 7 200 heures par année pour cette activité. Voici quelques données concernant les quatre produits de l'entreprise.

	Corvette	Porsche	Ferrari	Jaguar
Marge sur coûts variables par unité..........	100 $	64 $	70 $	144 $
Demande annuelle (unités).....................	160	240	200	280
Heures requises pour l'activité de peinture par unité	10	8	14	16

L'entreprise ne pourrait éviter aucun de ses coûts fixes, même si elle modifiait le nombre d'unités de n'importe lequel de ses produits ou qu'elle abandonnait l'un d'eux.

Travail à faire

1. La capacité au goulot d'étranglement permet-elle de répondre à la demande pour tous les produits?
2. Quel est le plan de production optimal pour l'année?
3. Quel serait le total de la marge sur coûts variables dans le plan de production optimal que vous avez proposé?

E20 **La décision de fabriquer ou d'acheter une composante**

Chaque année, la société Royale fabrique 20 000 unités d'une pièce numérotée R-3 qu'elle utilise dans sa chaîne de montage. À ce volume d'activité, le coût par unité de la pièce R-3 se calcule comme suit:

Matières premières	4,80 $
Main-d'œuvre directe	7,00
Frais indirects de fabrication variables	3,20
Frais indirects de fabrication fixes	10,00
Coût total de fabrication par pièce	25,00 $

Un fournisseur extérieur a offert de vendre annuellement à l'entreprise 20 000 unités de la pièce R-3 à 23,50 $ l'unité. Si elle accepte l'offre, la société Royale pourrait louer les installations qu'elle utilise en ce moment pour fabriquer la pièce R-3 à une autre entreprise en échange d'un loyer annuel de 150 000 $. Toutefois, elle a constaté qu'elle devrait continuer à engager 6 $ en frais indirects de fabrication fixes pour chaque unité de R-3, même si elle achetait toutes les unités de cette pièce au fournisseur extérieur.

Travail à faire

Effectuez les calculs nécessaires pour déterminer le montant de l'augmentation ou de la diminution des résultats de l'entreprise si elle accepte l'offre du fournisseur extérieur.

12

Problèmes

P1 L'abandon d'activités

Les résultats de la compagnie aérienne Pégase diminuent depuis plusieurs années. Pour améliorer la performance de l'entreprise, la direction songe à abandonner plusieurs vols paraissant peu rentables.

Voici un état des résultats du vol 482.

Revenu de la vente de billets (175 places × 40 % d'occupation × 200 $ par billet)	14 000 $	100,0 %
Moins: Coûts variables (15 $ par billet)	1 050	7,5 %
Marge sur coûts variables	12 950	92,5 %
Moins: Coûts du vol:		
Salaires de l'équipage	1 800	
Publicité du vol	750	
Amortissement de l'appareil	1 550	
Essence pour l'appareil	6 800	
Assurance responsabilité civile	4 200	
Salaires des agents de bord	500	
Chargement des bagages et préparation du vol	1 700	
Coûts d'hébergement de l'équipage et des agents de bord à destination	300	
Total des coûts du vol	17 600	
Perte	(4 650) $	

Voici des renseignements supplémentaires concernant le vol 482.

a) Les membres de l'équipage reçoivent un salaire annuel fixe ; les agents de bord sont rémunérés au vol.

b) Un tiers de l'assurance responsabilité civile constitue une charge spéciale relative au vol 482 parce que la compagnie d'assurances considère la destination de ce vol comme une zone à risques élevés. Les deux autres tiers de la prime ne varieraient pas, même si le vol 482 était abandonné.

c) Le coût du chargement des bagages et de la préparation du vol représente une répartition des salaires du personnel non navigant et de l'amortissement de l'équipement au sol. L'abandon du vol 482 n'aurait aucun effet sur les dépenses totales de l'entreprise correspondant à ce poste.

d) Si la compagnie aérienne abandonne le vol 482, elle n'a actuellement aucun permis pour le remplacer par un autre vol.

e) L'amortissement de l'appareil est entièrement attribuable à la désuétude.

f) L'abandon du vol 482 ne permettrait à Pégase de diminuer ni le nombre d'appareils de sa flotte ni celui des membres d'équipage inscrits dans son livre de paie.

Travail à faire

1. Préparez une analyse montrant l'effet de l'abandon du vol 482 sur les bénéfices de la compagnie aérienne.

2. On a reproché au directeur de la programmation des vols chez Pégase le fait que les avions de la compagnie sont remplis à 50 % seulement, alors que la moyenne est de 60 % dans ce secteur. En réponse aux critiques, le directeur a expliqué qu'il serait possible d'améliorer le taux d'occupation en éliminant environ 10 % des vols, mais que cette mesure diminuerait les résultats. Expliquez comment une telle chose pourrait se produire.

P2 **Des coûts pertinents**

Sauf dispositions contraires, les situations décrites ci-après sont indépendantes les unes des autres. Dans chaque cas, étayez votre réponse par des calculs.

1. Voici un état des résultats mensuel récent d'une entreprise commerciale comprenant les services A et B.

	Total	Service A	Service B
		A	B
Ventes	4 000 000 $	3 000 000 $	1 000 000 $
Moins : Coûts variables	1 300 000	900 000	400 000
Marge sur coûts variables	2 700 000	2 100 000	600 000
Moins : Coûts fixes	2 200 000	1 400 000	800 000
Bénéfice (perte)	500 000 $	700 000 $	(200 000) $

D'après une étude, 340 000 $ des coûts fixes attribués au service B sont des coûts irrécupérables ou des coûts répartis qui ne disparaîtront pas, même si le service B est abandonné. En outre, l'abandon du service B entraînerait une diminution de 10 % du chiffre d'affaires du service A. Quel serait l'effet de l'abandon du service B sur le bénéfice de l'entreprise dans son ensemble ?

2. Pendant un grand nombre d'années, Futura inc. a acheté les démarreurs dont elle se sert dans la fabrication de sa gamme de tracteurs agricoles standards. À cause d'une baisse de production de certains de ses produits, l'entreprise dispose d'une capacité inexploitée qu'elle pourrait utiliser pour fabriquer des démarreurs. L'ingénieur en chef s'est prononcé contre cette option. Il a fait remarquer que le coût de fabrication des démarreurs serait supérieur au prix d'achat actuel de 8,40 $ par unité payé par l'entreprise :

	Par unité	Total
Matières premières	3,10 $	
Main-d'œuvre directe	2,70	
Supervision	1,50	60 000 $
Amortissement	1,00	40 000
Frais indirects de fabrication variables	0,60	
Loyer	0,30	12 000
Coût total de production	9,20 $	

Un contremaître devrait être engagé pour superviser la fabrication des démarreurs. Toutefois, l'entreprise dispose d'un nombre suffisant d'outils et de machines pour éviter d'effectuer des achats dans ce domaine. Le loyer indiqué précédemment est calculé en fonction de l'espace utilisé dans l'usine. Le loyer total de l'usine s'élève à 80 000 $ par année. Effectuez les calculs nécessaires pour montrer l'avantage ou le désavantage (en dollars) de la fabrication des démarreurs.

3. Wexpro inc. fabrique différents produits grâce au traitement d'un minerai rare, le clypton. Le total des coûts des matières premières et du traitement de ce minerai par tonne s'élève à 60 000 $. Un quart de ce montant est attribué au produit X. L'entreprise fabrique 7 000 unités du produit X avec chaque tonne de clypton. Ces unités peuvent être soit vendues au point de séparation à 9 $ chacune, soit transformées davantage au coût total de 9 500 $ pour être vendues ensuite à 12 $ chacune. Devrait-on faire subir un traitement supplémentaire au produit X ou le vendre au point de séparation ?

4. La société Benoît fabrique trois produits, A, B, et C. Voici des données concernant ces produits (par unité).

12

	Produit		
	A	B	C
Prix de vente	80 $	56 $	70 $
Moins : Coûts variables :			
Matières premières..	24	15	9
Autres coûts variables...................................	24	27	40
Total des coûts variables...............................	48	42	49
Marge sur coûts variables	32 $	14 $	21 $
Ratio de la marge sur coûts variables......................	40 %	25 %	30 %

L'entreprise a constaté que la demande relative à ses produits est très forte. Elle reçoit ainsi chaque mois plus de commandes qu'elle ne peut en exécuter, faute d'une quantité suffisante de matières premières. La même matière première sert à chaque produit. Elle coûte 3 $ par kilogramme, et sa quantité maximale disponible par mois se chiffre à 5 000 kilogrammes. En supposant que la demande de chaque produit est illimitée, quelles commandes conseillerez-vous à l'entreprise d'exécuter en premier lieu : celles du produit A, du produit B ou du produit C ? en deuxième lieu ? en troisième lieu ?

5. Delta inc. fabrique un seul produit. Les coûts de fabrication et les coûts commerciaux d'une seule unité de ce produit au niveau d'activité normal de l'entreprise, soit 60 000 unités par an, se calculent comme suit :

Matières premières..	5,10 $
Main-d'œuvre directe...	3,80
Frais indirects de fabrication variables	1,00
Frais indirects de fabrication fixes	4,20
Coûts commerciaux et charges administratives variables.............................	1,50
Coûts commerciaux et charges administratives fixes.....................................	2,40

Le prix de vente courant est de 21 $ par unité. La capacité de production de l'entreprise est de 75 000 unités par an. Delta inc. vient de recevoir d'une entreprise de vente par correspondance une commande de 15 000 unités au prix de vente réduit de 14 $ l'unité. Cette commande n'aurait aucun effet sur les ventes courantes. Si l'entreprise exécute la commande, de quelle somme ses bénéfices annuels augmenteront-ils ou diminueront-ils ?

6. Reportez-vous aux données de la question précédente. Supposez que l'entreprise dispose de 1 000 unités produites lors de la période précédente, mais qui n'ont pas été vendues. La qualité de ces unités est inférieure à celle du modèle courant. Ces unités doivent être vendues par les circuits de distribution ordinaires à un prix de vente réduit. Quels éléments du coût unitaire sont pertinents dans l'établissement d'un prix de vente minimal pour ces unités ? Justifiez votre réponse.

P3 La décision de vendre ou de transformer davantage

Viandes Laroche est un important transformateur de viande de bœuf et autres produits. L'entreprise se retrouve avec une grande quantité de biftecks d'aloyau de surplus. Elle se demande si elle doit les vendre dans leur état actuel, ou si elle devrait les transformer davantage pour obtenir des filets mignons ou des biftecks de contre-filet.

L'entreprise considère qu'un bifteck d'aloyau de 500 grammes vendu tel qu'il a été coupé au départ lui rapporterait les bénéfices suivants :

Prix de vente (2,25 $ les 500 grammes)	2,25 $
Moins : Coûts communs de fabrication attribués aux produits conjoints....................	1,80
Bénéfice par 500 grammes	0,45 $

Au lieu de le vendre tel qu'il a été coupé initialement, on peut transformer un bifteck d'aloyau en filet mignon et en bifteck de contre-filet. En tranchant un de ses côtés, on obtient un filet mignon et en tranchant l'autre, un bifteck de contre-filet. Un bifteck d'aloyau de 500 grammes peut donner un filet mignon de 187 grammes et un bifteck de contre-filet de 250 grammes. Le reste va aux rebuts. Le coût de transformation du bifteck d'aloyau en morceaux de choix est de 0,25 $ par 500 grammes. Le filet mignon peut se vendre à 4,00 $ les 500 grammes, et le bifteck de contre-filet, à 2,80 $ les 500 grammes.

Travail à faire

1. Déterminez le bénéfice par 500 grammes qui résulterait d'un traitement supplémentaire du bifteck d'aloyau.

2. Recommanderiez-vous de vendre le bifteck d'aloyau dans son état actuel ou de le traiter davantage ? Pourquoi ?

(Rédigé d'après une situation suggérée par le professeur John W. Hardy)

P4 La décision de fabriquer ou d'acheter (DGD 9)

« À mon avis, nous devrions cesser de fabriquer nos propres contenants et accepter l'offre du fournisseur étranger. » Wilfred Roy est directeur général chez Antilles inc. Selon lui, « à 18 $ par contenant, nous débourserions 5 $ de moins que ce qu'il nous en coûte pour les fabriquer dans notre usine. Comme nous utilisons 60 000 contenants par an, il s'agirait d'une économie de coûts annuelle de 300 000 $ ». Voici les données sur le coût de fabrication actuel d'un contenant à un niveau d'activité de 60 000 contenants par an.

Matières premières	10,35 $
Main-d'œuvre directe	6,00
Frais indirects de fabrication variables	1,50
Frais indirects de fabrication fixes (2,80 $ en frais indirects généraux de l'usine, 1,60 $ en amortissement et 0,75 $ en supervision)	5,15
Coût total par contenant	23,00 $

Il est très important pour la direction de prendre une décision de fabriquer ou d'acheter les contenants en ce moment parce que les machines servant à leur fabrication sont complètement usées et doivent être remplacées. Il y a deux solutions possibles pour l'entreprise.

En premier lieu : acheter de nouvelles machines et continuer la fabrication des contenants. Les machines coûteraient 810 000 $ et elles auraient une durée d'utilisation de six ans, mais aucune valeur de revente. L'entreprise utilise la méthode de l'amortissement linéaire.

En second lieu : acheter les contenants d'un fournisseur extérieur à 18 $ l'unité conformément aux conditions d'un contrat de six ans.

Les nouvelles machines se révéleraient plus efficaces que l'équipement actuellement utilisé. Selon le fabricant, elles diminueraient la main-d'œuvre directe et les frais indirects de fabrication variables de 30 %. L'équipement actuel n'a aucune valeur de revente. Le coût de la supervision (45 000 $ par an) et celui des matières premières par contenant ne seraient pas modifiés par les nouvelles machines. La capacité de production de ces nouvelles machines serait de 90 000 contenants par an. L'entreprise n'a pas d'autre usage pour l'espace où sont fabriqués les contenants.

Les frais indirects généraux de l'usine ne varieront pas, quelle que soit la décision prise.

Travail à faire

1. Pour aider le directeur général à prendre une décision, préparez une analyse indiquant le coût total et le coût par contenant correspondant à chaque solution envisagée. Supposez que l'entreprise a besoin de 60 000 contenants par an. Quelle ligne de conduite recommanderiez-vous au directeur ? Ne tenez pas compte de la valeur de l'argent dans le temps ni des impacts fiscaux de chaque option.

12

▶ 2. Votre recommandation en 1) serait-elle la même si les besoins de l'entreprise étaient a) de 75 000 contenants annuellement ou b) de 90 000 contenants annuellement ? Étayez vos réponses à l'aide de vos calculs. Indiquez les coûts au total ainsi que par unité.

3. Quels autres facteurs recommanderiez-vous au directeur de l'entreprise de considérer avant de prendre sa décision ?

P5 Les coûts pertinents

Andretti inc. fabrique et vend 60 000 unités de Dak par an au prix de vente de 32 $ par unité ; il s'agit de son seul produit. Voici des données sur ses coûts unitaires à ce niveau d'activité.

	Par unité	Total
Matières premières...	10,00 $	
Main-d'œuvre directe	4,50	
Frais indirects de fabrication variables.............................	2,30	
Frais indirects de fabrication fixes....................................	5,00	300 000 $
Coûts commerciaux variables...	1,20	
Coûts commerciaux fixes..	3,50	210 000
Coût total par unité	26,50 $	

Les questions ci-après concernent la production et la vente des Dak. Considérez chacune d'elles indépendamment des autres.

Travail à faire

1. Supposez qu'Andretti inc. a une capacité de production suffisante pour fabriquer 90 000 Dak annuellement sans que ses frais indirects de fabrication fixes augmentent. L'entreprise pourrait accroître ses ventes de 25 % au-delà des 60 000 unités qu'elle vend déjà chaque année si elle acceptait d'augmenter ses coûts commerciaux fixes de 80 000 $. Cette augmentation serait-elle justifiée ?

2. Supposez encore une fois que l'entreprise a une capacité de production lui permettant de fabriquer 90 000 Dak annuellement. Un client d'un marché étranger voudrait acheter 20 000 Dak. Les droits de douane imposés aux Dak seraient de 1,70 $ par unité, et les coûts des permis et licences s'élèveraient à 9 000 $. Les coûts commerciaux relatifs à cette commande se limiteraient à un coût d'expédition de 3,20 $ par unité. Le président de l'entreprise vous demande de calculer le prix de vente unitaire minimum de cette commande.

3. L'entreprise dispose de 1 000 Dak comportant certains défauts, de sorte qu'ils sont considérés comme des articles de second choix. À cause de leurs défauts, il est impossible de vendre ces unités au prix courant en passant par les circuits de distribution habituels. Quels éléments du coût unitaire sont pertinents dans l'établissement d'un prix de vente minimal ?

4. À cause d'une grève à l'usine de son fournisseur, l'entreprise ne peut pas acheter d'autres matières premières pour la fabrication des Dak. Or, alors que cette grève risque de durer au moins deux mois, la société ne dispose de matières premières que pour fonctionner à 30 % de son niveau d'activité normal pendant cette période. La direction pourrait aussi fermer entièrement l'usine durant deux mois. Si l'usine était fermée, les frais indirects de fabrication fixes demeureraient à 60 % de leur niveau normal ; les coûts commerciaux fixes seraient réduits de 20 %. Quel serait, en dollars, l'avantage ou le désavantage de la fermeture de l'usine pendant deux mois ?

5. Un fabricant propose de fabriquer des Dak pour Andretti inc. et de les expédier directement aux clients de l'entreprise. Si l'offre était acceptée, les installations servant habituellement à la fabrication de Dak resteraient inutilisées. Toutefois, les frais indirects de fabrication fixes seraient réduits de 75 % par rapport à leur niveau actuel.

Comme le fabricant paierait tous les coûts d'expédition, les coûts commerciaux variables représenteraient seulement 67 % du montant enregistré en ce moment. Déterminez le prix minimum que l'entreprise pourrait payer au fabricant.

P6 L'abandon d'un magasin

Marchés supérieurs inc. exploite trois magasins dans une grande région urbaine. Voici l'état des résultats sectoriels de l'entreprise du dernier trimestre.

MARCHÉS SUPÉRIEURS INC.
État des résultats
du trimestre terminé le 30 septembre

	Total	Magasin du Nord	Magasin du Sud	Magasin de l'Est
Ventes..........................	3 000 000 $	720 000 $	1 200 000 $	1 080 000 $
Moins : Coût des ventes.........	1 657 200	403 200	660 000	594 000
Marge brute...........................	1 342 800	316 800	540 000	486 000
Moins : Charges opérationnelles :				
Coûts commerciaux..........	817 000	231 400	315 000	270 600
Charges administratives.....	383 000	106 000	150 900	126 100
Total des charges..........	1 200 000	337 400	465 900	396 700
Bénéfice (perte)......................	142 800 $	(20 600) $	74 100 $	89 300 $

Le Magasin du Nord a constamment enregistré des pertes au cours des deux dernières années. La direction envisage donc la possibilité de le fermer. Elle vous a demandé de lui faire une recommandation concernant la décision de fermer ce magasin ou de le maintenir ouvert. Voici quelques renseignements supplémentaires mis à votre disposition.

a) Les coûts commerciaux et charges administratives se décomposent comme suit :

	Total	Magasin du Nord	Magasin du Sud	Magasin de l'Est
Coûts commerciaux :				
Salaires du personnel de vente.........	239 000 $	70 000 $	89 000 $	80 000 $
Publicité directe............................	187 000	51 000	72 000	64 000
Publicité générale*	45 000	10 800	18 000	16 200
Loyer du magasin...........................	300 000	85 000	120 000	95 000
Amortissement des installations du magasin...........................	16 000	4 600	6 000	5 400
Salaires des employés de livraison	21 000	7 000	7 000	7 000
Amortissement de l'équipement de livraison	9 000	3 000	3 000	3 000
Total des coûts commerciaux	817 000 $	231 400 $	315 000 $	270 600 $
Charges administratives :				
Rémunération de la direction du magasin...............................	70 000 $	21 000 $	30 000 $	19 000 $
Rémunération du personnel de la direction générale................	50 000	12 000	20 000	18 000
Assurance sur les installations et les stocks	25 000	7 500	9 000	8 500
Services publics	106 000	31 000	40 000	35 000
Avantages sociaux	57 000	16 500	21 900	18 600
Direction générale – autres*	75 000	18 000	30 000	27 000
Total des charges administratives.....	383 000 $	106 000 $	150 900 $	126 100 $

* Frais répartis en fonction des ventes

12

b) Le bail de l'immeuble abritant le Magasin du Nord peut être résilié sans pénalité.

c) Les installations du Magasin du Nord pourraient servir dans les deux autres magasins de l'entreprise en cas de fermeture.

d) En cas de fermeture du Magasin du Nord, la directrice de ce magasin resterait au service de l'entreprise et serait mutée à un autre poste. En fait, elle obtiendrait un poste auquel l'entreprise aurait pourvu de toute façon en engageant un nouvel employé à un salaire de 11 000 $ par trimestre. Toutefois, la directrice conserverait son ancien salaire de 12 000 $ par trimestre. Tous les autres employés du magasin seraient mis à pied.

e) L'entreprise dispose d'une équipe de livraison travaillant pour les trois magasins. Un livreur, dont le salaire est de 4 000 $ par trimestre, pourrait être mis à pied si le magasin fermait. L'équipement de livraison serait alors utilisé par les autres magasins. Il ne se détériore pas à l'usage, mais il finira par devenir désuet.

f) Les avantages sociaux des employés de vente et d'administration de l'entreprise s'élèvent à 15 % de leurs salaires.

g) Un tiers de l'assurance relative au Magasin du Nord s'applique aux installations du magasin.

h) Les postes « Rémunération du personnel de la direction générale » et « Direction générale – autres » concernent l'ensemble de la gestion de Marchés supérieurs inc. Si le Magasin du Nord était fermé, une seule personne de la direction générale pourrait être mise à pied, compte tenu de la diminution de la charge de travail globale. Le salaire de cette personne est de 6 000 $ par trimestre.

Travail à faire

1. Préparez un tableau indiquant les variations de revenus et de coûts, et l'incidence sur le bénéfice global de l'entreprise qui résulteraient de la fermeture du Magasin du Nord.

2. Si l'espace occupé par le magasin ne pouvait pas être sous-loué, quelle recommandation feriez-vous à la direction de Marchés supérieurs inc. ?

3. En cas de fermeture du Magasin du Nord, supposez que le Magasin de l'Est récupère au moins 25 % de ses ventes en raison de la grande fidélité des clients de Marchés supérieurs inc. Le Magasin de l'Est a la capacité nécessaire pour répondre à cette augmentation des ventes. Supposez aussi que cet accroissement lui permet d'obtenir le pourcentage de marge brute qu'il a actuellement. Quel effet ces facteurs auraient-ils sur votre recommandation concernant le Magasin du Nord ? Présentez tous les calculs nécessaires pour justifier votre réponse.

P7 La fermeture d'un établissement ou le maintien des activités

La société Birch inc. fabrique et vend 30 000 unités de RG-6 par mois. Le RG-6 est un petit relais électrique utilisé en construction automobile comme composant de différents produits. À l'unité, son prix de vente est de 22 $, et ses coûts variables, de 14 $. Ses frais indirects de fabrication fixes s'élèvent au total à 150 000 $ par mois, et ses coûts commerciaux fixes, à 30 000 $ par mois.

Des grèves relatives aux contrats de travail dans les entreprises qui achètent la plus grande partie des unités de RG-6 ont fait provisoirement baisser les ventes de Birch inc. à seulement 8 000 unités par mois. La direction de l'entreprise estime que ces arrêts de travail dureront environ deux mois, après quoi les ventes du RG-6 devraient revenir à la normale. Toutefois, à cause du faible niveau de vente actuel, elle songe à fermer son usine pendant la durée des grèves. En cas de fermeture temporaire, elle estime que les frais indirects de fabrication fixes pourraient diminuer à 105 000 $ par mois et que les coûts commerciaux fixes pourraient être réduits de 10 %. Les frais de démarrage au moment de la réouverture se chiffreraient à 8 000 $ au total. Comme Birch inc. recourt à la gestion optimisée, elle n'a aucun stock en réserve.

Travail à faire

1. Supposez que les grèves durent deux mois, comme prévu. Recommanderiez-vous à la direction de Birch inc. de fermer son usine? Donnez vos calculs en bonne et due forme.

2. Pour cette période de deux mois, à quel niveau de vente (en unités) l'entreprise pourrait-elle indifféremment fermer l'usine ou la maintenir ouverte? Présentez tous vos calculs.

P8 La décision de fabriquer ou d'acheter

Silven ltée fabrique et vend une gamme très prisée de crèmes solaires et d'insectifuges. Elle a décidé de diversifier ses activités en vue de stabiliser ses ventes tout au long de l'année. L'entreprise envisage donc de se lancer dans la fabrication de lotions hivernales pour prévenir la déshydratation et les irritations de la peau.

Après de nombreuses études, l'entreprise a mis au point une gamme de produits d'hiver. Toutefois, le président a décidé de ne lancer qu'un seul des nouveaux produits sur le marché pour l'hiver qui vient. Si ce produit a du succès, la gamme prendra de l'expansion au cours des années suivantes.

Le produit choisi, appelé *Baume Or*, est une pommade pour les lèvres qui se présentera en tube comme les bâtons de rouge à lèvres. Il sera vendu à des grossistes en boîtes de 24 tubes, à 8 $ la boîte. En raison du surplus de sa capacité de production, l'entreprise n'engagera aucuns frais indirects de fabrication fixes supplémentaires pour la fabrication de ce produit. Toutefois, un montant de 90 000 $ en frais indirects de fabrication fixes sera imputé au produit conformément à la méthode du coût complet appliquée par l'entreprise.

En se basant sur des estimations de vente et de production de 100 000 boîtes de Baume Or, le service de la comptabilité a calculé les coûts ci-dessous par boîte.

Matières premières	3,60 $
Main-d'œuvre directe	2,00
Frais indirects de fabrication	1,40
Coût total	7,00 $

Les coûts comprennent les coûts de production de la pommade pour les lèvres et du tube dans lequel elle sera vendue. La direction de Silven ltée considère aussi la possibilité d'acheter ses tubes d'un fournisseur extérieur plutôt que de les fabriquer. Le prix d'achat des tubes vides provenant de ce fournisseur serait de 1,35 $ par boîte de 24 tubes. Si l'entreprise accepte cette offre, elle prévoit que ses coûts de main-d'œuvre directe et ses frais indirects de fabrication variables par boîte de Baume Or diminueraient de 10 %; ceux des matières premières diminueraient de 25 %.

Travail à faire

1. Silven ltée devrait-elle fabriquer ou acheter les tubes? Étayez votre réponse par des calculs.

2. Quel serait le prix d'achat maximal acceptable pour Silven ltée? Justifiez votre réponse par des explications appropriées.

3. D'après des estimations révisées, le volume des ventes pourrait s'élever non plus à 100 000 boîtes, mais bien à 120 000 boîtes. Ce nouveau volume obligera l'entreprise à louer de l'équipement supplémentaire pour la fabrication des tubes au coût de location de 40 000 $ par année. Si le fournisseur externe n'acceptait aucune commande inférieure à 100 000 boîtes, l'entreprise devrait-elle fabriquer ou acheter ses tubes? Étayez votre réponse par des calculs.

4. Reportez-vous aux données de la question précédente. Supposez que le fournisseur externe accepte une commande de n'importe quelle taille pour les tubes à 1,35 $ la boîte. En quoi cette information modifiera-t-elle votre réponse précédente (si elle la modifie)? Donnez tous vos calculs.

12

5. Quels facteurs qualitatifs l'entreprise devrait-elle considérer pour déterminer si elle fabriquera elle-même ou si elle achètera les tubes?

(Adaptation d'un problème de la Société des comptables en management du Canada)

P9 L'acceptation ou le rejet de commandes spéciales

La société Polaski inc. fabrique et vend un seul produit connu sous le nom de *Ret*. L'entreprise, qui fonctionne à pleine capacité, peut fabriquer et vendre 30 000 Ret par année. Voici des données sur les coûts relatifs à ce niveau de production et de vente.

	Par unité	Total
Matières premières	15 $	450 000 $
Main-d'œuvre directe	8	240 000
Frais indirects de fabrication variables	3	90 000
Frais indirects de fabrication fixes	9	270 000
Coûts commerciaux variables	4	120 000
Coûts commerciaux fixes	6	180 000
Coût total	45 $	1 350 000 $

Le prix de vente courant des Ret est de 50 $ l'unité. Les frais indirects de fabrication fixes sont constants à 270 000 $ par an lorsque le niveau de production annuelle se situe entre 25 000 et 30 000 Ret.

Travail à faire

1. Supposez qu'en raison d'une récession économique, l'entreprise s'attend à vendre seulement 25 000 Ret par les circuits de distribution habituels l'an prochain. Un important réseau de détaillants a offert d'acheter 5 000 Ret si Polaski inc. lui consent une réduction de 16 % sur le prix de vente courant. Il n'y aurait aucune commission sur cette commande. Les coûts commerciaux variables seraient ainsi réduits de 75 %. Toutefois, l'entreprise devrait acquérir une machine spéciale au coût de 10 000 $ pour graver le nom du réseau de détaillants sur les 5 000 Ret. En outre, elle n'a aucune assurance que le réseau lui achète d'autres unités dans un avenir lointain ou rapproché. Déterminez l'incidence qu'aurait l'acceptation de cette commande spéciale sur les bénéfices de la prochaine période.

2. Reportez-vous aux données initiales. Supposez encore une fois que Polaski inc. prévoit vendre seulement 25 000 Ret par les circuits de distribution habituels l'an prochain. L'armée canadienne propose de faire un achat unique de 5 000 Ret. En plus de verser un prix fixe de 1,80 $ par Ret, elle rembourserait l'entreprise pour tous les coûts de fabrication, variables et fixes, associés à ces unités. Comme l'armée se chargerait de récupérer elle-même la marchandise dans ses propres camions, il n'y aurait aucuns coûts commerciaux variables associés à la commande. Si Polaski inc. accepte cette commande, de quel montant ses résultats augmenteront-ils ou diminueront-ils pour la prochaine période?

3. Supposez que la situation est la même que celle décrite à la question précédente, sauf que l'entreprise prévoit vendre 30 000 Ret par les circuits de distribution habituels l'an prochain. Par conséquent, en acceptant la proposition de l'armée, l'entreprise serait forcée de renoncer à une partie de ses ventes habituelles, soit 5 000 Ret. Si elle accepte la commande, de quelle somme ses résultats augmenteront-ils ou diminueront-ils par rapport à ce qu'ils seraient en cas de vente des 5 000 Ret par les circuits de distribution habituels?

P10 L'utilisation d'une ressource limitée

Les Jouets Walton fabrique une gamme de poupées et un nécessaire de couture pour confectionner des robes de poupées. La demande de poupées est en pleine croissance. La direction de l'entreprise vous engage pour déterminer la combinaison de ses produits qu'elle devrait fabriquer et vendre afin de maximiser son bénéfice pour la prochaine période. Le service des ventes vous fournit les renseignements suivants:

Produit	Estimation de la demande pour la prochaine période (en unités)	Prix de vente par unité
Danièle	50 000	13,50 $
Patricia	42 000	5,50
Sarah	35 000	21,00
Michel	40 000	10,00
Nécessaire de couture	325 000	8,00

Voici des données sur les coûts standards des matières premières et de la main-d'œuvre directe par unité.

Produit	Matières premières	Main-d'œuvre directe
Danièle	4,30 $	3,20 $
Patricia	1,10	2,00
Sarah	6,44	5,60
Michel	2,00	4,00
Nécessaire de couture	3,20	1,60

Vous disposez aussi des renseignements supplémentaires suivants:

a) L'usine de l'entreprise a une capacité de production de 130 000 heures de main-d'œuvre directe par an, qu'elle fournit en un seul quart de travail. Les employés et l'équipement dont dispose en ce moment l'entreprise suffisent à fabriquer les cinq produits.

b) Le salaire de la main-d'œuvre directe est de 12 $ l'heure. Aucune variation de ce taux horaire n'est prévue au cours de la prochaine année.

c) Le total des coûts fixes s'élève à 520 000 $ par an. Les frais indirects de fabrication variables se chiffrent à 2 $ par heure de main-d'œuvre directe.

d) Tous les coûts hors fabrication de l'entreprise sont fixes.

e) Le stock de produits finis de l'entreprise est négligeable en ce moment, et il est inutile d'en tenir compte.

Travail à faire

1. Déterminez la marge sur coûts variables par heure de main-d'œuvre directe consacrée à chaque produit.

2. Préparez un tableau indiquant le nombre total d'heures de main-d'œuvre directe requises pour produire les unités qui, d'après les estimations, devraient être vendues au cours de la prochaine période.

3. Examinez les données que vous avez calculées en 1) et en 2). Indiquez la quantité de chaque produit que l'entreprise devrait fabriquer pour que le temps de production total soit égal aux 130 000 heures disponibles.

4. Quel prix le plus élevé, exprimé sous forme de taux horaire, l'entreprise consentirait-elle à payer pour une capacité de production supplémentaire, c'est-à-dire pour des heures de main-d'œuvre directe supplémentaires?

5. Supposez encore une fois que l'entreprise ne veut diminuer les ventes d'aucun produit. Suggérez des moyens qui lui permettraient d'obtenir une production supplémentaire.

12

(Adaptation d'un problème de l'American Institute of Certified Public Accountants)

P11 L'évaluation de la rentabilité d'un produit et le seuil de rentabilité

Thérèse Douglas est propriétaire et directrice générale de Meubles Héritage inc. Cette entreprise fabrique des reproductions de meubles d'extérieur antiques d'une qualité similaire à celle des meubles qu'on trouve dans les musées. Mme Douglas aimerait être conseillée sur le bienfondé de l'abandon du modèle de chaise de jardin C3. Ces chaises ont longtemps fait partie des articles qui se vendaient le mieux, mais leur production ne semble pas rentable.

Voici l'état condensé des résultats du trimestre terminé le 30 juin pour ce qui est de l'entreprise dans son ensemble et du modèle de chaise C3 en particulier.

	Total	Modèle de chaise de jardin C3
Ventes..	2 900 000 $	300 000 $
Moins : Coût des ventes :		
Matières premières..	759 000	122 000
Main-d'œuvre directe...	680 000	72 000
Avantages sociaux (20 % du coût de la main-d'œuvre directe).................................	136 000	14 400
Frais indirects de fabrication variables.................	28 000	3 600
Loyer et entretien de l'immeuble..........................	30 000	4 000
Amortissement..	75 000	19 100
Coût total des ventes..	1 708 000	235 100
Marge brute...	1 192 000	64 900
Moins : Coûts commerciaux et charges administratives :		
Rémunération des responsables de produits........	75 000	10 000
Commissions sur les ventes (5 % des ventes)......	145 000	15 000
Avantages sociaux (20 % des salaires et des commissions)..	44 000	5 000
Livraison...	120 000	10 000
Charges administratives..	464 000	48 000
Total des coûts commerciaux et charges administratives...............................	848 000	88 000
Bénéfice (perte)..	344 000 $	(23 100) $

Les renseignements suivants proviennent de Meubles Héritage inc.

a) La main-d'œuvre directe constitue un coût variable selon l'entreprise.

b) Tous les produits sont fabriqués dans la même installation au moyen du même équipement. Les coûts de location et d'entretien de l'immeuble ainsi que l'amortissement sont répartis entre les produits en fonction de différentes unités d'œuvre. L'équipement ne se détériore pas à l'usage. Il finit toutefois par devenir désuet.

c) L'entreprise dispose d'une capacité de production suffisante pour exécuter toutes les commandes.

d) L'abandon du modèle de chaise C3 n'aurait aucun effet sur le chiffre d'affaires des autres gammes de produits.

e) Les stocks de produits en cours ou de produits finis sont négligeables.

f) Les coûts de livraison sont directement rattachés aux produits.

g) Les charges administratives sont attribuées aux produits en fonction du chiffre d'affaires. Il n'y aurait aucune incidence sur le total de ces charges si le modèle de chaise C3 était abandonné.

h) Si le modèle de chaise C3 était abandonné, le responsable de ce produit serait licencié.

Travail à faire

1. Compte tenu du niveau actuel des ventes, recommanderiez-vous l'abandon du modèle C3? Justifiez votre réponse par des calculs appropriés.
2. Quel devrait être le chiffre d'affaires minimal du modèle de chaise C3 pour justifier le maintien de cette gamme de produits?

P12 La décision de vendre ou de transformer davantage

Pronet inc. fabrique une variété de produits et de solutions de nettoyage industriels et domestiques. La plupart sont fabriqués indépendamment les uns des autres. Toutefois, certains d'entre eux sont reliés, comme le Grit 337 et le Sparkle, lequel sert à polir l'argenterie.

Le Grit 337 est une poudre à nettoyer grossière qui a de nombreux usages industriels. Sa fabrication coûte 1,60 $ le kilogramme, et son prix de vente est de 2,00 $ le kilogramme. Une petite partie de la production annuelle du Grit 337 est conservée à l'usine et soumise à un traitement supplémentaire. Combinée à plusieurs autres ingrédients, elle forme une pâte à polir l'argenterie, commercialisée sous le nom de *Sparkle*. Cette pâte se vend 4 $ le pot.

Le traitement supplémentaire requiert 250 g de Grit 337 par pot de Sparkle. Les coûts directs supplémentaires associés à la fabrication d'un pot de Sparkle sont les suivants:

Autres ingrédients	0,65 $
Main-d'œuvre directe	1,48
Total des coûts directs	2,13 $

Les frais indirects de fabrication attribués à la préparation de la pâte à polir se calculent comme suit:

Frais indirects de fabrication variables	25 % du coût de la main-d'œuvre directe
Frais indirects de fabrication fixes (par mois):	
Contremaître de la production	1 600 $
Amortissement du matériel servant au mélange	1 400

Le contremaître de la production a comme seule tâche de superviser la production de la pâte à polir l'argenterie. L'équipement servant au mélange a été conçu pour cet usage particulier, et l'entreprise l'a acheté spécialement pour fabriquer la pâte à polir. Sa valeur de revente est négligeable.

La main-d'œuvre directe constitue un coût variable selon l'entreprise.

Les coûts de publicité du Sparkle s'élèvent à 4 000 $ par mois. Les coûts commerciaux variables liés à ce produit représentent 7,5 % du chiffre d'affaires.

À cause d'une diminution récente de la demande de pâte à polir l'argenterie, l'entreprise se demande si elle devrait continuer à en produire. Le directeur des ventes croit, quant à lui, qu'il serait plus rentable de vendre toute la production de Grit 337 sous forme de poudre à nettoyer.

Travail à faire

1. Quelle est la marge sur coûts variables différentielle par pot attribuable à la transformation du Grit 337 en Sparkle?
2. Quel est le nombre minimal de pots de Sparkle que l'entreprise devrait vendre mensuellement pour justifier le maintien de son activité de transformation du Grit 337 en Sparkle? Donnez tous vos calculs en bonne et due forme.

(Adaptation d'un problème de la Société des comptables en management du Canada)

Cas

C1 La déontologie et le gestionnaire : l'abandon ou le maintien des activités

Roméo Harvey vient d'être nommé vice-président de la région de Montréal de la Caisse d'épargne et de crédit du Québec. Cet établissement fournit des services de traitement de chèques aux petites institutions. Les institutions envoient les chèques reçus pour faire des dépôts ou des paiements à la Caisse d'épargne et de crédit, qui enregistre les données inscrites sur chaque chèque dans une base de données informatisée. La Caisse fait ensuite parvenir ces données par système électronique au centre de compensation de chèques le plus rapproché, où les transferts de fonds appropriés ont lieu entre les institutions. La région de Montréal compte trois centres de traitement des chèques situés respectivement à Longueuil, à Montréal et à Laval. Avant sa promotion au poste de vice-président, M. Harvey était directeur d'un centre de traitement de chèques au Nouveau-Brunswick.

Peu après son entrée en fonction, M. Harvey a demandé au contrôleur de la Caisse, Jean Lalonde, un rapport financier complet pour la période financière qui vient de se terminer. Il a insisté pour que ce rapport soit préparé conformément au modèle standard requis par la direction du siège social pour tous les rapports de performance régionaux. Voici ce document.

CAISSE D'ÉPARGNE ET DE CRÉDIT DU QUÉBEC – RÉGION DE MONTRÉAL
État des résultats
de la période terminée le 31 décembre 20X9

	Total	Centre de traitement de chèques		
		Longueuil	Montréal	Laval
Chiffre d'affaires	50 000 000 $	20 000 000 $	18 000 000 $	12 000 000 $
Moins : Charges opérationnelles :				
Main-d'œuvre directe	32 000 000	12 500 000	11 000 000	8 500 000
Frais indirects variables	850 000	350 000	310 000	190 000
Amortissement des installations	3 900 000	1 300 000	1 400 000	1 200 000
Frais liés aux installations	2 800 000	900 000	800 000	1 100 000
Charges administratives locales*	450 000	140 000	160 000	150 000
Charges administratives régionales**	1 500 000	600 000	540 000	360 000
Charges administratives du siège social***	4 750 000	1 900 000	1 710 000	1 140 000
Total des charges	46 250 000	17 690 000	15 920 000	12 640 000
Bénéfice (perte)	3 750 000 $	2 310 000 $	2 080 000 $	(640 000) $

* Les charges administratives locales sont les charges administratives engagées aux centres de traitement de chèques.
** Les charges administratives régionales sont réparties entre les centres de traitement de chèques en fonction de leur chiffre d'affaires respectif.
*** Les charges administratives du siège social sont réparties entre les secteurs d'exploitation de l'institution telles que la région de Montréal et les centres de traitement de chèques à un taux de 9,5 % de leur chiffre d'affaires.

Après avoir examiné ce rapport, M. Harvey a convoqué M. Lalonde à son bureau pour lui demander des explications.

Roméo : Que se passe-t-il à Laval ? Ce centre n'enregistrait aucune perte l'an dernier, que je sache ?

Jean : Non, l'établissement de Laval a même enregistré un bénéfice intéressant chaque année depuis son ouverture, il y a six ans. Il a toutefois perdu un important contrat cette année.

Roméo : Pourquoi ?

Jean : Un de nos concurrents nationaux a effectué une percée sur le marché local et a présenté une soumission imbattable pour le contrat. Nous n'avions pas les moyens de lui faire concurrence. Les coûts du centre de Laval, en particulier ses frais liés aux installations, sont vraiment trop élevés. Lorsque le centre a perdu le contrat, nous avons dû mettre à pied un bon nombre d'employés, mais nous ne pouvions pas diminuer ses coûts fixes.

Roméo: Pourquoi les frais liés aux installations de Laval sont-ils si élevés? Ce centre est plus petit que ceux de Longueuil et de Montréal, et pourtant ses frais dépassent les leurs!

Jean: C'est ça le problème! Alors qu'à Longueuil et à Montréal nous avons pu louer à très bon marché des installations qui nous convenaient, il n'y en avait aucune du genre à Laval, de sorte que nous avons dû en construire. Malheureusement, il y a eu d'importants dépassements de coûts. L'entrepreneur engagé n'avait aucune expérience de ce genre de travail, et il a fait faillite avant que le projet soit terminé. Nous avons dû faire appel à un autre entrepreneur pour finir le travail, mais nous avions déjà largement dépassé nos budgets. Au départ, les sommes considérables liées à l'amortissement des installations n'avaient pas beaucoup d'importance puisque nous n'avions à peu près pas de concurrence et que nous pouvions exiger des prix plus élevés.

Roméo: Nous ne sommes certainement plus en position de le faire! De toute évidence, il faudra fermer ce centre. Il suffira de transférer ses activités aux deux autres centres de traitement de chèques de la région.

Jean: Je ne vous le recommanderais pas. Voyez-vous, le montant de 1 200 000 $ figurant au poste de l'amortissement des installations de Laval est trompeur. Ces installations pourraient durer indéfiniment si elles étaient bien entretenues. En outre, elles n'ont aucune valeur de revente. Il n'y a pas d'autre activité commerciale dans les environs de Laval.

Roméo: Et les autres coûts du centre?

Jean: Si nous transférons les activités de Laval aux deux autres centres de traitement de chèques de la région, nous ne réaliserons aucune économie sur les coûts de main-d'œuvre directe ni sur les frais indirects variables. Nous pourrions épargner une somme de 90 000 $ environ en charges administratives locales, mais rien en charges administratives régionales. De plus, le siège social continuerait de nous réclamer 9,5 % de notre chiffre d'affaires à titre de charges administratives de l'institution.

En outre, il faudrait louer plus d'espace à Longueuil et à Montréal pour nous occuper du travail exécuté jusqu'ici par le centre de Laval, ce qui nous coûterait sans doute au moins 600 000 $ par an. Et n'oubliez pas le coût du déménagement du matériel de Laval jusqu'à Longueuil et à Montréal. Sans compter que ce déménagement entraînera une interruption du service à la clientèle.

Roméo: Je comprends vos objections, mais ce centre de traitement perd de l'argent. Je refuse qu'il figure dans mon rapport de performance!

Jean: Enfin, si vous fermez le centre de Laval, vous allez mettre à pied des employés de longue date!

Roméo: C'est tout à fait regrettable, j'en conviens, mais les affaires sont les affaires!

Jean: Vous devrez aussi radier l'investissement dans les installations de Laval.

Roméo: Je peux expliquer une radiation à la direction de la société. C'est mon prédécesseur qui a commis l'erreur d'engager un entrepreneur inexpérimenté pour construire les installations de Laval. Par contre, la direction n'hésitera pas à me flanquer dehors si l'un de mes centres de traitement présente chaque année des pertes. On doit se débarrasser du centre de Laval. Je vais recommander sa fermeture à la prochaine réunion du conseil d'administration.

Travail à faire

1. Si vous considérez l'entreprise dans son ensemble, le centre de traitement de Laval devrait-il être fermé et son travail redistribué aux deux autres centres de traitement de la région? Justifiez votre réponse.

2. À votre avis, la décision de M. Harvey de fermer la succursale de Laval est-elle acceptable sur le plan éthique? Justifiez votre réponse.

3. Quelle influence l'amortissement des installations de Laval devrait-il avoir sur les prix que ce centre exige pour ses services?

12

C2 La décision de vendre ou de transformer davantage

Chandails écossais inc. fabrique des chandails portant l'étiquette «Scottie». L'entreprise achète de la laine brute offerte sur le marché et la transforme en un fil de laine qui sert à tisser les chandails. Un fuseau de fil de laine suffit à fabriquer un chandail. Des données sur les coûts et les revenus associés à la confection de chacun des chandails sont présentées ci-après.

Prix de vente..		30,00 $
Moins : Coûts de fabrication :		
Matières premières :		
Boutons, fil et doublure................................	2,00 $	
Fil de laine...	16,00	
Total des matières premières...........................	18,00	
Main-d'œuvre directe..	5,80	
Frais indirects de fabrication	8,70	
Total des coûts de fabrication............................		32,50
Perte		(2,50) $

Au départ, tout le fil de laine servait à fabriquer des chandails. Toutefois, au cours des dernières années, un marché s'est développé pour le fil de laine. D'autres entreprises en achètent pour fabriquer des couvertures et toutes sortes de tricots. Depuis l'apparition de ce marché, les dirigeants de l'entreprise hésitent entre vendre le fil de laine tel quel ou le transformer en chandails. Voici des données sur les coûts et les revenus actuels de ce fil (par fuseau).

Prix de vente...		20,00 $
Moins : Coûts de fabrication :		
Matières premières (laine brute).........................	7,00 $	
Main-d'œuvre directe...	3,60	
Frais indirects de fabrication	5,40	
Total des coûts de fabrication............................		16,00
Marge brute..		4,00 $

En ce moment, le marché des chandails est plutôt faible dans l'Ouest canadien, là où l'entreprise les vend, à cause du temps exceptionnellement doux pour la saison. La direction de Chandails écossais inc. a donc dû diminuer le prix de vente de ses chandails de 40 $ à 30 $ l'unité. Comme le marché du fil de laine est resté fort, la mésentente concernant le choix entre vendre le fil ou le transformer davantage a refait surface au sein de la société. Selon la directrice des ventes, il faudrait mettre fin à la fabrication de chandails. Le fait que la vente de chaque chandail entraîne une perte de 2,50 $ et que celle du fil de laine pourrait rapporter un bénéfice de 4,00 $ la préoccupe. Toutefois, le directeur du service de la production est tout aussi inquiet à l'idée de devoir fermer une grande partie de l'usine. Il soutient que l'entreprise est spécialisée dans le domaine des chandails, et non dans celui du fil de laine, et qu'elle devrait concentrer ses efforts sur ce qu'elle fait le mieux.

En raison de la nature du processus de production, presque tous les frais indirects de fabrication sont fixes. Ils ne varieraient pas même en cas d'abandon de la gamme des chandails. La répartition de ces frais indirects entre les produits se fait à raison de 150 % du coût de la main-d'œuvre directe.

Travail à faire

1. Recommanderiez-vous à l'entreprise de vendre le fil de laine directement sur le marché ou de l'utiliser pour fabriquer des chandails ? Étayez votre réponse par des calculs et expliquez votre raisonnement.

2. Quel est le prix de vente le plus bas que l'entreprise devrait accepter pour un chandail ? Étayez votre réponse par des calculs et expliquez votre raisonnement.

C3 La décision de fabriquer ou d'acheter, et l'utilisation optimale d'une ressource limitée

Élite sports inc. fournit toutes sortes d'articles de sport à prix moyens à des grands magasins. Environ 60 % des articles sont achetés à d'autres entreprises. Le reste est fabriqué par Élite sports inc. L'entreprise possède un atelier Plastique, qui fabrique actuellement des coffres moulés pour articles de pêche. Elle peut fabriquer et vendre 8 000 de ces coffres par an en utilisant pleinement la capacité de production de sa main-d'œuvre directe aux postes de travail disponibles. Le tableau ci-après fournit des données sur le prix de vente et les coûts rattachés aux coffres d'articles de pêche.

Prix de vente d'un coffre		86,00 $
Moins : Coût par coffre :		
Plastique moulé	8,00 $	
Charnières, verrous et poignée	9,00	
Main-d'œuvre directe (15 $ l'heure)	18,75	
Frais indirects de fabrication	12,50	
Coûts commerciaux et charges administratives	17,00	65,25
Bénéfice par coffre		20,75 $

La direction de l'entreprise croit qu'elle pourrait vendre 12 000 coffres d'articles de pêche si elle disposait de la capacité de production suffisante. Elle a donc envisagé la possibilité d'acheter de ces coffres pour les vendre. Produits Maple, fournisseur fiable de produits de qualité, serait en mesure de procurer jusqu'à 9 000 coffres d'articles de pêche annuellement à Élite sports inc. au prix de 68 $ l'unité et de les livrer à ses installations.

Stéphanie Cousineau, directrice de la production chez Élite sports inc., croit que l'entreprise pourrait faire meilleur usage de l'atelier Plastique en fabriquant des planches à roulettes, appelées communément *rouli-roulants*. Pour justifier sa suggestion, elle cite une étude de marché d'après laquelle la demande de planches à roulettes croît sans cesse. Selon Mme Cousineau, l'entreprise pourrait s'attendre à vendre 17 500 planches à roulettes par an au prix de 45 $ l'unité. Voici les coûts de fabrication de ces planches qu'elle a estimés.

Prix de vente par planche		45,00 $
Moins : Coût par planche :		
Plastique moulé	5,50 $	
Roulettes, quincaillerie	7,00	
Main-d'œuvre directe (15 $ l'heure)	7,50	
Frais indirects de fabrication	5,00	
Coûts commerciaux et charges administratives	9,00	34,00
Bénéfice par planche		11,00 $

Les heures de main-d'œuvre directe servent d'unité d'œuvre à la répartition des frais indirects de fabrication dans l'atelier Plastique. Pour la présente période, ces frais comprennent des frais indirects de fabrication fixes de 50 000 $, dont 40 % sont rattachés à l'atelier Plastique et 60 % sont une répartition de l'ensemble des frais indirects de fabrication de l'usine. Les autres frais indirects de fabrication varient en fonction des heures de main-d'œuvre directe. Il serait possible de fabriquer les planches à roulettes avec le matériel et le personnel déjà disponibles dans l'atelier Plastique.

Un coût fixe de 6 $ par unité est attribué pour la distribution à chaque produit vendu par Élite sports inc., qu'il ait été acheté ou fabriqué par l'entreprise. Ce montant est inclus dans les coûts commerciaux et charges administratives pour tous les produits. Le reste de ces

12

coûts associés à tous les produits, achetés ou fabriqués, est variable. Les coûts commerciaux et charges administratives pour chaque coffre d'articles de pêche acheté seraient de 10 $.

Travail à faire

1. Déterminez le nombre d'heures de main-d'œuvre directe requises par an pour fabriquer les coffres d'articles de pêche.
2. Calculez la marge sur coûts variables par unité :
   a) des coffres d'articles de pêche achetés ;
   b) des coffres d'articles de pêche fabriqués ;
   c) des planches à roulettes fabriquées.
3. Déterminez le nombre de coffres de pêche, le cas échéant, qu'Élite sports inc. devrait acheter, et le nombre de coffres ou de planches à roulettes qu'elle devrait fabriquer. Calculez l'accroissement du bénéfice qui résultera de cette combinaison de produits par rapport aux activités actuelles.

(Adaptation d'un problème de la Société des comptables en management du Canada)

C4 La décision de fermer une usine

Autocorpo inc. construit des automobiles, des fourgonnettes et des camions. L'entreprise compte plusieurs usines de par le monde, dont Québec inc., où l'on coud des housses qui sont fabriquées principalement en vinyle et en tissu, et qui servent à recouvrir les sièges et les autres surfaces des produits d'Autocorpo inc.

L'usine Québec inc., dont Méo Tremblay assume la direction, a été la première usine d'Autocorpo inc. dans la région. À mesure que d'autres usines s'ouvraient, M. Tremblay, qui est reconnu pour ses compétences de gestionnaire, a été chargé de les diriger. Aujourd'hui, il occupe le poste de directeur régional, bien que son budget et celui de son personnel soient attribués à l'usine Québec inc.

M. Tremblay vient de recevoir un rapport lui indiquant qu'Autocorpo inc. pourrait acquérir l'ensemble de la production annuelle de Québec inc. de fournisseurs externes pour une somme de 35 millions de dollars. Il est stupéfié du prix peu élevé proposé par la concurrence étant donné que le budget des charges de son usine a été établi à 52 millions de dollars pour la prochaine période. M. Tremblay croit qu'Autocorpo inc. devra fermer l'usine Québec inc. pour économiser annuellement des coûts de 17 millions de dollars.

Le budget des charges de Québec inc. de la prochaine période est le suivant :

QUÉBEC INC.
Budget annuel des charges opérationnelles

Matières premières		14 000 000 $
Main-d'œuvre :		
Directe	13 100 000 $	
De supervision	900 000	
Indirecte	4 000 000	18 000 000
Frais indirects de fabrication :		
Amortissement – matériel	3 200 000	
Amortissement – immeuble	7 000 000	
Charges de retraite	5 000 000	
Directeur de l'usine et personnel	800 000	
Répartition des charges du siège social	4 000 000	20 000 000
Total des charges prévues		52 000 000 $

Voici quelques renseignements supplémentaires concernant les activités de l'usine.

a) Comme Québec inc. n'utilise que des tissus de qualité supérieure pour tous ses produits, la section des achats a reçu l'ordre de passer des commandes permanentes aux principaux fournisseurs de façon à s'assurer un approvisionnement suffisant de matières premières au cours de la période à venir. L'annulation de ces commandes en conséquence de la fermeture de l'usine entraînerait des frais de résiliation de contrats s'élevant à 20 % du coût des matières premières.

b) Environ 800 employés de l'usine perdraient leur emploi si l'usine fermait. Ce nombre comprend tous les employés directs et les contremaîtres, ainsi que des plombiers, des électriciens et d'autres travailleurs qualifiés qui font partie de la main-d'œuvre indirecte. Nombre d'entre eux pourraient obtenir un nouvel emploi, mais plusieurs autres éprouveraient des difficultés. Aucun ne retrouverait facilement un salaire horaire de base comparable à celui consenti par Québec inc., soit 15,40 $. Une clause du contrat liant l'entreprise au syndicat pourrait toutefois se révéler utile à certains employés. En effet, l'entreprise doit fournir une aide à la recherche d'emploi à ses anciens travailleurs pendant une période de 12 mois après la fermeture de l'usine. On estime la charge administrative de ce service à 1,5 million de dollars pour un an.

c) Certains employés opteront sans doute pour une retraite anticipée. Autocorpo inc. offre un excellent régime de retraite. Elle devra continuer à verser trois millions de dollars en charges de retraite annuelles, que l'usine ferme ou reste ouverte.

d) M. Tremblay et son personnel ne seront pas touchés par la fermeture de Québec inc. puisqu'ils auront encore la responsabilité de gérer les trois autres usines de la région.

e) Pour Québec inc., l'amortissement de l'équipement constitue un coût variable et elle le calcule suivant la méthode de l'amortissement proportionnel à l'utilisation. C'est la seule usine d'Autocorpo inc. qui utilise cette méthode. Par contre, l'amortissement de l'immeuble est calculé suivant la méthode de l'amortissement linéaire.

Travail à faire

1. Sans tenir compte des coûts, déterminez les avantages pour Autocorpo inc. de continuer à obtenir ses housses de l'usine Québec inc.

2. Autocorpo inc. veut préparer une analyse financière qui lui permettrait de décider si elle doit fermer l'usine Québec inc. La direction vous demande donc de déterminer les éléments suivants :

   a) Les coûts annuels prévus pertinents quant à la décision concernant la fermeture de l'usine.

   b) Les coûts annuels prévus non pertinents quant à la décision de fermer l'usine et les raisons pour lesquelles ils ne sont pas pertinents.

   c) Tous les coûts non récurrents qui résulteraient de la fermeture de l'usine et une explication sur la façon dont ils influeraient sur la décision à prendre.

3. Après examen des données que vous avez recueillies en 2), croyez-vous que l'usine devrait être fermée ? Donnez tous vos calculs et justifiez votre réponse.

4. Déterminez tous les revenus ou coûts dont il n'a pas été question de façon précise dans l'énoncé, mais dont Autocorpo inc. devrait tenir compte dans sa décision.

(Adaptation d'un problème de la Société des comptables en management du Canada)

C5 Les unités d'exploitation et le comportement des coûts

Wang ltée fabrique des articles de toilette pour dames et vend ses produits à des magasins de détail dans tout le Canada. Pour des raisons de planification et de contrôle, l'entreprise est répartie en six régions géographiques comprenant entre deux et six territoires chacune. Chaque vendeur se voit attribuer un territoire où il a l'exclusivité des ventes. Les produits sont expédiés de l'usine de fabrication aux six entrepôts régionaux, à partir desquels se fait la livraison des articles vendus dans chaque territoire.

L'une de ces six régions est celle des Maritimes, qui compte deux territoires, Édouard et Écosse. Voici l'état des résultats de cette section pour la période terminée le 31 décembre 20X3.

12

WANG LTÉE – RÉGION DES MARITIMES
État des résultats
de la période terminée le 31 décembre 20X3

Ventes		1 800 000 $
Moins : Charges :		
Publicité	109 400 $	
Coût variable des ventes	920 000	
Livraison	45 200	
Assurance	20 000	
Salaires et avantages sociaux	163 200	
Commissions sur les ventes	72 000	
Fournitures	24 000	
Frais de déplacement et de représentation	28 200	
Salaires des employés des entrepôts et avantages sociaux	75 000	
Amortissement des entrepôts	16 000	
Charges opérationnelles des entrepôts	30 000	
Total des charges		1 503 000
Bénéfice		297 000 $

Les salaires et avantages sociaux se détaillent comme suit :

Vice-président régional	43 000 $
Directeur régional du marketing	35 000
Directeur régional des entrepôts	26 800
Personnel de vente (un vendeur pour chacun des deux territoires, les deux recevant le même salaire de base)	31 200
Avantages sociaux (20 % des salaires)	27 200
Total des salaires et des avantages sociaux	163 200 $

Les deux vendeurs reçoivent le même salaire et une commission de 4 % sur le total des ventes effectuées sur leur territoire. Ils engagent des frais de déplacement et de représentation quand ils visitent leurs clients. Les charges de livraison jusqu'au lieu de la vente dépendent de la quantité de marchandises expédiées et de la distance parcourue jusqu'aux clients. L'équivalent de 30 % de l'assurance est affecté à la protection des stocks pendant qu'ils sont dans l'entrepôt régional ; le reste correspond au coût engagé pour assurer l'entrepôt lui-même. Le coût total des fournitures utilisées dans l'entrepôt pour l'emballage des marchandises expédiées varie en fonction du nombre de kilogrammes livrés. Les salaires des employés des entrepôts représentent le salaire des employés exécutant les commandes. Le montant total de ces charges reste invariable tant que les quantités expédiées à partir de l'entrepôt dans une année se situent entre 550 000 et 650 000 kilogrammes. Le poste des charges opérationnelles des entrepôts comprend des charges comme le chauffage, l'électricité et l'entretien.

Voici l'analyse des coûts et les statistiques par territoire de l'année 20X3, qui ont été préparées pour le vice-président régional par le directeur régional des entrepôts et le directeur du marketing.

	Édouard	Écosse	Total
Chiffre d'affaires net	800 000 $	1 000 000 $	1 800 000 $
Coût des ventes	460 000 $	460 000 $	920 000 $
Publicité	53 600 $	55 800 $	109 400 $
Frais de déplacement et de représentation	12 600 $	15 600 $	28 200 $
Livraison	18 000 $	27 200 $	45 200 $
Unités vendues	150 000	350 000	500 000
Kilogrammes expédiés	210 000	390 000	600 000
Kilomètres parcourus par vendeur	21 600	38 400	60 000

Travail à faire

La direction générale de Wang ltée voudrait que les données d'exploitation régionales soient présentées de façon plus significative. Fournissez un canevas de l'état des résultats de l'année 20X3 qui lui paraîtrait satisfaisant. Indiquez le contenu et les principales sections de votre rapport sans y inclure de montants. Ce rapport devrait fournir à la direction une base pour l'évaluation de la performance de chaque territoire de la région des Maritimes et de l'ensemble de cette région.

(Adaptation d'un problème de la Société des comptables en management du Canada)

C6 **Les bénéfices sectoriels**

La société Audain ltée fabrique deux produits, B et R, dans son usine de Montréal. Voici les coûts unitaires associés à ces produits.

	Produit B	Produit R
Vente et production annuelles d'unités	42 000	41 000
Coûts de fabrication :		
Matières premières	3,50 $	4,30 $
Main-d'œuvre directe	4,00	2,00
Frais indirects de fabrication variables*	1,50	1,00
Frais indirects de fabrication fixes*	5,00	3,00
Total des coûts de fabrication	14,00	10,30
Coûts commerciaux :		
Variables	0,20	0,20
Fixes**	1,17	0,92
Total des coûts commerciaux	1,37	1,12
Coût total	15,37 $	11,42 $
Prix de vente	16,50 $	13,50 $
Bénéfice par unité	1,13 $	2,08 $

* Les frais indirects de fabrication sont imputés en fonction des heures-machines disponibles. On estime le total des frais indirects de fabrication annuels à 437 000 $. Les frais indirects de fabrication fixes représentent 76,2 % de ce montant pour 10 000 heures-machines. La capacité de production pourrait atteindre 20 000 heures-machines avec l'ajout d'un autre quart de travail ou d'une partie quelconque d'un quart de travail.

** Les coûts commerciaux fixes s'élèvent à 86 860 $ par an et sont répartis en fonction du niveau des ventes aux fins d'établissement des prix de vente.

Récemment, le directeur des ventes a obtenu d'un nouveau client une commande de 70 000 unités d'un produit N au prix de 17,30 $ l'unité, à condition que l'entreprise garantisse qu'elle lui fournira le nombre total d'unités commandées.

Les coûts de fabrication du produit N sont estimés comme suit :

	Par unité
Matières premières	4,00 $
Main-d'œuvre directe	3,50
Frais indirects de fabrication variables	3,00
Frais indirects de fabrication fixes	4,00
Coûts de fabrication du produit N	14,50 $

Les coûts commerciaux variables sont de 0,40 $ par unité. On s'attend à ce que les coûts commerciaux fixes demeurent inchangés. La fabrication d'une unité de produit N nécessite 16 % de une heure-machine.

Le directeur de l'usine vous a demandé d'examiner les données. Il vous informe que, le cas échéant, il trouvera la capacité de production requise en refusant des commandes moins rentables des deux autres produits.

12

▶ **Travail à faire**

1. Déterminez le bénéfice obtenu sans le contrat du produit N.

2. Supposez qu'une augmentation de la capacité de production au-delà de deux quarts de travail n'est pas réalisable, mais qu'il est possible de remplacer la fabrication du produit B par celle d'un autre, le cas échéant. Dans ce contexte, déterminez les bénéfices que rapporterait le contrat du produit N si l'entreprise l'obtenait.

3. L'entreprise veut accepter la commande du produit N. Supposez toutefois qu'elle est tenue par contrat de fournir 42 000 unités de B et 41 000 unités de R, et qu'il lui est impossible d'augmenter la capacité de production à deux quarts de travail. Une autre entreprise lui propose de fabriquer le produit B pour elle. Quel est le prix d'achat unitaire le plus élevé auquel la société Audain ltée pourrait donner le produit B en sous-traitance pour conserver le bénéfice établi à la question précédente?

4. Existe-t-il une meilleure possibilité que l'impartition du produit B pour la société Audain ltée? Justifiez votre réponse.

(Adaptation d'un problème de la Société des comptables en management du Canada)

C7 Des coûts pertinents et l'établissement de prix

La société Jenco fabrique un seul produit, une combinaison d'engrais et d'herbicide appelée *Ferticide*. Le Ferticide se vend dans tout le pays par l'intermédiaire des circuits de distribution habituels des pépinières et des centres de jardinage qui font du commerce au détail.

La société Taylor, propriétaire d'une chaîne régionale de pépinières, planifie de vendre sous sa propre marque un composé d'engrais et d'herbicide similaire. Toutefois, elle ne possède pas ses propres installations de fabrication. Elle a donc demandé à la société Jenco (et à différentes autres entreprises) de lui présenter une offre concernant la fabrication et la livraison de 25 000 kilogrammes du composé portant sa marque maison. Même si la composition du produit conçu par la société Taylor diffère de celle du Ferticide, les processus de fabrication se ressemblent beaucoup.

La production du composé de la société Taylor se ferait par lot de 1 000 kilogrammes. Pour chaque lot, elle nécessiterait 30 heures de main-d'œuvre directe et les produits chimiques suivants :

Produits chimiques	Quantité en kilogrammes
CW-3	400
JX-6	300
MZ-8	200
BE-7	100

Les trois premiers produits chimiques (le CW-3, le JX-6 et le MZ-8) servent déjà à préparer le Ferticide. Le BE-7 était utilisé dans un autre composé dont Jenco a abandonné la fabrication il y a plusieurs mois. Toutefois, l'entreprise a conservé le stock de ce produit chimique dont elle disposait au moment de l'abandon de la production. Jenco pourrait vendre son stock de BE-7 au prix actuel du marché moins 0,10 $ du kilogramme pour les coûts commerciaux et de manipulation.

La société Jenco dispose également d'un stock de CN-5, un produit chimique utilisé comme composante dans un autre produit dont la fabrication a également été abandonnée. Le CN-5, impropre à entrer dans la composition du Ferticide, pourrait cependant remplacer le CW-3 dans les mêmes proportions sans nuire à la qualité du composé de la société Taylor. Le stock de CN-5 a une valeur de récupération de 500 $.

12

Voici des données concernant les stocks et les coûts des produits chimiques pouvant servir à la préparation du composé de la société Taylor.

Matières premières	Kilogrammes en stock	Coût réel par kilogramme à l'achat	Coût actuel du marché par kilogramme
CW-3	22 000	0,80 $	0,90 $
JX-6	5 000	0,55	0,60
MZ-8	8 000	1,40	1,60
BE-7	4 000	0,60	0,65
CN-5	5 500	0,75	(valeur de récupération)

Le salaire actuel de la main-d'œuvre directe est de 14 $ l'heure. Le taux d'imputation prédéterminé des frais indirects de fabrication est calculé en fonction des heures de main-d'œuvre directe (HMOD). Pour l'année en cours, compte tenu d'une capacité de deux quarts de travail cumulant un total de 400 000 HMOD sans heures supplémentaires, ce taux est le suivant :

Taux d'imputation prédéterminé des frais indirects de fabrication variables	4,50 $ par HMOD
Taux d'imputation prédéterminé des frais indirects de fabrication fixes	7,50 $ par HMOD
Taux combiné	12,00 $ par HMOD

Après vérification, le directeur de la production confirme que Jenco dispose du matériel et des installations nécessaires pour fabriquer adéquatement le composé de la société Taylor. Par conséquent, la commande n'aurait aucun effet sur le total des frais indirects de fabrication fixes. Toutefois, Jenco dispose de seulement 400 heures de capacité dans ses deux quarts de travail du présent mois. Au-delà de ce nombre, il s'agira d'heures supplémentaires. Si la situation l'exige, il serait possible de fabriquer le produit de la société Taylor dans l'horaire normal de travail en effectuant des heures supplémentaires pour une partie de la production du Ferticide. Le taux des heures supplémentaires de Jenco est 1,5 fois le taux horaire normal, c'est-à-dire 21 $ l'heure. La majoration pour heures supplémentaires n'est pas incluse dans le taux d'imputation prédéterminé des frais indirects de fabrication.

Travail à faire

1. La société Jenco a décidé de répondre à une soumission pour une commande de 25 000 kilogrammes du nouveau composé de la pépinière Taylor. La commande doit être livrée avant la fin du mois en cours, et Taylor a indiqué qu'il s'agit d'une commande unique, qui ne sera pas répétée. Calculez le prix le plus bas que la société Jenco peut offrir pour cette commande sans diminuer son bénéfice.

2. Revenez aux données initiales. Supposez que la pépinière Taylor planifie de passer régulièrement des commandes de lots de 25 000 kilogrammes de son nouveau composé au cours de la prochaine année. De son côté, la société Jenco prévoit que la demande de Ferticide demeurera élevée. Des commandes répétitives de la pépinière Taylor pourraient donc forcer l'entreprise à dépasser sa capacité de production de deux quarts de travail. Néanmoins, il serait possible de planifier la production de telle manière que 60 % de chaque commande de la société Taylor soit exécutée pendant l'horaire normal de travail. On pourrait aussi temporairement effectuer une partie de la production du Ferticide en heures supplémentaires de façon que les commandes de la pépinière puissent être exécutées dans les heures normales. Les coûts actuels du marché constituent les estimations les plus précises disponibles concernant les futurs coûts du marché.

12

▶ Suivant sa politique standard en matière de marge sur coûts, la société Jenco majore le prix de ses nouveaux produits de 40 % par rapport au total des coûts de fabrication, incluant les frais indirects de fabrication fixes. Calculez le prix que soumettrait la société Jenco à la pépinière Taylor pour chaque lot de 25 000 kilogrammes du nouveau composé, en supposant qu'elle le considère comme un nouveau produit et qu'elle se conforme à sa propre politique d'établissement des prix.

Recherche

R1 Combien ça coûte ?

Il y a près de 70 ans, l'éminent économiste J. Maurice Clarke a déclaré que « [...] les comptables utilisent différents types de coûts parce que leurs objectifs diffèrent ». Le monde des affaires est certainement devenu plus complexe depuis ce commentaire intuitif du professeur Clarke. De nos jours, on s'attend à ce que les spécialistes en comptabilité de gestion connaissent beaucoup mieux tous les aspects des activités des entreprises que leurs prédécesseurs. On s'attend aussi à ce qu'ils ajoutent de la valeur à leur entreprise par leur capacité à fournir au bon moment l'information pertinente qui influera sur une décision. Pour ce faire, ils doivent savoir cerner les problèmes, les analyser et participer à leur résolution. Il leur faut mettre en pratique le commentaire du professeur Clarke.

Travail à faire

1. Quelles sont les différentes utilisations des informations de nature comptable ? En d'autres termes, à quelles fins ou à quelles fonctions servent les informations sur les coûts ? Tâchez de déterminer le plus grand nombre d'utilisations possible, et regroupez celles qui sont similaires ou reliées sous des rubriques communes, par exemple *Communication de l'information financière*.
2. Définissez chacun des concepts de coût ou de revenu ci-après. Donnez des exemples de décisions ou de situations où l'on se servirait de ces concepts.
   a) Un coût irrécupérable.
   b) Un coût évitable.
   c) Un coût de renonciation.
   d) Un coût commun.
   e) Une marge sur coûts variables par facteur de contrainte.

R2 L'impartition

L'impartition, un contrat par lequel une entreprise confie à une tierce partie la fabrication de pièces ou de produits dont elle a besoin, est devenue pratique courante chez les fabricants. Il y a 30 ans, lorsque les entreprises étaient beaucoup moins complexes, on considérait comme normal que les taux d'imputation prédéterminés des frais indirects de fabrication correspondent à 50 % ou moins du coût de la main-d'œuvre directe. De nos jours, on trouve souvent des taux de 500 % de la main-d'œuvre directe, et un taux de 1 000 % ou plus n'est pas inhabituel. Par conséquent, l'impartition est de plus en plus répandue partout depuis une quinzaine d'années. Les produits à prédominance de main-d'œuvre directe, en particulier, font souvent l'objet d'impartition dans des régions du monde où les salaires horaires se révèlent très inférieurs à ceux de l'Amérique du Nord.

Travail à faire

1. Que signifie un taux d'imputation prédéterminé des frais indirects de fabrication de 500 % ou plus de la main-d'œuvre directe ?
2. Quelles sont les conséquences d'un taux aussi élevé dans le cas de produits requérant une importante main-d'œuvre directe ?

3. Quelle est l'incidence sur la structure des coûts d'une entreprise de l'impartition de produits à prédominance de main-d'œuvre directe dans des pays étrangers moins développés où la rémunération est faible ? Donnez des catégories de coûts précises modifiées par une stratégie d'impartition.

4. Qu'advient-il des coûts non évitables lorsqu'un produit fait l'objet d'une impartition ?

5. À votre avis, existe-t-il des effets négatifs de l'impartition dans un pays étranger moins développé ou des limites à une stratégie qui dépendrait des économies réalisées sur les coûts de main-d'œuvre ?

6. En poursuivant la réflexion que suscitent les trois premières questions, quel sera l'avenir de l'impartition en Amérique du Nord ?

R3 La gestion des contraintes dans une entreprise de fabrication

Trouvez une entreprise de fabrication dans votre région et prenez rendez-vous avec le directeur de la production.

Travail à faire

Au cours de cette rencontre, tâchez d'obtenir des réponses aux questions suivantes :

1. Quelles contraintes (ou goulots d'étranglement) existent dans le processus de production de l'entreprise ?

2. Quelles méthodes l'entreprise utilise-t-elle pour réduire ces contraintes ?

3. Quel est le coût estimé de la réduction de ces contraintes ?

4. Quelle solution à long terme (s'il y en a) l'entreprise compte-t-elle appliquer pour éliminer cette contrainte ?

R4 L'abandon d'un produit ou d'un service : au-delà des chiffres

Comme nous l'avons vu dans ce chapitre, une des prises de décisions qui incombent aux gestionnaires concerne le maintien ou la suppression d'un produit, d'un service ou d'une unité d'exploitation. D'après l'analyse que nous avons faite, si les coûts évités grâce à l'abandon d'un produit ou d'une section dépassent la perte de marge sur coûts variables, alors il s'agit d'une bonne décision sur le plan financier. Toutefois, lorsqu'une entreprise décide d'abandonner un produit, un service ou une unité d'exploitation, elle s'expose à des répercussions non financières de la part de ses fournisseurs, de ses créanciers, de ses employés et de ses clients.

Travail à faire

À l'aide de n'importe quels exemples tirés de la presse économique spécialisée, déterminez quelques-unes des répercussions non financières qui peuvent survenir lorsqu'une entreprise décide d'éliminer un produit, un service ou une unité d'exploitation importants.

12

L'ATTRIBUTION DES COÛTS DES SECTIONS AUXILIAIRES ET DES COÛTS CONJOINTS DE FABRICATION

Regard sur une entreprise

Le coût de revient d'un étudiant

Marie-Claude Bastien doit déterminer le coût de revient d'un étudiant de premier cycle et le coût de revient d'un étudiant préparant un diplôme supérieur à la Faculté des sciences de l'administration de l'Université Laval. Elle ignore toutefois comment répartir certains coûts.

D'entrée de jeu, Marie-Claude tente de déterminer les coûts directs et indirects par étudiant en tenant compte du coût de certains services de soutien tels que l'administration, l'entretien et la bibliothèque. Comme la majorité des coûts sont indirects, elle devra les analyser plus en profondeur avant de procéder à leur répartition.

Marie-Claude attribue une part des coûts des services de soutien aux activités d'enseignement, directement ou indirectement. Elle établit la consommation des ressources physiques et financières occasionnée par chaque activité — enseignement, recherche, gestion de l'université, etc. Marie-Claude doit avoir une bonne compréhension de la nature de chaque activité et de chaque poste de charge rattaché aux services de soutien. Elle est bien consciente de l'ampleur de la tâche, mais compte malgré tout répartir équitablement les coûts pour obtenir les coûts de revient d'un étudiant de premier cycle et d'un étudiant préparant un diplôme supérieur en administration. Par la même occasion, elle fournira un outil de gestion fort utile aux gestionnaires de la Faculté des sciences de l'administration de l'Université Laval.

Recherche et rédaction: Carl Thibeault, Université Laval

Source: Marie-Claude Bastien, *Établissement du coût de revient des effectifs étudiants en équivalence au temps plein au premier cycle et aux cycles supérieurs à la Faculté des sciences de l'administration de l'Université Laval*, Québec, Université Laval, mai 2003.

OBJECTIFS D'APPRENTISSAGE

Après avoir étudié ce chapitre, vous pourrez:

1. attribuer les coûts des sections auxiliaires à d'autres sections à l'aide de la méthode de répartition directe;
2. attribuer les coûts des sections auxiliaires à d'autres sections à l'aide de la méthode de répartition séquentielle;
3. attribuer les coûts des sections auxiliaires à d'autres sections à l'aide de la méthode de répartition algébrique;
4. attribuer séparément les coûts variables et les coûts fixes des sections auxiliaires;
5. répartir les coûts communs de fabrication entre les coproduits et les sous-produits.

Section principale (ou section de production)

Service, département ou atelier de production à l'intérieur duquel les employés travaillent à réaliser les principaux objectifs de l'organisation.

Section auxiliaire

Service ou département fournissant un soutien ou une aide aux sections principales, mais qui ne participe pas directement aux activités de production de l'organisation.

La plupart des grandes sociétés ont à la fois des **sections principales**, ou **sections de production**, et des **sections auxiliaires**. Les activités des sections principales contribuent aux objectifs fondamentaux des organisations. De leur côté, les sections auxiliaires ne participent pas directement aux activités de production. Elles fournissent plutôt des services ou un soutien aux sections principales.

Le département de chirurgie du Centre hospitalier universitaire de Québec, les programmes de premier, de deuxième et de troisième cycles de l'Université de Sherbrooke, ainsi que des ateliers de production tels que ceux de l'assemblage et de la peinture dans une entreprise de fabrication comme Bombardier sont des exemples de sections principales. Dans la méthode du coût de revient en fabrication uniforme et continue, les ateliers de production constituent tous des sections principales.

Parmi les exemples de sections auxiliaires, mentionnons les services de la cafétéria, de la vérification interne, des ressources humaines, de la comptabilité et des achats. Bien que les sections auxiliaires ne participent pas directement aux activités de production de l'organisation, les coûts qu'elles engagent sont d'ordinaire considérés comme partie intégrante du coût du produit ou du service final au même titre que les matières premières, la main-d'œuvre directe et les frais indirects dans une entreprise de fabrication, ou que les coûts des médicaments dans un hôpital.

Au chapitre 1, nous avons vu que la plupart des organisations comptent une ou plusieurs sections auxiliaires qui fournissent des services à l'entreprise tout entière. Dans le présent chapitre, nous examinerons en détail ce type de sections. Nous verrons comment leurs coûts sont répartis entre les unités auxquelles elles fournissent des services aux fins de planification, d'établissement des coûts et autres objectifs. Une question fondamentale fera l'objet de notre étude : quelle proportion du coût d'une section auxiliaire faut-il attribuer à chaque unité à laquelle elle fournit des services ? Cette question est importante, entre autres parce que le coût de la section auxiliaire attribué à une unité précise peut avoir un effet important sur le calcul du coût des produits ou des services provenant de cette unité, et influer sur l'évaluation de sa performance.

Les coûts indirects engagés par les sections principales ou de production comprennent généralement des répartitions de coûts provenant des sections auxiliaires. Dans la mesure où les coûts des sections auxiliaires sont classés comme des coûts de production, ils devraient être inclus dans les coûts de revient unitaires et, par conséquent, répartis entre les ateliers de production.

Les frais indirects de fabrication, présentés dans les calculs du coût de revient en fabrication uniforme et continue ou dans ceux du coût de revient par commande, sont des exemples typiques de frais indirects imputés à l'aide d'un taux d'imputation prédéterminé. Ils peuvent constituer un ensemble complexe de coûts qui se rattachent à la fois aux ateliers de production, ou sections principales, et aux sections auxiliaires. Pour pouvoir relier les coûts des sections auxiliaires aux coûts des sections principales à titre de frais indirects, il faut choisir une méthode de répartition.

La répartition des coûts des sections auxiliaires

Les entreprises peuvent utiliser trois méthodes pour attribuer les coûts des sections auxiliaires à d'autres sections : la méthode de répartition directe (ou méthode directe), la méthode de répartition séquentielle (ou méthode de répartition par étapes) et la méthode de répartition algébrique. Nous examinerons ces trois méthodes dans les prochaines sections. La répartition des coûts des sections auxiliaires commence par le choix d'une unité d'œuvre appropriée. Il faut aussi au préalable réfléchir aux façons de répartir les coûts des services que les sections auxiliaires se fournissent les unes aux autres.

Le choix des unités d'œuvre

Un grand nombre d'organisations utilisent un processus de répartition des coûts en deux étapes. À la première étape, on attribue les coûts des sections auxiliaires aux sections principales. La seconde étape consiste à attribuer les coûts des sections principales aux produits et aux services. Nous nous sommes intéressés à la seconde étape de ce processus de répartition au chapitre 3; nous en étudierons maintenant la première étape. Dans les pages qui suivent, nous examinerons donc l'attribution des coûts des sections auxiliaires aux sections principales, c'est-à-dire la *première étape du processus de répartition des coûts en deux étapes.*

En général, on attribue les coûts d'une section auxiliaire à d'autres sections à l'aide d'une unité d'œuvre (ou inducteur de coût) qui constitue une mesure d'activité. L'unité d'œuvre choisie devrait, dans la mesure du possible, être représentative de la consommation du service rendu par la section auxiliaire aux autres sections. En principe, il faudrait que les coûts de la section auxiliaire soient proportionnels au volume de l'unité d'œuvre, c'est-à-dire qu'ils augmentent ou diminuent en fonction du volume de l'unité d'œuvre. En outre, les gestionnaires soutiennent souvent que l'unité d'œuvre devrait refléter aussi précisément que possible les avantages que les sections tirent des services qui leur sont fournis. Par exemple, les mètres carrés d'espace occupé par chaque section principale pourraient servir d'unité d'œuvre pour répartir les coûts d'entretien des immeubles puisque les avantages que procurent ces services tendent à être proportionnels à l'espace occupé par chacune des sections. Le tableau 13.1 contient des exemples d'unités d'œuvre utilisées pour répartir les coûts de certaines sections auxiliaires. Les coûts d'une section auxiliaire donnée peuvent être répartis à l'aide de plus d'une unité d'œuvre. Ainsi, les coûts du traitement des données peuvent être répartis en fonction des minutes d'unité centrale de traitement dévolues aux gros ordinateurs *et* en fonction du nombre d'ordinateurs personnels utilisés dans chaque section principale.

En plus de ce qui est mentionné au paragraphe précédent, il faut tenir compte d'autres facteurs essentiels dans le choix d'une unité d'œuvre. Les répartitions doivent être claires, simples et faciles à comprendre par les gestionnaires qui voient ces coûts attribués à leur section. De plus, le coût d'obtention de l'information concernant l'unité d'œuvre choisie doit être considéré.

TABLEAU 13.1 Des exemples d'unités d'œuvre utilisées dans la répartition des coûts des sections auxiliaires

Section auxiliaire	Unités d'œuvre (inducteurs de coûts)
Buanderie	Kilogrammes de lessive
Services au sol des aéroports	Nombre de vols
Cafétéria	Nombre d'employés; nombre de repas
Installations médicales	Patients traités; nombre d'employés; heures de travail
Manutention des matières	Heures de service; volume manutentionné
Traitement des données	Minutes d'unité centrale de traitement; lignes imprimées; mémoire utilisée; nombre d'ordinateurs personnels
Services de sécurité (immeubles et terrains)	Nombre de mètres carrés occupés
Comptabilité des coûts de revient	Heures de main-d'œuvre; nombre de clients ayant obtenu un service
Électricité	Nombre de kilowattheures (kWh) utilisés; capacité de production des machines
Ressources humaines	Nombre d'employés; taux de rotation des employés; heures de formation
Réception, expédition et entreposage	Nombre d'unités manutentionnées; nombre de bons de sortie; espace occupé
Administration d'usine	Total des heures de main-d'œuvre
Maintenance	Heures-machines

13

L'attribution des coûts

Les entreprises qui fournissent des produits et des services à Travaux publics et Services gouvernementaux Canada (TPSGC) au coût de revient majoré d'un pourcentage de marge bénéficiaire doivent observer des règles précises concernant l'inclusion et l'exclusion de certains coûts. Les frais indirects et les autres charges telles que les coûts commerciaux, les charges administratives et les autres frais généraux sont accumulés par centres de regroupement qui reflètent la structure organisationnelle et opérationnelle du fournisseur. Ces groupes de coûts sont à leur tour attribués à des contrats suivant les règles applicables à TPSGC. Les coûts prévus dans la facturation périodique sont souvent utilisés et ensuite ajustés aux coûts réels pour la facturation finale. Des améliorations ont été proposées à ces règles pour éviter toute distorsion due à l'utilisation d'unités d'œuvre basées sur le volume parce cette façon de faire peut sous-évaluer le coût des petits travaux et surévaluer le coût des contrats importants.

Source : Murray A. BEST, « ABC for Government Contractors ? », *CMA Magazine*, vol. 71, n° 2 (mars 1997), p. 19-22.

Les services réciproques

De nombreuses sections auxiliaires se fournissent des services les unes aux autres en plus d'en rendre aux sections principales. La section Cafétéria, par exemple, fournit des repas et des collations à tous les employés, y compris ceux des autres sections auxiliaires. À son tour, elle peut recevoir des services d'autres sections auxiliaires comme le Service de l'entretien ou le Service du personnel. Pour désigner les services que les sections auxiliaires se rendent, on parle de **services réciproques**.

Services réciproques

Services que des sections auxiliaires se fournissent entre elles.

La méthode de répartition directe

La **méthode de répartition directe** (ou **méthode directe**) s'avère la plus simple des trois méthodes qui seront étudiées dans ce chapitre. Elle ne tient aucun compte des services fournis par une section auxiliaire à d'autres sections du même type et attribue directement tous ses coûts à des sections principales. Même si une section auxiliaire comme la section Service du personnel rend une grande quantité de services à une autre section auxiliaire comme la section Cafétéria, il n'y a aucune attribution des coûts du Service du personnel à la Cafétéria. Tous les coûts sont plutôt *directement* répartis entre les sections principales, d'où l'appellation de *méthode de répartition directe*.

Examinons un exemple concernant la façon d'utiliser cette méthode. Supposons qu'un centre hospitalier compte deux sections auxiliaires et deux sections principales, comme le montre le tableau suivant :

OBJECTIF 1

Attribuer les coûts des sections auxiliaires à d'autres sections à l'aide de la méthode de répartition directe.

Méthode de répartition directe (ou méthode directe)

Méthode consistant à attribuer directement tous les coûts d'une section auxiliaire à des sections principales sans tenir compte des services que cette section rend à d'autres sections auxiliaires.

	Sections auxiliaires		Sections principales		
	Administration de l'hôpital	Service de sécurité	Labo-ratoire	Soins quotidiens aux patients	Total
Coûts des sections avant répartition.........	360 000 $	90 000 $	261 000 $	689 000 $	1 400 000 $
Nombre d'heures de travail des employés ...	12 000	6 000	18 000	30 000	66 000
Espace occupé (en mètres carrés)	1 000	20	500	4 500	6 020

Dans les répartitions qui suivent, les coûts de l'administration de l'hôpital seront ventilés en fonction des heures de travail des employés, et les coûts du service de sécurité, en fonction des mètres carrés occupés.

La méthode de répartition directe servant à attribuer les coûts des sections auxiliaires de l'hôpital à ses sections principales est illustrée au tableau 13.2. On doit y noter certains éléments importants. D'abord, bien qu'il y ait des heures de travail des employés dans la section de l'administration de l'hôpital comme dans celle du service de sécurité, il ne faut pas en tenir compte dans l'attribution des coûts de ces sections auxiliaires selon la méthode de répartition directe. La même règle s'applique à la répartition des coûts du service de sécurité. Même si les services d'administration de l'hôpital et de sécurité occupent un certain espace, on n'en tient pas compte dans la ventilation des coûts du service de sécurité. Enfin, notons que lorsque toutes les répartitions ont été effectuées, les coûts de toutes les sections auxiliaires sont intégrés dans ceux des deux sections principales. Ces derniers serviront de base dans la détermination des taux d'imputation des frais indirects en vue de l'établissement des coûts de revient des produits et des services provenant des sections principales.

TABLEAU 13.2 **La méthode de répartition directe**

	Sections auxiliaires		Sections principales		
	Administration de l'hôpital	Service de sécurité	Labo-ratoire	Soins quotidiens aux patients	Total
Coûts des sections avant répartition................................	360 000 $	90 000 $	261 000 $	689 000 $	1 400 000 $
Répartition :					
Administration de l'hôpital (18/48, 30/48)*....................	(360 000)		135 000	225 000	
Service de sécurité (5/50, 45/50)**................................		(90 000)	9 000	81 000	
Total des coûts après répartition.......................................	-0- $	-0- $	405 000 $	995 000 $	1 400 000 $

* En fonction du nombre d'heures de travail des employés dans les deux sections principales, soit 18 000 h + 30 000 h = 48 000 h.
** En fonction de l'espace occupé par les deux sections principales, soit 500 m² + 4 500 m² = 5 000 m².

Bien que la méthode de répartition directe soit simple, elle s'avère moins précise que les autres méthodes puisqu'elle ne tient pas compte des services réciproques. Il peut en résulter des distorsions dans les coûts des produits et des services. Malgré tout, de nombreuses organisations l'utilisent, justement en raison de sa simplicité.

La méthode de répartition séquentielle

Contrairement à la méthode de répartition directe, la **méthode de répartition séquentielle** (ou **méthode de répartition par étapes**) permet d'attribuer les coûts d'une section auxiliaire à d'autres sections auxiliaires aussi bien qu'aux sections principales. Il s'agit d'une méthode par étapes suivant un ordre prédéterminé. En général, la séquence commence par la répartition des coûts de la section auxiliaire fournissant la plus grande quantité de services aux autres sections auxiliaires. Puis, le processus continue, étape par étape, et se termine par la section auxiliaire rendant le moins de services aux autres sections auxiliaires. Ce processus est illustré à la figure 13.1 (*page suivante*), dans laquelle on a supposé que les coûts de l'administration de l'hôpital sont les premiers à être répartis.

Au tableau 13.3 (*page suivante*), nous nous sommes servis des données sur les coûts du centre hospitalier pour représenter la méthode de répartition séquentielle. Notons les trois aspects essentiels de cette répartition. En premier lieu, sous le titre « Répartition », on trouve deux éléments ou étapes. La première étape attribue les coûts de l'administration de l'hôpital à une autre section auxiliaire (le service de sécurité) ainsi qu'aux sections

OBJECTIF 2
Attribuer les coûts des sections auxiliaires à d'autres sections à l'aide de la méthode de répartition séquentielle.

Méthode de répartition séquentielle (ou méthode de répartition par étapes)

Méthode consistant à attribuer les coûts d'une section auxiliaire à d'autres sections auxiliaires ainsi qu'à des sections principales de façon séquentielle. Généralement, la séquence commence par la section auxiliaire fournissant la plus grande quantité de services réciproques.

13

FIGURE 13.1 Une illustration graphique de la méthode de répartition séquentielle

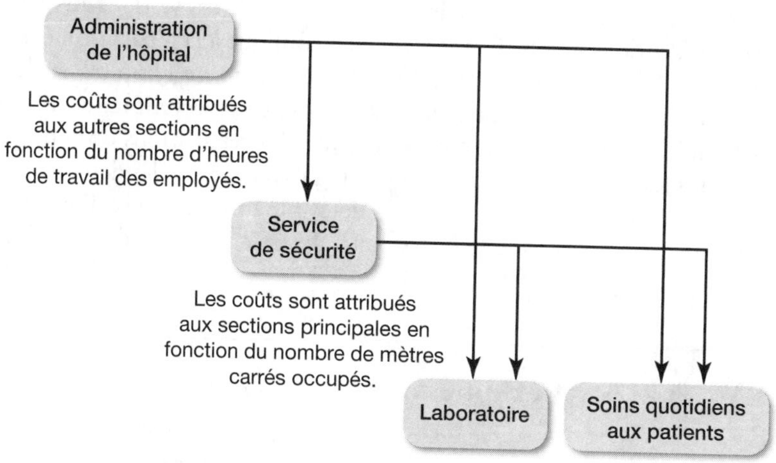

principales. La quantité totale d'unités d'œuvre utilisée pour répartir les coûts de l'administration de l'hôpital comprend maintenant les heures de travail des employés pour le service de sécurité en plus des heures effectuées dans les sections principales. Toutefois, elle exclut toujours les heures de travail des employés de la section Administration de l'hôpital elle-même. En deuxième lieu, en examinant de nouveau le tableau 13.3, vous remarquerez que, dans la seconde étape de la « Répartition », le coût de la section Service de sécurité est attribué aux deux sections principales, alors qu'aucun coût n'est attribué à la section Administration de l'hôpital, bien que l'administration occupe de l'espace dans l'immeuble. *En effet, dans la méthode de répartition séquentielle ou par étapes, on ne tient pas compte de la section auxiliaire dont les coûts ont déjà été répartis.*

Lorsque les coûts d'une section auxiliaire ont été répartis, il n'est plus question d'attribuer à celle-ci les coûts d'autres sections auxiliaires. Enfin, notons que le coût du service de sécurité attribué aux autres sections au cours de la deuxième étape (130 000 $) comprend les coûts de la section Administration de l'hôpital qui lui ont été attribués lors de la première étape.

TABLEAU 13.3 La méthode de répartition séquentielle

	Sections auxiliaires		Sections principales		
	Administration de l'hôpital	Service de sécurité	Labo-ratoire	Soins quotidiens aux patients	Total
Coûts des sections avant répartition	360 000 $	90 000 $	261 000 $	689 000 $	1 400 000 $
Répartition :					
Administration de l'hôpital (6/54, 18/54, 30/54)*	(360 000)	40 000	120 000	200 000	
Service de sécurité (5/50, 45/50)**		(130 000)	13 000	117 000	
Total des coûts après répartition	-0- $	-0- $	394 000 $	1 006 000 $	1 400 000 $

* En fonction des heures de travail des employés du service de sécurité et des deux sections principales, soit 6 000 h + 18 000 h + 30 000 h = 54 000 h.
** Comme le montre le tableau 13.2 (*page précédente*), cette répartition est faite en fonction de l'espace occupé par les deux sections principales.

La méthode de répartition algébrique

La **méthode de répartition algébrique** tient entièrement compte des services entre sections auxiliaires. La méthode de répartition séquentielle, que nous venons de décrire, ne tient compte que partiellement de ces services puisqu'on y attribue toujours les coûts d'une section aux suivantes dans l'ordre de répartition, sans jamais revenir aux sections précédentes. Au contraire, la méthode de répartition algébrique répartit les coûts des sections auxiliaires dans les *deux* directions. Dans l'exemple précédent, étant donné que le service de sécurité fournit des services à la section Administration de l'hôpital, une partie de ses coûts seront attribués à cette section. Simultanément, une partie des coûts de la section Administration de l'hôpital seront attribués vers l'*avant*, au service de sécurité. Ce type de répartition algébrique requiert l'utilisation d'équations linéaires simultanées.

Pour illustrer notre propos, considérons le tableau 13.4 (*page suivante*), dont les données concernent l'exemple du centre hospitalier (*p. 730*).

Notons que l'on a dû déterminer le montant total que la section Administration de l'hôpital doit répartir entre les autres sections avant de procéder à la répartition. On a fait la même chose avec le montant total de la section Service de sécurité.

Ainsi, le total des coûts du service de l'administration de l'hôpital, soit 382 076 $, comprend 22 076 $ de coûts provenant du service de sécurité. De même, le total des coûts du service de sécurité, soit 132 453 $, comprend 42 453 $ provenant de la section Administration de l'hôpital. Ces deux nouveaux montants englobent l'effet des services réciproques que les deux sections ont exécutés l'une pour l'autre. Une fois qu'on a résolu les équations, le coût total d'une section auxiliaire, comprenant maintenant sa quote-part du coût de la section auxiliaire qui lui a rendu des services, est attribué à toutes les sections à qui elle a rendu des services. On procède ainsi pour chaque section auxiliaire; l'ordre d'attribution n'a plus d'importance. Une fois les répartitions terminées, il faut vérifier les totaux des sections principales (ou sections de production) pour s'assurer que l'ensemble des frais indirects, soit 1,4 million de dollars, est effectivement réparti. Lorsqu'il y a plus de deux sections auxiliaires, la façon de procéder pour déterminer le montant à répartir nécessite habituellement un déterminant de matrice, ce qui n'entre pas dans le champ d'études de ce manuel.

La répartition des services réciproques

On peut intégrer ou ajouter à un système de planification des ressources d'une entreprise des sous-programmes qui effectuent la répartition des frais indirects par sections. Certains logiciels de comptabilité par activités (CPA) intègrent la répartition algébrique. Cela permet d'inclure les relations mutuelles de sections comme le service des systèmes d'information et le service des ressources humaines dans la répartition des coûts. Cette caractéristique est importante pour les banques, les compagnies d'assurances et les organismes gouvernementaux dont le fonctionnement tend à exiger de nombreux services réciproques.

Source: Jim GUROWKA, «Activity-Based Costing Software – The Market Explodes», *CMA Magazine*, vol. 71, n° 4 (mai 1997), p. 13-19.

En pratique, la méthode de répartition algébrique est rarement utilisée, et ce, pour deux raisons. En premier lieu, les calculs qu'elle requiert sont relativement complexes. Bien qu'il soit possible de surmonter ces difficultés à l'aide d'ordinateurs, il ne semble pas que l'utilisation de moyens informatiques ait rendu cette méthode plus populaire. En second lieu, la méthode de répartition séquentielle fournit d'ordinaire des résultats constituant des approximations aussi acceptables que ceux que permettrait d'obtenir la méthode de répartition algébrique. Par conséquent, les entreprises ont peu de raisons de choisir la plus compliquée des deux.

13

TABLEAU 13.4 La méthode de répartition algébrique

Administration de l'hôpital (AH)

AH = 360 000 $ + (1/6) SS

où AH représente le coût total de l'administration de l'hôpital à répartir entre les sections Service de sécurité, Laboratoire et Soins quotidiens aux patients. AH comprend les coûts directs du service de l'administration de l'hôpital, plus sa quote-part des coûts du service de sécurité (SS) — soit 1 000 m² sur un total de 6 000 m² (c'est-à-dire 1/6) — multipliés par le coût total de ce service.

Service de sécurité (SS)

SS = 90 000 $ + (6/54) AH

où SS représente le coût total du service de sécurité à répartir entre les sections Administration de l'hôpital, Laboratoire et Soins quotidiens aux patients. SS comprend les coûts directs du service de sécurité, plus sa quote-part des coûts du service de l'administration de l'hôpital (AH) — soit 6 000 h sur un total de 54 000 h (c'est-à-dire 6/54) — multipliés par le coût total de ce service.

Remplaçons SS dans l'équation du coût total de AH par sa valeur afin d'obtenir une seule variable inconnue qui permettra de résoudre l'équation.

$$AH = 360\ 000\ \$ + (1/6)\ [90\ 000\ \$ + (6/54)\ AH]$$
$$AH = 360\ 000\ \$ + 15\ 000\ \$ + (1/54)\ AH$$
$$1\ AH - (1/54)\ AH = 375\ 000\ \$$$
$$(53/54)\ AH = 375\ 000\ \$$$
$$AH = 382\ 076\ \$$$

Remplaçons maintenant AH dans l'équation du coût total de SS par sa valeur.

$$SS = 90\ 000\ \$ + (6/54)\ 382\ 076\ \$$$
$$SS = 132\ 453\ \$$$

Répartition des coûts entre les sections

	Sections auxiliaires		Sections principales		
	Administration de l'hôpital	Service de sécurité	Labo-ratoire	Soins quotidiens aux patients	Total
Coûts des sections avant répartition.................................	360 000 $	90 000 $	261 000 $	689 000 $	1 400 000 $
Répartition :					
Administration de l'hôpital (6/54, 18/54, 30/54)	(382 076)	42 453*	127 359	212 264	
Service de sécurité (1,0/6 ; 0,5/6 ; 4,5/6)......................	22 076**	(132 453)	11 038	99 339	
Total des coûts après répartition	-0- $	-0- $	399 397 $	1 000 603 $	1 400 000 $

* 382 076 $ × 6/54 = 42 453 $
** 132 453 $ × 1,0/6 = 22 076 $

Les sections auxiliaires qui ont des revenus

En conclusion de notre étude des méthodes de répartition des coûts, notons que même si la plupart des sections auxiliaires constituent des centres de coûts et, par conséquent, ne génèrent aucun revenu, quelques-unes d'entre elles, comme la cafétéria, peuvent faire payer les services qu'elles offrent. Les revenus qu'une section auxiliaire génère devraient servir à compenser ses coûts. Seul le montant net des coûts qui reste après cette opération, s'il y a lieu, devrait être attribué aux autres sections de l'organisation. Ainsi, ces sections n'auraient pas à supporter des coûts pour lesquels la section auxiliaire a déjà été remboursée.

La répartition des coûts des sections auxiliaires selon le comportement de ces coûts

Dans la mesure du possible, il faut diviser les coûts des sections auxiliaires en deux catégories, soit les coûts variables et les coûts fixes, et les répartir séparément. Cette façon de procéder permet d'éviter des injustices ou des inexactitudes dans la répartition, et de fournir des données utiles en vue de la planification et du contrôle des activités des sections.

Les coûts variables

Les coûts variables sont des coûts engagés pour la prestation de services. Ils varient au total en proportion des fluctuations du niveau de services fournis ou d'une fluctuation de toute autre unité d'œuvre (nombre d'unités, heures-machines, etc.). Le coût des aliments dans une cafétéria, par exemple, est un coût variable; on s'attend à ce qu'il varie en proportion du nombre de personnes qui la fréquentent.

En règle générale, les coûts variables devraient être attribués aux sections utilisatrices en fonction de l'activité la plus représentative du coût du service consommé. Si les coûts variables d'une section auxiliaire comme celle de l'entretien sont dus au nombre d'heures-machines effectuées dans les sections principales, on devrait les répartir entre ces sections en utilisant les heures-machines comme unité d'œuvre. Ainsi, les sections directement à l'origine de l'engagement de ces coûts de service devront les supporter au prorata de leur utilisation réelle du service rendu.

En théorie, dans l'attribution des coûts variables de service à des sections utilisatrices, il serait plus approprié de parler de *prix demandé* que de répartition puisque la section auxiliaire pourrait réclamer des sections utilisatrices un tarif fixe quelconque par unité de service fourni. En fait, la section auxiliaire réclame X dollars pour chaque unité de service que la section utilisatrice consomme. La section utilisatrice peut consommer autant ou aussi peu qu'elle le désire, le prix total à supporter variant en proportion. Les notions concernant le prix de cession interne peuvent s'appliquer ici.

Les coûts fixes

Les coûts fixes des sections auxiliaires représentent les coûts nécessaires pour rendre la capacité de production disponible. Ces coûts pourraient être répartis entre les sections utilisatrices sous forme de *sommes forfaitaires prédéterminées*, c'est-à-dire que les montants attribués à chaque section utilisatrice sont déterminés d'avance et qu'une fois déterminés, ils ne peuvent pas varier d'une période à une autre. Cette somme forfaitaire peut être basée sur la période de pointe de la section ou sur la moyenne à long terme de ses besoins en matière de services. Voici l'explication logique des répartitions sous forme de sommes forfaitaires de ce type.

Lorsqu'une section auxiliaire est mise sur pied, on doit déterminer sa capacité de production en fonction des besoins des sections auxquelles elle fournira des services. Cette capacité peut refléter les besoins des autres sections pendant les périodes de pointe ou la moyenne de leurs besoins en services à long terme, c'est-à-dire des besoins «normaux». Selon la capacité à fournir des services, il sera nécessaire d'engager des ressources qui se refléteront dans les coûts fixes de la section auxiliaire. Ces coûts fixes devraient être supportés par les sections utilisatrices au prorata de la quantité de capacité que chacune requiert. En d'autres termes, lorsque la capacité de production disponible de la section auxiliaire a été établie pour satisfaire les besoins des sections utilisatrices en période de pointe, alors les coûts fixes des sections auxiliaires devraient être répartis entre elles sous forme de sommes forfaitaires prédéterminées selon ce critère. Quand la capacité de production disponible a plutôt été établie de façon à satisfaire seulement des besoins «normaux» ou moyens à long terme, les coûts fixes devraient leur être attribués en tenant compte de ce fait.

Lorsque les répartitions sont établies, elles ne devraient pas varier d'une période à une autre, étant donné qu'elles représentent le coût d'un certain niveau de capacité de service mis à la disposition de chaque section utilisatrice, en tout temps. Le fait qu'une section utilisatrice n'ait pas besoin du même niveau de service à chaque période n'est pas important. Si elle a besoin de services de ce type à certains moments, la capacité de les lui fournir doit exister. La responsabilité de supporter le coût de cette disponibilité revient aux sections utilisatrices.

Pour illustrer ce principe, supposons que la société Novak vient de mettre sur pied une section Maintenance chargée de l'entretien de toutes les machines utilisées dans les sections principales Coupe, Montage et Finition. Après avoir déterminé la capacité de production de

13

la nouvelle section, exprimée en heures de travail d'entretien, les gestionnaires ont estimé les besoins en maintenance des sections principales dans les périodes de pointe.

Section	Besoins en maintenance en période de pointe (nombre d'heures de travail d'entretien requis)	Pourcentage du total des heures
Coupe	900	30 %
Montage	1 800	60 %
Finition	300	10 %
	3 000	100 %

Par conséquent, dans la répartition des coûts fixes de la section Maintenance entre les sections principales, on devrait en attribuer 30 % (900 h ÷ 3 000 h) à la section Coupe, 60 % à la section Montage et 10 % à la section Finition. Cette répartition par sommes forfaitaires *ne variera pas* d'une période à une autre, à moins qu'il y ait un changement dans les besoins en services en période de pointe.

Faut-il répartir les coûts réels ou les coûts prévus (budgétés)?

Doit-on répartir les coûts *réels* ou les coûts *budgétés* d'une section auxiliaire entre les sections principales? Il est généralement préférable d'utiliser les coûts prévus. Pourquoi les coûts réels sont-ils moins appropriés? Leur répartition impose aux sections principales tous les manques d'efficience de la section auxiliaire. Si les coûts réels sont répartis, un mauvais contrôle des coûts de la section auxiliaire par le gestionnaire responsable de cette section serait tout simplement masqué par une ventilation de routine entre les autres sections.

Tout écart par rapport aux coûts prévus devrait rester dans la section auxiliaire, et le gestionnaire de la section devrait justifier cet écart. L'évaluation de sa performance devrait tenir compte de sa capacité à contrôler les coûts de sa section. Si les écarts demeurent dans les comptes de dépenses de la section auxiliaire, cela facilite la tâche d'évaluation de la performance. Les gestionnaires des sections principales se plaignent avec raison lorsqu'ils sont obligés de composer avec les conséquences financières du manque d'efficience des sections auxiliaires. Une autre raison de répartir les coûts budgétés est que ces coûts, dans certains cas, servent à calculer un taux d'imputation prédéterminé des frais indirects dans les sections principales.

Un résumé des directives en matière de répartition des coûts

Pour résumer la matière vue dans les sections précédentes, voici trois principes à retenir concernant la répartition des coûts des sections auxiliaires.

1. Dans la mesure du possible, la distinction entre les coûts variables et les coûts fixes des sections auxiliaires doit être faite.
2. On doit répartir les coûts variables au taux prévu selon l'activité qui entraîne l'engagement du coût (nombres de kilomètres parcourus, d'heures de main-d'œuvre directe, d'employés, etc.).
   a) Si des répartitions sont effectuées au début de l'année, elles doivent être basées sur le niveau d'activité prévu pour les sections utilisatrices. La formule de répartition est la suivante:

$$\text{Coûts variables répartis au début de la période} = \text{Taux prévu} \times \text{Activité prévue}$$

b) Si des répartitions sont effectuées à la fin de l'année, elles devraient être basées sur le niveau réel d'activité enregistré au cours de l'année. La formule de répartition est la suivante :

$$\text{Coûts variables répartis à la fin de la période} = \text{Taux prévu} \times \text{Activité réelle}$$

Les répartitions effectuées au début de la période servent à fournir les données nécessaires au calcul des taux d'imputation prédéterminés des frais indirects en vue de l'établissement du coût de revient des produits et de la facturation des services dans les sections principales. Les répartitions effectuées en fin de période permettent entre autres de recueillir les données nécessaires à la comparaison entre la performance réelle et la performance prévue.

3. Les coûts fixes représentent les coûts du maintien d'une capacité de service. Lorsque c'est possible, ces coûts devraient être répartis sous forme de sommes forfaitaires prédéterminées. La somme forfaitaire attribuée à chaque section devrait être proportionnelle aux besoins en matière de services qui ont entraîné l'investissement en capacité dans cette section auxiliaire au départ. (Il peut s'agir de besoins en services en période de pointe ou de besoins moyens à long terme.) Il est préférable de répartir les coûts fixes prévus plutôt que réels.

L'application des principes en matière de répartition des coûts

Nous verrons maintenant, à l'aide d'exemples, comment appliquer les trois principes énoncés précédemment. Nous étudierons d'abord la répartition des coûts d'une seule section ; nous nous servirons ensuite d'un exemple plus complexe qui portera sur de multiples sections.

La répartition des coûts d'une section

OBJECTIF 4

Attribuer séparément les coûts variables et les coûts fixes des sections auxiliaires.

Le transporteur aérien Les Ailes du ciel compte deux sections principales, la section Fret et la section Passagers. L'entreprise n'a qu'une seule section auxiliaire Service d'entretien des avions pour les appareils des deux sections. Son budget prévoit des coûts variables d'entretien de 10 $ par heure de vol. Les coûts fixes de 750 000 $ du service d'entretien y sont calculés en fonction de la demande en période de pointe, laquelle se situe entre les congés de l'Action de grâce et du Nouvel An. La compagnie aérienne veut s'assurer que, pendant cette période, aucun de ses appareils ne reste au sol à cause d'un manque de disponibilité du matériel d'entretien. Au cours de cette période, environ 40 % de l'entretien est effectué dans la section Fret, et 60 % dans la section Passagers. Voici les heures de vol prévues pour la prochaine période.

Section	Pourcentage de la capacité requise en période de pointe	Heures de vol prévues
Fret...	40 %	9 000
Passagers...	60 %	15 000
	100 %	24 000

À l'aide de ces données, il est possible d'estimer comme suit les coûts qui seront attribués à chaque section en provenance du Service d'entretien des avions au début de la prochaine période.

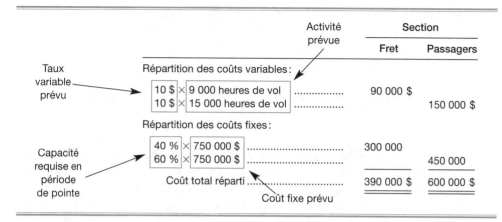

Comme nous l'avons expliqué, ces coûts répartis seraient inclus dans les budgets des différentes sections et ils seraient utilisés dans le calcul des taux d'imputation prédéterminés de leurs frais indirects.

À la fin de la période, la direction des Ailes du ciel pourrait vouloir procéder à une seconde répartition, basée cette fois sur l'activité réelle, dans le but de comparer la performance réelle de la période à celle prévue.

Les livres comptables à la fin de la période indiquent que les coûts réels du service d'entretien des avions étaient les suivants : 260 000 $ en coûts variables et 780 000 $ en coûts fixes. Une section a enregistré plus d'heures de vol que prévu au cours de la période, et l'autre en a enregistré moins, comme le montre le tableau suivant :

	Heures de vol	
Section	Prévues	Réelles
Fret	9 000	8 000
Passagers	15 000	17 000
	24 000	25 000

Le coût réel de la section auxiliaire attribué à chaque section pour la période se calcule comme suit :

	Activité réelle	Section	
		Fret	Passagers
Taux variable prévu → Répartition des coûts variables :			
10 $ × 8 000 heures de vol		80 000 $	
10 $ × 17 000 heures de vol			170 000 $
Répartition des coûts fixes :			
Capacité requise en période de pointe → 40 % × 750 000 $		300 000	
60 % × 750 000 $			450 000
Coût total réparti ← Coût fixe prévu		380 000 $	620 000 $

Notons que le coût variable des services d'entretien est attribué aux sections principales en fonction d'un tarif budgété (10 $ l'heure) et de l'*activité réelle* au cours de la période. Par contre, les montants relatifs aux coûts fixes sont exactement les mêmes qu'au début de la période. Notons aussi que l'on *n'attribue pas* aux deux sections principales les coûts réels de la section auxiliaire, qui pourraient varier selon l'efficience de cette section et échapper au contrôle des gestionnaires des sections principales. C'est plutôt la section auxiliaire qui doit assumer la responsabilité des coûts réels non répartis.

	Coûts variables	Coûts fixes
Total des coûts réels engagés	260 000 $	780 000 $
Moins: Coûts répartis (*page précédente*)	250 000*	750 000
Écart sur dépense défavorable – non réparti	10 000 $	30 000 $

* 10 $ par heure de vol × 25 000 heures de vol réelles = 250 000 $, ou 80 000 $ + 170 000 $ = 250 000 $

La répartition des coûts de plusieurs sections

Compact inc. compte trois sections auxiliaires: Entretien des immeubles, Cafétéria et Inspection. Elle comprend aussi deux sections principales, soit Façonnage et Assemblage. Les sections auxiliaires se rendent des services et en fournissent aussi aux sections de production (sections principales). Voici les types de coûts de ces sections et les unités d'œuvre utilisées pour leur répartition.

Section	Types de coûts	Unités d'œuvre utilisées pour la répartition
Entretien des immeubles	Coûts fixes	Mètres carrés occupés
Cafétéria	Coûts variables Coûts fixes	Nombre d'employés 10 % à l'inspection, 40 % au façonnage et 50 % à l'assemblage
Inspection	Coûts variables Coûts fixes	Heures de main-d'œuvre directe 70 % au façonnage et 30 % à l'assemblage

Compact inc. répartit les coûts de ses sections auxiliaires en se servant de la méthode de répartition séquentielle, dans l'ordre suivant: 1) Entretien des immeubles; 2) Cafétéria; 3) Inspection.

Voici les coûts budgétés et des données sur les activités d'exploitation pour l'année.

Section	Coûts variables	Coûts fixes
Entretien des immeubles	–	130 000 $
Cafétéria	200 $ par employé	250 000 $
Inspection	0,06 $ par heure de main-d'œuvre directe	548 000 $

Section	Nombre d'employés	Heures de main-d'œuvre directe	Mètres carrés d'espace occupé
Entretien des immeubles	6	–	300
Cafétéria	9	–	400
Inspection	30	–	100
Façonnage	190	300 000	800
Assemblage	250	500 000	1 300
	485	800 000	2 900

Outre les coûts des sections auxiliaires qui sont indiqués ci-dessus, les gestionnaires prévoient des frais indirects de 1 340 000 $ pour la section Façonnage et de 1 846 000 $ pour la section Assemblage.

Les répartitions des coûts des sections auxiliaires entre les sections principales sont représentées au tableau 13.5 (*page suivante*). Dans la première partie, les coûts variables des

13

TABLEAU 13.5 La répartition des coûts en début de période en vue d'établir les taux d'imputation prédéterminés des frais indirects (méthode de répartition séquentielle)

COMPACT INC.
Répartition des coûts en début de période en vue d'établir
les taux d'imputation prédéterminés des frais indirects

	Sections auxiliaires			Sections principales	
	Entretien des immeubles	Cafétéria	Inspection	Façonnage	Assemblage
Coûts variables à répartir	-0- $	94 000 $	42 000 $		
Répartition des coûts de la section Cafétéria, à 200 $ par employé :					
30 employés × 200 $		(6 000)	6 000		
190 employés × 200 $		(38 000)		38 000 $	
250 employés × 200 $		(50 000)			50 000 $
Répartition des coûts de la section Inspection, à 0,06 $ par heure de main-d'œuvre directe :					
300 000 HMOD × 0,06 $			(18 000)	18 000	
500 000 HMOD × 0,06 $			(30 000)		30 000
Total des coûts variables après répartition	-0-	-0-	-0-	56 000	80 000
Coûts fixes à répartir	130 000	250 000	548 000		
Répartition des coûts de la section Entretien des immeubles, à 50 $ par mètre carré* :					
400 m² × 50 $	(20 000)	20 000			
100 m² × 50 $	(5 000)		5 000		
800 m² × 50 $	(40 000)			40 000	
1 300 m² × 50 $	(65 000)				65 000
Répartition des coûts de la section Cafétéria** :					
10 % × 270 000 $		(27 000)	27 000		
40 % × 270 000 $		(108 000)		108 000	
50 % × 270 000 $		(135 000)			135 000
Répartition des coûts de la section Inspection*** :					
70 % × 580 000 $			(406 000)	406 000	
30 % × 580 000 $			(174 000)		174 000
Total des coûts fixes après répartition	-0-	-0-	-0-	554 000	374 000
Total des coûts répartis	-0- $	-0- $	-0- $	610 000 $	454 000 $
Autres coûts du budget flexible au niveau d'activité prévu				1 340 000 $	1 846 000 $
Total des frais indirects, a)				1 950 000 $	2 300 000 $
Heures de main-d'œuvre directe budgétées, b)				300 000	500 000
Taux d'imputation prédéterminé des frais indirects par heure de main-d'œuvre directe, a) ÷ b)				6,50 $	4,60 $

* Mètres carrés d'espace	2 900 m²
Moins : Espace réservé à la section Entretien des immeubles	300
Espace net pour la répartition	2 600 m²

$$\frac{\text{Coûts fixes de la section Entretien des immeubles, 130 000 \$}}{\text{Espace net pour la répartition, 2 600 m}^2} = 50 \text{ \$ par m}^2$$

** Coûts fixes de la section Cafétéria	250 000 $
Coûts attribués en provenance de la section Entretien des immeubles	20 000
Coût total à répartir	270 000 $

Les pourcentages de répartition sont indiqués à la page précédente.

*** Coûts fixes de la section Inspection	548 000 $
Coûts attribués en provenance de la section Entretien des immeubles	5 000
Coûts alloués en provenance de la section Cafétéria	27 000
Coût total à répartir	580 000 $

Les pourcentages de répartition sont indiqués à la page précédente.

sections auxiliaires sont attribués aux différentes sections à l'aide de la méthode de répartition séquentielle, des taux prévus et du niveau d'activité prévu.

Par exemple, le coût variable de la section Cafétéria se chiffre à 200 $ par employé, de sorte que la section Inspection, qui compte 30 employés, se voit assigner 6 000 $ de ce coût. Dans la deuxième partie du tableau 13.5, on répartit les coûts fixes des sections auxiliaires en commençant par ceux de la section Entretien des immeubles. Les mètres carrés d'espace occupé par chaque autre section servent d'unité d'œuvre. On répartit ensuite les coûts fixes des sections Cafétéria et Inspection en se basant sur les pourcentages d'utilisation. Après avoir effectué la ventilation des coûts fixes et des coûts variables des sections auxiliaires, on calcule les taux d'imputation prédéterminés des frais indirects pour les deux sections principales au bas du tableau.

L'effet des répartitions sur les sections principales

Lorsque les répartitions sont effectuées, comme on le constate dans l'exemple présenté au tableau 13.5, les sections principales doivent déterminer des taux d'imputation prédéterminés des frais indirects dans le but d'établir le coût de revient des produits ou des services. Les coûts répartis sont combinés aux autres coûts des sections principales, et le total sert de base aux calculs de ces taux. Ce processus de détermination du taux est illustré à la figure 13.2.

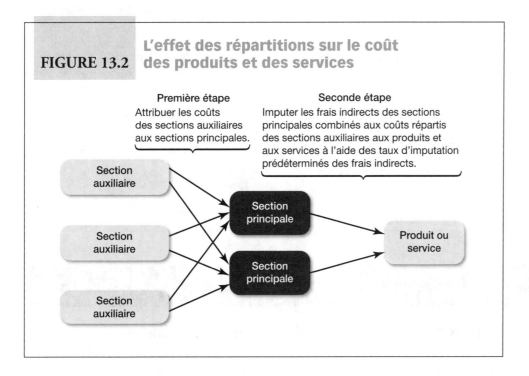

FIGURE 13.2 L'effet des répartitions sur le coût des produits et des services

Première étape
Attribuer les coûts des sections auxiliaires aux sections principales.

Seconde étape
Imputer les frais indirects des sections principales combinés aux coûts répartis des sections auxiliaires aux produits et aux services à l'aide des taux d'imputation prédéterminés des frais indirects.

Section auxiliaire

Section auxiliaire

Section auxiliaire

Section principale

Section principale

Produit ou service

Le budget flexible constitue un moyen de combiner les coûts répartis en provenance des sections auxiliaires avec ceux des sections principales (ou sections de production) et de calculer les taux d'imputation prédéterminés des frais indirects. Vous en avez un autre exemple au tableau 13.6 (*page suivante*). Notons que, dans ce tableau, des coûts variables et des coûts fixes engagés par des sections auxiliaires ont été attribués à la section Fraisage de la société Ultra et qu'ils sont inclus dans le budget flexible de cette section. Comme les coûts répartis des sections auxiliaires deviennent partie intégrante du budget flexible, ils sont automatiquement compris dans les calculs des taux d'imputation prédéterminés des frais indirects, comme vous pouvez le constater au bas du tableau.

TABLEAU 13.6	Un budget flexible comprenant les répartitions des coûts des sections auxiliaires

ULTRA
Budget flexible – section Fraisage

Heures de main-d'œuvre directe
(HMOD) prévues 50 000

Frais indirects	Formule de coûts (par heure de main-d'œuvre directe)	Heures de main-d'œuvre directe		
		40 000	50 000	60 000
Frais indirects variables :				
Main-d'œuvre indirecte.....................	1,45 $	58 000 $	72 500 $	87 000 $
Matière indirecte..............................	0,90	36 000	45 000	54 000
Services publics	0,10	4 000	5 000	6 000
Répartition – Cafétéria*....................	0,15	6 000	7 500	9 000
Total des frais indirects variables...	2,60 $	104 000	130 000	156 000
Frais indirects fixes :				
Amortissement.................................		85 000	85 000	85 000
Salaires des contremaîtres		110 000	110 000	110 000
Impôt foncier		9 000	9 000	9 000
Répartition – Cafétéria*....................		21 000	21 000	21 000
Répartition – Ressources humaines*.		45 000	45 000	45 000
Total des frais indirects fixes		270 000	270 000	270 000
Total des frais indirects.........................		374 000 $	400 000 $	426 000 $

$$\text{Taux d'imputation prédéterminé des frais indirects} = \frac{400\ 000\ \$}{50\ 000\ \text{HMOD}} = 8\ \$ \text{ par heure de main-d'œuvre directe}$$

* Données provenant d'une répartition des coûts des sections auxiliaires

---

Quelques mises en garde concernant la répartition des coûts des sections auxiliaires

Les pièges de la répartition des coûts fixes

Plutôt que de répartir les coûts fixes sous forme de sommes forfaitaires prédéterminées, certaines entreprises préfèrent se servir d'une unité d'œuvre *variable* qui change selon la période. Cette pratique peut dénaturer des décisions et entraîner de graves inégalités entre les sections. Ces inégalités découlent du fait que les coûts fixes attribués à une section seront fortement influencés par ce qui se passe dans *d'autres* sections ou unités d'exploitation de l'organisation.

Un exemple permettra de mieux comprendre cette observation. Supposons que la société Produits Kolby possède un service qui s'occupe de l'entretien du parc automobile dans les deux territoires de vente de l'entreprise. Les coûts de ce service sont tous fixes. Contrairement à ce qui est recommandé, l'entreprise répartit ces coûts fixes entre les secteurs de vente en fonction du nombre de kilomètres parcourus (une unité d'œuvre variable). Voici quelques données sur les coûts de ses deux dernières périodes.

	Période 1	Période 2
Coûts du service (tous fixes), a)...	120 000 $	120 000 $
Secteur de vente de l'Ouest – kilomètres parcourus...............	1 500 000	1 500 000
Secteur de vente de l'Est – kilomètres parcourus	1 500 000	900 000
Total des kilomètres parcourus, b)..	3 000 000	2 400 000
Taux d'imputation par kilomètre, a) ÷ b)	0,04 $	0,05 $

Notons que le secteur de vente de l'Ouest a conservé un niveau d'activité de 1 500 000 kilomètres parcourus par période. Par contre, le secteur de vente de l'Est a laissé son niveau d'activité passer de 1 500 000 kilomètres au cours de la première période à seulement 900 000 kilomètres au cours de la seconde période. Les coûts du service seraient alors répartis de la façon suivante entre les deux secteurs de vente pour chacune des deux périodes en fonction du nombre de kilomètres réellement parcourus comme unité d'œuvre.

Période 1 :	
Secteur de vente de l'Ouest (1 500 000 km à 0,04 $/km)..................................	60 000 $
Secteur de vente de l'Est (1 500 000 km à 0,04 $/km)	60 000
Coût total réparti..	120 000 $
Période 2 :	
Secteur de vente de l'Ouest (1 500 000 km à 0,05 $/km)..................................	75 000 $
Secteur de vente de l'Est (900 000 km à 0,05 $/km)	45 000
Coût total réparti..	120 000 $

Pour la première période, on a réparti les coûts de la section auxiliaire également entre les deux secteurs de vente. Pour la seconde période, par contre, la plus grande partie de ces coûts a été attribuée au secteur de vente de l'Ouest. Cette inégalité est due non pas au fait que le niveau d'activité a augmenté dans le secteur de vente de l'Ouest, mais plutôt au fait qu'il a *diminué* dans celui de l'Est. Bien que le secteur de l'Ouest ait maintenu le même niveau d'activité pendant deux ans, il est pénalisé par l'utilisation d'une unité d'œuvre variable qui lui attribue un coût plus élevé au cours de la seconde période que lors de la première période à cause de ce qui s'est passé *ailleurs* dans l'entreprise.

Ce type d'inégalité est presque inévitable lorsqu'une unité d'œuvre variable est utilisée pour répartir des coûts fixes. Le gestionnaire du secteur de vente de l'Ouest sera sans doute contrarié de l'injustice subie par son secteur, et il se sentira impuissant à y remédier. Il ne peut que perdre confiance dans le système de répartition des coûts et éprouver beaucoup d'amertume.

Le danger du choix du chiffre d'affaires comme unité d'œuvre

Pendant des années, le chiffre d'affaires a constitué l'une des unités d'œuvre favorites des entreprises pour la répartition des coûts des sections auxiliaires. Cet engouement est attribuable en partie au fait qu'il s'agit d'une unité d'œuvre accessible et facile à utiliser. En outre, les gens ont tendance à considérer le chiffre d'affaires comme une mesure de la prospérité ou de la « capacité de payer » et, par conséquent, du degré de capacité des sections d'une organisation d'absorber des coûts.

Malheureusement, le chiffre d'affaires constitue souvent une piètre unité d'œuvre parce qu'il varie selon la période, tandis que les coûts à répartir sont d'ordinaire *fixes* par nature. Comme nous l'avons vu, l'emploi d'une unité d'œuvre variable pour ventiler des coûts fixes peut entraîner des inégalités entre des sections puisque les coûts attribués à chacune dépendent alors surtout de ce qui se passe dans *d'autres* sections. Par exemple, un ralentissement de l'effort de vente dans une section déplacera la

13

charge des coûts répartis de cette section vers d'autres plus productives qu'elle. De fait, les sections déployant le plus d'efforts de vente sont désavantagées par des montants de répartition plus élevés simplement à cause de manques d'efficience ailleurs dans l'organisation, qui échappent au contrôle de leurs gestionnaires. Par ailleurs, le chiffre d'affaires n'est pas nécessairement représentatif du service consommé par une section. Par exemple, une section principale pourrait utiliser intensivement les services de maintenance parce que son matériel est désuet alors qu'elle génère un chiffre d'affaires peu élevé.

Considérons la situation ci-après.

EXEMPLE

Un grand magasin de vêtements pour hommes compte une section auxiliaire et trois sections de vente : Complets, Chaussures et Accessoires. Les coûts de la section auxiliaire s'élèvent à 60 000 $ par période et sont répartis entre les trois sections de vente en fonction de leur chiffre d'affaires. Voici la répartition de ces coûts pour une période récente.

| | Section | | | |
	Complets	Chaussures	Accessoires	Total
Chiffre d'affaires	260 000 $	40 000 $	100 000 $	400 000 $
Pourcentage du chiffre d'affaires total.................................	65 %	10 %	25 %	100 %
Répartition des coûts de la section auxiliaire en fonction du pourcentage du chiffre d'affaires total.................................	39 000 $	6 000 $	15 000 $	60 000 $

Au cours d'une période subséquente, le directeur de la section Complets a mis sur pied un plan d'action pour augmenter les ventes de sa section de 100 000 $, et ses efforts ont été couronnés de succès. Dans les deux autres sections, les ventes sont restées au même niveau. Les coûts de la section auxiliaire sont aussi demeurés identiques, mais leur répartition a beaucoup changé. Voici cette répartition.

| | Section | | | |
	Complets	Chaussures	Accessoires	Total
Chiffre d'affaires	360 000 $	40 000 $	100 000 $	500 000 $
Pourcentage du chiffre d'affaires total.................................	72 %	8 %	20 %	100 %
Répartition des coûts de la section auxiliaire en fonction du pourcentage du chiffre d'affaires total.................................	43 200 $	4 800 $	12 000 $	60 000 $
Augmentation (ou diminution) par rapport à la répartition précédente.................................	4 200 $	(1 200) $	(3 000) $	—

Le directeur de la section Complets s'est plaint du fait qu'après avoir réussi à accroître les ventes de sa section, il a été obligé de supporter une plus grande partie des coûts de la section auxiliaire. Par contre, les directeurs des autres sections, qui n'ont pas amélioré leurs ventes, ont vu leur part des coûts diminuer par rapport aux périodes précédentes. Or, la quantité de services fournis aux différentes sections n'avait pas varié.

Le directeur de la section Complets a donc considéré l'augmentation de la part des coûts de sa section en provenance de la section auxiliaire comme une «punition» pour son excellent rendement. Il ne pouvait que se demander si ses efforts avaient vraiment été appréciés par la direction générale!

Le chiffre d'affaires devrait être utilisé en guise d'unité d'œuvre uniquement lorsqu'il existe une relation causale directe entre cette donnée et les coûts des sections auxiliaires que l'on cherche à répartir. Dans les situations où les coûts des sections auxiliaires sont fixes, il faudrait les répartir conformément aux trois directives énoncées aux pages 736 et 737.

L'absence de distinction entre les coûts fixes et les coûts variables

Malheureusement, un grand nombre d'entreprises ne font aucune distinction entre les coûts fixes et les coûts variables dans la répartition des coûts de leurs sections auxiliaires. Nous avons vu un exemple de ce type de répartition au tableau 13.3 (*p. 732*), lorsque nous avons présenté notre analyse de la méthode de répartition séquentielle.

Les coûts devraient-ils être répartis ?

En règle générale, les coûts engagés par une section auxiliaire en vue de la prestation de services particuliers à des sections principales devraient être attribués en retour à ces dernières. Les objectifs de l'attribution des coûts des sections auxiliaires aux sections principales sont multiples. La détermination d'un taux d'imputation prédéterminé des frais indirects, qui permettra de calculer le coût complet des produits et services, est un des objectifs. La prise en compte de toutes les ressources nécessaires à la fabrication d'un produit ou à la prestation d'un service dans la détermination de son coût complet permet d'évaluer sa rentabilité ou d'aider le gestionnaire à prendre des décisions comme la fixation du prix de vente. Un autre objectif est de permettre d'évaluer la performance des sections principales. Elles utilisent les ressources des sections auxiliaires pour, à leur tour, rendre des services ou fabriquer des produits. Le coût d'utilisation de ces ressources doit faire partie de leur coût total d'exploitation, et les gestionnaires qui dirigent les sections principales ont la responsabilité de contrôler la totalité de ces coûts. Si les coûts des sections auxiliaires ne sont pas attribués aux sections principales, cela revient à dire que ces sections utilisent des ressources qui ont un coût nul. L'évaluation de la performance est alors rendue plus difficile, surtout lorsqu'on compare les sections entre elles ou avec des unités concurrentes. Par ailleurs, la gratuité d'une ressource n'incite pas les utilisateurs à faire une utilisation efficiente de cette dernière. Ainsi, un autre objectif de l'attribution des coûts des sections auxiliaires aux sections principales est de sensibiliser les utilisateurs des services aux coûts des ressources consommées afin de favoriser une utilisation efficiente de ces ressources.

Dans certains cas, la direction peut juger que répartir les coûts des sections auxiliaires aurait pour résultat des comportements indésirables de la part des gestionnaires des sections principales. Par exemple, lorsque la direction fait pression sur les responsables de sections pour qu'ils réduisent leurs coûts, ils peuvent hésiter à utiliser les services des analystes de conception de systèmes et des experts-conseils internes à cause des coûts que de telles consultations entraînent.

Pour éviter de décourager l'utilisation d'un service dont profiterait l'ensemble de l'organisation, certaines entreprises préfèrent n'exiger aucun paiement pour sa prestation. Leurs dirigeants pensent que si de tels services sont offerts gratuitement, les sections auront davantage tendance à en profiter au maximum.

D'autres gestionnaires d'entreprises abordent la question d'une manière différente. Tout en reconnaissant qu'imposer des frais en fonction de l'utilisation de services tels que la conception de systèmes peut en décourager l'emploi, ils insistent sur le fait que ces services ne devraient pas être gratuits. Ils imposent donc à chaque section des frais fixes chaque année, quelle que soit son utilisation des services. Sachant que sa section devra débourser un montant donné pour des services de conception de systèmes, *qu'il y ait recours ou non*, le gestionnaire sera davantage porté à en tirer profit. Cette approche comporte cependant un risque, soit que le service, pour lequel la section paie un montant fixe, soit utilisé plus que nécessaire. Il faut donc trouver un équilibre entre le désir de faire payer les utilisateurs pour les services qu'ils consomment et la réduction de comportements indésirables. L'utilisation d'indicateurs de performance multiples pour évaluer la performance des sections pourrait contribuer à atteindre cet équilibre.

L'attribution des coûts communs de fabrication aux produits conjoints

OBJECTIF 5

Répartir les coûts communs de fabrication entre les coproduits et les sous-produits.

Dans plusieurs entreprises, un processus commun de transformation des matières premières peut être utilisé pour la fabrication de plusieurs produits. Deux ou plusieurs produits fabriqués à partir des mêmes matières premières et qui passent par les mêmes étapes de production jusqu'à un point de séparation donné sont appelés *produits conjoints*. Les coûts engagés pour la fabrication de ces produits conjoints jusqu'au point de séparation portent le nom de *coûts communs de fabrication* ou de *coûts conjoints de fabrication*. Après un point de séparation donné, les produits peuvent subir, séparément, des transformations additionnelles avant d'être vendus. Nous avons étudié les notions relatives à la prise de décisions concernant la transformation additionnelle de certains produits conjoints au chapitre 12. Dans le présent chapitre, nous examinerons divers concepts de répartition des coûts communs de fabrication entre les produits conjoints.

Les objectifs de la répartition des coûts communs de fabrication entre les produits conjoints

La répartition des coûts communs de fabrication poursuit plusieurs objectifs :

1. Déterminer le coût de fabrication unitaire des produits et le coût des ventes afin d'établir des rapports financiers internes qui peuvent servir à évaluer la performance de diverses sections de production, des responsables de ces sections, et des produits et services.

2. Établir la valeur des produits à réclamer à un assureur à la suite d'un incendie, d'un vol ou de tout autre événement fâcheux, ou le montant à réclamer dans le cadre de tout litige avec une tierce partie.

3. Déterminer le prix de vente d'un produit ou d'un service régi par un organisme de réglementation. Les coûts communs de fabrication peuvent faire partie du coût total de production utilisé par l'organisme de réglementation pour fixer le prix du produit ou du service.

4. Établir le montant payé par un client pour un produit ou un service dans le contexte d'un prix de vente spécifié par contrat qui est basé sur la méthode du coût plus une marge de profit. Ce type de contrat est courant dans le cas des entreprises qui font affaire avec des agences gouvernementales.

5. Déterminer la valeur des produits en cours, des produits finis et du coût des ventes afin d'établir les états financiers à usage général.

Les méthodes de répartition des coûts communs de fabrication entre les produits conjoints

Comme nous l'avons mentionné, les coûts communs de fabrication sont les coûts engagés pour fabriquer deux produits ou plus à partir d'un même processus de fabrication et des mêmes matières premières. À partir d'un point de séparation donné, on distinguera plusieurs produits différents. Lorsque l'importance relative ou encore lorsque la valeur de marché d'un ou de plusieurs produits conjoints est élevée, il sera alors question de **coproduits** ou de **produits principaux**. Les produits qui ont une importance relative ou une valeur de marché faible sont considérés comme des **sous-produits**.

Coproduits (ou produits principaux)

Produits conjoints dont l'importance relative ou la valeur de marché est élevée.

Sous-produits

Produits conjoints dont l'importance relative ou la valeur de marché est faible.

Pour la répartition des coûts communs de fabrication aux coproduits, deux approches seront présentées.

1. L'approche basée sur la répartition des coûts communs de fabrication en fonction de la valeur de marché des coproduits. Trois méthodes de répartition seront vues.
   a) La valeur de marché au point de séparation.
   b) La valeur de marché théorique au point de séparation.
   c) La valeur de réalisation nette, majorée d'un pourcentage de marge brute.

2. L'approche basée sur la répartition des coûts communs de fabrication en fonction des mesures matérielles (nombre d'unités, de kilogrammes, de mètres carrés, etc.).

Pour la répartition des coûts communs de fabrication entre les sous-produits, il existe également deux approches.

1. Des coûts communs de fabrication sont attribués aux sous-produits au moment de leur fabrication en se basant sur leur valeur de réalisation nette.

2. Aucun coût commun de fabrication n'est attribué aux sous-produits au moment de leur fabrication, et le produit de leur vente est comptabilisé en réduction du coût des ventes ou comme revenu.

L'exemple ci-après servira à illustrer les diverses approches de répartition des coûts communs de fabrication entre les coproduits et les sous-produits. Dans la première partie, nous examinerons le cas de Fabolait, une entreprise de transformation de produits laitiers qui, après la pasteurisation et l'écrémage du lait dans un premier atelier de fabrication, peut transférer le lait et la crème obtenus dans deux autres ateliers où ils subiront des traitements additionnels. Ces traitements complémentaires permettent la production de deux coproduits, soit le yogourt et le beurre. Dans la deuxième partie, nous considérerons que Fabolait obtient au point de séparation, en plus de ses deux coproduits, un sous-produit appelé *petit-lait*, qui a une faible valeur de marché.

La répartition des coûts communs de fabrication entre les coproduits

La figure 13.3 présente le processus de fabrication de Fabolait et des données d'exploitation du mois d'avril 20X1.

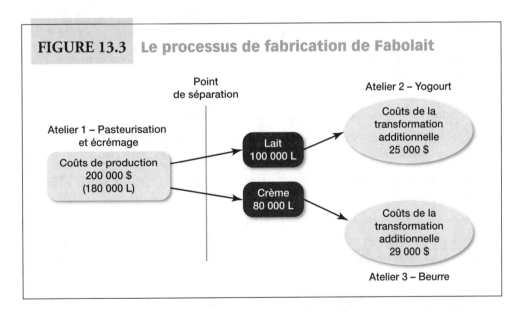

FIGURE 13.3 Le processus de fabrication de Fabolait

Le lait et la crème obtenus après le point de séparation peuvent être vendus tels quels sur le marché. L'entreprise peut aussi effectuer des traitements additionnels qui permettront d'offrir aux clients du yogourt et du beurre. Les clients de Fabolait achètent le yogourt et le beurre en contenants de 25 litres qu'ils conditionnent dans des formats appropriés au marché d'alimentation. Voici les prix de vente des divers produits de Fabolait.

	Par litre
Lait	1,60 $
Crème	3,00
Yogourt	2,50
Beurre	3,80

13

L'approche basée sur la répartition des coûts communs de fabrication en fonction de la valeur de marché des coproduits

La valeur de marché au point de séparation

Lorsque des coproduits *peuvent être* vendus immédiatement après le point de séparation, c'est-à-dire qu'*il y a un marché* pour ces produits à ce stade de leur développement, la valeur de marché au point de séparation peut être utilisée pour répartir les coûts communs de fabrication entre les coproduits. La répartition des coûts selon cette méthode est illustrée ci-après.

	Crème	Lait	Total
Quantité produite en litres, a)	80 000	100 000	180 000
Prix de vente par litre, b)	3,00 $	1,60 $	
Valeur de marché au point de séparation, a) × b)........	240 000 $	160 000 $	400 000 $
Proportion relative de chaque coproduit*....................	60 %	40 %	
Répartition des coûts communs de fabrication**.........	120 000 $	80 000 $	200 000 $

* Crème : 240 000 $ ÷ 400 000 $ = 60 % ; lait : 160 000 $ ÷ 400 000 $ = 40 %
** Crème : 200 000 $ × 60 % = 120 000 $; lait : 200 000 $ × 40 % = 80 000 $

L'état des résultats ci-dessous présente la marge brute générée par la vente du beurre et du yogourt selon une répartition des coûts communs de fabrication utilisant la valeur de marché au point de séparation.

	Beurre	Yogourt	Total
Ventes*	304 000 $	250 000 $	554 000 $
Moins : Coût des ventes :			
Coûts communs de fabrication répartis	120 000	80 000	200 000
Coûts de la transformation additionnelle.............	29 000	25 000	54 000
Marge brute	155 000 $	145 000 $	300 000 $
Pourcentage de marge brute	50,98 %	58 %	54,1516 %

* Beurre : 80 000 L × 3,80 $ = 304 000 $; yogourt : 100 000 L × 2,50 $ = 250 000 $

Le coût de production unitaire de chaque coproduit après la transformation additionnelle est présenté ci-dessous.

	Beurre	Yogourt	Total
Coûts communs de fabrication répartis...................	120 000 $	80 000 $	200 000 $
Coûts de la transformation additionnelle	29 000	25 000	54 000
Coût total, a)	149 000 $	105 000 $	254 000 $
Litres produits, b)	80 000	100 000	180 000
Coût unitaire de fabrication par litre, a) ÷ b)............	1,86 $	1,05 $	

La valeur de marché théorique au point de séparation (ou méthode de la valeur de réalisation nette)

Lorsque des coproduits *ne peuvent pas* être vendus immédiatement après le point de séparation, c'est-à-dire qu'il n'y a *aucun marché* pour ces produits à ce stade de leur développement, la valeur de marché théorique au point de séparation peut être utilisée pour répartir les coûts communs de fabrication entre les coproduits. Une valeur de marché